KT-404-837

Le Routard

Irlande

Directeur de collection et auteur
Philippe GLOAGUEN

Cofondateurs
Philippe GLOAGUEN
et Michel DUVAL

Rédacteur en chef
Pierre JOSSE

Rédacteurs en chef adjoints
Amanda KERAVEL
et Benoît LUCCHINI

Directrice de la coordination
Florence CHARMETANT

Directrice administrative
Bénédicte GLOAGUEN

Direction éditoriale
Catherine JULHE

Rédaction
Isabelle AL SUBAIHI
Mathilde de BOISGROLLIER
Thierry BROUARD
Marie BURIN des ROZIERS
Véronique de CHARDON
Gavin's CLEMENTE-RUÏZ
Fiona DEBRABANDER
Anne-Caroline DUMAS
Géraldine LEMAUF-BEAUVOIS
Olivier PAGE
Alain PALLIER
Anne POINSOT
André PONCELET

Administration
Carole BORDES
Solenne DESCHAMPS

2013

hachette

Remarque importante aux hôteliers et restaurateurs

Les enquêteurs du *Routard* travaillent dans le plus strict anonymat. Aucune réduction, aucun avantage quelconque, aucune rétribution n'est jamais demandé en contrepartie. Face aux aigrefins, la loi autorise les hôteliers et restaurateurs à porter plainte.

Avis aux lecteurs

Le *Routard,* ce n'est pas comme le bon vin, il vieillit mal. On ne veut pas pousser à la consommation, mais évitez de partir avec une édition ancienne. Les modifications sont souvent importantes.
Les réductions accordées à nos lecteurs ne sont jamais demandées par nos rédacteurs afin de préserver leur anonymat. Les hôteliers et restaurateurs sont sollicités par une société de mailing, totalement indépendante de la rédaction, qui reste donc libre de ses choix. De même pour les autocollants et plaques émaillées.

routard.com, le voyage à portée de clics !

✓ Rejoignez la plus grande communauté francophone de voyageurs : plus de **2 millions** de visiteurs !

✓ Échangez avec les routarnautes : forums, photos, avis sur les hôtels...

✓ Retrouvez aussi toutes les informations actualisées pour choisir et préparer vos voyages : plus de 200 fiches pays, une centaine de dossiers pratiques et un magazine en ligne pour découvrir tous les secrets de votre destination.

✓ Enfin, comparez les offres pour organiser et réserver votre voyage au meilleur prix.

Pour que votre pub voyage autant que nos lecteurs,
contactez nos régies publicitaires :
• *fbrunel@hachette-livre.fr* •
• *veronique@routard.com* •

Pictogrammes du *Routard*

Établissements

- Hôtel, auberge, chambre d'hôtes
- Camping
- Restaurant
- Boulangerie, sandwicherie
- Glacier
- Café, salon de thé
- Café, bar
- Bar musical
- Club, boîte de nuit
- Salle de spectacles
- Office de tourisme
- Poste
- Boutique, magasin, marché
- Accès internet

Sites

- Plage
- Site de plongée
- Piste cyclable, parcours à vélo

Transports

- Aéroport
- Gare ferroviaire
- Gare routière, arrêt de bus
- Station de métro
- Station de tramway
- Parking
- Taxi
- Taxi collectif
- Bateau
- Bateau fluvial

Attraits et équipements

- Présente un intérêt touristique
- Recommandé pour les enfants
- Adapté aux personnes handicapées
- Ordinateur à disposition
- Connexion wifi
- Inscrit au Patrimoine mondial de l'Unesco

Mille excuses, on ne peut plus répondre individuellement aux centaines de CV reçus chaque année.

Le *Routard* est imprimé sur un papier issu de forêts gérées.

© **HACHETTE LIVRE (Hachette Tourisme), 2013**
Tous droits de traduction, de reproduction et d'adaptation réservés pour tous pays.
© **Cartographie** Hachette Tourisme.

I.S.B.N. 978-2-01-245580-1

TABLE DES MATIÈRES

COMMENT Y ALLER ?

IRLANDE UTILE

HOMMES, CULTURE, ENVIRONNEMENT

DUBLIN ET SES ENVIRONS

AU NORD DE DUBLIN

LES MONTS WICKLOW

À L'OUEST DES MONTS WICKLOW

LA CÔTE SUD À l'EST DE CORK

SUR LA ROUTE DE WATERFORD (PAR BALLYHACK)

VERS LES COMTÉS DE KILKENNY ET DE TIPPERARY

RETOUR SUR LA CÔTE

LA CÔTE SUD À L'OUEST DE CORK

DE KINSALE À SKIBBEREEN

DE SKIBBEREEN À GLENGARRIFF

LE RING OF KERRY

DE LA PÉNINSULE DE DINGLE AU SHANNON

VISITE DE LA PÉNINSULE

DE TRALEE À LIMERICK

LE COMTÉ DE CLARE

LA CÔTE OUEST DU COMTÉ DE CLARE

LA RÉGION DU BURREN

LES ÎLES D'ARAN (OILEÁIN ÁRANN)

LE SUD DU COMTÉ DE GALWAY

LE CONNEMARA

DE GALWAY À CLIFDEN PAR LA CÔTE

DE GALWAY À CLIFDEN PAR LES TWELVE BENS

DE CLIFDEN À LEENANE

LES COMTÉS DE MAYO ET DE SLIGO

LE SUD DE SLIGO

LE DONEGAL

L'IRLANDE DU NORD (ULSTER)

LE NORD-EST : CÔTES ET *GLENS* (VALLÉES)

BELFAST ET SES ENVIRONS

LE SUD-EST : DE LA PÉNINSULE D'ARDS À ARMAGH

L'OUEST : D'ENNISKILLEN AUX SPERRIN MOUNTAINS

Recommandation à nos lecteurs qui souhaitent profiter des réductions et avantages proposés dans le *Routard* par les hôteliers et les restaurateurs : à l'hôtel, prenez la précaution de les demander **à l'arrivée** et, au restaurant, **au moment** de la commande (pour les apéritifs) et surtout **avant** l'établissement de l'addition. Poser votre *Routard* sur la table ne suffit pas : le personnel de salle n'est pas toujours au courant et une fois le ticket de caisse imprimé, il est difficile pour votre hôte d'en modifier le contenu. En cas de doute, montrez la notice relative à l'établissement dans le guide et ne manquez pas de nous faire part de toute difficulté rencontrée.

NOUVEAU ET IMPORTANT : DERNIÈRE MINUTE

Sauf exception, le *Routard* bénéficie d'une parution annuelle à date fixe. Entre deux dates, des événements fortuits (formalités, taux de change, catastrophes naturelles, conditions d'accès aux sites, fermetures inopinées, etc.) peuvent modifier vos projets de voyage. Pour éviter les déconvenues, nous vous recommandons de consulter la rubrique « Guide » par pays de notre site • ***routard.com*** • et plus particulièrement les dernières ***Actus voyageurs***.

Remerciements

Nous tenons à remercier tout particulièrement Loup-Maëlle Besançon, Thierry Bessou, Gérard Bouchu, François Chauvin, Grégory Dalex, Stéphanie Déro, Fabrice Doumergue, Cédric Fischer, Carole Fouque, Michelle Georget, David Giason, Claude Hervé-Bazin, Emmanuel Juste, Dimitri Lefèvre, Sacha Lenormand, Fabrice de Lestang, Romain Meynier, Éric Milet, Pierre Mitrano, Jean-Sébastien Petitdemange, Thomas Rivallain, Dominique Roland et Solange Vivier pour leur collaboration régulière.

Et pour cette nouvelle collection, nous remercions aussi :

Emmanuelle Bauquis
Jean-Jacques Bordier-Chêne
Michèle Boucher
Lisa Buchter
Stéphanie Condis
Agnès Debiage
Jérôme Denoix
Tovi et Ahmet Diler
Clélie Dudon
Sophie Duval
Clara Favini
Alain Fisch
Mathilde Fonteneau
Adrien et Clément Gloaguen
Xavier Haudiquet
Bernard Hilaire
Sébastien Jauffret
Anaïs Kerdraon
Jacques Lemoine
Béatrice Macé de Lepinay
Jacques Muller
Caroline Ollion
Nicolas et Benjamin Pallier
Martine Partrat
Odile Paugam et Didier Jehanno
Prakit Saiporn
Jean-Luc et Antigone Schilling
Camille Veillard

Direction : Nathalie Pujo
Contrôle de gestion : Héloïse Morel d'Arleux et Virginie Laurent-Arnaud
Secrétariat : Catherine Maîtrepierre
Direction éditoriale : Catherine Julhe
Édition : Matthieu Devaux, Géraldine Péron, Olga Krokhina, Gia-Quy Tran, Julie Dupré, Pauline Fiot, Julien Hunter, Emmanuelle Michon, Marion Sergent et Clémence Toublanc
Préparation-lecture : Agnès Petit
Cartographie : Frédéric Clémençon et Aurélie Huot
Fabrication : Nathalie Lautout et Audrey Detournay
Relations presse France : COM'PROD, Fred Papet. ☎ 01-70-69-04-69.
• *info@comprod.fr* •
Direction marketing : Muriel Widmaier, Adrien de Bizemont, Lydie Firmin et Laure Illand
Contacts partenariats : André Magniez (EMD). • *andremagniez@gmail.com* •
Édition des partenariats : Élise Ernest
Informatique éditoriale : Lionel Barth
Couverture : Clément Gloaguen et Seenk
Maquette intérieure : le-bureau-des-affaires-graphiques.com, Thibault Reumaux et npeg.fr
Relations presse : Martine Levens (Belgique) et Maureen Browne (Suisse)
Régie publicitaire : Florence Brunel-Jars

NOS NOUVEAUTÉS

NOS MEILLEURS SITES POUR OBSERVER LES OISEAUX EN FRANCE (octobre 2012)

Pour répondre à l'attente des amoureux de la nature et de ceux qui souhaitent mieux connaître les oiseaux, le *Routard*, en partenariat avec la Ligue de Protection des Oiseaux, a sélectionné dans toute la France plus de 70 sites pour approcher et observer les voyageurs du ciel. À travers différents milieux (forêt, parc, étang, montagne…), c'est l'occasion de prendre conscience de la richesse et de la diversité du monde des oiseaux et de la nécessité de le protéger. Pour vous aider à les identifier, vous trouverez des planches en couleurs, des conseils et des informations surprenantes sur nos amis à plumes, sans oublier les hébergements et restos à proximité. Que vous soyez *bird watcher* occasionnel ou ornithologue averti, ce guide vous prend sous son aile.

DUBLIN (novembre 2012)

Dublin, une ville grise tout en couleurs. Autant dire une ville qui en surprend plus d'un avec ses contrastes inattendus. On passe, tout d'un coup, d'un Dublin aristocratique à un Dublin populaire. Quant à la gastronomie, bonne nouvelle, l'offre a progressé de manière spectaculaire ces dernières années et les Irlandais ont redécouvert les vertus de leurs produits naturels. Sans oublier, bien sûr, les pubs : il y en a… jusqu'à plus soif. Côté culture, la ville s'enorgueillit de posséder plusieurs musées nationaux qui, non seulement sont gratuits, mais renferment des collections somptueuses ; sans parler du prestigieux Trinity College, avec des pièces rares comme le fameux livre de Kells. Ville à l'empreinte littéraire également, labellisée Cité de la littérature par l'Unesco. À découvrir d'urgence.

??? LES QUESTIONS QU'ON SE POSE LE PLUS SOUVENT

Quelle est la meilleure saison pour y aller ?
Le printemps demeure idéal, car c'est en principe la période la plus ensoleillée de l'année. Sinon, l'été bien sûr, mais vous ne serez pas seul(e) à sillonner les péninsules, et les prix grimpent dans les endroits les plus touristiques.

Quel est le meilleur moyen pour y aller ?
On trouve des billets d'avion très bon marché, au départ de Paris ou de la province, même l'été. Sinon, on peut embarquer sa voiture sur le ferry, mais c'est long. Pour conjuguer les deux, reste la location de voiture sur place.

Quel est le décalage horaire ?
1h de moins qu'en France toute l'année.

La vie est-elle chère ?
Pour se loger, de bons compromis possibles entre les AJ faisant parfois *B & B* et le camping. Les *B & B* pratiquent des tarifs assez élevés, mais, avec la crise, beaucoup de propriétaires les ont revus à la baisse. Prévoir large pour les restos, du moins le soir, de 20 à 40 % plus chers qu'en France. Pour les petits budgets, envisager de se faire la popote et s'offrir un pub de temps en temps.

Est-il possible de loger en *B & B* sans réserver ?
Oui, mais hors saison seulement. À partir de Pâques, mieux vaut assurer ses arrières dans les régions touristiques. Et gare aux festivals locaux et autres rencontres sportives qui peuvent vite faire grimper les prix.

Peut-on partir avec les enfants ?
Pas de souci. Beaucoup de *B & B* proposent des chambres familiales, et les pubs acceptent les têtes blondes jusqu'en début de soirée. Pour occuper les journées, les activités de plein air ne manquent pas.

Peut-on se baigner ?
On l'admet, il y a plus exotique, même si l'Irlande regorge de plages aux eaux turquoise fort attrayantes. En revanche, un vrai régal pour les plongeurs et les surfeurs.

Quels sont les meilleurs endroits pour écouter de la musique irlandaise ?
Un peu partout, les pubs proposent des *music sessions* toute l'année. On trouve cependant les meilleurs festivals dans les péninsules à l'ouest, durant l'été et dans le Nord-Ouest, terreau des plus grands musiciens folk.

Peut-on faire de la randonnée en Irlande ?
Bien sûr, mais pas partout : les péninsules à l'ouest sont les plus propices à la marche. Les offices de tourisme vendent de bonnes cartes et les chemins sont généralement bien balisés. En revanche, c'est rarement plat !

Comment se déplacer quand on n'a pas de voiture ?
Le réseau de bus n'est pas mauvais et il existe des formules de billets à la semaine ou au mois. Sinon, le bon vieux pouce marche encore et le vélo rencontre un certain succès... Dans tous les cas, il ne faut pas être pressé et ne pas vouloir « faire » toute l'Irlande en 15 jours.

Peut-il être dangereux de voyager en Irlande ?
Non, et même absolument pas en république d'Irlande (Eire). En Irlande du Nord (Ulster), les quartiers sensibles de Belfast et de Derry font désormais partie des circuits touristiques... Les tensions entre catholiques et protestants ont quasiment disparu, ranimées parfois lors des marches des orangistes en juillet-août.

LES COUPS DE CŒUR DU ROUTARD

• Toits de chaume, chalutiers colorés, rythme de vie digne d'une charrette tirée par un vieil âne... C'est **Kilmore Quay**, village au sud de Wexford, un lieu enchanteur encore peu connu des touristes. .... p. 183

• Tout le monde vous le dira : **Kilkenny** est l'une des villes les plus agréables d'Irlande. Au menu : architecture médiévale, rues piétonnes animées, musique dans tous les pubs, sans oublier la bière locale, bien sûr ! .... p. 196

• Forgée par la mer et les vents, **l'île de Cape Clear** est un univers à elle seule. Isolé du monde, vous goûterez avec plaisir aux promenades en compagnie des oiseaux et aux discussions avec les habitants. .... p. 253

• VTTistes et randonneurs trouveront un terrain de jeux à leur mesure dans **la péninsule de Sheep's Head.** Un endroit vallonné et très nature, avec de superbes paysages champêtres qui tombent directement dans la mer....................... p. 263

• Un vertigineux escalier (2 300 marches) creusé dans la roche, qui vous donne l'impression de monter jusqu'au ciel : c'est à **Skellig Michael,** île inscrite au Patrimoine mondial de l'Unesco, qui a vu les premiers moines s'installer dans ce refuge farouche............................ p. 295

• Partir à la chasse aux orchidées (en été) ou, les pieds dans la tourbe (au printemps), admirer un paysage quasi lunaire coloré par les gentianes : **les sentiers du Burren** donnent l'occasion de randos inoubliables................................. p. 373

• **Aran** : les îles sentinelles de l'Irlande regardent loin vers l'ouest. De Dun Aengus, fort circulaire datant de l'époque préhistorique, perché au sommet d'une falaise, contempler cet océan qui a tant déchiré le cœur des Irlandais qui émigraient. . p. 381

• **Le Connemara** : aller de lac en lac, de crique en crique, de plage en plage dans une des régions les plus attachantes du pays.. p. 397

• Rude et sauvage, **la péninsule de Slieve League** est bordée de falaises parmi les plus hautes d'Europe. Du port de pêche de Killybegs au bourg animé d'Ardara en passant par la pointe de Malin Beg, c'est la vraie Irlande du cœur........ p. 504

• Tout au nord, **la péninsule d'Inishowen.** Ses côtes déchiquetées regorgent de criques et de baies splendides, que vous découvrirez en prenant le temps, le nez au vent. .... p. 527

• De portes en bastions, d'églises en chapelles, parcourir **les remparts de Derry,** les seuls de toute l'Irlande à avoir conservé leur intégrité. .... p. 547

• Contrée de légendes, **la Chaussée des Géants** en appelle au fantastique. Les formes des rochers basaltiques y évoquent mille constructions. Du sommet, longer les falaises verdoyantes de la côte d'Antrim pour une mémorable randonnée.... p. 550

• Ville aux multiples visages, **Belfast** a conservé dans sa chair la marque des hommes qui se sont battus pour elle. Républicaines (catholiques libre-penseurs, laïcs et... quelques protestants) ou loyalistes (protestants), les fresques colorées enflamment encore les cœurs des partisans d'hier et apportent leur pierre à la compréhension du conflit............ p. 589

• Au cœur du grand lough Erne, les ruines du monastère médiéval de **Devenish Island** et sa tour ronde évoquent toute la puissance de la foi irlandaise. ...... p. 622

ITINÉRAIRES CONSEILLÉS

1 SEMAINE : ITINÉRAIRE 1

Dublin : 3 jours

– La rive sud : Trinity College et le livre de Kells, la Bank of Ireland, le Musée national, la Galerie nationale, le beau jardin de Saint Stephen's Green et ses célèbres portes, le vieux quartier populaire des Liberties et la brasserie *Guinness,* la prison historique de Kilmainham, le musée d'Art moderne au Royal Hospital Kilmainham ; en soirée : le quartier branché de Temple Bar et la visite des pubs historiques (*Mulligan's, Brazen Head* – le plus vieux de Dublin –, *James Toner* – le pub de Yeats).
– La rive nord : la Grande Poste (rébellion de 1916), la galerie municipale d'Art moderne, le musée des Écrivains de Dublin, le musée des Arts décoratifs de Collins Barracks, Phoenix Park (le plus grand parc urbain d'Irlande).

Le Ring of Kerry : 2 jours

– Killarney ;
– Valentia Island.

La péninsule de Dingle : 2 jours

– Balade à vélo ou à pied : la falaise de Slea Head et l'oratoire de Gallarus, les *clochans* (huttes de pierre) et l'église de Kilmalkedar.

1 SEMAINE : ITINÉRAIRE 2

Dublin : 3 jours

Voir plus haut : même programme.

Sligo et Donegal : 2 ou 3 jours

– Sligo et ses environs, le parc national du Glenveagh et la péninsule d'Inishowen.

L'Irlande du Nord : 2 jours

– Derry : 1 journée ;
– la Chaussée des Géants et ses environs, journée et retour sur Dublin.

10 JOURS

Dublin : 3 jours

Voir plus haut : même programme.

Le Ring of Kerry : 2 jours

– Killarney ;
– Valentia Island.

La péninsule de Dingle : 2 jours

– Balade à vélo ou à pied : la falaise de Slea Head et l'oratoire de Gallarus, les *clochans* (huttes de pierre) et l'église de Kilmalkedar.

Le Burren (comté de Clare) : 1 jour

– Prodigieux relief karstique et plus grosse concentration mégalithique.

Galway et ses proches environs : 2 jours

– Excursion à Oughterard et Maam Cross, et leurs fameux lacs sur Twelve Bens ;
– Galway : Lynch's Castle, le musée Nora-Barnacle, le musée de la Ville.

3 SEMAINES

Dublin : 3 jours

Voir plus haut : même programme.

Les monts Wicklow : 1 jour

– Le château de Russborough, Powerscourt Gardens, superbe site de Glendalough (tour ronde, la cathédrale et le cimetière).

Kilkenny : 1 jour

– Le château, le vieil hôtel de ville, Kyteler's Inn, la Rothe House, la cathédrale Saint-Canice, visite de la brasserie *Smithwick's.*

Cashel : 1 jour

– Visite du rocher et de la cathédrale.

Cahir : 1 jour

– Le château.

Cork : 2 jours

– Chandon Church, Butter Exchange, le musée de Cork et la prison.

Sur la route de Cork à Mizen Head : 1 jour

– Kinsale (port de plaisance) : le musée et le fort Charles ;
– Timoleague et son abbaye franciscaine ;
– Union Hall et Castle Town Shend : adorable petit port ;
– la péninsule de Mizen Head.

Bantry : une demi-journée

– Visite de la Bantry House ;
– Glengarriff et l'île Garinish (paradis de fleurs).

Le Ring of Kerry : 2 jours et demi

– Kenmare ;
– Killarney ;
– Valentia Island.

La péninsule de Dingle : 2 jours

– Balade à vélo ou à pied : la falaise de Slea Head et l'oratoire de Gallarus, les *clochans* (huttes de pierre) et l'église de Kilmalkedar.

Le Burren (comté de Clare) : 1 jour

– Prodigieux relief karstique et la plus grosse concentration mégalithique en Irlande.

Galway : 1 jour

– Lynch's Castle, le musée Nora-Barnacle, le musée de la Ville.

Le Connemara et le Mayo : 1 semaine

– Oughterard et Maam Cross, et leurs fameux lacs sur Twelve Bens ;
– Clifden et son marché aux chevaux (début août), sans oublier les bars musicaux ;
– la région de Letterfrack, porte d'entrée du parc national du Connemara ;
– Leenane, paradis des randonneurs ;
– Cong, capitale de la Joyce Country : l'abbaye, les lacs Corrib et Mask ;
– Westport, Westport House, l'abbaye de Murrisk au pied du Croagh Patrick ;
– Newport ;
– Achill Island : l'Atlantic Drive jusqu'à Dooega, le village fantôme de Slievemore, randonnée au mont Croaghaun et ses falaises.

EN AVION

Les compagnies régulières

Vols au départ de la France et de la Belgique

▲ AIR FRANCE
Rens et résas au ☎ 36-54 (0,34 €/mn – tlj 6h30-22h), sur • airfrance.fr •, dans les agences Air France et dans ttes les agences de voyages. Fermées dim.
➢ Entre Paris-CDG et Dublin, 5 à 6 vols/j. directs et, en période estivale, 1 vol/sem le lun de Pau, en partenariat avec City Jet.
Air France propose à tous des tarifs attractifs toute l'année. Vous avez la possibilité de consulter les meilleurs tarifs du moment sur Internet, directement sur la page d'accueil « Nos meilleures offres ».
Le programme de fidélisation Air France-KLM permet d'accumuler des *miles* à son rythme et de profiter d'un large choix de primes. Avec votre carte *Flying Blue,* vous êtes immédiatement identifié comme client privilégié lorsque vous voyagez avec tous les partenaires.
Air France propose également des réductions Jeunes. La carte *Flying Blue Jeune* est réservée aux jeunes âgés de 2 à 24 ans résidant en France métropolitaine, dans les départements d'outre-mer, au Maroc, en Tunisie ou en Algérie. Avec plus de 900 destinations, et plus de 100 partenaires, *Flying Blue Jeune* offre autant d'occasions d'accumuler des *miles* partout dans le monde.

▲ AER LINGUS
– Paris : rens et résas au ☎ 0821-230-267 (0,12 €/mn). • aerlingus.com • Lun-ven 9h-17h.
– Bruxelles : ☎ 070-35-99-01. • aer lingus.com •
➢ Vols quotidiens reliant Paris à Dublin et Cork. Correspondances pour Shannon. Également des vols Nice-Dublin, Nice-Cork, Perpignan-Dublin, Rennes-Dublin, Rennes-Cork, Rennes-Shannon, Toulouse-Dublin, Bordeaux-Dublin, Marseille-Dublin et Lyon-Dublin.
➢ Vols quotidiens de Bruxelles vers Dublin et Cork.

▲ BRITISH MIDLAND INTERNATIONAL (BMI)
Rens (en Grande-Bretagne) : ☎ 00-44-1332-64-81-81. • flybmi.com •
➢ Assure des vols au départ de Lyon vers Dublin via Manchester, Édimbourg ou Aberdeen. De Nice, Marseille ou Toulouse, vols vers Dublin via Édimbourg.
➢ Assure des vols au départ de Zaventem (Belgique) vers Dublin.

▲ BRITISH AIRWAYS
Rens et résas : ☎ 0825-825-400 (0,15 €/mn). • britishairways.com •
➢ Assure des vols vers Dublin via Londres ou Birmingham au départ de Paris, Bordeaux, Lyon, Marseille, Montpellier, Mulhouse, Nantes, Nice et Toulouse.

Vols au départ de la Suisse

▲ AER LINGUS
– Zurich : ☎ 044-286-99-33. • aerlin gus@zrh.airlinecenter.ch •
➢ 1 liaison quotidienne Genève-Dublin ainsi que 1 vol/j. Zurich-Dublin,

en partage de code avec Swiss. En hiver, vol Genève-Cork.

▲ **SWISS INTERNATIONAL AIRLINES**
Infos et résas : ☎ 0848-700-700 (en Suisse) ou 0892-232-501 (depuis la France ; 0,34 €/mn). • swiss.com •
➢ 1 vol/j. Zurich-Dublin.

▲ **EASYJET**
Infos et résas : ☎ 0848-282-828 (0,08 Fs/mn). • easyjet.com •
➢ Vols vers Belfast au départ de Genève.

Les compagnies *low-cost*

Ce sont des compagnies dites « à bas prix ». De nombreuses villes de province sont desservies, ainsi que les aéroports limitrophes des grandes villes. Ne pas trop espérer trouver facilement des billets à prix plancher lors des périodes les plus fréquentées (vacances scolaires, week-ends...). À bord, c'est service minimum. Afin de réduire les files d'attente dans les aéroports, certaines font même payer l'enregistrement aux comptoirs d'aéroport. Pour éviter cette nouvelle taxe qui ne dit pas son nom, les voyageurs ont intérêt à s'enregistrer directement sur Internet où le service est gratuit. La résa se fait souvent sur Internet et parfois par téléphone (pas d'agence, juste un numéro de réservation et un billet à imprimer soi-même) et aucune garantie de remboursement n'existe en cas de difficultés financières de la compagnie. En outre, les pénalités en cas de changement d'horaires sont assez importantes et les taxes d'aéroport rarement incluses. Il faut aussi rappeler que plusieurs compagnies facturent maintenant les bagages en soute ou en limitent le poids. En cabine également, le nombre de bagages est strictement limité. À bord, tous les services sont payants (boissons, journaux...). Ne pas oublier non plus d'ajouter le prix du bus pour se rendre à ces aéroports, souvent assez éloignés du centre-ville. Au final, même si les prix de base restent très attractifs, il convient de prendre en compte tous ces frais annexes pour calculer le plus justement son budget.

▲ **BMI BABY**
Infos et résas : ☎ (00-44) 8458-10-11-00. • bmibaby.com •
La compagnie *low-cost* de BMI.
➢ Vols pour Belfast via Birmingham, Manchester ou East Midlands au départ de Paris-CDG, Lyon et Nice ainsi que pour Dublin via Aberdeen au départ de Lyon ; pour Knock via Birmingham au départ de Nice.

▲ **EASYJET**
Centre d'appels : ☎ 0899-650-011 (0,34 €/mn). • easyjet.com •
➢ Dessert directement Belfast au départ de Paris-CDG et de Nice. Possibilité de gagner Belfast au départ de Marseille et de Toulouse via Londres-Gatwick et au départ de Lyon via Londres-Stansted.

▲ **FLYBE**
Résas (en Grande-Bretagne) : ☎ 00-44-1392-268-529. • flybe.com •
➢ Flybe dessert Dublin via Southampton au départ de Bordeaux, Clermont-Ferrand, Rennes, Brest, La Rochelle, Limoges, Bergerac, Béziers, Perpignan, Nice, Avignon, Tours, Chambéry et Paris-Orly.
➢ Flybe dessert également Belfast directement ou via Birmingham au départ de Brest, Rennes, Bordeaux, Clermont-Ferrand, La Rochelle, Toulouse, Nantes, Tours, Limoges, Bergerac, Béziers, Avignon, Chambéry, Paris-Orly et Paris-CDG.

▲ **RYANAIR**

De France

Infos et résas : ☎ 0892-562-150 (0,34 €/mn). • ryanair.com • Lun-ven 9h-19h ; sam 10h-17h ; dim 11h-17h. Accueil en anglais, mais ttes les infos sont disponibles en français. Les meilleurs tarifs sont accessibles slt sur Internet (promos ponctuelles). En Irlande : ☎ 1520-444-004 (0,15 €/mn).
➢ Ryanair propose jusqu'à 6 vols/j. directs vers Dublin au départ de Paris-Beauvais. Également 1 liaison Beauvais-Knock. Service de navettes entre Paris-Porte Maillot et l'aéroport de Paris-Beauvais ; départ 3h15 avt le vol Ryanair. Billet à acheter à la boutique *Paris-Beauvais (1, bd Pershing,*

autoescape.com

partout dans le monde

Louez votre voiture au meilleur prix, partout en Irlande

Depuis 11 ans, nous sélectionnons les meilleurs loueurs et négocions des prix discount, en Irlande et partout dans le monde.

de remise pour les Routards*
Pour toute réservation par Internet, avec le code de réduction : **GDR13**

assistance téléphonique pour vous conseiller à tout moment

0 892 46 46 10

0,34€/min

*réduction valable jusqu'au 31/12/2013, non cumulable avec toute remise ou promotion

www.antidote-design.com - Crédit photos : istock

75017 Paris ; ☎ 0892-682-064, 0,34 €/mn). Coût : 15 € l'aller simple.

➢ En province, Ryanair assure des vols quotidiens vers Dublin (ou Cork, Knock, Kerry, Shannon et Derry) via Londres-Stansted ou Londres-Luton au départ d'une quinzaine d'aéroports en France. Des vols directs également (certains saisonniers) : Biarritz-Dublin, Bordeaux-Cork, Carcassonne-Cork, Carcassonne-Dublin, Nantes-Shannon, Nantes-Dublin, Nice-Dublin, Marseille-Dublin, Rodez-Dublin, Tours-Dublin et La Rochelle-Dublin.

De Belgique

– Charleroi : à env 60 km au sud de Bruxelles. Infos et résas : ☎ 09-02-33-660 (en français) ou 600 (en anglais). • *charleroi-airport.com* • *Lun-ven 9h-19h ; sam 10h-17h ; dim 11h-17h.*

➢ Vols de Bruxelles-Charleroi vers Dublin et Shannon. Un service analogue à Beauvais-Dublin (voir ci-dessus « De France ») existe au départ de Charleroi pour env 13 € l'aller simple. Navette Bruxelles-Charleroi (billet à acheter à la gare du Midi, à Bruxelles). Départ à l'angle de la rue de France et de la rue de l'Instruction, 2h30 avant l'heure du vol.

EN TRAIN

Oui, il est possible de se rendre en Irlande en train (suivi du bateau, bien évidemment), mais il n'existe pas, comme c'est le cas pour la Grande-Bretagne, de tarification commune (billet unique train + bateau).

Au départ de Paris

Pour vous aider à calculer la durée de votre voyage, voici le temps que met le train au départ de Paris pour joindre les différents ports :

➢ ***Le Havre :*** 2h en corail.

➢ ***Cherbourg :*** 2h50-3h30 en corail.

➢ ***Boulogne :*** 2h en TGV, 2h40 en corail.

➢ ***Calais (Fréthun) :*** 1h20 en TGV, 3h en corail.

➢ ***Dieppe :*** 2h en corail avec changement à Rouen.

➢ ***Roscoff :*** 4h15 en TGV avec changement à Morlaix.

➢ ***Saint-Malo :*** 3h15 en TGV avec changement à Rennes.

Pour préparer votre voyage

– ***Billet à domicile :*** commandez et payez votre billet par Internet ou par téléphone au ☎ *36-35 (0,34 € TTC/mn, hors surcoût éventuel de votre opérateur)* : la SNCF vous l'envoie gratuitement à domicile, sous 48h en France.

– ***Service « Bagages à domicile » :*** la SNCF prend en charge vos bagages où vous le souhaitez, et vous les livre en 24h minimum sur votre lieu de destination en France métropolitaine*. *Résas au ☎ 36-35 (0,34 € TTC/mn, hors surcoût éventuel de votre opérateur), sur Internet, en gares, boutiques SNCF et agences de voyages agréées.*

* Seul le transport de bagages en provenance et à destination du territoire français continental, outre les îles de Ré, Noirmoutier et Oléron, qui sont accessibles par la route, peut être effectué dans le cadre du service.

Pour voyager au meilleur prix

La SNCF propose des tarifs adaptés à chacun de vos voyages.

➢ ***TGV Prem's, INTERCITÉS et Lunéa Prem's :*** des petits prix disponibles toute l'année. Tarifs non échangeables et non remboursables (offres soumises à conditions).

– ***Prem's :*** pour des prix mini si vous réservez jusqu'à 90 j. avant votre départ, à partir de 25 € l'aller en 2de classe avec TGV, 15 € en 2de classe avec INTERCITÉS et 35 € en 2de classe en couchette avec INTERCITÉS (32 € sur Internet).

– ***Prem's Vente Flash :*** des promotions ponctuelles.

– ***TGV 100 % Prem's :*** à partir de 25 € en 2de classe pour des départs sur les derniers TGV du vendredi soir et du dimanche soir (une offre exclusive TGV) et pendant les périodes de vacances scolaires sur les trains décalés en journée.

Gaéland ASHLING

IRLANDE

WEEK-ENDS
SEJOURS
CIRCUITS
B & B
HOTELS
MANOIRS
VELO
GOLF
PECHE

Branchez-vous sur la ligne verte

Tél. : 0825 12 3003 - Fax : 01 42 71 45 45
4, Quai des Célestins - 75004 PARIS
E-mail : resa@gaeland-ashling.com
Site : www.gaeland-ashling.com

Devis à la carte sur demande,
en avion ou en ferry,
n'hésitez pas à nous consulter.

Brochure sur demande - Lic. 075 96 0188

➢ ***Les tarifs Loisirs***

Une offre pour tous ceux qui programment leurs voyages, mais souhaitent avoir la liberté de décider au dernier moment et de changer d'avis (offres soumises à conditions). Tarifs échangeables et remboursables. Pour bénéficier des meilleures réductions, pensez à réserver vos billets à l'avance (les réservations sont ouvertes jusqu'à 90 jours avant le départ) ou à voyager en période de faible affluence.

➢ ***Les cartes***

Pour ceux qui voyagent régulièrement (2 à 3 fois dans l'année), profitez de réductions garanties tout le temps avec les cartes *Enfant +, 12-25, Escapades* ou *Senior* (valables 1 an).

– Vous voyagez avec un enfant de moins 12 ans : pour 71 €, la ***Carte Enfant +*** permet aux accompagnateurs (jusqu'à 4 adultes ou enfants, sans obligation de lien de parenté) de bénéficier de réductions allant jusqu'à 50 %, et à l'enfant titulaire de la carte de payer la moitié du prix adulte après réduction (s'il a moins de 4 ans, l'enfant voyage gratuitement).

– Vous avez entre 12 et 25 ans : avec la ***Carte 12-25,*** pour 50 €, vous bénéficiez jusqu'à 60 % de réduction et - 25 % garantis sur tous vos voyages, jusqu'à la dernière place.

– Pour vos week-ends : avec la ***Carte Escapades,*** pour 76 €, vous bénéficiez jusqu'à 50 % de réduction et - 25 % garantis sur tous vos voyages, jusqu'à la dernière place. Ces réductions sont valables pour tout aller-retour de plus de 200 km effectué sur la journée du samedi ou du dimanche, ou comprenant la nuit du samedi au dimanche sur place.

– Vous avez plus de 60 ans : avec la ***Carte Senior,*** pour 57 €, vous bénéficiez jusqu'à 50 % de réduction et - 25 % garantis sur tous vos voyages, jusqu'à la dernière place.

Vous voyagez au-delà de la France ?

Avec les ***Pass InterRail,*** les résidents européens peuvent voyager dans 30 pays d'Europe, dont l'Irlande. Plusieurs formules et autant de tarifs, en fonction de la destination et de l'âge. À noter que le *pass InterRail* n'est pas valable dans votre pays de résidence. Cependant, l'*InterRail Global Pass* offre une réduction de 50 % depuis votre point de départ jusqu'au point frontière en France.

– Pour les grands voyageurs, l'*InterRail Global Pass* est valable dans l'ensemble des 30 pays concernés ; intéressant si vous comptez parcourir plusieurs pays au cours du même périple. Il se présente sous 4 formes au choix. 2 formules flexibles : utilisables 5 j. sur une période de validité de 10 j. (267 € pour les plus de 25 ans, 175 € pour les 12-25 ans) ou 10 j. sur une période de validité de 22 j. (381 € pour les plus de 25 ans, 257 € pour les 12-25 ans). Deux formules « *continues* » : *pass* 22 j. (494 € pour les plus de 25 ans, 329 € pour les 12-25 ans), *pass* 1 mois (638 € pour les plus de 25 ans, 422 € pour les 12-25 ans). Ces 4 formules existent aussi en version 1re classe (mais ce n'est pas le même prix, bien sûr !).

– Si vous ne parcourez que l'Irlande, le *One Country Pass* vous suffira. D'une période de validité de 1 mois et utilisable, selon les formules, 3, 4, 6 ou 8 j. en discontinu : à vous de calculer avant votre départ le nombre de jours que vous passerez sur les rails : 3 j. (119 € pour les plus de 25 ans, 78 € pour les 12-25 ans, 60 € pour les 4-11 ans), 4 j. (150 € pour les plus de 25 ans, 98 € pour les 12-25 ans, 75 € pour les 4-11 ans), 6 j. (201 € pour les plus de 25 ans, 129 € pour les 12-25 ans, 101 € pour les 4-11 ans) ou 8 j. (243 € pour les plus de 25 ans, 160 € pour les 12-25 ans, 122 € pour les 4-11 ans). Là encore, ces formules existent en version 1re classe.

– *InterRail* offre également la possibilité d'obtenir des réductions ou avantages à travers toute l'Europe avec ses partenaires bonus (musées, chemins de fer privés, hôtels, etc.).

Pour plus de renseignements, adressez-vous à la gare ou à la boutique SNCF la plus proche.

Pour obtenir plus d'informations sur les conditions de réservation et d'achat de vos billets

– ***Internet :*** • *tgv.com* • *intercites.com* • *coraillunea* • *voyages-sncf.com* •

Votre spécialiste Franco-Irlandais
basé en Irlande
www.vacancesenirlande.com
Nº Indigo 0820 20 20 30
Assistance téléphonique 7j / 7j en Français

– **Téléphone :** ☎ *36-35 (0,34 €/mn hors surcoût éventuel de votre opérateur).*
– Également dans les gares, les boutiques SNCF et les agences de voyages agréées SNCF.

EN BATEAU

Différents itinéraires

Si vous choisissez le bateau, les possibilités d'itinéraires sont extrêmement nombreuses. Votre choix dépendra :
– *de votre point de départ et de votre point d'arrivée :* par exemple, pour les Bretons, un départ de Roscoff est logique. Pour les Bruxellois, un trajet jusqu'à Hull, puis l'autoroute jusqu'à Liverpool (bateau pour Belfast) ou Holyhead (bateau pour Dún Laoghaire, près de Dublin) s'imposent ;
– *de la saison :* certains bateaux fonctionnent avec régularité toute l'année, d'autres sont saisonniers ;
– *de vos contraintes budgétaires :* étudiez bien les offres de billets combinés. Cherchez les réductions applicables à votre cas (âge, période de voyage, etc.). Entre les cabines gratuites hors saison, les tarifs « APX », « Évasion » et « Excursion », les réductions *InterRail,* carte des AJ, moins de 26 ans, plus de 60 ans, vous allez bien arriver à éviter le tarif plein pot ! Bien sûr, les prix sont proportionnellement moins élevés lorsqu'on part à trois ou quatre dans une voiture.

Quelques conseils

– Choisissez et réservez longtemps à l'avance. Vous aurez les dates qui vous conviennent et vous trouverez la meilleure formule pour votre portefeuille.
– Petits budgets, prévoyez un pique-nique, car la nourriture à bord est souvent très chère.

Compagnies maritimes

Voir la carte et le tableau des liaisons maritimes.

▲ BRITTANY FERRIES

– Roscoff : port du Bloscon, BP 72, 29688 Roscoff Cedex. Rens et résas : ☎ *0825-828-828 (0,15 €/mn ; lun-ven 8h30-19h, sam 9h-18h).* ● *brittany ferries.fr* ●
➢ Traversée directe Roscoff-Cork (1 départ ven soir et 1 retour sam, traversées de nuit) et liaisons France-Angleterre (Roscoff-Plymouth, Saint-Malo-Portsmouth, Caen-Ouistreham-Portsmouth, Cherbourg-Portsmouth et Cherbourg-Poole combiné avec Fishguard-Rosslare). Brittany Ferries propose des formules associant traversée et hébergement (*B & B, guesthouses,* hôtels, demeures de caractère, hôtels d'exception, maisons de vacances). Également des circuits autotours dans toutes les régions et des séjours à thème (rando, pêche, golf). Voir plus loin « Les organismes de voyages ».

▲ IRISH FERRIES

Rens et résas : ☎ *01-70-72-03-26.* ● *irishferries.fr* ●
– Cherbourg : gare maritime, 50100. ☎ *02-33-23-44-44.*
– Roscoff : ☎ *02-98-61-17-17.*
– Belgique : ☎ *02-400-14-85.* ● *irish ferries.com* ●
– Eire (Rosslare) : ☎ *(053) 91-33-158.*
➢ Irish Ferries propose jusqu'à 4 traversées/sem au départ de Cherbourg (tte l'année) ou de Roscoff (mai-sept) vers le port de Rosslare à bord du luxueux *Oscar Wilde* et opère aussi sur 2 lignes depuis la Grande-Bretagne : Holyhead-Dublin et Pembroke-Rosslare.

▲ P & O FERRIES ET P & O IRISH SEA

– Rens et résas de France : ☎ *0825-120-156 (0,15 €/mn).*
– Rens et résas de Belgique : ☎ *070-70-77-71.*
– Rens et résas des Pays-Bas : ☎ *020-201-33-33.*
Également sur ● *poferries.fr* ● *ou dans votre agence de voyages.*
Lignes maritimes :
➢ *France/Grande-Bretagne :* Calais-Douvres.
➢ *Belgique/Grande-Bretagne :* Zeebrugge-Hull.
➢ *Pays-Bas/Grande-Bretagne :* Rotterdam-Hull.
➢ *Grande-Bretagne/république d'Irlande :* Liverpool-Dublin.

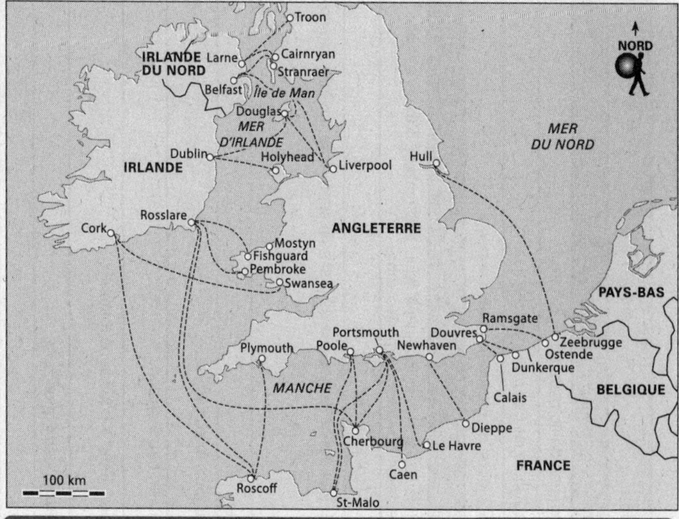

LES LIAISONS MARITIMES

➢ *Écosse/Irlande du Nord :* Cairnryan-Larne et Troon-Larne.

▲ CELTIC LINK

– Cherbourg : Gare maritime 1. ☎ 02-33-43-23-87. ● celticlinkferries.com ●

➢ *Cherbourg-Rosslare :* 2 à 3 liaisons.

▲ LD LINES NETWORK (LD LINES ET TRANSMANCHE FERRIES)

Rens et résas : ☎ 0825-304-304 (nº Indigo ; 0,15 €/mn). ● ldlines.fr ●

La compagnie propose des traversées entre la France et l'Angleterre.

➢ *Dieppe-Newhaven :* 2 départs/j. Trajet : 3h45.

➢ *Le Havre-Portsmouth :* 1 départs/j. Trajet : 5h30 (jour)-8h (nuit).

➢ *Douvres-Calais* (avec DFDS Seaways) : env 10 départs/j. Trajet : 1h30.

▲ DFDS SEAWAYS

Rens et résas : ☎ 03-28-59-01-01. ● dfdsseaways.fr ●

La compagnie propose des traversées entre la France et l'Angleterre.

➢ *Dunkerque-Douvres :* une dizaine de départs/j. Trajet : 2h10.

▲ EURO-MER

– Central de réservation France : 5, quai de Sauvages, 34078 Montpellier Cedex 3. ☎ 04-67-65-10-10. ● euromer.com ● Envoi gratuit de devis et brochures.

Spécialiste en Europe des traversées maritimes, Euro-Mer revend Brittany Ferries, Irish Ferries, P & O Ferries, Irish Sea, Seafrance et LD Lines.

Au départ de Cherbourg ou Roscoff pour Rosslare, ou de Roscoff pour Cork, en traversée directe pour l'Irlande, ou bien via l'Angleterre avec traversée de la mer d'Irlande. Nombreuses réductions pour les groupes, clubs de camping-cars, jeunes de moins de 26 ans, 4x4 et familles.

Au départ de la Grande-Bretagne

▲ STENA LINE

Rens et résas : c/o Holiday Ireland Services, *7, rue du Maréchal-Foch, 14113 Villerville. ☎ 02-31-14-68-50. ● stena line.fr ●*

➢ Stena Line relie l'Irlande via la Grande-Bretagne slt (au départ de Fishguard, Holyhead et Stranraer), mais propose des combinés avec P & O Ferries, Brittany Ferries et Eurotunnel (au départ de Calais, Caen,

Départ	Arrivée	Durée moyenne	Compagnie	Fréquence
De France en république d'Irlande				
Roscoff	Cork	14h	Brittany Ferries	1 par semaine de fin mars à fin octobre.
Roscoff	Rosslare	16h	Irish Ferries	Tous les 2 jours de mai à septembre.
Cherbourg	Rosslare	18h30	Irish Ferries	Tous les 2 jours, en moyenne (toute l'année).
De France en Grande-Bretagne				
Roscoff	Plymouth	6h	Brittany Ferries	1 à 2 par jour (1 à 3 de début juin à début septembre). 1 traversée par semaine de mi-novembre à mi-décembre.
Saint-Malo	Portsmouth	10h45	Brittany Ferries	1 par jour. Toute l'année.
Cherbourg	Poole	4h30 (en ferry classique) 2h15 (en ferry rapide)	Brittany Ferries	1 à 3 par jour. Toute l'année. De mi-mai à fin septembre, un ferry rapide.
Cherbourg	Portsmouth	3h	Brittany Ferries	1 par jour.
Caen / Ouistreham	Portsmouth	6h (en ferry classique)	Brittany Ferries	2 à 4 par jour. Toute l'année.
		3h45 (en ferry rapide)	Brittany Ferries	2 par jour en haute saison.
Calais	Douvres	de 35 mn à 1h30	Plusieurs compagnies : P & O Ferries, LD Lines	Nombreux départs quotidiens (bateaux).
Dunkerque	Douves	2h10	DFDS Seaways	Nombreux départs quotidiens.
Dieppe	Newhaven	4h	LD Lines	2 par jour.

De Belgique en Grande-Bretagne				
Zeebrugge	Hull	12h30	P & O Ferries	Quotidien. Trajet de nuit.
De Grande-Bretagne en république d'Irlande				
Holyhead	Dublin	3h15	Irish Ferries (ferry), Stena Line	6 par jour.
		1h50	Irish Ferries (catamaran)	3 par jour (4 en été).
Pembroke	Rosslare	3h45	Irish Ferries	2 départs quotidiens (dont un de nuit).
Fishguard	Rosslare	3h30	P & O Ferries (ferry), Stena Line	4 départs quotidiens.
		1h45	P & O Ferries (catamaran), Stena Line	Départs quotidiens en saison, 6 en juillet-août.
Swansea	Cork	10h	Fastnet Line	Plusieurs en semaine. En juillet et août, quotidiens.
De Grande-Bretagne en Irlande du Nord				
Cairnryan	Larne	2h	P & O Irish Sea	5 à 7 par jour.
		1h (catamaran)	P & O Irish Sea	2 par jour.
Liverpool	Belfast	8h	Norfolk Line	Quotidien en saison. Trajet de nuit.
Troon	Larne	1h50 (catamaran)	P & O Irish Sea	2 départs par jour.
Stranraer	Belfast	2 à 3h	Stena Line	6 par jour.

Saint-Malo, Cherbourg ou Roscoff).
➢ Également une liaison Calais-Douvres, ttes les 45 mn, 24h/24, combinée avec les liaisons Fishguard-Rosslare, Holyhead-Dublin ou Stranraer-Belfast.

▲ **NORFOLK LINE (DFDS SEAWAYS)**
– Belfast : ☎ (0044-2890) 77-90-90. • norfolkline.com •
➢ Liaisons Liverpool-Belfast.

LES ORGANISMES DE VOYAGES

– Ne pas croire que les vols à tarif réduit sont tous au même prix pour une même destination à une même époque : loin de là. On a déjà vu, dans un même avion partagé par deux organismes, des passagers qui avaient payé 40 % plus cher que les autres. De plus, une agence bon marché ne l'est pas forcément toute l'année (elle peut n'être compétitive qu'à certaines dates bien précises). Donc, contactez tous les organismes et jugez vous-même.
– Les organismes cités sont classés par ordre alphabétique, pour éviter les jalousies et les grincements de dents.

EN FRANCE

▲ **AGUILA – VOYAGES-PHOTO**
– Lunel : Atelier 10, 270, rue Thomas-Edison, 34400. ☎ 04-67-13-22-32. • aguila-voyages.com •
Fondée par trois photographes professionnels et grands voyageurs, Aguila offre l'opportunité de partir en voyage avec un photographe-reporter. Lors des séjours celui-ci initie aux techniques de la photographie de reportage et fait partager sa connaissance du territoire. Il apprend aux participants, par petits groupes de 3 à 10 personnes, à repérer les scènes et les lumières et leur fait bénéficier de ses relations privilégiées avec les populations. Le catalogue offre une large gamme de destinations dans le monde avec par exemple l'Équateur, l'Islande, la Patagonie, la Toscane, le Maroc ou le Vietnam. Des séjours sont également organisés en France. Aguila propose aussi un cycle de conférences-formations sur le thème de la photo dans différentes villes de France. Inscriptions sur leur site.

▲ **ALAINN TOURS**
– 9, Unit Pro-tek House, Finisklin Business Park, Sligo (Irlande). ☎ 0820-20-20-30 (nº Indigo) ou 00-353-71-91-50345. • vacancesenirlande.com •
Spécialiste du voyage en Irlande pour les individuels et les groupes, Alainn Tours fête cette année ses 20 ans d'existence et étend maintenant son savoir-faire à l'Écosse. Cette fervente équipe franco-irlandaise est basée en Irlande depuis 1991. Elle présente la particularité de s'adresser directement à la clientèle internaute. Toutes les formules proposées sont traitées individuellement en moins de 48h. Une assistance téléphonique en français tlj est incluse dans les forfaits avant, pendant, et après votre séjour. Le choix des hébergements va du logement chez l'habitant au château en passant par les demeures de charme. Vous pouvez greffer sur les séjours diverses activités (golf, pêche, équitation, randonnée...) ou des thèmes (culture, archéologie, ornithologie...).

▲ **BOURSE DES VOLS – BOURSE DES VOYAGES**
Rens : ☎ 01-42-61-66-61. • bdv.fr • Lun-sam 9h-20h.
Agence de voyages en ligne, BDV.fr propose une vaste sélection de vols secs, séjours et circuits à réserver en ligne ou par téléphone. Pour bénéficier des meilleurs tarifs aériens, même à la dernière minute, le service de Bourse des Vols référence en temps réel un large panel de vols réguliers, charters et dégriffés au départ de Paris et de nombreuses villes de province. Bourse des Voyages propose des promotions toute l'année sur une large sélection de destinations (séjours, circuits...).

▲ **BRITTANY FERRIES**
– Roscoff : port du Bloscon, BP 72, 29688 Roscoff Cedex. Rens et résas : ☎ 0825-828-828 (0,15 €/mn ; lun-ven 8h30-19h, sam 9h-18h). • brittany ferries.fr •
Brittany Ferries, spécialiste de l'Irlande depuis plus de 30 ans, propose une

NOUVEAUTÉ

BANGKOK (octobre 2012)

À Bangkok, vous serez épaté par les balades éblouissantes dans les temples bouddhiques et les palais rutilants d'or. On se remet vite de ces visites avec les massages thaïs bien énergiques. On se promène aussi à bord des bateaux longue-queue dans les canaux, à travers les vieux quartiers sur pilotis. Et n'oubliez pas le Bangkok urbain et branché : son métro aérien, les centres commerciaux climatisés (eh oui ! le paradis du shopping, c'est ici !), où l'on se régale pour trois fois rien dans les *food courts*, et les cantines de rue. Parfait avant d'assister à un match de boxe thaïe en soirée ou de prendre un dernier verre au sommet d'un building !

sélection de plus de 800 hébergements à la carte (*B & B, guesthouses,* hôtels, maisons de vacances, demeures de caractère, etc.) dans toutes les régions d'Irlande, qu'il est possible de combiner. En brochure également, des séjours à thème (rando, pêche, golf) et des circuits autotours exclusifs Sud-Ouest, Connemara, Est et Nord, et des circuits en autocar. Tarif préférentiel sur les traversées maritimes combinées avec la réservation d'hébergements.

▲ COMPTOIR DES PAYS CELTES

– Paris : 6, rue des Écoles, 75005. ☎ 0892-239-039 (0,34 €/mn). • comptoir.fr • Ⓜ Cardinal-Lemoine. Lun-ven 9h30-18h30 ; sam 10h-18h30.

– Lyon : 10, quai Tilsitt, 69002. ☎ 0892-230-465. Ⓜ Bellecour. Lun-sam 9h30-18h30.

– Marseille : 12, rue Breteuil, 13001. ☎ 0892-236-636. Ⓜ Estrangin. Lun-sam 9h30-18h30.

– Toulouse : 43, rue Peyrolières, 31000. ☎ 0892-232-236 (0,34 €/mn). Ⓜ Esquirol. Lun-sam 9h30-18h30.

Partez à la découverte de l'âme et de l'identité celte ! Pour votre voyage en Irlande, Écosse, au pays de Galles et en Galice, le Comptoir vous propose un large choix d'autotours et de séjours cosys en *Bed & Breakfast.* Quelles que soient vos envies, des spécialistes seront à votre écoute pour créer un voyage sur mesure.

L'authenticité, les mythes, les traditions et les couleurs de l'Irlande ne sont jamais bien loin lorsque leurs conseillers vous aident à bâtir un voyage. Comptoir des Pays Celtes propose un grand choix d'hébergements de charme, des idées de voyages originales et bien d'autres suggestions à combiner selon son budget, ses envies et son humeur.

21 Comptoirs, plus de 60 destinations, des idées de voyages à l'infini. Comptoir des Voyages s'impose depuis 20 ans comme une référence incontournable pour les voyages sur mesure, accessible à tous les budgets. Membre de l'association ATR (Agir pour un tourisme responsable), Comptoir des Voyages a obtenu en 2010, pour la seconde année, la certification Tourisme responsable AFAQ AFNOR.

▲ EXPERIMENT

– Paris : 89, rue de Turbigo, 75003. ☎ 01-44-54-58-00. • experiment-france.org • Ⓜ Temple ou République. Lun-ven 9h-18h.

Partager en toute amitié la vie quotidienne d'une famille, c'est ce que vous propose l'association Experiment. Cette formule de séjour en immersion totale chez l'habitant à la carte existe dans une douzaine de pays à travers le monde dont l'Irlande.

Experiment offre également la possibilité de suivre des cours intensifs d'anglais avec hébergement chez l'habitant, en Irlande. Ces différentes formules s'adressent aux adultes et adolescents.

Sont également proposés des stages en entreprise en Irlande. *(Service Départs à l'étranger : ☎ 01-44-54-58-00).*

Pour les 18-26 ans, Experiment organise des séjours « au pair », notamment en Irlande. *(Service Au Pair : ☎ 01-44-54-58-09.)*

▲ FUAJ

– Paris : antenne nationale, 27, rue Pajol, 75018. ☎ 01-44-89-87-27. Ⓜ La Chapelle, Marx-Dormoy ou Gare-du-Nord. Mar-ven 13h-17h30. Rens dans ttes les AJ, les points d'infos et de résas en France et sur le site • fuaj.org •

La FUAJ (Fédération unie des auberges de jeunesse) accueille ses adhérents dans 160 auberges de jeunesse en France. Seule association française membre de l'IYHF *(International Youth Hostel Federation),* elle est le maillon d'un réseau de 4 000 auberges de jeunesse réparties dans 90 pays. La FUAJ organise, pour ses adhérents, des activités sportives, culturelles et éducatives ainsi que des rencontres internationales. Vous pouvez obtenir gratuitement les brochures *Printemps-Été, Hiver, le dépliant des séjours pédagogiques, la carte pliable des AJ et le Guide des AJ en France.*

▲ GAELAND ASHLING

– Paris : 4, quai des Célestins, 75004. ☎ 0825-12-30-03 (0,15 €/mn). • gaeland-ashling.com • Lun-ven 9h30-18h30 ; sam 10h-17h. Et dans ttes les agences de voyages.

LES BONNES ADRESSES DU ROUTARD

Nos meilleurs campings en France

+ de 1 800 adresses pour découvrir les joies du camping.

Les plus :

- les balades à faire
- les monuments à ne pas manquer
- des adresses insolites

13,20 €

hachette TOURISME

Trois destinations phares pour ce tour-opérateur spécialisé sur l'ouest de l'Europe (l'Irlande, la Grande-Bretagne et l'Écosse). L'équipe est composée de fanas de l'Irlande, qui connaissent très bien la destination. Très grande souplesse à la réservation, que ce soit pour les transports ou pour l'hôtel. Logement en *B & B,* manoirs, cottages ou cruisers. Formules sportives telles que : équitation, golf, pêche. Circuits en autocar ou en minibus...

▲ HUWANS - CLUBAVENTURE

Rens : ☎ 0826-88-20-80 (0,15 €/mn).
• clubaventure.fr •
– Paris : 18, rue Séguier, 75006. Ⓜ Saint-Michel ou Odéon. Mar-sam 10h-19h.
– Lyon : 2, rue Vaubecour, 69002. Ⓜ Bellecour ou Ampère. Mar-ven 9h30-13h, 14h-18h30, sam 10h30-13h, 14h-18h.

Spécialiste du voyage d'aventure depuis près de 30 ans, Clubaventure privilégie la randonnée en petits groupes, en famille ou entre amis pour parcourir le monde hors des sentiers battus. Leur site offre 1 000 voyages dans 90 pays différents, à pied, en pirogue ou à dos de chameau. Ces voyages sont encadrés par des guides locaux et professionnels.

▲ NOUVELLES FRONTIÈRES

Rens et résas dans tte la France : ☎ 0825-000-745 (0,15 €/mn). • nouvelles-frontieres.fr •

Les brochures Nouvelles Frontières sont disponibles gratuitement dans les 300 agences du réseau, par téléphone et sur Internet. Nombreuses formules : vols sur Corsair International, la compagnie de Nouvelles Frontières au départ de Paris et de province, et sur toutes les compagnies aériennes régulières ; circuits, aventure ou organisés ; séjours en hôtels, en hôtels-clubs et en résidences ; week-ends, formules à la carte.

▲ SCANDITOURS - CELTICTOURS

– Paris : 36, rue de Saint-Pétersbourg, 75008. ☎ 0820-300-383. Ⓜ Place-de-Clichy. Lun-ven 10h-18h.

Scanditours est une véritable institution sur la Norvège, la Finlande, la Suède, le Danemark, l'Islande, le Groenland, les îles Féroé et le Spitzberg.

Celtictours consacre sa programmation à l'Irlande et l'Écosse. Circuits accompagnés et voyages individuels : transports aérien, maritime, location de voitures, autotours, séjours chez l'habitant, en cottage, en auberge, en hôtel, en château ou encore en manoir.

▲ TERRES D'AVENTURE

Rens : ☎ 0825-700-825 (nº Indigo ; 0,15 €/mn). • terdav.com •
– Paris : 30, rue Saint-Augustin, 75002. Ⓜ Opéra ou 4-Septembre. Lun-sam 9h30-19h.
– Agences également à Bordeaux, Chamonix, Grenoble, Lille, Lyon, Marseille, Nantes, Rennes, Rouen, Strasbourg et Toulouse.

Depuis 1976, Terres d'Aventure, spécialiste du voyage à pied, propose aux voyageurs passionnés de marche et de rencontres des randonnées hors des sentiers battus à la découverte des grands espaces de notre planète. Voyages à pied, à cheval, en bateau, en raquettes... Sur tous les continents, des aventures en petits groupes ou en individuel encadrés par des professionnels expérimentés. Les hébergements dépendent des sites explorés : camps d'altitude, bivouacs, refuges ou petits hôtels. Les voyages sont conçus par niveaux de difficulté : de la simple balade en plaine à l'expédition sportive en passant par la course en haute montagne.

En province, certaines de leurs agences sont de véritables *Cités des Voyageurs.* Tout y rappelle le voyage : librairies spécialisées, boutiques d'accessoires de voyage, expositions-ventes d'artisanat et cocktails-conférences. Consultez le programme des manifestations sur leur site internet.

▲ VOYAGES-SNCF.COM

Voyages-sncf.com, acteur majeur du tourisme français qui recense neuf millions de visiteurs par mois, propose d'acheter en ligne des billets de train, d'avion, des chambres d'hôtel, des locations de voitures, de vacances et des séjours clés en main ou Alacarte®, ainsi que des spectacles, des excursions et des visites de musées. Un large choix et des prix avantageux sont offerts toute l'année, pour tous types de voyages dans le monde entier :

SNCF, 180 compagnies aériennes, 84 000 hôtels référencés et les principaux loueurs de voitures.
Le site ● *voyages-sncf.com* ● permet d'accéder tous les jours, 24h/24, à plusieurs services : envoi gratuit des billets à domicile, Alerte Résa pour être informé de l'ouverture des réservations et profiter du plus grand choix, calendrier des meilleurs prix (TTC), mais aussi des offres de dernière minute et des promotions...
Pratique : ● *voyages-sncf.mobi* ● le site mobile pour réserver, s'informer et profiter des bons plans n'importe où et à n'importe quel moment.
Et grâce à l'ÉcoComparateur, en exclusivité sur ● *voyages-sncf.com* ●, possibilité de comparer le prix, le temps de trajet et l'indice de pollution pour un même trajet en train, en avion ou en voiture.

▲ **VOYAGEURS EN IRLANDE**
Le spécialiste du voyage en individuel sur mesure. ● voyageursdumonde.com ●
– Paris : La Cité des Voyageurs, 55, rue Sainte-Anne, 75002. ☎ 01-42-86-16-00. Ⓜ Opéra ou Pyramides. Lun-sam 9h30-19h.
– Voyageurs en Irlande et dans les îles Britanniques (Angleterre, Écosse, Irlande). ☎ 01-42-86-17-60.
– Également des agences à Bordeaux, Caen, Grenoble, Lille, Lyon, Marseille, Montpellier, Nantes, Nice, Rennes, Rouen, Strasbourg et Toulouse.
Parce que chaque voyageur est différent, que chacun a ses rêves et ses idées pour les réaliser, Voyageurs du Monde conçoit, depuis plus de 30 ans, des projets sur mesure. Les séjours proposés à travers 120 destinations sont des suggestions élaborées par quelque 180 conseillers voyageurs. Spécialistes de leur pays, ils vous aideront à personnaliser les voyages présentés à travers une trentaine de brochures d'un nouveau type et sur le site internet où vous pourrez également découvrir des hébergements exclusifs et consulter votre espace personnalisé. Chacune des 15 Cités des Voyageurs est une invitation au voyage : librairies spécialisées, accessoires de voyage, expositions-ventes d'artisanat et conférences. Voyageurs du Monde est membre de l'association ATR (Agir pour un tourisme responsable) et a obtenu en 2008 sa certification Tourisme responsable AFAQ AFNOR.

Comment aller à Roissy et à Orly ?

Bon à savoir :
– Le ***pass Navigo*** est valable pour Roissy-Rail (RER B, zones 1-5) et Orly-Rail (RER C, zones 1-4).
– Le ***billet Orly-Rail*** permet d'accéder sans supplément aux réseaux métro et RER.

À Roissy-Charles-de-Gaulle 1, 2 et 3

Attention : si vous partez de Roissy, pensez à vérifier de quelle aérogare votre avion décolle car la durée du trajet peut considérablement varier en fonction de cette donnée.

En transports collectifs

🚌 ***Les cars Air France :*** *☎ 0892-350-820 (0,34 €/mn). ● lescarsairfrance.com ● Paiement par CB possible à bord.*
Le site internet diffuse les informations essentielles sur le réseau (lignes, horaires, tarifs...) permettant de connaître en temps réel des infos sur le trafic afin de mieux planifier son départ. Il propose également une boutique en ligne, qui permet d'acheter et d'imprimer les billets électroniques pour accéder aux bus.
➢ *Paris-Roissy* : départ pl. de l'Étoile (1, av. Carnot), avec un arrêt pl. de la Porte-Maillot (bd Gouvion-Saint-Cyr). Départs ttes les 20-30 mn, 6h-22h. Durée du trajet : 35-50 mn env. Tarifs : 15 € l'aller simple, 24 € l'A/R ; réduc enfants 2-11 ans.
Autre départ depuis la gare Montparnasse (arrêt rue du Commandant-Mouchotte, face à l'hôtel *Pullman*), ttes les 30 mn, 6h-21h30, avec un arrêt gare de Lyon (20 bis, bd Diderot). Tarifs : 16,50 € l'aller simple, 27 € l'A/R ; réduc enfants 2-11 ans.
➢ *Roissy-Paris* : les cars *Air France* desservent la pl. de la Porte-Maillot,

avec un arrêt bd Gouvion-Saint-Cyr, et se rendent ensuite au terminus de l'av. Carnot. Départs ttes les 20-30 mn, 6h-23h, des terminaux 2A et 2C (porte C2), 2E et 2F (niveau « Arrivées », porte 3 de la galerie), 2B et 2D (porte B1), et du terminal 1 (porte 34, niveau « Arrivées »).

À destination de la gare de Lyon et de la gare Montparnasse, départs ttes les 30 mn, 6h-21h30, des mêmes terminaux. Durée du trajet : 45 mn env.

Roissybus : *☎ 32-46 (0,34 €/mn).* • *ratp.fr* • Départs de la pl. de l'Opéra (angle rues Scribe et Auber) ttes les 15 mn (20 mn à partir de 20h), 5h45-23h. Durée du trajet : 60 mn. De Roissy, départs 6h-23h des terminaux 1, 2A, 2B, 2C, 2D et 2F, et à la sortie du hall d'arrivée du terminal 3. Tarif : 10 €.

Bus RATP n° 351 : de la pl. de la Nation, 5h35-20h20. Solution la moins chère mais la plus lente. Compter 3 tickets ou 5,70 € et 1h40 de trajet. Ou ***bus n° 350,*** de la gare de l'Est (1h15 de trajet). Arrivée Roissypôle-gare RER.

RER ligne B + navette : *☎ 32-46 (0,34 €/mn).* Départs ttes les 15 mn (4h55-0h20) depuis la gare du Nord et à partir de 5h26 depuis Châtelet. À Roissy-Charles-de-Gaulle, descendre à la station (il y en a 2) qui dessert le bon terminal. De là, prendre la navette adéquate. Compter 50 mn de la gare du Nord à l'aéroport (navette comprise). Tarif : 10,90 €.

Si vous venez du nord, de l'ouest ou du sud de la France en train, vous pouvez rejoindre les aéroports de Roissy sans passer par Paris, la gare SNCF Paris-Charles-de-Gaulle étant reliée aux réseaux TGV.

En taxis

Compter au moins 50 € du centre de Paris, en tarif de jour.

En voiture

Chaque terminal a son propre parking. Compter 34 € par tranche de 24h. Également des parkings longue durée (PR et PX), plus éloignés des terminaux, qui proposent des tarifs plus avantageux (forfait 24h 25 €, forfait 7 j. pour 151 €). Possibilité de réserver sa place de parking via le site • *aeroportsdeparis.fr* • Stationnement au parking Vacances (longue durée) dans le P3 Résa (terminaux 1 et 3) situé à 2 mn du terminal 3 à pieds ou le PAB (terminal 2). Formules de stationnement 1-30 j. (120-205 €) pour le P3 Résa. De 2 à 5 j. dans le PAB 13 € par tranche de 12h et de 6 à 14 j. 24 € par tranche de 24h. Réservation sur Internet uniquement. Les P1, PAB et PEF accueillent les deux-roues : 15 € pour 24h.

Comment se déplacer entre Roissy-Charles-de-Gaulle 1, 2 et 3 ?

Les rames du CDG-VAL font le lien entre les 3 terminaux en 8 mn. Fonctionne tlj, 24h/24. Gratuit. Accessible aux personnes à mobilité réduite. Départs ttes les 4 mn, et ttes les 20 mn, minuit-4h. Desserte gratuite vers certains hôtels, parkings, gares RER et gares TGV. *Infos au : ☎ 39-50.*

À Orly-Sud et Orly-Ouest

En transports collectifs

Les cars Air France : *☎ 0892-350-820 (0,34 €/mn).* • *lescarsairfrance.com* • *Tarifs : 11,50 € l'aller simple, 18,50 € l'A/R ; enfants 2-11 ans : 5,50 €. Paiement par CB possible dans le bus.*

➢ *Paris-Orly :* départs de l'Étoile, 1, av. Carnot, ttes les 30 mn 5h-22h40. Arrêts au terminal des Invalides, rue Esnault-Pelterie (Ⓜ Invalides), Gare Montparnasse (rue du Commandant-Mouchotte, face à l'hôtel *Pullman* ; Ⓜ Montparnasse-Bienvenüe, sortie Gare SNCF) et Porte d'Orléans (arrêt facultatif uniquement dans le sens Orly-Paris).

➢ *Orly-Paris :* départs ttes les 20 mn, 6h-23h40 d'Orly-Sud, porte L, et d'Orly-Ouest, porte H, niveau « Arrivées ».

RER C + navette : *☎ 01-60-11-46-20.* • *parisparletrain.fr* • Prendre le RER C jusqu'à Pont-de-Rungis (un RER ttes les 15-30 mn). Compter 25 mn depuis la gare d'Austerlitz. Ensuite, navette pdt 15-20 mn pour Orly-Sud et Orly-Ouest. Compter

6,45 €. Très recommandé les jours où l'on piétine sur l'autoroute du Sud (w-e et jours de grands départs) : on ne sera jamais en retard. Pour le retour, départs de la navette ttes les 15 mn depuis la porte G à Orly-Ouest (5h40-23h14) et la porte F à Orly-Sud (4h45-0h55).

Bus RATP Orlybus : *☎ 08-92-68-77-14 (0,34 €/mn). • ratp.fr •*
➢ *Paris-Orly :* départs ttes les 15-20 mn de la pl. Denfert-Rochereau. Compter 20-30 mn pour rejoindre Orly (Ouest ou Sud). Orlybus fonctionne tlj 5h35-23h, jusqu'à minuit ven, sam et veilles de fêtes dans le sens Paris-Orly ; et tlj 6h-23h20, jusqu'à 0h20 ven, sam et veilles de fêtes dans le sens Orly-Paris.
➢ *Orly-Paris :* départ d'Orly-Sud, porte H, quai 4, ou d'Orly-Ouest, porte J, niveau « Arrivées ». Compter 7 € l'aller simple.

Orlyval : *☎ 32-46 (0,34 €/mn). • ratp.fr •* Compter 10,90 € l'aller simple entre Orly et Paris. Ce métro automatique est facilement accessible à partir de n'importe quel point de la capitale ou de la région parisienne (RER, stations de métro, gare SNCF). La jonction se fait à Antony (ligne B du RER) sans aucune attente. Permet d'aller d'Orly à Châtelet et vice versa en 40 mn env, sans se soucier de la densité de la circulation automobile.
➢ *Paris-Orly :* départs pour Orly-Sud et Ouest ttes les 6-8 mn, 6h-22h15.
➢ *Orly-Paris :* départ d'Orly-Sud, porte K, zone livraison des bagages, ou d'Orly-Ouest, porte W, niveau 1.

En taxis

Compter au moins 35 € en tarif de jour du centre de Paris, selon circulation et importance des bagages.

En voiture

À proximité d'Orly-Ouest, parkings P0 et P2. À proximité d'Orly-Sud, P1, P2 et P3 (à 50 m du terminal, accessible par tapis roulant). Compter 28,50 € pour 24h de stationnement. Les parkings P0 et P2, à proximité immédiate des terminaux, proposent un forfait « week-end » intéressant, valable du ven 0h01 au lun 23h59 (45 €). Forfaits disponibles aussi pour les P4, P5 et P7 : 15,50 € pour 24h et 1 € par jour supplémentaire au-delà de 8 j. (45 j. de stationnement max). Il existe pour le P7 des forfaits « vacances » 1 à 30 j. (15-130 €).
Les P4, P7 (en extérieur) et P5 (couvert) sont des parkings longue durée, plus excentrés, reliés par navettes gratuites aux terminaux. *Rens : ☎ 01-49-75-56-50.* Comme à Roissy, possibilité de réserver en ligne sa place de parking (P0 et P7) sur *• aeroportsdeparis.fr •* Les frais de résa (en sus du parking) sont de 8 € pour 1 j., de 12 € pour 2-3 j. et de 20 € pour 4-10 j. de stationnement pour le P0. Les parkings P0-P2 à Orly-Ouest, et P1-P3 à Orly-Sud accueillent les deux-roues : 6,20 € pour 24h.

Liaisons entre Orly et Roissy-Charles-de-Gaulle

Les cars Air France : *☎ 0892-350-820 (0,34 €/mn). • lescarsairfrance.com •* Départs de Roissy-Charles-de-Gaulle depuis les terminaux 1 (porte 32), 2A et 2C, 2B et 2D, 2E et 2F (galerie de liaison entre les terminaux 2E et 2F) vers Orly 5h55-22h30. Départs d'Orly-Sud (porte K) et d'Orly-Ouest (porte H) vers Roissy-Charles-de-Gaulle 6h30 (7h le w-e)-22h30. Ttes les 30-45 mn (dans les 2 sens). Durée du trajet : 50 mn env. Tarif : 19,50 € ; réduc.

RER B + Orlyval : *☎ 32-46 (0,34 €/mn).* Depuis Roissy, navette puis RER B jusqu'à Antony et enfin Orlyval entre Antony et Orly, 6h-22h15. Tarif : 19,50 €.

– ***En taxi :*** compter 50-55 € en journée.

EN BELGIQUE

▲ AIRSTOP

Pour ttes les adresses Airstop, un seul numéro de tél : ☎ 070-233-188. • airstop.be • Lun-ven 9h-18h30 ; sam 10h-17h.
– Bruxelles : bd E.-Jacquemain 76, 1000.
– Anvers : Jezusstraat, 16, 2000.
– Bruges : Dweersstraat, 2, 8000.

– Gand : Maria Hendrikaplein, 65, 9000.
– Louvain : Tiensestraat, 5, 125, 3000.
Airstop offre une large gamme de prestations, du vol sec au séjour tout compris à travers le monde.

▲ CONNECTIONS
Rens et résas : ☎ 070-233-313. • connections.be • Lun-ven 9h-19h ; sam 10h-17h.
Fort d'une expérience de plus de 20 ans dans le domaine du voyage, Connections dispose d'un réseau de 30 *travel shops* dont un à Brussels Airport. Connections propose des vols dans le monde entier à des tarifs avantageux et des voyages destinés à des voyageurs désireux de découvrir la planète de façon autonome et de vivre des expériences uniques. Connections propose une gamme complète de produits : vols, hébergements, locations de voitures, autotours, vacances sportives, excursions, assurances « protections »...

▲ NOUVELLES FRONTIÈRES
• nouvelles-frontieres.be •
– Nombreuses agences à Bruxelles, Charleroi, Liège, Mons, Namur, Waterloo, Wavre et au Luxembourg.
Voir texte dans la partie « En France ».

▲ SERVICE VOYAGES ULB
• servicevoyages.be • 22 agences dont 11 à Bruxelles.
– Bruxelles : campus ULB, av. Paul-Héger, 22, CP 166, 1000. ☎ 02-650-40-20.
– Bruxelles : rue Abbé-de-l'Épée, 1, Woluwe, 1200. ☎ 02-742-28-80.
– Bruxelles : hôpital universitaire Érasme, route de Lennik, 808, 1070. ☎ 02-555-38-63.
– Bruxelles : chaussée d'Alsemberg, 815, 1180. ☎ 02-332-29-60.
– Ciney : rue du Centre, 46, 5590. ☎ 083-216-711.
– Marche (Luxembourg) : 11, av. de France, 6900. ☎ 084-31-40-33.
– Wepion : chaussée de Dinant, 1137, 5100. ☎ 081-46-14-37.
Service Voyages ULB, c'est le voyage à l'université. Billets d'avion sur vols charters et sur compagnies régulières à des prix compétitifs.

▲ TAXISTOP
Pour ttes les adresses Taxistop : ☎ 070-222-292. • taxistop.be •
– Bruxelles : rue Théresienne, 7a, 1000.
– Gand : Maria Hendrikaplein, 65, 9000.
– Ottignies : bd Martin, 27, 1340.
Taxistop propose un système de covoiturage, ainsi que d'autres services comme l'échange de maisons ou le gardiennage.

▲ TERRES D'AVENTURE
– Bruxelles : chaussée de Charleroi, 23, 1060. ☎ 02-54-95-60. Lun-sam 10h-19h.
Voir texte dans la partie « En France ».

▲ VOYAGEURS DU MONDE
Le spécialiste du voyage en individuel sur mesure. • voyageursdumonde.com •
– Bruxelles : chaussée de Charleroi, 23, 1060. ☎ 0900-44-500 (0,45 €/mn).
Voir texte dans la partie « En France ».

EN SUISSE

▲ STA TRAVEL
• statravel.ch • ☎ 058-450-49-49.
– Fribourg : rue de Lausanne, 24, 1701. ☎ 058-450-49-80.
– Genève : rue de Rive, 10, 1204. ☎ 058-450-48-00.
– Genève : rue Vignier, 3, 1205. ☎ 058-450-48-30.
– Lausanne : bd de Grancy, 20, 1006. ☎ 058-450-48-50.
– Lausanne : à l'université, Anthropole, 1015. ☎ 058-450-49-20.
Agences spécialisées notamment dans les voyages pour jeunes et étudiants. 150 bureaux STA et plus de 700 agents du même groupe répartis dans le monde entier sont là pour donner un coup de main *(Travel Help).*
STA propose des voyages avantageux : vols secs *(Blue Ticket)*, hôtels, écoles de langues, *work & travel*, circuits d'aventure, voitures de location, etc. Délivre la carte internationale d'étudiant et la carte Jeune.
STA est membre du fonds de garantie de la branche suisse du voyage ; les montants versés par les clients pour les voyages forfaitaires sont assurés.

▲ TERRES D'AVENTURE
– Genève : Neos Voyages, rue des Bains, 50, 1205. ☎ 022-320-66-35. • geneve@neos.ch •

– Lausanne : Neos Voyages, rue Simplon, 11, 1006. ☎ *021-612-66-00.*
• *lausanne@neos.ch* •
Voir texte dans la partie « En France ».

▲ TUI – NOUVELLES FRONTIÈRES

– Genève : rue Chantepoulet, 25, 1201.
☎ *022-716-15-70.*
– Lausanne : bd de Grancy, 19, 1006.
☎ *021-616-88-91.*
Voir texte dans la partie « En France ».

AU QUÉBEC

▲ TOURS CHANTECLERC

• *tourschanteclerc.com* •
Tours Chanteclerc est un tour-opérateur qui publie différentes brochures de voyages : Europe, Amérique du Nord, Amérique du Sud, Asie et Pacifique Sud, Afrique et le Bassin méditerranéen en circuits ou en séjours. « Mosaïque Europe » s'adresse aux voyageurs indépendants qui réservent un billet d'avion, un hébergement (dans toute l'Europe), des excursions ou une location de voiture. Également spécialiste de Paris, le tour-opérateur offre une vaste sélection d'hôtels et d'appartements dans la Ville lumière.

▲ VOYAGES CAMPUS - TRAVEL CUTS

• *voyagescampus.com* •
Voyages Campus – Travel Cuts est un réseau national d'agences de voyages spécialisées pour les étudiants et les voyageurs qui disposent de petits budgets. Le réseau existe depuis 40 ans et compte plus de 50 agences dont 6 au Québec. Voyages Campus propose des produits exclusifs comme l'assurance « Bon voyage » le programme de Vacances-Travail (SWAP), la carte d'étudiant internationale (ISIC) et plus. Ils peuvent vous aider à planifier votre séjour autant à l'étranger qu'au Canada et même au Québec.

UNITAID

UNITAID a été créé pour lutter contre le VIH/sida, le paludisme et la tuberculose, principales maladies meurtrières dans les pays en développement. UNITAID intervient dans 94 pays en facilitant l'accès aux médicaments et aux diagnostics, en en baissant les prix, dans les pays en développement. Le financement d'UNITAID provient principalement d'une contribution de solidarité sur les billets d'avion mise en place par six pays membres, dont la France, où la taxe est de 1 € sur les vols intérieurs et de 4 € sur les vols internationaux (ce qui représente le traitement d'un enfant séropositif pour un an). Depuis 2006, UNITAID a réuni plus d'un milliard de dollars. Les financements ont permis à près d'un million de personnes atteintes du VIH/sida de bénéficier d'un traitement et de délivrer plus de 19 millions de traitements contre le paludisme. Moins de 5 % des fonds sont utilisés pour le fonctionnement du programme, 95 % sont utilisés directement pour les médicaments et les tests. Pour en savoir plus : • *unitaid.eu* •

IRLANDE UTILE

Pour la carte générale de l'Irlande, se reporter au cahier couleur.

ABC DE L'IRLANDE

L'ÎLE

- ***Superficie :*** 84 412 km² (environ un septième de la France).
- ***Division politique :*** l'île est partagée entre la république d'Irlande (Eire) et l'Irlande du Nord (Ulster), qui fait partie du Royaume-Uni de Grande-Bretagne et d'Irlande du Nord.
- ***Divisions administratives :*** quatre provinces (Leinster, Munster, Connaught et Ulster), et 32 comtés.
- ***Heure :*** GMT en hiver et GMT + 1 en été, soit 1h de retard sur la France toute l'année.

LA RÉPUBLIQUE D'IRLANDE (EIRE)

- ***Superficie :*** 70 273 km².
- ***Population :*** environ 4,58 millions d'habitants (recensement 2011).
- ***Capitale :*** Dublin (1,2 million d'habitants).
- ***Langues officielles :*** le gaélique et l'anglais.
- ***Monnaie :*** l'euro.
- ***Régime :*** démocratie parlementaire à deux chambres.
- ***Chef de l'État :*** Michael Daniel Higgins, depuis 2011.
- ***Chef du gouvernement :*** Enda Kenny (Fine Gael) depuis mars 2011.
- ***Divisions administratives :*** trois des quatre provinces (Leinster, Munster, Connaught) représentant ensemble 23 comtés, et trois des neuf comtés de la quatrième (Ulster), soit un total de 26 comtés.
- ***Religions :*** 86,8 % de catholiques et 5,1 % de protestants.

AVANT LE DÉPART

Adresses utiles

En France

- ***Office de tourisme de l'île d'Irlande :*** *☎ 01-70-20-00-20. • discoverireland.com/fr* • Les offices de tourisme de la république d'Irlande et d'Irlande du Nord ont eu la bonne idée de se réunir sous la bannière unique du « Tourisme irlandais ». Plus d'accueil du public, mais l'office envoie sur demande un excellent matériel en français par thèmes : les meilleurs circuits à vélo, la pêche, la marche à pied, les croisières en bateau, le golf, les séjours linguistiques, le calendrier des fêtes, etc. Également les grosses brochures éditées par les principales associations de *B & B* et par la fédération des hôtels, ainsi que toute la documentation spécifique à l'Irlande du Nord. Bien d'autres brochures enfin, des campings aux châteaux et manoirs en passant par les *B & B* haut de gamme. Une brochure *Qui fait quoi ?* recense la plupart des voyagistes spécialisés sur l'Irlande. De quoi préparer intelligemment votre voyage, la doc de l'office dans une main, le *Routard* dans l'autre.
- ***Ambassade d'Irlande :*** *12, av. Foch, 75116 Paris (entrée 4, rue Rude). ☎ 01-44-17-67-00. • embassyofireland.fr • Ⓜ Charles-de-Gaulle-Étoile. Lun-ven 9h30-12h. Par tél, lun-ven 9h30-13h, 14h30-17h30.*
- ***Centre culturel irlandais :*** *5, rue des Irlandais, 75005 Paris. ☎ 01-58-52-10-30. • centreculturelirlandais.com • Expos mar-sam 14h-18h*

(mer 20h), dim 12h30-14h30. Médiathèque ouv lun-ven 14h-18h (mer 20h). Ce centre culturel est la vitrine de la culture contemporaine irlandaise. Installé en plein Quartier latin, dans le magnifique bâtiment, longtemps connu comme le collège des Irlandais. Expos, débats-conférences, rencontres avec des écrivains, concerts (programme consultable sur le site internet) et riche médiathèque, tout pour prendre un premier bol d'Eire avant d'aller voir sur place, ou pour garder le contact avec la culture gaélique après son retour.

■ ***Ambassade de Grande-Bretagne :*** *35, rue du Faubourg-Saint-Honoré, 75383 Paris Cedex 08.* ☎ *01-44-51-31-00.* ● *ukinfrance.fco.gov.uk/fr* ●

🛈 ***Office de tourisme de Grande-Bretagne :*** ● *visitbritain.fr* ● *Bureau fermé au public ; infos par Internet slt.*

■ ***Association irlandaise :*** *22, rue Delambre, 75014 Paris.* ☎ *01-47-64-39-31.* ● *association-irlandaise.org* ● Ⓜ *Vavin.* Association ouverte aux Français et aux Irlandais. Organise des cours de *tin whistle*, de *fiddle*, de cornemuse irlandaise et de *bodhran*, ainsi que de danse irlandaise.

En Belgique

🛈 ***Tourism Ireland :*** *av. Louise, 66, 1050 Bruxelles.* ☎ *02-275-01-71.* ● *discoverireland.com/be-fr* ● *Lun-ven 9h-12h30, 13h-17h.*

🛈 ***Office britannique de tourisme :*** *bureau fermé au public ; infos par Internet slt.*

■ ***Ambassade d'Irlande :*** *chaussée d'Etterbeek, 180 (5e étage), 1040 Bruxelles.* ☎ *02-28-23-400.* ● *embassyofireland.be* ● *Lun-ven 10h-13h, 14h-16h.*

■ ***Ambassade de Grande-Bretagne :*** *av. d'Auderghem, 10, 1040 Bruxelles.* ☎ *02-287-62-11.* ● *ukinbelgium.fco.gov.uk/fr* ●

Au Canada

🛈 ***Tourism Ireland :*** *2, Bloor St West, suite 3403, Toronto (Ontario) M4W 3E2.* ☎ *1800-7426-7625.* ● *discoverireland.com/ca-fr* ● *Lun-ven 9h-16h30.*

■ ***Ambassade d'Irlande :*** *130, Albert St, suite 1105, Ottawa (Ontario) K1P 5G4.* ☎ *(613) 233-6281.* ● *embassyofireland.ca* ●

■ ***British High Commission :*** *80, Elgin St, Ottawa (Ontario) K1P 5K7.* ☎ *(613) 237-1530.* ● *ukincanada.fco.gov.u/en* ● Bureaux à Montréal et Québec.

En Suisse

🛈 ***Tourism Ireland :*** *Hindergartenstrasse 36, 8447 Darchen.* ☎ *044-210-41-53.* ● *discoverireland.com/ch-fr* ●

■ ***Ambassade d'Irlande :*** *Kirchenfeldstrasse 68, PO Box 262, 3000 Berne 6.* ☎ *031-352-14-42.* ● *embassyofireland.ch* ●

■ ***Ambassade de Grande-Bretagne :*** *Thunstrasse 50, 3005 Berne.* ☎ *031-359-77-00.* ● *ukinswitzerland.fco.gov.uk/en.ch* ●

🛈 ***Office de tourisme de Grande-Bretagne :*** ● *visitbritain.com/suisse* ● *Bureau fermé au public ; infos par Internet slt.*

Sur place

🛈 ***Offices de tourisme régionaux et locaux :*** indiqués par la lettre « i » en blanc sur fond vert. Bon accueil et bonne disponibilité. Les petits offices de tourisme locaux ne sont généralement ouverts qu'en saison. Il existe, pour la république d'Irlande, 7 offices régionaux correspondant à des zones géographiques, localisés à Dublin, Waterford (Sud-Est), Cork (comtés de Cork et Kerry sud), à proximité de Limerick (Shannon Town pour les comtés de Clare, Limerick, Kerry nord), Galway (comté de Galway, Mayo et Roscommon), Sligo (comtés de Cavan, Leitrim, Monaghan, Sligo et Donegal) et Mullingar (pour la côte est et le Centre). Infos sur les balades et visites, parfois même un plan gratuit de la ville (parfois seulement !). Ne pas trop leur faire confiance pour les hébergements : ils vous conseilleront uniquement ceux qui paient leurs cotisations. En Irlande du Nord, il existe 5 offices régionaux : ceux de Belfast et de Derry, ainsi que ceux de Coleraine (pour la Chaussée des Géants et les Glens of Antrim), Newtonwards (pour le comté de Down) et Enniskillen (comté et lacs de Fermanagh). La plupart des offices se proposent d'effectuer pour vous les résas d'hôtels, *B & B,* spectacles et concerts. On peut faire du change dans les plus grands.

Formalités

– Pour les majeurs, une carte d'identité en cours de validité suffit. ATTENTION, LES PASSEPORTS ET LES CARTES D'IDENTITÉ PÉRIMÉS NE SONT PAS ACCEPTÉS. Des dizaines de touristes se font encore refouler chaque année pour défaut de papiers en règle. À bon entendeur...
– Les mineurs voyageant seuls doivent posséder, en plus de la carte d'identité, une autorisation parentale de sortie du territoire, délivrée à la mairie (ou un passeport valide).
– Pour la voiture, faut-il le rappeler, carte grise et carte verte internationale, et plaque de nationalité à l'arrière. Le permis de conduire français est accepté.
– Interdiction formelle d'importer des viandes et produits laitiers (fromages compris).
– Un document européen (passeport pour animal) existe, permettant de faire transporter les animaux (chiens, chats et pourquoi pas les... furets !) satisfaisant aux exigences (vaccins, santé, etc.). Il est conseillé d'entamer la procédure auprès de votre vétérinaire au moins 7 mois à l'avance et de vérifier auprès des compagnies maritimes si elles sont agréées pour le transport des animaux de compagnie (il n'y a pas de compagnie aérienne agréée). Si vous venez en Irlande en transitant par l'Angleterre, pas de quarantaine non plus, à condition de satisfaire aux exigences du *Pet Travel Scheme* sur les liaisons directes entre le continent européen et l'Irlande. Consulter le site • *mfe.org* • et aller ensuite dans la rubrique *Moving country.*

Santé

Pour un séjour temporaire en Irlande, pensez à vous procurer la carte européenne d'assurance maladie. Il vous suffit d'appeler votre centre de Sécurité sociale (ou de se connecter au site internet de votre centre, encore plus rapide !), qui vous l'enverra sous une quinzaine de jours. Cette carte fonctionne avec tous les pays membres de l'Union européenne (y compris les 12 petits derniers), ainsi qu'en Islande, au Liechtenstein, en Norvège et en Suisse. C'est une carte plastifiée bleue du même format que la carte Vitale. Attention, elle est valable 1 an, gratuite et personnelle (chaque membre de la famille doit avoir la sienne, y compris les enfants). Mais la carte n'est pas valable pour les soins délivrés dans les établissements privés.

Assurances voyages

■ ***Routard Assurance*** *(c/o AVI International) : 106, rue de La Boétie, 75008 Paris. ☎ 01-44-63-51-00. • avi-international.com • Ⓜ Saint-Philippe-du-Roule ou Franklin-Roosevelt.* Depuis 1995, *Routard Assurance,* en collaboration avec *AVI International,* spécialiste de l'assurance voyage, propose aux routards un tarif à la semaine qui inclut une assurance bagages de 2 000 € et une assurance appareils photo de 300 €. Pour les séjours longs (2 mois à 1 an), il existe le *Plan Marco Polo.* Depuis peu, également un nouveau contrat pour les seniors, en courts et longs séjours. *Routard Assurance* est aussi disponible en version « light » (durée adaptée aux week-ends et courts séjours en Europe). Vous trouverez un bulletin de souscription dans les dernières pages de chaque guide.

■ ***AVA :*** *25, rue de Maubeuge, 75009 Paris. ☎ 01-53-20-44-20. • ava.fr • Ⓜ Cadet.* Un autre courtier fiable pour ceux qui souhaitent s'assurer en cas de décès-invalidité-accident lors d'un voyage à l'étranger, mais surtout pour bénéficier d'une assistance rapatriement, perte de bagages et annulation. Attention, franchises pour leurs contrats d'assurance voyage.

■ ***Pixel Assur :*** *18, rue des Plantes, 78600 Maisons-Laffitte. ☎ 01-39-*

62-28-63. • *pixel-assur.com* • *RER A : Maisons-Laffitte.* Assurance de matériel photo et vidéo tous risques dans le monde entier. Devis basé sur le prix d'achat de votre matériel. Avantage : garantie à l'année.

Numéro d'urgence européen

☎ ***112 :*** voici le numéro d'urgence commun à la France et à tous les pays de l'UE, à composer en cas d'accident, agression ou détresse. Il permet de se faire localiser et aider en français, tout en améliorant les délais d'intervention des services de secours.

Pensez à scanner passeport, visa, carte de paiement, billets d'avion et vouchers d'hôtel. Ensuite, adressez-les-vous par mail, en pièces jointes. En cas de perte ou de vol, rien de plus facile pour les récupérer dans un cybercafé. Les démarches administratives en seront bien plus rapides. Merci tonton Routard !

Carte internationale d'étudiant (carte ISIC)

Elle prouve le statut d'étudiant dans le monde entier et permet de bénéficier de tous les avantages, services, réductions étudiants du monde dans les domaines du transport, de l'hébergement, de la culture, des loisirs, du shopping... C'est la clé de la mobilité étudiante !
La carte ISIC permet aussi d'accéder à des avantages exclusifs sur le voyage (billets d'avion spécial étudiants, hôtels et auberges de jeunesse, assurances, cartes SIM internationales, location de voiture...).
Pour plus d'informations sur la carte ISIC et pour la commander en ligne, rendez-vous sur le site • *isic.fr* • *statravel.fr* •

Renseignements supplémentaires : ☎ *01-40-49-01-01.*

Pour l'obtenir en France

- Commandez-la en ligne.
- Rendez-vous dans la boutique *ISIC, 2, rue de Cicé, Paris 75006,* muni de votre certificat de scolarité, d'une photo d'identité et de 13 € (12 € + 1 € de frais de traitement).
- Émission immédiate sur place ou envoi à domicile le jour même de la commande en ligne.

En Belgique

La carte coûte 12 € (+ 1 € de frais d'envoi) et s'obtient sur présentation de la carte d'identité, de la carte d'étudiant et d'une photo auprès de :
■ ***Connections :*** *rens au ☎ 070-23-33-13 ou 479-807-129* • *isic.be* •

En Suisse

La carte s'obtient dans toutes les agences *STA Travel (☎ 058-450-40-00 ou 49-49),* sur présentation de la carte d'étudiant, d'une photo et de 20 Fs. Commande de la carte en ligne sur • *isic.ch* • *ou* • *statravel.ch* •

Au Canada

La carte coûte 20 $Ca (+ 1,50 $Ca de frais d'envoi). Disponible dans les agences *Travel Cuts/Voyages Campus,* mais aussi dans les bureaux d'associations d'étudiants. Pour plus d'infos : • *voyagescampus.com* •

Carte d'adhésion internationale aux auberges de jeunesse (carte FUAJ)

Cette carte, valable dans plus de 90 pays, vous ouvre les portes des 4 000 auberges de jeunesse du réseau

Hostelling International réparties dans le monde entier. Les périodes d'ouverture varient selon les pays et les AJ. À noter, la carte est souvent obligatoire pour séjourner en auberge de jeunesse, donc nous vous conseillons de vous la procurer avant votre départ. Adhérer en France vous reviendra moins cher qu'à l'étranger.

Vous pouvez adhérer

– En ligne, avec un paiement sécurisé, sur le site • *fuaj.org* •

– Dans toutes les auberges de jeunesse, points d'informations et de réservations en France.

– Auprès de l'antenne nationale : *27, rue Pajol, 75018 Paris. ☎ 01-44-89-87-27. • fuaj.org • Ⓜ Marx-Dormoy ou La Chapelle. Horaires d'ouverture du point accueil sur le site internet rubrique « Nous contacter ».*

– Par correspondance en envoyant la photocopie d'une pièce d'identité et un chèque à l'ordre de la FUAJ du montant correspondant à l'adhésion. Ajoutez 2 € de plus pour les frais d'envoi. Vous recevrez votre carte sous 15 jours.

Les tarifs de l'adhésion 2013

– Carte internationale FUAJ moins de 26 ans : 7 €.

Pour les mineurs, une autorisation parentale et la carte d'identité du parent tuteur sont nécessaires pour l'inscription.

– Carte internationale FUAJ plus de 26 ans : 11 €.

– Carte internationale FUAJ Famille : 20 €.

Seules les familles ayant un ou plusieurs enfants de moins de 16 ans peuvent bénéficier de la carte Famille sur présentation du livret de famille. Les enfants de plus de 16 ans devront acquérir une carte individuelle.

– La carte donne également droit à des réductions sur les transports, les musées et les attractions touristiques dans plus de 90 pays mais ces avantages varient d'un pays à l'autre, ce qui n'empêche pas de la présenter à chaque occasion. Liste de ces réductions disponible sur • *hihostels.com* • et pour les réductions en France sur • *fuaj.org* •

En Belgique

La carte d'adhésion est obligatoire. Son prix varie selon l'âge : entre 3 et 15 ans, 3 € ; entre 16 et 25 ans, 9 € ; après 25 ans, 15 €.

Renseignements et inscriptions

■ ***À Bruxelles :*** *LAJ, rue de la Sablonnière, 28, 1000. ☎ 02-219-56-76. • info@laj.be • laj.be •*

■ ***À Anvers :*** *Vlaamse Jeugdherbergcentrale (VJH), Van Stralenstraat 40, B 2060 Antwerpen. ☎ 03-232-72-18. • info@vjh.be • vjh.be •*

– Votre carte de membre vous permet d'obtenir de 3 à 20 € de réduction sur votre première nuit dans les réseaux LAJ, VJH et CAJL (Luxembourg), ainsi que des réductions auprès de nombreux partenaires en Belgique.

En Suisse (SJH)

Le prix de la carte dépend de l'âge : 22 Fs pour les moins de 18 ans, 33 Fs pour les adultes et 44 Fs pour une famille avec des enfants de moins de 18 ans.

Renseignements et inscriptions

■ ***Schweizer Jugendherbergen (SJH) service des membres :*** *Schaffhauserstr. 14, 8006 Zurich. ☎ 41-44-360-14-14. • booking@youthhostel.ch • et • contact@youthhostel.ch • youthhostel.ch •*

Au Canada

La carte coûte 35 $Ca pour une durée de 16 à 28 mois et 175 $Ca pour une validité à vie. Gratuit pour les enfants de moins de 18 ans qui accompagnent leurs parents.

■ ***Auberges de jeunesse du Saint-Laurent / St Laurent Youth Hostels :***

– ***À Montréal :*** *3514, av. Lacombe, Montréal (Québec) H3T 1M1. ☎ (514) 731-10-15. Sans frais (au Canada) :*

☎ 1-800-663-5777.
– **À Ottawa :** *Canadian Hostelling Association : 205, Catherine St, bureau 400, Ottawa (Ontario), K2P 1C3. ☎ (613) 237-78-84. • info@hihostels.ca • hihostels.ca •*

– Il n'y a pas de limite d'âge pour séjourner en AJ. Il faut simplement être adhérent.
– La FUAJ offre à ses adhérents la possibilité de réserver en ligne grâce à son système de réservation international • *hihostels.com* • jusqu'à 12 mois à l'avance, dans plus de 1 600 auberges de jeunesse dans le monde. Et si vous prévoyez un séjour itinérant, vous pouvez réserver plusieurs auberges en une seule fois.
Ce système permet d'obtenir toutes les informations utiles sur les auberges reliées au système, de vérifier les disponibilités, de réserver et de payer en ligne.

ARGENT, BANQUES, CHANGE

République d'Irlande (Eire)

Depuis début 2002, l'euro est dans toutes les poches et dans tous les portefeuilles des Irlandais.

Irlande du Nord (Ulster)

En juin 2012, 1 livre sterling (£ ou GBP) valait près de 1,20 €.
Le sigle £ seul symbolise la livre sterling ou *pound,* également désignée par les initiales GBP.

Où se procurer des devises ?

Sur place, aux nombreux distributeurs, ou au comptoir des banques. Elles sont ouvertes en général du lundi au vendredi de 9h30 à 16h30 (17h jeudi). On peut souvent changer de l'argent dans les offices de tourisme, mais, de manière générale, le taux est très peu avantageux... du moins pour vous !

De l'Eire à l'Ulster

Si les livres sterling sont difficilement acceptées en Eire, l'acceptation des euros en Ulster va croissant. En vous éloignant de la « frontière », le change devient de plus en plus défavorable. Par précaution, procurez-vous quelques pounds avant d'arriver en Ulster. Contrairement à la plupart des banques, les postes acceptent les pièces de monnaie, même les plus petites...

Cartes de paiement

Quelle que soit la carte que vous possédez, chaque banque gère elle-même le processus d'opposition et le numéro de téléphone correspondant ! Avant de partir, notez donc bien le numéro d'opposition propre à votre banque (il figure souvent au dos des tickets de retrait, sur votre contrat ou à côté des distributeurs de billets), ainsi que le numéro à 16 chiffres de votre carte. Bien entendu, conservez ces informations en lieu sûr, séparément de votre carte. Par ailleurs, l'assistance médicale se limite aux 90 premiers jours du voyage.
– **Carte bleue Visa :** *assistance médicale incluse ; numéro d'urgence (Europe Assistance) : ☎ (00-33) 1-41-85-85-85. • carte-bleue.fr • Pour faire opposition, contactez le numéro communiqué par votre banque. Ou à défaut si vous êtes en France, faites le ☎ 0892-705-705 (0,34 €/mn).*
– **Carte MasterCard :** *assistance médicale incluse ; numéro d'urgence : ☎ (00-33) 1-41-16-65-65. En cas de perte ou de vol, composez le numéro communiqué par votre banque pour faire opposition ; ou à défaut si vous êtes en France, faites le ☎ 0892-705-705 (0,34 €/mn). • mastercardfrance.com •*
– **Carte American Express :** *téléphonez en cas de pépin au ☎ (00-33) 1-47-77-72-00 (numéro accessible tlj 24h/24). • americanexpress.fr •*
– Pour ttes les cartes émises par **La Banque postale :** *composez le ☎ 0825-809-803 (0,15 €/mn) depuis la France métropolitaine ou les DOM, et le ☎ (00-33) 5-55-42-51-96 depuis les DOM ou l'étranger.*

– Également un numéro d'appel valable ***quelle que soit votre carte de paiement pour faire opposition*** : ☎ *0892-705-705 (serveur vocal à 0,34 €/mn). Ne fonctionne ni en PCV ni depuis l'étranger.*

Petite mesure de précaution

Si vous retirez de l'argent dans un distributeur, utilisez de préférence les distributeurs attenants à une agence bancaire. En cas de pépin avec votre carte (carte avalée, erreur de numéro...), vous aurez un interlocuteur dans l'agence, pendant les heures ouvrables du moins. Et pensez bien, avant le départ, à VÉRIFIER LA DATE D'EXPIRATION DE VOTRE CARTE BANCAIRE.

Western Union Money Transfer

• *westernunion.com* •

En cas de besoin urgent d'argent liquide (perte ou vol de billets, chèques de voyage, cartes de paiement), vous pouvez être dépanné en quelques minutes grâce au système ***Western Union Money Transfer.*** Pour cela, demandez à quelqu'un de vous déposer de l'argent en euros dans l'un des bureaux *Western Union* ; les correspondants en France de *Western Union* sont *La Banque postale (fermée sam ap-m, n'oubliez pas !* ☎ *0825-009-898 ; 0,15 €/mn)* en collaboration avec la *Société financière de paiements (SFDP ;* ☎ *0825-825-842 ; 0,15 €/mn).* L'argent vous est transféré en moins d'un quart d'heure. La commission, assez élevée, est payée par l'expéditeur. Possibilité d'effectuer un transfert en ligne 24h/24 par carte de paiement (*Visa* ou *MasterCard* émise en France).

ACHATS

– *Les cardigans :* ne croyez pas qu'en Irlande tout le monde porte les pulls tricotés en laine du pays suivant les motifs compliqués de l'île d'Aran. C'est en réalité plutôt les touristes qui les portent.
ATTENTION : ne pas acheter ces pulls dans les magasins de souvenirs, où ils coûtent parfois le double du prix réel. On entend par prix réel celui qu'on paie pour le même pull, les mêmes dessins, etc., dans un village loin de tout magasin réservé aux touristes. N'hésitez pas à négocier le prix d'un pull ou à demander une réduction pour plusieurs achetés. Nous avons essayé, et ça a marché ! Les plus beaux *jumpers* (pulls) se trouvent dans le Donegal, dans la péninsule de Slieve League précisément.
– *Les vestes et casquettes de tweed :* les plus beaux tweeds se trouvent dans le Donegal, vendus au mètre, à Ardara par exemple.
– *La pure laine (100 %) :* non dégraissée ou dégraissée (blanche ou de couleur), pour tricotage ou tissage.
– *La dentelle, le lin* (quelquefois à prix intéressant) dans les grands magasins tel *Dunnes Stores* : très belle qualité et sympa pour l'hiver !
– Le fameux *cristal irlandais,* Waterford restant le fournisseur le plus en vogue. Également des fabricants à Galway. Il faut juste aimer les chandeliers un peu lourds...
– *Les disques :* aussi chers que chez nous, mais, comme le choix est bien plus grand, profitez-en. Attendre Belfast, si vous passez par l'Irlande du Nord, pour acheter des CD, nettement moins chers que dans le Sud. Si toutefois vous craquez quelque part pour un petit groupe local, mieux vaut acheter le CD tout de suite, car beaucoup d'entre eux ne sont distribués que dans un faible rayon.
– *Les instruments de musique :* ils ne sont pas trop chers en Irlande, encore faut-il savoir où les acheter et à quel prix. Demandez donc à un musicien rencontré dans un pub ou dans un festival, il pourra vous donner les meilleurs tuyaux.

Spécial « accros » !

En Irlande, les cigarettes coûtent extrêmement cher. En Irlande du Nord, c'est pire. Quant au whiskey : il est tellement taxé qu'il vous coûtera moins cher dans n'importe quel supermarché de France.

BUDGET

En république d'Irlande (Eire)

Avec le développement des dernières années, l'Irlande est devenue l'un des pays les plus chers d'Europe. Plus cher même qu'en France ou en Belgique, surtout pour les restaurants. Cela dit, la crise a eu comme effet de lisser les prix, voire de les revoir à la baisse, surtout dans l'arrière-pays.

– ***Pour les voyageurs à petit budget :*** prévoir un budget moyen de 45 à 55 € par jour et par personne, soit 13 à 20 € pour un lit en dortoir, 10 € par repas (pris dans des snacks, sandwicheries, pubs bon marché ou, mieux, à l'AJ, en utilisant la cuisine) et 10 à 15 € pour le reste (transports, visites, etc.). À Dublin, ajouter quelques euros pour le logement.

– ***Pour les voyageurs à budget moyen :*** à deux, en logeant dans les *B & B* et en mangeant au restaurant, prévoir 75 à 90 € par jour et par personne (30 à 40 € par personne pour le *B & B,* 10 € le midi pour un plat du jour ou un sandwich, 20 à 25 € le soir pour un repas un peu plus élaboré et 10 à 15 € pour d'éventuelles visites ou une virée dans un pub). Bien sûr, si vous louez une voiture, ce sera plus cher.

Hébergement

– ***Très bon marché :*** le camping, qui revient à 15 à 20 € pour deux avec voiture et tente.

– ***Bon marché :*** le dortoir dans une AJ, pour lequel il faut prévoir de 13 à 20 € par personne et par nuit (un peu plus à Dublin). À noter que la plupart des AJ proposent aussi des chambres doubles ou familiales : selon le confort, compter alors de 40 à 60 € pour deux.

– ***Prix moyens :*** le *B & B.* Ils sont presque tous au même prix, à savoir de 60 à 90 € pour deux selon la saison (en chambre double avec salle de bains). Les personnes seules paient la moitié de ce tarif, plus une majoration de 5 à 10 € environ. Bien sûr, le petit déj est toujours compris. Les prix indiqués sont les prix officiels, mais les propriétaires pratiquent parfois une remise (voir plus loin « Hébergement »).

– ***Plus chic :*** de 90 à 100 € la double, prix d'un *B & B* amélioré ou d'un petit hôtel.

– ***Chic :*** plus de 100 € la double. C'est le tarif minimum d'une chambre d'hôtel, hors promotions.

Nourriture

Outre de la *Guinness* (très calorique !), on trouve bien d'autres choses à manger dans les pubs. La *bar food* est consistante et pas chère. Parfois, le pub dispose d'une salle de resto à part... et propose alors une carte distincte (plus chère) de celle du pub. Bien sûr, il existe aussi des restaurants traditionnels, comme chez nous. Quel que soit le type d'établissement, cela dit, il y a presque toujours une carte pour le midi et une carte pour le soir. Le midi, on peut s'en tirer pour 8 à 10 € en se contentant d'un plat et d'une carafe d'eau. Le soir, en revanche, un repas au resto atteindra facilement les 20-25 €, et encore, si l'on s'en tient à un plat et un verre de vin. Enfin, il peut être utile de savoir que certains restaurateurs proposent, en fin d'après-midi, un *early bird menu,* sorte de repas précoce à prix cassés...

– Rien ne vous empêche de laisser un pourboire au serveur, mais, vu l'augmentation des prix, cette pratique semble quelque peu passée à la trappe.

– À Dublin, comme dans la majorité des grandes villes, les prix sont plus élevés...

Bref, vous l'avez compris, si l'on ne fait pas un peu attention, le budget nourriture peut vite devenir important. Vous trouverez ci-dessous nos fourchettes de prix. **Elles sont données pour un plat principal,** souvent assez copieux, cela dit, pour satisfaire un appétit normal.
– ***Bon marché :*** de 8 à 10 €. Le midi, dans les snacks, les pubs et les petits restos. Le soir, c'est difficile à trouver, sauf bien sûr dans les fast-foods et autres sandwicheries... Aux routards qui cherchent à dépenser le moins possible, on conseille de se faire le petit déj à l'AJ *(hostel),* de manger sur le pouce le midi et de remettre le couvert à l'auberge le soir... en utilisant la cuisine du lieu (il y a des épiceries et des supermarchés un peu partout).
– ***Prix moyens :*** de 10 à 20 €.
– ***Plus chic :*** de 20 à 30 €.
– ***Chic et très chic :*** plus de 30 €.

Musées

Le prix d'entrée varie le plus souvent entre 3 et 7 €. Mais quelques grands musées ou sites pratiquent des tarifs plus élevés. Heureusement, des réductions étudiants et seniors aident à faire passer la pilule. Il existe à peu près partout des billets famille (valables pour deux adultes et quatre enfants). Il peut s'avérer économique d'investir dans une *Duchás Heritage Card* (valable 1 an). Nombreux sont les musées, monuments et sites auxquels on a ainsi accès librement (environ 65). Liste sur demande ou disponible dans les offices de tourisme. Coût en 2011 : 21 € par adulte, 8 € par enfant, 16 € pour les plus de 60 ans et 55 € pour le ticket famille. Un conseil : achetez-la dans le premier site où elle est en vente (on peut aussi la commander sur le site internet ci-dessous). Pour tout renseignement : *Heritage Centre, Lakeside Retail Park, unit 20, Claremorris, Mayo.* ☎ *(01) 647-65-92.* • *heritageireland.ie* • Ne pas confondre avec l'*Heritage Island (• heritageisland.com •)* qui regroupe à peu près autant de sites patrimoniaux irlandais et qui est un « marketing consortium ». Par ailleurs, les titulaires de la carte internationale des AJ peuvent souvent obtenir des réductions sur les droits d'entrée à des activités proches de l'AJ. Vous remarquerez enfin que plusieurs musées publics ne disposent d'aucun budget et fonctionnent uniquement grâce à des bénévoles !

En Irlande du Nord (Ulster)

Attention, en Ulster, le coût de la vie est, de manière générale, supérieur à celui pratiqué en république d'Irlande (Eire). Les restos sont vraiment chers. Seuls les prix des musées et des transports sont équivalents.

Hébergement

– ***Bon marché :*** en camping, de 6 £ à 15 £ (7,20-18 €) pour 2 personnes ; en AJ, de 10 £ à 20 £ (12-24 €) le lit par personne selon le confort et la taille de la chambre.
– ***Prix moyens :*** de 40 £ à 60 £ (48-72 €) la chambre pour 2 personnes.
– ***Plus chic :*** 60-80 £ (72-96 €) la chambre pour 2 personnes.
– ***De chic à très chic :*** plus de 80 £ (96 €).

Nourriture

– ***Très bon marché :*** de 2 £ à 7 £ (2,40-8,40 €).
– ***Bon marché :*** de 7 £ à 12 £ (8,40-14,40 €).
– ***Prix moyens :*** de 12 £ à 20 £ (14,40-24 €).
– ***Chic :*** de 20 £ à 30 £ (24-36 €).
– ***Très chic :*** plus de 30 £ (36 €).

CLIMAT

Il pleut parfois (c'est un euphémisme), en tout cas plus qu'au Sahara, précisent les brochures de l'office de tourisme de l'île d'Irlande. Un bon ciré et des bottes (ou

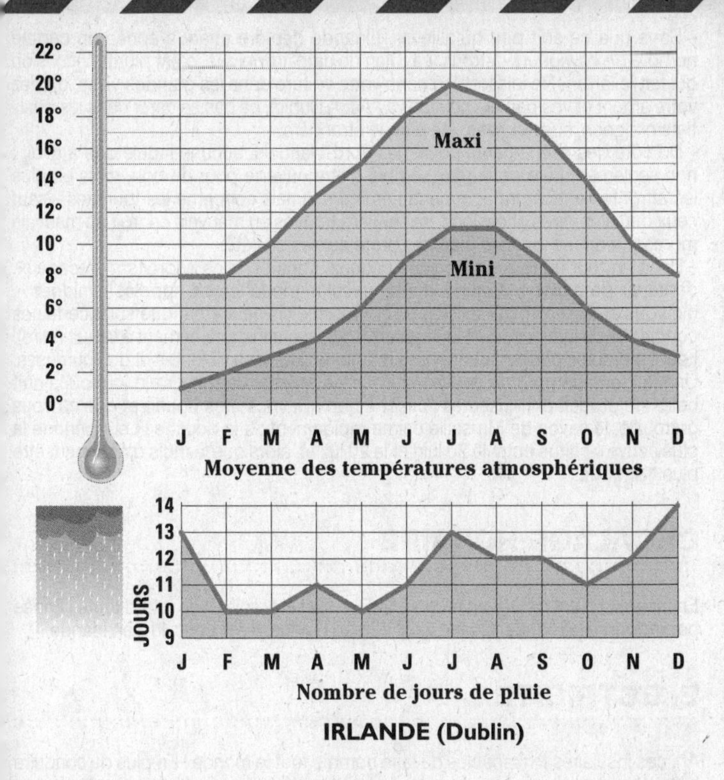

des chaussures étanches) sont à conseiller à ceux qui mettent de temps en temps le nez hors des pubs, et même aux autres, on ne sait jamais. Le temps, encore plus qu'en Normandie, est un show permanent. Après la pluie, le soleil. Après le soleil, la pluie. Entre les deux, crachin, brume, brouillard, arcs-en-ciel, et même des effets de soleil en cours d'averse qui projettent votre ombre sur les nuages... et tout ça parfois en moins de 1h ! Les premiers jours, la rapidité d'évolution du temps stupéfie les petits continentaux fraîchement débarqués. Mais on s'y fait vite et on garde toujours son imper à portée de main.
Conséquence : pas évident de faire sécher son linge. Et parfois, les sacs à dos résistent mal à la pluie. Il est prudent de mettre ses vêtements dans des sacs plastique. Le mieux est de découvrir l'Irlande en mai ou en juin : ce sont les mois les plus ensoleillés. Au contraire, c'est en décembre que les cieux dispensent le plus largement leurs douches quotidiennes. À part ça, il ne fait ni chaud ni froid, plutôt bon en été. Au milieu, quoi !
Pour des nouvelles fraîches, consulter le site • *met.ie* •

DANGERS ET ENQUIQUINEMENTS

Pour profiter sereinement de son voyage dans la verte Érin, le routard doit, comme dans la plupart des pays européens, appliquer quelques règles de bon sens.

– Sans que ce soit pire qu'ailleurs, l'Irlande déplore chaque année un certain nombre de voyageurs détroussés. Rien de catastrophique, c'est plutôt l'occasion qui fait le larron. Ne laissez rien dans votre voiture dans les grandes villes, gardez votre argent et vos papiers sur vous à l'AJ. À Dublin, ne pas se garer dans les quartiers craignos, surtout avec une plaque étrangère.
– Du côté des événements politiques nord-irlandais, aucune inquiétude à avoir : non seulement l'ère de la paix semble s'être ouverte pour de bon, mais en plus les affrontements entre communautés n'ont jamais concerné les touristes – sauf ceux qui, à de rares occasions, se seraient trouvés au mauvais endroit au mauvais moment, comme lors des marches protestantes de l'été.
– Dans un tout autre registre, vous risquez, dans certains endroits marécageux, de servir de garde-manger à de minuscules moucherons appelés « midges », qui vous attaqueront par milliers au crépuscule (ils ne sortent que sous certaines conditions de luminosité, et leurs attaques cessent instantanément à la nuit noire). Leurs morsures peuvent causer des réactions cutanées violentes et douloureuses. Un seul remède pour ne pas rester enfermé en attendant le grand jour ou la nuit noire : le produit anti-insectes *(Insect Ecran)*. Si vous êtes bouffé et que ça vous gratouille, le savon de Marseille calme rapidement : à la douche ! Leur période la plus active se situe entre le 20 juin et le 20 juillet, alors que le mois d'août peut être plus tranquille.

DÉCALAGE HORAIRE

En Irlande, on est à GMT en hiver et GMT + 1 en été, soit 1h de retard toute l'année par rapport à la France. Quand il est 12h en France, il est donc 11h en Irlande.

ÉLECTRICITÉ

Ah, ces insulaires ! incapables de faire comme tout le monde ! En plus de conduire à gauche et d'inverser les robinets « eau chaude » et « eau froide », voilà-t'y pas qu'ils ont des prises de courant incompatibles avec celles du continent ! La plupart se composent de trois fiches et distribuent du courant de 220 volts. Pour votre rasoir, vous trouverez dans toutes les salles de bains des prises adéquates. Elles peuvent aussi servir pour recharger la batterie de votre téléphone portable ou de votre appareil photo. Pour le reste, vous trouverez un adaptateur *(adapter)* au supermarché du coin.

ÉQUITATION

La plus noble conquête de l'homme a dû avoir lieu en Irlande. Aucun autre pays ne peut se vanter d'avoir d'aussi riches pâturages servis par un climat tempéré convenant si bien à la bête. Et puis, il y a cette affinité profonde entre l'Irlandais et sa monture. C'est dire que le cheval constitue l'un des points d'ancrage de la vie sociale ! Sachez que vous trouverez une partie de l'âme irlandaise sur les champs de courses, les champs de foires et les gradins des grandes compétitions. Voici quelques-uns des principaux événements.

Les foires aux chevaux

– En juillet à *Cahirmee,* près de Buttevant, comté de Cork.
– En octobre à *Ballinasloe,* à la limite est du comté de Galway.

Les spectacles

– En août, foire aux poneys du Connemara à *Clifden.*
– En août toujours, au début du mois, pendant 3 j., compétition internationale d'équitation de Ballsbridge à *Dublin.*

Les courses

– Le lundi de Pâques, *Grand National* à *Fairyhouse,* comté de Meath.
– Fin avril, la *Gold Cup* à *Punchestown,* comté de Kildare.
– Le dernier week-end de juin, l'*Irish Derby* au *Curragh,* près de Kildare.
– Mi-juillet, l'*Irish Oaks* au même endroit que le précédent.
– La seconde quinzaine de juillet, les *Galway Races.*

Cours et randonnées

■ ***Equestrian Holidays Ireland (EHI) :*** • *ehi.ie* • *Brochure disponible à l'office de tourisme de l'île d'Irlande à Paris.* *Equestrian Holidays Ireland* regroupe un ensemble d'établissements de caractères très différents, du cours de base à la rando équestre en passant par le cross-country, le saut et le dressage. Circuits dans le Connemara ou dans les comtés de Kerry, Clare, Sligo, Donegal et Wicklow. Les bagages sont en général expédiés chaque matin par le loueur à l'étape suivante.

FÊTES, FESTIVALS ET JOURS FÉRIÉS

Parmi les très nombreux festivals et fêtes organisés en Irlande, voici une sélection, dans différents genres. Vous pouvez trouver une liste plus exhaustive dans la brochure *Calendar of Events.* • *ireland.travel.ie* •
– ***17 mars :*** la Saint-Patrick, fête nationale irlandaise.
– ***Avril :*** festival de Poésie et de Littérature à Galway.
– ***Mai :*** *Galway Early Music Festival,* vers mi-mai, pendant 3 j., à Galway. *Mussel Murphys Festival* début mai à Bantry (côte sud).
– ***Juin :*** *Bloomsday* (célébration de l'*Ulysse* de Joyce) à Dublin, le 16.
– ***Juillet :*** commémorations orangistes de la bataille de la Boyne, dans toute l'Irlande du Nord, le 12. Pèlerinage de Croagh Patrick (comté de Mayo) le dernier dimanche de juillet. *Galway Races* (course de chevaux), en principe fin juillet, début août. En juillet et août, *Siamsa Galway's Folk Theatre,* du lundi au vendredi.
– ***Août :*** festival de Musiques folk et traditionnelle de Ballyshannon. Compétition internationale d'équitation à Ballsbridge, Dublin. Grande foire aux poneys du Connemara à Clifden, le troisième jeudi d'août. *All Ireland Fleadh* (voir « Musique » dans « Hommes, culture, environnement »). Festival de Tralee (élection de la Rose). À Derry, commémoration de la levée du Grand Siège (le samedi le plus proche du 12 août). À Killorglin (Ring of Kerry), en général les 10, 11 et 12 août, la *Puck Fair.*
– ***Septembre :*** festival de l'Huître de Galway durant le 3ᵉ week-end. Même manifestation à Clarenbridge le week-end précédent. Festival d'Opérette à Waterford. *Clifden Arts Week,* durant la 3ᵉ semaine. Finale du championnat de *hurling* (premier dimanche) et de foot gaélique (troisième dimanche) à Dublin. *Match Maker Festival* à Lisdoonvarna, durant tout le mois (pour les célibataires).
– ***Octobre :*** *Cork Jazz Festival* le dernier week-end.
– ***Fin octobre, début novembre :*** festival d'Opéra à Wexford, pendant 3 semaines.
De plus, de nombreux festivals ont lieu tout au long de l'année. Ce sont des *fleadhtha,* rassemblements de musiciens irlandais traditionnels.

Jours fériés communs à la république d'Irlande (Eire) et à l'Irlande du Nord (Ulster)

– ***1er janvier.***
– ***17 mars :*** Saint-Patrick, fête nationale de la république d'Irlande.
– ***Lundi de Pâques.***
– ***Vendredi saint :*** ce jour n'est pas férié en république d'Irlande mais de nombreux pubs et magasins sont fermés).
– ***Fête du 1er mai :*** premier lundi après le 1er mai, si celui-ci n'en est pas un.
– ***25 décembre.***
– ***26 décembre :*** *Boxing Day.*

Jours fériés seulement en république d'Irlande (Eire)

– ***Premier lundi de juin.***
– ***Premier lundi d'août.***
– ***Dernier lundi d'octobre.***

Jours fériés seulement en Irlande du Nord (Ulster)

– ***Dernier lundi de mai :*** congé de printemps.
– ***12 juillet :*** *Orangeman's Day,* célébration de la victoire protestante de la Boyne (se reporter au chapitre « L'Irlande du Nord (Ulster) »).
– ***Dernier lundi d'août.***

HÉBERGEMENT

Les *Bed & Breakfast*

Prix correspondant, pour deux personnes, aux 2-3-étoiles bien d'chez nous (voir plus haut « Budget »). Attention, il y a une majoration si l'on voyage seul. Vous serez, de manière assez générale, considéré comme un client, et parfois comme un véritable ami de la famille. Dans beaucoup de *B & B,* la générosité de l'*Irish breakfast* permet d'alléger le repas de midi. Certains lecteurs marchandent le prix des *B & B.* Ça peut marcher, surtout hors saison. D'ailleurs, les prix indiqués dans ce guide sont les prix officiels fixés par le ministère du Tourisme. Les proprios font parfois des remises.
Il est d'usage de se présenter avant 18h ou 19h dans les *B & B* préréservés. Sinon, téléphonez pour prévenir de l'heure de votre arrivée et évitez par courtoisie et respect d'arriver après 22h, sauf cas de force majeure. De même, le matin, vos hôtes n'apprécieront guère que vous demandiez votre petit déj à l'aube. Hormis en juillet et août, certains week-ends et dans les villes importantes, la réservation n'est pas nécessaire.
À l'exception de la côte d'Antrim et d'une partie de celle de Down, il y a beaucoup moins de *B & B* en Irlande du Nord.

Les différentes catégories de Bed & Breakfast

– Ceux avec le trèfle sont agréés par le *Bord Fáilte* ou le *Northern Ireland Tourist Board.* Cela garantit au moins qu'ils sont à jour de leur cotisation. Demander à l'office de tourisme de l'île d'Irlande à Paris la brochure (en fait, un vrai livre) de l'association **B & B Ireland** qui regroupe environ 1 800 *B & B (Belleek Rd, Ballyshannon, Co. Donegal ; ☎ (00-353) 71-98-22-222 ; ● bandbireland.com ●).*
– Ceux qui ne sont pas agréés sont généralement bien tenus, aussi confortables et propres que les *B & B « approved ».* Toutefois, ils ne satisfont pas totalement aux normes des organismes officiels (pour d'obscures raisons techniques le plus

souvent). D'autres *B & B* n'ont tout simplement pas envie de payer la cotisation au *B & B Ireland,* soit par souci d'économie, soit par incompatibilité « idéologique »... Bref, ne pas se poser trop de questions sur ces *B & B* non agréés, d'autant que c'est dans ceux-là que l'on a le plus de chances de tomber sur des gens originaux.

– Pour quelques euros, le *Family Homes of Ireland Bed and Breakfast Accommodation Guide* liste et décrit (avec photos) des *B & B* (non agréés) du Nord et du Sud. *Where to Stay in Northern Ireland* est son pendant pour le Nord. Ces guides indiquent un numéro de téléphone permettant la réservation dans les établissements de leur réseau (paiement immédiat par carte *Visa* ou *MasterCard*).

■ ***Family Homes of Ireland :*** *Fough West Business Park, Oughterard, Co. Galway, Irlande. ☎ (00-353) 91-55-20-00. • familyhomes.ie •*

– Il y a 20 ou 30 ans, les propriétaires étaient souvent des gens qui louaient de une à trois chambres soit par goût du contact avec l'étranger, soit pour avoir un supplément de revenus appréciable, soit les deux à la fois ! Les années 1990 ont vu éclore, dans les endroits touristiques, des *B & B* de quatre à six chambres, construits dans un but lucratif. Bien souvent, la structure même de l'endroit ne favorise pas la rencontre avec les proprios. Les chambres sont d'un côté et les quartiers privés du proprio de l'autre. Chacun son salon. Certaines attitudes deviennent plus commerciales, l'accueil se standardise... à la baisse. Mais bon, dans l'ensemble, il n'y a pas de quoi trop s'en faire, les contacts demeurant, en général, franchement sympathiques.

Quelques conseils

– Les *standard rooms* sont des chambres avec salle de bains à l'extérieur (mais elle peut être privée). Celles *en suite* possèdent salle de bains et w-c à l'intérieur. La différence de prix va de 5 à 10 € environ.
– Une *double* a un seul lit et une *twin* a deux petits lits.
– Dans les endroits touristiques bondés en haute saison, n'hésitez pas à demander aux *B & B* complets une autre adresse. Souvent, ils connaissent des gens qui le font occasionnellement et ils téléphonent pour vous assez volontiers.
– Les *B & B* au-dessus des pubs sont bruyants. Très utiles cependant quand c'est complet partout. Et pratiques aussi si l'on souhaite que le lit ne soit pas loin du dernier verre...
– Certains *B & B* proposent le dîner. Mais il faut toujours réserver cette option, lors de la réservation de la chambre. Et, bien entendu, il peut arriver que la maîtresse de maison change d'avis et ne fasse plus à manger, surtout si la clientèle se fait moins nombreuse.
– Il existe parfois des disparités de qualité de confort importantes entre deux *B & B* de même prix. En revanche, certains offrent, pour quelques euros de plus, des prestations dignes d'établissements chic. N'hésitez pas à faire ce petit effort financier si vous en avez les moyens.
– Sachez qu'il n'y a jamais de gant de toilette et que, du fait de l'incompatibilité des prises de courant, vous aurez besoin d'un adaptateur pour votre sèche-cheveux (parfois fourni ; voir plus haut « Électricité »).
– Dans les régions à tourbières, faites-vous préciser si l'eau du robinet est *drinkable* (« potable »).
Il existe quelques centraux de réservation très pratiques, comme celui-ci :

■ ***GoIreland :*** *Fexco Centre, Longford St, Killorglin, Co. Kerry, Irlande. ☎ (00-353) 66-979-18-04. Appels depuis l'Irlande : ☎ 1-850-668-668. • goireland.com • Lun-ven 9h-17h30 ; sam 9h-17h. Résas avec paiement immédiat par CB slt* (MasterCard, Visa, Dinner's, AA). Demander quelqu'un qui parle le français. Frais de dossier raisonnables (plus élevés pour la location de maisons).

Les *farmhouses*

Une appellation pas toujours justifiée, disons-le tout de suite. Certaines adresses ne se distinguent des *B & B* que grâce à quelques moutons qui broutent dans le champ voisin... Mais rassurez-vous, on a dégoté de nombreuses *farmhouses* géniales, souvent nichées dans des cadres enchanteurs et pas plus chères qu'un *B & B.* Idéal pour faire découvrir aux petits citadins les joies de la vie rurale : fabriquer le *brown bread,* nourrir les animaux, tondre les moutons, etc.
Renseignements à l'office de tourisme de l'île d'Irlande ou brochure sur demande :

En république d'Irlande (Eire)

■ ***Irish Farmhouse Holidays :*** *Belleek Rd, Ballyshannon, Donegal.* ☎ *(00-353) 71-98-22-222.* • *irishfarmholidays.com* •

Les *guesthouses*

Ce sont des maisons d'hôtes, à mi-chemin entre l'hôtel et la pension de famille, ou bien des *B & B* qui ont grandi et augmenté leur nombre de chambres au-delà de la limite légale. Elles se situent dans nos rubriques « Plus chic ».
La brochure *Friendly Homes of Ireland* regroupe un ensemble de maisons individuelles et de petites *guesthouses* s'engageant à offrir le plus qui fera la différence par rapport au *B & B.*

■ ***Friendly Homes of Ireland :*** • *tourismresources.ie/fh* •

Les hôtels

Souvent hors de prix. Et surtout, ils n'offrent guère mieux que les *B & B* ! L'*Irish Hotels Federation* regroupe cependant un panel d'hôtels varié (un bon millier d'adresses), allant de la *guesthouse* de charme dans un manoir du XVIIIe s à l'établissement de luxe dernier cri. Reste, encore une fois, que les tarifs sont franchement trop élevés.

En république d'Irlande (Eire)

■ ***Irish Hotels Federation :*** *13, Northbrook Rd, Dublin 6.* ☎ *(00-353-1) 497-64-59.* • *irelandhotels.com* •

En Irlande du Nord (Ulster)

■ ***Northern Ireland Hotels Federation :*** ☎ *(00-44) 28-90-77-66-35.* • *nihf.co.uk* •

Les manoirs et châteaux

Voilà une idée qui n'est pas pour tous les budgets, mais, si vous en avez les moyens, n'hésitez pas. Compter jusqu'à deux ou trois fois le prix d'un *B & B.* Résa conseillée toute l'année. Nous mentionnons de-ci, de-là quelques adresses qui nous ont plu. Brochures disponibles à l'office de tourisme de l'île d'Irlande à Paris.

■ ***The Hidden Ireland :*** *PO Box 31, Westport, Co. Mayo. À Westport :* ☎ *(00-353-98) 666-50. À Dublin :* ☎ *(00-353-1) 662-71-66.* • *hiddenireland.com* • Maisons de caractère d'un évident intérêt architectural, dont les proprios ont choisi d'accueillir des visiteurs pour la nuit. Il s'agit donc de *B & B,* mais pas à prix *B & B* ! Derrière la diversité, quelques constantes : toutes sont au milieu d'un parc et dans une région au riche passé historique.

■ ***Ireland's Blue Book (Irish Country Houses and Restaurants) :*** *8, Mount Crescent, Dublin 2.* ☎ *(00-353-1) 676-99-14.* • *irelands-blue-book.com* •

Une trentaine de châteaux et manoirs convertis en hôtels et restaurants de charme. Service haut de gamme, cadre à l'avenant... les prix aussi !

Les maisons à louer

Locations à la semaine, souvent en cottage ou en maison traditionnelle (formules *self-catering*).

En république d'Irlande (Eire)

■ ***Irish Cottages and Holiday Homes Association :*** *☎ (00-353-1) 205-27-77.* ● *irishcottageholidays.com* ●

■ ***Irish Self Catering Federation :*** *☎ (00-353) 818-300-186.* ● *iscf.ie* ●

En Irlande du Nord (Ulster)

■ ***Northern Ireland Self-Catering Holiday Association :*** *☎ (00-44) 28-90-43-66-32.* ● *nischa.com* ●

■ ***Cottages in Ireland :*** *☎ (00-44) 28-90-73-65-25.* ● *cottagesinireland.com* ● Pour l'Irlande du Nord et le Donegal.

Le camping

On trouve assez facilement son bonheur dans les terrains de camping irlandais (beaucoup sont plutôt destinés au caravaning et laissent peu d'espace aux tentes). On vous indique le prix pour 2 personnes avec tente et voiture.
Brochure disponible à l'office de tourisme de l'île d'Irlande à Paris, ou contacter :

■ ***Irish Caravan and Camping Council :*** *PO Box 4443, Dublin 2.* ● *camping-ireland.ie* ●

■ ***British Holidays and Home Parks Association :*** ● *ukparks.com* ● Pour l'Irlande du Nord.

Les auberges de jeunesse *(youth hostels)*

Il est difficile de donner une appréciation globale à l'ensemble des AJ d'Irlande. La qualité de l'accueil, des locaux et de leur entretien ainsi que la beauté du site sont extrêmement variables d'un établissement à l'autre et d'une année à l'autre. C'est encore plus vrai dans les régions où les routards se pressent en masse, comme certains coins du Kerry ou du Connemara.
Pour le reste, il faut savoir que les grands dortoirs se raréfient, la norme étant plutôt aujourd'hui ceux de quatre à six lits. Des chambres pour couples et pour familles sont disponibles dans la plupart des établissements. Sac à viande ou duvet obligatoire (sinon, vous devez louer des draps). Les facilités de lavage et de séchage et l'accès à une cuisine font partie de l'équipement standard, de même que l'accès à Internet.
Avant le départ, allez chercher ou faites-vous envoyer par l'office de tourisme de l'île d'Irlande à Paris la liste des AJ. Il existe plusieurs associations concurrentes.
– ***Les AJ officielles :*** gérées par *An Óige* pour l'Eire (une vingtaine, dont quelques-unes franchisées) et par la *Northern Ireland Association of Youth Hostels* (une demi-douzaine) pour l'Ulster, affiliées au réseau *Hostelling International.* Généralement situées dans des coins isolés, parfois sauvages et magnifiques. En Irlande du Nord, plutôt des bâtiments modernes, fonctionnels, un peu froids. Certaines, en raison de leur importante capacité d'accueil, reçoivent pas mal de groupes. La carte de membre n'est pas obligatoire, mais elle permet de bénéficier d'une réduction de 2 € par nuitée. Mieux vaut l'acheter en France, car, en Irlande, elle coûte un peu plus cher (voir plus haut « Avant le départ »). Mais la plupart des AJ du Sud acceptent les non-membres, moyennant ou pas un supplément symbolique.
Celle de Dublin et, en juillet et août, celles de Galway et de Clare sont assez

chères. Les autres pratiquent en général trois tarifs différents : 18 ans ou moins, haute et basse saison.
Attention, la réception est souvent fermée de 10h30 à 17h.

■ ***En république d'Irlande (Eire) :*** ***An Óige, Irish Youth Hostel Association,*** *61, Mountjoy St, Dublin 7.* ☎ *(00-353-1) 830-45-55.* ● *anoige.ie* ●

■ ***En Irlande du Nord (Ulster) :*** ***Hostelling International-Northern Ireland,*** *22-32, Donegall Rd, Belfast BT12-5JN.* ☎ *(00-44) 28-90-32-47-33.* ● *hini.org.uk* ●

– ***Les AJ privées :*** les plus sympas. Elles sont souvent plus petites, il y a moins de monde (et pas de groupes !), l'ambiance y est plus familiale et l'aménagement plus personnalisé. Malheureusement, elles sont de moins en moins nombreuses. L'Irlande, devenue très chère, n'attire plus guère les jeunes routards désargentés qui formaient la clientèle numéro un de ces AJ. Pas de limite d'âge et aucune carte de membre requise. Niveau de confort très variable. Certaines sont haut de gamme, et d'autres décaties, mieux vaut le savoir. De nombreuses AJ en site rural accueillent aussi les campeurs, qui peuvent utiliser les équipements de l'*hostel* (cuisine, sanitaires, buanderie, salon, etc.) en tant qu'hôtes à part entière. Il existe deux associations qui répertorient la grande majorité des AJ privées d'Irlande. Chacune publie un dépliant (ou dispose d'un site internet) décrivant ses établissements, avec pas mal de détails utiles. Certaines AJ sont affiliées aux deux !

■ ***Independant Hostels (IHI) :*** *Dooey Hostel, Glencolumbkille.* ☎ *(00-353-74) 973-01-30.* ● *independenthostelsireland.com* ● Une sélection libre et originale d'AJ privées souvent tenues par des personnages hauts en couleur. Environ 70 AJ référencées.

■ ***Independent Holidays Hostels (IHH) :*** *PO Box 11772, Fairview, Dublin 3.* ☎ *(00-353-1) 836-47-00.* ● *hostels-ireland.com* ● Environ 80 AJ approuvées par le *Tourist Board* et pratiquant le *book ahead.* AJ d'Irlande du Nord également.

– Enfin, quelques AJ, surtout celles implantées à Dublin, sont affiliées à ***Celtic Group Hostels :*** ☎ *(00-353-1) 855-00-19.* ● *celticgrouphostels.com* ●

Comment réserver ses nuitées en AJ ?

– ***Réserver en AJ privée :*** voir ci-dessus. Téléphoner ou envoyer un e-mail.
– ***Réserver en AJ officielle :*** il n'y a pas de limite d'âge pour séjourner en AJ. Il faut simplement être adhérent. La FUAJ offre à ses adhérents la possibilité de réserver depuis la France, grâce à son système de réservation international, six nuits maximum et jusqu'à 6 mois à l'avance, dans certaines AJ situées en France et à l'étranger (le réseau *Hostelling International* couvre plus de 80 pays). Gros avantage, les AJ étant souvent complètes, votre lit est réservé à la date souhaitée. L'intérêt, c'est que tout cela se passe avant le départ, en français et en euros, donc sans frais de change ! Vous versez simplement un acompte de 5 % et des frais de réservation (non remboursés). Vous recevrez en échange un reçu de réservation que vous présenterez à l'AJ une fois sur place. Ce service permet aussi d'annuler et d'être remboursé. Le délai d'annulation varie d'une AJ à l'autre. Le système de réservation international est accessible en ligne via le site ● *hihostels.com* ● D'un simple clic, il permet d'obtenir toutes les informations utiles sur les auberges reliées au système, de vérifier les disponibilités, de réserver et de payer en ligne, de visiter virtuellement une auberge et bien d'autres astuces !

Spécial « en fauteuil »

♿ Ceux qui voyagent en fauteuil trouveront certains établissements prêts à les accueillir. En particulier, beaucoup d'AJ privées récentes sont superbement conçues, leur rendant aisés vie quotidienne et déplacements. Pour toute précision, contacter les organismes suivants.

En république d'Irlande (Eire)

■ ***National Disability Authority :*** *Access Dept., 25, Clyde Rd, Ballsbridge, Dublin 4.* ☎ *(00-353-1) 608-04-00.* • *nda.ie* • Infos par téléphone ou par courrier. Ils vous enverront leurs brochures.

En Irlande du Nord (Ulster)

■ ***Disability Action :*** *Portside Business Park, 189, Airport Rd West, Belfast BT3-9ED.* ☎ *(00-44) 28-90-29-78-80.* • *disabilityaction.org* •

LANGUE

Vous parlerez évidemment en anglais (pour vous aider à communiquer, n'oubliez pas notre *Guide de conversation du routard* en anglais), mais, même si la langue de l'ancien colonisateur s'est imposée, les Irlandais gardent au fond de leur cœur une grande affection pour leur langue historique, le gaélique (« *Irish* » pour les Irlandais). Contrairement aux idées reçues, le gaélique parlé en Irlande n'est pas proche du breton, mais il appartient au groupe gaélique qui comprend aussi le gaélique d'Écosse et le manxois (de l'île de Man). Le breton fait partie du groupe brittonique qui comprend le breton, le gallois et le cornique (de Cornouailles).
Parlé majoritairement pendant des siècles, le gaélique amorça son déclin au XIXe s avec la pénétration massive de l'anglais, de l'idéologie et du mode de vie de l'occupant britannique. Un coup fatal lui fut porté par la Grande Famine de 1844 à 1850, qui provoqua près de 1 million de morts et força 1,5 million d'Irlandais à émigrer, désorganisant complètement la société rurale irlandaise. Aujourd'hui, si 30 % d'Irlandais parlent plus ou moins couramment le gaélique appris en classe (obligatoire à l'école primaire), celui-ci ne survit comme langue maternelle que chez les 3 ou 4 % de la population vivant dans le *Gaeltacht,* mosaïque de petits bouts du territoire où il prend le pas sur l'anglais. Les poches principales se situent dans le Kerry, le Connemara et le Donegal, mais on trouve aussi quelques villages de langue gaélique dans le comté de Meath, à moins de 50 km de Dublin ! Cette langue très complexe aurait fini par s'éteindre tout doucement si, à la fin du XIXe s, un mouvement culturel n'avait tenté de la sauver, non pour supplanter l'anglais, mais plutôt pour redécouvrir une identité culturelle nationale.
Aujourd'hui, le gaélique vit une grande contradiction. D'une part, chaque été, plusieurs milliers d'élèves extrêmement motivés se rendent dans le *Gaeltacht* et renouent avec une pratique vivante de la langue ; il existe aussi depuis quelques années des *Gaelic schools* : le gaélique y est parlé en permanence et l'anglais n'est qu'un enseignement au même titre que les maths ou la musique. D'autre part, le gaélique n'apparaît plus comme indispensable aux yeux de beaucoup, et son usage quotidien ne concerne guère plus de 120 000 personnes. Imposé à l'école, vécu comme une corvée, sa nécessité dans la vie sociale n'étant pas perçue, il provoque chez certains une réaction de rejet. Pour qu'on se reprenne à l'aimer, mieux vaudrait qu'on l'interdise !

Petit vocabulaire de base (avec prononciation !)

Fáilte	« fôltieu »	bienvenue
Slainte	« slantieu »	à votre santé
Slàn	« slaun »	au revoir
Go raibh maith agat	« gorêve mahagate »	merci (littéralement : « que le bien soit avec vous »)
Conas ta tù ?	« conaçe ta tou ? »	comment vas-tu ? (cela, pour les personnes qu'on connaît un peu)

Et n'oubliez pas de rouler les « r » !

Les étrangetés du gaélique

– Certains mots comportent un nombre impressionnant de lettres qui ne se prononcent pas, ou alors pas de la façon que vous pourriez imaginer. Ainsi, la ville de Dún Laoghaire se prononce quelque chose comme « Doune Liri ».
– Il vous arrivera de voir des majuscules ailleurs qu'en début de mot. Explication : on forme les cas en ajoutant un préfixe (par exemple, « n » pour le génitif). Si c'est à un nom propre, le « n » est placé avant la majuscule, comme dans « Dún na nGall » signifiant « le fort de l'étranger » (qui a donné « Donegal »).
– La lettre « h » après une lettre remplace un point sur cette lettre, destiné à en modifier la prononciation dans l'écriture traditionnelle.
– Dans de nombreux noms de lieux et de gens d'origine gaélique, le groupe « gh » se prononce comme un « h » fortement expiré : Omagh, Gallagher, Ballyvaughan...

Toponymie gaélique

Ard	haut	*Ardagh*
Baile, bally	ville	*Ballyshannon*
Caher, cahir	château	*Caherdaniel, Cahirciveen*
Carrick	rocher	*Carrickmacross*
Droichead	pont	*Droicheadnva*
Drum	crête	*Drumshanbo*
Dun	fort	*Donegal, Dún Laoghaire*
Glen	vallée	*Glenmore*
Inish	île	*Inishmore*
Kill	bois ou église	*Killarney, Kilkenny*
Knock	colline	*Knocknagree, Castleknock*
Lough	lac	*Glendalough*
Mona	tourbe	*Monavullagh*
Rath	tumulus	*Mountrath*
Sean, shan	vieux	*Shankill, Shanagolden*
Slieve	montagne	*Slieve League*
Trá	plage	*Tramore*

LIVRES DE ROUTE

Romans, nouvelles

– ***Gens de Dublin,*** de James Joyce (nouvelles, 1914 ; Flammarion, coll. « GF » nº 709, 1994). L'auteur décrit la vie quotidienne des Dublinois du début du XXe s avec un réalisme psychologique très subtil. Sous la peinture de mœurs et la monotonie des milieux bourgeois, l'auteur met au jour fêlures et lézardes que la fatalité vient imprimer à l'existence quotidienne. *Gens de Dublin* inspira à John Huston son dernier film (voir « L'Irlande et le cinéma » dans « Hommes, culture, environnement »).
– ***Ulysse,*** de James Joyce (roman, 1922 ; Gallimard, coll. « Folio » nº 2830, 1996). Un des chefs-d'œuvre de la littérature mondiale. Au travers des déambulations de Leopold Bloom dans le Dublin de 1904, c'est une relecture, parodie, transposition de *L'Odyssée* qui nous est proposée. Mais le projet de Joyce va bien plus loin : tous les styles, tous les langages se rassemblent en une sorte d'encyclopédie du verbe, comme si l'auteur avait voulu faire de ce livre une somme de la culture et du langage de notre temps. Intimidant ? Beaucoup, c'est vrai, s'y sont cassé le nez. Il faut une bonne boussole pour suivre cette longue et zigzagante (car très arrosée !) croisière dublinoise. À noter qu'une nouvelle traduction est parue, également chez Gallimard, à l'occasion du « centenaire » de 2004.

– ***Molloy,*** de Samuel Beckett (roman, 1951 ; Minuit, coll. « Double » n° 7, 1982). Ce livre sombre, aride, déroutant et difficile est une réflexion originale sur l'existence tragique et absurde de l'homme, qui vit parce qu'il ne peut faire autre chose et se contente de vivre dans le non-sens, parce qu'il n'y a rien d'autre à faire. *Molloy* préfigure admirablement le théâtre de Beckett, tout en explorant des voies propres au genre romanesque. Pour lecteurs avertis.

– ***Un taxi mauve,*** de Michel Déon (roman, 1973 ; Gallimard, coll. « Folio » n° 999, 1991). L'Irlande, ce « paysage d'avant l'homme, pur et frémissant », est l'héroïne incontestée du livre. Le narrateur, venu y chercher la solitude et les joies de la chasse à la bécasse, rencontre quelques personnages étranges entre lesquels va se jouer un psychodrame fait de tensions, d'envies et de jalousies.

– ***Le Pornographe,*** de John McGahern (roman, 1979 ; Presses de la Renaissance ; 10/18 n° 2220, 1991). Un jeune professeur d'anglais écrit à ses moments perdus des textes obscènes pour une revue de pornographie médiocre. Les quelques scènes érotiques inventées par le narrateur sont osées (le roman fut censuré dès sa sortie), mais dissimulent en réalité la banalité et la morosité de l'existence du personnage. John McGahern (1934-2006) est l'un des plus grands romanciers irlandais. Il a écrit notamment *Lignes de fond, L'Obscur, La Caserne, Entre les femmes...*

– ***La Légende d'Henry Smart,*** de Roddy Doyle (roman, 1999 ; Denoël ; 10/18 n° 3444, 2002). Ça commence comme du Dickens dans la misère la plus sordide des faubourgs de Dublin, au début du XXe s. Le petit Henry Smart rencontre ensuite l'Histoire (encore adolescent, il est présent dans la Grande Poste de Dublin en 1916) et se forge un destin. Par l'auteur de la trilogie de Barrytown *(The Commitments, The Snapper, The Van,* Robert Laffont, coll. « Pavillons », 2009*)*, adaptée pour le grand écran.

– ***Eureka Street,*** de Robert McLiam Wilson (roman, 1999 ; Christian Bourgois ; 10/18 n° 3047). Belfast la belle, Belfast la tendre, Belfast la meurtrière, et plein de personnages qui tentent de vivre dans cette ville. Il y a Roche, le gavroche des rues, Chuckie, l'un des trois nouveaux milliardaires que compte l'Irlande par semaine, Jake, le héros malgré lui, à la recherche de l'amour... Belfast est ici décrite avec beaucoup d'humour et sans concessions.

– ***Tu ne tueras point,*** d'Edna O'Brien (roman, 1996 ; Fayard ; LGF, coll. « Biblio », 1998). Comme McGahern, Edna O'Brien excelle à dépeindre l'Irlande profonde où le tragique naît souvent du silence, du non-dit, du renfermement. Inspiré d'une réelle histoire d'inceste, le roman d'Edna O'Brien, avec sa narration elliptique, ses courts chapitres, transmet une émotion absolue. Parmi les nombreux autres romans de cette romancière originaire du comté de Clare, ***Décembres fous*** (10/18 n° 3623), qui raconte un autre drame rural issu d'une banale querelle de voisinage.

– ***À l'irlandaise,*** de Joseph O'Connor (roman, 1999 ; Robert Laffont ; 10/18 n° 3189, 2003). Par un jeune romancier talentueux, par ailleurs frère de Sinead O'Connor, le récit douloureux de la quête d'un père à la recherche de l'agresseur de sa fille. Sur fond de violence dublinoise, une approche paradoxale du pardon. Lire également ***Inishowen*** (roman ; Phébus, 2001). La rencontre d'un flic usé et d'une New-Yorkaise minée par la maladie qui convergent vers le Donegal, plus précisément vers la presqu'île d'Inishowen. Un peu facile parfois (le pathos...), mais efficace.

– ***L'Impasse,*** de Gene Kerrigan (roman, 2011 ; Gallimard ; Série noire). Dave Callaghan, qui a connu la prison et souhaite se réinsérer, se retrouve mêlé malgré lui au combat sans pitié de deux chefs de la pègre de Dublin. Sur fond de crise, un polar dans lequel l'humanité tente de faire face à la violence aveugle.

– ***Les Fantômes de Belfast,*** de Stuart Neville (éd. Rivages, 2011). Belfast 1998, après les accords du « Vendredi Saint ». Gerry Fagan, un paramilitaire hanté par les crimes qu'on lui a fait commettre au nom de la « cause », commence une impitoyable vendetta en s'attaquant à ses camarades. Un polar sans complaisance aucune.

– ***Mon traître,*** de Sorj Chalandon (roman, 2008 ; Grasset ; LGF, Livre de Poche n° 31457, 2009). Un Français, qui s'est pris de passion pour la cause républicaine, doit faire l'amère expérience de la trahison : son héros était un mouchard au service des Anglais. Inspiré par une histoire véritable.

Récits de voyage

– ***Deux vagabonds en Irlande,*** de Bernard Pouchèle et Pierre Josse (textes et photos, 1998 ; Terre de Brume). Un superbe album de photos noir et blanc. Paysages d'ailleurs, visages burinés et malins, enfants terriblement joueurs, le tout saupoudré de bribes d'histoires tragiques et émouvantes. Une Irlande insolite, âpre, sans apprêt, résolument hors des sentiers battus. Une histoire d'amour qui s'étale sur 25 ans, montrant certains aspects d'une Irlande presque disparue aujourd'hui, alors qu'une nouvelle surgit à l'aube du IIIe millénaire... Avec des commentaires pleins d'humour, parfois délirants, des dérives littéraires souvent décalées, des textes poétiques de Bernard Pouchèle, grand chemineau devant l'Éternel ; et des photos de Pierre Josse, arpenteur forcené des *bogs* et des sentiers détrempés de l'Irlande. Préface d'Hervé Jaouen.

– ***Journal d'Aran et d'autres lieux,*** de Nicolas Bouvier (feuilles de route, 1990 ; Payot, coll. « Petite Bibliothèque. Voyageurs » n° 155, 2001). Chronique d'un séjour à Aran, remarquable de réalisme et de poésie, par l'un des plus grands écrivains routards.

– ***L'Irlande dans un verre (McCarthy's Bar),*** de Pete McCarthy (2003 ; Hoëbeke, coll. « Étonnants Voyageurs »). De pub en pub, l'errance d'une sorte de routard à l'anglo-saxonne qui va du comté de Cork à celui de Donegal en passant par le Connemara. Une bien belle balade.

– ***Voyage au Pays des Travellers,*** de Guillaume Thouroude (éditions Cartouche, 2012). Même si son auteur en parle comme d'un « petit ouvrage d'ethnologie précaire », on est loin d'un traité savant : dans une forme proche de celle du récit de voyage nous est contée la découverte d'une minorité sociale très particulière, celle des Travellers (voir la rubrique « Population » dans « Hommes, culture, environnement ») qui conduit, en fin de compte, à la découverte d'une autre Irlande, dont ne parlent pas les guides...

Récits autobiographiques

– ***L'Homme des îles,*** de Tomás O'Crohan (autobiographie, 1937 ; Payot, coll. « Petite Bibliothèque. Voyageurs » n° 195, 2003). Écrit en gaélique, ce livre est l'œuvre d'un simple pêcheur et paysan des îles Blasket (une poignée d'îlots à l'extrême pointe ouest de la péninsule de Dingle, dans le Kerry), évacuées dans les années 1950 sur ordre du gouvernement parce que la vie y était trop difficile. O'Crohan (1856-1937) porte témoignage de cette vie à la charnière des XIXe et XXe s, avec un talent hérité d'une longue lignée de conteurs anonymes.

– ***Un peuple partisan,*** de Brendan Behan (récit autobiographique, 1958 ; Gallimard, coll. « Du Monde Entier », 1996). Ce livre relate l'expérience pénitentiaire de l'auteur, qui fut condamné à l'âge de 16 ans pour actes « terroristes » – il faisait partie de l'IRA – et resta emprisonné de 1939 à 1942. Au travers de sa propre histoire, c'est le peuple d'Irlande, frondeur, bavard, hâbleur, épris de liberté, amoureux de la vie, qui est évoqué.

Quelques maisons spécialisées et autres titres à lire

– ***Les éditions Terre de Brume*** (● *terredebrume.com* ●) éditent une collection, « La Bibliothèque irlandaise ». Citons, au hasard, *Le Pot d'or* de James Stephens et *Le Seigneur de la montagne,* de Walter Macken. De ce denier également : *Les Enfants de la pluie et du vent,* et *La Quête de belle terre,* ou l'histoire hallucinante des massacres de Cromwell en Irlande et de leurs conséquences sur le peuple irlandais. Walter Macken, après le magnifique recueil de nouvelles *Et Dieu fit le dimanche,* nous livre ici une belle tranche de rêve, une leçon d'espoir pour l'Irlande. Mettre dans son sac *Les Îles d'Aran* de Synge, un classique, ainsi que *L'Homme tranquille* de Maurice Walsh (le livre qui inspira le film de John Ford) et *Deirde* de James Stephens (une des plus belles histoires d'amour jamais écrites). Enfin, trois polars ébouriffants : *Belfast blues* et *Doublé à Dublin* de Richard Deutsch, et *Neige sur Galway* de Maurice Goldring. Signalons aussi la réédition d'un classique, *Le Mouchard* (2003), de Liam O'Flaherty, adapté au cinéma par John Ford à la fin des années 1930. Dans le Dublin des années 1920, la dernière journée d'un homme perdu, qui a dénoncé, pour 20 £, un ancien camarade de lutte.

– ***Aux éditions 10/18,*** entre autres, *Coups du sort,* de William Trevor (n° 3018), *Le Chant du coyote,* de Colum McCann (n° 2799), *Tarry Flynn,* de Patrick Kavanagh (n° 3237), *Chimères* de Nuala O'Faolain (n° 3934).

– Pêle-mêle, sur l'***histoire*** : *Les Irlandais,* de Seán O'Faolain (Coop Breizh), encore un important auteur irlandais né en 1900 et mort en 1990. De J. Guiffan, *L'Irlande contemporaine de A à Z* (éd. Armeline, 2001). Dans la collection « Nations d'Europe » chez Hatier, l'excellente *Histoire de l'Irlande,* toujours de J. Guiffan, et l'ouvrage plus récent *La Question d'Irlande* (éd. Complexe, 2006) du même auteur. *La Résistance irlandaise,* de R. Faligot (éd. Terre de Brume).

– Et enfin, dans le même domaine, par le plus grand spécialiste français de l'Irlande : ***Histoire de l'Irlande et des Irlandais,*** par Pierre Joannon (Perrin, 2005). Presque obligatoire à tout amoureux de la verte Érin. Une véritable somme d'une rigoureuse précision. En même temps, d'une lecture aisée et passionnante, avec un épilogue d'une fort subtile clairvoyance !

– Deux autres merveilleux ***classiques*** de la littérature irlandaise : *Insurrection* et *Famine,* de Liam O'Flaherty, et *Une enfance irlandaise,* de Seán O'Casey (Le Chemin Vert).

– ***Les ouvrages d'Hervé Jaouen*** (Ouest-France) : *Journal d'Irlande,* l'un des ouvrages donnant l'image la plus authentique de l'Irlande ! *Chroniques irlandaises,* un émouvant état des lieux dans l'histoire d'amour entre l'auteur et la verte Érin ; *D'un comté, l'autre,* une balade à la découverte des plus beaux sites, avec plein de conseils pratiques pour organiser son voyage.

MAGASINS

Les boutiques sont ouvertes en général de 9h ou 10h à 17h30 ou 18h. Dans les villes, le jeudi ou le vendredi sont les soirs de « nocturnes », le plus souvent jusqu'à 20h. De plus en plus de magasins ouvrent le dimanche après-midi, à Dublin et à Galway notamment. Épiceries, marchands de journaux et supermarchés ouvrent parfois le dimanche matin. En Irlande du Nord, le dimanche est journée morte.

MESURES

La république d'Irlande est théoriquement convertie au système métrique, mais pas l'Irlande du Nord. Alors, sachez que :

1 inch	2,54 cm
1 foot	30,5 cm
1 yard	0,91 m
1 mile	1,6 km environ
1 pound (livre)	0,45 kg
1 pint	0,57 l
1 gallon	4,54 l
1 acre	0,4 ha

PHOTO

Les effets de nuages sont rarement maîtrisables. Bravo si vous arrivez à photographier un phénomène peu ordinaire, observable sur les collines, le *broken specter* : vous êtes sur une crête, vous avez un nuage en face et le soleil derrière vous. Votre ombre se projette, agrandie sur le nuage, tel un fantôme immense entouré par le halo d'un arc-en-ciel. Curieusement, si deux personnes sont côte à côte à ce même moment, aucune ne peut percevoir l'ombre de son voisin !

POSTE

– Les bureaux de poste sont ouverts du lundi au vendredi de 9h à 17h30 et parfois le samedi de 9h à 17h pour des bureaux importants (9h-13h en Irlande du Nord).
– Selon une vieille tradition irlandaise, le bureau du village est encore souvent implanté au fond de l'épicerie, surtout dans les campagnes reculées. La tradition se perpétuant de nos jours, il n'est pas rare, dans les villes moyennes, de trouver des timbres à vendre dans l'enceinte d'un supermarché ! On a même vu (à Clonakilty, dans le Sud) une poste cachée dans une église !
– Une carte postale ou une lettre vers l'Europe vous coûtera 0,82 € en république d'Irlande et £ 0,87 en Irlande du Nord.
– Poste restante... dans tous les « bureaux principaux ». Pour être sûr, visez le chef-lieu de comté !

POURBOIRES

L'usage du pourboire s'est quelque peu raréfié en Eire, mais personne ne vous en voudra si vous laissez 10 % de plus dans un restaurant ou un taxi. La plupart du temps, le service est déjà inclus dans l'addition. En Irlande du Nord, un pourboire de 6 à 10 % est automatiquement ajouté pour les groupes (parfois dès cinq personnes).

RANDONNÉE

Softy day, windy day : avant de partir randonner en Irlande, vous avez intérêt à connaître les nuances subtiles de la météo, qu'il fasse doux ou qu'il vente. Bien sûr, il pleut en Irlande, mais les rapides changements de temps permettent des éclaircies aux éclairages sublimes. Et l'Irlande reste le paradis des randonneurs. Et puis, la pluie, c'est un bon prétexte pour s'abriter dans les pubs, où l'accueil chaleureux est garanti. Enfin, les *B & B* sont nombreux tout au long du parcours. Un conseil : prévenez la veille de votre lever matinal (c'est-à-dire si vous voulez le breakfast avant 9h) et demandez à votre charmante hôtesse de remplir votre Thermos de thé chaud pour la journée. N'oubliez pas chaussures montantes et chaussures de rechange pour le soir, voire chaussures irlandaises en plastique. Ayez toujours un coupe-vent, ainsi que deux paires de chaussettes pour la traversée des tourbières. Mieux vaut emporter une boussole. Avec ces quelques précautions, vos randonnées irlandaises feront partie de vos meilleurs souvenirs.
D'une manière générale, le balisage des sentiers est assez aléatoire. Le mieux est de se procurer un guide de randonnée pour la région qui vous intéresse et de partir avec une carte *Discovery Series* au 1/50 000, où figurent la plupart des

sentiers pédestres, y compris ceux qui ne sont pas balisés. On peut aussi, et c'est même conseillé, se renseigner à l'office de tourisme du coin pour connaître le dernier balisage des sentiers à suivre, car celui-ci change parfois (panneaux arrachés, cairns – petits monticules de pierre – déplacés, etc.). Enfin, en Irlande, le randonneur doit avoir l'esprit « montagnard » et non pas « baladeur ». Les conditions atmosphériques d'altitude sont au moins à doubler : 600 m irlandais correspondent à plus de 1 200 m en montagne française.

Grande randonnée

De nombreuses grandes randonnées (signalées par des panneaux représentant un petit homme jaune, le *Walking Man*) vous sont proposées, une trentaine en Eire et l'*Ulster Way* en Irlande du Nord. Une documentation de base (en français et en anglais) peut être obtenue auprès des offices de tourisme (voir plus haut « Avant le départ »). Une documentation très complète peut être demandée à l'avance :

Pour la république d'Irlande (Eire)

■ ***The National Waymarked Ways Advisory Committee :*** *Irish Sports Council, Top Floor, Block A, Westend Office Park, Blanchardstown, Dublin 15. ☎ (00-353-1) 240-77-17. • getirelandwalking.ie •*

Pour l'Irlande du Nord (Ulster)

■ ***Countryside Access and Activities Network :*** *The Stableyard, Barnett's Demesne, Malone Rd, Belfast BT9-5PB. ☎ (00-44) 28-90-30-39-30. • walkni.com •*

Petite randonnée

Les informations sur des circuits de petite randonnée se trouvent dans les offices de tourisme ou dans les réserves naturelles, où des brochures *Scenic Walks* sont disponibles. Leurs indications vous éviteront de tomber dans un « cul-de-sac » (en anglais sur les panneaux !).

Cartes

Les cartes *Discovery Series* (au 1/50 000) destinées à la randonnée couvrent l'ensemble du territoire : il y en a 89. • *irishmaps.ie* • *osi.ie* •

SANTÉ

– En cas de gros pépin, l'Irlande et le Royaume-Uni faisant partie de l'Union européenne, les résidents des autres pays de l'Union peuvent être traités gratuitement dans le service des urgences des hôpitaux publics, dans le Sud comme dans le Nord. Condition : avoir avec soi la carte européenne d'assurance maladie. Sinon, vous devrez avancer les frais d'hospitalisation. Demandez-la donc à votre caisse d'assurance maladie quelques semaines avant votre départ (voir « Avant le départ. Santé »).
– En cas de consultation de médecine en clinique privée, les frais médicaux sont remboursés aux assurés sociaux des autres pays de l'Union, soit à leur retour par leur caisse de rattachement (au barème en vigueur en France), soit sur place sur présentation de la carte européenne (mais ça nécessite quelques démarches dont on se passe bien lorsqu'on est en vacances !). Dans la pratique, on attend, en général, le retour au pays pour faire les papiers.

SITES INTERNET

• ***routard.com*** • Tout pour préparer votre périple. Des fiches pratiques sur plus de 200 destinations, de nombreuses informations et des services : photos, cartes, météo, dossiers, agenda, itinéraires, billets d'avion, réservation d'hôtels, location de voitures, visas... Et aussi un espace communautaire pour échanger ses bons plans, partager ses photos ou trouver son compagnon de voyage. Sans oublier *routard mag,* ses reportages, ses carnets de route et ses infos pour bien voyager. La boîte à outils indispensable du routard.
• ***encycl-celt.chez-alice.fr*** • En français. Bonne introduction à la culture celte sans délire new age. À découvrir notamment, sur ce site, un conte irlandais. Toujours pour découvrir la culture celte et préparer des vacances culturelles : • ***gaelport.com*** • En anglais et en gaélique.
• ***eventguide.ie*** • En anglais. Pour ne rien rater de la vie culturelle irlandaise : de la soirée techno au récital de poésie médiévale, aucun événement ne vous échappera.
• ***ceolas.org/ceolas.html*** • En anglais. Tout ce qui concerne la musique traditionnelle celtique. Liens vers d'autres sites si vous voulez plus de détails sur la *tin whistle,* le *bohdran,* la harpe ou la bombarde.
• ***ecotourismireland.ie*** • Organisation soutenue par l'Union européenne, qui œuvre à la promotion de lieux d'écotourisme et de tourisme responsable, mais uniquement sur quelques comtés frontaliers entre la république d'Irlande et l'Irlande du Nord.
• ***guinness.com*** • En anglais. Des conseils de dégustation aux révélations sur la fabrication d'une des bières les plus célèbres. Pour vous faire mousser dans les discussions au pub...
Et si cela ne vous suffit pas :
• ***irelandonthenet.ie*** • Un portail donnant accès à des milliers de sites irlandais, classés par catégories et thèmes. Consulter également • ***centreculturelirlandais.com*** • qui propose une multitude de liens.

STAGES

Derrière les verts paysages et les pubs se cache une riche culture. Vous pouvez vous inscrire à des stages d'archéologie, d'histoire, de gaélique, de littérature, de peinture, de photo ou encore de musique et de danse traditionnelles. Brochure *Cultural Programmes Ireland* à demander à l'office de tourisme de l'île d'Irlande à Paris.
Tout concourt à ce qu'un séjour linguistique en Irlande soit une franche réussite : la qualité de l'enseignement et l'accueil légendaire des familles irlandaises. Large choix, du plus prudent à l'immersion complète. Activités complémentaires : tennis, golf, voile, équitation, musique, littérature, on ne peut pas tous les citer. Demandez à l'office de tourisme de l'île d'Irlande, à Paris, la brochure *Apprendre l'anglais en Irlande.*

TABAC

Comme aux États-Unis, en Angleterre, en Italie et en France, il est absolument interdit de fumer dans les lieux publics. Les Irlandais sont très respectueux de cette consigne (vu le montant des amendes, on les comprend !). Les aéroports, les gares, mais aussi les restaurants, pubs et *hostels* sont entièrement non-fumeurs. Seules exceptions à cette règle : les *B & B* (considérés comme domiciles privés)

et les prisons... Mais les *B & B* sont non-fumeurs dans 99 % des cas ; quant aux prisons, on espère que vous n'irez pas vérifier !
Les cigarettes sont vendues à un prix prohibitif : environ 7-8 € le paquet.

TÉLÉCOMMUNICATIONS

Téléphone

ATTENTION : ***les indicatifs*** des différentes circonscriptions téléphoniques *(area codes)* sont indiqués ***en face du nom de chaque ville ou village en début de rubrique.*** Il suffit donc de s'y reporter : il est nécessaire de faire précéder le numéro de votre correspondant de l'indicatif pour lui téléphoner depuis une autre circonscription téléphonique. Attention, il n'y a pas d'uniformisation nationale ; selon les circonscriptions, les numéros sont plus ou moins longs. Ainsi, si vous téléphonez dans la circonscription de Cork, vous composerez un numéro de 14 chiffres depuis la France, mais si vous téléphonez dans le comté de Mayo, à Westport, vous ne composerez que 12 chiffres. Enfin, n'oubliez pas que, lorsque vous faites un appel dans la circonscription où vous vous trouvez, vous n'avez pas à composer l'indicatif de circonscription téléphonique.
– On trouve des ***cabines à pièces et à carte*** un peu partout dans les rues, et les télécartes (10, 20, 50 et 100 unités) sont en vente chez tous les marchands de journaux et dans les bureaux de poste.
– Pour appeler vers l'étranger, acheter de préférence des ***télécartes internationales*** qui offrent de fortes réductions sur ces appels, comparativement aux cartes traditionnelles. Ces cartes peuvent aussi être utilisées pour appeler à l'intérieur du pays ; certaines permettent d'appeler depuis d'autres pays, y compris la France. Attention, il ne faut pas insérer ces cartes dans la fente de l'appareil. Ce qu'on achète, c'est en fait un numéro inscrit au dos de la carte et qui vous donne un « crédit temps ». Très pratique. La télécarte *Spirit* est l'une des plus compétitives.
– Vous pouvez utiliser le ***numéro de France Direct*** si vous avez la carte France Télécom, ou pour effectuer un appel en PCV vers la métropole ou vers les DOM. La communication sera alors, selon le cas, reportée sur votre facture ou facturée à votre correspondant.
– ***Les portables :*** les numéros de mobiles irlandais commencent par 085 à 088. Les téléphones mobiles GSM fonctionnent dans toute l'Irlande avec un contrat spécial (contactez votre opérateur).

En république d'Irlande (Eire)

– ***France → Eire*** (0,22 €/mn au tarif plein et 0,12 €/mn au tarif réduit) ***:*** composer le 00 + 353 (indicatif du pays) + indicatif de la ville ou de la circonscription (sans le 0) + numéro du correspondant.
– ***Eire → France :*** composer le 00 + 33 (indicatif du pays) + numéro du correspondant (sans le 0 initial).
– ***Eire → Irlande du Nord :*** composer le 00 + 44 (indicatif du Royaume-Uni) + 28 + numéro du correspondant à huit chiffres. On peut aussi composer le 048 suivi du numéro à huit chiffres du correspondant.
– *Appel France Direct :* composer le ☎ *1800-551-033.*
– *Renseignements :* composer le ☎ *11* (gratuit depuis une cabine et sur le réseau GSM Eircell).
– *Tarif réduit :* toute la semaine de 18h à 8h, ainsi que les week-ends et jours fériés.

En Irlande du Nord (Ulster)

– ***France → Irlande du Nord :*** composer le 00 + 44 (indicatif du Royaume-Uni) + indicatif (le 28 sans le 0) + numéro du correspondant.
– ***Irlande du Nord → France :*** composer le 00 + 33 (indicatif du pays) + numéro du correspondant (sans le 0 initial).

– ***Irlande du Nord → Irlande (Eire) :*** composer le 00 + 353 (indicatif du pays) + indicatif de la ville (sans le 0) + numéro du correspondant.
– *Appel France Direct :* composer le ☎ *0800-890-033.*
– *Renseignements :* composer le ☎ *118-500* (gratuit depuis une cabine).
– *Tarif réduit :* toute la semaine de 18h à 6h, ainsi que les week-ends et jours fériés. Chacun des opérateurs en concurrence applique des tarifs spécifiques. Les radins se renseigneront sur les promotions du moment !
En Irlande du Nord, tous les numéros sont composés de huit chiffres. Quand on téléphone d'une circonscription téléphonique à une autre, on fait précéder ce numéro d'un indicatif **commun aux six comtés, le 028.** Chaque comté a plusieurs circonscriptions différentes.

Le téléphone portable en voyage

Le routard qui ne veut pas perdre le contact avec sa tribu peut utiliser son propre téléphone portable en Irlande avec l'option « Europe ». Mais gare à la note salée en rentrant chez vous ! On conseille donc d'acheter à l'arrivée une carte SIM locale prépayée chez l'un des nombreux opérateurs *(Vodafone, O2...)* représentés dans les boutiques de téléphonie mobile des principales villes du pays et souvent à l'aéroport. On vous attribue alors un numéro de téléphone local et un petit crédit de communication, généralement pour un montant de 10 €. Avant de signer le contrat et de payer, essayez donc, si possible, la carte SIM du vendeur dans votre téléphone – préalablement débloqué – afin de vérifier si celui-ci est compatible. Si besoin, vous pouvez communiquer ce numéro provisoire à vos proches par SMS. Ensuite, les cartes permettant de recharger votre crédit de communication s'achètent dans ces mêmes boutiques, ou en supermarché, stations-service, tabacs-journaux, etc. à partir de 5 €. C'est toujours plus pratique pour trouver son chemin vers un *B & B* paumé, réserver un hôtel, un resto ou une visite guidée, et bien moins cher que si vous appeliez avec votre carte SIM personnelle. Malin, non ?

Urgence : en cas de perte ou de vol de votre téléphone portable

Suspendre aussitôt sa ligne permet d'éviter de douloureuses surprises au retour du voyage ! Voici les numéros des trois opérateurs français, accessibles depuis la France et l'étranger :
– ***SFR :*** *depuis la France,* ☎ *1023 ; depuis l'étranger,* 📱 *+ 33-6-1000-1900.*
– ***Bouygues Télécom :*** *depuis la France comme depuis l'étranger,* ☎ *0800-29-1000 (remplacer le 0 initial par + 33 depuis l'étranger).*
– ***Orange :*** *depuis la France comme depuis l'étranger,* 📱 *+ 33-6-07-62-64-64.*
– ***Free :*** *depuis la France,* ☎ *3244 ; depuis l'étranger,* 📱 *+ 33-1-78-56-95-60.*
Vous pouvez aussi demander la suspension depuis le site internet de votre opérateur.

Internet

Dans les villes, grandes ou moyennes, pas trop de problèmes pour trouver des cybercafés ou des bibliothèques municipales avec accès à Internet. Sinon, de plus en plus de *B & B* et d'*hostels* disposent d'une connexion internet.

TRANSPORTS INTÉRIEURS

Le stop

Si le stop était un sport national il y a quelques années, sa pratique est devenue tout à fait exceptionnelle. Cela dit, dans certaines zones reculées où les transports en commun sont rares, rien n'interdit d'essayer. Et ça permet de faire de belles rencontres !

Les transports en commun

En Irlande, c'est le meilleur moyen de circuler : entre *Bus Eireann*, compagnies privées, train et location de vélos, on y arrive. Combiner ces différents moyens de transport peut être une bonne idée.

Le train

Réseau assez peu développé, s'étendant en toile d'araignée de Dublin vers la plupart des grandes villes, y compris celles du Nord. Assez lent (sauf sur la ligne rapide Dublin-Belfast), horaires peu respectés et plus cher que le bus (surtout les vendredi et dimanche, avec jusqu'à 50 % de majoration !). Il existe des forfaits kilométrage illimité, uniquement en 2de classe. Parfois, un aller-retour coûte moins cher qu'un aller simple. On peut aussi opter pour le *Trekker Four Day* (110 €), qui permet de voyager sur 4 jours consécutifs à partir de la date d'achat. Bien calculer son coup. Horaires dans les gares et offices de tourisme. Pas de tarification commune (billet unique train + bateau).
Pour plus d'infos :

■ ***Irish Rail :*** *Connolly Station, Dublin 1.* ☎ *(00-353-1) 836-62-22.* • *irishrail.ie* •

■ ***Northern Ireland Railways :*** ☎ *(00-44) 28-90-66-66-30.* • *translink.co.uk* •

Le bus

– ***Les compagnies nationales :*** en Eire, la compagnie nationale s'appelle *Bus Eireann* ; dans le Nord, *Ulsterbus*. Des liaisons sont assurées entre toutes les villes et la plupart des villages, mais, d'une part, en dehors de l'été, beaucoup de lignes réduisent leur trafic ou ferment et, d'autre part, dans certains coins très isolés, le trajet n'est effectué qu'une fois par jour... et encore. Si l'on ne veut pas rester coincé dans un trou, il est donc vivement conseillé de se procurer les feuillets d'horaires gratuits qu'on trouve dans les offices de tourisme, dans les stations de bus ou affichés dans les AJ. Sinon, il y a l'*Expressway and Local Bus Timetable*, en vente dans les gares routières, qui détaille les horaires de toutes les liaisons assurées par *Bus Eireann*. Un peu encombrant mais bien utile. Dans le Nord, les horaires sont publiés par comté et sont gratuits. On rappelle que le bus est moins cher que le train. Il est aussi plus rapide et son réseau nettement plus étendu. De plus, les bus s'arrêtent, même en pleine campagne, sur un simple signe : on peut donc aller à peu près partout. Pour les villes principales, on vous donne les fréquences moyennes des liaisons.
– Les lignes locales ne sont pas aussi bon marché qu'on serait tenté de le croire, elles sont même assez chères.
– Le *Midweek Return Ticket* de *Bus Eireann* offre des tarifs réduits sur des allers-retours à condition de voyager les lundi, mardi, mercredi ou jeudi *(mid-week)*.
– L'*Open Road Pass* de *Bus Eireann* permet un nombre illimité de voyages pendant 3 à 15 j. C'est une bonne solution : le billet 3 j. coûtait, en 2012, 57 € ; pour 8 j., c'était 137 € ; et pour 15 j. 249 € ; demi-tarif pour les moins de 16 ans (réduc valable pour tous les tarifs indiqués ci-dessus). Mais le système comporte certaines contraintes : par exemple, sur le billet 3 j., on indique les jours choisis, ce qui signifie qu'on ne peut voyager avec ce billet que pendant ces 3 j. sur un total de 6 j. (pour 15 j., c'est sur une période de 30 j. que les trajets doivent s'effectuer). Il ne donne pas accès aux trajets à destination de l'Irlande du Nord. En revanche, il permet de voyager gratuitement dans les bus urbains de Cork, Galway, Limerick et Waterford. Il existe une autre formule incluant l'Irlande du Nord *(Irish Rover)*, coûtant (en 2012) respectivement 88, 200 et 295 €.

– Dans le Nord, les réseaux bus et train sont chapeautés par ***Translink*** *(☎ 90-66-66-30 – infos et résas : • translink.co.uk •).* Avis aux cyclistes, les bus grandes lignes peuvent transporter (gratuitement) deux vélos à la fois, mais seulement après 9h30 en semaine. Premier arrivé, premier servi. Même politique pour le train, mais sans limite de nombre.

■ ***Bus Eireann :*** *Central Bus Station, Store St, Dublin 1. ☎ (00-353-1) 836-61-11. • buseireann.ie • (ts les horaires, prix et réduc disponibles slt sur Internet).*

■ ***Ulster Bus :*** *☎ (00-44) 28-90-66-66-30. • translink.co.uk •*

– ***Les compagnies privées :*** il existe de très nombreuses compagnies privées qui, sur les longs trajets, proposent des liaisons beaucoup moins chères que la compagnie nationale. La libre concurrence a ses bons côtés ! Avant de choisir, bien comparer les différentes solutions proposées. Nous indiquons ces compagnies quand elles existent. Les offices de tourisme possèdent toujours les infos les plus à jour sur les petites compagnies. De toute façon, dans certaines régions comme le nord-ouest du Donegal, vous n'aurez le choix qu'entre des compagnies privées, car *Bus Eireann* n'assure pas de service.

Forfait autobus-train

– *L'Irish Explorer Bus & Rail :* plus intéressant que les forfaits bus seul ou train seul, il permet de voyager autant que l'on veut dans toute la république d'Irlande, en bus ou en train (sauf dans Dublin même), soit 5 ou 8 j. effectifs sur une période de 15 j. (coût en 2012 : 160 et 245 €).
On peut l'acheter dans toutes les gares en Irlande, voire dans certaines gares maritimes, ou dans n'importe quel bureau *Usit.*

Le vélo

Un excellent moyen pour visiter ce pays. L'ennui, c'est le vent. Particulièrement pervers, puisqu'on l'affronte quasiment toujours de face !
Il existe une série de cinq cartes couvrant l'Irlande, avec courbes de niveau très précises, à acheter sur place.
Le revêtement des routes étant souvent en mauvais état et les pistes cyclables n'étant généralement rien d'autre que la bande d'arrêt d'urgence, bien gravillonnée, les jantes étroites et les pneus minces sont à prohiber. Cependant, le VTT ou le *mountain bike* ne s'imposent pas : trop lourds et finalement peu adaptés aux routes. De plus, les chemins de randonnée sont impraticables aux vélos : entre tourbières, marais et rochers, enfer garanti ! Il vaut mieux avoir un excellent vélo de randonneur.
En été, si vous ne réservez pas à l'avance, vous risquez d'être coincé, surtout dans les grandes villes (Cork, Dublin), et même dans les petites de la côte ouest. La location n'est pas très chère, mais les vélos ne sont en général pas terribles. En Irlande du Nord, c'est plutôt le contraire : bons vélos, mais hors de prix. Donc, si vous voulez visiter l'Irlande à pédales, on vous conseille d'emporter votre propre vélo, sans compter que vous serez déjà habitué à la bête. En avion, le vélo est inclus dans la limite de poids autorisé. Sinon, vous pouvez essayer la société *Raleigh Rent-a-Bike,* qui possède de nombreux magasins de location de vélos en Irlande. *(Compter un peu plus de 80 €/sem tt compris ou bien autour de 20 €/j.)* Après entente préalable, on peut laisser le vélo à un point différent de celui de location.
Si vous voulez, de temps en temps, prendre le bus et que la soute à bagages n'est pas pleine, aucun problème pour que votre engin vous accompagne. Il faut tout de même payer un supplément. Dans le train, vous êtes censé payer pour transporter votre vélo, mais personne ne le fait. Dans le Nord, c'est officiellement gratuit.
Vous verrez souvent le panneau « *Loose chippings* » : il indique que la chaussée est recouverte de petits cailloux. Soyez donc prudent quand une voiture vous

dépasse. Attention aux moutons et aux vaches, parfois belliqueuses. Choisissez de prendre les petites routes, c'est tellement plus agréable même si elles sont de qualité aléatoire ! Attention tout de même, elles sont souvent étroites et, la circulation étant toujours plus intense, elles se révèlent dangereuses (en particulier dans la péninsule de Dingle et dans le Kerry).

La voiture

Il est évident que le fait d'être autonome permet de profiter pleinement de la campagne irlandaise. À quatre, il n'est pas idiot d'envisager la location d'une voiture au moins pour 1 semaine, afin de ne pas passer à côté de certains des plus beaux sites du pays (voir « La location de voitures » un peu plus loin).

Conduire en Irlande

C'est loin d'être une partie de plaisir. Première constatation : on roule à gauche. Plus facile à dire qu'à faire. À vrai dire, on s'habitue assez vite, mais il reste toujours des réflexes dangereux, ne serait-ce que, sur une route étroite, de serrer à droite lorsqu'un véhicule débouche devant vous dans l'autre sens. Prudence, donc !

Les conducteurs sont en général assez cool au volant et, à l'inverse de chez nous, un minimum courtois. Mais le pays évolue, le trafic augmente et les chauffards sévissent, avec leur portable à la main et leur hâte d'arriver, tout en restant d'un optimisme ravageur lorsqu'il s'agit de doubler sans visibilité... Remarquez, il est si difficile de doubler qu'on les comprendrait presque. Sur une petite route, il suffit de tomber derrière un camion ou un papy qui conduit deux fois l'an, et vous êtes bon pour faire du 30 km/h pendant 100 bornes !

Autre ennui permanent : les traditionnels bouchons du centre-ville. Évitez si possible les horaires d'entrée et de sortie des bureaux, car c'est infernal ! Les villes irlandaises sont en train de se doter d'un réseau routier suffisant pour absorber l'explosion du nombre de nouveaux véhicules, mais il y a encore du boulot !

En route, vous rencontrerez des voitures avec la lettre rouge « L » apposée sur les pare-brises avant et arrière. Elle signifie *Learner Restricted* ; autrement dit, c'est un apprenti conducteur qui est au volant. Mais, contrairement à chez nous, en Irlande on peut faire son apprentissage tout seul, sans auto-école, et sans rien demander à personne ! Il est possible, après avoir passé le code, d'acheter et de conduire une voiture pendant 2 ans (renouvelables deux fois, donc 6 ans au total). Ne vous étonnez donc pas si les « L » sont encore plus hésitants que nos « A »... Car, aussi incroyable que cela puisse paraître, ils conduisent légalement sans permis !

Limitations de vitesse

La vitesse est limitée à 50 km/h en ville et dans les agglomérations, de 80 à 100 km/h sur les routes nationales et à 120 km/h sur les autoroutes. Dans le Nord, c'est presque la même chose, mais en miles, ne confondez pas ! Donc 30 m/h en ville, 60 m/h sur les nationales et 70 m/h sur les autoroutes.

Routes

Une route irlandaise est un monde à elle seule. Elle est domaine public, donc propriété de tous. Ainsi, on y trouve des voitures qui circulent, d'autres arrêtées n'importe où (y compris dans un virage ou en haut d'une côte), des camions, des bus, des cyclotouristes, des cyclistes locaux, des grands-mères qui papotent, des enfants qui jouent, des moutons isolés, des troupeaux de moutons, des vaches, des pêcheurs à la ligne avec leurs cannes installées sur la chaussée, des tracteurs, des poules et des nids-de-poule... et nous devons encore en oublier ! Le trafic est donc pénible. Europe oblige, les distances et les limitations de vitesse sont désormais indiquées en kilomètres, excepté en Irlande du Nord (en miles). Les Irlandais rattrapent petit à petit leur retard en terme d'autoroutes (ainsi Dublin-Cork a été achevé en 2010). Également de belles 4-voies toutes neuves. Leurs accotements permettent à un véhicule lent de se déporter sur la gauche d'une ligne pointillée jaune (mais oui, à gauche, réfléchissez un peu !) pour se faire dépasser. Respectez cette règle dans la mesure du possible, l'automobiliste plus pressé que vous en sera ravi et vous fera un signe de warnings pour vous remercier, auquel vous répondrez par un appel de phares. La courtoisie sur la route, c'est bien agréable !

Essence

Les carburants, à savoir gazole et essence (sans-plomb 95, en anglais *unleaded*), sont vendus à des prix équivalents à ceux de nos régions. Attention, ils ne sont en vente que dans les stations-service (pas de pompes dans les supermarchés) et sont un peu plus chers en Irlande du Nord.

Stationnement

Si vous partez avec votre propre voiture, sachez que les parkings gratuits en centre-ville, quand il y en a (et il y en a peu !), sont en général limités à 1 ou 2h. Le reste du temps, on doit se rabattre sur les parkings de rue ou les parkings fermés (hors de prix). Attention, le stationnement est interdit devant deux bandes jaunes parallèles. En république d'Irlande, pour le stationnement payant, il est souvent nécessaire de se procurer des *parking discs* à gratter dans les magasins les plus proches (bureaux de tabac, supérettes...) ou les offices de tourisme. Ils ne sont pas réutilisables.

Amendes

Vous risquez une amende si l'un des passagers n'a pas mis sa ceinture de sécurité ou – en Irlande du Nord seulement – si vous quittez votre voiture arrêtée sans en avoir verrouillé les portières !
Attention, l'amende pour stationnement illicite est très élevée : en Eire, c'est 40 € pour un simple défaut de ticket ! On peut la payer soit sur place (aux horaires étriqués du *town council*), soit sur Internet, une fois rentré à la maison. Quant aux stationnements gênants... méfiez-vous des sabots !

Cartes routières

Pour une exploration précise des régions, les cinq cartes routières éditées par Bartholomew sont parfaites. À ceci près que les automobilistes connaîtront quelques difficultés à s'y retrouver dans les noms des villages, lus en anglais sur la carte et en gaélique sur certains panneaux indicateurs. Il est donc fortement conseillé de se procurer une carte, comme la Michelin au 1/400 000. Sinon, les plus courageux tenteront d'apprendre des rudiments de prononciation qui leur permettront, en lisant le mot gaélique, de retomber sur la transcription phonétique anglaise figurant sur les cartes.

Pancartes

En république d'Irlande, les pancartes routières sont toutes en kilomètres. En Irlande du Nord, tout est en miles (multiplier par 1,6 pour avoir le nombre de kilomètres). Attention, gare aux plaisantins qui font tourner les pancartes : il n'est pas rare de se perdre à cause de joyeux drilles qui se sont fendu la poire après une soirée bien arrosée ! Sans parler des pancartes cachées par la végétation ou placées dans des coins impossibles.

Distances

Les distances indiquées sont parfois assez approximatives. Une autre règle : si un endroit n'est plus indiqué, c'est qu'il faut aller tout droit... du moins en principe ! Sachez aussi que même si l'Irlande est un petit pays, on a assez vite fait une flopée

Distances entre les villes (en km)	ARMAGH	ATHLONE	BELFAST	COLERAINE	CORK	LONDONDERRY	DONEGAL	DUBLIN	DUNDALK	ENNISKILLEN	GALWAY	KILKENNY	KILLARNEY	LARNE	LIMERICK	NEWRY	ROSCOMMON	ROSSLARE	SHANNON	SLIGO	WATERFORD	WEXFORD
ARMAGH		155	59	99	390	113	128	135	53	83	236	257	377	102	270	29	158	286	283	145	301	264
ATHLONE	155		227	252	219	209	183	127	144	133	93	116	232	244	121	158	32	201	133	117	164	184
BELFAST	59	227		89	424	117	180	167	84	130	306	284	436	35	323	59	224	330	346	206	333	309
COLERAINE	99	252	89		486	50	151	230	149	148	320	353	474	80	367	152	246	382	380	192	391	360
CORK	390	219	424	486		428	402	256	323	347	209	148	87	451	105	361	251	208	128	336	126	187
LONDONDERRY	113	209	117	50	428		69	237	156	98	272	335	441	115	328	142	211	397	351	135	383	378
DONEGAL	128	183	180	151	402	69		233	157	59	204	309	407	188	296	157	151	391	282	66	357	372
DUBLIN	135	127	167	230	256	237	233		85	163	212	114	304	196	193	105	156	153	218	214	163	135
DUNDALK	53	144	84	149	323	156	157	85		130	237	197	350	115	242	24	151	245	264	166	242	226
ENNISKILLEN	83	133	130	148	347	98	59	163	130		177	231	355	170	248	112	104	315	261	66	281	293
GALWAY	236	93	306	320	209	272	204	212	237	177		172	193	337	104	250	80	274	93	138	220	253
KILKENNY	257	116	284	353	148	335	309	114	197	231	172		198	319	113	228	158	98	135	245	48	80
KILLARNEY	377	232	436	474	87	441	407	304	350	355	193	198		499	111	408	264	275	135	343	193	254
LARNE	102	244	35	80	451	115	188	196	115	170	337	319	499		392	98	247	348	372	226	357	326
LIMERICK	270	121	323	367	105	328	296	193	242	248	104	113	111	392		301	149	211	25	232	129	190
NEWRY	29	158	59	152	361	142	157	105	24	112	250	228	408	98	301		169	257	320	174	266	235
ROSCOMMON	158	32	224	246	251	211	151	156	151	104	80	158	264	247	149	169		241	154	85	208	222
ROSSLARE	286	201	330	382	208	397	391	153	245	315	274	98	275	348	211	257	241		234	325	82	19
SHANNON	283	133	346	380	128	351	282	218	264	261	93	135	135	372	25	320	154	234		218	152	213
SLIGO	145	117	206	192	336	135	66	214	166	66	138	245	343	226	232	174	85	325	218		293	307
WATERFORD	301	164	333	391	126	383	357	163	242	281	220	48	193	357	129	266	208	82	152	293		61
WEXFORD	264	184	309	360	187	378	372	135	226	293	253	80	254	326	190	235	222	19	213	307	61	

de kilomètres (le tour de l'Irlande en suivant le plus possible les côtes fait ainsi dans les 2 200 km). Allez, bonne route !

En cas de problème

Voici les numéros d'assistance 24h/24 (numéros Verts, appel gratuit) réservés aux membres d'une association automobile ayant des accords de réciprocité avec :
– ***RAC (Royal Automobile Club) :*** *☎ 1800-535-005 (Eire) et 0800-828-282 (Irlande du Nord). • rac.co.uk •*
– ***AA (Automobile Association) :*** *☎ 1800-66-77-88 (en République d'Irlande) et 0800-88-77-66 (d'un portable). • theaa.ie • theaa.com •*

La location de voitures

Moyen de transport intéressant à partir de trois personnes, car le stop devient alors quasi impossible et finalement, vu le prix des transports, on s'y retrouve rapidement. À quatre, c'est l'idéal. Et puis, si vous restez 3 semaines, rien ne vous empêche de louer un véhicule pendant 1 semaine seulement, depuis Cork ou Galway par exemple, et de faire tout le Sud en bus, puisque cette partie est très bien desservie. À vous de calculer tout ça de près, et n'excluez pas de combiner plusieurs moyens de transport.

Conditions de location

– Le chauffeur doit avoir plus de 23 ans et posséder son permis depuis plus de 2 ans. Il arrive que certaines agences proposent la location dès 21 ans, mais elles en profitent pour multiplier par deux le prix des assurances.
– Le permis de conduire français est reconnu en Irlande, mais il ne peut servir de document d'identité ou de nationalité.
– Considérées comme un espace public, les voitures de location sont une zone non-fumeurs.

Quelques conseils

– Si possible, arriver en Irlande avec un fax du loueur, confirmant les tarifs accordés.
– Attention à certaines pratiques peu commerciales des agents des comptoirs : forcing pour faire accepter toutes les assurances, facturation abusive d'essence même lorsque le réservoir est plein à la restitution... Vérifier aussi qu'on ne vous fait pas payer deux fois certaines assurances.

Sociétés de location

Chez les grands loueurs, les locations faites à partir de France sont nettement moins chères que localement. Ils sont présents à l'aéroport.
Le site de l'organisme professionnel de la location de véhicules en Irlande est *• carrentalcouncil.ie •*

■ ***Auto Escape :*** *☎ 0820-150-300 (nº gratuit). • autoescape.com • Vous trouverez également les services d'Auto Escape sur • routard.com •* L'agence *Auto Escape* réserve auprès des loueurs de véhicules de gros volumes d'affaires, ce qui garantit des tarifs très compétitifs. Il est recommandé de réserver à l'avance. Auto Escape offre 5 % de remise sur la location de voiture aux lecteurs du *Routard* pour toute résa par Internet avec le code de réduction « GDR13 ».

■ ***BSP AUTO :*** *☎ 01-43-46-20-74 (tlj 9h-21h30). • bsp-auto.com •* Les prix proposés sont attractifs et comprennent le kilométrage illimité et les assurances. *BSP Auto* vous propose exclusivement les grandes compagnies de location sur place, vous assurant un très bon niveau de services. Les plus : vous ne payez votre location que 5 jours avant le départ ; et réduction spéciale aux lecteurs de ce guide avec le code « routard ».

■ ***Atlas Car Rental :*** *à l'aéroport*

de Dublin. ☎ (00-353-1) 844-48-59. • atlascarhire.com •

■ **Eurodollar :** à l'aéroport de Dublin. ☎ (00-353-1) 844-19-50.

Les grands loueurs *(Hertz, Europcar, Avis)* peuvent s'avérer les moins chers lorsque l'on possède certaines cartes accordant des privilèges tarifaires *(Visa Premier, Gold MasterCard, Fnac)*.

La moto

On rencontre assez peu de motards en Irlande, pourtant l'état des routes s'est nettement amélioré. On déconseille, si vous souhaitez partir avec votre deux-roues, les motos dites sportives ; préférez les GT et les trails-routières. De toute façon, la conduite ne sera pas de tout repos...

La roulotte

Une grosse campagne de pub a fait la promotion de ce moyen de déplacement. On s'est d'abord dit que c'était très agréable de jouer les écolos ; mais on s'est aperçu qu'il y avait énormément de servitudes. D'abord, ne comptez pas faire plus de 15 à 18 km par jour. Ensuite, vu le succès du système, les parcours sont imposés, avec des étapes obligatoires et un coût supplémentaire pour chaque stationnement nocturne.
Si vous êtes tenté, demandez à l'office de tourisme de l'île d'Irlande à Paris la brochure ; toutes les agences de location y sont mentionnées. On peut réserver une roulotte depuis la France auprès de certaines agences, mais c'est un peu plus cher. Assurance obligatoire. Consulter • *irishhorsedrawncaravans.com* •

Le taxi

Les taxis n'ont des compteurs que dans les grandes villes. Ailleurs, ça se négocie, de préférence avant la course ! À Belfast et à Derry, les quartiers catholiques sont desservis par des taxis collectifs *(black taxis)* créés par la population républicaine pour protester contre la suppression des lignes de bus pendant les « troubles ». Le taxi comme moyen de transport populaire !

En bateau sur le Shannon et l'Erne

Aucun permis n'est nécessaire pour louer un petit bateau habitable à moteur sur les eaux intérieures. De deux à huit couchettes très bien aménagées, avec kitchenette, lavabo, douche et w-c. Points de départ : Carrick-on-Shannon, Portumna, Killaloe, Athlone et Belleek (Irlande du Nord). Les tarifs peuvent comprendre la semaine en bateau plus l'aller-retour en avion.
Des cartes de navigation et la liste des points de ravitaillement en fuel sont remises au départ. On peut louer du matériel de pêche et des bicyclettes pour explorer les rives.
Pour connaître toutes les possibilités, contacter l'office de tourisme de l'île d'Irlande à Paris ou s'adresser directement à ***Waterways Ireland*** (• *waterwaysireland.org* •) ou à ***Inland Waterways Association of Ireland*** (• *iwai.ie* •).

URGENCES

■ ***Irish Tourist Assistance Service :*** *6-7, Hanover St East, Dublin 2. ☎ (01) 661-05-62 (lun-ven) et Store St (Garda Station), ☎ (01) 666-81-09 (w-e et j. fériés). • itas.ie • Lun-sam 10h-18h ; dim et j. fériés 12h-18h.* En cas de vol, de perte de papiers, d'incident grave, cette association s'occupe de vous faire refaire une pièce d'identité, un billet d'avion ou de ferry pour le retour, et apporte un vrai soutien moral aux victimes.

– En cas d'accident, s'il y a des blessés, appelez le ☎ *999* ou le ☎ *112*.

■ Sinon, pour des raisons d'assurance, signalez votre crash à ***Motor Insurers Bureau of Ireland*** : *39, Molesworth St, Dublin 2.* ☎ *(01) 676-99-44. Fax : (01) 676-11-08.* ● *mibi.ie* ● Ils se chargent de faire l'intermédiaire entre votre assurance et celle des autres protagonistes de l'accident.

HOMMES, CULTURE, ENVIRONNEMENT

Tous ceux qui ont eu l'occasion de visiter l'Irlande le savent : les Irlandais cultivent naturellement le plaisir de l'accueil, de la conversation et de la découverte d'autrui.
Toutefois, avec l'enrichissement rapide de ces dernières années, les mentalités ont changé. Tous les Irlandais vous le diront : le mercantilisme tient désormais lieu de philosophie collective. Dans ce pays où la vie est chère, le culte du paraître est une manière de montrer qu'on a réussi. Heureusement, l'âme celtique a beau avoir ses faiblesses, elle n'est pas soluble dans l'argent. Le cœur de l'Irlande bat encore, aucun doute là-dessus ! Simplement, ce n'est pas en voyageant de ville en ville que vous la découvrirez : il faudra parcourir les recoins de l'île, visiter les villages cachés et les péninsules sauvages, pour trouver, au détour d'un *Gaeltacht* (zone où l'on parle la langue gaélique), la vraie chaleur humaine de la verte Érin.
Si le pays est, malgré tout, resté autant humain, c'est sans doute parce qu'il a beaucoup souffert autrefois. Comprendre les gens sans connaître leur histoire est impossible en Irlande. Ce pays magnifique, où les paysages ressemblent à des gravures romantiques du XIXe s, est peuplé de fantômes. Ce passé toujours présent, vous y serez confronté dès le premier pub, la première chanson, même si, dans certains milieux, on constate une volonté d'oublier et de se tourner uniquement vers l'avenir, chez les jeunes en particulier. Car c'est cela, l'Irlande d'aujourd'hui : une économie libérale en crise après avoir été florissante, un pays jeune (25 % des habitants ont moins de 15 ans) et moderne. Si la mentalité, autrefois très conservatrice, s'est assouplie, l'Irlande reste un pays de valeurs fortes, de contrastes, voire de contradictions. Le soleil brille à travers la pluie, les buveurs de bière ont de l'esprit, les ballades tristes débouchent sur des gigues déchaînées... Et si, de la plupart des contrées que l'on visite, on rapporte des souvenirs, c'est plutôt un peu de soi-même qu'on laisse en Irlande... Car, peu importe sa patrie, l'Irlande est celle du cœur.

BOISSONS

Que boire ?

On a dit de l'Irlande : « C'est un pays où il faut s'abstenir de tout, sauf de boire ! » Ici, de fait, la terre absorbe la pluie aussi bien que les Irlandais absorbent la bière !
– D'abord, parlons du ***whiskey*** irlandais. Ses laudateurs estiment que le *Scotch whisky* n'en est que le frère cadet, à l'exception de certains pur malt de plus de 20 ans d'âge peut-être, et qu'à côté du Jameson ou du Bushmills ce que font les Écossais, eh bien, c'est de la bibine ! Plus délicat, plus fruité, plus équilibré, le whiskey surprend et séduit même certains de ceux qui avaient un jour décrété leur aversion pour le whisky.
D'ailleurs, on dit ici qu'il n'est de whiskey qu'irlandais et, pour certains spécialistes en marketing de chez Pernod-Ricard (propriétaire de Jameson, entre autres), « en

Jameson vit toute l'âme irlandaise ». À notre avis, les meilleurs crus parmi les plus répandus et les plus abordables : le Blackbush et, justement, le Jameson 12 ans d'âge.

La fabrication du whiskey se déroule en plusieurs étapes : tout d'abord le maltage, qui consiste à transformer l'orge en malt par la germination et le séchage. Place ensuite au brassage *(mashing)*, qui transforme l'amidon contenu dans le malt en sucres par addition d'eau chauffée à haute température. La fermentation, troisième étape dans l'élaboration du whiskey, consiste en la transformation du sucre contenu dans le moût *(worting)* issu du brassage en alcool *(washing)* par l'addition de levures. Vient ensuite la distillation par laquelle est extrait l'alcool du *wash* (une sorte de bière à malt) par chauffage et condensation successifs. C'est par cette opération que le whiskey, distillé trois fois, se distingue du scotch (whisky écossais qui a subi une double distillation) et du bourbon (whisky américain généralement distillé une seule fois). Le vieillissement en fût de chêne est l'ultime phase d'élaboration : la durée minimale est de 3 ans en Irlande.

ORIGINE CONTRÔLÉE

C'est en Irlande que le whiskey a été inventé. Eh oui ! Saint Patrick lui-même, grand voyageur, rapporta d'Égypte au Ve s un engin bizarre : l'alambic, qui servait jusqu'alors à distiller les parfums. Les Irlandais détournèrent rapidement l'engin pour une cause plus virile, la distillation à base d'orge et d'eau. À l'origine, on disait en gaélique uisce beatha (« eau-de-vie »), devenu par altération whiskey. Les Écossais volèrent la recette de ce trésor « béni des dieux » et développèrent leurs industries grâce aux lois anglaises qui interdisaient aux Irlandais de distiller.

– ***L'Irish coffee*** se prépare dans un verre ballon, préalablement rempli d'eau très chaude pour l'amener à la bonne température. On verse un tiers de whiskey, deux tiers de café brûlant sucré à la cassonade et, chapeautant le tout, de la crème fraîche qu'il faut laisser doucement couler sur le dos d'une cuillère pour qu'elle ne se mélange pas au café. On savoure lentement. Le secret consiste à très bien mélanger le sucre.

– Côté ***bières,*** il est bon de savoir qu'il faut un tour de main particulier pour servir le *stout* à la perfection, et les habitués n'accordent leurs faveurs qu'à quelques « tireurs ». Vous apprendrez à mesurer du doigt la qualité du breuvage : il doit être servi à la température exacte. Malheureusement, les touristes imposent de plus en plus souvent leur goût pour les bières fraîches. La mousse, bien dense, doit aussi être crémeuse, onctueuse et subsister jusqu'à la fin. Un bon truc consiste à marquer ses initiales ou à dessiner un trèfle dessus et à vérifier qu'à la dernière gorgée les traces figurent encore. Les caprices de l'histoire ont fait de l'Irlande le pays du stout, tandis que l'Angleterre devenait la patrie de la *pale ale.* Le stout a pour origine l'incendie qui ravagea la City en 1666 : le roi Charles II décida d'utiliser les orges calcinées pour la fabrication de la bière. Il fut même le premier à en boire avant d'en ordonner de larges distributions gratuites pour familiariser le peuple avec cette nouvelle saveur.

Goûtez évidemment la *Guinness,* qui est en Irlande un « monument national ». Cette soupe d'orge fermentée, extrêmement nourrissante, apparaît à certains comme une sorte de boisson divine qui tient lieu de nourriture. C'est même une véritable religion. D'ailleurs, les Irlandais aiment bien les rites, et communier à la Guinness, c'est quand même autre chose que d'aller à la messe !

Guinness, c'est d'abord le nom d'un homme, Arthur Guinness, qui décida en 1759 que son nom traverserait les siècles parce qu'il allait proposer une bière unique au monde. Il prévoyait à long terme, car lorsqu'il s'installa sur quelques ares de terrain au bord de la Liffey à Dublin, il signa un bail de 9 000 ans ! Actuellement, la Guinness a débordé : plus de 10 millions de verres sont servis chaque jour à travers le monde.

À Cork, et dans tout le sud-ouest du pays, les connaisseurs ont un sérieux penchant pour la *Murphy* (stout plus doux que la Guinness, elle-même quasi introuvable dans le Sud). Selon eux, c'est l'une des rares bières qui ne donnent pas mal au crâne. Encore que ça doit dépendre de la quantité... Un autre stout qui marche bien dans la région, la *Beamish,* un peu moins chère. Une nouvelle bière vient de faire son apparition, la *Beamish Red,* de couleur rousse comme son nom l'indique. En fait de bière rousse, la *Smithwic's* (prononcer « Smiticks ») est très agréable avec son léger goût de caramel. Et bien que nous soyons dans un pays où la plupart des hommes préfèrent les brunes, parlons tout de même des blondes *(lager)* : l'Irlande en produit quelques-unes *(Harp, Bass),* mais celles-ci ont (malheureusement ?) fait place à l'universelle *Heineken,* ou encore à la *Carlsberg...*

– Il existe une ***liqueur*** à base de quatre alcools forts et de quatre herbes aromatiques, l'*Irish mist,* assez sucrée, mais qui titre quand même dans les 36° Gay-Lussac. On peut parfois en trouver en France. En Irlande, il y en a dans presque tous les pubs. À goûter sans faute.

D'autres préféreront peut-être le *Baileys* (17°), qui est plus doux. C'est un mélange de liqueur de whiskey et de crème. La *Sheridan's,* est une liqueur de vanille avec du chocolat et de la liqueur de café.

– Typique aussi, l'***Irish Flag Drink,*** constitué d'une couche de crème de menthe (verte), d'une de Baileys (blanche) et d'une de brandy (orange). À boire cul sec !

– Et puis n'oubliez pas le ***cidre*** (notamment *Stag*). Marque la plus populaire : le *Bulmers,* qu'on trouve assez facilement à la pression.

– ***Le poteen*** (de *poitín* : petit pot qui servait à recueillir l'alcool) est une eau-de-vie fabriquée clandestinement en Irlande. La tradition remonte très loin, et on pense qu'au XVIIIe s, dans certains coins, une famille sur deux avait son propre alambic. On y distillait un liquide obtenu du pressage à froid de la pomme de terre et mélangé depuis plusieurs semaines à de l'eau, du sucre et de la levure. L'Angleterre tenta par tous les moyens de les interdire et introduisit même, en 1760, une loi déclarant crime toute distillation illégale. Il en résulta une augmentation notable des distilleries clandestines. Faire de l'alcool clandestin était devenu une des formes de résistance du peuple irlandais.

Aujourd'hui, dans le Donegal, le Connemara et ailleurs, on continue à faire le *poteen* par tradition, mais on n'en obtient pas en s'adressant au pub du coin. Il faut nécessairement connaître quelqu'un qui connaît quelqu'un qui... Sans pour autant être invité dans un *shebeen* (un bar clandestin), peut-être aurez-vous l'occasion un jour d'y goûter ; alors, prenez le godet d'une main et le pied de la table de l'autre, parce que c'est raide au-delà de ce que vous pouvez imaginer.

Et ne vous laissez pas abuser par le pseudo-*poteen* vendu dans les boutiques... c'est seulement pour les touristes !

CUISINE

Autrefois, on ne parlait pas de gastronomie irlandaise. Elle se cantonnait aux « fondamentaux », comme *l'Irish stew* (ragoût de mouton, plat national), aux plats simples offerts dans les pubs (appelés *pub grub*, d'ailleurs souvent bien troussés) et aux traditionnels *fish & chips*. Puis, quelques châteaux-hôtels, manoirs de campagne commencèrent à proposer une cuisine de qualité (mais élitiste et chère). Les fastes années *Celtic Tiger* ont bien entendu beaucoup changé les choses. L'Irlande commença à se doter de chefs qui avaient fait leurs classes dans les meilleures cuisines européennes (notamment françaises). Ils commencèrent, avec talent, à tirer des produits irlandais toutes les qualités qu'on leur connaissait d'ailleurs depuis longtemps. Résultat : en à peine 20 ans, l'Irlande s'est hissée parmi les toutes premières cuisines du monde en fusionnant subtilement tradition et créativité. Bien sûr, largement aidée par la très grande variété des productions du pays. Maintenant, l'Irlande est devenue l'un des grands pays du fromage, des

poissons et fruits de mer (savoureuses huîtres de la baie de Galway, anguilles du lough Neagh, saumon sauvage), des belles viandes (l'agneau du Connemara, le bœuf cru fumé à la tourbe...), fruits et légumes qui poussent librement dans une superbe nature préservée...
Aujourd'hui, beaucoup de pubs se mettent à jouer dans la cour des grands et offrent des plats fort bien préparés à des prix encore relativement démocratiques. N'hésitez pas à vous arrêter dans les auberges et pubs de campagne : les légumes viennent du potager ou de l'oncle fermier ou de... Avec la crise économique, de leur côté, les grandes adresses se sont adaptées aux circonstances et proposent de très intéressants menus « *early bird* » (grosso modo 18h-19h), où l'on a l'occasion de goûter à une très belle cuisine sans attentat au portefeuille !
Pour ceux souhaitant pique-niquer, la multiplication des marchés fermiers se révélera un véritable aubaine pour goûter les fromages locaux (le plus souvent fabriqués de façon artisanale et au goût authentique), les confitures, les jus de fruits naturels, les tourtes et bons cakes des mamies locales. L'occasion de goûter ainsi aux bons produits de saison, de sympathiser avec les fermiers. Ne manquez surtout pas de vous enquérir des dates des grands festivals gastronomiques, comme celui de l'huître de Clarenbridge (comté de Galway), celui des fraises d'Enniscorthy (comté de Wexford) ou celui de ces quatre petits ports d'Irlande du Nord (*Kilkeel, Annalong, Ardglass* et *Portavogie*), célébrant avec faste poisson et fruits de mer...
– L'*Irish breakfast* traditionnel se compose en général de saucisses, d'une ou deux tranches de bacon, de flageolets à la sauce tomate (pas toujours), d'une demi-tomate passée à la poêle et d'un ou deux œufs. Il existe différentes variantes : avec des champignons ou des *ashbrowns,* galettes de pommes de terre râpées, avec du *pudding* (sorte de boudin blanc ou noir) ou du saumon fumé. Le tout accompagné de toasts. Il paraît que c'est le meilleur remède pour faire disparaître les excès de la veille. Excellent rapport quantité-prix. En revanche, vous pouvez être certain d'avoir fait le plein de cholestérol pour la journée !
Heureusement, les *B & B* proposent d'autres formules : céréales, yaourt, porridge, fruits frais, fruits au sirop... Chez les hôtes les plus consciencieux, on trouve du pain et des *scones* faits maison, parfois aussi des confitures locales. Profitez bien de ce premier repas de la journée, ça vous permettra peut-être d'éviter le suivant et de faire quelques économies si vous avez un petit budget !

Quelques spécialités

– ***Côte sud :*** les boudins blancs et noirs de Clonakilty, l'agneau du Kerry, les pieds de cochon cuits ou marinés, la viande de bœuf du Tipperary et du nord de Cork, les fraises, les fruits de mer abondants et pas moins de vingt savoureux fromages fermiers.
– ***Côte ouest :*** l'agneau du Connemara, le saumon et l'anguille fumées, les huîtres de la baie de Galway (se mariant si bien avec la *Guinness*), le miel, les myrtilles et autres baies du Burren, les saucisses parfumées aux algues marines du Mayo...
– ***Côte est :*** les crevettes de la baie de Dublin, le bleu du Wicklow, le mouton de montagne de la péninsule de Cooley, le fameux bœuf Hereford, le célèbre plat dublinois, le *coddle* (saucisses, petit-salé, pommes de terre et oignons).
– ***Irlande du Nord :*** les huîtres d'Hillsborough (comté de Down), les pommes du comté d'Armagh, les anguilles du lough Neagh, le pain à la *Guinness* de Portadown, le bacon noir séché et l'agneau fumé d'Enniskillen et, bien sûr, le saumon de la côte d'Antrim...

ÉCONOMIE

Les voyageurs qui connaissaient depuis longtemps la république d'Irlande (Eire) n'en revenaient pas : avant la crise financière, le PIB par habitant occupait le deuxième rang de l'Union européenne, pas loin derrière celui du Luxembourg. Tous les indices étaient au beau fixe et la richesse s'étalait au grand jour. C'est dire si l'ancien « homme malade » de l'Union européenne (16 % de chômeurs en 1993) avait fait du chemin. Le boom économique avait été tel que tout le monde avait parlé, dans les années 1990, du « miracle irlandais » et du « tigre celte ». Record en 1999, avec un pic de croissance à 11 % !

Le niveau très bas des impôts prélevés sur les entreprises avait attiré dans le pays un nombre important de sociétés de services en tout genre (centraux de réservations mondiaux d'hôtellerie, de location de voitures...), ainsi que des services informatiques et des multinationales de l'industrie pharmaceutique. C'est donc essentiellement l'explosion du tertiaire qui avait fait faire un bond à l'économie. Beaucoup d'entreprises en avaient profité, comme IBM, Apple (usine à Cork), Microsoft, eBay, Google et Yahoo.

Mais voilà, depuis, la crise financière est passée par là. L'Irlande a été le premier pays européen à entrer en récession, dès le premier semestre 2008, en raison de la crise des *subprimes*. La spéculation immobilière déraisonnée qui avait provoqué une flambée des prix (loyers à Dublin aussi chers qu'à Londres ou Paris) s'est transformée en une bulle prête à éclater. Comme aux États-Unis, les Irlandais avaient emprunté de fortes sommes d'argent à taux variable et sans aucun apport personnel. Bon nombre de ménages ont donc dû vendre leur maison, et des milliers de maisons neuves, voire inachevées, attendent sagement qu'on veuille bien les acheter... Des lotissements entiers construits pour rien, si ce n'est pour défigurer le paysage. En un mot, les Irlandais ont commencé à payer le prix de leur insouciance.

La faillite du système bancaire a, quant à elle, été évitée de justesse (l'Irlande a dû accepter en novembre 2010 un plan de sauvetage de 85 milliards d'euros de la part de l'Union européenne et du FMI) mais le taux de chômage a explosé. À la mi-2012, 14,3 % de la population active était inscrite au registre des demandeurs d'emploi. Pire, pour répondre à la forte demande de main-d'œuvre, le gouvernement avait ouvert ses portes aux travailleurs d'Afrique, d'Europe de l'Est, surtout de Pologne (un travailleur sur deux). Entre mai 2004 et début 2007, pas moins de 300 000 travailleurs étrangers sont ainsi arrivés dans ce petit pays, soit près de 10 % de la main-d'œuvre totale. Beaucoup se sont intégrés. Mais beaucoup d'autres, leur contrat terminé ou rompu (la plupart des travailleurs immigrés étant employés dans la construction), ont dû rentrer dans leur pays d'origine. La ruée vers l'Irlande aura été un feu de paille. Sans oublier que l'entrée de nouveaux pays dans le grand marché européen, en mai 2004, avait déjà eu des conséquences pour le pays : certaines entreprises qui avaient délocalisé en Irlande pour profiter du faible impôt sur les sociétés avaient décidé de s'implanter en Pologne, par exemple, pour tirer profit de salaires bien plus bas...

L'Irlande doit donc une nouvelle fois faire face à une crise majeure, qui se traduit désormais par les termes de récession et de déflation.

Le remède au chômage : l'émigration !

Reposant en grande partie sur l'industrie financière, l'économie a chuté de 12 % entre 2007 et 2010, le marché immobilier s'est effondré, le taux de chômage a atteint près de 15 % alors qu'il était de 4,2 % en 2007. En outre, la politique de rigueur pour redresser la situation s'est avérée l'une des plus sévères d'Europe : réduction des dépenses du secteur public de 7,5 %, diminution des salaires de 15 %, ainsi que pour les allocations familiales. Mais cela ne suffit pas : en 2011, la croissance espérée a connu des ratés, l'année se terminant sur 2 trimestres de contraction. Les jeunes diplômés restent majoritairement sur le carreau et n'ont d'autre solution que celle de l'émigration. Un chiffre éloquent : le gouvernement a estimé que plus de 100 000 Irlandais auront quitté le pays d'ici 2014, principalement vers le Canada et l'Australie. Sur une population de moins de 4,5 millions

d'habitants, cette perte d'énergie vitale risque de laisser l'Irlande exsangue... Dans un autre registre, on a comptabilisé en janvier 2011 plus de 1 300 pubs victimes de la crise. Au pays de la *Guinness,* c'est un signe qui ne trompe pas ! Même si des prévisions de reprise ont été annoncées (croissance 2013 estimée à 2,1 %), il semblait difficile de croire que la tendance allait s'inverser.
Pas ou peu de réactions violentes ou syndicales fortes dans le pays. Il semble que cette douloureuse résignation soit à mettre surtout sur le compte du manque de mémoire ouvrière des Irlandais et, d'une certaine manière, à leur sens de la dérision et de l'humour sur la situation... Toutefois, de nombreuses actions de protestation ont eu lieu, notamment dans le cadre du mouvement « Occupy Dame Street » (c'est dans cette rue que la Banque centrale d'Irlande a son siège). Les étudiants sont à la pointe de ces actions. Beaucoup disent que les Irlandais ont connu bien des épreuves par le passé et que celle-là sera surmontée comme les autres !

ENVIRONNEMENT

Le vert est la couleur symbolique de l'Irlande, et les habitants ne s'y trompent pas : la qualité de leur environnement constitue un attrait touristique indéniable et l'agriculture est l'un des piliers économiques de l'île. Même si les forêts naturelles de feuillus (décimées presque entièrement pendant des siècles) ont cédé la place à une multitude de petits bois de résineux à vocation essentiellement commerciale, l'Irlande peut être fière de sa variété de paysages remarquables : des kilomètres de haies, des falaises (idéales pour l'observation des phoques, des dauphins et des baleines), des lagons et des milieux humides en tout genre, dont bien sûr les tourbières.
Inutile de vous frotter les yeux : si l'Irlande est truffée de palmiers et de plantes exotiques (notamment dans les parcs ouverts au public), le jardinier s'appelle Gulf Stream. En mai et juin, bruyères, ajoncs, genêts, armérias maritimes et autres fleurs sauvages égaient la campagne et les côtes maritimes. Par ailleurs, les spécialistes apprécieront le fait que 30 % des espèces européennes de lichens prennent le grand air sur l'île, ainsi qu'une multitude de mousses et de fougères.
Hormis quelques bébêtes endémiques – protégées, bien sûr –, dont une espèce de limace que l'on ne trouve que dans le Kerry (attention où vous mettez les pieds), c'est également en Irlande que l'on observe le plus grand nombre d'écrevisses et de loutres en Europe. L'île est aussi réputée pour les saumons et autres favoris à écailles des pêcheurs, les oies du Groenland (un tiers de la population mondiale fait escale aux alentours de Wexford), les râles des genêts (comment, vous ne saviez pas que le râle est un oiseau, du genre foulque, espèce menacée en Europe ?) et les sternes de Dougall. On recense pas loin de 400 espèces d'oiseaux sur tout le territoire.
Cela dit, comme dans tout pays industrialisé, la protection de l'environnement a du mal à suivre : déchets à ne plus savoir qu'en faire, transports saturés dans les grandes villes, pollution parfois alarmante des eaux douces, diminution inquiétante des ressources naturelles. Néanmoins, ces problèmes restent relativement limités en raison du caractère encore rural de l'île. Alors, pour que l'Irlande demeure longtemps un lieu de migration privilégié des oiseaux, un havre pour les mammifères marins et un petit paradis pour la randonnée, appliquez donc ce conseil affiché dans certaines stations balnéaires : « Prenez uniquement des photos et ne laissez sur la plage que la trace de vos pas. »

GÉOGRAPHIE

Le centre de l'île est occupé par une grande plaine couverte de lacs et drainée par le Shannon. Tout autour, des massifs montagneux quartziques ou granitiques, culminant dans le Kerry à 1 041 m (Carrantuohill). La végétation est très contrastée mais omniprésente. On ne dit pas « la verte Érin » pour rien ! Battue par le vent de

l'Atlantique, la côte ouest s'avère la plus sauvage. Celle du Nord-Est est en grande partie bardée de falaises. Les tourbières recouvrent les hauteurs et quelques cirques glaciaires. Dans le Burren, mousses et arbrisseaux parviennent tant bien que mal à s'agripper à la roche nue, et on n'est pas loin de la rocaille désertique des Corbières (l'eau a percé le calcaire de part en part et s'écoule en rivières souterraines !). En progressant vers l'est, on quitte le brun de la tourbe pour le vert d'arbres et de haies, pas encore assez nombreux pour former de véritables forêts. Les plaines du Centre, traversées par les fleuves, prennent souvent des allures de marécages autour des grands lacs (gare aux moustiques et aux *midges* !). L'Est, à l'abri du vent, est couvert de pâturages et de petites forêts, comme dans les environs des monts Wicklow.
À signaler : aucun point de l'île n'est éloigné de la mer de plus de 96 km.

HISTOIRE

Les Celtes et les Gaëls

Le premier peuplement de l'île remonte à 7000 av. J.-C. Les Celtes n'arrivèrent de différentes parties d'Europe qu'entre le VIIe et le Ier s av. J.-C. Parmi eux, les Gaëls s'imposèrent et essaimèrent en Écosse et sur l'île de Man. N'ayant jamais connu l'invasion romaine ni les autres, la civilisation celte put se développer de façon homogène en *Hibernia* (nom latin de l'Irlande, brrr !) et présenter des traits largement spécifiques.
Les Gaëls pratiquèrent surtout l'élevage, rarement la culture. Ils construisirent peu de villes, quelques fortins seulement.
Comme il fallait bien passer le temps, les *tuatha* (petits royaumes) se faisaient la guerre. Petit à petit se dégagèrent des royaumes plus puissants dirigés par de grandes familles, tels les *Ui Neill* (O'Neill), au nord de l'île.
L'absence de religion précise et de culte réellement profond favorisa l'implantation du christianisme. Saint Patrick acheva, entre 432 et 461, l'évangélisation des Gaëls, non sans avoir – selon la tradition – débarrassé le pays de tous ses serpents. Malgré ses successeurs, pourtant, les cultes magiques et les épopées mythiques ne seront jamais tout à fait oubliés par la population.

L'âge d'or de l'Irlande

Les moines irlandais ne se contentèrent pas de construire des monastères chez eux, ils parcoururent l'Europe, afin de prêcher la bonne parole. Leur influence fut considérable. L'Irlande ayant échappé aux vagues de destructions des hordes barbares, Charlemagne fit quérir dans l'île la fine fleur de ses savants afin qu'ils enseignent dans les nouvelles écoles de son empire. Plusieurs rois européens envoyèrent leurs enfants suivre les cours des moines en Irlande, l'« île des saints et des savants ». L'âge d'or irlandais, ce fut également un épanouissement artistique considérable : l'enluminure atteignit un degré de perfection inégalé (livre de Kells). L'orfèvrerie fut remarquable. De cette époque datent les curieux et si caractéristiques motifs irlandais (entrelacs, spirales, etc.), produits de la fusion des techniques celtes et des motifs du haut Moyen Âge.

Les invasions vikings et anglo-normandes

C'est au VIIIe s que les Scandinaves commencèrent à piller l'île. Leurs raids, visant avant tout les riches monastères, entraînèrent le déclin de ces derniers, mais furent aussi à l'origine des premières villes irlandaises. Dublin devint le camp principal des Vikings, qui profitèrent évidemment du manque d'unité des petits royaumes gaëls pour s'implanter partout, sauf en Ulster, où les O'Neill étaient trop puissants.

Mais c'est un chef gaël du Munster (le sud de l'île), Brian Boru, qui réussit à unifier une grande partie de l'île sous son pouvoir. Les Vikings s'inquiétèrent et organisèrent une grosse expédition contre lui. La bataille décisive eut lieu à Clontarf en 1014. Les Gaëls triomphèrent, mais Brian Boru fut tué à la fin du combat. Arrêt des grands raids scandinaves.
Profitant des rivalités entre grands chefs gaëls, les Anglo-Normands n'eurent aucun mal à conquérir l'île. En 1170, Fitzgilbert de Clare, dit Strongbow, s'empara de Dublin pour le compte de la Couronne britannique. En 1250, ils occupaient toute l'île, toujours à l'exception de l'Ulster, instituant une grande nouveauté : un gouvernement centralisé. Cependant, cette domination ne fut jamais définitivement assurée. Le gros des forces anglo-normandes guerroyait sur le continent. À défaut de pouvoir battre les Anglo-Normands militairement, les Irlandais, comme pour les Scandinaves, les... assimilèrent. À la fin du XIVe s, tout était à refaire !
L'influence de l'Angleterre se limitait à Dublin et ses environs. Le reste du pays se partageait entre grandes familles gaéliques et anglo-irlandaises (les comtes). Ces derniers persistant à se celtiser, Henry VIII (roi de 1509 à 1547) envoya quelques colons protestants en Ulster et édicta des lois interdisant l'usage du gaélique et le port du costume national. En 1563, Elizabeth Ire promulgua les Trente-Neuf Articles, listant les divergences en matière de dogme entre protestants et catholiques, et donnant prétexte à de cruelles persécutions.

FILS À PAPA

Quelques patronymes irlandais très répandus (Fitzgerald, Fitzpatrick, Fitzmaurice...) remontent à la période anglo-normande. Le nom de famille de ces nobles normands venus guerroyer en Irlande était à l'origine composé d'un prénom, celui du chef du clan, précédé de « fils de » (en français dans le texte), transcrit par fitz. Pratique d'autant plus courante que, en gaélique, on procédait de la même façon pour former les noms de famille, avec Mac (« fils de ») et O' (« petit-fils de » ou « descendant de »).

Faux espoirs et désespoir

Au cours du XVIIe s, l'Irlande vécut de sanglants événements dont les conséquences plongèrent petit à petit les populations catholiques dans le plus grand désespoir.
À la fin du XVIe s, toute l'Irlande (mais surtout l'Ulster...) se souleva derrière une puissante alliance des comtes. Malgré le renfort de troupes espagnoles, les comtes furent battus à Kinsale en 1601. En 1607, les chefs anglo-irlandais quittèrent le pays pour se réfugier sur le continent, épisode dramatique resté dans l'histoire sous le nom de « la fuite des comtes » *(Flight of the Earls).* Dès 1603, désireux d'assurer durablement leur pouvoir, les Anglais avaient décidé d'une politique énergique et massive d'implantation de colons en Ulster. On fit venir principalement des Écossais presbytériens à qui l'on remit les terres confisquées aux catholiques. La ville de Derry fut « donnée » aux corporations de Londres, qui ajoutèrent « London » à « Derry ». Dépossédé de ses terres, le paysan catholique fut tout juste admis comme ouvrier agricole. Ainsi est né le premier apartheid... Dans le même temps, la création de Trinity College à Dublin, université interdite aux catholiques, marquait la volonté de l'Angleterre d'asseoir son hégémonie culturelle. Fin du premier acte.

L'impitoyable Cromwell

À l'occasion de la guerre civile anglaise, les paysans catholiques se révoltèrent en de violentes jacqueries, provoquant l'intervention, en 1649, du tristement célèbre Cromwell et de ses non moins tristes « Côtes de fer ». Le pays fut mis à feu et à sang, les populations massacrées, des villes mises à sac, les châteaux et les églises détruits. Cromwell avait obtenu le financement de son expédition de reconquête en promettant des terres à ses soldats et aux bailleurs d'argent. Les paysans irlandais furent rejetés dans les terres arides de l'Ouest, celles de la province de Connaught, qui sont aussi, piètre consolation, les plus belles. Cromwell ne leur laissait pas le choix : « En Connaught ou en enfer ! » Fin du deuxième acte.

Les guerres jacobites

Les querelles de succession au trône d'Angleterre, entre le catholique Jacques II et le protestant Guillaume d'Orange, rendirent espoir aux Irlandais. En 1689, Jacques II débarqua en Irlande, pour livrer bataille à Guillaume. Son armée échoua devant les remparts de Derry : après 105 jours de siège, l'arrivée des troupes de Guillaume contraignit son rival à battre en retraite. Le roi catholique vit ensuite son armée écrasée en 1690 à la décisive bataille de la Boyne (que les extrémistes orangistes célèbrent chaque année le 12 juillet) et il trouva refuge à Saint-Germain. Fin du troisième et dernier acte.

Les lois pénales

Après un siècle de colonisation britannique et de révoltes irlandaises, l'administration anglaise estima qu'il était temps de « normaliser » la situation en donnant au pays un cadre juridique. Cela se traduisit d'abord par de nouvelles confiscations de terres. Puis on édicta les iniques « lois pénales » : les catholiques n'étaient ni éligibles ni même électeurs, exclus de l'armée, des services publics, de la magistrature et de toutes les professions libérales. Les prêtres devaient prêter serment et demander l'autorisation de dire la messe. Interdiction d'enseigner le gaélique, d'acheter des terres, d'hériter d'un propriétaire protestant, de posséder un cheval valant plus de 5 £. La masse catholique devint pratiquement hors la loi. Alors naquit pour les catholiques « l'Irlande secrète ». Celle des messes clandestines et des *hedge schools,* littéralement « écoles des haies et des buissons ».

Naissance du nationalisme irlandais

S'ajoutait à ce train de mesures l'interdiction d'exporter la laine et les produits manufacturés. En cas d'exception, les produits devaient transiter par les ports anglais, où ils étaient lourdement taxés.
Mais les Anglo-Irlandais protestants, souffrant de ces mesures, en vinrent à nourrir un violent ressentiment contre la « mère patrie ». Leur parlement à Dublin possédait très peu de pouvoir. Un parlementaire – et avocat – protestant, Henry Grattan, fonda en 1759 le Parti des patriotes qui lutta pour l'abrogation des lois pénales.
Lors de la guerre de l'Indépendance américaine, l'Angleterre, obligée de retirer des troupes de l'île, fut contrainte à de nombreuses concessions. En 1782, Londres dut redonner certains pouvoirs au Parlement irlandais... qui abrogea aussi sec les lois pénales et redonna aux catholiques le droit à l'éducation et à la propriété, sans toutefois leur rendre leurs droits politiques.
Libre à nouveau de commercer, l'Irlande connut alors une relative période de prospérité. Dublin et les grandes villes du pays se couvrirent de belles demeures georgiennes et de monuments prestigieux. Restait une anomalie : un pays à 90 % catholique régi par un parlement 100 % protestant !

Les *United Irishmen*

La Révolution française ne tarda pas à trouver un écho en Irlande. Un jeune avocat protestant, Theobald Wolfe Tone, créa le mouvement des *United Irishmen,* qui se fixait comme but l'établissement d'une législation en Irlande garantissant les libertés politique et religieuse pour tous. Les protestants conservateurs (surtout en

Ulster) créèrent en réaction une organisation pour assurer leur domination : l'*ordre d'Orange* (du nom de Guillaume d'Orange, vainqueur à la bataille de la Boyne). Les rumeurs d'une reprise en main directe de l'Irlande par l'Angleterre s'amplifiant, Wolfe Tone partit chercher en France un soutien politique et militaire. En 1796, une escadre commandée par Hoche partit donc prêter main-forte aux *United Irishmen.* Malheureusement, elle ne put débarquer (voir le texte « Bantry »). En 1798, des insurrections de paysans catholiques éclatèrent, rejoints par des presbytériens d'Ulster. Hélas, après quelques succès, les rebelles, trop faiblement armés, furent battus. Wolfe Tone sollicita une nouvelle intervention française, mais elle vint trop tard (voir le texte « Castlebar »). La répression fut, une nouvelle fois, impitoyable.
En 1800, devant l'audience du Parti des patriotes et des discours légendaires de Grattan, le Premier ministre anglais William Pitt se convainquit que la seule façon de préserver la suprématie spirituelle des protestants était de rétablir l'Acte d'union avec l'Angleterre. L'année suivante, celui-ci était entériné par les parlements de Londres et de Dublin. Le Parlement irlandais fut supprimé, et le pays passa totalement sous la juridiction de l'Angleterre. Le Royaume-Uni de Grande-Bretagne et d'Irlande était né. L'Irlande fut désormais totalement intégrée au système économique anglais. N'ayant pas d'industrie, l'île devint alors le marché des produits britanniques et s'appauvrit un peu plus. La condition des paysans catholiques ne fut jamais aussi misérable. L'émigration reprit de plus belle.
Après l'échec en 1803 de la rébellion de Robert Emmet, qui essaya de s'emparer du château de Dublin, les protestants allaient disparaître en tant que moteur principal du nationalisme irlandais et laisser place aux catholiques.

Daniel O'Connell et l'émancipation des catholiques

L'abrogation des lois pénales ayant permis aux catholiques l'accès aux professions libérales dès 1782, de brillants avocats ne tardèrent pas à se révéler. Daniel O'Connell fut l'un d'entre eux.
Nationaliste convaincu mais opposé à la violence, il s'attacha à la création d'un mouvement de masse puissant (soutenu par les libéraux protestants) pour obtenir l'abrogation de l'Union, une réforme agraire, le rétablissement du parlement d'Irlande et le droit de se présenter aux élections.
Finalement, en 1829, Londres accorda le *Catholic Emancipation Act* autorisant les catholiques à participer aux élections. Un parti irlandais allait désormais représenter plus justement l'Irlande au Parlement britannique.
O'Connell reprit le combat sur d'autres objectifs : la suppression de l'impôt dû à l'Église anglicane, puis l'abrogation de l'Union avec l'Angleterre. Orateur de talent, il rassemblait sur ces thèmes des foules énormes. L'Angleterre commença à prendre peur de ce « roi sans couronne ». En 1843, O'Connell appela à un nouveau rassemblement de masse à Clontarf, aux portes de Dublin. Mais le meeting ayant été interdit, il l'annula au dernier moment, refusant l'épreuve de force et perdant de ce fait beaucoup de crédit politique. Usé, découragé, il mourut peu après.

La Grande Famine

De 1845 à 1850, le mildiou, maladie de la pomme de terre, ravagea la plupart des cultures. La famine ne tarda pas à frapper violemment, provoquant diverses épidémies. Les gens mouraient par dizaines de milliers, au bord des routes. Pendant ce temps, le commerce avec l'Angleterre continuait tranquillement, Londres ayant refusé d'arrêter l'exportation de vivres. Lorsqu'un navire arrivait plein de victuailles pour les affamés, six bateaux lourdement chargés de blé ou de bétail quittaient les ports irlandais pour l'Angleterre. Vaguement inquiet, le gouvernement anglais fit quand même voter une loi autorisant en Irlande... les soupes populaires !
Pour permettre aux ouvriers agricoles au chômage et aux paysans ruinés de gagner quelques sous, le gouvernement anglais organisa aussi des travaux d'uti-

lité publique consistant à dégager les pierres des champs et à monter des murets pour quelques *pence* par jour. Jusqu'à 700 000 personnes y furent employées. Quelque 300 000 autres furent hébergées dans les *workhouses* (hospices). Ne pouvant payer les fermages, de nombreux malheureux furent expulsés par la troupe. Pour les survivants, un seul espoir : les ports.
Des centaines de milliers de personnes s'entassèrent comme « fret de retour » sur des bateaux pour l'Amérique, vite surnommés *coffin boats* (« bateaux-cercueils ») à cause de l'énorme taux de mortalité à bord.
Les conséquences humaines de la famine et de l'émigration furent désastreuses : en 10 ans, la population de l'île passa de 8,5 à 6 millions d'habitants. En décimant les populations rurales, la Grande Famine détruisit davantage la langue gaélique que cinq siècles d'occupation anglaise.

Le mouvement Young Ireland et les fenians

Anciens supporters d'O'Connell, de jeunes révolutionnaires irlandais fondèrent en 1840 le mouvement « Jeune Irlande » pour reprendre le combat nationaliste. Ils créèrent un drapeau tricolore : le vert pour les catholiques, l'orange pour les protestants et le blanc au milieu symbolisant la paix entre eux (c'est aujourd'hui le drapeau national). En 1848, il n'y eut pas vraiment d'insurrection, juste quelques coups de main peu significatifs et mal préparés. La famine et l'état de misère générale ne favorisaient pas, à l'évidence, une quelconque prise de conscience !
Mais une nouvelle organisation, l'*Irish Republican Brotherhood,* fut créée à Dublin et à New York, elle resta dans l'histoire sous le nom de *Mouvement fenian* (les *Fianna* sont les guerriers et héros des légendes gaéliques). Bénéficiant d'un soutien important aux États-Unis et d'un recrutement très populaire, elle compta rapidement plusieurs milliers de membres et improvisa deux insurrections qui échouèrent. En 1867, une campagne d'attentats frappa l'Angleterre. Trois fenians furent pendus et la plupart des dirigeants arrêtés. O'Donovan Rossa passa 15 ans en prison enchaîné, contraint de laper sa soupe à genoux.

La lutte pour le *Home Rule* et la réforme agraire

Gladstone, un libéral, arriva au pouvoir à Londres en 1868. Ses premières mesures furent de mettre fin à la suprématie de l'Église anglicane en Irlande, de supprimer la dîme qui lui était due et d'établir la liberté totale du culte catholique. Puis il instaura une loi timide sur les expulsions, donnant une meilleure protection aux petits métayers. Cet assouplissement encouragea les mouvements de revendication légale. En 1879, le fenian Michael Davitt fondait la Ligue agraire, afin de restituer aux Irlandais leur droit ancestral à la terre.
Auparavant, en 1870, s'était créé le *Home Rule Party* (Parti pour l'autonomie). En 1874, le parti remporta plus de la moitié des sièges irlandais au Parlement britannique. Malgré cette victoire, Londres ne fit aucune nouvelle concession.
C'est alors que les parlementaires irlandais, pour attirer l'attention sur leurs problèmes, inaugurèrent une tactique : « l'obstruction » des débats. Comme on n'avait pas le droit d'interrompre un orateur, les *home rulers* lurent à la tribune des pages entières de la Bible. Un avocat protestant, tout jeune député, passa maître dans l'exercice de cet art : Charles Stewart Parnell. Fils d'une grande famille aristocratique, éduqué à Cambridge, son cœur n'en était pas moins irlandais. Orateur hors pair, bel homme, défenseur des pauvres, président de la Ligue agraire, il ne tarda pas à devenir extrêmement populaire et fut, après O'Connell, le « deuxième roi sans couronne » d'Irlande. Face à l'agitation paysanne, Gladstone se résolut en 1881 à entamer une vraie réforme agraire et fit voter plusieurs lois autorisant la redistribution aux petits paysans de la plupart des grands domaines (on comptait 5 % de propriétaires irlandais en 1878, leur nombre atteindra 70 % avant la Première Guerre mondiale).

En 1885, le parti du *Home Rule* rafla tous les sièges aux élections irlandaises (à l'exception des bastions loyalistes d'Ulster), acquérant une position d'arbitre à Westminster. Parnell devint pour les conservateurs britanniques l'homme à abattre. Ceux-ci ne tardèrent pas à trouver son talon d'Achille : une liaison adultère avec la femme d'un député, Kitty O'Shea. Dans la prude Irlande, le combat devenait inégal. Déconsidéré, malade, Parnell mourut en 1891, deux ans après le scandale. En 1893, une loi sur le *Home Rule* fut enfin votée par la Chambre des communes (mais rejetée par la Chambre des lords). C'est alors que les loyalistes protestants d'Ulster créèrent le Parti unioniste pour s'opposer au *Home Rule*.

Le renouveau de la culture gaélique et la création du Sinn Féin

À partir de 1884, un certain nombre d'intellectuels, écrivains, poètes mirent en avant l'aspect culturel afin de redonner une identité aux Irlandais. On assista alors à la création de la Ligue gaélique de sauvegarde de la langue, de l'Association athlétique gaélique pour promouvoir les anciens sports irlandais, et enfin de l'*Irish Literary Theatre* autour de lady Gregory et du poète Yeats. De nouveaux partis politiques apparurent, notamment, en 1905, le *Sinn Féin* (« nous seuls » en gaélique). De nombreux Irlandais se joignirent au Sinn Féin, notamment les militants de l'*Irish Republican Brotherhood* (la tradition feniane).
Après les élections générales de 1910, le vieux parti du *Home Rule* fut à nouveau en position d'arbitre à la Chambre des communes. Le Sinn Féin n'obtint pas les votes espérés, car les électeurs avaient jugé que la vieille stratégie du *Home Rule* valait quand même mieux qu'une hypothétique et lointaine indépendance ! Les unionistes d'Ulster s'organisèrent militairement au sein de l'UVF *(Ulster Volunteer Force)* pour lutter plus durement contre le *Home Rule*. Ce fut le célèbre cri d'Edward Carson : « *Not an inch !* » (« Pas un pouce de plus dans les concessions aux catholiques ! ») Les nationalistes irlandais répliquèrent en créant leurs propres milices armées : les *Nationalist Irish Volunteers*.
En 1914, le roi George V signa enfin le décret d'application du *Home Rule*... qui différait sa mise en œuvre à la fin du conflit mondial qui venait de commencer. On vous laisse imaginer la déception, immense, de la communauté nationaliste.
Mais la situation de guerre extérieure prit le pas sur les risques de guerre civile : si les protestants soutenaient sans réserve l'effort de guerre de la Grande-Bretagne, les républicains étaient partagés, et certains d'entre eux cherchèrent même l'appui de l'Allemagne. En 1916, malgré une absence de consensus parmi les chefs républicains, une insurrection éclata à Dublin. La Grande Poste fut occupée par les Irish Volunteers et la Citizen Army. James Connolly et Patrick Pearse proclamèrent la république dans une célèbre déclaration. La résistance à l'armée britannique dura une semaine, puis les rebelles durent se rendre.
Tous les chefs républicains furent fusillés, sauf Eamon De Valera, sauvé par sa nationalité américaine. La répression fut sauvage. James Connolly, blessé lors des combats, fut fusillé assis, ce qui indigna une opinion publique déjà en état de choc. Pourtant bien peu favorable à l'insurrection, elle bascula d'un seul coup de son côté. Le Sinn Féin nomma De Valera, quoique emprisonné, à sa tête. La goutte qui fit déborder le vase fut la décision gouvernementale d'étendre la conscription à l'Irlande. Résultat : aux élections générales de 1918, 73 des 105 élus à Westminster étaient membres du mouvement indépendantiste Sinn Féin.

La guerre d'indépendance

En janvier 1919, les députés du Sinn Féin refusèrent de siéger à Londres et constituèrent le Parlement libre d'Irlande, le *Dáil Eireann*, qui nomma un gouvernement présidé par De Valera, dont l'évasion venait d'être organisée par Michael Collins, chef des services secrets de l'IRA *(Irish Republican Army)*. S'ensuivirent 2 ans de guérilla contre l'armée et la police anglaises. Remarquablement organisés dans l'IRA, les républicains leur infligèrent de lourdes pertes. Londres tergiversa, semblant d'abord vouloir faire des concessions en respectant le *Home Rule,* puis reculant devant l'opposition véhémente des protestants d'Ulster et, pour faire bonne mesure, envoyant des régiments de mercenaires, les *Black and Tan* (parce qu'ils portaient des uniformes noir et brun dépareillés).

Finalement, en juin 1921, les deux parties furent contraintes de négocier un cessez-le-feu. Les ressources britanniques étaient épuisées par la Première Guerre mondiale, et les techniques de guérilla des républicains causaient des ravages. Le 6 décembre 1921, les négociateurs républicains (dont Michael Collins, doué d'un sens aigu du possible) signèrent un traité assez hypocrite. Les Anglais reconnaissaient la souveraineté de l'État libre sur toute l'île, mais exigeaient la création dans le Nord d'un mini-État transitoire de six comtés (à majorité protestante), à qui serait donné le droit de choisir de rester ou non membre du Royaume-Uni. Bien évidemment, dès 1922, ce droit fut utilisé, entraînant la partition de l'Irlande, votée par l'Ulster.

Lorsque le traité fut ratifié, à une très courte majorité, le pays se divisa profondément. Une grande partie de l'IRA y était opposée. Dans les meilleures traditions celtes, une guerre civile éclata entre pro et antitraité. Elle dura deux ans et fit plus de victimes que la guerre d'indépendance. Les Anglais pourvurent largement en armes les troupes de « l'État libre » contre les rebelles. La répression fut très brutale. Le 27 avril 1923, De Valera appela à déposer les armes et à lutter par d'autres moyens.

Dès lors, les deux « États » connurent des destins séparés. En 1927, l'ancien Royaume-Uni de Grande-Bretagne et d'Irlande devint « Royaume-Uni de Grande-Bretagne et d'Irlande du Nord ».

Une adolescence difficile

Les *Sinn Féiners,* De Valera en tête, s'obstinèrent néanmoins à refuser de siéger au parlement de Dublin, dont ils ne reconnaissaient pas la légitimité. Mais notre rescapé de l'insurrection de la Grande Poste prouva que l'on manque quelquefois de fusiller des gens pleins d'avenir, en devenant le personnage le plus important de l'histoire contemporaine irlandaise ! Dès 1926, il accepta de siéger au *Dáil* pour s'opposer au *Fine Gael* (« la famille des Gaëls ») favorable à la partition, divisant ainsi profondément les rangs de son propre parti. Avec l'aile la moins extrémiste, il fonda un parti républicain, le *Fianna Fáil* (« les guerriers de la destinée »), visant à stabiliser le jeune « État libre » tout en maintenant l'idée de la réunification de l'île à long terme. Il arriva au pouvoir avec les élections de 1932 et mena ensuite une longue guerre économique contre le Royaume-Uni. Au pouvoir jusqu'en 1948, il fit notamment, en 1937, voter au *Dáil* la Constitution du pays. Elle affirme en son « point 2 » que « le territoire national consiste en l'île tout entière, ses îles et ses eaux territoriales », ce qui donne une légitimité constitutionnelle à la réunification du pays.

En 1949, l'Irlande du Sud devint officiellement une république et quitta le Commonwealth. L'IRA, quant à elle, ne renonçait pas à la libération totale de l'île. Elle s'était une nouvelle fois lancée dans l'action dès 1939, lors de la *Bombing Campaign* visant les villes britanniques. Puis, à l'occasion de la *Borders Campaign* (« campagne des frontières »), de 1956 à 1962, elle inaugura une tactique consistant à attaquer les postes frontières avec l'Ulster. En 1969, tout s'embrasa à nouveau dans le Nord quand le mouvement pour les droits civiques fut réprimé (voir le chapitre « L'Irlande du Nord ») et, en 1972, Londres décida le *Direct Rule* de Westminster sur l'Irlande du Nord en dissolvant son Parlement.

Vers l'âge adulte

Depuis 1951, régulièrement, le Fianna Fáil revient au pouvoir pour de longues périodes à l'issue desquelles il cède la place à une coalition des partis d'oppo-

sition. En particulier de 1951 à 1973, il mena une politique de redressement économique et d'ouverture aux instances internationales. L'adhésion à la Communauté économique européenne fut ainsi prononcée en 1973, préparant de profondes métamorphoses. Eh oui ! De décembre 1990 à l'automne 1997, le président de la république d'Irlande fut une présidente, Mary Robinson, mariée à un protestant, militante de longue date pour le droit à la contraception, au divorce, à l'homosexualité, à l'égalité des sexes et à l'avortement. Son septennat a vu la transformation sociale la plus profonde que l'Irlande ait jamais connue. En 1992, le traité de Maastricht a été approuvé par 70 % des Irlandais alors qu'un nouveau référendum rejetait le droit à l'avortement.
Ce deuxième résultat est là pour rappeler que le combat est de longue haleine. Pourtant, des résultats substantiels ont déjà été acquis. Les préservatifs sont en vente libre. L'homosexualité a été décriminalisée en 1993 et le divorce légalisé par le référendum de 1995. La nécessité de diminuer le nombre d'unions libres causées par l'interdiction du divorce fut un argument décisif. Cette nouvelle mesure est toutefois assortie de cette condition : le couple doit avoir vécu séparé pendant les 4 années précédant la demande. La baisse d'autorité de l'Église catholique n'est plus un tabou : les mentalités se sont vraiment modernisées (et les affaires de pédophilie dans la hiérarchie catholique ont aussi fortement contribué à décrédibiliser l'Église).
Dopée par les crédits européens, stimulée par l'appartenance à l'Union, l'Irlande a reconstruit son identité. Cette absence de complexes toute neuve a permis aux Irlandais de signer, en décembre 1993, une déclaration historique. D'une, les Britanniques admettaient de respecter le vœu de la majorité des habitants d'Irlande du Nord, si un jour ceux-ci se prononçaient en faveur du rattachement au Sud. De deux, l'Irlande acceptait de ne pas rechercher la réunification de l'île sans le libre consentement de la majorité de la population du Nord. De trois, elle confirmait, en cas de réunification, la nécessité de changements en profondeur de sa Constitution pour tenir compte de sa nouvelle minorité. Depuis, les gouvernements successifs n'ont pas dévié de cette ligne empreinte de sagesse, respectant le processus de paix et évitant la confrontation avec les républicains. En 1998, responsables politiques nord-irlandais dublinois et londoniens sont tombés d'accord sur les modalités de pacification des provinces. Un processus qui ne va pas sans mécontenter les extrémistes, mais qui a été largement adopté par la population du Nord comme par celle du Sud. Pour de plus longs développements sur la situation dans le Nord et les avancées du processus de paix, voir le chapitre « L'Irlande du Nord (Ulster) ».
En 2001, les électeurs de la république d'Irlande, eux qui avaient « reçu » de Bruxelles 230 milliards de francs entre 1972 et 2001... ont créé la surprise en refusant une première fois de ratifier le traité de Nice. Avait joué la peur de perdre leur neutralité et surtout de céder davantage de souveraineté à Bruxelles (l'Union européenne exerçant une forte pression pour que l'Irlande abandonne ses pratiques de dumping fiscal). Le second référendum a vu, lui, la victoire du « oui ».
Les élections législatives du printemps 2002, puis celles de mai 2007, ont marqué une certaine stabilité, le parti de droite au pouvoir du Premier ministre Bertie Ahern (Fianna Fáil) s'imposant avec plus de 40 % des suffrages exprimés. Mais c'est la progression historique du Sinn Féin, passant de un à cinq sièges, qui a fait sensation !
Aux législatives de 2007, le Fianna Fáil s'est maintenu (78 sièges sur 166), mais l'effondrement de leurs anciens partenaires des *Progressive Democrats,* qui n'ont conservé que 2 sièges sur 8, a contraint le parti au pouvoir à former un gouvernement de coalition avec les Verts du remuant John Gormley. En mai 2008, Bertie Ahern, mis en difficulté par des enquêtes pour enrichissement personnel, a passé la main à Brian Cowen. Homme expérimenté – il a été six fois ministre –, ouvert et consensuel, son premier geste fut de rencontrer son homologue nord-irlandais, Peter Robinson, pour signer des accords de coopération économique. Une initia-

tive vite oubliée par la majorité des Irlandais, sévèrement touchée par la crise économique. D'autant plus qu'après avoir renfloué les principales banques du pays, le gouvernement a annoncé un plan d'austérité avec une augmentation importante des impôts sur le revenu, notamment sur les plus hauts salaires (jusqu'à + 9 %).

Élections législatives de février 2011 : un séisme politique !

Les dernières élections ont totalement changé la configuration politique de l'Eire. Le *Fianna Fáil* a lourdement payé la crise. Au pouvoir depuis 1987, il a connu une véritable Bérézina, avec seulement 17,4 % des voix, passant de 77 sièges à... 20 (son pire résultat depuis sa création). Son concurrent traditionnel, le *Fine Gael* (centre droit), avec 36,1 % des voix passe de 51 à 76 sièges, le *Labour* obtient 19,4 % et passe de 17 à 37 sièges. Le *Sinn Féin* avec 10 % des suffrages obtient 14 sièges (son meilleur score depuis 1948) et Gerry Adams, son président, obtient même la majorité des voix à Dundalk (comté de Louth). Les partis de gauche (Sinn Féin, Labour et extrême gauche) obtiennent la majorité absolue à Dublin. Les Verts, victimes de leur participation au gouvernement Fianna Fáil, ont totalement disparu du champ politique.

... et d'importantes visites d'État !

En mai 2011, visite historique de la reine Elisabeth II en Irlande, la première d'un souverain britannique depuis 1922 ! Presque une provocation pour les républicains, en pleine commémoration du trentième anniversaire de la mort de Bobby Sands en mai 1981.
Lui a succédé Barack Obama qui a visité *Moneygall,* à 130 km de Dublin. Village natal de *Falmouth Kearney,* son arrière-arrière-arrière-grand-père maternel qui émigra aux États-Unis en 1850 suite à la Grande Famine. C'est une tradition pour nombre de présidents d'honorer, en période d'élections, leurs racines irlandaises. Kennedy, Reagan, Clinton avaient fait de même, soulignant par là le poids électoral des quelque quarante millions d'Américains revendiquant une parenté avec l'île d'Émeraude...

L'IRLANDE ET LE CINÉMA

L'Irlande a inspiré plus d'écrivains que de cinéastes. Mais quand un œil de caméra se pose sur cette île (sauf scénario nullissime), il en sort toujours un bon film. C'est sans doute le génie des lieux et de ses habitants qui hante la pellicule. Voici, selon l'ordre chronologique de leur réalisation, quelques films célèbres – à juste titre – tournés dans des paysages irlandais ou traitant de problèmes irlandais. À voir avant de partir, au cinéma ou chez soi en DVD. Pour rêver...
– ***L'Homme d'Aran*** (britannique, 1934) **:** de Robert Flaherty. Filmée comme un documentaire, cette fiction témoigne de l'existence difficile des insulaires. La récolte du goémon, la chasse au requin à bord de *currachs* traditionnels, la pêche du haut de falaises vertigineuses sont montrées au travers de la vie quotidienne d'une famille d'Inishmore. Un brillant hommage à la patrie d'origine de Flaherty.
– ***Huit heures de sursis*** (*Odd Man Out* ; britannique, 1947) **:** de Carol Reed. Un militant du Sinn Féin (James Mason), grièvement blessé pendant l'attaque d'une banque visant à renflouer les finances du mouvement, erre dans un Belfast nocturne. Reed s'intéresse moins à la situation politique qu'à la réaction de la population face à un homme blessé recherché par la police. Superbe rendu de l'atmosphère de la ville, bien que le film ait été majoritairement tourné en studio. Par exemple, on y voit Mason tenter de trouver refuge dans le célèbre pub *The Crown,*

dont l'extérieur fut vraiment filmé et l'intérieur fidèlement reconstitué dans les studios.

– ***L'Homme tranquille*** (américain, 1952) **:** de John Ford. *The Quiet Man* raconte l'histoire d'un boxeur américain qui revient en Irlande, l'île de ses ancêtres. Débarqué dans son village, il achète une vieille chaumière, la rénove et s'y retire pour couler une sorte de retraite de jeune vieux garçon. Mais il tombe amoureux d'une jeune Irlandaise dont le frère, un gros gaillard méfiant et brutal, ne l'entend pas de cette oreille. Pour pouvoir épouser sa dulcinée, notre héros devra affronter une foule d'obstacles, se sortir des pièges (la tradition, la loi du clan...), fréquenter assidûment le pub local et avoir recours à ce qu'il connaît bien, l'art de la boxe.
Le film fut tourné dans le Connemara, à Cong, et dans ces merveilleux paysages de collines et de lacs de l'Ouest. Ford engagea des acteurs américains d'origine irlandaise : John Wayne, le roi des cow-boys, et Maureen O'Hara, la plus célèbre rousse aux yeux verts que l'Irlande ait jamais déléguée à Hollywood. Malgré quelques inévitables clichés sur la rudesse et la tendresse du caractère irlandais, le film est un merveilleux hommage rendu à l'Irlande par un géant du cinéma.

– ***La Fille de Ryan*** (britannique, 1970) **:** de David Lean. Avec Robert Mitchum. On y découvre les somptueux et inquiétants horizons de la péninsule de Dingle (Dingle, Stradbally, la plage d'Inch et la pointe de Slea Head). Pendant la Première Guerre mondiale, dans un village du bout du monde occupé par les forces britanniques, l'instituteur (Mitchum) épouse la fille de Ryan, le tenancier du pub local. Mais, trop absorbé par ses chères études, il la délaisse... Elle tombe dans les bras d'un officier *British* au moment où le village insurgé sort les fusils pour chasser les militaires anglais. Une passion secrète avec l'ennemi dans un contexte de révolte armée et de guerre, c'est ce qu'on appelle de la petite histoire dans la grande histoire.

– ***Un taxi mauve*** (français, 1977) **:** d'Yves Boisset. Adaptation du roman de Michel Déon. Fred Astaire, dans son taxi mauve, rythme la valse énigmatique de Philippe Noiret et de Charlotte Rampling à travers de superbes paysages, vastes et désolés, qui servent de toile de fond à cette intrigue envoûtante et fort bien ficelée. Le film fut tourné dans le Connemara, du côté de Cong, et dans la péninsule de Dingle (voir le pub *Tomasín* à Stradbally).

– ***Gens de Dublin*** (américain, 1987) **:** de John Huston. Par l'un des derniers monstres sacrés d'Hollywood, adaptation risquée mais réussie de *The Dead (Les Morts),* la dernière nouvelle du recueil *Dubliners* de James Joyce. John Huston avait les deux qualités pour porter à l'écran ce texte génial : l'audace et la finesse d'analyse. Exilé pour éviter la chasse aux sorcières qui sévissait à Hollywood au début des années 1950, Huston trouva refuge dans le vieux manoir de Saint-Clerans, à Craughwell, près de Galway. Pour *Gens de Dublin,* Huston engagea sa fille Anjelica et l'acteur Donald McCann. Huston est mort peu de temps après la fin du tournage : il avait 81 ans ! *Gens de Dublin* peut être considéré comme son testament cinématographique.

– ***The Field*** (irlandais, 1990) **:** de Jim Sheridan. Années 1930 : un vieux paysan (Richard Harris) au caractère pas du tout facile s'apprête à acheter aux enchères ce qu'il convoite depuis des années : le champ loué et cultivé par ses ancêtres pendant des générations et qu'il destine à son fils (Sean Bean). Totalement écrasé par son père, ce dernier rêve en secret de partir avec la fille du Traveller (une nomade !). Survient alors un Américain fortuné (Tom Berenger) en quête de racines... et donc de terre. Les premières images annoncent immédiatement la couleur (sombre). Les paysages de Leenane sont très bien filmés, et le personnage de Richard Harris est effrayant de détermination.

– ***The Crying Game*** (irlandais, 1992) **:** de Neil Jordan. Un soldat de l'armée anglaise, enlevé en Irlande par des combattants de l'IRA qui veulent l'échanger contre un des leurs, sympathise avec son geôlier. Le soldat lui fait promettre de contacter son amie si les choses tournent mal. On ne vous raconte pas la suite ! Un scénario surprenant sur une nouvelle de Frank O'Connor, bien mis en scène et délicatement interprété.

– ***Michael Collins*** (irlandais, 1996) **:** de Neil Jordan. Une évocation du destin d'un homme qui lutta et donna sa vie pour l'indépendance de son pays. On peut critiquer les libertés prises vis-à-vis de l'histoire, mais il n'en reste pas moins un grand film, récompensé par le Lion d'or de Venise, nous éclairant sur une période mal connue (du moins dans nos chaumières) de l'histoire irlandaise.
– ***Bloody Sunday*** (anglo-irlandais, 2002) **:** de Paul Greengrass. La reconstitution de l'engrenage infernal qui allait mener, le dimanche 30 janvier 1972, à la tragédie que l'on sait (13 morts parmi les manifestants d'une marche pacifique à Derry, en Irlande du Nord). Un film qui a valeur de document, monté en séquences courtes, sans pathos. Paul Greengrass, récompensé par l'Ours d'or du festival de Berlin en 2002, a également produit *Omagh* (2005), sur une autre tragédie irlandaise.
– ***The Magdalene Sisters*** (franco-britannique, 2002) **:** de Peter Mullan. Émouvant hommage aux dizaines de milliers de femmes enfermées dans des centres de redressement tenus par des religieuses, véritables minibagnes. Le film raconte le destin d'une fille violée, celui d'une autre trop jolie et susceptible de provoquer le désir et d'une mère célibataire. Ces centres, créés au XIXe s, ne fermèrent qu'en 1996 ! Lion d'or au festival de Venise en 2002 !
– ***Le vent se lève*** (*The wind that shakes the barley* ; anglais, 2006) **:** de Ken Loach. Dans la veine de son *Land and Freedom,* un Ken Loach historique qui retrace le parcours d'un jeune Irlandais laissant tomber ses études de médecine pour rejoindre l'IRA, au moment de la guerre d'Indépendance. Un film très fort qui dénonce les atrocités commises par les troupes britanniques et la douloureuse guerre civile de 1922. Palme d'or du festival de Cannes 2006.
– D'autres films célèbres ont été tournés en Irlande : la petite ville de Youghal a été maquillée pour figurer le port américain de ***Moby Dick,*** film de John Huston avec Gregory Peck, adapté du célèbre roman de Melville. Certaines scènes de ***Barry Lindon,*** de Stanley Kubrick, rendent hommage à la beauté de la campagne irlandaise. Même s'il ne parle pas spécialement du pays, on peut reconnaître, dans ***Excalibur,*** de John Boorman, des paysages ou des lieux comme le lac de Luggala et la cascade de Powerscourt dans les monts Wicklow, ou le château de Cahir dans le comté de Tipperary. Plus récemment, Mel Gibson est venu tourner ***Braveheart*** sur le terrain militaire du Curragh près de Kildare. Les scènes du débarquement du film ***Il faut sauver le soldat Ryan*** furent tournées à Curracloe, dans le comté de Wexford, et ***Angela's Ashes*** se passe à Limerick.
Dublin à elle seule sert de décor pour de nombreuses prises de vue : ***My Left Foot, The Commitments, Au nom du père, The Boxer, Agnes Brown...***
L'office de tourisme de l'île d'Irlande à Paris donne une jolie brochure qui répertorie les lieux de tournage des films.

MÉDIAS

Votre TV en français : TV5MONDE

TV5MONDE est reçue partout dans le monde par câble, satellite et sur Internet. Voyage assuré au pays de la francophonie avec films, fictions, divertissements, sports, informations internationales et documentaires.
En voyage ou au retour, restez connectés ! Le site internet • *tv5monde.com* • et sa déclinaison mobile • *m.tv5monde.com* • offrent de nombreux services pratiques et permettent de prolonger ses vacances à travers des blogs et des visites multimédia. Demandez à votre hôtel sur quel canal vous pouvez recevoir TV5MONDE et n'hésitez pas à faire vos remarques sur le site • *tv5monde.com/contact* •

Presse, télévision, radio

Pour les accros de l'actu, on trouve facilement la plupart des journaux nationaux francophones, quotidiens ou hebdomadaires, dans les grandes villes du Sud ou

dans les aéroports. On peut par ailleurs capter sur grandes ondes les stations de radio France-Inter et Europe 1, mais la qualité de réception varie selon les régions. Par exemple, inutile d'essayer de capter dans le centre de Dublin alors que la réception est très nette en banlieue. Sinon, la radio locale Near FM diffuse des programmes de RFI tous les matins de 8h à 9h (101.6 FM).
Enfin, pour ceux qui ne sauraient se passer des chaînes de TV francophones, le satellite permet de capter toutes les chaînes. Ceux dont le niveau en anglais le leur permet peuvent regarder les chaînes britanniques (BBC 1 et BBC 2, Channel 4) ainsi que les chaînes irlandaises RTE 1, RTE 2, TV3 (chaîne privée genre TF1) et TnaG, qui diffuse des programmes en gaélique sous-titrés en anglais.

MUSIQUE

Un peu d'histoire

La musique en Irlande imprègne tous les aspects de l'existence. En témoigne la harpe, emblème traditionnel du pays. Ce n'est pas par hasard si c'est un instrument de musique mythologique, utilisé par les bardes celtes, qui a été choisi. Les chansons se faisaient autrefois le véhicule des espoirs, des révoltes. Elles racontaient les exploits des héros de l'Irlande et se transmettaient aux quatre coins du pays. Tout y est spiritualité et poésie, et la musique y est restée très populaire. Ce sens profond de la musique, ce lien social entre les gens, cette absence totale de timidité quand il s'agit de chanter en public seront à l'origine de vos plus belles soirées irlandaises. Beaucoup de chansons ont été écrites spontanément et sont parties d'un pub. Le cas le plus célèbre est *Helicopter Song,* qui raconte l'évasion de trois dirigeants de l'IRA depuis la prison de Mountjoy... en hélicoptère ! Le soir même, leur exploit fut chanté par tout Dublin.
Si la musique traditionnelle ne s'est jamais totalement éteinte, elle n'a connu une véritable renaissance qu'au début des années 1960, avec principalement des groupes ou des chanteurs irlandais (ou écossais) émigrés à Londres. C'est l'exemple de Christy Moore qui a commencé à faire la manche à cette période dans les rues de Londres. D'autres ont suivi, comme Andy Irvine ou Donal Lunny. Le premier groupe à entrer dans les *charts* est Planxty, au tournant des années 1960 et 1970. Puis Bothy Band et Clannad, dont le style (influencé par le *progressive folk,* façon Alan Stivell, avec guitare électrique et tout) s'est également beaucoup éloigné de la musique traditionnelle pure.
Et puis, il y a tous les grands anciens : Sean O'Riada, les Chieftains, Furey Brothers, Wolfe Tones et même les Dubliners. Et puis les classiques (des jeunes qui ont pris de la bouteille) comme Oisín, Davy Spillane, De Dannan (superbe *Ballroom*), Nancy Black... À signaler aussi, les Waterboys, aujourd'hui séparés, l'un des groupes folklo-rock préférés des Irlandais, Arcady, Four Men and A Dog.
Dans toute l'Irlande, vous pourrez trouver des concerts ou des *sessions* dans les pubs, mais c'est quand même dans la capitale que vous aurez le plus de chances d'écouter les meilleurs concerts.
Donner une liste de groupes ou de musiciens à voir ou à écouter remplirait facilement quelques pages. Signalons que les femmes ont pris la tête avec Sharon Shannon à l'accordéon, les Fallen Angels (cinq femmes qui chantent a cappella), la célèbre Enya, issue du groupe Clannad, et puis Eleanor McEvoy, une chanteuse multi-instrumentiste qui passe sans aucun problème du classique au rock, sans oublier la musique traditionnelle. Autres groupes à ne pas manquer, un trio de chanteurs a cappella eux aussi, The Voice Squad, puis Fisherstreet, un groupe de musique du comté de Clare, et enfin un duo fabuleux : Steve Cooney à la guitare (remplacé par Tim Edey aujourd'hui) et Seamus Begey à l'accordéon. Par ailleurs, Altan, groupe originaire du Donegal dont les joueurs de *fiddle* (Máiréad Ni Mhaonaigh, Paul O'Shaughnessy et Ciárán Tourish) sont représentatifs du style de ce comté.

Et le meilleur pour la fin, Christy Moore, poète, inclassable, indémodable, merveilleux, un grand, quoi ! C'est LE chanteur irlandais ; essayez absolument de le voir en concert. D'ailleurs, en Irlande, tout le monde l'appelle Christy.
Citons en particulier trois superbes disques : *The Long Long Note* et, surtout, *Sunshine Dance,* tous les deux par Deiseal, un excellent groupe de musique traditionnelle, et *Angel Candles* par Máire Breatnach, compositrice et violoniste traditionnelle et classique qui a joué avec tous les plus grands.
Il serait trop long de dresser la liste de tous les musiciens d'aujourd'hui qui ont une origine irlandaise. Donnons juste un aperçu : The Cranberries, au succès mondial, avec leur chanteuse Dolores O'Riordan dont la voix rappelle celle de Sinead O'Connor (une autre très grande !), Loreena McKennitt, qui, partant du terreau familier de la côte ouest de l'île, recherche l'interpénétration des cultures musicales (par exemple celles des troubadours, de l'Andalousie et du Maroc).
Ce renouveau, consacré par l'organisation de festivals, coïncide avec un regain d'intérêt sur le plan international pour la musique celtique.

Festivals, *fleadhtha* et *seisiúin*

Si une bonne part de la vie musicale est concentrée dans les pubs, il est bien d'autres lieux où elle s'exprime. Un *fleadh* (prononcer « fla », pluriel *fleadhtha*), par exemple, est un rassemblement populaire de musique traditionnelle irlandaise. Dans les villes où ils se tiennent, les pubs ferment beaucoup plus tard et l'ambiance de folie. Pour ces soirées improvisées, les *seisiúin* (pluriel de *seisiún,* prononcer « shèshoun »), arrivez de bonne heure dans les pubs, sous peine de ne pas y trouver de place.
L'événement musical majeur en Irlande est le *All Ireland Fleadh,* finale de tous les *fleadhtha* locaux, qui se tient en général l'avant-dernière semaine d'août. Il change de ville chaque année. Certaines d'entre elles sont renommées pour l'atmosphère indescriptible qui règne durant les *fleadhtha.* Citons Ennis, Buncrana, Listowel. Apportez votre duvet ou votre tente, mais il y a des chances que vous passiez au moins une nuit blanche. Allez assister aux concours entre orchestres, puis précipitez-vous dans les pubs, où les mêmes groupes vont continuer à jouer. C'est bien souvent meilleur, plus chaleureux, et une part plus grande est laissée à l'improvisation sur des thèmes connus. On y retrouve les instruments traditionnels : l'*uilleann pipe,* sorte de cornemuse qui se joue assis en appuyant avec le coude au lieu de souffler dedans comme les Écossais, le *bodhran* (prononcer « bôrône »), grand tambourin fait d'une peau de chèvre tendue, sur laquelle on frappe avec un morceau de bois poli et dur, et bien sûr le violon *(fiddle)* et la flûte irlandaise *(tin whistle).* Parfois, les instruments s'échangent. Certains participants se font une spécialité des *bones* et, à défaut des deux côtes de mouton usuelles, ils utilisent deux cuillères pour obtenir le *clickaty-clack* qui rythme les morceaux. D'autres préfèrent le *washboard,* où l'on tapote une planche à laver avec des dés à coudre. Quelque chose de vraiment étonnant, ce sont les compétitions de *whistling* et de *lilting,* où les siffleurs ou chanteurs interprètent des airs traditionnels. Il existe aussi un savoir-vivre en *session*. Il y a un ordre de passage pour lancer un morceau et rien n'est plus détestable que d'entendre un touriste, aussi bon soit-il, se lancer dans des acrobaties instrumentesques dès la fin d'un premier morceau. Il faut également savoir faire court lorsqu'on est le seul à connaître et jouer un morceau. En revanche, les Irlandais seront les premiers à vous proposer de chanter ou de jouer, ce qu'il est de bon ton de faire (en se faisant prier !). Plus c'est court, plus ça plaît !
À propos des *seisiúin,* les vraies ont lieu en hiver. En été, dans les endroits touristiques, elles sont organisées à l'avance, et deux ou trois musiciens (pas toujours les mêmes) sont payés pour former un noyau autour duquel viendront se greffer d'autres musiciens au gré de leur humeur du moment (non payés, ceux-là).
Une autre forme de rassemblement musical est le *festival* fréquenté surtout par les jeunes. Folk irlandais bien sûr, mais il s'ouvre en général à d'autres genres de

musiques : blues, jazz, rock... Les festivals se déroulent généralement en pleine campagne, en plein air ou sous chapiteau, et durent 3 jours. Les plus connus : Cork (pour le jazz) fin octobre, Castlebar (pour le rock) en été, Miltown Malbay (musique traditionnelle) en juillet.
À mettre dans le sac à dos, *La Musique irlandaise* d'Erik Falc'her-Poyroux (éditions Coop Breizh). Un excellent petit ouvrage sur l'histoire de la musique irlandaise.

Le rock irlandais : une sacrée santé

Se conter et se raconter en vers est, depuis la nuit des temps, presque un réflexe conditionné chez l'Irlandais. Avec l'émigration vers le Nouveau Monde au XIXe s, les Irlandais apportèrent dans leurs bagages ce don de capter l'histoire d'un peuple. Romances, héros, scélérats, beaucoup de faits et personnages légendaires du Far West sont parvenus jusqu'à nous dans des ballades telles que celle de *Jesse James.* D'ailleurs, à l'époque, les cow-boys de souche irlandaise étaient les plus prisés par les gros propriétaires de bovins, car leurs chants mélodieux apaisaient les vaches. Et puis, en inventant le whiskey (dont dérivera le bourbon), l'Irlande a quand même désaltéré toute la musique américaine, jazz compris !
L'Irlandais est né en colère. Et, avant tout, le rock est une musique de révolte... sur trois accords. En raccourci, on peut dire que l'esclavagisme et la Grande Famine sont les sources de ce fleuve qui inonde le monde d'aujourd'hui. Si, à ses balbutiements, ce sont les Noirs qui ont monopolisé le rock au travers du blues et du *rhythm'n'blues,* les Blancs étaient de grands consommateurs de country & western (où la musique irlandaise entrait pour une grande part). Un beau jour, un certain Chuck Berry chanta une espèce de dérivé du country & western d'une façon si originale, grâce à sa culture noire, que le succès fut quasi instantané : le rock avait pris forme.
Et les Irlandais dans tout ça ? Eh bien, ils ont fait comme d'habitude, ils se sont exportés. Présents partout à la fois, dans le sang de Joan Baez (dont l'autre moitié est mexicaine), dans les chansons de Judy Collins et Van Morisson, avec la guitare de Rory Gallagher, pour ne citer que quelques exemples. Au début des années 1980, U2 devint le plus grand groupe mondial ; même s'ils ne portent pas vraiment l'Irlande traditionnelle dans leurs gènes, ils sont d'origine dublinoise et, à une exception près, anglo-protestants. Puis il y eut Bob Geldof avec ses *charity concerts* comme « Band Aid ».
Mais l'histoire du rock irlandais prend, au début des années 1980, un tournant décisif avec l'arrivée des Pogues. Originaires d'Irlande, ces Londoniens partent à la recherche de leurs racines. C'est le retour aux sources : les chants traditionnels sont passés à la moulinette punk. Le nom complet original des Pogues est Pogue Mahone – « Embrasse mon cul » en gaélique – ; insolents, alcooliques et poètes, leur premier grand succès fut écrit par Ewan McColl : *Dirty Old Town.* Puis Shane McGowan (l'ex-chanteur) prit petit à petit les rênes créatives avec le guitariste Philip Chevron, et ça donna une suite de chansons poignantes sur l'immigration, les fantômes du passé et la difficulté d'assumer son identité irlandaise dans un monde anglo-saxon qui les méprise. Même en Irlande, leur cote était mitigée... car cet autoportrait pas toujours flatteur dérangeait. Mais les Pogues sont certainement quelque part à l'origine du mouvement des Commitments à Dublin aujourd'hui (de *to commit* : « commettre, s'engager »). S'engager, oui : à être irlandais. À rester à Dublin, à ne pas s'exporter au travers du showbiz anglo-américain... Du coup, 1 200 groupes dublinois jouent dans les pubs irlandais et enregistrent leurs disques en Irlande. Bref, l'antithèse de U2...

Quelques groupes en France

Pas nombreux, les groupes popularisant la musique irlandaise en France. Mais alors, quelle qualité musicale ! Voici, à notre humble avis, les meilleurs :

– *Trotwood :* ceux-là jouent en famille (en juillet et août, vous pourrez d'ailleurs les trouver dans la péninsule de Dingle, où ils ont vécu et donnent encore parfois des concerts : demandez « *the French people* » !). Violons, contrebasse, accordéon, harpe... Pas leur pareil pour jouer la musique traditionnelle irlandaise, mais aussi des chants anglais, les madrigaux de Shakespeare, etc. On peut leur commander deux CD composés uniquement de chansons et musique instrumentale irlandaises. *Trotwood, Chantemule, 43140 La Seauve-sur-Semène.* 📱 *06-85-42-67-67 ou* ☎ *04-71-61-07-77.* • *trotwood.eu* •

– *Taxi Mauve :* l'un des groupes les plus anciens en France. Reconnu en Irlande où l'on apprécie son talent et son professionnalisme. A produit un superbe CD : *Far of Fields* (1992). *Taxi Mauve :* ☎ *01-48-43-77-23.* • *taximauve.com* •

– *Celtic Hangover :* association Noroc, *140, chemin de Ruttet, 73000 Sonnaz.* ☎ *04-79-71-11-82.* • *celtichangover.com* • Irlandais et Savoyards regroupés sous une même bannière, celle du folk-rock celte. Déjà sept CD à leur actif et un DVD. Ils méritent d'être davantage connus.

MYTHOLOGIE

La mythologie irlandaise tient une place de choix dans les mythes européens. C'est la plus ancienne qui soit écrite dans la langue du peuple. Les plus anciens textes datent du VIIe s de notre ère. Le plus fameux des poèmes épiques est le *Táin Bó Cuailnge,* en français *Le Vol de bétail de Cooley.* C'est le poème fondateur de la mythologie irlandaise. On y trouve, sous forme des guerriers de la Branche rouge, l'équivalent des chevaliers de la Table ronde.

À l'époque où l'on se réunissait au coin du feu autour d'un conteur pendant les longues soirées d'hiver, la narration du *Táin,* agrémentée de quelques récits annexes, prenait une semaine entière ! L'histoire centrale est une guerre entre les royaumes d'Ulster et de Connaught. Fauteuse de guerre : la reine Maeve de Connaught. En bref, elle abandonne son mari, Conor, roi d'Ulster, puis épouse Eochaid avant de tomber amoureuse du petit-neveu de celui-ci, Aillil, qui tue son grand-oncle et le remplace aux côtés de la reine. Le dénommé Aillil possédant le Taureau à la Corne blanche, Maeve veut être son égale en richesses et décide de dérober le Taureau brun de Cooley. Pour ce faire, elle envahit l'Ulster. Mais la morale est sauve : bien mal acquis ne profite jamais, et, une fois les deux bestiaux confrontés en Connaught, ils se combattent à mort et se tuent mutuellement.

C'est pour retarder l'invasion de l'Ulster qu'intervient le terrible guerrier Cú Chulaínn, fils du dieu-soleil Lugh, conçu pendant la nuit de noces de sa mère (sœur de Conor) et d'un guerrier de la Branche rouge. Il arrache un chêne, le noue d'une seule main et le place au milieu de la route, avec une inscription décrivant son exploit et plaçant un *geis* (quelque chose d'intermédiaire entre un sort et un tabou) qui intime à l'armée de Maeve de ne pas dépasser ce point sans qu'un de ses hommes n'en ait fait de même. Les hommes de Maeve échouent, et son armée doit traverser une forêt touffue qui la retarde considérablement...

Parmi les récits complémentaires figure l'une des plus belles histoires d'amour de la littérature européenne, l'une des *Three Sorrowful Tales of Ireland,* celle de Deirdre (« chagrin » en gaélique). Complexe et pleine de rebondissements, elle entremêle amour, prophéties, rêves, rivalités, intrigues et combats.

Zoom sur « le petit peuple » d'Irlande

Si votre brosse à dents disparaît, peut-être êtes-vous victime d'un *lépréchaun.* Petit lutin tout de vert vêtu, facétieux, le *lépréchaun* adore se divertir de son office de cordonnier des dieux en jouant les tours les plus pendables aux hommes. Cet artisan capricieux s'obstine à ne réparer qu'une chaussure par paire, mais il est très persévérant quand il s'agit de piéger les voleurs ou les avares. Gardien des trésors « elfiques », il fait apparaître et disparaître les arcs-en-ciel indicateurs de chaudrons d'or. Bref, vous l'aurez compris, mieux vaut l'avoir dans votre poche. Pour amadouer cet incorrigible gourmand, rien de tel qu'une part de tourte aux fruits, une portion de ragoût de mouton ou une tartine de fromage grillée.

PERSONNAGES

– ***Gerry Adams*** *(né en 1948)* **:** né à Belfast, d'origine populaire et militant républicain depuis l'enfance. Plusieurs fois emprisonné pour ses activités politiques, il est interné au sinistre camp de Long Kesh quand on vient le chercher, en hélico (excusez du peu !), pour négocier directement une trêve de l'IRA avec le secrétaire d'État à l'Irlande du Nord. Élu président du Sinn Féin en 1983, plusieurs fois député de West Belfast, mais refusant de siéger à la Chambre des communes. Très populaire, il a obtenu un score record aux élections de juin 2001. On dit qu'il possède une intuition, un sens politique, un art de la négociation et une capacité d'analyse des rapports de force hors pair. C'est lui qui s'est battu avec une incroyable détermination pour mettre fin à la politique abstentionniste des républicains lors des élections, lui aussi qui fut à l'origine de la victoire de Bobby Sands comme député aux Communes en 1981. On retrouve le même courage, la même obstination à convaincre les loyalistes protestants d'engager le dialogue, la même résolution pour arriver au cessez-le-feu puis pour obtenir le démantèlement de l'arsenal de l'IRA et son abandon de la lutte armée. Sans pour autant renoncer à ses convictions.

– ***Samuel Beckett*** *(1906-1989)* **:** le plus français des écrivains irlandais ou le plus irlandais des auteurs écrivant en français ? Son parcours commence comme celui d'un brillant rejeton d'une famille de la minorité protestante de Dublin : études de français à Trinity College, suivies d'un premier séjour à Paris comme lecteur d'anglais à l'École normale supérieure. Secrétaire de James Joyce, il se fixe en France en 1937, rompant avec sa famille et son pays, pour mener une existence matériellement difficile. C'est bien sûr son œuvre théâtrale qui lui a apporté la célébrité, assez tardivement (sa première pièce, *En attendant Godot,* écrite en français, est créée en 1953). Ce premier chef-d'œuvre est suivi de *Fin de partie* (1957) et *Oh ! les beaux jours* (1960), qui consacrent Beckett comme auteur phare du nouveau théâtre. Il est également l'auteur d'une œuvre romanesque inclassable. Le prix Nobel de littérature lui est justement décerné en 1969. Exilé volontaire, cet homme discret a toujours soigneusement vécu à l'écart de la scène médiatique.

– ***Michael Collins*** *(1890-1922)* **:** né près de Cork, c'est un héros pour les uns et un traître pour les autres. Michael Collins est d'abord fonctionnaire à Londres avant de rejoindre, avec armes et bagages, le camp des patriotes. Membre du Sinn Féin, il prend part à l'insurrection de Pâques en 1916 pendant laquelle il se fait remarquer par sa violence et sa ruse contre les Anglais. Il change d'identité comme de chemise et parvient même à jouer les taupes au sein de l'armée d'occupation ! Mais, rallié à De Valera, le chef du Fianna Fáil, il change progressivement d'avis et se veut l'artisan d'un compromis avec la Grande-Bretagne qui donnerait, dit-il, « suffisamment de liberté pour parachever la liberté ». Il signe le traité de Londres en 1921. Renié par De Valera, il devient président du gouvernement provisoire. Lors de la guerre civile qui suit, il est tué par des républicains extrémistes au mois d'août 1922.

– ***Seamus Heaney*** *(né en 1939)* **:** le dernier en date des Prix Nobel de littérature irlandais (millésime 1995). Après tout, il n'est que le quatrième de la série ! Ce poète et essayiste, né dans le comté de Derry, est issu d'une famille catholique. Après avoir étudié et enseigné à Belfast, de 1957 à 1972, il s'est finalement installé en république d'Irlande. Son œuvre, qu'on qualifie poliment d'« érudite », n'est pas des plus facile à lire : elle s'appuie sur un héritage profondément gaélique (sur ce point, la filiation de Seamus Heaney est à chercher du côté de Yeats), mais elle trouve aussi ses racines dans la dure réalité d'un pays déchiré.

– ***James Joyce*** *(1882-1941)* **:** il suit des études classiques et se dirige très vite vers la littérature. Mais cet Irlandais critique choisit rapidement l'exil : à 20 ans, il est à Paris, puis à Trieste où il enseigne pour assurer la subsistance des siens (en 1904, il rencontre Nora Barnacle, et deux enfants naissent en 1905 et 1907). Après 1912, il restera définitivement sur le continent, en France, en Italie ou en Suisse. Et pourtant Joyce ne parlera guère dans son œuvre que de l'Irlande, en particulier de sa ville, Dublin. Peu de villes au monde ont eu droit à un pareil hymne d'amour que Dublin dans *Ulysse,* un des sommets de la littérature romanesque du XXe s (voir « Livres de route » dans « Irlande utile »). Après *Ulysse,* qui pousse déjà très loin la technique d'écriture romanesque, Joyce se lance dans un projet encore plus ambitieux, aux limites de la lisibilité, *Finnegan's Wake,* auquel il consacre 15 ans de sa vie.

– ***Sean McBride*** *(1904-1988)* **:** son père est l'un des héros des Pâques sanglantes de 1916, fusillé avec les autres leaders de l'insurrection. Sa mère, Maud Gonne, est l'une des grandes pasionarias de la cause nationaliste, qui a enflammé le cœur de W. B. Yeats. Nul ne s'étonnera donc que le jeune Sean, opposé au traité de partition de l'Irlande, rejoigne l'IRA, en devenant son chef d'état-major vers la fin des années 1930. Puis il se consacre à son métier d'avocat et défend les militants républicains emprisonnés. En 1946, il crée un parti nationaliste et occupe le poste de ministre des Affaires étrangères dans un gouvernement de coalition. Il est parmi les fondateurs d'*Amnesty International* en 1961, et honoré à ce titre par le prix Nobel de la paix en 1974. Toujours sur la brèche, il restera jusqu'au bout fidèle à la cause républicaine. Un très, très grand homme donc, longtemps cauchemar de la classe politique britannique. Quand il mourut, le *Daily Telegraph* titra : « *Death of an Evil* » (« Mort d'un démon »)...

– ***George Bernard Shaw*** *(1856-1950)* **:** romancier, essayiste et dramaturge, ce grand pessimiste maniant l'ironie et la dérision comme personne reçut le prix Nobel de littérature en 1925. G. B. Shaw fut d'abord marqué par son enfance pauvre à Dublin. Révolté contre l'injustice sociale, pamphlétaire dénonçant l'hypocrisie de la société victorienne, il rédige en 1884 le manifeste de la *Fabian Society.* Socialo et féministe avant la lettre, Shaw écrit de nombreux ouvrages politiques avant de devenir critique musical et dramatique. C'est au travers du théâtre qu'il se fait connaître dans le monde entier : 57 pièces en tout. Parmi ses œuvres, citons *Le Héros et le Soldat,* qui tourne l'héroïsme en dérision, *La Profession de Mme Warren,* qui dénonce la prostitution, tandis que *Sainte Jeanne,* plus lyrique, juge Jeanne d'Arc comme la « femme fatale » du catholicisme. Mais c'est *Pygmalion,* sa pièce la plus célèbre, qui va crever le rideau, puis l'écran, à travers son adaptation au cinéma rebaptisée *My Fair Lady.* Aujourd'hui, ses aphorismes sont repris à la TV, au théâtre et dans certains dîners en ville. « Celui qui peut le fait, celui qui ne peut pas l'enseigne » : voilà un réel sujet de réflexion !

– ***Jonathan Swift*** *(1667-1745)* **:** né à Dublin, le père de Gulliver est probablement le fils non reconnu d'un notable anglo-irlandais. Ordonné prêtre à l'âge de 28 ans, il occupe des emplois de secrétaire avant de se faire connaître comme pamphlétaire à Londres. Swift dérange. Son œuvre majeure, *Les Voyages de Gulliver* (1726), a d'abord été publiée sous un faux nom. Pas fou, Swift : il savait très bien ce que son conte philosophique pouvait faire encourir à son auteur. Cet homme d'Église, qui ne dédaignait pas écrire des textes antireligieux, a été l'homme de deux femmes : Stella, sans doute sa nièce, à qui il a écrit de nombreuses lettres, et Vanessa, dont il fut le précepteur et avec qui il vécut maritalement pendant quelque temps. Tout s'est gâté quand Vanessa a écrit à Stella avant de mourir ! Mais il se réconcilia néanmoins avec Stella. Swift a régulièrement pris parti pour l'Irlande opprimée, même s'il n'adhérait pas aux valeurs de ce pays qui, pour lui, a souvent signifié l'exil. Sa *Modeste proposition au sujet des enfants pauvres,* acte de naissance de l'humour noir (Swift propose de faire des enfants pauvres, une fois bien nourris, un mets de choix pour les riches), est la preuve de sa profonde compassion pour les souffrances du peuple irlandais.

– ***Oscar Wilde*** *(1854-1900)* **:** Oscar Fingal O'Flahertie Wills Wilde, tenant plus que tout à ses origines (installé à Londres, il déclara : « *I am not English. I am Irish, which is quite another thing* »), a connu deux vies bien différentes dans sa courte existence. Auteur à succès dans différents genres (poésie, théâtre, roman), il semble promis à une brillante carrière londonienne. Mais, dans la prude société victorienne, il commet l'erreur d'attaquer en justice le père de son amant, qui avait révélé les *unnatural practices* dont Wilde se rendait coupable, selon lui, avec son fils. L'écrivain aura beau citer la Bible en se plaçant sous le patronage de David et Jonathan, rien n'y fait, il est lourdement condamné. Il effectue sa peine dans la geôle de Reading. Libéré en 1897, il est ruiné et ne peut plus espérer retrouver sa place dans la société. Exilé à Paris, il meurt d'une méningite en novembre 1900.
– ***William Butler Yeats*** *(1865-1939)* **:** né à Dublin, protestant d'ascendance anglaise, fils de peintre, Yeats est devenu un des chantres du nationalisme irlandais, acquis à la cause à la suite de la rencontre avec l'actrice Maud Gonne. L'œuvre poétique de W. B. Yeats illustre une certaine tendance du romantisme irlandais, nourri de thèmes de l'Irlande païenne et de mysticisme. Même s'il a pu lui arriver, par périodes, de se retrancher dans sa tour d'ivoire, Yeats a donné un nouvel élan à la vie littéraire de son pays, en fondant la Société de littérature nationale puis la Société dramatique nationale irlandaise, qui allait donner naissance à l'*Abbey Theatre,* creuset de la scène irlandaise. Prix Nobel de littérature en 1923, il est enterré à Drumcliff (comté de Sligo), dans la région qui a le plus inspiré sa poésie.

POPULATION

L'Irlande ne compte que 4,58 millions d'habitants environ dans les 26 comtés de la république (et 1,79 million dans les 6 comtés d'Irlande du Nord). Quelques chiffres : en 1841, l'île comptait 8,5 millions d'habitants ; en 1951, elle n'en comptait plus que la moitié. La Grande Famine et l'émigration avaient accompli leur œuvre... Pendant plus de 100 ans, le phénomène chronique qu'était devenu l'émigration a vidé l'Irlande de ses forces vives : le pays perdait entre 20 000 et 60 000 habitants par an, le nombre des émigrants excédant celui des naissances. Il a fallu attendre les années 1970 pour que le phénomène s'amenuise et que de nouvelles perspectives d'emploi en Irlande même retiennent au pays bras et cerveaux. Entre 1996 et 2002, la population a progressé de 8 % ! L'immigration a été jugée excessive, et la loi irlandaise qui permettait d'accorder la nationalité irlandaise à tout enfant né sur le sol irlandais, même né de deux parents étrangers, a été amendée en 2004. Mais avec la crise et le chômage élevé, de nombreux étrangers venus chercher du travail sont repartis et les Irlandais s'exilent à nouveau (fin 2011, on prévoyait pour 2012 75 000 départs d'Irlandais à la recherche d'emploi hors de leur île).
On a calculé que, sans toutes les vicissitudes de l'histoire, l'île compterait aujourd'hui autour de 15 millions d'habitants. À titre de comparaison, il y a environ 40 millions d'Américains d'origine irlandaise ! Voilà pourquoi, lors de votre voyage en Irlande, vous aurez peut-être l'impression que les Américains sont partout : ils reviennent en pèlerinage sur la terre de leurs ancêtres...
La densité de population est inégale : le grand Dublin concentre près du tiers de la population du pays. Les campagnes des comtés de l'Ouest et du Nord-Ouest sont relativement désertes. C'est là aussi un des charmes de l'Irlande...

Les *tinkers*

En caravane moderne, ou en roulotte, les *tinkers* n'ont pas la même origine que les tsiganes ou les « romanos » de chez nous. La majorité d'entre eux sont le résultat direct des expulsions de paysans pauvres de leurs terres par les *landlords* anglais, et surtout de la Grande Famine de 1845. Les *tinkers* n'ont, pour ainsi dire, jamais arrêté de marcher depuis. Ils sont spécialistes des petits métiers de la route et font de jolies choses en vannerie, et surtout en cuivre et en étain (d'où l'origine de leur nom provenant du travail du métal... « tink-tink »). Selon le dernier recensement, ils seraient 24 000. À signaler que le mot « *tinkers* » possède en Irlande une connotation péjorative ; « *travellers* » est largement plus correct. Délaissés, voire ignorés par la population, ils ont de plus en plus tendance à s'implanter autour des banlieues défavorisées de Dublin.

RELIGIONS ET CROYANCES

On ne vous l'apprendra pas, l'Irlande est un pays très religieux, où le pape est encore bien perçu. Vous aurez de nombreuses occasions de vous en rendre compte : statues de la Vierge au détour du chemin, affluence à la messe du dimanche, bible dans le tiroir de votre table de chevet et, sur certaines radios, minute de silence pour la prière du soir. Tous les ans, l'ascension du Croagh Patrick rassemble plusieurs centaines de milliers de pèlerins, et la minuscule île du Purgatoire-de-Saint-Patrick, sur le lough Derg dans le Donegal, peut recevoir jusqu'à 2 500 pénitents pour trois nuits de prières et de mortification.
Pourquoi un tel succès ? Pour comprendre, il faut faire un petit retour en arrière. Le christianisme s'est imposé en douceur et n'a pas relégué les anciens lieux et personnages sacrés au rang d'antiquités diaboliques. Il les a assimilés. Ainsi, Brighid, plus ou moins déesse de la Fertilité, est devenue sainte Brigitte et assure, avec saint Patrick, la protection de l'Irlande. Les puits à souhaits *(wishing wells)* et les sources restent, mais leur histoire est modifiée : tel saint y a bu, tel autre l'a fait jaillir. N'oubliez pas que les premiers évêques étaient des druides convertis. Ainsi, on n'a pas systématiquement interdit les anciennes pratiques comme on l'a fait sur le continent : pas de conflit avec une religion qui respecte les convictions profondes de ceux qui la pratiquent. Il reste aujourd'hui de nombreuses traces de cette époque. On n'aime pas trop parler des « Forts des Fées », ces points de passage avec l'autre monde, et on fait parfois des offrandes au « petit peuple ».
Les Anglais ont tout d'abord tenté de mettre le christianisme local à la sauce continentale du XIIIe s avant de passer carrément au protestantisme. La religion est alors devenue le symbole de la résistance irlandaise face à l'envahisseur anglican. Daniel O'Connell a fondé l'Association catholique et réuni, en 1843, près de 1 million de personnes à Tara (ancienne capitale des rois celtes, encore un mélange celto-catho) ; enfin, la Constitution de 1922 présente un aspect résolument clérical.
Aujourd'hui, même si le pays reste profondément religieux, les choses bougent. D'une part, l'humour et la tolérance des Irlandais leur ont permis de surmonter cette crise identitaire. Un curé, interrogé sur les pratiques païennes de ses paroissiens, répondit, sincèrement étonné d'une telle question, que « le royaume de Dieu était bien assez grand pour accueillir aussi les fées et les lutins ». D'autre part, de 1990 à 1997, une femme, mariée à un protestant, a œuvré à la tête du gouvernement pour faire accepter des idées telles qu'avortement, homosexualité et contraception. En parlant de contraception, cela aurait certainement évité à un évêque ultracatholique de trouver, il y a de ça quelques années, la photo de son fils illégitime en première page des journaux. N'oublions pas non plus que les révélations, ces dernières années, sur les agissements scandaleux de

NOM DE DIEU !

Depuis 2010, une loi punit tout blasphème d'une amende de 25 000 €. L'Europe laïque n'est pas pour demain ! Ces réglementations d'un autre temps se trouvent renforcées. Pour être honnête, il faut préciser qu'en Alsace le blasphème peut être puni (en principe) de 3 ans de prison.

religieuses à la tête de blanchisseries pour mères célibataires ainsi que les dénonciations de prêtres pédophiles ont mis à mal la foi sans mesure que les Irlandais vouaient à l'Église. Le divorce n'est légal que depuis 1995 et les anti-avortements ont encore de beaux jours devant eux. Le chemin vers la laïcité est encore long !

SAUMON SAUVAGE D'IRLANDE

Poisson mythique des Celtes, le saumon sauvage remonte encore en nombre appréciable la plupart des rivières du pays. L'Irlande a su conserver une population naturelle de saumons, même si celle-ci a fortement décliné.
Les saumons sauvages pondent en décembre sur les frayères aux eaux très pures et bien oxygénées. Les alevins naissent en mars-avril et vont séjourner dans la rivière durant 1 an ; au mois d'avril suivant, ils se métamorphosent. Ils deviennent alors des *smolts,* qui quittent leur rivière natale pour entreprendre un périple qui les mènera au large des îles Féroé et à l'ouest du Groenland. Un ou deux ans plus tard, ils quittent ces lieux de croissance en mer et reviennent vers leur pays d'origine. Les saumons adultes atteignent les côtes du pays à partir du mois d'avril, mais la plus grande migration vers leur berceau se déroule en juin et juillet.
C'est à ce moment-là qu'ils étaient capturés au filet par des pêcheurs professionnels. « Étaient », car depuis 2006, cette pêche en mer est absolument interdite, et vous verrez d'ailleurs sur les côtes de nombreuses pancartes écrites par des pêcheurs mécontents qui ont perdu leur gagne-pain – tout en étant correctement dédommagés, rassurez-vous. Pas la peine, donc, de chercher du saumon sauvage dans votre assiette : si saumon il y a, il est issu de fermes aquatiques.
En mai et juin, on peut observer ces magnifiques poissons en action, lorsqu'ils sautent rageusement pour remonter les rivières et franchir cascades et barrages. Les amateurs de pêche à la ligne – encore autorisée, elle, dans certaines rivières – pourront se rendre, par exemple, à Ballina (comté de Mayo), ville située sur la rivière Moy, une des plus poissonneuses d'Irlande.

SAVOIR-VIVRE ET COUTUMES : LE PUB IRLANDAIS

Comment boire ?

Le pub est probablement l'une des institutions irlandaises les plus connues. Il évoque irrésistiblement des images colorées, animées, pleines de chaleureuses discussions, d'odeurs fortes de moquettes imprégnées de bière... Entrons dans ce bain de vapeur surpeuplé, dont il est indispensable d'énoncer quelques us et coutumes.
D'abord, à moins que vous ne vouliez seulement humer l'atmosphère et vous pénétrer de l'ambiance, ne vous écroulez pas sur la banquette en criant « Garçon, un demi ! », vous auriez encore le gosier sec à l'heure de la fermeture. Ici, on va chercher sa consommation au comptoir, difficile à atteindre aux heures de pointe. Le barman sait exactement l'ordre d'arrivée des clients.
Si vous avez très, très soif, ne vous impatientez pas la première fois que vous commandez de la Guinness, puisqu'elle se tire en deux fois, amoureusement. On paie sitôt servi, excellente chose qui évite les contestations de fin de beuverie.
Le midi, et le soir parfois aussi, les pubs vous offrent une restauration copieuse et variée : soupes, sandwichs ou le *pub grub,* plat consistant à prix fort raisonnable.
À moins d'être particulièrement asocial, vous ne resterez pas souvent seul plus de 10 mn devant votre verre. Les Irlandais sont d'adorables bavards et voudront tout connaître de vous. Important ! Si l'on est invité par des Irlandais, on ne paie pas

la première tournée, et surtout, on n'insiste pas... sous peine de s'exposer à de graves ennuis diplomatiques. Il est d'usage de boire aussi souvent que l'Irlandais qui est avec soi. Conseil précieux : si vous n'êtes pas habitué à la bière ou si vous en faites d'habitude une consommation mesurée, commencez par des *half pints* (ou *glasses* en Eire). Pour les soiffards, il est bon de savoir qu'il est plus intéressant de descendre des *pints,* car une *pint* revient moins cher que deux *half pints.* Lorsqu'on est trois ou quatre, son tour venu, il faut payer son *round* (« tournée »). Si le groupe est plus nombreux, un *round* revenant très cher, les buveurs constituent un *pool* (« une petite banque ») : chacun pose des sous sur la table et on écluse jusqu'à épuisement de l'argent (quitte à en remettre en cours de route).

GUINNESS : PRESSION OU BOUTEILLE ?

À la pression, bien sûr. D'abord parce que la mousse si crémeuse s'obtient uniquement avec une tireuse à azote (et non avec du vulgaire CO_2). En plus, les bars utilisent un ustensile secret : une microgrille dans le robinet qui fait éclater les bulles et qui rend la mousse si compacte. Enfin, seule une tireuse sort la bière à exactement 6 °C.

Bon, maintenant, quelques termes rituels : si l'on vous propose un *half one,* sachez qu'il ne s'agit pas d'une *half pint,* mais d'un de ces verres de whiskey qui vous tombent comme une bombe au phosphore droit dans l'intestin ! De même un *chaser* est une *pint* accompagnée de whiskey, et le *black and tan* un mélange de *Guinness* et de bière rousse ou blonde (une invention des Anglais !).
Recommandation essentielle ! À l'approche de la fermeture, au moment du « *Last orders, gentlemen !* », prévoir large et commander deux ou trois pintes, sous peine de se retrouver sans stock si la résistance à la fermeture se révèle plus longue que prévu ! Ne tremblez surtout pas si le patron vous intime l'ordre de finir votre verre et de vider les lieux. Ses expressions favorites sont : « *Are you right there, folks ?* » ou « *All together now* » ou encore « *Come on now, finish up your drinks !* », etc. Regardez autour de vous : les Irlandais s'en fichent complètement. Ils ont effectué à temps des réserves et éclusent tranquillou. C'est une sorte de jeu. Dans le Nord, dans certains pubs des quartiers républicains, les clients mettront souvent une heure ou deux à déguerpir et joueront au chat et à la souris avec le patron. Pour finir, ne pas croire que, les dernières lumières éteintes, la vie s'arrête ; on continuera à boire chez quelqu'un dans une *party,* parfois jusqu'à l'aube. Si vous êtes invité à l'une d'entre elles, avant d'y aller, achetez donc dans un pub *off-license* (c'est-à-dire qui vend pour la consommation à l'extérieur) un *six-pack* de bière, ça sera toujours apprécié, surtout que, maintenant, la Guinness pression existe en boîte !
Enfin, il est de bon ton de se lever avec les Irlandais quand parfois ils entonnent l'hymne national pour clore la soirée. Dans le Nord, dans les *social clubs* et pubs, c'est un moment très émouvant.

Guide pratique

À la différence de l'Angleterre, les enfants accompagnés sont acceptés dans les pubs (avec quelques exceptions à Dublin). Leur présence y semblera normale jusque vers 18h ou 19h.
De nombreux pubs pratiquent les *happy hours* entre 17h et 19h, où les prix diminuent d'environ 20 %.
Aux *pub addicts,* rappelons les ***horaires d'ouverture*** :
– ***en Eire :*** (théoriquement !) du lundi au jeudi de 10h30 à 23h30, les vendredi et samedi de 10h30 à 0h30 et le dimanche de 12h à 23h ; en hiver, parfois fermeture 30 mn plus tôt le soir. Cela dit, la pression (sans jeu de mots) des proprios de pubs s'est intensifiée ces derniers temps pour que cette limite soit reculée de 30 mn ou même de 1h. Dans les faits, les pubs ferment rarement à l'heure légale. Certains

se transforment en *late bars* (mi-discothèque, mi-bar) qui ne ferment que vers 2h ou 3h ;
– ***en Irlande du Nord :*** du lundi au samedi de 11h30 à 23h30 et le dimanche de 12h30 à 22h, avec quelques variantes (beaucoup ferment le dimanche). Quelques établissements, surtout ceux qui proposent repas ou musique live, restent ouverts jusqu'à 1h.

SITES INSCRITS AU PATRIMOINE MONDIAL DE L'UNESCO

Organisation des Nations Unies pour l'éducation, la science et la culture

En coopération avec le centre du patrimoine mondial de l'UNESCO

Pour figurer sur la liste du Patrimoine mondial, les sites doivent avoir une valeur universelle exceptionnelle et satisfaire à au moins un des 10 critères de sélection. La protection, la gestion, l'authenticité et l'intégrité des biens sont également des considérations importantes.
Le patrimoine est l'héritage du passé dont nous profitons aujourd'hui et que nous transmettons aux générations à venir. Nos patrimoines culturel et naturel sont deux sources irremplaçables de vie et d'inspiration. Ces sites appartiennent à tous les peuples du monde, sans tenir compte du territoire sur lequel ils sont situés.
Pour plus d'informations : • *whc.unesco.org* •
En Irlande, les sites inscrits sont les suivants :
– ***république d'Irlande (Eire) :*** l'île Skellig Michael et l'ensemble archéologique de la vallée de la Boyne ;
– ***Irlande du Nord (Ulster) :*** la Chaussée des Géants.

SPORTS, JEUX

Le sport occupe une énorme place en Irlande, et ce serait une erreur de croire que le rugby est le jeu le plus prisé par les Irlandais, même s'il compte beaucoup. Le *hurling* et le football gaélique, sports typiquement irlandais, pratiqués par des centaines de milliers de joueurs regroupés dans la *GAA (Gaelic Athletic Association),* sont infiniment plus populaires. La GAA est elle-même une expression du nationalisme irlandais et possède des sections dans le monde entier, partout où se trouvent des communautés irlandaises. Pour en savoir plus, visiter le musée des Sports gaéliques à Dublin ou consulter le site • *gaa.ie* •
– ***Le hurling :*** c'est un genre de hockey sur gazon, longtemps interdit lors de l'occupation britannique, et qui mérite le titre de jeu de balle le plus rapide du monde. En Irlande, on y joue depuis des siècles, et aujourd'hui encore dans les écoles. Ce sport assez brutal se pratique à 15 avec une batte en bois de frêne, appelée *hurley* en anglais et

LE SPORT ADOUCIT LES MŒURS

L'équipe nationale d'Irlande de rugby est un cas unique puisqu'elle représente deux entités politiques différentes, la république d'Irlande et l'Irlande du Nord. Un hymne a été spécialement créé en 1995, l'Ireland's Call, *joué après l'*Amhran na bhFiann *(hymne de l'Eire) lorsque les matchs ont lieu à Dublin. En déplacement, c'est en principe* l'Ireland's Call *et le* God Save the Queen *qui sont joués. Même subtilité pour le drapeau : celui de la république d'Irlande est déployé à Belfast tandis qu'un drapeau supplémentaire représentant les quatre provinces irlandaises flotte à côté lors des matchs à Dublin.*

camán en gaélique, et une balle de cuir, le *sliotar.* Les buts se composent de poteaux de rugby avec une cage de football en dessous... étonnant ! Il faut expédier le *sliotar* entre les poteaux. Trois points au-dessous de la barre (mais il y a un gardien !) et un point au-dessus. Souvent, la balle va si vite qu'on ne la voit pas voler. De mai à septembre, les clubs s'affrontent pour atteindre les *semi-finals,* puis la finale qui a lieu traditionnellement au Croke Park, à Dublin, le premier dimanche de septembre. Ambiance assurée. Il existe une version féminine du *hurling,* le *camogie.*

– ***Le football gaélique :*** probablement le sport le plus cher au cœur des Irlandais. 15 joueurs dans chaque camp. On peut au choix jouer au pied ou à la main, mais si l'on porte le ballon à la main, il faut dribbler ou passer au bout de quatre pas. Les points s'obtiennent de la même manière qu'au *hurling* : trois en dessous de la barre et un au-dessus. Le jeu gagne en rapidité et en spectacle. Le championnat dure de mai à juillet, et la sélection des gros bras et des gros mollets s'opère au niveau des comtés, puis des quatre provinces pour les *semi-finals,* pour aboutir au *All Ireland Final* qui se joue également à Croke Park, à Dublin. Kerry et Dublin sont les deux clubs les plus titrés. Tous les joueurs sont amateurs, même les plus grands.

– ***Le golf :*** près de 300 terrains de golf (9 et 18 trous), ce qui prouve qu'en Irlande ce sport est celui de monsieur Tout-le-Monde. Les débutants peuvent toujours affiner leur talent au *pitch-and-putt,* sorte de golf d'entraînement limité à deux gestes (*pitch,* « lancer », et *putt,* « faire rouler »). Assez amusant, même pour un néophyte.

– ***Les fléchettes (darts) :*** revoilà le pub... Le jeu remonterait à la guerre de Cent Ans. La légende veut qu'un jour où il faisait un temps de chien, les archers anglais, abrités sous une grange, s'amusèrent à lancer des flèches sur la tranche d'un billot de bois. Ils en vinrent vite à raccourcir leurs projectiles jusqu'à obtenir des « *dartes* » (le mot est d'ailleurs français), proches des fléchettes actuelles. Les divisions en secteurs de la cible moderne s'inspireraient de même des veines d'éclatement du bois. Ainsi naquit ce jeu célèbre aux règles compliquées. On peut jouer individuellement ou par équipes. Le but du jeu est de partir d'un chiffre donné et d'arriver le premier à zéro, en déduisant à chaque fois les points obtenus. Ce chiffre est généralement de 301 lorsqu'il s'agit de deux joueurs et de 501 pour deux équipes. Chaque joueur dispose de trois fléchettes et tente de les placer dans la cible posée à 1,73 m du sol et située à 2,74 m d'une ligne appelée *hockey line.* Les secteurs sont numérotés de 1 à 20, apparemment dans le désordre ; en fait, les numéros les plus élevés sont encadrés des numéros les plus faibles. Chaque fléchette marque les points correspondant au point d'impact. Le cercle extérieur double les points, celui du milieu les triple, le centre (*bull eye,* de couleur rouge ou noire) vaut 50 points, et le petit cercle vert autour 25 points. Les fléchettes qui se plantent mais finissent par tomber ne comptent pas. Voilà pour les règles pratiquées en compétition officielle. Maintenant, ça se complique encore : chaque pub a ses habitudes, ses propres règles. Il existe d'autres jeux de fléchettes comme le « killer », le « cricket » et bien d'autres encore. Les fléchettes dans les pubs sont avant tout un passe-temps, un jeu qui se termine toujours autour d'une bonne pinte de bière.

– ***Les courses de lévriers :*** encore un must pour qui veut approcher l'âme irlandaise. Toute l'année et tous les jours (généralement le soir), sauf parfois le dimanche, dans toute l'Irlande, sur une vingtaine de cynodromes. Ambiance indescriptible. Les paris sont innombrables et des millions d'euros changent de mains chaque semaine... Pour les passionnés, il y a même un site internet complet : ● *igb.ie* ●

– ***Le beagling :*** une chasse à courre à pied... où l'on ne tue pas l'animal ! Se pratique en hiver. Les participants partent derrière une meute de beagles (sorte de bassets), sur les traces d'un lièvre. Le jeu se termine lorsque l'animal est acculé, après une rude poursuite. Pour y participer, il suffit d'une sacrée endurance.

– ***La pêche :*** la pêche en eau douce est toujours intéressante. D'accord, il ne suffit pas de tremper du fil pour prendre brochet, truite ou saumon, mais en insistant un tout petit peu et en étant déjà un peu pêcheur, on a de bonnes chances de s'amuser.
La pêche au saumon et à la truite de mer requiert une licence. Pour les autres types de pêche, ça dépend des régions. La somme demandée est assez modique. La pêche en mer réserve aussi de bonnes émotions. On peut y attraper de beaux lieus, roussettes, congres, lingues, ainsi que des raies. La pêche au requin se pratique de juin à septembre. Son poids moyen est de 40 à 80 livres et il peut atteindre 3,50 m de long : sur la photo, ça fait toujours bien... même si votre mérite est moindre, car ce poisson pas très futé mord tout ce qu'il rencontre ! Si vous voulez voir des requins, allez à Achill Sound (Nord-Ouest) au printemps : tout occupés à manger de plus petits poissons, ils foncent dans les filets que mouillent les pêcheurs...

DUBLIN ET SES ENVIRONS

DUBLIN (BAILE ÁTHA CLIATH)

1 200 000 hab. IND. TÉL. : 01

▶ Les cartes de Dublin et le plan du métro se trouvent sur le plan détachable, en fin de guide.

Enfin une capitale à taille humaine ! À l'image de Leopold Bloom, le héros de Joyce dans *Ulysse,* vous découvrirez vite qu'à Dublin la meilleure façon de marcher, c'est bien sûr la vôtre. Les Dublinois aiment arpenter le bitume, entre deux emplettes sur O'Connell Street ou entre deux *Guinness* dans Temple Bar. Rien n'est jamais très loin dans ce centre historique où se côtoient quartiers flambant neufs, entrepôts délabrés des bords de la Liffey, ou ruelles qui paraissent jaillir du XIXe s. Car le centre-ville a peu bougé depuis un siècle. Encore beaucoup d'occasions de balades sympas, surtout le soir, quand le soleil projette sur les eaux noires de la Liffey une aura mélancolique.
La Liffey, aux eaux mornes et nonchalantes, sépare la ville en deux parties : rive nord, les grandes artères commerçantes, les grands monuments civils ; rive sud, les monuments plus anciens, les restes de la ville médiévale, l'université et les belles demeures georgiennes rappelant le passé aristocratique de Dublin. L'animation est grande des deux côtés du fleuve : rive nord, elle est plus populaire autour de Talbot Street et Henry Street ; rive sud, l'atmosphère est un peu plus sophistiquée, surtout autour de Grafton Street et ses magasins de luxe, et à la fois plus jeune avec les étudiants de Trinity College...
Dublin se révèle vraiment une ville à part ; d'ailleurs, beaucoup de gens vous diront que ce n'est pas vraiment l'Irlande. Bien qu'elle ait été le berceau du nationalisme irlandais, elle n'en demeure pas moins marquée par son passé britannique. Les marques de l'*ascendancy* protestante se retrouvent partout. Le mode de vie et les habitudes indiquent aussi une pénétration britannique profonde. La grande voisine est encore trop proche.
Prenez donc le temps de découvrir cette ville qui ne risque d'être un peu ennuyeuse que pour celui qui ne sait pas voir. Restez-y en tout cas plus d'une journée. Le temps de boire une bonne bière noire, de chanter aussi et d'apprécier les traces laissées par les grands écrivains du pays. Comme pour justifier ce double adage des Dublinois : « Tu boiras et tu liras. »

UN PEU D'HISTOIRE

Aux premiers siècles de notre ère, des Celtes s'étaient déjà installés sur les bords de la Liffey, que l'on franchissait facilement à gué, d'où son nom en gaélique : *Baile Atha Cliath,* la « ville du gué aux claies » (ou aux haies). *Dubh Linn,* la « mare

noire », était probablement un quartier de la ville, qui devait son nom aux eaux noires de l'estuaire. Au IXe s, des pirates vikings y construisirent un fort. La municipalité, obligée de trouver une date de naissance pour le millénaire de la ville, choisit 988, date de la première trace écrite du paiement d'un impôt !
En 1170, Dublin tomba aux mains des Normands, qui construisirent le célèbre château et fortifièrent la cité. Il en reste aujourd'hui une tour et quelques vestiges de remparts. De cette période à 1921, Dublin symbolisa le pouvoir britannique. Mais la cité ne s'affirma vraiment qu'au XVIIIe s. Le commerce maritime florissant et l'exploitation forcenée de la paysannerie irlandaise favorisèrent l'apparition d'une riche bourgeoisie protestante. La ville se couvrit de monuments civils prestigieux, de belles demeures et de romantiques jardins. En 1782, avec l'autonomie octroyée au Parlement irlandais, Dublin atteignit le faîte de sa splendeur et du pouvoir. Pourtant, suite à la révolte des *United Irishmen,* en 1800, la suppression du Parlement, la reprise en main directe de l'Irlande par l'Angleterre, le départ de l'*ascendancy* et des grands propriétaires pour Londres provoquèrent le déclin rapide de la ville. Les masses paysannes ruinées, affamées, s'y entassèrent bientôt.
Au moment de la révolution industrielle, Dublin se prolétarisa au point que, au début du XXe s, elle était l'une des villes les plus pauvres d'Europe. La grande grève générale de 1913, qui dura 6 mois, se fit sur fond de misère effroyable. Le taux de cas de tuberculose y était le plus élevé de toutes les capitales de l'époque. Le découragement de la population était à son comble.
En fait, la ville connut dès la fin du XIXe s un extraordinaire bouillonnement culturel. Lady Gregory et Yeats rallièrent tous ceux qui voulaient faire revivre la culture gaélique. La création de l'*Abbey Theatre* fut un grand événement. Une pièce de Yeats, *Cathleen ni Houlihan,* fit pleurer tout Dublin. Parallèlement, l'agitation politique reprit (création du Sinn Féin, etc.). C'est dans ce terreau culturel et politique que se prépara la grande insurrection de Pâques 1916, la prise de la Grande Poste et la proclamation de la république.

Ville grise tout en couleurs

De 1921 aux années 1970, la cité n'évolua guère, gardant quasiment intacte son apparence de ville du XIXe s. Les immeubles se dégradaient, tombaient plutôt, comme ça, de temps à autre, au milieu de modernes et incongrues nouvelles pièces rapportées. Les taudis faisaient place à d'immenses parkings, faute de moyens pour construire autre chose. Puis les subventions de l'Union européenne et le boom de la Net-économie passèrent par là. Des quartiers entiers jaillirent de terre, comme celui de Docklands, avec son lot de sièges d'entreprises internationales, de centres commerciaux, d'hôtels dédiés au tourisme d'affaires, d'appartements pour *golden boys.* Au début des années 2000, le moderniste sans états d'âme semblait avoir pris le pas sur les autres.
Mais heureusement, Dublin, c'est avant tout ses habitants. Les vrais. Les yuppies et autres bobos y sont encore minoritaires. En revanche, les Molly Malone, les truculents et incroyables personnages de Brendan Behan, sont encore nombreux et se laissent découvrir par ceux qui s'en donnent la peine, par ceux qui prennent le temps de parcourir d'autres quartiers. Allez dans les Liberties ou sur Rathmines Road, à la recherche de ces gens extraordinaires qui répondaient autrefois aux noms de Jembo-no-Toes, Johnny Forty Coats, Damn-the-Weather ou Jack-the-Tumbler et qui ont toujours des héritiers... Trop de visiteurs ratent ces Dublinois exceptionnels et pleins d'humour parce qu'ils ne vont pas aux courses de lévriers ou dans les pubs les plus perdus, hors des sentiers battus.
Dublin doit donc être vue sous toutes ses facettes : les belles rues et les quartiers georgiens, bien sûr, mais aussi les aspects les moins évidents, les plus cachés, ruelles, *lanes,* cours intérieures, terrains vagues, façades solitaires, fenêtres aveugles. Bref, un quotidien insolite que l'on ne perçoit plus, tant l'œil l'a banalisé. Alors éclatent des détails architecturaux insoupçonnés, des images étranges, parfois artistiques et poétiques, derniers clins d'œil complices d'une architecture en fin de

cycle... à ceux qui sauront les saisir. Dublin, c'est une ville grise tout en couleurs, aux contradictions attachantes, à l'adorable caractère décousu... Petit à petit, la ville reprend des forces, passe à la vitesse supérieure sans pour autant rompre avec son identité. Et c'est ça qui est saisissant, ce contraste entre la tradition des briques georgiennes, la musique folklorique et le béton brut de décoffrage ou la pop qui envahit les salles de concerts.
Donc, Dublin, on aime vraiment. D'une douce passion, un peu douloureuse parfois... Comme nous, vous aurez plaisir à saisir des images fortes ou poétiques qui iront se loger dans un coin de votre tête, accompagnées de quelques dérives esthétiques. Elles vous aideront à découvrir cette capitale entrée dans la modernité, mais qui, malgré certaines apparences, n'a pas bradé son identité.

JAMES JOYCE, *ULYSSE* ET DUBLIN

Peu de héros de roman ont eu droit à une consécration posthume de la part de leur pays d'origine. Leopold Bloom, le héros d'*Ulysse* de James Joyce (voir « Livres de route » dans « Irlande utile » en début de guide), fit pourtant scandale en son temps, au même titre que le bouquin. Tous les ans, à la même date (le 16 juin), Dublin célèbre le ***Bloom's Day,*** une grande fête destinée à rendre hommage à ce personnage hors du commun et, à travers lui, à Joyce. Le principe de cette fête haute en couleur consiste à entraîner le grand public (les initiés autant que les néophytes) sur les traces de Bloom, ce héros peu banal. Mais, en 2004, Dublin a vécu un Bloom's Day d'anthologie, puisqu'il s'agissait de commémorer le centenaire de cette mémorable balade. Dans le livre, le jeudi 16 juin 1904 en effet, Bloom effectue environ 18 miles (dont 8 au moins à pied) dans Dublin, et ce entre 8h et 2h. Au fil des pages, le lecteur se retrouve ainsi au 7, Eccles Street (son domicile), chez *Sweny's* (« the Chemist »), à l'*Ormond Hotel,* à la *Jesuit House* de Gardiner Street, au pub *Barney Kiernan's,* chez Bella Cohen... Autant de lieux en partie disparus de nos jours et pourtant bien réels, décrits avec une extrême précision par Joyce. Du coup, le chemin suivi par Bloom en centre-ville à l'heure du déjeuner a pu être reconstitué en 14 étapes. En 1988, à l'occasion de la célébration du millénaire de Dublin, des plaques en bronze ont été scellées entre les bureaux de l'*Evening Telegraph* et le Musée national.
De même, le Bloom's Day se propose de suivre à la lettre les étapes et le rythme du roman : de 6h à 20h, toutes sortes de manifestations littéraires, de spectacles de rue, de sketchs et de lectures se déroulent sur les lieux mêmes où Joyce fait passer Leopold Bloom. Une carte spéciale, *Ulysse's Map of Dublin,* détaille même à l'intention des disciples de Joyce l'itinéraire exact et les lieux de Leopold Bloom (elle est en vente toute l'année en librairie).
Chaque année, tout Dublin semble communier dans un même élan, comme dans une transe littéraire collective. Phénomène fascinant que cette capitale se retrouvant elle-même dans le miroir d'un personnage maudit par les milieux bien-pensants d'alors.
Puis la fête commence : petit déj à l'aube à Sandycove et lectures à la tour James-Joyce (voir « Dans les environs de Dublin ») où se déroulent les premières scènes du roman, rallye de vieilles automobiles, lectures à nouveau au *James Joyce Centre,* rallye de bicyclettes soutenu par la compagnie *Guinness*. Puis les joyeux drilles se retrouvent au coude à coude au pub *Davy Byrne's,* sur Duke Street, pour avaler un sandwich au gorgonzola arrosé d'un verre de bourgogne (exactement ce que fait Leopold Bloom dans le livre)... et mille autres réjouissances jusque très tard dans la nuit. Difficile, vraiment, de dénicher une autre capitale dans le monde capable de générer un tel engouement collectif autour d'un simple héros de roman.

■ ***Infos :*** *The James Joyce Museum, au Dublin Writers Museum,* ☎ *872-20-77 ; ou à Sandycove (dans la James Joyce Tower),* ☎ *280-92-65.* Ces deux hauts lieux littéraires sont décrits dans « À voir » et « Dans les environs de Dublin ». *Et aussi : James Joyce Centre, 35, North Great George's St.* ☎ *878-85-47.*

Arrivée à l'aéroport

✈ ***Aéroport*** *(hors plan détachable par C1) : à 10 km au nord du centre-ville.* ☎ *814-11-11.* • *dublinairport.com* •

i ***Office de tourisme :*** *dans le hall principal. Tlj 8h-22h.* Très compétent. Résas, vente de brochures, cartes, tickets de bus (sauf *Dublin Bus*), guides de voyage...

■ ***Change :*** *plusieurs bureaux de change, y compris dans le hall des arrivées.*

■ ***CIE*** *(bureau bus-rail) : dans le hall de l'aéroport. Lun-sam 8h-18h ; dim 10h30-16h30.* Ttes les infos sur les bus et les trains pour Dublin et le reste de l'Irlande (*Bus Eireann* et *Iarnod Eireann*).

@ ***Internet :*** *plusieurs postes dans le hall des arrivées à côté des bureaux des loueurs de voitures.*

■ ***Location de voitures :*** *agences internationales dans le hall des Arrivées, ou compagnies locales moins chères réunies dans une petite salle sur le côté (repérer le panneau « Car Hire »). Coordonnées sur le site de l'aéroport.* Tarifs souvent plus intéressants qu'en ville et possibilité de louer une voiture pour une seule journée.

Pour aller au centre-ville

➢ Les ***bus Airlink*** *(• dublin.ie •)* nos 747 et 748 gagnent directement la gare routière Busáras, O'Connell St au centre-ville, ou encore la gare Heuston. Compter 6 € l'aller et 10 € l'A/R. Départs à peu près ttes les 15 mn 6h-23h env. On peut prendre aussi l'***Aircoach*** *(☎ 844-71-18. • aircoach.ie •)*, qui fonctionne 24h/24 et ne s'arrête pas non plus entre l'aéroport et O'Connell St, et dessert ensuite plusieurs points dans le centre-ville à proximité des grands hôtels (départs ttes les 15 mn en journée, ttes les heures minuit-5h). Compter 7 € l'aller, 12 € l'A/R (tarifs 2012) et respectivement 8 et 14 € si l'on va au-delà de Trinity College.

➢ Sinon, différentes lignes ***omnibus*** assurent la liaison avec O'Connell St (la no 746) et Lower Abbey St (la no 41). Ticket 3 fois moins cher, mais durée du trajet plus longue (env 50 mn). Pour les billets valables plusieurs jours, se renseigner au bureau *CIE* à côté de l'office de tourisme de l'aéroport. Penser à faire de la monnaie à l'aéroport, les chauffeurs de bus, n'ayant pas accès à l'argent pour des raisons de sécurité, ne peuvent rendre la monnaie. Sinon, il faut se faire rembourser dans l'un des bureaux dans le centre.

➢ ***En taxi :*** compter plus de 25 € pour se rendre dans le centre. Possibilité de partager un taxi collectif avec d'autres usagers.

Circuler en voiture et se garer

– La circulation à Dublin n'est pas toujours facile. Beaucoup de sens uniques auxquels on n'a guère le temps de s'habituer, des conducteurs au tempérament assez retors, des chauffeurs de bus sans pitié... et peu de places pour se garer. En particulier, tout le secteur entre St Stephen Green's et la Liffey est redoutable, l'impression de tourner en rond, sans échappatoire. Bref, évitez la voiture dans le centre, surtout que presque tout peut se faire à pied.

– Se garer est un autre souci. Deux solutions : les emplacements équipés de parcmètres, qui sont chers et limités à 2h, ou les parkings privés, encore plus chers.

– Ne laissez aucun objet de valeur dans votre véhicule quand vous vous garez ailleurs que dans un parking gardé. Il suffit en fait d'appliquer le principe suivant : je n'ai rien à voler, donc on ne me volera rien. Il ne reste plus qu'à trouver un secteur gratuit un peu en dehors du centre et faire le reste à pied.

Transports en commun

Comme dans beaucoup de villes, les meilleurs moyens de transport pour visiter Dublin sont le bus et le *DART*. Les tarifs sont malheureusement élevés (la carte *InterRail* est acceptée dans le *DART*, mais pas dans le bus).

Les bus

Les bus dublinois sont une vraie institution. Depuis quelques années, ils sont de plus en plus à l'heure. D'ailleurs, de plus en plus d'arrêts présentent un tableau lumineux avec les temps de trajet. Force est de constater également qu'ils roulent bien, grâce aux nombreux couloirs qui leur sont dévolus. Mais ajoutez à cela qu'ils ont, les bougres, une forte tendance à débouler sur votre gauche, et vous aurez tout intérêt à vous en méfier et à obéir aux doux sons de *game-boy* des passages piétons...

– *Bureau de renseignements (Dublin Bus Head Office) : 59, Upper O'Connell St, en face de l'annexe de l'office de tourisme.* ☎ *872-00-00. Tlj sf dim 9h-17h30 (14h le w-e).*

– C'est l'un des grands mystères dublinois : il n'existe aucune carte détaillée des lignes de bus. Pour vous débrouiller tant bien que mal, il existe un *Main Guide to Dublin Bus Services* (2 €), qui répertorie les principales lignes avec tous les arrêts, mais toujours pas de plan. Sinon, *timetables* de chaque ligne et infos détaillées sur le site officiel ● *dublinbus.ie* ●

– Les bus circulent en général de 6h à 23h30 en semaine, moins fréquemment le week-end. Le samedi soir, pour éviter la foule du dernier bus, prendre l'avant-dernier. Le dimanche, les premiers bus ne démarrent qu'à partir de 10h environ.

– *Attention :* de nombreux kiosques et autres boutiques vendent des tickets dans toute la ville. Mais le plus simple est d'acheter votre ticket dans les bus, en mettant la somme exacte – soit de 1,40 à 2,65 €, selon la longueur du trajet (et même davantage si l'on se rend dans les banlieues les plus éloignées), mais il existe un billet à 0,60 € pour les très courts trajets dans le centre (City Centre Fare) – dans une petite tirelire, car les chauffeurs ne rendent pas la monnaie (ils donnent un bon pour se faire rembourser au bureau de O'Connell St). Les billets sont refusés. Réduc pour les moins de 16 ans. Une carte magnétique prépayée, la *Leap Card*, permet d'obtenir un tarif réduit (environ 20 %)

– *Trajets illimités :* différentes formules, depuis le ticket de bus journalier pour un adulte (*1 Day Rambler* à 6,50 €) au *1 Day Family ticket.* Ce dernier offre à 2 adultes et 4 enfants (moins de 16 ans) la possibilité de voyager sur le réseau de bus pour 11 €. Le *5 Day Rambler* coûte 23 € et est valable 5 jours consécutifs pour un adulte. Le même système existe aussi pour 3 jours (14,20 €). N'est pas valable pour les bus de nuit.

– Pour les noctambules, certains bus se muent en *Nitelink,* qui circulent du lundi au mercredi à 0h30 et à 2h (pour la moitié des lignes seulement), le jeudi toutes les heures de 0h30 à 3h30 et, les vendredi et samedi, toutes les 20 mn de 0h30 à 4h30. Pas de service le dimanche. Départs sur Westmoreland Street, College Street et D'Olier Street (selon les destinations). Il en existe à peu près pour toutes les directions. Prévoir un minimum de 5 €.

– Sachez enfin, en vrac, que les arrêts n'ont d'autre nom (quand ils en ont) que celui de la rue sur laquelle ils se trouvent, qu'ils abritent rarement des plans précis et qu'il est préférable de se manifester (en usant de son pouce, par exemple) à l'arrivée d'un bus pour qu'il s'arrête.

Le *DART (Dublin Area Rapid Transit)*

Entre le RER et un train de banlieue moderne. Le *DART* n'a qu'une seule ligne (côtière) qui part de Malahide ou de Howth (au nord) et va jusqu'à Greystones dans le comté de Wicklow. Trajet très panoramique. Hyper pratique en tout cas pour se rendre à Malahide, Howth, Dún Laoghaire ou Bray. Dans Dublin même, cinq stations : Connolly, Tara Street, Pearse, Grand Canal Dock et Lansdowne Road. ☎ *703-35-04.* ● *dublin.ie/transport/dart.htm* ● Fonctionne du lundi au samedi de 6h à 23h30 environ et le dimanche à partir de 9h20. De 5 à 20 mn d'attente selon les heures. Par exemple, le trajet Connolly-Malahide coûte 2,50 €. Réduc en achetant un aller-retour et avec la *Smart Cart* ou la *Leap Card.* Il existe plusieurs *Integrated Tickets* valables à la fois sur les réseaux de bus et de *DART.* Là encore, ticket pour 1, 3 ou 7 jours.

Le *LUAS*

Ce tramway neuf, propriété d'une compagnie privée sans *office* et avare en renseignements, compte 2 lignes. Pas de connexion de l'une à l'autre. ☎ *1800-300-604 (n° gratuit).* ● *luas.ie* ● Glisse du lundi au samedi de 5h30 (6h30 le samedi) à 0h30 ; le dimanche, 1er tram à 7h et dernier à 23h30. Fréquence variable (entre 5 et 10 mn le plus souvent). Tickets disponibles aux bornes automatiques des arrêts, à partir de 1,60 € le trajet simple (et jusqu'à 2,80 € selon le nombre de zones tarifaires franchies). Surcharge de 0,10 € aux heures de pointe. Des tickets illimités *Luas & Dublin Bus (Combi Tickets)* peuvent s'avérer intéressants (7,80 €/j.). Quant au 7-Day Ticket, il coûte à partir de 12,70 € (pour la zone 1). La ligne rouge relie Connolly Station au quartier de Tallaght, au sud-ouest de Dublin, en traversant la rive nord du centre-ville (arrêts notamment à Busáras, sur Abbey Street, Smithfield Village et à la gare Heuston). La ligne verte part de Saint Stephen's Green et file au sud sur 9 km vers Cherrywood. Possibilité d'acheter des *Flexi-Tickets* pour circuler sur les 2 lignes.

Adresses et infos utiles

Infos touristiques

🛈 ***Office de tourisme*** *(Dublin Discover Ireland Centre ; zoom détachable D4,* ***1****) : à l'angle de Saint Andrew's St et Suffolk St.* ☎ *1850-230-330 ou 1800-668-668 (pour résas d'hôtels slt). De l'étranger, composer le* ☎ *00-353-66-97-920-82 ou 83.* ● *visitdublin.com* ● *Sept-juin, lun-sam 9h-17h30, dim 10h30-15h ; juil-août, lun-sam 9h-19h, dim 10h30-15h.* Dans une ancienne église totalement rénovée. Demander *The Guide to Dublin,* qui contient des plans de la ville et plein d'infos sur la région. Nombreux services : vente de tickets de concerts, change, petite librairie, vente des billets et des *passes* de 3, 8 ou 15 jours de la compagnie nationale *Bus Eireann,* téléphone gratuit pour obtenir des informations sur les trains... et snack-salon de thé en mezzanine vraiment pas cher. Réservations de lits, service payant, mais bien pratique le vendredi soir ou le week-end. Propose aussi un *Dublin Pass* (à 35 €/j. en 2012 : se renseigner pour bien calculer si c'est intéressant en fonction de son programme). Autre bureau sur O'Connell Street *(zoom détachable D3,* ***2****)*, ouvert du lundi au samedi de 9h à 17h. Accueille également le ***Northern Ireland Tourist Board*** *(☎ 605-77-32)* pour préparer son voyage en Irlande du Nord.

🛈 ***Temple Bar Cultural Trust*** *(zoom détachable D4,* ***3****) : 12, East Essex St.* ☎ *677-22-55.* ● *templebar.ie* ● *Lun-ven 9h-17h30 ; sam 10h-17h30 ; dim 12h-15h.* Infos détaillées sur les nombreuses activités culturelles, artistiques, musicales du quartier de *Temple Bar,* uniquement. Très bon accueil.

Poste, téléphone

✉ ***Poste principale*** *(General Post Office ; zoom détachable D3) : O'Connell St (et Henry St).* ☎ *705-70-00. Lun-sam 8h-20h.* Nombreux téléphones à pièces et à cartes dans la poste même. Fait poste restante.

✉ La plupart des autres bureaux de poste, comme le ***Post Office*** *(zoom détachable D4)* situé en face de l'office de tourisme, sur Saint Andrew's St, sont ouverts de 9h à 18h (jusqu'à 13h le samedi).

Internet

@ ***Internet and Call Shop*** *(zoom détachable D4,* ***10****) : 38, Dame St. Tlj 9h30-23h30.* Une dizaine de postes et quelques cabines téléphoniques.

@ ***Chill Out Internet Café*** *(zoom détachable D4,* ***11****) : 34-35, Wellington Quay. Tlj 8h-minuit (23h dim).* Grande capacité au sous-sol d'une supérette, bon marché (tarifs dégressifs).

@ ***Global Internet Café*** *(zoom détachable D3,* ***12****) : 8, Lower O'Connell St.* ● *globalcafe.ie* ● *Tlj jusqu'à 23h (22h dim). Excellent café provenant du commerce équitable. Également un autre cyber sous la même enseigne au 6, Grafton St.*

@ **@Viva** *(zoom détachable D4,* ***13****)* **:** *Lord Edward St. Tlj 10h-23h. Sam-dim 10h30-22h.* Bon matériel.

@ Plusieurs adresses également dans Talbot St *(zoom détachable E3).*

Représentations diplomatiques

■ ***Ambassade de France*** *(hors plan détachable par G6,* ***20****)* **:** *36, Ailesbury Rd, Dublin 4.* ☎ *277-50-00.* ● *ambafrance-ie.org* ● *Lun-ven 9h-12h30. Possibilité de les joindre l'ap-m par tél.*

■ ***Ambassade de Belgique*** *(hors plan détachable par G6,* ***21****)* **:** *2, Shrewsbury Rd, Dublin 4.* ☎ *205-71-00.* ● *diplomatie.be/Dublin.fr* ● *Lun-ven 9h-13h, 14h-15h.*

■ ***Ambassade de Suisse* :** *6, Ailesbury Rd, Dublin 4.* ☎ *218-63-82 ou 83.* ● *eda.admin.ch/dublin* ● *Lun-ven 8h30-12h.*

■ ***Ambassade du Canada* :** *7-8, Wilton Terrace, Dublin 2.* ☎ *234-40-00.* ● *canada.ie* ● *Lun-ven 9h-13h, 14h-16h30.*

Culture

– ***Infos locales* :** l'équivalent du *Pariscope* s'appelle à Dublin *In Dublin Magazine* ; c'est un hebdomadaire gratuit. Assez superficiel, malgré quelques articles sur la vie sociale et culturelle. Pour tout savoir sur les concerts, théâtre, expos... consulter plutôt *The Event Guide.* Très bien informé et gratuit. On le trouve surtout dans les magasins de musique et dans de nombreux bars.

■ ***Comhaltas Ceoltóirí Eireann*** *(Institut culturel irlandais)* **:** *32, Belgrave Sq, Monkstown.* ☎ *280-02-95.* ● *comhaltas.ie* ● *À env 6 km au sud-est du centre, peu avt le port de Dún Laoghaire. Prendre les bus nos 7, 7 A ou 8 à O'Connell Bridge. Station* DART *: Sea Point. 9h30-13h, 14h-17h30.* C'est la maison de la Culture irlandaise, principalement dédiée à la musique traditionnelle. Quelques disques, livres, instruments traditionnels, renseignements sur les stages de musique. Bar et *music sessions* dans une belle salle de concerts les vendredi et samedi vers 21h. Encore plus de soirées festives l'été.

■ ***Alliance française*** *(zoom détachable E4,* ***22****)* **:** *1, Kildare St.* ☎ *676-17-32.* ● *alliance-francaise.ie* ● *À l'angle de Nassau St. Lun-ven 9h30-18h (17h30 en été).* Bon accueil. Au 1er étage, tableau d'affichage avec quelques petites annonces. Infos sur les concerts de groupes français à Dublin. Abrite aussi le service culturel de l'ambassade de France et une médiathèque française libre d'accès pour la consultation *(ouv lun 12h30-19h30, mar-jeu 10h-19h30, ven 10h-17h, sam 10h-14h ; en été, lun-jeu 12h-18h30).* Cafétéria *La Cocotte* *(voir plus loin « Où manger ? »).*

■ ***Sinn Féin Book Bureau*** *(zoom détachable D3,* ***23****)* **:** *58, Parnell Sq West.* ☎ *814-85-42.* ● *sinnfeinbookshop.com* ● *Lun-sam 10h (11h sam)-16h30.* Librairie militante républicaine qui possède un rayon important de bouquins sur la lutte de libération en Irlande, beaucoup de disques et recueils de chansons nationalistes, *rebel songs,* folk...

■ ***Journaux en français* :** *chez* ***Eason Bookshop,*** *vaste librairie au 40, Lower O'Connell St (également à la gare de Heuston et Abbey St Middle).* ☎ *873-38-11. Lun-sam 8h30-18h45 (20h45 jeu, 19h45 ven) ; dim 12h-17h45.* On y trouve *Le Monde* (*Libération* et même *L'Équipe* en été). Voir aussi chez les *newsagents* autour de Trinity College, Grafton Street et Westmoreland Street.

Urgences

■ ***Hickey's Pharmacy*** *(zoom détachable D3,* ***24****)* **:** *55, Lower O'Connell St.* ☎ *873-04-27. Tlj jusqu'à 22h. Également une autre pharmacie dans Grafton St. Tlj jusqu'à 20h.*

■ ***Irish Tourist Assistance Service* :** *voir « Urgences » dans « Irlande utile ».*

Compagnies aériennes, agence de voyages

■ ***Aer Lingus* :** *slt à l'aéroport.* ☎ *0818-365-000.*

■ ***Air France* :** *slt à l'aéroport.* ☎ *605-03-83. Tlj 5h-20h (19h30 le w-e).*

■ ***Usit*** *(zoom détachable D3,* ***25****)* **:** *19-21, Aston Quay (O'Connell Bridge).* ☎ *602-19-06.* ● *usit.ie* ● *Lun-sam 10h-18h30 (17h sam).* Spécialisé dans les vols bon marché, trains et bus pour les étudiants. On peut s'y procurer la carte *ISIC* (voir « Avant le départ » dans « Irlande utile » en début de guide).

Location et réparation de bicyclettes

N'hésitez pas à louer des vélos : c'est très pratique et ça vous évitera les interminables queues aux arrêts de bus.

■ ***Dublin City Velo :*** *● dublinbikes.ie ●* L'équivalent du Vélib' parisien. Pas moins de 44 stations dans le centre de Dublin. *Les premières 30 mn sont gratuites, puis compter 1,50 €/2h. Possibilité d'acheter un ticket valable 3 j. Paiement par CB.*

■ ***Cycle Ways*** *(zoom détachable D3,* ***26****)* **:** *185-186, Parnell St. ☎ 873-47-48. Lun-sam 9h30-18h ; dim 12h-18h. Loc de vélos de ville ou de VTT à la journée (20 €) ou à la sem (80 €).* Magasin hyper complet avec tout le matériel possible et des conseils avisés.

Tours organisés

Plusieurs compagnies organisent des *Hop On-Hop Off City Tours* sur un principe standardisé : un bus à étage (et découvert) suit un itinéraire touristique dans Dublin et s'arrête à une vingtaine de reprises à l'entrée de la plupart des musées, monuments et quartiers renommés. On peut ainsi descendre à n'importe quelle étape, puis prendre le bus suivant (passages toutes les 15 mn), et ce durant 24h. Pratique pour visiter un bon nombre de lieux intéressants sans courir aux quatre coins de la ville ni se rendre fou dans les transports en commun.

Les tours les mieux faits nous semblent être :

– ***Dublin Bus Tour :*** *☎ 703-30-28. ● dublinsightseeing.ie ● Point de départ officiel sur O'Connell St, mais on peut l'intercepter à chacun des 23 arrêts du parcours. Circule tlj sf dim 8h30-18h. Tarif : 16 €.* Le tour en lui-même dure 1h20. À bord, commentaire live des chauffeurs, plutôt drôles d'ailleurs, ou audioguide en français. Propose de surcroît des réductions pour l'entrée de certains lieux desservis.

– ***Dublin Wars Walking Tours :*** *📱 087-327-66-30. ● dublinwars.1916.23@gmail.com ● À 10h et 13h sam-dim depuis Dublin Castle. Durée env 2h. Tarif : 10 € ; gratuit moins de 16 ans.* Pour ceux, celles vraiment désireux de comprendre les rapports de cette ville avec l'histoire, balade vraiment intéressante. On aborde, à travers trois monuments emblématiques (la Grande Poste, Custom House et les Four Courts) trois périodes fondamentales : la rébellion de 1916, la guerre d'indépendance et la guerre civile entre pro-traité et anti. En prime, des anecdotes insolites sur les extraordinaires services secrets de Michael Collins (leader de la guerre d'indépendance), sur le gouvernement républicain clandestin, la réunion du premier Dail (Assemblée nationale), les combats les plus célèbres... À ne pas rater ! Conseillé de réserver.

Où dormir ?

À moins de loger en AJ ou d'avoir de gros moyens, la meilleure solution consiste à choisir un logement dans les quartiers résidentiels comme Glasnevin ou Ballsbridge. Calmes et verdoyants, ils s'avèrent également moins excentrés qu'il n'y paraît. Si l'on souhaite être dans le centre, il reste à choisir entre la rive sud et la rive nord, la Liffey coupant la ville en deux. À savoir : dans la plupart des établissements, on profite d'événements tels que la Saint-Patrick, Bloom's Day ou des matchs internationaux de rugby pour afficher une nette majoration. Autre formule possible : la location d'appartements, proposée par exemple par *Dublin City Apartments : ☎ 443-39-20. ● dublincityapartments.ie ●*

CAMPINGS

⛺ ***Camac Valley Tourist Caravan & Camping Park :*** *Corkagh Park, Naas Rd, à* ***Clondalkin,*** *Dublin 22. ☎ 464-06-44. ● camacvalley.com ● À 15 km au sud-ouest de Dublin, sur la N 7. Bus nº 69 depuis Aston Quay (une vingtaine de départs 6h35-23h15) ;*

demandez au chauffeur de vous arrêter à Camac Valley : prévoir près de 1h de trajet. Ouv tte l'année. Résa conseillée. Compter 19-24 € pour 2 avec tente et voiture, suivant saison et taille de la tente. Douches payantes. En pleine campagne, un camping de 160 places environ (mais prévu pour seulement 70 tentes), assez venté et parfois bruyant à cause de la route. Demander une place au fond. En revanche, belle herbe pour se poser. Pas mal d'espace. Accueil sympa. À proximité, belles balades à pied.

North Beach Caravan Park : à Rush. ☎ *843-71-31.* • *northbeach.ie* • *À env 20 km au nord de Dublin. Bus n° 33 d'Eden Quay ou train de Connolly Station pour Rush-Lusk (à 2,5 km de Rush). En voiture, quitter la N 1 à la pancarte « Rush » (en face de la station* Esso *de Blake Cross). De l'aéroport, en marchant un peu, on peut attraper le bus n° 33 sur la N 1 ; du terminal A, prendre le n° 41 jusqu'au supermarché* Londis de Swords, *puis le n° 33. Ouv avr-fin sept. Compter env 20 € pour 2 avec tente et voiture. CB refusées. Douches payantes.* 64 emplacements bien tenus, coin cuisine à dispo, sanitaires propres et accès direct à la plage. Propriétaire serviable.

AUBERGES DE JEUNESSE

Il n'est pas toujours très facile de s'y retrouver dans les tarifs des AJ : ils varient énormément en fonction de la capacité du dortoir, de la saison, du jour de la semaine, des « événements » (un week-end de match à domicile de l'équipe nationale de rugby dans le cadre du Tournoi des Six Nations, ce sera plus cher). Bien consulter les sites des AJ, et ne pas oublier qu'il y a souvent des réductions pour des réservations en ligne : avec la crise, jamais les tarifs n'ont été plus flexibles. Bon à savoir également, toutes offrent gratuitement un accès wifi.

Dans le centre, rive sud

Four Courts Hostel *(zoom détachable C4,* ***30****) : 15-17, Merchant's Quay.* ☎ *672-58-39.* • *fourcourtshostel.com* • *Selon saison, grand dortoir 15-25 €/pers ; en dortoir 4-10 pers 16-34 €/pers ; doubles 28-40 €/pers ; petit déj compris.* Dans un élégant édifice fort bien rénové et décoré de fresques amusantes. Chambres (avec carte magnétique), dortoirs, sanitaires corrects. Eau chaude 24h/24 et chauffage central. Laverie, cuisine équipée, consigne à bagages, garage à vélos et beaucoup d'autres services (BBQ offert le jeudi).

Kinlay House *(zoom détachable D4,* ***31****) : 2-12, Lord Edward St (dans le prolongement de Dame St), Dublin 2.* ☎ *679-66-44.* • *kinlaydublin.ie* • *Dortoir 12-20 lits 15-18 €/pers ; chambres 4 lits 18-25 €/pers ; doubles 25-45 €/pers sans ou avec sdb, petit déj compris.* Installé dans un bel immeuble victorien en brique rouge *(Harding House),* coincé entre Christchurch Cathedral et Temple Bar. Chambres basiques (les douches privées se résument à une poire et un rideau) mais nickel, dortoirs bien tenus, et ambiance joyeuse et fraternelle autour de la TV ou de la machine à café. Nombreuses prestations : petite cuisine à disposition (peu de matériel), lave-linge, consigne à bagages, *lockers* pour les papiers... Nouvelle salle commune. Location de vélos. Navette de et vers l'aéroport. Gros inconvénient : la majorité des chambres donnent sur Dame Street... mieux vaut avoir le sommeil lourd.

Avalon House *(zoom détachable D4,* ***32****) : 55, Aungier St.* ☎ *475-00-01.* • *avalon-house.ie* • *Bus n° 16 A (liaisons avec l'aéroport). Desservi également par la compagnie* Aircoach *de l'aéroport. Ouv 24h/24. Résa conseillée. En hte saison, 16-20 €/pers en dortoir 6-12 lits. Quelques doubles à partir de 30 €/pers, petit déj léger compris. Promos sur Internet.* Dans un édifice en grès rose du début du XXe s. Belle façade avec colonnes torsadées, mais c'est un peu l'usine le week-end, avec sa capacité d'accueil de près de 300 personnes ! Certaines chambres commencent d'ailleurs à mal supporter ce va-et-vient. Bonnes prestations : cuisine aménagée, *lockers,* laverie, garage à vélos, bureau de change, billard, ping-pong... Et possibilité de se restaurer au *Bald Barista,* un café intégré à l'AJ dans lequel sont projetés tous les soirs des films sur grand écran. Accueil dynamique et francophone.

Abigail's Hostel (*zoom détachable D3,* ***33****) : 7-9, Aston Quay. ☎ 677-93-00. • abigailshostel.com • À partir de 10 €/pers en dortoir 10 lits, 18 €/pers en chambre de 4 et 50 € pour 1 double ; ttes en suite, petit déj inclus.* Encore une grande AJ idéalement située sur les bords de la Liffey et à l'entrée de Temple Bar. Impec avec son mobilier en bois blond ou compressé, ses peintures fraîches et ses multiples services : cuisine, bureau de change, parking à vélos et salle commune avec TV. En haute saison, ça grouille à toute heure, ça braille dans un mélange de langues trépidant. En revanche, en basse et moyenne saison, beaucoup moins de monde. Peut-être que c'est pour ça qu'en hiver, ce n'est pas souvent chauffé !

The Oliver St John Gogarty's Hostel (*zoom détachable D4,* ***34****) : 18-21, Anglesea St. ☎ 671-18-22. • gogartys.ie • À partir de 12-20 € en dortoir selon nombre de lits, w-e ou saison et 38-54 € la double, petit déj compris.* Une adresse gérée par l'énorme pub et le restaurant du même nom en plein cœur de Temple Bar, où débarquent les touristes par vagues successives. Assez bruyant du coup, vous vous en doutez. Chambres pas trop grandes mais toutes *en suite*, et ensemble agréable et confortable, alliance harmonieuse de l'alu et de la brique. Cuisine équipée. Parking (payant) à proximité et garage à vélos. Quelques appartements à louer aussi, avec 1 à 3 chambres.

Barnacles Temple Bar House (*zoom détachable D4,* ***35****) : 19, Temple Lane South. ☎ 671-62-77. • barnacles.ie • Ouv tte l'année, 24h/24. Compter 10-24,50 €/pers en dortoir de 11 lits, 18-30,50 € avec 6 lits, 20-32,50 € en chambre 4 lits selon saison ; doubles 60-87 € ; ttes avec sdb et petit déj inclus.* Difficile de faire plus central ! Malheureusement, cette situation de quasi-monopole n'incite pas la direction à faire du zèle. Il n'est pas rare de constater une dégradation des conditions générales (accueil, propreté, difficultés lors de la réservation...) en haute saison. Sinon, nombreuses prestations : cuisine bien équipée, laverie, coffres de sécurité, local pour les vélos (et location), agréable salon ensoleillé sous les toits.

Ashfield House (*zoom détachable E3,* ***36****) : 19-20, D'Olier St. ☎ 679-77-34. • ashfieldhouse.ie • À partir de 9 €/pers en dortoir de 18 lits et 12-14 €/pers en chambre 6-8 lits. Également des doubles avec douche à partir de 30-35 €/pers.* Dans une artère bruyante. *Youth hostel* bien tenue, mais qui mériterait toutefois un petit rafraîchissement. Lits en bois clair et tissus colorés pour les chambres les plus chères. Certaines avec grand lit. Petits coffres personnels, consigne à bagages, petite cuisine équipée.

Dans le centre, rive nord

Dublin International Youth Hostel (*plan détachable D2,* ***37****) : 61, Mountjoy St North, Dublin 7. ☎ 830-17-66. • irelandyha.org • Pas de curfew (couvre-feu). Compter, selon saison, 13-20 € en dortoir ; doubles 48-50 €, triples 72,50-75 €, quadruples 90-94 €, petit déj léger compris. Possibilité de dîner : 7,50-12,50 €.* C'est l'AJ officielle, établie dans un ancien couvent immense d'une capacité de 320 lits environ. Au moins, on ne s'y sent pas seul ! Prestations à la mesure de la taille : nombreux sanitaires, vaste cafétéria installée dans une ancienne chapelle annexe (si vous péchez par gourmandise, subsistent encore les confessionnaux), billards, chauffage central, cuisine, téléphone international, *lockers*, parking gratuit... et carte magnétique pour les fêtards ! Accueil dynamique.

Generator Hostel (*plan détachable C3,* ***38****) : Ⓣ Smithfield Square. ☎ 901-02-22. • generatorhostels.com • À partir de 15 €/pers en dortoir,* plus singles *et doubles. Petit déj-buffet 4 €. (payant)* Ouverte en 2012, toute pimpante, c'est la dernière génération des AJ (540 lits !). Elle est déjà en train de détrôner toutes les autres *hostels* ! Fort bien située, accolée à la distillerie Jameson, pas loin de Temple Square. Immenses espaces et volumes, accueil pro. Noter ces curieuses et originales « lampes-bouteilles

Jameson ». Chambres à la blancheur immaculée avec belle salle de bains, lumière et grand coffre personnel (prévoir son cadenas). Hall, immense bar (décor port industriel), cafétéria lumineuse sous atrium, espaces communs vraiment accueillants, confortables canapés. *Cherry on the cake* : une chambre de filles avec jacuzzi !

🏠 ***Mount Eccles Court*** *(plan détachable D2,* ***39****) : 42, North Great George's St.* ☎ *873-08-26.* ● *eccleshostel.com* ● *À côté du* James Joyce Centre. *Compter 9 € en grand dortoir mixte de 16 pers, 10 € en dortoir de 10 (mixte), dortoir de 6 (filles slt) 12 et 13,50 €* (en suite) *; chambre 4 pers 13,50-15 €/pers. Enfin, doubles 25-29 € selon confort (certaines avec mezzanine). Petit déj (léger) compris. Ajouter 3 € ven-sam.* 💻 📶 Vaste AJ dans une rue à l'allure très américaine, aux maisons en brique, installée dans une belle demeure georgienne (cage d'escalier avec stucs). Accueil plutôt sympa et staff serviable. Grands dortoirs clairs et calmes donnant sur la rue peu passante ou sur l'arrière (école). Bonne literie. Garage à vélos, cuisine équipée, bureau de change, billard, table de ping-pong.

🏠 **Globetrotters** *(zoom détachable E3,* ***40****) : 47-48, Lower Gardiner St.* ☎ *873-58-93.* ● *globetrottersdublin.com* ● *À deux pas de Busáras et de Connolly Station. Pas de couvre-feu. Compter 15-28 €/pers en dortoir 6-12 lits, petit déj compris.* Une belle maison georgienne convertie en *hostel.* Voilà donc une bonne adresse pour ceux qui veulent un peu plus de confort que d'habitude (salle de bains dans le dortoir), et surtout un intérieur digne d'un petit hôtel de charme. Dortoirs (parfois petits) impeccables, donnant sur la rue ou sur l'arrière, agréable pièce commune et petit jardin. Pas de repas, mais *Irish breakfast* copieux servi dans une salle lumineuse. Un très bon rapport qualité-prix.

🏠 **Abbey Court** *(zoom détachable D3,* ***41****) : 29, Bachelors Walk.* ☎ *878-07-00.* ● *abbey-court.com* ● *Compter 15-26 €/pers en dortoir de 12, 6 ou 4 lits, ou prévoir jusqu'à 80 € pour 1 double* en suite, *petit déj compris. Moins cher en sem (hors événements). Également des apparts.* 💻 📶 Très central et bien conçu, avec un système de carte magnétique impeccable pour les noctambules. On a un à priori favorable pour cette adresse à cause de son concept. Le patron a voulu une AJ totalement originale, avec la volonté de rendre le séjour de chacun agréable, tout en garantissant confort, propreté et sécurité. Résultat : une débauche de couloirs, coursives, escaliers ornés de fresques colorées (parfois surprenantes) menant aux divers dortoirs et chambres. Certes, certains dortoirs sont plutôt petits (préférez ceux donnant sur l'arrière, plus calme), mais les sanitaires communs sont impeccables. Superbe cuisine équipée, plaisante salle à manger et des tas d'autres petits avantages, comme cette adorable petite salle de cinéma (près de 1 000 films), le nouveau bar style cottage, la *hamac room* et la salle de jeu, une super salle d'ordinateurs, etc. Casiers personnels, consigne à bagages. Staff pro.

🏠 ***My Place*** *(zoom détachable E3,* ***42****) : 89-90, Lower Gardiner Pl.* ☎ *707-28-94.* ● *myplacedublin.ie* ● *En dortoirs (mixtes ou séparés) 8-16 lits, compter 9-12 €. Chambres 4 pers 14-17 €. Petit déj-buffet 8 €.* 💻 📶 Élégant immeuble georgien offrant probablement le meilleur rapport qualité-prix, en tout cas le lit le moins cher de Dublin ! En outre, d'une propreté impeccable, couleurs pimpantes, bonne literie, clim dans tous les dortoirs. Cuisine équipée, *lockers,* consigne gratuite, salle de jeu et salle commune, réduc sur le parking. Resto. Présente également une partie hôtel avec chambres très correctes (voir plus loin).

🏠 ***Abraham House*** *(zoom détachable E3,* ***43****) : 83, Gardiner St Lower.* ☎ *855-06-00.* ● *abraham-house.ie* ● *À deux pas de Busáras et de Connolly Station. Pas de couvre-feu. Dortoirs 20 lits 10 €/pers, 8-12 lits 10-12 €/pers ; chambres 4 pers 18 €/pers. Doubles à partir de 25 €/pers. Petit déj compris. Parking gratuit.* 💻 *(payant)* 📶 AJ dans une maison georgienne en brique, au cœur d'un quartier populaire. Les dortoirs, fonctionnels et confortables (tous *en suite*), sont malheureusement dotés de cloisons un peu trop minces. Chauffage central. Cuisine bien équipée, coffres individuels et consigne à bagages.

Jacob's Inn *(zoom détachable E3, **44**) : 21-28, Talbot Pl. ☎ 855-62-15. • jacobsinn.com • À côté de Connolly et Busáras. Dortoirs 10-12 lits à partir de 12 €/pers, 4-6 lits 16-18 €/pers. Doubles 25-40 €/pers selon saison.* Caractéristique principale de cette AJ : elle est la seule à Dublin à avoir été entièrement conçue et construite dans ce but. Moderne donc, avec un hall et un accueil dignes d'un hôtel. Chambres spacieuses. Belle cuisine équipée. Terrasse avec vue. À deux pas, l'*Isaac Hostel* (même direction), installée dans un ancien entrepôt en brique, une des plus « vieilles » AJ de Dublin (assez bruyante, en dépannage).

LOGEMENT À L'UNIVERSITÉ

Prix moyens

UCD Village : *Belfield, Dublin 4. ☎ 269-71-11. • ucd-village.ie • À 4 km au sud de Dublin. Pour s'y rendre, bus n° 10 (départs ttes les 10 mn) depuis O'Connell St ; sinon, bus n° 46 A de D'Olier St jusqu'à UCD ou* Aircoach *depuis l'aéroport. Ouv 15 juin-15 sept. Résa très conseillée !* Singles *45-62 €/pers.* Sur le campus de l'University College of Dublin, possibilité de louer d'agréables appartements de 1 à 4 chambres. Deux sites : *Merville* et *Roebuck Hall*. Très confortable et idéal pour les familles. Cuisine aménagée (avec tout le matériel). Possibilité de louer à la semaine. Intéressant, car à 3 km de la mer (baie de Killiney).

Trinity College Accommodation *(zoom détachable D-E4, **45**) : Accommodation Office, Trinity College. ☎ 896-11-77. • tcd.ie/accommodation • Au cœur de la ville. Bureau ouv lun-ven 9h-12h45, 14h-17h. Slt de mi-juin à mi-sept. Résa conseillée.* Singles *58 et 71,50 € (avec sdb), doubles 78-120 €, petit déj compris.* Plusieurs formules d'hébergements là aussi, allant de la petite chambre d'étudiant dans un bâtiment historique à l'appartement de 3-4 pièces dans un édifice contemporain.

BED & BREAKFAST, HÔTELS

Prix moyens à plus chic

Rive nord (dans le centre)

Hazelbrook House *(zoom détachable E3, **46**) : 85, Lower Gardiner St. ☎ 836-50-03. • hazelbrookhouse.ie • Doubles 60-70 €, familiales (4 pers) 99 €, petit déj compris.* Un immeuble de style georgien récemment rénové. Certes, pas le grand luxe, mais très correct pour le prix et plutôt mieux que la plupart de ses concurrents dans la même rue. Chambres en général hautes de plafond (le georgien a du bon), TV câblée, parking gratuit (si vous savez réserver à temps).

Celtic Lodge *(zoom détachable E3, **47**) : 81-82, Talbot St. ☎ 878-88-10. • celticlodge.ie • Doubles 60-80 € selon saison, petit déj inclus (et bus aéroport gratuit).* Au-dessus d'un pub sympa (le *Celt Bar*) et d'un bon resto (même maison), un p'tit hôtel sans histoire offrant une trentaine de chambres propres et de bon confort.

Dans le centre, au sud de Saint Stephen's Green

The Leeson Hotel *(plan détachable E5, **48**) : 27, Lower Leeson St, Dublin 2. ☎ 676-33-80. • theleesonhotel.com • Beaucoup de bus et l'arrêt Harcourt du* LUAS *à proximité. Doubles env 55 € en sem et 85 € ven-sam, petit déj inclus. Parking à disposition.* Idéalement situé à deux pas de Saint Stephen's Green. Cette belle demeure de style georgien abrite une quinzaine de chambres à la déco moderne et chaleureuse dans les tons brun et violine. Quelques tableaux ici ou là offrent une touche contemporaine qui change des sempiternels rideaux à fleurs et des peintures naturalistes. Certes, l'espace est optimisé et les salles de bains sont un peu exiguës, mais on s'y sent bien.

Kilronan House *(plan détachable D5, **49**) : 70, Adelaide Rd, Dublin 2. ☎ 475-52-66. • kilronanhousehotel.com • Un peu au sud de Saint Stephen's Green. Accès par le* LUAS *(arrêt « Harcourt ») et à 5 mn de l'arrêt du* Blue Air Coach. *Singles à partir de 55 €, doubles 90 € et plus avec petit déj* *selon saison ou j. de la sem. Promos sur Internet.* Voici le mariage réussi de l'élégance d'une maison bourgeoise du XIXe s et d'une *guesthouse* contemporaine. Des cheminées aux moulures originelles jusqu'au moindre petit détail, le charme opère. Sans compter sa localisation proche du centre, mais déjà dans un quartier résidentiel bien calme. Charmant salon, élégant *Kobra Bar* et petit déj copieux à base de produits frais et bio.

À Ballsbridge

Pour les *B & B* de Pembroke Park : bus nos 39 A, 46, 46 A et 46 B, et l'*Air Coach* ne passe pas loin.

■ ***Aaron Court*** *(hors plan détachable par G6,* ***50****) : 144, Merrion Rd.* ☎ *260-26-31.* 📱 *086-252-70-21.* • *aaroncourt ballsbridge.com* • *Doubles 60-90 € suivant saison, petit déj compris. Parking privé. À 5 mn du* DART *(Sydney Parade). Arrêt de bus devant (nos 4, 5, 7 et 8),* Air Coach *à 300 m.* Au cœur du quartier des ambassades. Au fond d'un vaste jardin, une grande demeure familiale pas trop séduisante de l'extérieur, mais où, une fois à l'intérieur on se sent tout de suite bien. Mobilier de caractère, papier peint désuet, chambres méticuleusement tenues. Certes, certaines télés datent un peu, mais ce qui compte c'est l'accueil adorable de Leslie, sa disponibilité... Toujours prête à aider, à donner la meilleure info, à faire plaisir. Copieux breakfast, avec des petites recettes perso, servi dans une salle à manger de charme (superbe vaisselier de famille). Le meilleur de l'hospitalité irlandaise, c'est dit !

■ ***Oaklodge*** *(plan détachable F6,* ***51****) : 4, Pembroke Park, Ballsbridge, Dublin 4.* ☎ *660-60-96.* • *oaklodge. ie* • *Bus nos 10 et 46 A ; arrêts « Donnybrook » et « Morehampton Rd ». Ouv tte l'année sf autour de Noël. Doubles 70-80 €, petit déj compris. CB refusées.* 📶 Adorable maison en brique rouge dans une rue tranquille et un agréable environnement, entre Herbert Park et Wellington Place. Petit *B & B* de 4 chambres, confortable et joliment décoré dans les tons clairs. Seulement 2 places de parking, pensez à réserver. Excellent accueil.

■ ***Elva*** *(plan détachable F6,* ***52****) : 5, Pembroke Park, Ballsbridge, Dublin 4.* ☎ *660-54-17.* • *smat tewstx@eircom.net* • Single *50 €. Doubles 85-90 €, triples 100 €, petit déj compris. CB refusées.* 📶 *Parking privé.* Seulement 2 doubles et 1 *single*. Belle chambre côté rue, avec salle de bains attenante, mais minuscule (salle de bains tout aussi petite). Celles à l'arrière sont plus modernes mais agréables et bien équipées. Déco très classique, entretien nickel et accueil chaleureux de Sheila Matthews.

■ ***Adare B & B*** *(plan détachable F6,* ***53****) : 20, Pembroke Park, Ballsbridge, Dublin 4.* ☎ *668-30-75.* • *adarehouse. com* • *Bus no 10 depuis O'Connell St et no 46 A depuis Grafton St, dans ce quartier résidentiel où fourmillent les* B & B. *Ouv tte l'année. Compter 70-90 €, petit déj compris. CB refusées. Parking privé.* 📶 Les chambres sont décorées avec goût et sobriété, toutes avec TV, téléphone et salle de bains. Cependant, accueil pas des plus chaleureux (voire distant). Si tous les autres de la rue sont complets.

■ ***Donnybrook Hall*** *(hors plan détachable par F6,* ***54****) : 6, Belmont Ave.* ☎ *269-16-33.* • *donnybrookhall. com* • *Doubles env 70-100 € (surveiller les promos sur Internet).* 📶 Dans une rue calme, juste au sud de *Ballsbridge,* encore proche du centre. Entre *B & B* et hôtel, une petite dizaine de chambres confortables dont 3 donnent sur un jardin. Certaines pas trop grandes, d'autres communiquent pour former des familiales. Accueil sympathique du patron, très serviable. Si vous dîner chez *O'Connell* à deux pas (un de nos restos préférés), vous avez même droit à un *Irish coffee* offert.

■ ***Andorra B & B*** *(plan détachable G6,* ***55****) : 94, Merrion Rd.* ☎ *668-96-66.* • *andorrabb.com* • *Bus nos 4, 5, 7, 7 A, 8 et 45. Arrêt de l'*Air Coach *pour l'aéroport à quelques mn, station Sandymount du* DART *pas très loin. À partir de 70 €, petit déj inclus.* En face de l'ambassade de Grande-Bretagne, une grosse demeure à colombages style Cabourg. Intérieur cosy comme tout, chambres de bon confort, assez spacieuses, avec salle de bains. TV et possibilité de faire son thé ou café.

Accueil aimable et bon breakfast. Parking privé.

À Glasnevin (nord de Dublin)

De nombreux bus pour s'y rendre : sur Botanic Road, n°s 19, 19 A et 13 ; sur Drumcondra Road, n°s 3, 11, 16 et 41 ; les n°s 41 A et 41 B vont, en outre, à l'aéroport. Pour vous y rendre en voiture du centre-ville : Philsborough Road *(plan détachable B1)*, traversez le Royal Canal, puis continuez dans la Botanic Road que coupe Iona Road sur votre droite.

Egan's House : *7, Iona Park, Glasnevin, Dublin 9. ☎ 830-36-11. • eganshouse.com • Perpendiculaire à Iona Rd. Doubles à partir de 40 €, familiale 56 €. Petit déj 8 €. Parking 7 €. payant.* Dans un quartier résidentiel et calme à moins de 10 mn en voiture du centre-ville. Pas loin à pied du Jardin botanique. Une grande demeure (façade en brique rouge) avec un petit jardin qui abrite une trentaine de chambres très classiques mais tout confort. Petit hôtel donc plutôt que *B & B.* Quelques-unes sont des familiales. Très élégant *Dublin lounge* avec cheminée en cuivre et céramique, flanquée d'un joli piano ciselé.

Au sud de la Liffey, plus loin du centre

Teresa Tomkins B & B (hors plan détachable par C6) **:** *123, Coolamber Park, Dublin 16. ☎ 406-95-53. • tere satomkins@eircom.net • En voiture, prendre la N 81 sur Dame St (ou depuis l'autoroute M 50) et la suivre sur 8 km jusqu'au quartier de Templeogue. Traverser la River Dodder et demander son chemin. Le bus n° 15 (le n° 5 B bifurque 500 m plus tôt), qui mène à College St en 30 mn, s'arrête à la station-service de Knocklyon Rd, à 250 m du* B & B. *Ouv 1er mars-31 oct. Doubles 50-60 €, petit déj compris. Réduc de 5 € à partir de 3 nuits. CB refusées.* Des chambres simples et bien tenues, certaines avec salle de bains, dans une habitation typique de quartier résidentiel *middle class.* Idéal pour rayonner au sud de Dublin et pas trop délaissé par les bus (*Nitelink* le week-end). Et puis, en plus d'être une hôtesse amène, Mrs Tomkins connaît bien la région et (surtout !) sert un breakfast irlandais complet et copieux.

Plus chic

Dans le centre, rive sud

Central Hotel *(zoom détachable D4,* **56**) **:** *Exchequer St, Dublin 2. ☎ 679-73-02. • centralhoteldublin.com • À partir de 80 € pour 2 lun-jeu, petit déj compris ; env le double le w-e.* Idéalement situé au cœur de Dublin, ce bel hôtel à la déco raffinée accueille des visiteurs depuis 1887. L'atmosphère des salons rappelle un peu celle des années 1920 ! Et que dire du bar à l'étage avec ses grands fauteuils et ses élégantes bibliothèques tout droit sorties d'un roman d'Oscar Wilde ? À l'inverse, les chambres (doubles, triples et familiales), assez spacieuses, jouent la carte de la modernité, avec une déco des plus épurée. Excellent confort : TV câblée, sèche-cheveux, possibilité de faire le café, etc. Accueil agréable.

Chic

À Ballsbridge

Pembroke Townhouse *(plan détachable F5,* **57**) **:** *90, Pembroke Rd, Ballsbridge, Dublin 4. ☎ 660-02-77. • pembroketownhouse.ie • Congés : 3 sem autour de Noël. Compter 79-99 € pour 2, petit déj non compris (promos sur Internet). Petits déj 10 et 12,50 €. Ascenseur. Parking à disposition.* Jolie maison de style georgien, qui a été convertie en hôtel de charme aux lignes intérieures contemporaines qui ne manquent pas de séduire. Toutes les chambres ont une décoration cosy, des tons doux et on s'y sent particulièrement bien. Les plus chères avec TV écran plat. Quelques minisuites également. Excellent *Irish breakfast.* L'accueil ne l'est pas moins !

Dans le centre, rive nord

The Townhouse *(zoom détachable E3,* **58**) **:** *47-48, Lower Gardiner St, Dublin 1. ☎ 878-88-08. • townhouseofdublin.com • À deux pas de Connolly Station et Busáras. Doubles 80-120 € selon saison, petit déj* *compris.* Une vaste maison georgienne où les écrivains Dion Boucicault et Lafcadio Hearn ont séjourné. Certaines chambres portent le nom d'une de leurs œuvres. Atmosphère agréable, avec petit salon et feu de cheminée en hiver et mobilier d'époque. Environ 70 chambres de tailles diverses (certaines petites) mais confortables et bien décorées, avec TV, téléphone et salle de bains. Et comme les rues environnantes sont plutôt bruyantes, préférez les chambres donnant sur la cour intérieure fleurie. Même maison que l'AJ à côté.

À Glasnevin (nord de Dublin)

Pour l'accès, voir plus haut dans « Prix moyens ».

Maples House Hotel : *79-81, Iona Rd, Glasnevin, Dublin 9. ☎ 830-42-27. • mapleshotel.com • Fermé autour de Noël. Doubles 69-79 € selon saison et confort, petit déj en plus (continental ou* Irish*).* Que l'animation des ruelles de Temple Bar semble loin dans ce quartier résidentiel de Dublin ! Amateurs de nuits endiablées et d'ambiance sulfureuse, passez votre route. Dans cette belle demeure de brique rouge du début du XXe s, raffinement et charme sont les maîtres mots, des chambres épurées au petit salon avec cheminée jusqu'au restaurant aux tables impeccablement dressées. Le tout dans une certaine intimité puisque l'hôtel ne compte qu'une vingtaine de chambres. TV écran plat, sèche-cheveux, etc. Restaurant et bar.

Très chic

À Ballsbridge

Ariel House *(plan détachable G5,* **59***) : 50-54, Lansdowne Rd, Ballsbridge, Dublin 4. ☎ 668-55-12. • arielhouse.net • Au pied du Rugby Stadium. Le bus* Aircoach *de l'aéroport s'arrête à deux pas. Par le* DART*, s'arrêter à la station Lansdowne Rd. Doubles standard à partir de 59 €,* superior *69 € et* junior suite *99 € ; petit déj en sus. Parking gratuit.* Dans le quartier verdoyant et calme (sauf les soirs de match) de Ballsbridge, une belle et grande demeure victorienne en brique rouge gérée par un Irlandais affable et plein d'humour. Une quarantaine de chambres décorées avec goût par la maîtresse de maison, pourvues d'un beau mobilier de style. Les plus « économiques », plus petites, se trouvent derrière la maison principale, dans une annexe moderne. Parmi les plus belles chambres, la n° 228, avec une adorable salle de bains chinoise, ou bien la n° 239, donnant sur le jardin et équipée d'une baignoire-jacuzzi. *Junior suites* vraiment chouettes avec leur lit à baldaquin, les beaux tissus et les lustres en cristal de Waterford. Copieux petit déj, continental ou irlandais, qu'on prend sous une agréable véranda. Une adresse de charme, proche du centre-ville, qui conviendra à nos lecteurs en lune de miel à Dublin.

Très, très chic

À Ballsbridge

Aberdeen Lodge *(hors plan détachable par G6,* **60***) : 53-55, Park Ave, Ballsbridge, Dublin 4. ☎ 283-81-55. • halpinsprivatehotels.com • Prendre le* DART *jusqu'à l'arrêt Sandymount. Doubles 138-198 €, petit déj compris.* La porte à peine entrouverte, un flot de sérénité submerge le visiteur. Et pour cause, cet établissement membre des « Relais du Silence », entièrement couvert de vigne vierge fait de la tranquillité son cheval de bataille ! Chambres à l'avenant, reposantes et décorées avec goût, beaux salons cossus au rez-de-chaussée. Grand jardin. Une adresse de charme.

Merrion Hall *(plan détachable G6,* **61***) : 54-56, Merrion Rd, Ballsbridge, Dublin 4. ☎ 668-14-26. • halpinsprivatehotels.com • Dans le quartier (très résidentiel) de l'ambassade américaine. Doubles 92-154 € et plus selon saison, petit déj compris. Belles promos sur Internet.* Dans une belle demeure de style edwardien (voilà qui change du style georgien), une trentaine de chambres de haut standing ainsi que quelques suites. AC, TV satellite, bains avec jacuzzi, bref, tout le confort que procure ce genre d'hôtel de charme aux 5 étoiles. Même propriétaire que l'*Aberdeen Lodge*.

Où manger ?

Dublin est devenue une véritable capitale gastronomique et l'offre se révèle d'une très grande richesse. Une chose vous étonnera : certaines superbes adresses connaissent un incroyable niveau sonore... allègrement supporté par les convives !
Manger le midi à Dublin ne coûte pas trop cher, car beaucoup de restos servent des *lunch specials* autour de 10-13 € ; le soir, les tarifs augmentent avec l'heure. Dans la plupart des restos, il vous coûtera moins cher de dîner avant 18h30 ou 19h *(early bird)*. Attention, le vendredi et le samedi soir, il est préférable de réserver la veille. Pas mal de restos pratiquent le brunch, en principe de 11h-12h à 15h-16h. Ainsi le dimanche midi est assez prisé par les familles qui se retrouvent autour d'un *Irish stew* et d'une *Guinness*, et ce jusque assez tard dans l'après-midi. Ne pas hésiter à réserver donc, même en dehors de ces jours, malgré la crise, les établissements ayant le plus de succès ne désemplissant pas !

■ ***Fabulous Food Trails :*** *44, Oakley Rd, Ranelagh.* ☎ *497-12-45.* ● *fabulousfoodtrails.ie* ☾ *Ven et sam à 10h. Mai-sept, jeu soir vers 17h30. Compter 45 €/pers. Résa obligatoire.* Pendant environ 2h30, découvrez les meilleures boutiques de produits : fromagers, boulangers, bouchers, petits salons de thé, *food stalls*, certaines cafétérias de musée, toutes dans la philosophie bio ou Slow Food. Souvent, bien sûr, avec dégustation (vous découvrirez avec surprise que l'Irlande est l'autre pays du fromage !). Une façon gourmande donc de découvrir la vitalité de la gastronomie dublinoise et la visite avec Roisin Fallon est un vrai bonheur !

De bon marché à prix moyens

Rive sud, sous Dame Street

I●I **La Cocotte** *(zoom détachable E4, **22**) : 1, Kildare St.* ☎ *676-17-32. C'est la cafétéria de l'Alliance française. Tlj sf dim 8h30-19h30 (ven 17h30, sam 14h30). Fermé sam en été. Plat 10 €. Menus 3 plats 17 € et 2 plats 15 €.* Salle spacieuse égayée par d'intéressantes expos temporaires (peinture, photos). Bonne cuisine, des plats simples bien troussés et qui tournent chaque semaine : bœuf bourguignon, saucisse de Toulouse, baguettes garnies, quiches, soupes, beaux gâteaux (plus une journée cuisine de province française par semaine)... Idéal quand on fait les musées du quartier.

I●I ***Lemon Crepe*** *(zoom détachable D4, **90**) : 66, South William St.* ☎ *672-90-44. Tlj jusqu'à 19h30 (21h jeu et 18h30 dim). Crêpes 6-8 €.* Plébiscitée par les étudiants de Trinity, cette crêperie de poche aux allures de cafétéria ne désemplit pourtant pas de la journée. Crêpes sucrées ou salées bien garnies, mais également un panel intéressant de sandwichs chauds. Quelques tables ensoleillées (entre deux nuages !) en terrasse.

I●I ***Blazing Salads*** *(zoom détachable D4, **91**) : 42, Drury St.* ☎ *671-95-52. Lun-ven 9h-18h ; sam jusqu'à 17h30. Petits plats 6-10 €.* Une sorte de pâtisserie-salon de thé un tantinet écolo, où l'on s'applique à pétrir du pain organique fourré de bons produits frais. De bonnes salades au poids, des soupes et des petits plats exclusivement végétariens riches en saveurs, comme le *caribbean stew*, le *sheperd's pie* ou la lasagne aux légumes, la ratatouille au parmesan frais... Une enclave militante dans le pays du *beef and Guinness stew*. Leur *cookbook* fait fureur. Pas de places assises.

I●I ***Leo Burdocks*** *(zoom détachable D4, **92**) : 2, Werburgh St.* ☎ *454-03-06. Tlj 12h-minuit. Plats 6-10 €.* Populaire *fish & chips* (on dit que c'est l'un des meilleurs d'Irlande !), en activité depuis 1913. Léo, le fondateur, se levait tous les jours à 5h pour être sûr d'avoir le poisson le plus frais. Vraies frites (au choix : nature, au curry, à l'ail, au fromage...) et grosse part de haddock (arrosé de vinaigre maison), à déguster dans les jardins de Saint-Patrick (à emporter uniquement). Il faut voir la liste affichée et très exhaustive de toutes les célébrités (*showbiz* et politiciens) qui y sont passées. Tom Cruise qui avait cru ne pas devoir faire la queue, s'est vu prier d'y retourner comme tout le monde ! Dommage, on n'y emballe plus le haddock dans une feuille de journal (les gens adoraient lire les nouvelles en même temps). Succursale dans Temple Square *(au 4, Crown Alley ; tlj 22h, sf jeu-sam 4h).*

IOI ***Cornucopia*** *(zoom détachable D4,* ***93****) : 19, Wicklow St. ☎ 677-75-83. Lun-mer 8h30-21h (22h30 jeu-sam) ; dim 12h-20h30. Soupes et salades env 4,50-10 € et plats 11-13 €.* Cadre d'une certaine sobriété, salles spacieuses, confortables et aérées. On s'y sent vraiment bien. Malgré la concurrence, ce végétarien cool comme tout continue de faire recette. On y sert dans la bonne humeur force soupes, assiettes de pâtes, gratins de légumes, petits plats exotiques élaborés (ah, le *sweet potato and brocoli brazilian cake*) et autres copieuses tartes à une population à tendance estudiantine sans le sou. Menu inscrit à la craie sur une grande ardoise et plats qu'on choisit directement au fond de la salle. Absolument savoureux. Bons petits déj également. Comptoir en bois et tabourets pour manger sur le pouce.

IOI ***Cafétéria de la National Library*** *(zoom détachable E4,* ***94****) : Kildare St. Tlj sf dim 9h30-18h30 (jeu-sam 17h). Le 2e ven du mois, concert de jazz à 19h.* Une cafèt' classique qui a cependant décidé de sortir de l'ordinaire et qui propose une savoureuse cuisine à base de produits frais ou élaborés par des producteurs du circuit « organic ». Vrai saumon d'Irlande, agneau du Connemara, délicieuse terrine de porc aux prunes de Cork et salaisons de chez McGeogh (de Oughterard dans le Connemara), avec chutney maison. Le chef adore décliner à sa manière toutes ces bonnes petites choses et élaborer des plats personnels et goûteux, suivant saison et marché. Comme son roastbeef aux minitomates marinées au vin rouge, crème de radis noir *(horseradish)* et ses copieux *open sandwiches* au poisson fumé provenant de la *Burren Smokehouse.*

IOI ***South Street Cafe*** *(zoom détachable D4,* ***95****) : South Great George St (en face Exchequer St). ☎ 475-89-71. Tlj 11h-minuit. Plats env 13-22 €. Vin au verre 5 €.* Au cœur de cette rue gastronomique, un p'tit caboulot sympa, sans prétention. Cadre assez banal et musique funky supportable. Rempli de clients à petit budget, ravis de déguster de bonnes pizzas et des pâtes correctes pour 10 €. Lunch pas cher également *(chicken Milano, T-bone garlic potatoes).* Le soir, mêmes prix et, à la carte, de bonnes viandes à des prix qui se tiennent encore. Accueil affable.

IOI ***Yamamori Noodles*** *(zoom détachable D4,* ***96****) : 7, South Great George St. ☎ 475-50-01. Tlj 12h-23h (ven-sam 23h30). Lunch,* ramen *et* wok fried noodles *à moins de 10 € (plus cher le soir),* house specials *9-12 € (le soir 17-20 €). Excellent* vegetable bento *à 16,50 €.* Cadre sobre, tables et longs bancs en bois pour l'une des meilleures cuisines japonaises de la ville. Quelques tableaux égaient les murs. Le midi, très fréquenté vu le remarquable rapport qualité-prix. Le soir, clientèle franchement plus *trendy* (conseillé de réserver) se régalant de sushis et autres makis... Goûter aussi au *teppan beef teryaki.* Service efficace et agréable, parfois un poil dépassé quand c'est l'affluence. Même maison, ***Yamamori Sushi,*** au 38-39, Lower Ormond Quay.

IOI ***Café Kylemore*** *(zoom détachable D4,* ***97****) : au 1er étage du centre commercial situé à l'angle de King St South et de Saint Stephen's Green West. ☎ 478-16-57. Tlj sf j. fériés 8h-18h (20h jeu). Compter 6-12 €.* Indication discrète au niveau rue. Pas mal pour le petit déj. Cafétéria vaste et lumineuse, où l'on peut manger des sandwichs, des salades, le menu du jour *(daily lunch)* ou le *chef special* à des prix démocratiques. Bon et copieux. Vue agréable sur les arbres du parc Saint Stephen's Green.

IOI ***Bewley's Oriental Café*** *(zoom détachable D4,* ***98****) : 78-79, Grafton St. ☎ 672-77-20. Tlj 8h-22h (jeu-ven-sam 23h, dim 9h-22h). Petit déj irlandais, servi jusqu'à 11h30, lunch jusqu'à 18h. Le soir, intéressant menu à 15 € (salades, soupes, 12 sortes de pizzas, pâtes, pâtisseries).* Les Bewley, famille de quakers venue de France au XVIIIe s, premiers négociants de thé en Irlande, établirent leur commerce en 1833. Leur haut fait d'armes fut d'avoir réussi, cette année-là, à introduire 2 099 ballots de thé, cassant ainsi le monopole de l'*India Tea Company.* Ensuite, ils créèrent une chaîne de cafés connue sous le nom de *Bewley's Oriental Cafés.* Celui de Grafton Street, ouvert en 1927, l'un des plus beaux de style Arts déco et dont les somptueux vitraux ont été dessinés par Harry Clarke, a joué un rôle important dans la vie littéraire irlandaise. Fréquenté assidûment par Joyce (qui le mentionne dans *Gens de Dublin*), Beckett, Patrick Kavanagh, Sean O'Casey... Sur le point de disparaître en 2005, il a finalement été divisé en plusieurs salles. Avec 400 places, il reste cependant le plus grand café d'Irlande et, avec 1 million de visiteurs, est quasiment devenu un monument. On continue d'y torréfier le café suivant la tradition, un 100 % arabica issu du commerce équitable.

Rive sud, dans Temple Bar

|●| ***The Bad Ass Café*** *(zoom détachable D4,* ***100****) : 9-11, Crown Alley, Temple Bar Sq. ☎ 671-25-96. Tlj de 9h* until late. *Pizzas et* burgers *12 €, plats 14-17 €. Ven-sam,* live music *ou* stand up comedy *vers 20h30.* En plein cœur de Temple Bar, une sorte d'ancien entrepôt réaménagé en restaurant branché spacieux, lumineux et moderne. Décor reprenant des éléments de pub. Bien pour avaler de bonnes pâtes, un crémeux *seafood chowder,* un *beef and Guinness stew* ou un *chorizo chicken,* des salades, pizzas ou burgers... Cuisine correcte donc et on y est bien. Toujours beaucoup de monde, des artistes du quartier sans le sou, des flâneurs et des voyageurs avec enfants. En sortant, jeter un coup d'œil (sur le mur d'entrée) au logo en forme de disque 33 tours. Il rappelle que Sinead O'Connor fit ses débuts dans la musique avec le groupe *Ton Ton Macoute,* tandis qu'elle arrondissait ses fins de mois comme serveuse au *Bad Ass Café.*

Rive sud, Christchurch et les Liberties

|●| ***Bull & Castle*** *(zoom détachable D4,* ***101****) : 2, Lord Edward St, Christchurch. ☎ 475-1122. Tlj 11h30-23h30 (jeu 0h30, ven 1h et sam 2h30).* Early bird *17h-19h.* Proche de Dublin Castle. Ceux qui ne supportent pas de faire la queue chez *Burdocks* (ou désirent manger assis) échouent généralement ici et ne le regrettent pas. Immense gastro-pub et *beer hall,* avec salles sur plusieurs niveaux, longues tables et bancs rugueux. Bref, garantie d'y toujours trouver de la place. La famille Buckley dirige l'affaire depuis 6 générations. On s'y restaure superbement à tous les prix. Viandes provenant de la ferme familiale. Grand choix de poisson et fruits de mer. Onctueux *seafood chowder,* moules, haddock frais, coquilles Saint-Jacques, *lamb stew,* frites maison... Le dimanche, poulet entier pour deux, plus dessert à 26 €. Imbattable ! Grand choix de *craft beers* (bières artisanales). Les vendredi et samedi surtout, atmosphère tellurique (avec DJ's)...

|●| ***Mannings*** *(plan détachable C4,* ***102****) : 40, Thomas St West. ☎ 454-21-14. Tlj sf dim jusqu'à 18h.* Prix incroyables, grandes tartes aux pommes familiales pour seulement 5 € ! Le samedi, la foule ! Grande boulangerie-pâtisserie-salon de thé régalant les gens des *Liberties* depuis plus de 60 ans. Familles, employés du coin, touristes se repaissent de gâteaux crémeux, *cupcakes,* choux *buns,* goûteuses salades composées, gros sandwichs très frais, soupes maison avec du bon pain, *roast beef...*

Rive nord

|●| ***Beshoff*** *(zoom détachable D3,* ***103****) : 7, O'Connell St Upper. ☎ 872-44-00. Tlj 9h-21h (11h15-22h jeu-sam). Plats env 5-8 €.* Depuis plus de 3 générations, ce *fish & chips* est l'un des plus populaires de Dublin avec sa façade noir et blanc. Les classiques des *fish & chips* : *cod & chips, haddock meal, fish burger,* raie, saumon et *lemon sole,* mais aussi poulet, saucisses à prix raisonnables. Frites fraîches maison, ça va de soi ! Il peut y avoir une grosse affluence en soirée. Le fondateur, Ivan Beshoff, débarqué de Russie en 1913, vécut 104 ans, son père 108 ans et le grand-père 115 ans !

De prix moyens à plus chic

Dans cette catégorie entrent un grand nombre de restaurants aux prix très variables en fonction du moment auquel on s'y rend – ça peut aller du simple au double, méfiez-vous.

Rive nord

The Oval *(zoom détachable D3,* ***104****) : 78, Abbey St Middle. ☎ 872-12-64. Plats env 10-14 €.* Depuis 1820, un pub se tient ici et il a acquis son nom actuel en 1904. Il fut détruit en 1916 pendant l'Easter Rising et reconstruit avec cette belle façade qu'on lui connaît. Clientèle de journalistes, fonctionnaires, quelques politiciens et gens du quartier. Ce fut aussi l'une des étapes de Leopold Bloom dans *Ulysse*. Fréquenté surtout le midi pour déguster plats traditionnels (*Irish stew* renommé, *bacon and cabbage*), soupe du jour, lasagnes, sandwichs, *panini*, sole grillée, *Thaï green curry*, salades, etc.

The Winding Stair *(zoom détachable D3,* ***105****) : 40, Lower Ormond Quay. ☎ 872-73-20. À l'étage. Tlj 12h-17h (ven-sam 15h30) et 17h30-22h30. Résa indispensable le soir. Menus le midi env 19-27 € (avec un verre de vin) ou plats env 22-27 €. Menus* pre theatre *également 26-31 € (table libérée à 20h).* Il porte bien son nom, ce restaurant auquel on accède par un escalier onduleux. Et il vaut bien la grimpette en surplomb de la Liffey encadrée par d'immenses baies vitrées. Mais si le succès perdure, c'est avant tout grâce à sa cuisine, respectueuse des produits et des saveurs, subtilement assaisonnée et régulièrement renouvelée. Ajoutez à cela un cadre chaleureux (murs de brique, rangées de bouteilles, des livres), un accueil charmant, une carte des vins bien mûrie, et vous ne regretterez pas l'ascension.

101 Talbot *(zoom détachable E3,* ***106****) : 101, Talbot St. ☎ 874-50-11. À l'étage. Tlj sf dim-lun 12h-15h (à partir de mai) et 17h-23h. Menu 22 € avt 20h. Plats 15-22 €.* Il s'agit d'un resto réputé un peu branché, à la déco sobre. On y sert une excellente cuisine à tendance méditerranéenne, avec une large proportion de plats végétariens. Savoureux canard aux prunes et gingembre, poulet de ferme grillé au charbon de bois, pommes de terre à la graisse de canard, tomates et chorizo... Le chef irlandais change le menu selon son humeur et la saisonnalité des produits. Carte des vins variée et au verre. Considéré comme l'un des meilleurs rapports qualité-prix de Dublin.

L. Mulligan Grocers *(plan détachable B3,* ***108****) : 18, Stoneybatter St. ☎ 670-98-89. Lunch slt sam-dim. Dîner 17h-21h30 (22h ven-sam, 21h dim). Plats 13,50-21,50 €.* Un des meilleurs gastro-pubs de la ville, qui a eu la bonne idée de se nicher dans ce vénérable établissement au long passé populaire et, surtout, d'en avoir conservé le cadre. Long comptoir de bois et banquettes séparées par de petites cloisons. Le vrai must ici, c'est le choix de bières artisanales (plus d'une centaine), dont des cervoises de garde originales. En outre, comme pour les vins, ils conseillent les bières en accord avec les plats (ainsi la super *Friar Weiss*, une bière de franciscains, pour les moules). Goûter aussi la *Ola Dubh* écossaise qui possède, dit-on, la couleur d'un soir de décembre à 21h25 ! Superbe et américaine *Wild Barrel Aged* (9,5°) également. Question cuisine, on est ici dans la mouvance *Slow Food*, garantie de se voir servir les meilleurs produits : poulet farci au *black pudding* (là, on conseille la Chimay bleue), *lamb burger*, poisson de Howth, boudin de sir Jack McCarthy, saumon bio du Burren...

Rive sud

Coppinger Row *(zoom détachable D4,* ***109****) : Coppinger Row (et South William St). ☎ 672-98-84. Tlj dim 12h-15h et 18h-23h (dim 12h30-16h, 18h-21h). Lunch 10 €, plats le soir 17-24,50 €.* Petite cuisine de brasserie l'après-midi. D'abord, c'est un cadre plaisant, un accueil des plus aimables, l'une des cuisines les plus fraîches et sincères qu'on connaisse et, surtout, le meilleur lunch à 10 € de Dublin ! Des p'tits plats aux connotations méditerranéennes et à base de produits sélectionnés. Goûtez au *wild mushrooms in filo pastry, truffle and pecorino* ou à l'agneau rôti pommes de terre à l'ail... C'est parfois tout simple, mais servi généreusement. Judicieuse sélection de fromages fermiers et très beaux desserts (ah, le *vanilla pannacotta, rhubarb e biscotti* !). Quant au brunch du dimanche...

|●| ***Green Nineteen*** *(plan détachable D5,* ***110****)* ***:*** *19, Camdem St Lower. ☎ 478-96-26. Tlj 11h-23h (dim 12h-22h). Compter max 15 €. Vin au verre 4,50 €. Brunch populaire (ts les plats à 10 €).* On est accueilli par un portrait d'Obama qui semble dire « *Yes, we can...* » vous offrir une fraîche, éclectique et goûteuse cuisine à des prix du temps d'Eamon de Valera. Cadre coloré, intime, lumineux. Clientèle jeune et alternative... Sandwichs généreux, mais surtout des plats picorant avec talent dans toutes les cultures gastronomiques : *Irish burger,* tajine marocain à l'agneau, bœuf bourguignon, *corned beef, mexican chili bean burrito...* Le tout à partir de bons produits locaux, bio pour la plupart. Même le ketchup est fait maison, succulent *cheese cake* du jour. Propose une bière excellente : la *Belfast Blonde*. Liste de cocktails élaborés. Service jeune et alerte. On a bien failli en faire notre cantine !

|●| ***Gallagher's Boxty House*** *(zoom détachable D4,* ***111****)* ***:*** *20-21, Temple Bar. ☎ 677-27-62. Tlj ; petit déj 9h-12h30, déj jusqu'à 16h et dîner jusqu'à 23h. Résa conseillée. Plats principaux env 16-20 €. Menu 3-courses 25,50 €.* Un resto réputé, comme en témoignent ses distinctions affichées à l'entrée. Déco rustique et belles cheminées entre lesquelles trônent de grandes tables familiales. On y sert de bons plats irlandais copieux *(Irish stew, corned beef and cabbage, poached smoked haddock, boxties...)* et de la cuisine végétarienne. Le *boxty,* c'est une galette de pommes de terre ; ça ressemble à une crêpe et on la garnit comme on veut. Petite curiosité : on n'y sert que de la Murphy de Cork et pas de *Guinness*. Sacrilège !

|●| ***Fallon & Byrne*** *(zoom détachable D4,* ***112****)* ***:*** *11-17, Exchequer St. ☎ 472-10-12. Établissement fonctionnant sur 3 formules : bar à vins au sous-sol, lunch sur le pouce au rdc et classique resto au 1er étage midi et soir. Bar à vins ouv tlj : 12h-21h lun-mer ; 22h jeu-sam ; 12h30-18h30 dim.* Chaleureux espace, tonneaux servant de table, comptoir et des centaines de bouteilles proposées (plus de 600 !) à nos papilles exigeantes. Service agréable pour de très belles planches de fromages fermiers (goûter au *smoked gubbeen* !) ou de charcuteries artisanales. Sinon, saumon fumé artisanalement, salade de canard, 12 sortes de sandwichs élaborés, *cheese cake.* Sélection de bons vins. À signaler, une petite carte de bières originales, comme la *James Boag's Prem* de Tasmanie et la *Ola Dubh Reserve* écossaise (8°)... Pour lutter contre le « Monday's blues », ce jour-là, on peut se choisir une bonne bouteille au prix cave (avec seulement 1 € de droit de bouchon !). Au 1er étage, le resto : sans plus et très bruyant. On préfère le *deli* au rez-de-chaussée. Possibilité de manger sur place également (soupe, sandwich, salade, vraie *mozzarella di buffala,* bons gâteaux).

|●| ***The Chameleon*** *(zoom détachable D4,* ***113****)* ***:*** *1, Lower Fownes St, Temple Bar. ☎ 671-03-62. Tlj 18h-23h ainsi que sam midi. Menus 25-35 € (6 plats),* early bird *jusqu'à 18h30, mar au jeu et dim, 16,95 € (4 plats) ; plats 15-20 €.* Ce minuscule restaurant indonésien fait la joie des amoureux. Une fois passé la porte jaune, oubliez imperméables et parapluies, l'intérieur réchauffe avec sa déco exotique d'un goût exquis et ses bougies partout. Côté cuisine, les gastronomes ne laisseront pas passer les excellents *rijsttafel* (terre, mer ou végétariens), raisonnablement épicés.

|●| ***Elephant and Castle*** *(zoom détachable D4,* ***114****)* ***:*** *18, Temple Bar. ☎ 679-31-21. Tlj 8h-23h30 ; brunch sam-dim 10h30-16h30. Résa impérative en fin de sem. Burgers et salades 10-15 €. Plats 18-26 €.* L'un des premiers restos installés dans le quartier (1989), alors que Temple Bar était très loin d'être à la mode. Cuisine américaine. Grande salle au cadre clean, décor bois orné de photos noir et blanc, tables et banquettes en bois, clins d'œil à Big Apple. Populaire chez les jeunes et apprécié aussi par les familles qui forment de grandes tablées. Réputé pour ses gros et *juicy hamburgers,* sa dizaine d'omelettes, les *New York sandwiches,* mais aussi pour ses *guacamoles,* tagliatelles au fromage de chèvre, *large house salads,* etc.

|●| ***The Mongolian Barbeque*** *(zoom*

détachable D4, ***115****) : 7, Anglesea St, Temple Bar.* ☎ *670-41-54. Tlj 12h-22h (23h le w-e). Le soir, buffet 16-24 € ; formules plus économiques le midi : buffet 1 voyage slt 5 €, avec dessert 8 €, illimité 10 €... Vin au verre 5 €.* Une adresse originale, de qualité, et où l'on mange à volonté pour pas trop cher, avouez que ce serait une faute que de vous en priver. Menu tout compris midi et soir. Alors, comment ça marche ? La formule est simple : on emplit un bol d'émincé de viande (bœuf, agneau, porc), volaille ou poisson, on garnit le tout de légumes divers, puis on nappe d'une des sauces proposées et on donne l'ensemble au cuistot qui le fait cuire à l'aide de longues baguettes. On recommence l'opération autant de fois qu'on le souhaite et on accompagne ces mets variés de riz ou nouilles. Intéressant, non ?

|●| ***Osteria Il Baccaro*** *(zoom détachable D4,* ***116****) : Diceman's Corner, Meeting House Sq.* ☎ *671-45-97. Tlj sf lun midi 12h-22h30 (lun 17h30). Résa conseillée le w-e (et même certains soirs de sem). Pâtes 12,50-14,90 €. Plats le soir 14-25 €.* Lunch menu *10 € dim-jeu 12h30-15h.* Pre theatre menu *18 €, dim-jeu 16h-19h. Vins italiens (au verre 5 €).* Dans une ancienne cave médiévale, une vraie taverne italienne : *pasta* point bâclée, viande de bonne qualité, accueil chaleureux. Bourré de clients réjouis appréciant l'atmosphère animée, joyeusement bruyante.

|●| ***El Bahia*** *(zoom détachable D4,* ***117****) : 37, Wicklow St.* ☎ *677-02-13. Tlj 17h-23h30. Couscous 15-20 €, tajines 14-16,50 €.* Early bird *15 € (2 plats), 20 € (3 plats).* Mezze *70 et 50 € (végétarien) avec cuvée du patron.* Belle déco marocaine sur plusieurs étages, fenêtres drapées de tissus soyeux et lumières tamisées, tente berbère pour siroter un thé à la menthe. Les entrées sont délicieuses, surtout le *Ladas,* savoureuse mixture de lentilles. Pour les plats principaux, les pastillas et les couscous sont copieux mais parfois un peu secs. Ce restaurant est victime de son succès – c'est le seul restaurant marocain de Dublin –, les serveurs sont vite dépassés. Recommandé d'arriver tôt pour bénéficier d'un service plus attentionné.

|●| ***La Péniche*** *(plan détachable E5,* ***118****) : Grand Canal, Mespil Rd Jetty.* 📱 *087-790-00-77. Tlj sf lun, le midi et soir jusqu'à 23h. Résa indispensable le soir pour savoir à quelle heure précisément la péniche largue les amarres (horaires variables).* Lunch menus *21,50-27,50 € ;* dinner menus *27,50-34,50 € (ajouter 5 € de* cruise contribution*) ; carte 40 € le soir.* Construit spécialement pour le canal selon des plans d'origine, ce restaurant flottant offre un air de vacances. Servi par un personnel souriant et francophone en tenue de marin, on peut déguster un verre de vin sur le pont, avant de descendre se rassasier au chaud. Cuisine traditionnelle française, du confit de canard au bœuf bourguignon.

|●| ***Saba*** *(zoom détachable D4,* ***119****) : 26-28, Clarendon St.* ☎ *679-20-00. Tlj 12h-23h (dim, lun et mar 22h). Menu 23,50 €. À la carte le soir 19,75-24,50 €.* Probablement le meilleur resto de cuisine dans le registre thaï-vietnamien. Très élégant cadre contemporain, brillant et tamisé tout à la fois (bougie sur la table). Au mur, une pittoresque expo photo de motos de transport au Vietnam et de leur incroyable chargement. Clientèle 30-40 ans semblant s'accommoder aisément du fort niveau sonore. Service souriant et efficace. Vous dégusterez ici une cuisine authentique. Remarquable menu à 3 plats du soir. À la carte, le *bo,* filet de bœuf mariné dans la bière Chang et, bien sûr, *woks* savoureux, *curries* aux fragrances subtiles, *noodles* suaves, etc.

|●| ***Camdem Kitchen*** *(plan détachable D5,* ***120****) : Grantham St (et Camdem St).* ☎ *476-01-25. Tlj sf lun, sam midi et dim soir 12h-14h30 et 17h30-22h (dim brunch 11h-15h30). Menus le midi 16-19 €.* Early bird *18 € (17h30-18h30).* Dans une rue peu passante du quartier de Camdem (un des quartiers qui bouge pas mal). Deux petites salles discrètes au cadre sobre. Ici le contenu de l'assiette domine avant tout. Cuisine d'influence française particulièrement soignée. Certes classique mais concoctée avec une touche vraiment personnelle. Remarquables *lunch menus*. Réservation très conseillée le soir.

|●| The Green Hen *(zoom détachable D4, **121**) : 33, Exchequer St. ☎ 670-72-38. Tlj 12h-15h (mer-dim 16h) et 17h30-22h (ven-sam 23h, dim 21h).* Early bird *17h30-19h 19,50-22 €. Intéressants* lunch menus *14-17 € ; le soir plats 16-25 €.* Agréable salle tout en longueur décorée sur le thème du cinéma, accompagnée d'une belle et discrète bande-son jazz de qualité. Bar lumineux et long comptoir pour les pressés. Cuisine française aux envolées irlandaises.

|●| Jaipur *(zoom détachable D4, **122**) : 41, South Great George's St. ☎ 677-09-99. Tlj 17h-23h.* Early bird *20 € jusqu'à 19h, menus 30-45 €.* Cadre particulièrement séduisant. Style contemporain dans les tonalités blanche, rouge et or. Vraiment chaleureux. Cuisine indienne traditionnelle, subtilement raffinée. Goûter au *Goan Seafood Curry,* au *Kadhai Jhinga* (grosses crevettes cuites au beurre et ail rouge, épices, mangue et tomate), au *Rogan Josh* (agneau cuit lentement, tomates, oignons, safran et fenouil), sans oublier le classique mais savoureux *Tandoori Murgh* (poulet fermier désossé et mariné dans le yoghourt et l'ail, puis passé au four)... Pour les végétariens, le raffiné *Shakahari Thali.* Vrai complice de ces agapes, un *naan* bien sûr et l'onctueux *lassi.*

|●| Lgueuleton *(zoom détachable D4, **123**) : 1, Fade St. ☎ 675-37-08. Tlj 12h30-15h (dim 13h) et 18h-22h. Le midi, plat du jour 13,90 € ; le soir, plats 18,50-26,50 €. Vin au verre 6,50 €.* Ne pas se laisser influencer par ce nom, ici, vous dégusterez une des plus belles cuisines *Frenchies* de Dublin. Cadre conforme au genre, la brique rouge y domine mais le niveau sonore est élevé. Quelques plats emblématiques comme le canard rôti, cerises et porto et gratin dauphinois ; le *Slow Pork Belly,* choucroute et patates à la lyonnaise. Terrasse. Pour déjeuner, du très classique et abordable : sandwichs, salades, plats du jour plutôt plus élaborés qu'ailleurs.

Chic

Rive sud

|●| Trocadero *(zoom détachable D4, **124**) : 3, Saint Andrew's St. ☎ 677-55-45. Tlj sf dim 17h-minuit. Dîner* pre theatre *25 € avt 18h30 ; sinon plats 17-32 €.* Le resto favori des théâtreux, artistes, musicos de toutes sortes. Chic et élégant, bien sûr ; vastes salles dans les tons de rouge et noir tapissées de photos d'artistes, bordées de box intimes. Cuisine soignée : poissons bien apprêtés ou viandes nappées d'étonnantes sauces sucrées-salées. Steak au charbon de bois (vieilli 21 jours) et *sole on the bone.*

|●| The Izakaya *(zoom détachable D4, **125**) : 12-13, South Great George's St. ☎ 645-80-01. Tlj 12h-22h30 (ven-sam 0h30). Plats env 25 €,* early bird menu (17h-19h) *20 €.* Même maison que *Yamamori Noodles* en face, mais en version chic. Cadre ravissant, voire précieux. Comptoir de marbre pour les pressés ou ceux qui ont négligé de réserver, longues tables pour les autres. Au tableau noir, cocktails et poissons du jour. Spécialité de « creative sushis », *dim sum platter...* Sur grand écran, de vieux films japonais. Dommage cependant que la musique soit si forte !

|●| Sixty Six *(zoom détachable D4, **126**) : 66, South Great George's St. ☎ 400-58-78. Tlj 11h-21h30 (ven-sam 23h). Le midi, plats 15-28 € ; menu* 3-courses *33 €. À la carte, plats de 17-27 €.* Sunday brunch *avec jazz 11h-15h.* Il a fallu peu de temps au *Sixty Six* pour se faire une solide réputation. Tout en longueur, avec cuisine ouverte. Son cadre branché, ses vastes espaces à la déco contemporaine éclectique et surtout sa cuisine soignée attirent une clientèle vraiment variée. Essayer l'agneau irlandais cuit doucement ou le bar entier sans arête (pour deux).

Rive sud, dans le quartier du port et du Grand Canal

La crise a pas mal freiné les ambitions de ce quartier moderne édifié à la place du vieux quartier portuaire et des gazomètres. Quelques restos et bars ont ouvert cependant, proches bien sûr du *Bord Gais Energy Theatre* (une architecture d'avant-garde vraiment stupéfiante !).

|●| Ely Gastro Pub *(plan détachable F4, **127**) : Grand Canal Sq. ☎ 633-99-86. Lunch 12h-17h, dîner*

17h-22h (ven-sam 23h). Brunch sam-dim 11h-17h. Pre theatre *menus 23,50-27,50 € (17h-19h30). Plats le soir 16,50-27,50 €.* Salle immense et aérée au décor contemporain, tables bien séparées, long comptoir, coins et recoins. Bref, on est assuré d'y trouver de la place. Le midi, *burgers* (viande de bœuf du Burren bio), poulet au chutney de *cranberries, fish pies,* salades, sandwichs au pain maison... Le soir, on retrouve les burgers (au même prix) et des plats élaborés et consistants : saucisse de cerf sauvage, *Irish haddock, Burren pork belly* cuit 12h, etc. Grande terrasse aux beaux jours, face au canal.

Rive sud, à Ballsbridge

|●| *O'Connell's* *(plan détachable F6,* ***132****) : 133-135, Morehampton Rd, Donnybrook.* ☎ *269-61-16 et 61-25. Tlj 12h-22h (lun 17h-21h). Menu 25,65 €, menus* early bird *le soir, 20-30 €. Résa fort recommandée.* Un temple de la gastronomie traditionnelle, dans cette chaleureuse salle à manger rétro. Le resto a été sacré en mai 2012 « *Best Casual Dining Restaurant* » d'Irlande. Le patron, francophone et animé d'un humour jovial, est l'un des piliers de la *Slow Food*. Son *prime rib* recueille tous les suffrages et le très généreux menu du dimanche est plébiscité par tous les Dublinois. Tarte à la rhubarbe sublime.

Très chic

Rive sud

|●| *Dobbins Wine Bistro* *(plan détachable F5,* ***128****) : 15, Stephen's Lane, Dublin 2.* ☎ *661-95-36. Bien planqué derrière Merrion Sq, dans une ruelle entre Upper et Lower Mount St. Lunch 12h30-14h30,* dinner *18h-21h (ven-sam 22h, dim 12h30-16h) ; fermé sam midi, dim soir et lun. Résa fortement conseillée. Menus le midi 24,50 €, le soir 38,50 €. Plats à la carte 23-30 € ;* early bird *mar-sam (18h-19h) 27,50 €.* Express lunch, *plats 10,50-13,50 €. Vin au verre à partir de 6,50 €. Rouges à partir de 25 € (un Petirrojo chilien).* Ce *wine bistro,* à la déco moderne et chic, est devenu une institution en matière de bons vins et de mets d'une grande fraîcheur, comme ce *crispy confit of duck* servi depuis 30 ans, ou encore de fameuses paupiettes de sole et autres poissons du jour.

|●| *La Mère Zou* *(zoom détachable E4,* ***129****) : 22, Saint Stephen's Green North.* ☎ *661-66-69. Tlj sf sam midi et dim 12h-14h30 et 17h30-22h30. Le midi, menus 18-22 € ; le soir,* early bird *(17h30-19h en sem) env 26,50 € ; table d'hôtes 35 € ; carte min 40 €.* D'abord, c'est un ravissant décor à l'éponge jaune-orange, rehaussé de fresques qui donnent un petit air Renaissance italienne à une belle cuisine franco-irlandaise. Atmosphère chic mais pas guindée. Éclairage bien ajusté et parfois de vrais musiciens de jazz. Cadre fort plaisant, donc, pour déguster le délicieux filet de saumon en blanquette, le saint-pierre et risotto à la langoustine ou le magret sauce bière cerise. Service impeccable. Vin au verre et riche carte des vins.

|●| *Ely Wine Bar* *(plan détachable E5,* ***131****) : 22, Ely Pl.* ☎ *676-89-86. Tlj sf dim et fériés 12h-23h30 (ven 0h30, cuisine 22h). Sam 17h-0h30 (cuisine 23h).* Early bird *(17h-19h) 20-25 €.* Dans une demeure georgienne, à peine visible de l'extérieur. On oublie la salle de restaurant trop calme au rez-de-chaussée pour se noyer dans le brouhaha de la cave. Les clients s'entassent dans ces petites salles basses de plafond. On vient ici avant tout pour l'incroyable choix de vins du monde entier. Sauvignons néo-zélandais et riojas géniaux, il y en a pour tous les palais. Certains ont la belle idée de les accompagner de petits plats bien troussés : le traditionnel *Ely's Organic Burren Beef Burger,* le *pea and organic ham risotto,* le foie gras rhubarbe et tapenade, l'agneau bio Craggy Island... Le *bar menu,* avec ses huîtres, ses pizzas maison et sa planche de fromages, a ses adeptes.

Très, très chic

Rive nord

|●| *Chapter One* *(plan détachable D2,* ***107****) : 18, Parnell Sq.* ☎ *873-22-66. Tlj sf dim-lun 12h30-14h, 19h30-22h30. Congés : 1re quinzaine d'août et 2 sem Noël-Jour de l'an. Lunch 29-36,50 €.* Pre theatre menu *(18h-*

19h40) 36,50 € ; 4 course dinner *65 €*. Au sous-sol du *Writers Museum*. Une des plus belles adresses de Dublin, collectionnant les Awards (pour 2012, meilleur chef, meilleur resto). Cadre très élégant, accueil un tantinet rigide (ne pas espérer une table sans réserver !) et atmosphère chicos. Quelques fleurons de la carte : les ravioles au parmesan de 36 mois, la venaison au foie gras, gelée de canard, le *halibut* aux épices japonaises, le lapin farci aux artichauts de Jérusalem et sa saucisse de Morteau... Cuisine créative et une carte des vins sublime.

Rive sud

Iel ***L'Écrivain*** *(plan détachable E5,* ***130****)* **:** *109, Baggot St Lower.* ☎ *661-19-19. Tlj sf sam midi et dim 12h30-14h30 et 18h30-21h30. Menus 25 € (le midi)-55 € et 65 € (le soir) ; carte 75 €.* Seuls les gastronomes avertis connaissent le chemin de ce temple du goût, discrètement installé dans une cour intérieure, qui a reçu de nombreux prix ces dernières années. Cadre moderne et atmosphère feutrée, qui siéent à merveille à une cuisine riche et inventive. Le chef fit ses classes au *Man Friday* à Kinsale, c'est une référence ! Une table de choix pour une addition de poids.

Où déguster une bonne pâtisserie ?

Iel ***The Cake Café*** *(plan détachable D5,* ***150****)* **:** *Daindree Building, Pleasants Pl.* ☎ *478-93-94. Tlj sf dim 8h30-20h (lun 18h, sam 9h-17h30).* Certes, un poil excentré, mais dans le chouette quartier de Camdem... Probablement le meilleur salon de thé-pâtisserie de Dublin. Un adorable petit jardin à la déco originale (noter celle du garage à vélos), une cuisine ouverte et une salle fraîche, colorée, pour une merveilleuse cuisine « éthique » ! Tous les produits proviennent de l'agriculture durable et le café, du commerce équitable. Délicieux *cupcakes* et *lemon slice,* mais aussi de belles salades composées et quelques plats goûteux. Appétissants fromages fermiers. Un vrai coup de cœur !

Iel ***Queen of Tarts*** *(zoom détachable D4,* ***151****)* **:** *4, Cork Hill, Dame St.* ☎ *670-74-99. Tlj 7h (9h dim)-19h.* Petit salon de thé en face du *City Hall* réputé pour ses délicieuses pâtisseries : crumble aux cerises, muffins aux myrtilles, tartes au citron, *plum tart* à la crème anglaise, etc. On se régale, mais ça a un prix, autant le savoir... Annexe un peu plus grande avec terrasse à 200 m sur Cow' Lane.

Iel ***Butlers Chocolate Café*** *(zoom détachable D4,* ***152****)* **:** *24, Wicklow St.* ☎ *671-05-99. Tlj 8h (9h ven-sam, 10h30 dim)-19h (21h jeu).* Minuscule salon de thé au cadre élégant, pour déguster l'un des meilleurs cafés de la ville et acheter de délicieux chocolats. Nombreuses annexes en ville, comme sur Grafton Street.

Pubs intéressants

Sans vouloir être exhaustifs, voici une bonne vingtaine de pubs parmi les plus célèbres de Dublin. Songez qu'on en répertorie officiellement au moins 60 présentant un intérêt (pour une visite virtuelle, consulter ● *dublinpubscene.com* ●). Sans compter tous ceux qui, sans proposer une atmosphère, une tradition ou un décor particuliers, savent souvent réserver des surprises, leurs moments magiques et privilégiés survenant toujours sans prévenir, dépendant de l'instant, de la clientèle, etc. Voilà pourquoi nous les indiquons dans un savant désordre... ! D'ailleurs, la réflexion de Leopold Bloom, héros du roman *Ulysse* de Joyce, résume parfaitement la situation : « Un bon casse-tête : traverser Dublin sans passer devant un zinc. »

– *Un conseil :* en Irlande de manière générale, les pubs ferment tôt (selon la loi, 23h en hiver, 23h30 en été) ; y venir, donc, dès le début de la soirée. Bon, ça, c'est pour les pubs traditionnels. Il y a tous les autres, les pubs-discos qui sont des *late bars* fermant à 2h ou 2h30. À notre avis, bien mieux au niveau ambiance que les boîtes classiques.

Brazen Head *(plan détachable C4, **170**) : 20, Bridge St Lower (perpendiculaire à Merchant's Quay).* ☎ *677-95-49.* Classé Monument historique, le plus vieux pub de la ville a fêté ses 800 ans en 1998 ! Robert Emmett, leader de la rébellion de 1803, n'aurait aucune difficulté à reconnaître cet ancien *coach inn* (relais de poste) bas de plafond, aux murs et planchers de guingois. D'ailleurs, son bureau est toujours là ! Il y eut toujours, ici, un incroyable mélange de genres : politiciens, comploteurs, contrebandiers, espions, chanteurs et poètes. Le plus célèbre bourreau de la ville y avait ses habitudes. Pendant de nombreuses années, son verre fut utilisé, les clients demandant à boire dans le *hangman's glass* ! Musique folk tous les soirs à partir de 21h30. Venez vers 19h si vous voulez être assis. Un bémol pourtant : cette véritable institution est aujourd'hui victime de son succès. La dérive touristique est palpable...

O'Donoghue's *(plan détachable E5, **171**) : 15, Merrion Row.* ☎ *660-71-94.* Au début des années 1960, ce fut le berceau de la renaissance de la ballade irlandaise. Les *Dubliners* s'y rencontrèrent. Murs tapissés de vieux miroirs piqués, de dessins et de photos imbibés de nicotine. Aujourd'hui, ce n'est plus seulement un *singing pub,* mais le pub le plus célèbre de Dublin tout simplement. Musique traditionnelle presque tous les soirs à partir de 21h30. Vous vous en apercevrez vite : certains soirs, il est impossible d'y entrer, et si, par miracle, vous y parvenez, peu de chances que vous trouviez même un endroit pour poser votre pinte ! Et pourtant, l'espace ne manque pas. Beaucoup de *Yanks,* c'est leur point de chute habituel...

MacDaid's *(zoom détachable D4, **172**) : 3, Harry St.* ☎ *679-43-95. Ruelle donnant sur Grafton St.* Des vieux livres, des malles anciennes et des portraits d'écrivains (dont Beckett) aux murs. Le rendez-vous de la jeunesse *trendy.* 3 grands qui y avaient leurs habitudes : Brendan Behan, Patrick Kavanagh et Brian O'Nolan. Behan y apportait sa machine à écrire portable et tapait dans un coin, disparaissant dans l'épais brouillard de ses cigarettes. Le patron des années 1950, Paddy O'Brien, leur refusait souvent l'entrée quand ils arrivaient déjà passablement éméchés. Un jour, l'auteur de *Borstal Boy,* fauché comme l'avoine, offrit de repeindre les w-c contre quelques pintes (Behan était peintre-décorateur de formation). Il s'en acquitta d'ailleurs fort bien. O'Nolan n'aimait pas Kavanagh à qui il jeta un jour : « De toute façon, vous n'êtes qu'un poète mineur ! » Kavanagh répliqua : « Depuis Homère, nous le sommes tous ! »

Cobblestone *(plan détachable C3, **173**) : 77, King St North.* ☎ *872-17-99.* Surplombe légèrement l'immense place pavée (d'où le nom) sur laquelle on vend des chevaux le 1er dimanche de chaque mois, à l'ancienne (dépêchez-vous, il y en a de moins en moins !). Encore un pub authentique (cadre bien vieillot), qui survit depuis des années dans un bloc d'immeubles complètement *derelict*. Il s'est fait une belle place dans la musique traditionnelle (mais aussi le rock et le blues). Grande salle au 1er étage et moult recoins au rez-de-chaussée : deux groupes de musiciens peuvent y jouer sans se gêner. Clientèle locale et patron ouvert et sympa. Programmation de concerts quasiment tous les jours moyennant un petit droit d'entrée. Un bout de tradition, une heureuse anomalie pour ainsi dire, dans ce quartier, Smithfield Village, entièrement rénové durant les années 2000.

Kehoe's *(zoom détachable D4, **174**) : 9, South Anne St.* Vieux pub patiné, avec des cloisons en bois à carreaux biseautés. Petite salle plus « tranquille » au fond et très beau meuble de bar. Un endroit surtout fréquenté par les écrivains et les musiciens. Ici, la clientèle donne tout son charme au lieu. Incroyablement bruyant et chaleureux, mais sans musique. Y aller pour l'ambiance, surtout pas pour une soirée intime en amoureux !

The Quays *(zoom détachable D4, **175**) : 12-13, Temple Bar.* ☎ *671-39-22.* Un des passages obligés de Temple Bar, classique à souhait avec ses boiseries patinées, ses vieux trucs aux murs (grandes glaces ovales sur lambris) et ses jeunes qui se dandinent sur le plancher. Dans la journée, les locaux préfèrent rester en bas, tandis que les touristes apprécient le calme et l'espace de l'étage. Tous les soirs, lors des concerts de musique traditionnelle, animation démente, et on a du mal à ne pas renverser sa *Guinness*.

🍷 **The Porterhouse** *(zoom détachable D4,* ***176****) :* *16-18, Parliament St.* ☎ *679-88-47. Ne ferme généralement pas avt 1h.* En plus d'être un pub aussi chaleureux qu'imposant, cet établissement est une vraie *brewery.* Voilà donc une dizaine de bières maison, comme la *Wrasslers,* bière brune « d'homme » et breuvage préféré de Michael Collins. Pour un bon aperçu, prendre un plateau de dégustation. Mais, loin de s'arrêter là, la carte propose plus d'une centaine de bières en provenance de toutes les régions du monde. Prix tout à fait corrects. Concerts folk ou blues tous les soirs et *sessions* le samedi. L'agencement ingénieux de la scène (un petit balcon suspendu) permet d'entendre cette musique depuis tous les recoins des 3 étages, toujours bondés bien que vastes.

🍷 **Doheny and Nesbitt** *(plan détachable E5,* ***177****) :* *4-5, Lower Baggot St.* ☎ *676-29-45.* La plaque en cuivre à l'extérieur « *Tea Wine Merchant* » est belle mais démodée, car si l'on trouve thé et vin ici, c'est sous des litres de bière, *of course !* C'est un pub fréquenté par les cols blancs, après le bureau, mais aussi par les amateurs de 3ᵉ mi-temps de rugby. La décoration en acajou n'a pas bougé depuis 1867. Petites cloisons en bois pour les conversations intimes, salle ventilée à l'arrière, et même une nouvelle salle à l'étage, ce qui donne pas moins de 3 zincs à éponger...

🍷 **The Long Hall** *(zoom détachable D4,* ***178****) :* *51, South Great George's St.* ☎ *475-15-90.* La décoration intérieure est très belle, exemple typique des vieux pubs irlandais. Plafond avec moulures polychromes, vitraux et lustres de cristal. Décor vraiment sophistiqué pour un pub. À voir résolument. Une anecdote : *The Long Hall* date de 1880. Il fut construit à l'emplacement d'un pub qui avait fait faillite en 1866. En effet, fréquenté par les fenians, qui composaient l'essentiel de la clientèle, le pub dut fermer quand ils furent tous arrêtés et emprisonnés. Son chiffre d'affaires s'était effondré !

🍷 **The Temple Bar** *(zoom détachable D4,* ***179****) :* *47-48, Temple Bar.* ☎ *672-52-86.* Superbe bar à whiskeys avec sa magnifique façade rouge et pub ultra-fréquenté, avec plein de coins et de recoins pour siroter l'un des 200 whiskeys proposés. Musique en principe tous les jours de 14h30 à 2h30. Une des étapes incontournables de Temple Bar, mais pas pour les pintes les meilleur marché de Dublin.

🍷 **James Toner** *(plan détachable E5,* ***180****) :* *139, Lower Baggot St.* ☎ *676-30-90.* Comptoir bas en acajou, ventilos épuisés, glaces biseautées, vieille pendule et séparations de comptoir en bois, comme dans une écurie. Une anecdote : les écrivains du XIXᵉ s fréquentaient très peu les pubs. Ainsi, on n'y avait jamais vu Yeats. Un jour, un de ses amis, Gogarty, un chirurgien, entraîna Yeats chez *Toner.* Il s'assit dans le *snug* à la gauche de la porte, but un sherry, se leva et dit à son ami : « Je sais ce qu'est un pub maintenant, seriez-vous assez gentil de me raccompagner chez moi ? »

🍷 **The Palace Bar** *(zoom détachable D4,* ***181****) :* *21, Fleet St.* ☎ *671-73-88.* Pub très populaire chez les jeunes. Entre 18h et 20h, c'est le moment le plus intéressant, car le plus vivant. Dans les années 1940 et 1950, l'un des rendez-vous les plus populaires des journalistes et écrivains. Aujourd'hui, beaucoup d'étudiants et de touristes. Encore plus sympa si l'on arrive à temps pour squatter les fauteuils en moleskine rouge du petit salon au fond. Concerts à l'étage les mercredi et dimanche.

🍷 **The Madigan's** *(zoom détachable D3,* ***182****) :* *25, North Earl St.* ☎ *874-06-46. Rue perpendiculaire à O'Connell St.* Fondé en 1919, son décor rappelle celui des vieux trains : une verrière, des boiseries superbes, une pendule imposante sous laquelle est inscrit « *Tempus Fugit* »... D'autres diront un brin désuet. Très long bar et débauche de marbre et acajou. Concerts traditionnels les jeudi et samedi.

🍷 |●| **The Stag's Head** *(zoom détachable D4,* ***183****) :* *1, Dame Court.*

Caché dans une ruelle entre Grafton St et South Great George's St. Tlj. Lunch 12h30-15h30, dinner 17h30-19h. C'est, là aussi, un bel exemple de pub victorien demeuré intact. Il fut le premier à être éclairé à l'électricité. Long bar en marbre rouge du Connemara et acajou, décoration raffinée. Envahi au moment du lunch, car son *pub grub* est réputé comme l'un des meilleurs de la ville. En dehors des *busy hours,* il y règne une étrange et calme atmosphère d'église de quartier.

🍷 ***Ryan's*** *(plan détachable B3,* ***184****) : 28, Parkgate St. ☎ 677-60-97 ou 671-93-52. Situé sur la rive nord de la Liffey, en face de la gare de Heuston.* Célèbre pour son très beau décor victorien, ordonné autour d'un comptoir central circulaire (assez rare) qui occupe bien les trois quarts de l'espace. Décor en bois sculpté, vitraux, quelques *snugs.* Les vendredi et samedi soir, bourré à craquer et remarquable atmosphère. Très bonne *bar food* le midi et à partir de 17h. Il est dit qu'ici la *Guinness* est peut-être encore meilleure qu'ailleurs. À cause de la proximité de ses (si belles) usines ?

🍷 ***O'Shea's Merchant*** *(zoom détachable C4,* ***185****) : 12, Bridge St Lower. ☎ 679-37-97.* On sent la maison pleine de bons vieux souvenirs. Sur les murs, photos passées, articles de journaux jaunis, caricatures, beaux dessins au trait de grands écrivains irlandais... Une clientèle assez âgée à laquelle se mêlent de plus en plus de jeunes. S'est agrandi récemment, a perdu un peu de son côté pub de quartier, dommage. Dans la semaine, de façon irrégulière, musique traditionnelle ou irlando-country, avec petite piste de danse. *Set-dancing* officiel le lundi soir à 21h30 ; d'autres, plus improvisés, du mardi au jeudi et le samedi.

🍷 ***Brogan's*** *(zoom détachable D4,* ***186****) : 75, Dame St, peu après l'intersection avec Parliament St.* Un pub discret masqué par une jolie devanture en bois remplie de bibelots. Mais, plus que la déco (et pourtant, on y voit des affiches *Guinness* plutôt rares), c'est sa bonne ambiance et ses bières peu chères pour le quartier qui attirent le chaland. Attention, les assoiffés connaissent l'adresse et c'est vite plein.

🍷 ***The Celt*** *(zoom détachable E3,* ***187****) : 81, Talbot St. ☎ 878-86-55.* Petit pub charmant, irlandais de la porte aux poutres. Un brin militant avec ses coupures de journaux où les revendications d'indépendance font les gros titres. Chaque soir à 21h, des groupes ou des chanteurs locaux honorent la musique traditionnelle, à la grande joie d'une clientèle (majoritairement autochtone) qui reprend les refrains en chœur. Une des adresses les plus sympas parce que modeste et productrice d'une ambiance véritable : tous les yeux pétillent.

🍷 ***The Swan*** *(zoom détachable D4,* ***188****) : angle Aungier et York. ☎ 475-27-22.* Voilà l'un des 12 pubs à avoir conservé quasi intégralement son cadre originel (1897). En 1916, fut l'un des PC des insurgés républicains. Des détails émouvants : l'un des très rares à posséder derrière le bar les grandes barriques servant au verre whiskey, porto, brandy et cherry (hélas, vides aujourd'hui !). Comptoir en marbre d'Écosse et pompes d'origine. De-ci de-là, de beaux lambris ciselés. Une curiosité, le long du mur côté rue, des grattoirs pour allumettes d'époque intégrés dans le mur. Et puis des tas de témoignages et photos historiques.

🍷 ***The International Bar*** *(zoom détachable D4,* ***189****) : 23, Wicklow St. ☎ 677-92-50. Tlj.* Malgré sa belle façade noire, son nom viendrait du Tournoi des Six Nations, dont il accueille les fervents. Beau décor en acajou sculpté ornant les anciennes barriques de whiskey. Comptoir en marbre, miroirs, etc. L'équivalent du bon café parisien, mais en version irlandaise : le vrai bar pas branché avec la TV allumée et les clients accoudés au comptoir. Au 1er étage, soirées *Comedy Club (tlj à 20h30).*

🍷 ***Mulligan's*** *(zoom détachable E3,* ***190****) : 8, Poolbeg St. ☎ 677-55-82. Entre Trinity College et la Liffey.* Vieux pub populaire qui n'a pas une déco extraordinaire mais le charme des murs noircis par le temps et des planchers usés par les ouvriers de la presse, les journalistes et les *busmen.* L'un des journalistes qui l'appréciaient le plus, en 1945, était un certain John Fitzgerald Kennedy, travaillant à l'époque pour William Randolf Hearst. *Mulligan's* abrita aussi les réunions de la Société pour la préservation de l'accent dublinois. On rassure nos lecteurs : elle a effectué du bon boulot !

🍸 ***The Glimmer Man*** *(plan détachable B3,* ***191****) : 14-15, Stoneybatter.* ☎ *677-45-60.* Pub immense. Plusieurs salles, mais cloisonnées, avec des atmosphères différentes. On aime beaucoup celle du bar. Un des plus décorés de Dublin aussi : vitraux, *Tiffanies,* photos, documents, objets familiers... Même le vénérable comptoir possède sa petite frise de céramique. Vraiment chaleureux. Grande salle derrière avec son propre comptoir, coins et recoins (plutôt pour ceux suivant les matchs sur grand écran). Une douzaine de bières à la pression.

Où boire un verre encore ?

Une petite sélection de pubs tout aussi intéressants mais moins traditionnels, plus originaux... et peut-être également un peu plus jeunes !

🍸 ***Turk's Head*** *(zoom détachable D4,* ***200****) : à l'angle d'Essex Gate et Parliament St.* ☎ *679-26-06. Tlj 16h (12h w-e)-2h.* Bar superbe avec ses colonnes torsadées recouvertes de mosaïque à la Gaudí. Musique à tue-tête. Les groupes de jeunes s'écrasent sur le comptoir qui se tortille au milieu. En semaine, sélection pas trop rigoureuse à l'entrée. Beaucoup d'étudiants. Piste de danse au fond.

🍸 ***The Mezz*** *(zoom détachable D4,* ***201****) : 23-24, Eustace St.* ☎ *670-76-55.* Le temple du jazz parmi les tenants de l'*Irish music,* loin d'une provocation, une intégration réussie (parlons même de *fusion* puisqu'il sort pas mal de rock des amplis). Chaque soir, d'excellentes formations donnent le meilleur d'elles-mêmes devant un public averti, électrisant l'atmosphère tamisée d'un bar rapidement bondé. Mais, Irlande oblige, c'est bien la *Guinness* qui abreuve ces joyeux mélomanes ! Bonne cuisine de pub, à partir de 17h30. En dessous, la boîte *The Hub* (voir plus loin « Où assister à des concerts ? Où danser ? »).

🍸 ***The Globe*** *(zoom détachable D4,* ***125****) : 11, South Great George's St. Tlj 17h-2h30 (sam 4h, dim 16h-1h).* Peut-être pas l'endroit le plus typique, mais, à coup sûr, le rendez-vous *arty* et rebelle de la ville. Tout en longueur, décor un peu baroque. Bonne ambiance, très bruyante le soir. Superbe bar en bois foncé sculpté, éclairage intimiste et, aux murs, des toiles d'artistes contemporains. Ici, on a troqué les vieux *snugs* contre de grandes tables en bois, où il n'est pas rare de finir la soirée en papotant avec ses voisins. Impossible d'atteindre le bar aux heures d'affluence. Bons *sets* de DJ le week-end. Communique avec la boîte *Rí-Rá* (voir plus loin « Où assister à des concerts ? Où danser ? »), qui prend donc le relais à 23h30.

🍸 ♫ ***Lost Society Lounge*** *(zoom détachable D4,* ***203****) : South William St.* ☎ *611-17-98. Tlj jusqu'à tard.* Niché dans la superbe *Powerscourt Town House.* À l'intérieur, hauts plafonds georgiens et mezzanine. Clientèle *trendy* à mort. Le week-end, bourré à craquer et conversations aux plus hauts décibels ! Autre bar et piste de danse au sous-sol.

🍸 ***The Church*** *(zoom détachable D3,* ***204****) : angle de Mary St et Jervis St.* ☎ *828-01-02.* Alléluia ! Enfin une église où le breuvage qui jaillit des bénitiers contient du houblon, où les enfants de chœur vous toisent d'une tête. Mais surtout une reconversion étonnante où la nef centrale s'est transformée en immense bar, les galeries supérieures en restaurant, le chœur en scène de concert et la crypte en night-club. Mais rien de très étonnant lorsque l'on sait qu'Arthur Guinness célébra son mariage ici même en 1761.

🍸 ***No Name Bar*** *(zoom détachable D4,* ***123****) : 3, Fade St.* ☎ *764-56-81. Lun-mer 16h30-23h30, jeu 1h, ven-sam 2h30, dim 23h.* Pas de nom, mais facile à trouver (la porte à côté du resto *Lgueuleton).* Au 1er étage. Vaste appartement aux pièces spacieuses avec du mobilier de récup', profonds fauteuils et vieilleries diverses (coffre-fort antique, glacière sans âge, etc.). Des trentenaires, genre *hype* un poil désabusés, y traînent leur spleen... Deux bars et un fumoir dehors.

🍸 **Odessa Club** (*zoom détachable D4, **205***) **:** *13, Dame Court.* ☎ *670-30-80. Tlj 12h-0h30, ven-sam 2h30, dim minuit.* Au 3e étage. Là aussi, grand appartement au cadre élégant et aux fauteuils confortables pour enfin entamer une conversation paisible, loin des atmosphères fort bruyantes des restos branchés du coin...

🍸 **Dice Bar** (*plan détachable C3, **206***) **:** *79, Queen St.* ☎ *633-39-36. À l'angle de Benburb et Queen St. Tlj, slt à partir de 20h.* Néopub de quartier à la clientèle bien chébran. DJs chaque soir ou presque, pour les oiseaux de nuit nostalgiques de blues et de ska (le mercredi) ou... de rap français (le mardi).

🍸 **Fitzsimons** (*zoom détachable D4, **207***) **:** *23, East Essex St.* ☎ *677-93-15.* Ici, ça défile dans tous les sens, surtout le samedi soir où c'est bondé. Pourtant, s'il y a des grands espaces (4 niveaux), ça manque quelque peu de personnalité. Bonne musique pop anglaise et irlandaise tous les soirs, ou presque. Resto au 1er étage (assez cher) et agréable terrasse sur le toit. Tout de même « contournable » le week-end, d'autant plus facilement qu'il a envahi tout le pâté de maisons et est longé par 3 rues...

🍸 **The Port House** (*zoom détachable D4, **208***) **:** *64 A, South William St.* ☎ *677-02-98. Lun-mer 16h-23h ; jeu-sam 11h30-minuit ; dim 11h-23h.* Sympathique bar espagnol où les matériaux modernes jouxtent les vieilles pierres des murs. Atmosphère confinée de cave. On y grignote à la lumière de petites bougies de délicieuses tapas froides ou chaudes accompagnées d'un verre de vin à prix raisonnable.

🍸 **Café en Seine** (*zoom détachable D4, **209***) **:** *39, Dawson St.* ☎ *677-45-67. Tlj 11h30-23h30 (2h30 jeu-sam).* Atmosphère chic, on vient surtout ici pour admirer le décor impressionnant et totalement éclectique, mixant style Arts déco et kitsch baroquisant, sur 2 étages. Surtout, le bar assez époustouflant, avec son long comptoir en acajou, les énormes luminaires, les grandes glaces au cadre doré, les faux palmiers en plastique, les vitraux Art nouveau... En fin de semaine, les jeunes branchés viennent se trémousser sous la gigantesque verrière d'où tombent des plantes aux bras tentaculaires. Mais les consommations sont chères.

🍸 **Dandelion** (*zoom détachable D4, **210***) **:** *130-133, Saint Stephen's Green West.* ☎ *476-08-70. Tlj 12h-2h (resto 21h30).* Là aussi, un des hauts lieux de la société *hype* ! Endroit immense à la déco contemporaine originale, 3 bars, 3 salles, coins et recoins, profonds canapés et mobilier cossu, lumières tamisées à souhait, mais musique à tue-tête. Normal, il y a aussi une piste de danse, des DJ's, des soirées à thèmes (*Mojito Mondays, Sexy Salsa Night* le mercredi, *Swinging 60's Party* le jeudi, quant au vendredi...). Possibilité de se restaurer, petite cuisine de brasserie abordable.

🍸 **Pantibar** (*zoom détachable D3, **211***) **:** *7-8, Capel St.* ☎ *874-07-10. Tlj 17h-23h (sam-dim 0h30).* L'un des lieux branchés de la rive nord, typique du revival de ce quartier. Belle esthétique, jeux de lumières et de formes. Soirées animées par différents DJs. Clientèle furieusement tendance, assez *trendy*, mi-*straight* mi-gay et globalement pas très catholique... ni protestante, d'ailleurs.

Où assister à des concerts ? Où danser ?

Salles de concerts

La musique irlandaise possède une sacrée santé. Et pas seulement le folk et la musique traditionnelle, mais aussi la country, le rock, le blues. Jusqu'à la soul, dépoussiérée de façon superbe dans le film *The Commitments*.

Dans le quartier de Merchant Arch, la musique jaillit des studios d'enregistrement sur les trottoirs. Il y avait les pubs spécialisés dans le *traditional* (comme *Brazen Head, O'Donoghue's*), il y a désormais les temples du rock et du blues. Vous noterez l'étonnante énergie dégagée par cette ville que l'anarchie architecturale et le chômage de sa jeunesse ne découragent pourtant pas. Plus de 1 000 groupes de

rock répertoriés. Scène musicale particulièrement vivante, donc. Et cet art d'accommoder, de mélanger les styles de façon géniale, toujours renouvelé... Depuis quelques années, la vraie scène nocturne s'est déplacée de *Temple Bar* (quand même sacrément touristisé !) vers Wexford St et Camdem St qui dégagent une sacrée énergie.
Voici quelques adresses, mais ne pas oublier que les pubs plus classiques, cités plus haut, proposent souvent d'intéressants concerts. Enfin, dans le magazine *In Dublin,* panorama complet chaque semaine. Vous pouvez aussi consulter *The Event Guide,* gratuit et très complet.

🍸 ♩ ***Whelan's*** *(plan détachable D5,* ***242****) : 25, Wexford St. ☎ 478-07-66. • whelanslive.com • Concerts payants (tarifs en fonction du groupe) mais plutôt abordables.* En général, on débute la soirée avec une pinte (une quoi ?) dans ce charmant pub rustique, toujours plein à craquer, avant de se diriger vers la salle de concerts. Au programme, les meilleurs groupes traditionnels de l'île et de musique du monde, devant un public enthousiaste et chaleureux. Une institution de la scène dublinoise. Attention : acheter les tickets de concert assez tôt, on fait souvent la queue. Fait office de discothèque certains soirs, selon la programmation des concerts.
🍸 ♩ **The Village** *(plan détachable D5,* ***240****) : 26, Wexford St. ☎ 475-85-55. Toujours un peu plus cher que le voisin (15-25 €).* Une salle de concerts très en vogue chez les jeunes branchés, à dominante rock. On peut regretter le cadre un peu froid, ou au contraire apprécier le design épuré du lieu. Salle de concerts au 1er étage et bar au rez-de-chaussée. Boîte quand il n'y a pas de groupes. Pour les concerts, pointez-vous suffisamment tôt, sous peine d'écouter la musique depuis le trottoir.
🍸 ♩ ***The Place of Dance*** *(hors plan détachable par E6) : Old Harcourt St Train Station, soit la grande bâtisse en pierre à côté de l'arrêt de tram « Harcourt ». ☎ 476-33-74. • pod.ie • Tlj vers 20h.* Le *POD* devait sa réputation à sa bonne musique et aux prestations de DJs talentueux dans un cadre moderne et original. Divisé en plusieurs *venues,* dont le ***Tripod*** (grande salle de concerts) et le ***CrawDaddy*** (plutôt bar musical), c'est devenu un lieu où se produisent des vedettes (ou non) internationales. Parfois de pas mauvais DJs au *CrawDaddy.* Le reste du temps, tendance soupe pour teenagers...
🍸 ♩ ***J. J. Smyth's*** *(zoom détachable D4,* ***241****) : 12, Aungier St. ☎ 475-25-65. • jssmyths.com • Ts les soirs sf lun vers 21h. Entrée : 5-10 €.* Bons groupes de jazz et de blues dans une salle à l'étage.
🍸 ♩ ***Button Factory*** *(zoom détachable D4,* ***243****) : Curved St, Temple Bar. ☎ 670-92-02. • buttonfactory.ie •* Gros complexe dédié à la création musicale. Ne pas confondre avec le café en bas du même nom. Plusieurs studios d'enregistrement, mais, ce qui nous intéresse plus, c'est la salle de concerts qu'il abrite et son excellente acoustique. Accueille de nombreux musiciens et chanteurs reconnus, à des prix d'entrée élevés. Pas d'autre soirée régulière que les dimanches dédiés au reggae à 23h. Sinon, se renseigner.

Discothèques

Peu de discothèques, mais celles qui existent sont pleines à craquer le samedi soir, enfin jusqu'à 2h au plus tard. Les « lieux de perdition » ferment tôt en Irlande. Les nuits de Dublin sont « chaudes ». Dans les boîtes, on ne fait pas que danser.

♫ ***Rí-Rá*** *(zoom détachable D4,* ***205****) : 1-5, Exchequer St (et Dame Court). ☎ 677-48-35. Tlj sf dim. Gratuit lun-jeu ; 10 € ven-sam.* La boîte branchée par excellence. C'est là que se mélangent les jeunes artistes de Dublin et les fils à papa. Musique rap, trip-hop, funk, avec parfois des soirées à thème. Et toujours beaucoup de monde.
♫ N'oubliez pas les pubs et les salles (voir plus haut), comme le ***Whelan's, The Village,*** le ***Button Factory,*** ou encore ***The POD,*** qui, en l'absence de groupes, se transforment rapidement en boîtes. Le ***Fitzsimons*** a un étage spécialement night-club.

Achats

Bien entendu, concernant les cardigans, pulls d'Aran, casquettes et vestes de tweed, c'est souvent mieux et moins cher de les acheter pendant votre périple dans le Connemara ou le Donegal. Cependant, nous vous donnons ici quelques bonnes adresses pour vous rattraper.

Les magasins chic s'échelonnent le long de Grafton Street, devenue piétonne, ainsi que dans les rues adjacentes. On y trouve tous les prestigieux établissements.

En revanche, vous trouverez, rive nord, les grands magasins populaires, ainsi qu'un tas de petites boutiques de soldes, sur Henry Street et Talbot Street. Vous n'y effectuerez pas de grandes affaires, mais animation assurée.

Rive sud

Kevin and Howlin (zoom détachable E4) **:** *31, Nassau St. ☎ 633-45-76. Dans une rue qui part de Grafton et longe Trinity.* La meilleure boutique de Dublin depuis 1936 pour les costumes, vestes, casquettes de tweed. Un choix et une qualité inégalés. Belles écharpes à prix doux.

Centre commercial de Powerscourt (zoom détachable D4) **:** *South William St et Clarendon St.* Grande maison georgienne datant de 1774, abritant près de 80 boutiques et restos de toutes sortes.

Market Arcade (zoom détachable D4) **:** *passage entre Drury St et Great George's St.* Dans l'axe de *Powerscourt Townhouse Centre*, un petit passage couvert où se succèdent des boutiques de fripes, produits bio, disquaire, etc. Animé, et de bonnes chances de croiser quelques Dublinois (ou Dublinoises) excentriques.

Centre commercial Saint Stephens (zoom détachable D4) **:** *angle Grafton St et Saint Stephens West. Tlj 9h-18h (20h jeu).* Dans le style victorien, immense galerie organisée sous une vaste verrière, décorée en vert et blanc. Fringues, boutiques de luxe et de gadgets. L'un des *shopping centres* les plus animés et les plus fréquentés de Dublin.

Avoca (zoom détachable D4) **:** *11-13, Suffolk St. ☎ 677-4215. Tlj 9h30-19h (dim et fériés 11h-18h).* Grand bric-à-brac de produits design et tendance sur 3 niveaux. Fringues, jouets pour enfants, bibelots, produits alimentaires du terroir, etc. Petite cafétéria au sous-sol et restaurant bon marché au 3ᵉ étage (ferme 1h plus tôt).

Claddagh Records (zoom détachable D4) **:** *2, Cecilia St, Temple Bar. ☎ 677-02-62. Petite rue débouchant sur Temple Lane. Tlj sf dim 12h-17h30.* Une boutique de disques entièrement consacrée au folk, à la country, à l'*Irish traditional...* Des trouvailles et de judicieux conseils.

Jenny Vander (zoom détachable D4) **:** *50, Drury St. ☎ 677-04-06. Tlj 10h-17h30.* Une boutique de fringues vraiment folle. Aussi bien des robes que des moumoutes, des bijoux rétro et des chapeaux fous. Surtout un paradis pour les filles. Malheureusement, assez cher !

Greene's Bookshop (plan détachable E4) **:** *16, Clare St. ☎ 676-25-54. À l'angle avec Merrion St Upper West. Tlj sf dim 9h-17h30 (sam 15h).* Ouvert en 1917, peu de choses ont changé depuis. Surtout des livres sur l'Irlande. Petite antenne postale.

Sandyz Boutique (plan détachable C4) **:** *35, Meath St. Dans les Liberties. ☎ 141-78-20. Tlj jusqu'à 17h30 sf dim.* On adore le quartier, on adore cette boutique spécialisée dans les vêtements *vintage* de fêtes et de mariage. Une explosion de couleurs et paillettes, des robes d'un kitsch total, des chaussures absolument démentes, des ceintures incroyables, des chapeaux fous (pas si chers que ça, d'ailleurs, compter 40-45 € !). En prime, une insolite collection de *Barbies* jeunes mariées...

Rive nord

The Winding Stair Bookshop and Coffee (zoom détachable D3-4) **:** *40, Lower Ormond Quay. ☎ 873-32-92. Tlj sf dim 10h-18h (jeu, ven, sam 19h, dim 12h-18h).* Des quintaux de livres d'occase et neufs. Une vraie mine. Atmosphère sympa. Extrêmement populaire.

Walton's Musical (zoom détachable D4) : *69-70, South Great Georges St.* ☎ *475-06-61. Tlj 9h-18h (dim 12h-17h).* Immense magasin dédié à la musique avec nombreux instruments, partitions et un peu de disques folk. Personnel compétent et affable. Autre boutique rive nord : *2, North Frederick St ;* ☎ *874-78-05 ; fermé dim.*

Petite balade *rock and folk* dans Dublin

À Dublin, la musique est donc omniprésente, donnant à la ville sa résonance particulière, sa fièvre (tempérée, jamais démente), une sorte d'éternelle jeunesse de l'esprit et des sens. De jeunes musiciens (certains sont déjà grands-pères, d'autres n'ont pas l'air sevrés avec leur voix d'angelots tristes) tentent leur chance sur les pavés de Temple Bar. Des joueurs de violon, des guitaristes, des groupes de folk irlandais, de pop, de rock, de blues (connus ou débutants) remplissent à la nuit tombée des pubs où règne un amical brouhaha. En ce début du XXIe s, Dublin ressemble au Liverpool ou au Detroit des années 1960. En outre, il flotte quelque chose de spontanément chaleureux dans l'air, qui rappelle le New York des années 1970.

Pour aider les visiteurs passionnés de musique à mieux s'y retrouver dans ce merveilleux univers sonore à taille humaine, l'office de tourisme de Dublin a eu la bonne idée de créer un itinéraire *Rock'n Stroll* accompagné d'un petit guide *(Dublin's Music Trail),* en vente à l'office de tourisme, où tous les grands noms dublinois de la musique *rock and folk* (des Chieftains à U2, des Dubliners à Bob Geldof, de Paul Brady à Chris de Burgh) sont associés à des lieux tangibles de la capitale (ils y sont passés à un moment de leur carrière). Exemples : le pub ***Slattery*** sur Capel Street où Paul Brady fit ses débuts, le ***Bad Ass Café,*** dans Crown Alley, où Sinead O'Connor travaillait comme serveuse avant de connaître la gloire en 1990, la pâtisserie-salon de thé-salle de concerts ***Bewley's,*** dans Grafton Street, où les Boomtown Rats se réunissaient régulièrement sous la houlette de Bob Geldof.

Cet itinéraire a le mérite d'être instructif, clair et motivant. Au cours de la balade, un logo représentant un disque 33 tours balise les lieux de l'itinéraire et raconte brièvement l'histoire de la star qui y est passée.

À voir

On le rappelle, l'office de tourisme propose un *Dublin Pass,* donnant accès à 32 « attractions ». À vous de calculer, en fonction des prix d'entrée, si l'offre est valable *(35 €/j. ; réduc enfants ; tarif dégressif pour plusieurs journées : par exemple, 95 € pour 6 j. ; ● dublinpass.ie ●).* Voir également dans « Dublin utile » la rubrique « Dublin gratuit ».

Rive sud, vers Temple Bar et Old City

Il reste peu du Moyen Âge dublinois. Les deux cathédrales (toutes deux protestantes !), pourtant construites au XIIe s, ne possèdent pratiquement plus rien d'origine. Au-delà de Temple Bar, le Dublin georgien, et ses édifices du XIXe s (brique, colonnes à chapiteaux, porte d'entrée à imposte en éventail...), forme alors le quartier à la fois le plus ancien (d'où son appellation d'Old City) et le plus homogène de la ville.

Le quartier de Temple Bar (zoom détachable D4) : à ne pas rater, car c'est le quartier de Dublin qui bouge le plus. Drôle de nom quand même ! Temple Bar ! Son nom vient d'un dénommé William Temple, recteur de Trinity College, qui s'y

fit construire une maison au XVIIIe s. Ce très vieux quartier est une sorte de grand rectangle mesurant 500 m de long sur environ 300 m de large, délimité au nord par la Liffey et au sud par Dame Street.
Là se concentrent aujourd'hui un nombre impressionnant de pubs à la mode (une bonne trentaine), de restaurants branchés (près de 80), de galeries d'art avant-gardistes, de centres d'exposition, de lieux culturels animés, le tout quadrillé par un réseau de rues étroites et de ruelles tortueuses.
Ce fut, à l'origine, le quartier des métiers et des artisans (armateurs, imprimeurs, fabricants d'instruments de musique, drapiers, fourreurs...), réputé aussi (jusqu'au XIXe s) pour son insécurité nocturne, ses bouges, ses cachots et ses bordels miteux. Son activité commença à décliner sérieusement dans les années 1950. Appauvri, abandonné, délabré, il fut squatté dans les années 1970 par une poignée d'alternatifs hyper créatifs et d'allumés sympathiques. Mais la situation se dégradait rapidement, et de vastes projets pas toujours bien intentionnés virent le jour (notamment une plate-forme de bus !). Au début des années 1990, à l'initiative du gouvernement, un projet constructif et ô combien sympathique sortit des cartons : les anciens bâtiments ne seraient pas rasés mais rénovés. Bien sûr, les prix augmentèrent, mais ce fut le début d'un renouveau culturel de qualité. Temple Bar a évidemment perdu son air vagabond et bohème qui faisait une grande partie de son charme et c'est devenu un quartier de pointe, animé, respectable en somme, donc envié... et très visité par les touristes.
Mais, trêve de nostalgie, cette vaste réalisation urbaine a aussi ses nobles aspects, car on a merveilleusement intégré les structures existantes et l'ensemble a fière allure. Peu de villes européennes peuvent s'enorgueillir d'avoir aussi bien réussi la mutation d'un quartier tout entier, sans le livrer entièrement aux boutiques de fringues et aux fast-food.
La rénovation est une réussite architecturale, sociale et culturelle indéniable : priorité totale aux piétons, abandon du goudron pour les pavés, rénovation systématique des immeubles et des entrepôts abandonnés, interdiction de construire des tours défigurant le paysage, construction de 10 centres culturels parfaitement bien intégrés au style architectural d'ensemble : un *Children's Cultural Centre (The Ark)*, un *Music Centre* (maison de la Musique fonctionnant désormais sous le nom de Button Factory), qui forme des techniciens, offre des studios, mais surtout propose d'excellents concerts (voir « Où assister à des concerts ? Où danser ? »), un centre multimédia (*Arthouse,* sur Curved Street), une galerie d'art (*Temple Bar Gallery and Studios,* ancienne usine désaffectée où travaillent des artistes), un Centre de la photographie et un Centre national du film *(Irish Film Centre)...* et la liste n'est pas close. Au milieu de cet ensemble culturel, la *Meeting House Square,* une place où se déroulent tout l'été plein de concerts gratuits et où se tient le samedi un marché de petits producteurs. Ajoutez à cela des *sessions* dans la plupart des bars (vers 21h), et vous aurez une petite idée de la révolution culturelle de ce vénérable quartier dublinois.
– ***Temple Bar Cultural Trust*** *(zoom détachable, D4) : voir « Adresses et infos utiles », plus haut.*
– ***Irish Film Institute :*** *6, Eustace St. ☎ 679-34-77 et 679-57-44. • ifi.ie •* Abrite une librairie spécialisée dans le 7e art et deux salles de cinéma. Programmation internationale assez large, rétrospectives, etc. sur le mode des cinés « art et essai ». Également un restaurant et un bar.
– ***Gallery of Photography :*** *East Essex St, entrée sur le Meeting House Sq. ☎ 671-46-54. Mar-sam 11h-18h ; dim 13h-18h.* Toutes sortes d'expos, de tous niveaux, mais le bâtiment en lui-même vaut le détour. En été, projection de films en plein air sur la façade de la *gallery* transformée en écran.
– ***The Ark :*** *11, Eustace St. ☎ 670-77-88. Lun-sam 10h-16h.* Le premier centre culturel d'Europe consacré aux enfants. La façade avant du bâtiment a été entièrement rénovée, tandis que la façade arrière s'ouvre sur la Meeting House Square, laissant place à une scène. Spectacles en plein air pendant la haute saison et parfois des concerts gratuits. Vérifiez la programmation au *Temple Bar Cultural Trust.*

Les fresques murales de Temple Bar *(zoom détachable D4)* **:** intéressante balade sur *Adair Lane* et *Bedford Lane*. Ces deux ruelles ont été livrées à des artistes et autres graffeurs pour mettre en images, avec souvent de beaux textes, toute la richesse de la culture irlandaise : de la littérature à la musique rock, l'histoire, le cinéma, le sport et on en oublie... Un panorama exceptionnel, prendre son temps pour savourer la qualité de certaines représentations, les aphorismes, les poèmes, l'humour (parfois critique) irriguant nombre de textes et situations...

National Photographic Archive *(zoom détachable D4)* **:** *Meeting House Sq. ☎ 603-02-00. Lun-sam 10h-17h. Gratuit.* Ce musée abrite le plus grand fonds photographique d'Irlande (plus de 600 000 clichés !). Les expositions sur des thèmes souvent historiques se renouvellent environ tous les trimestres.

Dublin's Castle *(zoom détachable D4)* **:** *Dame St. ☎ 645-88-13. • dublincastle.ie • Visite lun-sam 10h-16h45 ; dim 12h-16h45. Entrée : 4,50 €. Visite guidée de 45 mn, slt en anglais. Départ ttes les 20 mn. Brochure payante disponible en français.* Heritage site.

Là encore, il ne subsiste pas grand-chose de l'édifice médiéval, si ce n'est deux tours et un pan de mur. Le reste date du XVIIIe s. Le château fut la résidence des vice-rois d'Angleterre et le symbole de l'autorité britannique. La visite guidée des appartements n'est pas inintéressante. Une quinzaine de salles et salons. Noter surtout les salles 3 et 5 pour leurs plafonds aux stucs délicats, la salle 9 pour son style XVIIIe s et la salle 10 pour sa conception en forme de temple grec et l'ancienne salle de bal, *Saint Patrick's Hall,* au remarquable plafond décoré. C'est ici qu'est investi chaque nouveau président de la République.

À l'extérieur, on verra la chapelle royale, aujourd'hui rendue au culte catholique sous le nom d'*église de la Sainte-Trinité.* Elle fut édifiée tout au début du XIXe s. De très nombreuses sculptures de têtes représentant des personnages illustres de l'Irlande (souverains anglais, Swift, saint Patrick, etc.) en décorent l'extérieur.

Pour terminer, on accède en sous-sol aux fondations vikings et normandes.

Masquant en partie le château, au bout de Parliament Street, s'élève le ***City Hall,*** construit entre 1769 et 1779 et de style néoclassique, avec ses colonnes corinthiennes. Ancienne bourse du commerce, et aujourd'hui mairie de la ville. *☎ 222-22-04. • dublincity.ie • Lun-sam 10h-17h15. Entrée gratuite, mais l'exposition sur l'histoire de la capitale est payante (4 € ; réduc).*

Chester Beatty Library *(zoom détachable, D4)* **:** *Clocktower Building, à l'arrière du Dublin's Castle. ☎ 407-07-50. • cbl.ie • Lun-ven 10h-17h. Fermé lun oct-avr, ainsi que 1er janv, Vendredi saint et 24-26 déc. Entrée gratuite (mais don possible pour la conservation des ouvrages).*

L'Américain sir Alfred Chester Beatty, d'ascendance anglaise et irlandaise, fit fortune dans les mines d'Afrique et constitua, à l'occasion de ses nombreux voyages, une très rare et fabuleuse collection d'objets d'art et manuscrits, principalement d'Orient et d'Extrême-Orient. À sa mort, il légua sa collection à l'État irlandais. À noter qu'avant d'entrer dans le bâtiment, on traverse l'ancien jardin du château, qui conserve quelques éléments intéressants d'architecture médiévale.

– La visite commence au *rez-de-chaussée* par un petit film sur la vie d'Alfred Chester Beatty.

– Le *1er étage* s'intéresse principalement à l'univers du livre. D'habiles vidéos familiarisent le visiteur aux différentes techniques de fabrication et d'ornementation, avant de le confronter aux chefs-d'œuvre provenant d'Occident, d'Orient ou d'Extrême-Orient. La collection regroupe de subtiles estampes japonaises, à la calligraphie si délicate, de magnifiques manuscrits persans, des gravures de Dürer ou de Jacques Callot et de rares livres de jade chinois...

– Le 2e *étage* est entièrement consacré aux religions. Il recèle des œuvres exceptionnelles, comme la vie du Bouddha en miniature ou une peinture cosmographique hindoue du XVIIe s. Superbes *tangka* du Tibet et remarquable bronze du XIIIe s incrusté de pierres. Remarquer également une biographie de 600 soufis écrite par un poète persan du XIVe s, un coran égyptien de 1366 et *The Poem of Inner Meaning* du XIXe s, chef-d'œuvre d'enluminure. La chrétienté n'est pas en reste, avec des icônes superbes, des bibles en éthiopien, en arabe, en chinois, ou encore des papyrus des IIe et IIIe s contenant des fragments de l'Évangile selon saint Jean, saint Matthieu et saint Marc. Une visite au caractère intimiste totalement fascinante.

Rive sud, à l'est de Temple Bar : le quartier de Trinity College

*** **Trinity College** *(zoom détachable D-E4)* **:** *College St.*
L'université fut fondée en 1592 par Elizabeth Ire et représenta un symbole de la culture anglo-protestante jusqu'en 1873, date à laquelle les catholiques y furent admis. Parmi ses élèves les plus prestigieux figurent Edmund Burke, Oliver Goldsmith, Swift, Grattan, Thomas Davis, Oscar Wilde, Synge, Bram Stoker (l'auteur de *Dracula,* brrr...). La plupart des bâtiments datent des XVIIIe et XIXe s. Très agréables cours intérieures pavées et garnies de pelouses. Dans la première cour, à gauche, la *chapelle* et, à droite, l'*Examination Hall,* de la même époque. La partie la plus ancienne remonte à 1700 : ce sont les *Rubrics,* bâtiments en brique rouge avec pignons qui abritaient les étudiants.
Mais la plupart des visiteurs se déplacent principalement pour **The Old Library,** où sont précieusement conservés de remarquables manuscrits et psautiers irlandais depuis 1732. *(☎ 896-23-20. ♿ Lun-sam 9h30-17h, dim 9h30 (12h d'oct à avr)-16h30. Dernière entrée 15 mn avt fermeture. Entrée : 9 € ; réduc. Doc en français.)* En guise de mise en bouche, une exposition très intéressante décrypte les méthodes de fabrication des ouvrages (reliure, calligraphie, utilisation des pigments, etc.).
– **The Book of Kells :** voici le plus précieux livre d'Irlande (certains disent même d'Europe, et d'autres du monde !), un monument de 340 feuilles (680 pages) en vélin (peau de veau), présenté en quatre volumes. Il s'agit du Nouveau Testament écrit en latin par des moines irlandais vivant au VIIIe s au monastère de Kells (comté de Meath, 70 km au nord-ouest de Dublin). Le livre fut commencé sur l'île d'Iona (Écosse), puis embelli et achevé par les moines de Kells. D'abord conservé à l'église de Kells, il fut volé en 1007 puis retrouvé enfoui sous une épaisse couche de tourbe ! À ce moment-là, il était bien parti pour finir au feu ! Il resta à Kells jusqu'en 1654, date de son transfert à Dublin, pendant les troubles causés par Cromwell. En 1661, il arriva miraculeusement au Trinity College grâce à l'évêque de Meath. C'est un livre unique par son âge, par la richesse de sa calligraphie, par la beauté de ses lettrines et de ses dessins très élaborés. Les moines ne manquaient pas de fantaisie ni d'humour, car ils égayèrent le texte des évangiles d'innombrables enluminures et de clins d'œil pleins de drôlerie.
– **The Long Room :** la vieille bibliothèque est située à l'étage. Il s'agit d'une immense galerie de 65 m de long et d'une quinzaine de mètres de haut, qui fut longtemps la plus grande d'Europe. Voilà le type même des grandes bibliothèques à l'anglaise, encyclopédique, méthodique, une des plus impressionnantes du monde, pure merveille, où le visiteur se déplace quasi religieusement. Bustes en marbre de quelques illustres, celui de Jonathan Swift étant le plus réussi.
Ne pas manquer la harpe, la plus ancienne d'Irlande (elle date probablement du XVe s). Maintenant, cherchez un euro irlandais dans le fond de votre poche et regardez : cette harpe y figure bien. On l'appelle couramment la harpe de Brian Boru (fameux roi irlandais au XIe s). Dans la galerie toujours, on peut remarquer une des dernières affiches originales de la proclamation de la république d'Irlande en 1916.

|●| De l'autre côté de la cour principale, une belle vieille **cafétéria.** L'entrée qui se trouve au sous-sol a nettement moins de classe que le *dining hall.* Musique irlandaise parfois le midi. Théâtre certains soirs vers 20h. Avoir sa carte d'étudiant sur soi.

Bank of Ireland (*zoom détachable D4*) **:** c'est le bâtiment pesant (et sans fenêtres !) en face du Trinity College. De style georgien, il date de 1729 et fut le siège du Parlement irlandais jusqu'à ce que, en 1804, des banquiers mégalomanes s'en emparent. Jetez un œil à la *House of Lords* pour sa décoration intéressante (visites guidées le mardi à 10h30, 11h30 et 13h45). C'est la salle où les parlementaires s'assemblaient. C'est aussi là que Grattan (dont on peut voir la statue devant, sur College Green) se battit pour l'indépendance du Parlement par rapport à Londres. Bien que protestant, Grattan se révéla un farouche défenseur du nationalisme irlandais.

Rive sud toujours : le quartier de Saint Stephen's Green

Saint Stephen's Green (*zoom détachable D-E4, et plan détachable D-E4-5*) **:** *grilles ouv de 8h (10h dim) à 20 mn avt la nuit.*
Très belle place georgienne entourée de jolies demeures aux façades toutes simples mais aux tons différents et parfois recouvertes de lierre. Hélas, l'appétit féroce des promoteurs a cassé la belle unité architecturale de la place et des jardins.
Le jardin sera toujours, en revanche, le havre de paix des étudiants du Trinity College. Promenade agréable dans les petites allées entre les parterres de fleurs, les pelouses et les canards. À l'angle nord-ouest, monument consacré à Wolfe Tone. Dans l'angle de Grafton Street s'élèvent une arche célébrant les morts irlandais de la guerre contre les Boers en Afrique du Sud (en 1901) et, à quelques mètres, le mémorial dédié à O'Donovan Rossa, le célèbre leader fenian qui passa 15 années hallucinantes dans les geôles britanniques (mis aux fers et contraint de laper sa soupe à genoux, comme un chien). Au milieu du parc se trouve un buste de Constance Markiewicz, l'une des héroïnes de l'insurrection de Pâques 1916.
Saint Stephen's Green, aux beaux jours, est souvent le lieu de bons concerts (se renseigner à l'office de tourisme).
– Au sud du parc, on trouve les anciens bâtiments du *University College* où étudièrent Daniel O'Connell et James Joyce. Face au coin nord-est, très vieux cimetière huguenot (1692). Ne se visite pas, mais on l'aperçoit bien.

Mansion House (*zoom détachable E4*) **:** *Dawson St.* Belle demeure avec toit à balustrade, fronton triangulaire aux armes de la ville et auvent orné d'élégants lampadaires. Construite en 1710 et résidence du maire de la ville. Sur sa gauche, le bâtiment en forme de rotonde fut édifié en 1821 pour recevoir le roi George IV. C'est là qu'en 1919 fut adoptée la Déclaration d'indépendance par les députés du Sinn Féin. Aujourd'hui s'y tiennent congrès et grandes réunions politiques.

Leinster House (*plan détachable E4*) **:** *entre Kildare St et Merrion St. Possibilité de visite le sam à 10h30 et 14h15. Ticket à récupérer à la National Gallery (40 mn le tour, aucun sac encombrant).* C'est le *Dail Eireann,* le Parlement de la république d'Irlande depuis 1922. Ce bâtiment servit de modèle, dit-on, à James Hoban, l'architecte irlandais de la Maison Blanche. Construit à l'origine, en 1745, pour être la résidence du duc de Leinster, ce fut, à l'époque, la plus belle maison particulière de Dublin. La visite comprend le bureau du Premier Ministre, l'escalier de cérémonie et la salle de travail du cabinet.

National Museum of Archaeology (*zoom détachable E4*) **:** *Kildare St. ☎ 677-74-44. • museum.ie • Tlj sf lun 10h (14h dim)-17h. Fermé à Noël et Vendredi saint. Entrée gratuite. Prévoir une ½ journée pour tt voir.*

Il était une fois l'Irlande, ou l'histoire de l'île déclinée en plusieurs chapitres... La première section remonte aux origines du peuplement humain en Irlande, avec une belle collection d'armes et d'outils. La suivante couvre la période de l'âge du bronze (2000 av. J.-C.) à environ 700 av. J.-C. La section intitulée « Le trésor » retrace l'histoire de l'art en Irlande depuis l'âge du fer celtique (300 av. J.-C.) jusqu'au haut Moyen Âge. Intéressant audiovisuel d'une quinzaine de minutes.

À l'étage
Une grande exposition évoque la période viking, avec une sélection d'armes et d'objets en cuir bien préservés. Notamment un chapeau de paysan dans un état parfait, un chausson décoré, une veste, conservés grâce à la tourbe.
Reconstitution d'un bateau de pêche viking du IXe s. Nombreux vestiges d'armes, éléments de bouclier, outils, superbes fibules ciselées... Noter la taille du guerrier retrouvé dans une tombe avec son épée et sa dague. Maquettes d'habitations, os gravés, objets religieux (crosses ciselées) des Xe et XIe s, reliquaire de saint Manchan's. Quelques vestiges lapidaires ornés des fameux motifs celtiques.
– Collection de sceaux, monnaies anciennes, débris de poterie, jolis carreaux de céramique, orfèvrerie religieuse. Une pièce magnifique : le *Stowe Missal* (VIIIe-XIIIe s) au décor filigrané serti de pierres précieuses. Également, le joli *reliquaire de Domhnach* en cuivre ciselé, puis bijoux, ivoires gravés, statuaire polychrome. Pathétique Christ aux liens...
– Période médiévale richement présentée : casques, pointes de flèches, épées, masses d'arme. *Croix de Ballylongford* (remarquer le travail tout en finesse sur le Christ). Quelques pièces d'art chypriote (2500-300 av. J.-C.) : poterie peinte, petits verres... Robe découverte dans un bog en 1843 où l'on constate à nouveau les vertus incroyables de la tourbe pour préserver même les tissus !

Au rez-de-chaussée
Le must du musée, le Trésor ! Une expo exceptionnelle. Les pièces les plus sublimes, représentatives de l'art irlandais (de l'âge de fer au XIIe s apr. J.-C.) : *un petit bateau en or et ses rames d'une finesse absolue, des colliers du IIIe s av. J.-C., de ravissants petits reliquaires, des ceintures de bronze et argent du VIIIe s apr. J.-C. remarquablement travaillées... On demeure scotché par la merveille du Trésor : la célèbre *broche de Tara,* symbole de l'âge d'or de l'Irlande (VIIe-IXe s). Puis d'autres fibules et broches, une main reliquaire de 1120, des crosses d'évêque ciselées, une croix de procession richement filigranée, la trompette de Loughnashade, sept boules en or du VIIe s av. J.-C., des bracelets et disques (2200-1800 av. J.-C.).... Petite salle avec ses évangiles enluminés du XIVe s, mais surtout le livre de psaumes de Faddan More, là encore découvert dans un bog en 2006 et miraculeusement conservé grâce à la tourbe, et cette pierre ogham et sa mystérieuse écriture...
– Retour dans la grande salle : objets domestiques, moyens de transport et outils n'en sont pas moins chargés d'intérêt et d'émotion : rare et très rustique roue en bois du Ve s, chaudron en bois (200 av. J.-C.) et immense barque découverte à Lurgan en 1902 et datant de 2500 ans av. J.-C. Longue de 15,25 m, taillée dans un seul tronc de chêne !
Autre grand moment : admirer le produit des fouilles de Mooghaun en 1854, lors de la construction du chemin de fer. La plus grosse découverte de bijoux, pas moins de 146 pièces dont des colliers en or superbement travaillés (800-700 av. J.-C.).

National Library *(zoom détachable E4)* **:** *Kildare St ; à l'opposé du Musée national. ☎ 603-02-00. Lun-mer 9h30-21h ; jeu-ven 9h30-17h ; sam 9h30-13h. Entrée gratuite. Possibilité de visiter la salle de lecture au 1er étage. Demander un badge visiteur au rdc.* D'abord, au rez-de-chaussée, noter la superbe cheminée en bois sculpté, puis grimper le bel escalier au décor sculpté style Renaissance et ses vitraux. Élégante salle avec ses stucs d'angelots et boiseries de chêne sculptées. À l'entrée de la salle s'alignent les longues rangées de catalogues des auteurs

avec leurs couvertures usées et patinées. Les cheminées sont l'œuvre d'un artiste italien de Sienne. Au rez-de-chaussée, expos temporaires.
Pour se restaurer, excellente cafétéria aux petits plats et sandwichs sortant de l'ordinaire (voir « Où manger ? »).

National Gallery *(zoom détachable, E4) : Clare St et Merrion Sq West. ☎ 661-51-33. • nationalgallery.ie • Tlj 9h30 (12h dim)-17h30 (20h30 jeu). Fermé Vendredi saint et 24-26 déc. Entrée gratuite (don souhaitable). Visites guidées gratuites sam (à 14h) et dim (à 13h et 14h) ; davantage de visites guidées en juil-août (lun, mer, ven à 14h). Audioguide gratuit en français.*
Inauguré en 1864, ce musée compte aujourd'hui 54 salles pour environ 11 000 œuvres d'art, réparties par époques et par thèmes. Mais il est en travaux de rénovation au moins jusqu'à fin 2013, courant 2014. Présentation limitée des chefs-d'œuvre dans deux salles du niveau 1 seulement (ceci dit, ça vaut quand même le coup !).

Niveau 1
– Accueil par le très sombre *Opening of the Sixt Seal,* chef-d'œuvre du romantisme ! Puis le *Saint Patrick's Day* d'Erskine Nicol. Avec sa fête paysanne, clin d'œil à Brueghel l'Ancien. Puis Roderic O'Connor, avec sa *Jeune Bretonne,* où, comme pour ses collègues Gauguin et Sérusier, la couleur devient de plus en plus vibrante et expressive. *Grief* de Jack B. Yeats, peut-être le tableau qui exprime le mieux son horreur de la guerre ; puis *Kathleen ni Houlihan* de Sir John Lavery, le mythique visage qui orna longtemps les billets de banque irlandais. Louis le Brocquy (mort en 2012) peignait à la manière de Picasso et laisse une insolite *Olympia* (pour le coup, clin d'œil aussi à Manet).
– Quelques remarquables œuvres d'art religieux comme *Saint Côme et Saint Damien survivant au bûcher* de Fra Angelico, plus une *Déposition du Christ* du Perugin, *Judith et Holoferne* de Mantegna (fasciné par l'Antiquité, il imite à la perfection le marbre), *Ecce Homo* du Titien, *Vierge à l'Enfant* de Paolo Uccello, les *Quatre Saisons* de Simon Vouet, puis un remarquable paysage de Claude Lorrain qui rend admirablement la beauté et la sérénité de la campagne... et encore Vélazquez, Poussin, Zurbarán. Dans l'*Arrestation du Christ* (le Baiser de Judas) du Caravage, dramatisation de la scène, bien sûr renforcée par le clair obscur et sa légendaire diffusion de la lumière (le personnage à droite tenant la lanterne serait l'artiste). Dans le *Mariage paysan,* Brueghel le Jeune se moque de façon un poil désobligeante de ces paysans rustres et moches. De Rembrandt, un petit mais sublime *Repos pendant la fuite en Égypte*, une des rares toiles de nuit de l'artiste.
– Admirez *Femme écrivant une lettre,* un des quarante Vermeer connus au monde, considéré, pour sa précision et son sens de la lumière, comme une œuvre majeure de l'artiste. On retrouve d'ailleurs ce style chez Gabriel Metsu *(Homme écrivant une lettre).* À l'évidence, il avait dû rendre visite à Vermeer ! Pour les fans, quatre Bellotto importants (*Venise,* bien sûr !) et *Fête sur la Piazza Navona* de Panini. Quelques superbes Anglais quand même, sir Josuah Reynolds, Thomas Lawrence, puis le charme, la touche, la délicatesse de Gainsborough dans la *Cottage Girl*... Pour une fois, Goya serein avec le portrait de l'actrice Dona Antonia Zarate.
– Pour finir, quelques impressionnistes, Monet *(Le Bassin d'Argenteuil),* Sisley... Puis Juan Gris, le *Stella* de Van Dongen, *Toit à Paris* de Van Gogh et la célèbre *Nature morte avec mandoline* de Picasso. On se surprend à aimer Meissonnier (un des « pompiers » les plus fameux du XIXe s) avec son groupe de cavaliers dans la neige : grande précision des paysages, des rigueurs de l'hiver, des attitudes, finesse d'exécution... Bon, s'il vous reste un peu temps, détailler donc *Dublin Secrets, le vendeur de livres,* de Walter F. Osborne : vision juste, sincère, positive de la vie de tous les jours dans la capitale de l'Irlande. Tendresse pour cette petite fille aux pieds nus, gracieuse, fragile...
Très agréable cafétéria au rez-de-chaussée, à prix fort raisonnables.

★★ 🚸 ***Natural History Museum*** *(zoom détachable E4)* **:** *Merrion St Upper West.* ☎ *677-74-44.* • *museum.ie* • *Tlj sf lun 10h (14h dim)-17h. Entrée gratuite.* Inauguré en 1857 par l'explorateur David Livingstone, ce vieux bâtiment victorien renferme une impressionnante collection d'animaux naturalisés rapportés des quatre coins de la planète, témoignage émouvant d'espèces parfois éteintes. Les vitrines de bois sombre, le côté un peu vieillot, les étiquettes *vintage* donnent une touche romantique à la visite. Dioramas fort bien réalisés (avec des scènes d'une grande tendresse). On déambule parmi d'invraisemblables squelettes de cerfs géants irlandais, des crocodiles et leurs cousins, une araignée de mer géante du Japon, ou encore des spécimens hallucinants d'insectes tropicaux (vitrines protégées de la lumière). Certains d'entre eux imitent à la perfection une branche, tandis que d'autres ressemblent à s'y méprendre à des feuilles (les carapaces sont tachées comme de vrais végétaux !). Pour couronner le tout, le squelette de 20 m de long d'une baleine achève d'émerveiller les visiteurs. Au 1er étage, là aussi, muséographie d'origine. Animaux étranges comme les *armadillos* (tatous), les fourmiliers, plus les impressionnants hippopotames, lions de mer, grizzlis... Dommage, pour des raisons financières (plus d'argent pour réparer), les mezzanines (avec les serpents notamment) sont fermées au public. Pour les gamins (et leurs parents itou !), une visite vraiment passionnante.

★★ ***Merrion Square*** *(plan détachable E4)* **:** bel exemple de place georgienne. Élégance et très grande simplicité de l'architecture. Les façades sont du même style, plates et un brin austères, avec les célèbres portes aux vives couleurs. Le jeune Oscar Wilde vécut au nº 1 (angle de Lower Merrion Street). Son père était un docteur spécialisé dans la chirurgie des yeux et l'oculiste de la reine Victoria. Pour la petite histoire, il fut, comme son fils, au centre d'un fameux scandale. L'une de ses maîtresses, Moll Travers, lui donna un enfant. Comme il refusait le divorce, elle l'accusa de l'avoir chloroformée lors d'une consultation et d'avoir abusé d'elle. Pourtant, à la fin de sa vie, lorsque William Wilde fut à l'agonie, Moll Travers ressurgit et chaque jour le veilla pendant des heures, sans lui dire un mot (ni à la famille, ni à personne d'ailleurs). À sa mort, elle disparut définitivement. Au nº 58 habita Daniel O'Connell ; au nº 82, W. B. Yeats ; au nº 84, George Russell.

★★ ***Number Twenty-Nine*** *(plan détachable E5)* **:** *29, Fitzwilliam St Lower.* ☎ *702-61-65.* • *esb.ie/no29* • *À deux pas de Merrion Sq. Tlj sf lun 10h (12h dim)-17h. Fermé 2 sem à Noël. Visite guidée slt, 6 € (en anglais) ; gratuit moins de 16 ans ; durée env 1h. Petite vidéo en introduction.* Une belle demeure georgienne déroulant tous les fastes de la vie dublinoise de la fin du XVIIIe s. De la cave au grenier, la maison présente un superbe ameublement, décor, tapis, tentures, et donne aujourd'hui le reflet exact de ce qu'était le cadre d'une famille de la *Dublin middle class.* Visite guidée bien faite. Cuisine, garde-manger, salle à manger au beau mobilier, *dining room.* Intéressante chambre à coucher avec son grand lit carré et, dans un coin, une chaise percée qui en dit long sur l'intimité à l'époque. Et puis encore quelques pièces qu'on vous laisse découvrir. À ne pas manquer !

★ ***Grafton Street*** *(zoom détachable D4)* **:** c'est la rue piétonne la plus commerçante de la ville. Boutiques de luxe, musiciens de rue... C'est là que les ados traînent le samedi après-midi pour acheter des fringues à faire hurler leurs parents.

Le quartier de Portobello

★★ ***Irish Jewish Museum*** *(plan détachable D5-6)* **:** *3, Walworth Rd.* ☎ *490-18-57. Donne dans Victoria St, au sud de la ville, avt le Grand Canal. Bien indiqué de Richmond St. Pour s'y rendre : bus nos 19, 19 A, 16 et 16 A. Mai-sept, mar, jeu et dim 11h-15h30 ; oct-avr, slt dim 10h30-14h30. Fermé les j. de fêtes juives. Entrée gratuite (don souhaitable).*

Sympathique, familial et émouvant, ce petit musée occupe le rez-de-chaussée d'une simple maison tandis qu'une petite synagogue (discrète) se cache au 1er étage. Les innombrables documents, souvenirs, objets exposés proviennent, pour la plupart, des albums de famille de la communauté, une des plus réduites d'Europe, car elle ne compte plus aujourd'hui à Dublin qu'un millier de membres. L'*Irish Jewish* le plus connu est sans conteste Chaïm Herzog. Né à Belfast, fils de rabbin, il vint très jeune à Dublin et vécut avec sa famille au 38, Bloomfield Avenue, dans une maison proche du musée (pas de visite possible). Puis il s'établit en Israël, où il devint président de la République.
D'autres vitrines racontent avec moult détails l'histoire des juifs en Irlande et exposent les nombreuses traditions et cérémonies religieuses. Une vitrine évoque l'antisémitisme, qui n'a jamais fait beaucoup de victimes en Irlande, où ce sentiment n'a jamais été aussi virulent que sur le reste du continent européen.

Vers le quartier des Liberties

À l'origine, c'était le quartier compris entre les cathédrales Christchurch et Saint-Patrick. Situé « hors les murs » de la ville et donc de sa juridiction, il y gagna le nom de *Liberties*. Une population catholique très pauvre s'y entassa. Aujourd'hui, c'est toujours un quartier populaire, intégrant celui de Saint-James autour de la brasserie *Guinness*. Peu visité par les touristes, il reste cependant caractéristique du Dublin historique, et ses habitants tentent d'en préserver l'esprit.
Ce secteur de Christchurch et de Saint-Patrick s'appelait autrefois *The Four Corners of Hell*, car il y avait un pub à chaque angle.
Flânez autour des rues Saint-James, Thomas, Meath, The Coombe. Marché et bazar populaire sur Meath. Francis Street s'est spécialisée dans les antiquités et la brocante. Attention, *gentrification* oblige, c'est assez cher !
Simple précaution : il arrive que, dans le quartier, les véhicules soient visités ; ne tentez pas le diable, ne laissez rien traîner. Mieux, ne venez pas en voiture. Prenez le bus (nos 77 A ou 77 B) à Ashton Quay, dans le centre ou venez à pied, c'est vraiment pas loin.

Christchurch Cathedral *(zoom détachable C4) : tt en haut de Lord Edward St. ☎ 677-80-99. • cccdub.ie • Juin-août, lun-sam, 9h30-19h, dim 12h30-14h30 et 16h30-18h15 ; avr-mai et sept-oct, lun-sam 9h30-18h et dim 12h30-14h30. Le reste de l'année lun-sam 9h30-17h et dim 12h30-14h30. Entrée : 6 €. Billet combiné avec Dublinia : 11 €. Doc en français.* Construite au XIIe s par les Normands, elle subit en 1878 une restauration de type néogothique assez lourde (également construction de l'arche qui traverse la rue). Les rares vestiges anciens se résument à quelques pierres dans le jardin, au transept de style roman et à la longue crypte. À l'intérieur, tombe de « Strongbow », Richard de Clare, qui conquit Dublin au XIe s et ordonna la construction du sanctuaire. Christchurch passa au culte protestant au XVIe s. De part et d'autre, les *pews* sculptés (Civic Pews et State Pews), les bancs des notables. Jetez donc également un coup d'œil à la crypte, posée sur d'énormes piliers carrés. Quelques vestiges de pierres sculptées et tombales, et petite exposition d'objets liturgiques. Le jeudi à 18h et le samedi à 17h, chœurs superbes.

Dublinia *(zoom détachable C4) : Saint Michael's Hill, Christchurch. ☎ 679-46-11. • dublinia.ie • Avr-sept, tlj 10h-17h ; hors saison, tlj 10h-16h30. Dernière entrée 45 mn avt fermeture. Entrée : 7,50 € ; réduc. Billet combiné avec Christchurch Cathedral : 11 €. Commentaires en français.* Un parcours multimédia présentant 4 siècles de l'histoire de Dublin, depuis l'arrivée des Normands jusqu'à l'avènement d'Henry VIII. On défile devant une série d'habiles reconstitutions, comme une rue médiévale, une demeure de marchand ou une scène portuaire, très vivantes. Ludique et très pédagogique. La visite se poursuit au 1er étage sous forme de musée plus classique, avec une grande maquette du vieux Dublin et une exposition d'objets médiévaux. Intéressant : lire attentivement les détails d'un testament de 1476, qui révèlent beaucoup de choses sur la vie économique et sociale de l'époque. 3e étage plutôt ludique consacré à la vie dublinoise sous les Vikings.

🏛 ***Tailor's Hall*** *(zoom détachable C4)* **:** *Back Lane.* C'est le seul édifice à subsister en face de Christchurch, sur High Street. Dernière maison de corporation existant à Dublin. Construite en 1706 pour les tailleurs, groupes et associations pouvaient y louer la grande salle afin de s'y réunir. Wolfe Tone et les *United Irishmen* s'y rassemblaient souvent, et le Tailor's Hall finit par acquérir le surnom de *Back Lane Parliament.* Ne se visite pas. Un nouveau bâtiment s'est construit devant et il faut se tordre un peu le cou pour l'apercevoir. Notamment, au niveau du porche à moitié brisé, on distingue bien les hautes fenêtres plein cintre.

🏛🏛🏛 ***Saint Patrick's Cathedral*** *(zoom détachable C4)* **:** *• stpatrickscathedral.ie • Lun-ven 9h-17h ; sam 9h-18h (17h nov-fév) ; dim 9h-10h30, 12h30-14h30 et 16h30-18h (9h-10h30 et 12h30-14h30 nov-fév). Entrée : 5,50 € ; réduc.*
Fondée en 1191, là même où saint Patrick se convertit au catholicisme au Ve s, la cathédrale fut construite en 1255 puis élargie (c'est la plus grande église d'Irlande) et restaurée plusieurs fois. Elle fut cependant moins restaurée que Christchurch – notez au passage qu'il est très rare de voir deux cathédrales si proches l'une de l'autre. Dès 1320, la première université du pays s'y installa. Elle y restera près de deux siècles. Cromwell, toujours aussi délicat, l'utilisa comme écurie pour son armée.
Elle eut un doyen célèbre : Jonathan Swift. On peut y voir sa tombe à côté de son plus grand amour, Esther, qu'il chanta sous le nom de Stella. Swift, Anglais né en Irlande, souffrit beaucoup dans sa carrière de n'être pas né en Angleterre. C'est donc, tout au moins au début, plus par dépit que par conviction qu'il dénonça le sort atroce des Irlandais en ce temps-là. L'auteur des *Voyages de Gulliver* produira des écrits féroces contre la corruption de l'Église et l'exploitation des Irlandais.
À l'intérieur, nombreux monuments funéraires. Chœur imposant qui abrite les étendards et les armoiries des chevaliers de Saint-Patrick. Une curiosité : le trou dans une vieille porte du transept sud. Il fut percé pour célébrer, en 1492, la réconciliation des seigneurs de Kildare et d'Ormond, et leur permettre de se serrer la main, car aucun d'eux ne faisait confiance à l'autre !

🏛🏛 ***Marsh's Library*** *(zoom détachable D4)* **:** *Kevin St et Saint Patrick's Close. ☎ 454-35-11. • marshlibrary.ie • Sur la gauche en sortant de la cathédrale. Lun et mer-ven 9h30-13h, 14h-17h ; sam 10h-13h. Fermé mar et dim. Entrée : 2,50 € ; enfants gratuit.* Fondée en 1701 et première bibliothèque publique d'Irlande, elle renferme plus de 25 000 ouvrages et 200 manuscrits. L'intérieur n'a guère changé depuis le XVIIIe s.

🏛🏛 ***Guinness Storehouse*** *(plan détachable B4)* **:** *Saint James's Gate. ☎ 408-48-00. • guinnessstorehouse.com • À 2 km du centre. Pour y aller : bus nos 51 B et 78 A d'Aston Quay et 123 d'O'Connell St. Tlj 9h30-17h (19h juil-août). Entrée : 14,40 € (réduc de 10 % pour une résa en ligne). Même le tarif famille décoiffe : 32,50 € pour 2 adultes et jusqu'à 4 enfants (qui ne boiront pas de bière au bar...).* Aménagé en 2000 dans une partie de cette brasserie gigantesque construite en 1904, ce musée se visite en suivant un itinéraire fléché intelligent et une scénographie très bien ficelée. On déambule dans un univers à la *Brazil,* sur sept étages, parmi les cuves géantes, pour découvrir les

A GUINNESS, PLEASE !

Ce monument historique doit être servi à 6°. Au pub, elle est tirée en deux fois, afin que la mousse, dense et crémeuse, puisse redescendre. On dit que cette tradition est d'origine religieuse : Arthur Guinness, le fondateur, aurait commencé à servir une pinte quand l'heure de la messe retentit. Il s'arrêta pour se recueillir et continua quand la cloche finit de sonner.

secrets de fabrication d'une des fiertés de l'Irlande. Tout en haut, un bar vitré offre la plus belle vue qui soit de Dublin, sur 360°. On y boit, devinez quoi... offerte (ouf !) sur présentation de votre ticket d'entrée. Bien évidemment, passage par l'énorme boutique en sortant... *no comment !* (sauf pour signaler que les produits *Guinness* sont souvent moins chers dans les boutiques du centre-ville).

➢ ***Petite balade architecturale dans les Liberties*** *(zoom détachable C4 et plan détachable A-B4)*
Intéressant point de départ : les ***Iveagh Buildings*** (HLM du XIXe s). Délimités par *Bride Street, Bride Road* et *Nicholas Street,* c'est un superbe ensemble de brique rouge de 1904, avec corniches, lucarnes, petits dômes oxydés et frontons assez élaborés. À l'époque, certains patrons ne se moquaient pas des ouvriers ! Voir, sur *Bride Road,* l'élégant porche sculpté des *Public Baths* (maintenant un *Fitness Club...*). Côté Saint Nicolas Street, sur la façade, des petites plaques de cuivre racontent en termes simples la vie de certains habitants. Émouvante, l'une des dernières intitulée « *They have seven children and decided it was enough* » (ou le poids du religieux à l'époque)... ***Thomas Street*** est l'épine dorsale du quartier (éviter cependant les dimanche et lundi, peu animés !). Au passage, *Market Place* (au n° 72), petit marché aux puces tout en longueur (du jeudi au dimanche de 11h à 18h : vêtements *vintage,* vieux vinyles, bijoux, un peu d'artisanat et deux petits cafés). D'ailleurs, on trouve pas mal de *trift shops* et *discount stores* (pour les fringues extra !) dans cette rue, ainsi que des boutiques à l'ancienne et les dernières Molly Malone... ***Meath Street,*** encore plus populaire, résiste vaillamment aux assauts bobo. À côté de l'église Sainte-Catherine, une *grotte de l'Immaculée Conception* bien ringarde, mais encore bien fréquentée. Au n° 35, l'étonnante *Sandyz Boutique* qui plaira beaucoup à nos lectrices (fermé le dimanche). ***Thomas Court,*** vieille rue populaire avec maisons basses en brique, suivi de ***Meath Place*** aux demeures ouvrières minuscules, dernier témoignage du XIXe s dublinois. Sur ***Pimlico Street,*** les *Watkins Buildings,* un autre petit ensemble d'habitat populaire à l'architecture soignée et bien entretenu. Dans ***The Coombe,*** l'ancien porche de l'hôpital-maternité témoigne des terribles conditions de vie du petit peuple des Liberties. En 1825, deux femmes qui avaient accouché chez elles, moururent de froid avec leur bébé dans une tempête de neige, en tentant de gagner un lointain hôpital. Grosse émotion publique et, l'année suivante, une maternité fut enfin construite sur le *Coombe* même (démolie en 1967). Plus loin, même trottoir, autre clin d'œil, une façade préservée avec en lettres sculptées « *Widows House of the Parish of St Nicolas* »... Pour oublier les veuves et se reposer les gambettes, une *Guinness* fort bien tirée au *Lamplighter* (en face Meath Street), un pub avec sa clientèle hors du temps et bavarde. Enfin, paysage urbain typique des Liberties, *Reginald Street* menant à une placette paisible, avec un Christ polychrome veillant sur ses ouailles en un kiosque assez kitsch... Après, détour par *Back Lane* pour évoquer le grand Wolf Tone !

★ ***Steeven's Hospital*** *(plan détachable B4) : Steeven's Lane (rue perpendiculaire à la Liffey et liant Jame's St à Heuston Station).* C'est le plus ancien hôpital irlandais (1720). Il possède donc une architecture néogeorgienne typique de l'époque. Superbement repeint en gris et jaune. Sa tour-horloge octogonale lui donne un certain charme. Cour intérieure ayant des allures de cloître.

★★★ ***Kilmainham Jail*** *(prison de Kilmainham ; hors plan détachable par B4) : Inchicore Rd, Dublin 8. ☎ 453-59-84. Pour s'y rendre : bus n°s 69, ou 79 (le seul à s'arrêter juste devant) d'Aston Quay, n°s 13 et 40 depuis O'Connell. Avr-sept, tlj 9h30-18h ; oct-mars, tlj 9h30-17h30 (18h dim). Visites guidées slt (en anglais, bon niveau demandé), au max ttes les 30 mn. Entrée : 6 €.* Heritage site.

Un peu d'histoire
Prison construite au XVIIIe s. Cette visite passionnante intéressera les amoureux de l'histoire de l'Irlande. La majorité des grands hommes qui contribuèrent à l'histoire du pays y séjourna ou y mourut. Dès 1796, les *United Irishmen,* dont

Henry Joe McCracken, leader d'Ulster (et pendu à Belfast), et Robert Emmet. Les *Young Irelanders,* Thomas Francis Meagher, W. S. O'Brien, Patrick O'Donoghue y séjournèrent en 1848 avant de partir comme forçats en Australie. En 1867, ce sont les fenians qui remplirent les cellules. Celles-ci n'eurent pas le temps de moisir avec l'arrivée, en 1882, des militants de la Land League (Parnell, Michael Davitt...). En 1883, cinq des Invincibles qui assassinèrent lord Cavendish à Phoenix Park y furent pendus. Au lendemain de l'insurrection de Pâques, Connolly fut arraché de son lit d'hôpital et exécuté dans la cour sur une chaise, car blessé et souffrant d'une jambe déjà prise par la gangrène. En 1920-1921, la prison ne désemplit pas de membres de l'IRA. En 1922-1923 leur succédèrent les militants antitraité, parfois c'étaient les mêmes ! Quatre d'entre eux y furent fusillés. De Valera y séjourna également. Il fut le dernier prisonnier de Kilmainham, qui ferma ses portes en 1924.

Visite de la prison
Une visite émouvante, qui rend compte de la cruauté des conditions de détention au XIXe s. On n'y internait pas que des prisonniers politiques : les couloirs humides résonnent encore des pleurs d'enfants accusés d'avoir volé un quignon de pain ! Le circuit commence par la projection d'un diaporama (15 mn) très bien fait sur l'histoire du mouvement national irlandais, du XVIIIe s jusqu'à l'indépendance. Puis, arrêt dans l'immense ***hall central*** sur trois étages de cellules, où certaines scènes du film *Au nom du père* ont été tournées. On accède ensuite à différentes ***cellules de détenus,*** comme celle de Robert Emmet ou celle de Parnell (il eut droit à un meilleur traitement que les autres), avant de marquer une pause dans la chapelle. La visite s'achève dans la sinistre ***cour intérieure,*** qui porte encore les traces de l'exécution des insurgés de 1916.

Le musée
Très intéressant. Il regroupe de nombreux souvenirs et documents exceptionnels, comme des lettres, photos, journaux de l'époque, objets personnels, etc. On a même conservé le billot de bois qui servit à l'exécution de Robert Emmet !

Irish Museum of Modern Art *(plan détachable A4)* **:** *dans le Royal Hospital ; entrée sur South Circular Rd ou sur Military Rd, Dublin 8. ☎ 612-99-00. • imma.ie • Entre Kilmainham Jail et Heuston Station. Mêmes bus que pour Kilmainham Jail. Mar-sam 10h (10h30 mer)-17h30 ; dim et j. fériés 12h-17h30. Entrée gratuite.* Construit en 1684, le plus ancien bâtiment civil d'Irlande abrita jusqu'en 1922 les vétérans et invalides de guerre. À l'intérieur, on découvre trois galeries à arcades et, sur le quatrième côté, la chapelle et le grand hall. Harmonieuses proportions de l'ensemble. La chapelle offre un étonnant décor baroque, quasi unique en Irlande. Le bâtiment accueille aujourd'hui de nombreuses expositions temporaires très inégales. Petite collection permanente. Cafétéria au sous-sol.

Rive nord : le quartier d'O'Connell Street

General Post Office *(GPO pour les intimes ; zoom détachable D3)* **:** *O'Connell St.* Monument de style néoclassique, construit en 1818 sur les plans de Francis Johnson, le plus célèbre architecte de la période georgienne. En 1916, à Pâques, la poste servit de quartier général à l'insurrection. C'est là que Padraig Pearse, le poète, et James Connolly, le syndicaliste, proclamèrent l'indépendance de l'Irlande avec 1 000 hommes des Irish Volunteers. Contretemps et contrordres firent que peu de villes de province suivirent le mouvement et que celui-ci resta circonscrit à Dublin. Les insurgés résistèrent une semaine au pilonnage de l'artillerie britannique avant de se rendre. Une canonnière sur la Liffey ne cessa de bombarder le quartier, causant de nombreuses destructions et victimes civiles. Le général Maxwell, chef des troupes anglaises, comptait terroriser les Dublinois et les retourner contre les insurgés. La répression fut sauvage et tous les leaders furent fusillés, sauf De Valera qui était de nationalité américaine. Bien lui en prit, car

plus tard il devint... président de la République. Constance Markiewicz échappa également de justesse au poteau d'exécution parce que femme ! Elle lança à ses juges : « J'espérais que vous auriez au moins la décence de me fusiller ! » Avant d'être exécuté, Pearse eut ce mot : « Au moins l'Irlande se débarrasse-t-elle d'un mauvais poète. » L'opinion publique irlandaise, peu favorable jusqu'à 1916 à l'idée de l'indépendance, fut bouleversée par la mort de ces héros et bascula massivement dans leur camp.
La GPO fut reconstruite en 1929 et est devenue le lieu de la plupart des manifestations politiques et le symbole de l'esprit républicain. Une plaque et une statue commémorent cet événement historique.

O'Connell Street *(zoom détachable D3)* **:** les Champs-Élysées de Dublin, d'une largeur étonnante pour la ville. D'ailleurs, le pont qui lui succède, O'Connell Bridge, possède la particularité, assez unique pour un pont, d'être plus large que long ! L'overdose de fast-foods et d'immeubles modernes médiocres ne doit cependant pas faire oublier quelques-uns de ses attraits. Les statues du terre-plein central, par exemple : le monumental *Daniel O'Connell* trouve ici la place qu'il mérite comme émancipateur des catholiques, suivi de *William Smith O'Brien,* chef des Young Irelanders de 1848. *Jim Larkin,* le syndicaliste à qui l'on doit : « Les Grands ne sont grands que parce que nous sommes à genoux. Debout ! », a été remplacé par une fontaine à l'occasion du millénaire et relégué au fond de O'Connell Street. Pour finir, devant le Rotunda Hospital, le mémorial dédié à *Parnell.*
Yeats ironisa sur le fait que la prude Irlande catho se permettait d'honorer trois adultérins célèbres : O'Connell, Parnell et... Nelson. À propos, où est-il passé le Nelson sur sa gigantesque colonne de 40 m de haut et son lourd piédestal ? Élevée entre Henry et Earl Streets, en 1808, pour commémorer le vainqueur de Trafalgar, la colonne avait un maximum de détracteurs. Les nationalistes d'abord, qui n'appréciaient guère cet hommage au représentant de la puissance impériale anglaise. Mais également, plus tard, les automobilistes qui, tout simplement, trouvaient que le monument gênait la circulation. Le 8 mars 1966, à 1h32 du matin, pour fêter le cinquantenaire de l'insurrection de Pâques 1916, l'IRA fit sauter la statue. Tout le monde dut admettre l'exploit technique. Pas un carreau cassé dans le voisinage ! Cependant, comme il restait encore deux tiers de la colonne debout, l'armée fut chargée de terminer le travail. Mais, en tentant de faire sauter le ridicule moignon, celle-ci réussit, en revanche, à briser toutes les vitres aux alentours... sans pour autant finir la besogne ! Les gens en rigolèrent pendant de longs mois. D'ailleurs, les Dublinois en firent une chanson qui fut numéro 1 au hit-parade ! En revanche, peu de chances que le centenaire soit aussi explosif...
À propos de colonne, le nouveau millénaire a donné l'occasion aux architectes d'élever au cœur d'O'Connell Street une flèche de 120 m, soit sept fois la hauteur du GPO, *the Spire.* Résolument moderne, sans fioritures, elle symbolise l'esprit entreprenant de l'Irlande, mais n'a pas échappé à son lot de railleries : elle a notamment été surnommée *« The erection at the intersection »...*

Moore Street *(zoom détachable D3)* **:** *petite rue parallèle à O'Connell et donnant sur Henry St.* Marché extrêmement vivant qui se tient tous les jours, toute la journée. C'est ici que vous entendrez encore le véritable accent dublinois. Les *Molly Malone,* ces petites vendeuses de rue avec leurs landaus bourrés d'oranges ou de friandises, appartiennent depuis toujours au folklore dublinois (mais il y en a de moins en moins). Nombre d'écrivains irlandais vinrent ici autant pour faire leurs achats que pour y trouver quelques-uns de leurs personnages. Une anecdote : à Pâques 1916, les commerçantes et marchandes des quatre saisons de Moore Street furent au début très hostiles aux rebelles ayant établi leur quartier général à la poste principale, car l'insurrection avait interrompu complètement le business. Elles les conspuèrent au moment de la reddition. Étrange confrontation de l'ILAC, centre commercial très moderne (et bien sûr assez décalé par rapport à l'environnement), avec les vieilles demeures en brique subsistant encore, typiques du vieux Dublin victorien.

Custom House (zoom détachable E3) *: au nord-est, sur les bords de la Liffey, près de Connolly Station.* Considérée par beaucoup comme le plus beau monument civil de Dublin. Élégant portique central à colonnes doriques. Remarquables statues de la façade symbolisant l'océan Atlantique et les 13 fleuves irlandais. Cette représentation « hydraulique » n'a pu empêcher l'incendie qui, en 1921, ravagea pendant 5 jours l'intérieur du bâtiment. Restaurée plusieurs fois, son dernier lifting date de 1990. À voir de l'extérieur (ne se visite pas).

➢ ***Balade rive nord* :** la rive nord, nous l'avons vu, ne renferme que peu de grandes beautés architecturales. Les bulldozers ne chôment guère, notamment dans l'ancien quartier ouvrier de *Smithfield Village,* mais le passé n'a pas encore complètement disparu.
On peut flâner dans le « *Bloomsland* », autour de **Parnell Square** *(plan détachable D2-3),* où « vécurent » les principaux héros de Joyce. Parnell Square renferme aussi le *jardin du Souvenir (Garden of Remembrance)* et un monument de bronze dédié à tous ceux qui donnèrent leur vie pour l'Irlande. Autour de Parnell, des demeures georgiennes, la *Municipal Gallery of Modern Art* et le *musée des Écrivains.* Au sud de Parnell Square, le *Rotunda Hospital,* (1750), qui fut la première maternité d'Europe. La rotonde qui lui est accolée servait à organiser des fêtes de charité pour financer l'hôpital. C'est aujourd'hui un cinéma. À côté, le *Gate Theatre.*
Tout ce quartier fut, au XVIIIe s, le symbole brillant de l'*ascendancy* anglo-irlandaise. Aujourd'hui, ruines, taudis et demeures georgiennes cohabitent bizarrement. Malgré les destructions nombreuses, certaines rues ou places n'ont pas été totalement défigurées et laissent deviner une ordonnance harmonieuse. *Upper Gardiner Street, Gardiner Place, Mountjoy Square.* La promenade s'achève à *Henrietta Street,* qui fut la rue la plus élégante du XVIIIe s, jusqu'à ce qu'en 1800 l'Acte d'union, en supprimant le Parlement irlandais, déplace le centre d'intérêt vers Londres et y ramène toute la bourgeoisie anglo-irlandaise. Dans Great Danemark Street s'élève la *Belvedere House,* collège jésuite dont Joyce fut l'élève.

Dublin City Gallery, The Hugh Lane (plan détachable D2) **:** *Charlemont House, Parnell Sq North. ☎ 222-55-64. • hughlane.ie • Mar-sam 10h-18h (17h ven-sam), dim 11h-17h. Entrée gratuite pour la galerie et l'atelier de Bacon. Bus n°s 3, 4, 7, 10, 11, 13, 19 et 46 A.*
Fondé en 1908 grâce au legs de la collection de sir Hugh Lane. Il occupe la magnifique *townhouse* du comte Charlemont (XVIIIe s). Superbement rénovée, admirer la salle d'apparat ovoïde, avec colonnes, stucs et verrière...Toutefois, en raison de ses fréquents échanges avec la *National Gallery* de Londres, le musée ne propose qu'une petite collection permanente. Ceci dit, œuvres toujours de qualité, à l'image de ces délicats petits Corot, *La Barque, Le Pêcheur, Marseille* ou la *Femme méditant*. Elle porte beaucoup sur l'impressionnisme français, avec quelques œuvres remarquables comme *Waterloo Bridge* de Monet. Il y en eut pas moins de 41 versions, Monet souhaitant capturer l'essence même de Londres, le poids de l'industrie, la foule, la lumière malgré le *smog. La Musique aux Tuileries* de Manet, *Scène de plage* de Degas, ou encore *La Plage de Trouville* de Boudin. Extraordinaire *Tempête de neige* de Courbet. Sinon, on y découvre par roulement un panorama de l'art moderne et contemporain irlandais. Notamment Franck O'Meara, Sir John Lavery et surtout, Walter Osborne, génial peintre de la rue et de son petit peuple (il travaillait avec un véritable œil de photographe). On est frappé par le nombre d'enfants *(Fishmarket, Patrick Street).* De l'école de Pont-Aven, Roderic O'Connor (ami de Gauguin). Salle consacrée au fantastique Jack B. Yeats *(Talkers ; There is no Night).* Puis, toute une série de mignons Constable

(son *Brighton* évoque Turner). Œuvres de Louis Le Broquy (décédé en 2012), peu connu en France, mais un grand ici, dont on admire *Isolated Being, Child in a Yard, Bacon Kneeling Figure*... Et bien sûr, l'atelier de Bacon.

L'atelier de Bacon

En mai 2001, le musée a acquis une « pièce » exceptionnelle... le légendaire atelier de Francis Bacon, situé 7, Reece Mews, South Kensington à Londres. Cette acquisition tient du miracle. En effet, après la mort de Bacon (1992), qui fut à une certaine époque le peintre vivant le plus cher du monde, John Edwards, son légataire universel, proposa de léguer son atelier à la célèbre Tate Gallery. Elle ne refusa pas formellement ce cadeau, mais tergiversa, fit traîner les choses en longueur, au point que le légataire finit par le proposer à la galerie municipale d'Art moderne de Dublin, ville qui vit naître Bacon. Cette dernière accepta avec enthousiasme. Musée, ville, État prirent en charge le coût très important du transfert. L'atelier de Bacon, c'est peu de le dire, était un véritable capharnaüm, un chaos incroyable qui n'avait pas bougé depuis 30 ans. Des dizaines de kilos de journaux, esquisses, revues, photos, documents, pinceaux encrassés, tubes écrasés, objets et ordures de toutes sortes recouverts d'une épaisse couche de poussière. Les murs servaient de palette. Hors de question pour le musée de transporter le tout en vrac et de reconstituer l'atelier approximativement. On fit appel à une vraie équipe d'archéologues qui travailla comme sur un site traditionnel. On put reconstituer également les habitudes, les tics, les manies, les déplacements de Bacon dans l'atelier. Chaque objet, papier froissé, mégot de cigarette fut répertorié, photographié et numéroté. Reconstitution à un poil de pinceau près ! Tout simplement génial. Comme beaucoup de créateurs, Bacon avait besoin de ce désordre intérieur, véritable défense, rempart indispensable contre l'Ordre (avec un grand « O ») qui sévissait dehors. À côté, on trouve une formidable « mise en pièces » audiovisuelle de l'atelier. Interactivité totale donc, pédagogie, didactisme pour expliquer ses techniques de travail (voir comment il tordait les photos pour obtenir ses corps déstructurés). Extraordinaire hommage. Merci la Tate !

BACON CRU

Isolé, autodidacte (et alcoolique), Bacon ne suivait aucun courant artistique. En 1944, il renie son travail et détruit ses œuvres pour s'intéresser à un seul et unique thème, la figure humaine écrasée, torturée, afin de rappeler une évidence : l'homme n'est que de la viande qui souffre. Et dès 1945, il devient célèbre !

Dublin Writers Museum *(plan détachable D2)* **:** *18, Parnell Sq North. ☎ 872-20-77. • writersmuseum.com • Tlj 10h (11h dim)-17h. Entrée : 7,50 € ; réduc. Tickets groupés (11,50 €) avec le James Joyce Museum ou le Shaw Birthplace. Audioguide gratuit en français.* Abritée dans une magnifique demeure georgienne qui appartenait à Mr Jameson, cette émouvante collection permet de mesurer la richesse du patrimoine littéraire dublinois et irlandais. Et quel patrimoine ! La ville de Dublin à elle seule comptabilise à ce jour quatre prix Nobel de littérature, talonnés par un bon paquet d'autres hommes de lettres. Le musée offre par conséquent un large panorama de la littérature irlandaise, étayé par une foule d'objets personnels. Présentation classique, à l'ancienne, dans une sorte d'intimité avec les auteurs. La collection comprend notamment *The Work of Edmund Spencer* (1679) un des ouvrages les plus anciens, un manuscrit de 1733 signé de Jonathan Swift et l'original de *A Tale of Tube* (1704), les poèmes d'Oliver Goldsmith, la version la plus ancienne de *Molly Malone,* des lettres de Thomas Moore, la première édition du *Dracula* de Bram Stoker (1897). D'Oscar Wilde, l'original de la *Ballad of Reading Gaol* (1899) et le programme d'un *Mari Idéal*. Même époque émouvante, la renaissance littéraire irlandaise et le renouveau du gaélique avec Lady Gregory, puis histoire de l'Abbey Theatre et le célèbre poème de Yeats : *1916.* Autres « pièces », les *Îles d'Aran* de Synge (illustrée par Jack Yeats) et la « une » historique du journal annonçant l'exécution de James Connolly et de McDermott, une lettre autographe de George Bernard Shaw, un exemplaire d'*Ulysse* de 1930 dédicacé par James Joyce, des lettres de Sean O'Casey, la *Remington* de Patrick Kavanagh et son journal littéraire, le téléphone en bakélite de Beckett à Paris, la machine à écrire de Brendan Behan (qu'il envoya à travers la vitrine d'un pub un jour de détresse), sa carte syndicale de l'Union des peintres en bâtiment et la première édition de *Borstal Boy* (1958) et tant d'autres souvenirs poignants... De Flann O'Brien, la première édition de *At Swim-Two Birds* et de Beckett, le programme original de *En attendant Godot* et un vieux livre de poèmes. Ne pas rater la *Gorham Library* et le *Hall of Fame,* à l'étage, avec le piano de Joyce.

Librairie où vous trouverez tous les livres de vos auteurs préférés.

Très agréable ***Chapter House coffee shop*** sur le principe du self avec des salades, des tartes, de très bons *scones.* Beaucoup de monde sur le coup de 12h. Intéressante formule à 9 €, avec 2 petites salades, une quiche ou un sandwich, un dessert et un café (ou un thé).

National Leprechaun Museum *(zoom détachable D3)* **:** *Twilfit House, Jervis St.* ☎ *873-38-99.* • *leprechaunmuseum.ie* • *Tlj 10h-18h30. Entrée : 10 € ; réduc.* L'idée était au départ sûrement bonne : créer un musée dédié aux *leprechauns*, les célèbres lutins des légendes irlandaises et toutes ces sortes de choses. Cependant, c'est raté, parcours vraiment peu emballant et décor assez pauvre. Si en outre, vous ne comprenez pas l'anglais *fluently,* c'est l'ennui assuré ! Enfin, pour ceux qui comprendraient la présentation, malgré le talent du conteur, un vrai p'tit goût de bâclé, quand même !

Rive nord, plus à l'ouest (Stoneybatter)

National Museum of Decorative Arts *(plan détachable B3)* **:** *Collins Barracks, Benburb St.* ☎ *677-74-44.* • *museum.ie* • *Bus n° 90 depuis Aston Quay, arrêt de tram « Museum ». Tlj sf lun 10h (14h dim)-17h. Entrée gratuite. Grand parking.* Cette vaste et ancienne garnison militaire de style néoclassique est l'oeuvre de Thomas Burgh, à qui l'on doit aussi la bibliothèque de *Trinity College* et le *Dr. Steven's Hospital*. Elle fonctionna de 1706 à 1994. Ce fut la plus grande garnison européenne. C'est ici que fut emprisonné et mourut en 1798, le grand leader des *United Irishmen, Wolf Tone.* En 1922, après la guerre civile, les Anglais rendirent ce site militaire aux Irlandais, qui l'appelèrent ainsi en hommage au général Collins, leader de la guerre d'Indépendance, dirigeant du gouvernement provisoire, puis de la Free State Army. Une partie de cet ensemble a donc été transformée en ce superbe musée. Espaces larges et agréables, très modernes, sur 3 niveaux. Conception muséologique originale, parfois déconcertante.

Rez-de-chaussée

– *The Easter Rising : Understanding 1916.* De 1913 (grande grève générale) à 1923 (fin de la guerre civile), les 10 années les plus importantes de l'histoire de l'Irlande. Remarquable développement historique de l'insurrection de Pâques 1916 et de ses conséquences. Nombreux émouvants témoignages et documents exceptionnels : entre autres, un ordre signé de la main de Connolly, les certificats de décès originaux des fusillés de 1916, une lettre de Patrick Pearse, une autre du général anglais Lowe lui répondant qu'il n'acceptait qu'une reddition inconditionnelle, le traité de paix original de 1921, armes diverses, uniformes de la Citizen Army...

1er étage

– *Out of Storage :* dans plusieurs salles, expo d'objets d'art divers : argenterie, bronzes, vaisselle, instruments de mesure et scientifiques, balances, compas, montres, armures de samouraï, ivoires ciselés, objets cultuels des Indes, bijoux persans, statues, vases japonais et porcelaines (et de beaux Delft, il faut admettre)... Manque le raton laveur. Tout cela présenté de façon fourre-tout où chacun reconnaîtra éventuellement ses objets préférés !

– On y découvre les *Curator's Choice,* c'est-à-dire les choix personnels des responsables du musée. Environ 25 pièces variées, comme la *William Smith O'Brien Gold Cup,* une superbe robe de cérémonie, le *Fleetwood Cabinet* tout en bois précieux, argent, peintures et bois précieux (cadeau de mariage de Cromwell à sa fille), le *Fonthill Vase,* un vase du XIVe s, une des premières porcelaines chinoises à parvenir en Europe...
– Sur le même niveau, l'autre aile abrite une importante collection d'argenterie irlandaise de tous styles et de différentes périodes (baroque, rococo, victorienne, néoceltique...) et de l'orfèvrerie religieuse. Ne pas manquer l'imposant sceptre de James Hewitt, lord Chancellor d'Irlande (1767-1789).

Rez-de-chaussée et 1er étage
Une très importante section est consacrée à l'histoire militaire de l'Irlande... ou plutôt en quoi guerres et conflits (en particulier sous domination britannique) affectèrent le peuple irlandais.
Notamment l'utilisation de la Royal Irish Constabulary (RIC) fort bien démontrée dans son rôle répressif au service des Anglais : lutte contre les militants républicains, expulsions des paysans. Puis, la vie dans une caserne anglaise, armes, uniformes...
Tout sur les grandes guerres qui affectèrent l'Irlande (toutes quasi liées à la lutte pour l'indépendance) : 1594-1603 (première défaite de la résistance irlandaise), 1641-1653 (Cromwell met l'Irlande à feu et à sang), 1689-1691 (les guerres jacobites, l'alliance avec la France). Défaite de la Boyne et fuite des Wild Geese de Patrick Sarsfield. On rappelle que la célèbre bataille de Fontenoy fut en grande partie gagnée grâce à l'Irish Brigade (drapeau original du Dillon Regiment). Irlandais dans la guerre d'Indépendance américaine, puis ceux engagés dans la guerre de Sécession où ils pesèrent significativement dans la victoire de leur camp. Guerre de 1914-18 où des dizaines de milliers d'Irlandais moururent dans la bataille de la Somme. Guerres sud-africaines (1898-1902), comme pour la guerre de Sécession, ils s'engagèrent dans les deux camps. Épopée du bateau Asgard livrant des armes aux Irish Volunteers, révolte de 1916 et prise de la Grande Poste à Dublin. Émouvant hommage à James Connolly (chemise qu'il portait au moment de l'attaque, drapeau républicain). Vous apprendrez comment cacher un revolver dans une bible. Tragique épisode de la guerre civile entre pro- et anti-traité de paix en 1921-22. Poignant symbole de l'amitié séculaire entre la France et l'Irlande : une longue barque appartenant à la frégate française la Résolue, capturée par les Anglais à Bantry Bay en 1796 (expédition de Hoche pour soutenir les insurgés irlandais).
Pour finir, expo de matériel militaire, canons, engins, avions et tout sur les missions de l'armée irlandaise contemporaine (moins palpitant que l'histoire quand même !).

2e étage
Place au mobilier avec la section *Period Furniture,* où les styles les plus marquants sont répertoriés par périodes, de 1690 à nos jours. Là encore, baroque, rococo, néoclassique, néoceltique... Reconstitution de pièces des XVIIe et XVIIIe s (chambre à coucher et salle à manger meublées d'époque). Jolie harpe en bois de 1700. Riche collection de coffres anciens (peints, incrustés de nacre, bois ciselé...). Puis mobilier de la période contemporaine : Art nouveau, Art déco, années 1950, etc. Intéressante également, cette série d'instruments scientifiques (microscopes, bel astrolabe, baromètres, appareils photographiques...).

3e étage
– Dans l'aile sud, *Irish Country Furniture* dédié au mobilier rural. Collection de meubles paysans, garde-manger ancien, vaisselier... Reconstitution d'une cuisine. Curieux lits (lit d'enfant en osier). Également des *Penal Crosses,* nœuds de moisson (marques d'amour de jeunes gens entre eux), de très beaux os sculptés (crucifix), assez rares, ainsi que des croix de sainte Brigitte et des empreintes de beurre, propres à chaque fermier. L'autre aile passe en revue les différentes modes

vestimentaires de ces trois derniers siècles en Irlande, et ses rapports avec les costumes et bijoux du continent. En particulier, de séduisants exemples de robes de l'aristocratie et de la bourgeoisie. Enfin, dernière section consacrée à la célèbre architecte d'intérieur Eileen Gray (1878-1976) qui eut tant d'influence au XXe s.
– Section d'art asiatique : superbes tangkas, tissus brodés, estampes (Tibet), objets d'art, figures de temple Ming...
I●I Au rez-de-chaussée, cafétéria agréable et pas chère.

★★ **Old Jameson Distillery** *(plan détachable C3) :* *Bow St, Smithfield, Dublin 7.* ☎ *807-23-55. Bus nos 68, 69 ou 79 depuis Aston Quay ; arrêt* LUAS : *« Smithfield ». Lun-sam 9h-17h30 (dernière entrée) ; dim 10h-17h30. Visite guidée (obligatoire) ttes les 30 mn. Entrée : 13 €.*
Dans les anciens entrepôts et distilleries Jameson, qui existent depuis 1780, un petit musée à la gloire du whiskey Jameson retraçant de façon extrêmement vivante les différentes étapes de sa fabrication : photos, documents, outils, alambics, panneaux explicatifs très parlants, etc. Ici, on ne brasse plus depuis 1971, mais toutes les étapes ont été reproduites à l'identique.
Le circuit commence par un audiovisuel (commercial) retraçant l'histoire du *Jameson*. Plus convaincante, la visite des entrepôts à grain puis de la *malt house* où l'on séchait l'orge dans des fours fermés. Au 2e étage, une roue à aubes entraînait des meules qui broyaient les grains avant que l'eau soit ajoutée. C'est le *wort,* qui résulte du *mashing process.* Ce mélange, très sucré, est ensuite pompé dans de grandes cuves où il fermente. C'est alors qu'intervient la triple distillation dans de grands alambics en cuivre. Puis vient la maturation dans des fûts de porto ou de bourbon.
En fin de visite, dégustation (générale), avec un petit test comparatif sympathique pour les volontaires (choisis au début de la visite).

★ **Saint Michan's Church** *(plan détachable C3) :* *Church St.* ☎ *872-41-54. L'été, lun-sam mat 10h-12h45, 14h-16h45 ; fermé sam ap-m et dim. Entrée : 4 € (visites guidées) ; réduc.* On peut y voir les restes de l'orgue sur lequel Haendel joua *Le Messie* en 1743, un tabouret de pénitence du XVIIIe s et trois momies fort bien conservées dans les catacombes, dont celle d'un assassin qui eut les pieds et une main coupés. Dans le style, sachez qu'on dit que l'église a inspiré Bram Stoker pour *Dracula...*

★★ **Four Courts** *(plan détachable C3-4) :* *Inns Quay, sur la Liffey. Entrée gratuite.* Bâtiment de style un peu pesant. C'est dans les Four Courts que se barricadèrent les opposants au traité de partition de l'Irlande, sous la direction de Ruairi O'Connor, en 1922. Les troupes de « l'État libre » bombardèrent le bâtiment pendant 8 jours (les Britanniques fournirent gracieusement canons et munitions). Et ce fut le début de la guerre civile entre partisans du traité et opposants, qui fit plus de morts que la guérilla de 1919 à 1921.
Les séances ont lieu généralement de 9h à 13h et de 14h à 16h. Possibilité d'assister à un procès et de voir toute une assemblée, juges et avocats, portant perruque.

★ **Arbour Hill Cemetery** *(plan détachable B3) :* *Arbour Hill. Rue passant derrière les Collins Barracks, quelques centaines de mètres avt d'arriver au Phoenix Park. Tlj, tte la journée.* Pour ceux qui veulent compléter leur circuit historique de Dublin : c'est ici que reposent les dirigeants de l'insurrection de Pâques 1916, fusillés après la prise de la Grande Poste.

Rive nord, encore plus à l'ouest

★ 👪 **Phoenix Park** *(hors plan détachable par C1) :* *entrée principale sur Parkgate St, à 3 km à l'ouest d'O'Connell St. Bus nos 25, 25 A, 66, 69... Les bus nos 10 et 10 A mènent à l'extrémité nord-ouest du parc.*

Un des plus grands parcs de ville au monde, bien que sectionné par des rues : deux fois plus grand que Hampstead Heath à Londres. On y trouve la résidence du président de la République et celle de l'ambassadeur des États-Unis. De l'entrée, on aperçoit l'obélisque Wellington commémorant toutes ses victoires.
Le parc est aussi célèbre pour ses daims qui se mêlent tranquillement aux passants. On y trouve de nombreux terrains de sport, des jardins, des lacs, ainsi qu'un zoo au sud-est. Créé en 1830, c'est un des plus vieux zoos d'Europe *(prix d'entrée élevé : adulte env 15 €, enfant moitié prix).* Le célèbre lion de la *MGM*, qui rugit sur les écrans du monde entier, y aurait été élevé.
Attention, éviter les zones trop isolées, le parc n'est pas très sûr la nuit venue (le lion n'a rien à voir là-dedans), mais, dans les zones fréquentées, aucun problème.
Le ***Visitor's Centre*** se trouve au nord du parc, près d'Ashtown Gate. Depuis l'entrée principale du parc, n'y aller que pour une balade, car il y en a bien pour 45 mn de ligne droite. Les bus n°s 37, 38 et 39, qui partent de Middle Abbey Street ou de Hawkins Street, s'arrêtent à Ashtown, sur la N 3. Abrite une petite exposition sur Phoenix Park, son histoire et son écosystème (gratuit). Intéressant et bien fait pour les enfants. À côté, la tour médiévale, Ashtown Castle, se visite.

Rive nord, mais en direction du nord-est

TERRAIN DE GUERRE

Le 20 novembre 1920, pendant la guerre d'indépendance, Croke Park fut le cadre d'un massacre perpétré par les milices paramilitaires britanniques, les fameux Black and Tans. À l'occasion d'un match de football, ces soldats s'étaient livrés à un véritable massacre, tirant sur la foule et tuant 12 spectateurs. Dès lors, les républicains irlandais promirent de ne plus jamais accueillir un sport britannique à Croke Park, et encore moins d'y entendre résonner l'hymne britannique. C'est pourquoi le rugby y fut interdit... jusqu'en 2007.

☙☙ *Croke Park et GAA Museum* *(le musée des Sports gaéliques ; plan détachable E2)* **:** *Saint Joseph's Ave. ☎ 819-23-23 (musée). • gaa.ie/museum • Accès par les bus n°s 3, 11 et 16 A depuis O'Connell St ou à pied (slt 15 mn depuis Connolly Station). Tlj en juil-août 9h30-18h (17h le reste de l'année), fermé dim. Dernière entrée 30 mn avt fermeture. Entrée : 6 € (11 € avec la visite du stade) ; réduc.* Le stade, de 80 000 places, appartient à la Fédération des sports gaéliques ; on y joue donc au *hurling* et au football gaélique. Le musée retrace, évidemment, l'histoire de ces sports (voir « Sports, jeux » dans « Hommes, culture, environnement » en début de guide). Si vous voulez assister à un match, préférez le printemps ou l'été (les finales en septembre se jouent à guichets fermés).

À Glasnevin (nord de Dublin)

☙ *National Botanic Gardens* *(hors plan détachable par D1)* **:** *entrée sur Botanic Rd. ☎ 857-09-09. À 3,5 km du centre-ville. Bus n°s 4, 13 et 19 (arrêt devant l'entrée du parc). De mi-fév à mi-nov, tlj 9h-18h ; de mi-nov à mi-fév, tlj 9h-16h30. Entrée libre.* Un très beau parc qui ravira évidemment les amateurs de plantes en tout genre, mais pas seulement. L'aménagement des jardins avec ses sous-bois et ses points d'eau offre une balade bien relaxante. Créé à la fin du XVIIIe s, ce parc s'est constamment enrichi et a su conserver ses serres d'origine abritant des végétaux du monde entier.

🍴🍴 ***Glasnevin Cemetery*** *(plan détachable C1) : Finglas Rd. ☎ 830-11-33. Bus nos 13 A, 19 et 40 depuis le centre. Tlj, tte la journée. Visites guidées (6 €/pers) à 11h30 et 14h30, les mois d'été slt.* Ici sont enterrés de nombreux grands hommes de l'histoire irlandaise : O'Connell, Parnell... Étrange impression que donne ce vaste cimetière parfaitement au calme, avec ses tombes à moitié défoncées. On peut suivre une intéressante visite commentée du cimetière, ne se contentant pas d'une simple biographie des gens célèbres, mais restituant très précisément le contexte social et politique. Une balade dans l'histoire extrêmement enrichissante !

🍷 Après, vous aurez bien mérité de boire un verre au pub ***John Kavanagh's,*** surnommé aussi *Gravediggers* (« creuseurs de tombes ») à cause de sa proximité avec le royaume des morts (voir « Pubs intéressants »)... C'est là que les fossoyeurs venaient écluser un gorgeon. Le pub n'a pas bougé depuis qu'il a ouvert, c'est-à-dire depuis... on ne sait plus. Ah ! si... 1833. Tout est en bois usé, raboté, patiné, poussiéreux, noir de nicotine. Un véritable voyage dans le temps. Attention, il y a deux portes d'entrée, celle de droite donne sur la partie la plus récente dans laquelle il est possible de se restaurer à petits prix.

Loisirs et culture

– ***Abbey Theatre*** *(zoom détachable E3) : 26, Lower Abbey St. ☎ 878-72-22.* • *abbeytheatre.ie* • Fondé en 1904 par lady Gregory et Yeats, et reflet du bouillonnement culturel de l'époque. Y furent créés la plupart des chefs-d'œuvre du théâtre irlandais moderne et contemporain. Pour les auteurs, d'ailleurs, il ne fut pas toujours facile d'exprimer une démarche personnelle et originale. *The Playboy of the Western World,* pièce de Synge, montée en 1907, choqua nombre de républicains et provoqua des émeutes. Le théâtre brûla en 1951 et dut être reconstruit. En 1966, il repartit pour une nouvelle carrière, alliant un répertoire désormais classique avec les créations. Le bâtiment abrite également le *Peacock Theatre,* une salle plus petite destinée au théâtre expérimental.
– ***Gate Theatre*** *(plan détachable et zoom détachable D3) : 1, Cavendish Row, Parnell Sq. ☎ 874-40-42.* • *gate-theatre.ie* • *Au bout d'O'Connell St, près du cinéma* Ambassador. *Résas lun-sam 10h-19h30. Pour les étudiants, selon disponibilités, tickets moins chers lun-jeu, mais venir 1h avt. Pour les plus de 65 ans, gratuit lun.* Célèbre rival de l'Abbey Theatre, qui a gardé le charme des théâtres d'antan. Et puis, c'est ici qu'a débuté Orson Welles.
– ***Olympia Theatre*** *(zoom détachable D4) : 72, Dame St. ☎ 679-33-23.* Jolie salle de spectacle que l'on remarque par sa façade et son auvent rouge. Si les comédies musicales vous indiffèrent, vous avez encore une chance d'admirer le décor, dans une ambiance en complet décalage avec le ton habituel assez guindé. En effet, les vendredi et samedi soir, c'est l'heure de *Midnight at Olympia,* à partir de minuit comme son nom l'indique (après la fermeture des pubs) : le théâtre accueille des groupes de rock, jazz ou autres, se transformant en salle de concerts. On sirote ses pintes au milieu des rangées, devant les panneaux « Interdit de fumer ». Très bonne ambiance, mais, évitez les places du haut si vous voulez voir la scène.
– ***O2*** *(plan détachable G3) : East Link Bridge. ☎ 676-61-44.* • *theo2.ie* • *Au bout de North Wall Quay. Billetterie lun-ven 10h-18h.* Le dernier-né des temples dédiés à l'*entertainment.* Immense salle de 14 000 places, ultramoderne, avec une excellente acoustique. Programmation assez éclectique, qui va de Bob Dylan à des combats de catch.
– ***The Mint*** *(zoom détachable D3) : Henry Pl. ☎ 677-88-99.* Petit théâtre où l'on présente des œuvres dublinoises d'avant-garde et d'excellentes pièces.

Courses de lévriers

Une des distractions favorites des Irlandais. À voir au moins une fois, pour l'atmosphère bien particulière. Les dates des courses sont annoncées dans les journaux locaux ou sur le site de l'*Irish Greyhound Board* (● *igb.ie* ●).

– ***À Shelbourne Park*** *(plan détachable G4)* **:** ☎ *1890-269-969. Bus nº 3 depuis O'Connell St. En fait, il s'agit du stade Greyhound Race Track. Il se trouve au nord de Ballsbridge, sur South Lotts Rd, entre Bath Ave et Pearse St, à l'est de la ville. En principe mer-jeu et sam à 20h. Entrée : 10 € ; réduc.* Le meilleur des deux.

– ***À Harold's Cross :*** ☎ *497-10-81. Bus nºs 16 et 16 A d'O'Connell St. Au Harolds Cross Greyhound Stadium, au sud de la ville par la N 81, peu après le Grand Canal. En principe lun-mar et ven à 20h. Même prix qu'à Shelbourne.*

Le déroulement d'une course de lévriers a quelque chose d'insolite. Une quinzaine de preneurs de paris (bookmakers) sont alignés le long d'une palissade face à un stade de forme ovale mesurant 525 yards, soit environ 479 m. Rien que l'observation de ces bookmakers affairés est un régal : visages concentrés, yeux sans cesse en mouvement, oreilles tendues vers la foule... Juste avant la course, les éleveurs aidés d'assistants amènent les lévriers et les font entrer dans une sorte de boîte sur la ligne de départ, comme les chevaux à l'hippodrome.
Chaque chien porte un numéro. Ils sont présentés devant une tribune avant la course, et vont se dégourdir les jambes, enfin... les pattes sur la pelouse avant de pénétrer dans les boîtes. Puis c'est une course effrénée (un tour de stade) à la poursuite d'un faux lapin. Vitesse impressionnante ! En moyenne, plus de 80 km/h. Après chaque tour de stade, les bêtes rentrent au bercail, essoufflées, contrariées, puis on les remplace par d'autres lévriers plus frétillants. Et ainsi de suite jusqu'à la fin de la soirée (celle-ci se termine habituellement vers 22h, jamais plus tard). Il y a une course toutes les 15 mn environ.
Les règles de ces courses n'ont pas changé depuis belle lurette, ni la passion effrénée des adeptes pour les paris. Les Dublinois y viennent, le soir après le boulot, pour se changer les idées et retrouver la bonne humeur du clan... C'est aussi, bien sûr, l'occasion d'écluser un gorgeon au bar, sous les tribunes.
À l'intérieur de cette grande salle, près des guichets des paris officiels, les mordus de lévriers peuvent suivre les courses sur des écrans de TV sans affronter la pluie et le vent (les bonnes manières se perdent, monsieur !).
Pour parier soi-même, bien se renseigner avant sur la qualité des chiens en consultant vos amis ou voisins irlandais, voire le petit livret édité spécialement pour chaque compétition. Sinon, inutile de s'y lancer à l'aveuglette, vous perdriez votre argent... De toute manière, le spectacle vaut vraiment le déplacement pour ce qu'il est. C'est ce qui s'appelle une « étrangeté » dublinoise.

DANS LES ENVIRONS DE DUBLIN

★★ ***James Joyce Museum*** *(dans l'une des nombreuses tours Martello de la côte, connue sous le nom de* ***James Joyce Tower****)* **:** *à* ***Sandycove Point.*** ☎ *280-92-65. À 2 km au sud de Dún Laoghaire (prononcer « Dounne Liri ») et à 11 km de Dublin sur la côte. Prendre le* DART *jusqu'à Sandycove & Glasthule Station (puis marcher 1 bon km) ou bus nº 7 ou 7 A. Avr-sept, mar-sam 10h-13h, 14h-17h ; dim 14h-18h. Entrée : 7,50 € ; réduc. Billet combiné avec le Dublin Writers Museum.*
Cette tour faisait partie des tours Martello édifiées en 1804 sur la côte afin de prévenir une éventuelle invasion napoléonienne. L'écrivain Oliver Saint John Gogarty choisit de s'y installer avec d'autres artistes et proposa à James Joyce de les rejoindre en août 1904. Celui-ci n'avait que 22 ans et commençait sa carrière d'écrivain. Il ne resta qu'une semaine dans la tour ! Gogarty, que Joyce avait traité

de snob dans l'un de ses poèmes, ne lui avait pas pardonné pareille offense. Au cours de la sixième nuit du séjour, Gogarty s'empara brusquement d'un pistolet en hurlant : « Je me charge de lui ! » Il tira sur une batterie de casseroles accrochées au-dessus du lit de Joyce, qui détala sur-le-champ. Un mois après cette scène, il quitta l'Irlande avec sa compagne Nora pour l'Europe.
C'est dans cette tour que l'écrivain situe la première scène d'*Ulysse,* où Dedalus (alias Joyce) prend le petit déjeuner en compagnie de Buck Mulligan (alias Gogarty) et d'un Anglais. Dedalus décide alors de quitter la tour et ses amis pour s'en aller vivre seul...
Sylvia Beach, l'éditrice d'*Ulysse,* décida en 1962 de transformer la tour en un Musée joycien. À l'intérieur ont été rassemblés quelques souvenirs, comme sa cravate offerte à Samuel Beckett, la première édition d'*Ulysse* publiée à Paris en 1922 ou différents documents et photos. Remarquer notamment la photo d'un banquet littéraire en l'honneur de Joyce en juin 1929 dans les environs de Paris. Et bien sûr Nora Joyce et son génial époux, qui semble si réjoui d'être enfin reconnu par un prestigieux cénacle de gens de lettres...

Pearse Museum : *Saint Enda's Park, Grange Rd, Rathfarnham, Dublin 14. ☎ 493-42-08. Tt au sud de la ville. Bus nº 16 d'O'Connell St. Tlj sf mar 9h30-17h (16h nov-janv). Entrée gratuite.* Heritage site. Maison georgienne où vécut Patrick Pearse, poète et leader de la rébellion de 1916. Les amoureux de l'histoire irlandaise découvriront avec émotion le bureau, les objets et les souvenirs du grand patriote.

Bray : *prendre le* DART *de Dublin en direction du sud.* Le Brighton irlandais s'est développé au XIXᵉ s, le long de la grande plage de sable. Aujourd'hui, il a perdu beaucoup de son charme. On peut toutefois effectuer une très chouette balade de Bray à Greystones, entre mer et montagne. On débouche sur un petit port désolé, très pittoresque. À Greystones, le pub propose quelques remèdes bien réconfortants, comme l'*Irish whiskey* ou le *hot whiskey.* Ensuite, on rejoint en bus soit Dublin, mais le trajet est long, soit Bray avant de reprendre le *DART* pour la capitale.

Malahide Castle : *à* ***Malahide,*** *à 12 km au nord de Dublin. ☎ 846-21-84. ● malahidecastle.com ● Bus nº 42 depuis Beresford Pl et train* DART. *Avr-sept, tlj 10h-17h ; hiver dim et j. fériés 11h-17h. Entrée : 7,50 € ; réduc. Billet combiné avec le Fry Model Railway ou le Writers Museum ou encore le James Joyce Museum : 11,50 €. Visites guidées en français.* Un des plus vieux châteaux d'Irlande. Fondé par la famille Talbot au XIIᵉ s et habité jusqu'en 1973, lorsque le dernier descendant de l'honorable famille s'est éteint. Collections de beaux meubles et portraits historiques. Resto. Jardins botaniques *(Talbot Botanic Gardens)* ouverts au public.
– Sur le domaine du château, possibilité également de visiter le ***Fry Model Railway,*** pour les amoureux de modèles réduits de chemins de fer. *(☎ 846-37-79. Avr-sept, mar-sam 10h-13h, 14h-17h ; dim 13h-17h. Entrée : 6 € ; réduc.)* On y trouve une collection assez originale de maquettes de trains, des premiers engins aux modèles les plus récents.

Charmante ***plage*** de sable fin, peu fréquentée, près du port de Malahide.

Howth : *à 12 km au nord-est de Dublin, sur une petite péninsule. Pour s'y rendre : bus nºs 31 et 31 B, que l'on prend sur Abbey St Lower, ou* DART *direction Howth (c'est un terminus).*
– On y visite les ***Howth Castle Gardens :*** *ouv tte l'année, de 8h au coucher du soleil. Entrée gratuite ; éventuellement une petite contribution avr-juin.* Du haut de la colline, belle vue sur les environs et Dublin. Sur 12 ha, environ 2 000 variétés de plantes, dont un paquet de rhododendrons. Meilleure époque pour voir l'éclosion des fleurs : de mai à mi-juin.

– Sinon, petit **port** sympa où, en 1914, Erskine Childer réussit à débarquer de son yacht près de 1 000 fusils qui servirent au moment de l'insurrection de 1916 (épopée de l'Asgard).

➢ Possibilité de faire le ***tour de la péninsule*** en 3h. Belle balade, ainsi qu'une excursion sur *Ireland's Eye,* une réserve d'oiseaux restée assez sauvage. Navette constante pour rejoindre l'île.

The House : *4, Main St. ☎ 839-63-88. Dans le village, pas loin du terminus. Tlj : lun 8h45-17h, mar-jeu 8h45-17h et 18h-21h30 (ven 22h30), sam 10h-22h30 (dim 21h30). Plats du soir 17-22,50 €.* Early bird *(18h-19h) 20 € et 25 € (3 plats).* Cadre d'une lumineuse sobriété, accueil délicieux et l'une des meilleures cuisines qui soient ! Goûter à l'entrée des 3 poissons fumés (chairs délicates, fond dans la bouche), moules de Cork, petits pois et chorizo et des petits plats imaginatifs comme les saucisses au poulet et pomme, accompagnant boudin noir fumé... *Live jazz* le mercredi à 19h30 (réserver impérativement) et le mardi, possibilité d'apporter son propre vin. Bien agréable terrasse dans le jardin l'été.

– Le long du quai, les restos s'étirent les uns à côté des autres... Ils ont pour noms, *Brass Monkey, Oar House, Ivans*... Corrects dans l'ensemble !

Newbridge House and Traditional Farm : *à* ***Donabate.*** *☎ 843-65-34. • newbridgehouseandfarm.com • À 19 km au nord de Dublin. En marge de la route de Belfast. Avr-sept, mar-sam 10h-17h, dim et j. fériés 11h-18h ; oct-mars, tlj sf lun et j. fériés 11h-16h. Entrée : 7 € pour la demeure et 5 € pour la ferme.* Élégante demeure du XVIIIe s, au milieu d'un grand parc. Une des plus jolies décorations georgiennes du pays. Et grande ferme traditionnelle, avec les animaux et tout et tout... *Coffee shop.*

Lusk : *à 20 km au nord de Dublin, sur la route de Skerries.* Intéressant ensemble architectural composé d'une tour ronde, d'une église et d'une tour carrée (pourtant édifiées à des dates différentes). Petit musée avec l'histoire du site, des gisants, de l'Irlande de la première moitié du XXe s.

QUITTER DUBLIN

En train

À l'office de tourisme de Suffolk St, un téléphone (gratuit) est à disposition pour ttes infos détaillées concernant les horaires des trains du réseau *Irish Rail (Iarnród Eireann).* Renseignements également sur • *irishrail.ie* •

Connolly Station *(plan détachable E3)* ***:*** *Amiens St. ☎ 703-23-58.* Consigne à bagages, cafétéria.

➢ ***Pour Belfast-Central :*** 8 trains/j. lun-sam 7h30-20h45 env ; 5 trains le dim 10h-19h. Trajet : env 2h.

➢ ***Pour Sligo :*** lun-sam, 8 trains 7h-19h ; dim, 6 trains 9h-19h. Trajet : env 3h.

➢ ***Pour Rosslare-Europort :*** en sem, 4 départs 7h30-18h30 env ; 5 départs le sam 8h-18h30 et 3 le dim à 9h50, 13h20 et 18h30. Trajet : 3h.

Heuston Station *(plan détachable A-B4)* ***:*** *Kingsbridge. ☎ 703-21-31. Située à 20 mn de marche du centre-ville, vers l'ouest. Bus n° 90 depuis Busáras ou le n° 79 d'Aston Quay, ou ligne rouge du tram* LUAS. Consigne à bagages et petit snack.

➢ ***Pour Limerick :*** 8 trains/j. lun-sam 7h-21h env, 10 le dim 8h30-21h. Trajet : env 2h.

➢ ***Pour Cork :*** env 10 départs/j. lun-sam, 7 le dim. Circulent 7h-21h (8h-19h le dim). Trajet : env 2h30.

➢ ***Pour Killarney*** (changement à Cork, puis direction Tralee)***:*** 6 trains/j. (4 le dim). Trajet : env 3h30.

➢ ***Pour Waterford :*** 5-6 trains/j. (4 le

dim), 7h30-18h30. Trajet : env 2h30.
➢ ***Pour Westport :*** 3 trains/j. (3 le dim), jusqu'à 18h. Trajet : env 4h.
➢ ***Pour Galway :*** 7 trains/j. lun-sam 7h-19h env, 5 le dim 8h30-20h30. Trajet : env 3h.

En bus

Terminal des bus CIE et Bus Eireann *(zoom détachable E3) : à Busáras, Store St. Bureau d'info : ☎ 836-61-11 ou 0830-19-00. • buseireann.ie • À deux pas de Connolly Station.* Bus Eireann publie une brochure gratuite avec des horaires très complets (la demander à l'office de tourisme).
– ***Bureaux de vente :*** *à l'office de tourisme ; à* Dublin Bus, *59, Upper O'Connell St ; ainsi qu'au terminal des bus (tlj 7h-18h30).*
➢ ***Pour Rosslare :*** 13 bus/j. en moyenne (10 le dim), avec des arrêts à Arklow, Gorey et Wexford. Trajet : 3h.
➢ ***Pour Waterford et Tramore :*** 10 bus/j. (7 le dim). Arrêts à Carlow et Kilkenny. Trajet : env 3h pour Waterford, un peu plus pour Tramore.
➢ ***Pour Carlow :*** 10 bus/j. (7 le dim). Trajet : 1h30.
➢ ***Pour Kilkenny :*** 6 bus/j. Trajet : 2h.
➢ ***Pour Cork :*** via Cahir, 6 bus/j. 8h-18h. Trajet : 4h30.
➢ ***Pour Limerick et Ennis :*** l'été, départs ttes les heures 7h30-20h. Trajet : 3h50 pour Limerick.
➢ ***Pour Killarney :*** 5 bus/j. via ***Limerick.*** Trajet : 5h45-6h.
➢ ***Pour Galway :*** via ***Athlone,*** ttes les heures 7h-21h. Trajet : 3h45.
➢ ***Pour Clifden*** *(Connemara)* ***:*** via ***Galway,*** 5 bus de Dublin, 2 le dim. Trajet : 5h30.
➢ ***Pour Westport :*** via ***Athlone,*** 3 bus/j., 2 le dim. Trajet : 5h15.
➢ ***Pour Mullingar, Longford et Ballina :*** 4-6 bus/j. Trajet : 3h50 pour Ballina.
➢ ***Pour Sligo :*** via ***Mullingar*** et ***Longford,*** 6 bus/j. Trajet : 4h.
➢ ***Pour Donegal :*** via ***Cavan,*** 5-6 bus/j. Trajet : env 4h.
➢ ***Pour Letterkenny :*** via ***Monaghan,*** 6 bus/j., 5 le dim. Trajet : 4h.
➢ ***Pour Belfast :*** départs ttes les heures. Trajet : env 2h30.

Go Bus *(zoom détachable E3) : l'arrêt se trouve sur George's Quay, juste 200 m à l'est de Tara Station (on peut aussi partir de l'aéroport 30 mn plus tôt). ☎ 091-56-46-00. • gobus.ie • Les billets se prennent directement dans le bus.* Ligne Dublin-Galway. Plusieurs bus/j. Bus moderne avec accès wifi.

City Link : *rens et résas au ☎ 091-56-41-64 (d'Irlande slt) • citylink.ie •* Bus modernes et confortables, service ponctuel.
➢ ***Pour Galway :*** tlj, une douzaine de bus 9h-22h, à l'heure ronde. Départ de Busáras. Les billets peuvent se prendre dans le bus. Le même bus est prolongé au retour jusqu'à l'aéroport de Dublin. Le service est renforcé ven soir (aller) et dim soir (retour). Dessert également l'aéroport. De Galway, ligne pour Limerick et Cork.

Mac Geehan Coaches : *rens et résas au ☎ 074-954-61-50 (lun-ven 9h30-17h30). • mcgeehancoaches.com •*
➢ ***Pour le Donegal :*** 1-2 liaisons/j. l'ap-m. Départs du *Royal Dublin Hotel,* O'Connell St. De là, correspondance pour Glencolumbkille et Letterkenny.

J. J. Kavanagh *(zoom détachable E4) : 33, Pearse St. ☎ (01) 679-15-49 ou ☎ 0818-333-222. • jjkavanagh.ie •*
➢ Lignes pour ***Limerick, Waterford, Carlow, Kildare*** et ***Kilkenny.*** Une vingtaine de bus quotidiens pour ***Shannon.***

En avion

➢ ***Pour se rendre à l'aéroport*** *(hors plan détachable C1)* ***:*** depuis O'Connell St, bus n° 747. *Airlink :* 4 passages 5h15-7h05, puis ttes les 10 mn jusqu'à 18h55, enfin ttes les 20 mn jusqu'à 22h50. Depuis Busáras, bus à peu près ttes les 15 mn 7h-22h45. Dim, bus ttes les 20 mn 7h30-23h depuis Busáras (et O'Connell St 5 mn plus tard). Sinon, bus n° 748 de Heuston Station ; lun-sam 7h15-22h20, dim 7h50-22h50. Ttes les 30 mn env. Également les lignes de bus classiques (voir « Arrivée à l'aéroport »).

En bateau

■ ***Irish Ferries :*** *au port de Dublin.* ☎ *607-55-49 ou 0818-300-400.* ● *irishferries.com* ● Liaisons avec Holyhead (pays de Galles).

■ ***Stena Line :*** *au port de Dublin ou à Dún Laoghaire.* ☎ *204-77-77.* ● *stena line.ie* ● Liaisons avec Holyhead (pays de Galles).

AU NORD DE DUBLIN

DROGHEDA (DROICHEAD ÁTHA)

35 000 hab. IND. TÉL. : 041

À la frontière des comtés de Meath et Louth, Drogheda est marquée par l'histoire. C'est en effet ici, en 1649, que Cromwell et ses « Côtes de fer » démontrèrent leur cruauté et leur volonté de soumettre l'Irlande, en massacrant toute la garnison et en vendant femmes et enfants survivants aux colonies.

Où dormir ? Où manger ?

Windsor Lodge B & B Guesthouse : ☎ *98-41-966.* ● *barwindsor lodge.com* ● *Ouv tte l'année. Double 70 €,* family room *90 €.* Una et John Garvey, les proprios, qui tenaient un *B & B* à Smithstown, à 2 km, ont repris du service dans leur grande maison de Drogheda, à 1 km à peine au nord du centre. La proximité de la route en dissuadera certains, mais question confort, rien à redire. Chambres spacieuses, petit déj bien copieux dans une agréable véranda, salon avec cheminée.

À voir

Siège de tant de batailles, il subsiste peu de témoignages architecturaux de la ville médiévale. Cependant, au bout de la rue principale (en direction de Baltray) s'élève ***Saint Laurence's Gate,*** énorme porte de la ville, vestige des remparts. En haut, sur la colline, ce qui reste de l'***église de la Magdalen*** porte encore les traces des boulets des canons de Cromwell. Tout comme le ***fort de Millmount,*** édifié sur un ancien tumulus celte, sur les bords de la Boyne, où l'on trouve un intéressant petit ***Musée régional*** *(mai-sept, mar-dim 14h-18h ; oct-avr, mer et w-e 15h-18h).*

Saint Peter's Church : *West St. Dans la rue principale.* On peut y voir la tête embaumée de saint Oliver Plunkett, archevêque d'Armagh, exécuté en 1681 par les Anglais après l'un des procès les plus truqués de l'histoire de la justice britannique. Vieille porte de prison également exposée.

LA VALLÉE DE LA BOYNE

Dans la région où se déroula la célèbre bataille de la Boyne se trouve surtout le plus important ensemble préhistorique mégalithique d'Europe, qui figure sous l'appellation d'« ensemble archéologique de la vallée de la Boyne » (Brú

na Bóinne), dans la liste du Patrimoine mondial établie par l'Unesco. Bon fléchage d'un lieu à l'autre.

Où dormir ?

Slane Farm Hostel : Harlinstown House, à ***Slane.*** *☎ 98-84-985. • slanefarmhostel.ie • En venant de Navan, prendre à gauche à hauteur du château de Slane, 1 km avt le centre du village. Fermé nov-janv. Compter 20 €/pers en dortoir 8-12 lits ; 50 € la double ; 35 €/pers pour 1 appart en cottage (½ tarif moins de 12 ans). Possibilité de camping : 10 €/pers.* Une vraie bonne adresse à la campagne à des prix défiant toute concurrence. Cet ancien corps de ferme entièrement rénové dispose de 2 dortoirs avec cuisine. Laverie à disposition. Idéal pour les familles : également 6 cottages aménagés dans les anciennes écuries avec tout le confort. Location de vélos. Accueil attentionné et de bon conseil.

Crannmór *(chez Anne O'Regan) : Dunderry Rd,* ***Trim,*** *Co. Meath. ☎ (046) 94-31-635. • crannmor.com • À 1,5 km au nord de Trim. Fermé déc-fév. Double 76 €.* Sympathique *B & B* dans une jolie demeure, style *georgian country house,* entourée d'un agréable jardin. Pas de demi-mesure question déco avec des meubles bien imposants, des bibelots parfaitement astiqués et une dominante de couleurs vives.

Où manger ? Où boire un verre ? Où écouter de la musique ?

The Old Post Office Bistro : *Main St, à* ***Slane.*** *☎ 98-24-090. Tlj sf dim soir. Plat env 10 €.* Les postiers de Slane n'avaient pas à se plaindre ! Pour preuve : moulures, cheminée et carrelage d'origine habillent ce sympathique resto sorti de nulle part dans ce village coupé par la N 51. À quelques kilomètres de l'ensemble archéologique de la vallée de la Boyne, voilà une bonne option.

Berningham's : *7, Ludlow St, à* ***Navan.*** *☎ (046) 90-29-829.* Un des plus beaux pubs d'Irlande. Entièrement réarrangé par Mick, le patron, avec toutes les superbes boiseries d'origine, vous vous retrouvez dans un pub du début du XXe s. Et, pour les connaisseurs, une très grande variété de bons vins est en vente. Certains soirs de la semaine, *session* traditionnelle.

À voir

Brú na Bóinne – ensemble archéologique de la vallée de la Boyne : *☎ (041) 98-80-300. À 8 km à l'ouest de Drogheda.* Newgrange : *ouv tte l'année sf 24-27 déc. De juin à mi-sept, tlj 9h-19h ; mars-avr et oct, tlj 9h30-17h30 ; mai et 2de quinzaine de sept, tlj 9h-18h30 ; enfin, nov-fév, tlj 9h30-17h. Venir très tôt ; en hte saison, compter 1h-1h30 d'attente. Entrée : 6 € pour le tumulus de Newgrange, 5 € pour le tumulus de Knowth (incluant l'entrée au* Visitor's Centre*) ; réduc étudiants. Billets en vente slt au centre d'accueil* Brú na Bóinne, *d'où l'on vous conduit en bus jusqu'aux sites.* Heritage site.

En attendant la visite, le centre d'accueil propose une exposition sur l'histoire du site, un diorama présentant les scènes de la vie au mésolithique dans la vallée et des vidéos traduites en français, ainsi qu'une grande cafétéria.

– Le tumulus de Newgrange, de 85 m de diamètre et couvrant 0,5 ha, est loin d'avoir révélé tous ses mystères. Sa fondation remonterait à 5 000 ans, mais il n'a été fouillé qu'à partir des années 1960. À l'intérieur, grand couloir avec des pierres dressées, chambre funéraire, roches ornées de volutes et spirales. Tous les ans, au moment du solstice d'hiver, le soleil pénètre jusqu'au cœur de l'édifice. Pour assister à cette visite unique, pensez à déposer votre nom à la loterie du centre. Une cinquantaine de noms est tirée au sort chaque année !

– Le tumulus de Knowth *(de Pâques à mi-sept, 9h-18h30 ; de mi-sept à fin oct, 10h-17h),* moins spectaculaire, est tout de même la plus grande tombe à galerie de la vallée de la Boyne, et elle présente d'intéressantes pierres gravées (3000 av. J.-C.).

Monasterboice Cemetery : *en marge de la N 1 et de la N 2, à 5 km à l'est de Collon et 6 km au nord de Drogheda (bien signalé). Entrée gratuite. En été, petit bureau de tourisme.*
Dans ce petit cimetière perdu dans la campagne s'élève la *croix de Muiredach (Muiredach Cross),* probablement la plus belle croix sculptée d'Irlande. Vestige d'un monastère du VIe s. Remarquable environnement, puisque l'on découvre également deux autres croix sculptées d'un grand intérêt et une tour ronde bien conservée. La croix de Muiredach (appelée aussi *South Cross*), la plus proche de l'entrée, date du Xe s. Véritable B.D., elle présente la particularité d'être sculptée sur toutes ses faces. Sur la face est (côté entrée), sur la « tête », on reconnaît nettement le *Jugement dernier.* Sur la face ouest (côté tour), une *Crucifixion* orne la « tête ». En dessous, trois scènes : le *Christ entre Pierre et Paul* (clé et livre comme symboles), puis l'*Incrédulité de saint Thomas* et, tout en bas, l'*Arrestation du Christ.* Sur les tranches, festival d'entrelacs et graphismes gaéliques.
Entre la South Cross et la tour s'élève la *West Cross.* Très haute, elle présente une grande variété de scènes à personnages, hélas assez effacées par les outrages du temps. Là aussi, elle est surmontée d'un reliquaire (en forme de châsse). Côté ouest (face à la tour), *Crucifixion* également.
Enfin, un peu isolée au fond du cimetière, la *North Cross* qui présente une ornementation beaucoup moins riche.

Old Mellifont Abbey : *à 6 km au sud-ouest de Monasterboice.* ☎ *(041) 98-26-459. Visites guidées mai-sept, tlj 10h-18h. Entrée : 3 € ; réduc.* Heritage site. Cette abbaye cistercienne fut fondée au XIIe s par Malachy, archevêque d'Armagh. C'est à Mellifont que se rendit, en 1603, le grand Hugh O'Neill à lord Mountjoy (la première véritable défaite qui signait la fin de l'Irlande gaélique). Les ruines, ici, ne sont pas très spectaculaires, mais le lavabo, de forme octogonale, a encore belle allure. Quelques arches romanes du cloître subsistent également.

Kells (Ceanannas) **:** *à env 60 km de Dublin (sur la route de Cavan) et à 15 km à l'ouest de Newgrange. Rens à l'*Heritage Centre *:* ☎ *(046) 92-47-840. Mai-sept, lun-sam 10h-17h30, dim 14h-18h ; en hiver, lun-sam 10h-17h. Entrée libre.* Lieu de naissance du célèbre livre de poche enluminé (dont on ne voit qu'un fac-similé), on y trouve aussi une superbe croix sculptée, la *South Cross* (près de la tour ronde). Datée du IXe s, elle fut dédiée à saint Patrick et à saint Colomba (ou Columbkille ; voir « Mount Errigal et Glenveagh National Park »). Scènes bibliques et *Crucifixion.*

Trim Castle : *à l'ouest de Drogheda. Ouv tte l'année : tlj mi-mars à sept 10h-18h, en oct 10h-17h ; en hiver, ouv slt le w-e. Entrée (visite guidée) : 4 € ; réduc.* Pour les amoureux de beaux châteaux médiévaux. Situé sur la Boyne, c'est le plus important édifice anglo-normand d'Irlande. Construit aux XIIe et XIVe s. Cromwell s'en empara en 1649. Donjon (avec tourelles d'angle) dont les murs font plus de 3 m d'épaisseur. De l'autre côté de la Boyne, le château de Talbot et les vestiges de l'abbaye Sainte-Marie (haute tour).
– Intéressant ***Heritage Town Centre,*** où l'on peut découvrir l'histoire de la vallée de la Boyne et de la ville. Également une cafétéria.

Tara : *non loin de Trim.* Tara est la colline où se réunissaient les rois d'Irlande jusqu'au début du XIe s. Daniel O'Connell, qui avait le sens des symboles, y organisa en 1843 un immense meeting de près de 1 million de personnes. Possibilité de visiter le site (3 €, visites de fin mai à mi-sept), mais être avant tout motivé, car rien de bien spectaculaire. À l'entrée, plan pour s'y retrouver dans les divers tertres et tumulus.

Battle of the Boyne Visitor's Centre : *à 4 km à l'ouest de Drogheda. ☎ 98-09-950. • battleoftheboyne.ie • Mars-avr, tlj 9h-17h30 ; mai-sept, tlj 10h-18h ; oct-fév, tlj 9h-17h. Entrée au* Visitor's Centre *: 4 € (accès libre au site).* La bataille de la Boyne (1690) est l'un des événements les plus importants de l'histoire irlandaise. La défaite de la coalition de 25 000 soldats irlandais catholiques et français conduits par Jacques II face aux partisans protestants de Guillaume III (Guillaume d'Orange) imposa la domination anglaise en Irlande et réduisit du même coup les prétentions françaises sur la couronne d'Angleterre. Ce coup de force est retracé au travers d'une petite mise en scène et d'un court-métrage bien ficelé sur le site même des affrontements.

LES MONTS WICKLOW

Dans cette région magnifique sont concentrés tous les paysages et les couleurs d'Irlande : collines dénudées ou couvertes de bruyère, tourbières, forêts, lacs, cascades spectaculaires et sentiers secrets se succèdent, parfois entrecoupés de vertes prairies. C'est le paradis des randonneurs.

GLENDALOUGH

IND. TÉL. : 0404

La beauté romantique et paisible de Glendalough, « la vallée des deux lacs », à l'écart et à l'abri du monde, comme protégée par son écrin de montagnes, attira dès le VIe s un pieux ermite, saint Kevin. Il fit sa maison dans une caverne sur les bords du lac Supérieur *(Upper Lake)*, jetant ainsi malgré lui les bases d'une grande et glorieuse cité monastique. On raconte de bien belles histoires sur ce saint ermite. La plus jolie relate comment Kevin, surpris dans sa prière par une noire corneille, demeura pendant des jours et des nuits immobile pour ne pas effrayer l'oiseau venu pondre dans sa paume. Il ne bougea plus, bras tendu, main ouverte, jusqu'à ce que, les œufs éclos, la mère et sa nichée s'envolent dans la forêt toute proche !
Devenu l'abbé du monastère de Glendalough, Kevin mourut vers 618. Pendant 6 siècles, l'endroit continua à rayonner dans toute l'Irlande. Mais les raids vikings, l'invasion des troupes anglo-normandes au XIIe s, puis celle des armées anglaises précipitèrent le déclin de ce haut lieu du christianisme celtique. À partir du XIVe s, la lumière de Glendalough était déjà éteinte, laissant à leur solitude ces formidables pierres sculptées et ces croix si énigmatiques.

Arriver – Quitter

Glendalough se trouve à 60 km au sud de Dublin.

➢ ***En bus :*** *infos au ☎ (01) 281-81-19. • glendaloughbus.com •* 2 bus/j. avec la compagnie *Saint Kevin's Bus.* Billets à acheter dans le bus : 13 € l'aller ou 20 € l'A/R. Départs de Dublin, du haut de Dawson St, quasiment en face de la *Mansion House,* à 11h30 et 18h (19h sam, dim et j. fériés de mars à sept). Retour à 7h15 et 16h30 (17h40 sam, dim et j. fériés), au départ du *Visitor's Centre.* En juil-août, lun-ven retour supplémentaire à 9h45. Trajet : 1h-1h30. Arrêts à Bray et à Roundwood. Autre possibilité avec les bus *Eireann* à partir de la gare routière Busáras de Dublin *(☎ (01) 836-61-11).* Enfin, les tours organisés par *Wild Wicklow Tour* (voir ci-dessous « Adresses utiles »).

➢ ***En voiture :*** la route la plus chouette est la « route militaire » (la R 115), construite par les *British* pour mater les rebelles irlandais du Wicklow. Cette route débute au sud de Dublin après Rathfarnham, monte jusqu'au Sally Gap (un col balayé par les vents, d'une beauté à couper le souffle !) et redescend sur le versant en longeant de splendides cascades pour aboutir à Laragh, petit village où l'on bifurque à droite pour Glendalough. Superbe itinéraire.

Adresses utiles

Glendalough Visitor's Centre : *à l'entrée du site.* ☎ *45-325 ou 352. Tlj 9h30-17h (18h l'été).* Pour 3 €, le *Centre* propose une petite exposition et une vidéo (en anglais) intéressantes sur la vie monastique, suivies d'une visite guidée du site. Sinon, l'accès aux lacs est complètement libre. Cartes détaillées de toutes les balades à faire dans la région et une brochure en français (payante).

Information Office : *au bord du lac Supérieur de Glendalough.* ☎ *45-425. Mai-fin sept, tlj 10h-18h ; le reste de l'année, le w-e de 10h à la tombée de la nuit.* Un petit centre d'information sur le parc où l'on trouve différentes cartes pour les randonnées et des infos sur la faune et la flore des monts Wicklow.

Wild Wicklow Tour : ☎ *(01) 280-18-99.* • *wildwicklow.ie* • *Départ vers 9h (Saint Stephen's Green et Suffolk St), retour à Dublin à 17h30. Tarif : 28 €.* Propose un tour organisé de 1 journée dans la région, au départ de Dublin. Très bien fait et sympa, parfait quand on manque de temps.

Wicklow County Tourism : *Saint Manntan's House, Kilmantin Hill, Wicklow (la ville).* ☎ *200-70.* • *wicklow.ie/tourism* • Toutes les infos concernant les balades à faire dans la région.

Où dormir ?

Camping

Roundwood Camping Park : *à Roundwood.* ☎ *(01) 281-81-63.* • *dublinwicklowcamping.com* • *À la sortie nord du village, à côté de la supérette Connollys. Ouv mai-août. Résa conseillée. En hte saison, 26 € pour 2 avec tente et voiture. CB refusées. Douches tièdes payantes.* Un camping aux emplacements bien délimités mais relativement peu nombreux (environ 70) ; mieux vaut téléphoner avant. Sanitaires bien tenus. Chiens acceptés si tenus en laisse. Beaucoup de monde en juillet, donc assez bruyant.

Bon marché

Glendaloch International Youth Hostel : *1 km après le* Visitor's Centre. ☎ *45-342.* • *anoige.ie* • *Ouv tte l'année. Arriver avt 22h30. En hte saison, nuitée 20-22 € en dortoir 6-8 lits ou 48-54 € pour 1 double ; petit déj non compris (tarifs majorés le w-e et l'été). Réduc sur présentation de la carte internationale des AJ.* AJ officielle. Pourtant située au cœur du site, cette vaste bâtisse de 120 lits environ n'a rien de monacal ! Impersonnelle certes, mais fonctionnelle et bien tenue. Cuisine à disposition.

Youth Hostel Glenmalure : ☎ *(01) 830-45-55 (bureau de Dublin).* • *anoige.ie* • *Perdue dans les monts Wicklow, à 4h de marche de Glendalough pour les randonneurs, mais possibilité de s'y rendre en voiture. Ouv slt juil-août ainsi que le w-e tte l'année. Résa obligatoire. Compter 14-15 €/pers.* AJ officielle. Pas de téléphone, ni d'électricité, ni d'eau, c'est un refuge de montagne. Seulement 16 lits, en 2 dortoirs. Très peu fréquenté, car loin de tout, ce qui fait son charme. Bien pour randonneurs solitaires cherchant un simple abri pour la nuit ou une immersion complète dans la nature. Fin août, la vallée regorge de mûres.

Prix moyens

Lake House B & B : *Diamond Hill, Roundwood.* ☎ *(01) 201-98-92.* 📱 *087-905-86-56.* • *lakehouse-wicklow.com* • *À 5 mn à pied du centre de Roundwood. Ouv tte l'année. Compter 70-80 € pour 2. CB refusées.* Un *B & B* récemment ouvert par Lisa, une Française qui a posé ses valises dans ce coin d'Irlande. Dans sa

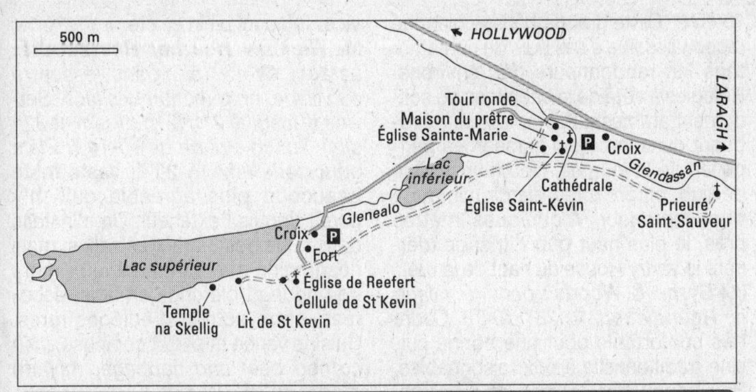

GLENDALOUGH

maison en bois, conçue pour respecter l'environnement, 3 chambres disposant chacune d'une terrasse avec vue sur le lac, celle du 1er étage avec baignoire-jacuzzi (les 2 du rez-de-chaussée se partageant une salle de bains). Petit déjeuner bio avec pain maison. Randonneurs bienvenus (Lisa peut aller les chercher – et les ramener, *of course* – sur la Wickow Way, à 3 km).

🏠 ***Carmels B & B : Annamoe.*** *☎ 45-297. • carmelsofglendalough.com • À 3 km de Laragh, sur la droite de la route peu avt Annamoe. Ouv mars-oct. Double 70 €. CB refusées.* Une maison de plain-pied moderne, en contrebas de la route. Seulement 4 chambres... mais quelles chambres ! Déco froufrouteuse à souhait, imprégnée de la coquetterie de la maîtresse de maison du sol au plafond. Tout est d'une propreté helvétique, et le petit déj est à l'image de la générosité de l'adorable hôtesse, Carmel Hawkins. Bref, on s'y sent comme un coq en pâte !

🏠 ***Bracken B & B :*** *Annamoe Rd,* ***Glendalough.*** *☎ 45-300. 📱 086-874-01-13. • brackenlodge.com • À 3 km de Laragh. Ouv tte l'année. Doubles 66-70 €. CB refusées.* Voilà encore une famille qui ne remettra pas en cause le fameux accueil irlandais. Judy et Jim Doyle sont aux petits soins avec leurs invités, auxquels ils proposent 3 chambres : 2 spacieuses et une aux allures de chambre d'ado de passage. Alors, soyez précis lors de votre réservation. Prêt de vélos.

🏠 ***Butterfly Hill Farm :*** *Kilmullen Lane, Newtown-Mount Kennedy. ☎ (01) 281-92-18. • butterflyhillfarm@eircom.net • Entre Bray (15 km) et Ashford. Venant de Dublin, sortir de la N 11 à Newcastle et suivre les panneaux. Fermé nov-fin fév. Double 65 €, petit déj compris. CB refusées.* Si la rumeur de la N 11 a définitivement noyé le bruissement des papillons, les chambres coquettes et confortables (dont des *family rooms*) justifient une halte dans cette petite ferme céréalière. Accueil très chaleureux.

Plus chic

🏠 ***Wicklow Way Lodge :*** *depuis le centre de Roundwood, suivre la route du lough Dan. C'est indiqué. ☎ (01) 281-84-89. • wicklowwaylodge.com • Congés : de déc à mi-janv. Doubles 90-100 €, petit déj compris.* Une vaste maison moderne aux allures de chalet de montagne. Chambres confortables et lumineuses, parfois dotées d'un balcon avec vue plongeante sur la vallée. Excellent point de départ pour des randonnées que l'hôtesse de maison ne manquera pas de vous indiquer.

Où manger ? Où boire un verre ?

I●I ***Roundwood Inn :*** *Main St. ☎ (01) 281-81-07. Service tlj 12h-21h. Plats*

10-16 €. Cette grande bâtisse blanche reconnaissable à ses bois de cerf attire tous les randonneurs des environs. Réfugiés à côté de la cheminée ou solidement arrimés au comptoir, ils y évoquent dans la bonne humeur les péripéties de la journée. Nourriture solide de pub, propre à ragaillardir n'importe quel marcheur. À quelques mètres près, le plus haut pub d'Irlande (derrière le *Vartry House* du haut de la rue).

Byrne & Woods : *dans le village de* **Roundwood.** *☎ 281-70-78.* Cadre très confortable pour une bonne cuisine traditionnelle à prix raisonnables. Box, banquettes, tables bien séparées. Quelques plats réguliers : *linguine* aux champignons sauvages, *pork belly* chutney d'abricot, tarte au haddock fumé, etc.

Anne's Coffee-House : *en plein cœur du village de Laragh, derrière le* Lynham's. *☎ 45-454 et 45-398. Mai-sept, tlj ; oct-avr, le w-e. Plats 6-12 €.* Un petit salon de thé accueillant, émaillé de petites tables colorées. Salades mixtes copieuses et fraîches, sandwichs, très bonnes tartes et gâteaux, thé et café. Propre et bon service. Toujours plein en été.

Wicklow Heather Restaurant : *Laragh. ☎ 45-157. Dans le centre du village, en direction des lacs. Service tlj jusqu'à 21h (21h30 sam et 22h dim). Lunch à partir de 10-14 €. Plats principaux env 15-28 €.* Vaste resto beaucoup plus agréable qu'il n'y paraît depuis l'extérieur. On s'installe dans l'une des 3 grandes salles, mais néanmoins chaleureuses, aux murs de brique et plafonds en bois, décorées, entre autres, d'éditions rares. Cuisine variée et plutôt copieuse. *Irish corned beef and cabbage,* navarin d'agneau du Wicklow, délicieuses lasagnes maison. Toute la région, ou presque, s'y retrouve le dimanche midi.

Lynham's : *en plein cœur du village de Laragh. ☎ 45-345.* Un chouette pub traditionnel, plein de coins et recoins, boiseries, feu qui crépite dans la cheminée et personnages prêts pour un casting de Ken Loach... Concerts traditionnels ou rock le samedi soir. Quelques chambres d'excellent confort. En revanche, oubliez le resto de l'hôtel, pas du tout bon marché.

LES MONTS WICKLOW

À voir

Le **Wicklow Mountains National Park** est un site extraordinaire qui attire beaucoup de monde le week-end... Venir tôt, ou tard pour le magnifique coucher de soleil (oui, le soleil) sur Upper Lake, très attendu par les photographes. Se garer de préférence au parking (gratuit) du *Visitor's Centre,* puis rejoindre le **lac Supérieur** (parking payant) en suivant la *Green Road Walk.* Très jolie balade fléchée d'une vingtaine de minutes. Pour marcher, beaucoup de choix : une dizaine de circuits balisés sillonnent le pourtour des lacs et les pentes du mont Mullacor. Itinéraires variés, tant par leur paysage que par leur difficulté : de 2 à 11 km, plats ou pentus.

Difficile de rater la **tour ronde,** la première curiosité que l'on remarque dans le romantique cimetière. Il s'agit d'une tour-clocher en granit, de 30 m de haut, destinée autrefois à servir de repère aux voyageurs et aux chevaliers errants (dans la brume !). Elle servait aussi de tour de guet. En cas d'attaque, la petite communauté se réfugiait à l'intérieur à l'aide d'une échelle donnant accès à la petite porte située à 3 m du sol. Et la légende veut que, lors des invasions vikings, les moines y enfermèrent leur or. Le toit conique a été reconstruit en 1876. Dans un joyeux désordre libertaire, beaucoup de pierres tombales très anciennes ornées de belles calligraphies. À côté, la **cathédrale** se résume aux ruines d'une nef du XIIe s, à l'origine l'une des plus vastes d'Irlande. En revanche, la petite **église Saint-Kevin** force l'admiration avec sa toiture entièrement constituée de pierres et surmontée d'une petite tourelle ronde. Charmant.

Les derniers vestiges s'échelonnent le long du **lac Supérieur,** un superbe disque moiré frangé de falaises boisées. On y déniche notamment la **cellule de saint Kevin,** la retraite de l'ermite dont il ne reste, à vrai dire, pas grand-chose ou le

temple Na Skellig, les traces d'une église construite par le saint. Située sur la rive sud du lac, elle n'est accessible qu'en bateau.

DANS LES ENVIRONS DE GLENDALOUGH

⚲⚲⚲ ***Luggala Lake*** (appelé aussi *lough Tay* ou *loch Té*) **:** *sur la route de Roundwood à Sally Gap. À une vingtaine de km au nord de Laragh. À VTT, emprunter la Wicklow Way à Glendalough qui est cyclable. En voiture, prendre la R 115 partant de Laragh en direction de Sally Gap, puis revenir par Roundwood.*
Cette boucle permet de découvrir l'un des plus grandioses paysages d'Irlande. Y aller de préférence à l'aube ou au crépuscule. Le lac s'étend au fond d'un cirque de hautes collines, âpres et sauvages. Sa forme évoque une vague harpe. Sur la rive nord, derrière un gros bouquet d'arbres se cache un manoir, le *Luggala Lounge,* l'ancien pavillon de chasse de la famille Guinness (les célèbres brasseurs). Le plus drôle, c'est que les eaux noirâtres du lac (couleur de la bière brune) se terminent par une plage de sable crème (couleur de la mousse), évoquant ainsi une *pint* de *Guinness* !
En 1951, le cinéaste John Huston *(Le Faucon maltais, The Misfits...)* vint en Irlande pour la première fois, invité par l'une des trois sœurs Guinness. Il fut particulièrement impressionné. « Le lendemain, à l'aube, j'allai à la fenêtre et vis un spectacle que je n'ai jamais oublié. À travers les pins je découvris, au bord d'un ruisseau, une vaste étendue couverte de soucis orange et au-delà – surprise ! – une plage de sable blanc bordant un lac noir. J'ai su par la suite que le sable avait été amené d'un rivage de la mer d'Irlande. Le lac était dominé, vertigineusement, par une montagne de roc sombre que drapait, comme un châle, une retombée de bruyères pourpres. Je suis retourné souvent à Luggala, mais cette première impression est restée en moi à jamais. Dès cet instant, l'Irlande m'avait conquis. »
C'est là également que furent tournés le début (l'épée qui sort de l'eau) et la fin d'*Excalibur*, de John Boorman (quand Perceval la jette dans les eaux sombres du lac).

⚲⚲ ***Russborough House :*** *à 30 km de Glendalough et à 5 km au sud de Blessington. Rens : ☎ (045) 865-239. Bus nº 65 de Dublin à Blessington. Mai-sept, tlj 10h-17h ; avr et oct, ouv slt dim et j. fériés. Entrée : 10 € ; réduc.* L'un des plus beaux châteaux d'Irlande, construit entre 1740 et 1750 par l'architecte du Powerscourt Castle. Il est impressionnant, pas tant par son architecture extérieure de style palladien, assez austère, que par la prodigieuse décoration intérieure : stucs, fresques, tapisseries, meubles, objets d'art rares... Mais sa véritable richesse demeure la collection de peintures réunie par sir Alfred Beit, avec de grands maîtres européens comme Rubens ou Gainsborough. Également un labyrinthe *(maze),* auquel on peut accéder indépendamment (3 €).

Balades dans le coin

À Glendalough, descendre vers les lacs et prendre les *nature trails*. Une carte est nécessaire, bien que les sentiers soient bien balisés, car il y a plusieurs pistes.

➢ De l'autre côté de la montagne Mullacor se trouve la ***vallée*** très perdue ***de Glenmalure,*** avec une AJ minuscule au bout de la route (voir plus haut).

➢ Pour les marcheurs, un must : la ***Wicklow Way,*** de Marlay Park à Clonegal ; 132 km bien balisés. Altitude maximale : 661 m. Compter 5 à 7 j. pour tout faire. Mais, marcheur confirmé ou néophyte, il y en a pour tous les niveaux. D'autant plus que les itinéraires sont variés et les paysages vraiment très différents.

– *Documentation :* carte East West Mapping *Wicklow Way Map Guide.* Renseignements au bureau du parc national des monts Wicklow, entre Laragh et Glendalough *(☎ (0404) 45-656 ; tlj 10h-18h).* Plus de 20 000 ha de parc créés en 1991 pour préserver un site et un écosystème uniques reposant sur un imposant socle de granit. L'érosion et le climat ont fait le reste, sculptant ainsi la pierre, creusant des lacs. Pas beaucoup de végétation, hormis les forêts de chênes autour de Glendalough. En revanche, on y trouve représentée la majeure partie des espèces animales vivant sur le territoire irlandais : *red sikas, red deers,* renards, écureuils, chauves-souris et plus de 80 espèces d'oiseaux.

POWERSCOURT GARDENS ET POWERSCOURT WATERFALL

Powerscourt Gardens : *à une vingtaine de km de Dublin, au pied des monts Wicklow. Rens : ☎ (01) 204-60-00. • powerscourt.ie • Bus n° 44 de Dublin à Enniskerry (puis marcher 2 km) ou bus n° 185 depuis Bray ; bus de la compagnie Alpine Coaches également. Tlj 9h30-17h30 (jusqu'à la tombée de la nuit en hiver). Entrée (pour les jardins et le château) : 8,50 €.* L'une des promenades dominicales préférées des Dublinois, sensibles à la beauté des ruines du château du XVIIIe s drapé dans ses magnifiques jardins en terrasses. L'ensemble est superbe, harmonie élégante entre les styles italien et japonais, avec de très belles grilles en fer forgé et quelques statues majestueuses. Pas moins de 200 espèces d'arbres et d'arbustes. Préférer mai et juin, lors de la floraison des rhododendrons et des azalées.

– À 5 km des jardins, une jolie route conduit à la ***Powerscourt Waterfall :*** *navette payante entre les 2 sites. Ouv l'été, tlj 9h30-19h ; l'hiver, tlj de 10h30 au crépuscule. Entrée : 5,50 € ; réduc.* Venir si possible en semaine, un jour de crachin, pour éviter la foule et goûter pleinement à ce site magnifique. La plus haute cascade d'Irlande dégringole avec force sur plus de 120 m, avant de continuer son chemin sous les arbres. Un endroit bucolique et puissant, qui ne laisse pas indifférent. D'ailleurs, ce cadre très photogénique a servi de décor à John Boorman. Il y tourna le combat entre Arthur et Lancelot, un des moments forts du film *Excalibur* (1981). Bien avant lui, le cinéaste américain John Huston (installé alors en Irlande) avait déniché cet endroit pour tourner les premières scènes de *Moby Dick* (1956). Le héros, Ismaël, marche seul près de la cascade et le long de la rivière, se dirigeant vers le port de New Bedford où il doit embarquer pour une chasse à la baleine à bord du *Pequod.*

Où dormir dans les environs ?

Knockree Youth Hostel *(Lacken House)* **:** *à* ***Knockree****. Résas : ☎ (01) 276-79-81. • knockreehostel.com • À 6 km à l'est d'Enniskerry. De Dublin, prendre le* DART *jusqu'à Bray, puis le bus n° 185 jusqu'au Shop River Terminus. En dortoir (8 lits) 17,50-19 € ; doubles 50-65 € en hte saison. (limité).* Superbe AJ (officielle) récemment rénovée selon les normes de haute qualité environnementale. Les chambres et les dortoirs sont spacieux et, à l'exception de ceux de 6 lits, ont leur propre salle de bains. Couleur vive, déco design, le contraste avec la nature environnante donne au lieu un vrai brin de fantaisie. Nombreux services : location de vélos, billards, laverie, cuisine, et même des *packs lunch* pour les pique-niques. Accueil dynamique.

RATHDRUM

1 200 hab. IND. TÉL. : 0404

Un gros village-rue recroquevillé autour de son église et d'une poignée de pubs rustiques. Peu visité par manque de monuments d'envergure, il a conservé une authenticité qui fait défaut à ses homologues du secteur de Glengalough.

Où dormir ?

The Old Presbytery Hostel : *The Fairgreen.* 087-919-78-30. • *theoldpres@eircom.net • De la rue principale, prendre la rue à l'angle du supermarché* Centra. *C'est à 300 m. Ouv tte l'année. Compter 16-20 € en dortoir 6-12 lits ou 22-25 €/pers pour une double.* La couleur rose de cette vaste bâtisse ne parvient pas vraiment à faire oublier la rigueur toute militaire de la déco. En revanche, l'ambiance un tantinet colo, la cuisine à dispo et la laverie en font un camp de base fort pratique pour les randonneurs.

Saint Bridgets B & B : *Corballis.* ☎ *46-477.* *086-367-69-72. • stbridgets@eircom.net • À env 2 km au sud de Rathdrum, sur la R 753 en direction de Ballinaclash. Fermé à Noël. Doubles 70-80 €, petit déj compris. CB refusées. Parking sûr.* Papiers peints colorés, moquette chamarrée, bibelots astiqués, voici l'univers de Maeve Scott, une charmante dame qui met tout son cœur dans l'accueil de ses hôtes. Chambres spacieuses et calmes dans les tons beige et mordoré.

DANS LES ENVIRONS DE RATHDRUM

La maison natale de Charles Stewart Parnell *(Avondale House)* **:** *à 1,5 km au sud de Rathdrum, sur la R 752 en direction d'Avoca.* ☎ *46-111. • coillteoutdoors.ie • Ouv Pâques-fin oct, tlj 11h-18h (dernière admission à 17h) ; fermé lun mars-avr et sept-oct. L'accès au parc coûte 5 € par voiture (prévoir les pièces) et la visite 7,50 €/pers ; réduc.* Charles Stewart Parnell, qui se battit pour l'autonomie de l'Irlande *(Home Rule),* vivait avec une femme séparée depuis 10 ans de son mari. Le mari demanda cependant très tardivement le divorce en accusant Parnell d'adultère. Évidemment, cette affaire manigancée par les ennemis de Parnell prit un aspect de scandale, la très prude hiérarchie catholique ne manquant pas de mettre de l'huile sur le feu. Le parti du Home Rule se divisa sur la question, et Parnell, mortifié, épuisé, mourut quelque temps après, à l'âge de 45 ans. Sa maison natale, dissimulée au cœur d'un grand parc ombragé, rappelle certaines maisons américaines du Sud... ce qui se comprend assez bien, car la mère de Parnell était américaine ! La vidéo permet de mieux saisir sa personnalité. Sa bibliothèque renferme de beaux meubles, et notamment un secrétaire Chippendale de 1740 et un bureau Wooton de 1874. Au 1er étage, on visite sa chambre, avec vue superbe sur le parc, les prés bien verts, les massifs d'arbres.

WICKLOW (CILL MHANTÁIN)

6 900 hab. IND. TÉL. : 0404

« Wicklow Town », le chef-lieu du comté du Wicklow, est une petite ville tranquille au bord de la mer, située à la lisière des collines. Une longue plage de galets s'étend sur une vingtaine de kilomètres au nord de la ville.

Adresse utile

Office de tourisme : *Fitzwilliam Sq. ☎ 69-117. • wicklow.ie • Dans le centre-ville. Juin-sept, tlj sf dim 9h-13h, 14h-18h ; oct-mai, tlj sf dim 9h30-13h, 14h-17h30.* Bonne documentation sur la région, cartes détaillées, etc.

Où manger ? Où boire un verre ?

Black N'Blue Grill : *Church St. ☎ 66-770. À deux pas de l'office de tourisme. Tlj. Plats env 8-12 €.* Restaurant assez stylé avec fauteuils club, banquettes en cuir et grands miroirs. Un peu surfait, mais très apprécié. On y vient avant tout pour sa bonne cuisine à base de plats de brasserie, de pizzas, etc.

Philip Healy : *Main St. ☎ 67-380. Près de l'office de tourisme.* Immense pub où se retrouvent toutes les générations du coin. Pas de musique traditionnelle, mais une agréable ambiance bon enfant.

Où dormir ? Où manger dans les environs ?

Camping

River Valley Holiday Park : *à* **Redcross.** *☎ 41-647. • rivervalleypark.com • À env 15 km au sud de Wicklow. Ouv de mi-mars à fin oct. Env 22-24 € pour 2 avec tente et voiture.* Vaste complexe parfaitement équipé et qui conviendra très bien aux familles. Aires de jeux pour enfants, terrain de sport, bar-restaurant. Le tout sur les premiers versants des monts Wicklow, au calme et à mi-chemin entre mer et montagne. Et, pour encore plus de tranquillité, demander une place dans le *Secret Garden.*

Très chic

Hunter's : *à* **Rathnew,** *Newrath Bridge. ☎ 40-106. • hunters.ie • À env 5 km au nord de Wicklow et 2 km d'Ashford. Ouv tte l'année, sf 24-26 déc. Résa conseillée. Doubles à partir de 130 € ; lunch 18,75 € (33,50 € dim) ; dîner 43 €.* Une des plus anciennes auberges d'Irlande, tenue par la même famille depuis 5 générations. Beaucoup de charme et de classe, avec d'élégants salons et un magnifique jardin fleuri. Chambres spacieuses, aménagées avec du mobilier d'époque, certaines avec cheminées, lit *king size.* Le roi de Suède et son épouse y ont séjourné, c'est dire ! Cuisine de premier ordre et service stylé.

À voir

Wicklow's Gaol : *Kilmantin Hill. ☎ 61-599. • wicklowshistoricgaol.com • Avr-oct, tlj 10h-18h (dernière admission à 16h30). Visite en partie guidée : 7,30 € ; réduc.* Une prison transformée en musée où l'on découvre, entre autres, les conditions de détention inhumaines pratiquées jusqu'à la fin du XVIIIe s. Tout un jeu interactif, des personnages de cire et des guides-comédiens alimentent le sentiment de malaise. Bonne explication de la rébellion de 1798, de la famine et de l'histoire tragique des 50 000 Irlandais expédiés en Australie. Pas gai, mais très instructif et bien fait.

Mount Usher Gardens : *à* **Ashford.** *☎ 401-16. • mountushergardens.ie • Mars-oct, tlj 10h30-18h (dernière admission à 17h20). Entrée : 7,50 € ; réduc.* Les fleurs bleues ne manqueront d'aller humer les fragrances subtiles distillées par les 5 000 espèces végétales du Mount Usher, un superbe jardin à la Robinson étendu le long de la rivière Vartry.

ARKLOW (AN TINBHEAR MÓR)

8 500 hab. IND. TÉL. : 0402

La région d'Arklow peut être une base pour découvrir les monts Wicklow, en particulier pour ceux qui préfèrent séjourner près de la mer. Hélas, des usines dissuasives se sont installées près de cet ancien port de pêche. Si le centre-ville demeure actif et souriant, il faudra faire quelques kilomètres pour trouver de jolies plages...

Où dormir ? Où manger ?

De prix moyens à plus chic

Ballykilty Farmhouse : *Coolgreany Rd. ☎ 37-111. • ballykiltyfarmhouse@eircom.net • À 7 km d'Arklow, sur la route de Coolgreany, en pleine campagne. Ouv avr-fin oct. Double 80 €. CB refusées.* Une vieille ferme joliment rénovée à la façade jaune et bleu. Très bien tenue par une dame discrète et aimable. 5 chambres *en suite,* où les édredons et les lits massifs ajoutent à l'atmosphère champêtre. Petit déj copieux pris dans une salle à manger patinée et chaleureuse. Tennis gratuit.

The Gables : *Ballygriffin. ☎ 33-402. 086-835-91-48. • arklowbandb.com.com • En sortant d'Arklow par la route de Coolgreany, tourner à droite au 1er rond-point (panneaux). C'est ensuite à 4 km à l'est. Ouv mars-oct. Double env 70 €.* Dans une maison moderne (la 1re à avoir reçu, dans le Wicklow County, 4 étoiles), des chambres confortables. Jardin, tennis et pain maison. Excellent accueil des propriétaires.

Royal Hotel – Sally's Pub : *25, Main St. ☎ 32-524. Tlj 12h-minuit (resto jusqu'à 21h). Plats 10-12 €.* Dans une classique déco façon pub, on sirote sa *Guinness* en avalant quelques bons petits plats. Même les simples *burgers* sont apprêtés et goûteux. Menu *early bird* particulièrement avantageux. Et les flemmards pourront même tirer eux-mêmes leur(s) pinte(s) à la table... « pour ne pas avoir à faire la queue au bar, ni rater un but », comme dit la pub pour ce nouveau *pub-concept.*

À L'OUEST DES MONTS WICKLOW

KILDARE (CILL DARA)

4 300 hab. IND. TÉL. : 045

Petite capitale d'une riche région agricole, fameuse pour ses élevages de chevaux de course. C'est également ici qu'Arthur Guinness inventa son fameux breuvage et eut une petite brasserie, avant de s'installer à Dublin. D'ailleurs, il est enterré à Oughterard, dans le nord du comté. Kildare est la « patrie » de sainte Brigitte, patronne de l'Irlande avec saint Patrick. Elle serait venue y fonder un monastère, dont seule la tour subsiste près de la cathédrale.

À voir

🔭🔭 ***Tully National Stud :*** *à 1 km de Kildare.* ☎ *52-16-17.* ● *irishnationalstud.ie* ● *De mi-fév à nov, tlj 9h30-18h (dernière admission à 17h). Entrée : 12,50 € ; réduc. Visites guidées à 12h, 14h30 et 16h.*
Le *National Stud* abrite le haras national d'où sortent de nombreux champions irlandais.
– *Le musée du Cheval :* toute l'histoire du cheval irlandais. On y trouve le squelette de Arkle, le plus grand pur-sang qui ait jamais existé dans le pays.
– *Les jardins japonais : même billet, mêmes horaires que le musée.* Créés par lord Wavertree et œuvre de Thassa Eida, paysagiste japonais, en 1906. Le jardin symbolise l'existence de l'homme, dont on peut suivre le cours de la naissance jusqu'aux derniers jours. *Jardin de l'Éternité* dans le style Karesansui.
– *Saint Fiachra's Garden : même billet, mêmes horaires que le musée.* Jardin bucolique, concentré des paysages vallonnés de cette région d'Irlande, émaillés de cours d'eau tumultueux, de roches millénaires et de lacs enchanteurs.

DANS LES ENVIRONS DE KILDARE

🔭🔭🔭 ***Castletown House :*** **à Cellbridge.** ☎ *(01) 628-82-52.* ● *castletown.ie* ● *Au nord du comté, juste au-dessous de Maynooth et à 21 km à l'ouest de Dublin. De mi-mars à fin oct, mar-dim 10h-18h (dernière visite à 16h45). Fermé lun sf j. fériés. Visite guidée : 4,50 € ; réduc.* Heritage site. La plus belle et la plus grande demeure palladienne d'Irlande : 365 fenêtres (autant que de jours dans l'année). Construite en 1722 pour le speaker du Parlement irlandais, William Connolly, et œuvre d'un architecte italien, Alessandro Galilei avec l'aide de sir Edward Lovett Pearce, fameux architecte irlandais.

🔭 ***The Curragh :*** ce gigantesque champ était jadis connu sous le nom de « pâturage de sainte Brigitte », car c'est l'un des endroits les plus fertiles de la région. C'est aussi un terrain militaire qui en a vu défiler des troupes... des Celtes aux régiments de la république. Aujourd'hui, l'hippodrome *(☎ 54-12-05)* accueille, le dernier dimanche de juin, l'*Irish Derby,* ainsi que les *Irish Oaks* mi-juillet. On y fait toujours des manœuvres militaires, et l'armée donne parfois un coup de main aux cinéastes, comme à Mel Gibson qui est venu y tourner les scènes de batailles de *Braveheart.*

LA CÔTE SUD À L'EST DE CORK

ROSSLARE (ROS LÁIR)

1 600 hab. IND. TÉL. : 053

Rosslare Harbour se situe à l'extrême sud-est du pays, dans un vrai cul-de-sac, à environ 10 km de la populaire station balnéaire de Rosslare Strand, un peu plus animée (mais assez morne en basse saison). C'est ici qu'arrivent les ferries venant de Cherbourg, Roscoff, Fishguard ou Pembroke (pays de Galles). Bien entendu, à peine arrivé, vous aurez plutôt envie de partir faire connaissance, le plus vite possible, avec le pays profond. D'autant que le coin ressemble à un vaste quartier pavillonnaire. Voici quand même quelques infos pour ceux attendant un bateau ou arrivant tard.

Arriver – Quitter

– Pour bénéficier de tarifs réduits, pensez aux forfaits autocar-train (voir « Transports intérieurs » dans « Irlande utile »).

En bateau

3 compagnies maritimes sévissent à Rosslare : ***Irish Ferries*** *(☎ 91-33-158, • irishferries.com •),* ***Celtic Link Ferries*** *(☎ 91-62-688, • celticlinkferries.com •) et* ***Stena Lines*** *(☎ 91-61-560, • stenaline.ie •).*

➢ ***De/vers la France :*** *Irish Ferries* assure 3 bateaux/sem pour Cherbourg, sf en janv, et 2 bateaux/sem pour Roscoff de mi-mai à la 3e sem de sept. *Celtic Link Ferries* assure 3 liaisons/sem tte l'année entre Cherbourg et Rosslare.

➢ ***De/vers le pays de Galles :*** tte l'année, *Irish Ferries* relie Pembroke 2 fois/j. et *Stena Lines* joint Fishguard 2 fois/j.

En train

Gare à 500 m du terminal maritime : ☎ 91-33-114. • irishrail.ie •

➢ ***De/vers Dublin :*** 6 départs/j. (3 slt le dim) via Wexford, Enniscorthy, Arklow, Wicklow. Trajet : env 3h.

➢ ***De/vers Waterford :*** 1 train/j. sf dim. Départ de Rosslare tôt le mat et de Waterford en fin d'ap-m.

➢ ***De/vers Limerick ou Cork :*** bien plus pratique et direct en bus.

En bus

Station à la sortie du terminal maritime : ☎ (051) 879-000. • buseireann.ie •

➢ ***De/vers Dublin :*** tlj, env 20 bus. Trajet : env 3h. Desservent au passage Wexford (trajet : 25 mn), Enniscorthy, Arklow.

➢ ***De/vers Cork :*** 5 bus/j. via Wexford (trajet : 25 mn), New Ross, Waterford (trajet : 1h30), Dungarvan, Youghal et Midleton. 4 de ces bus (2 slt le dim) continuent vers Killarney et Tralee. Trajet : 4h.

Adresse utile

■ ***Locations de voitures :*** *comptoirs dans la gare maritime (ouv selon arrivée des bateaux).* ***Budget,*** *☎ (051) 843-747. • budget-ireland.com •*

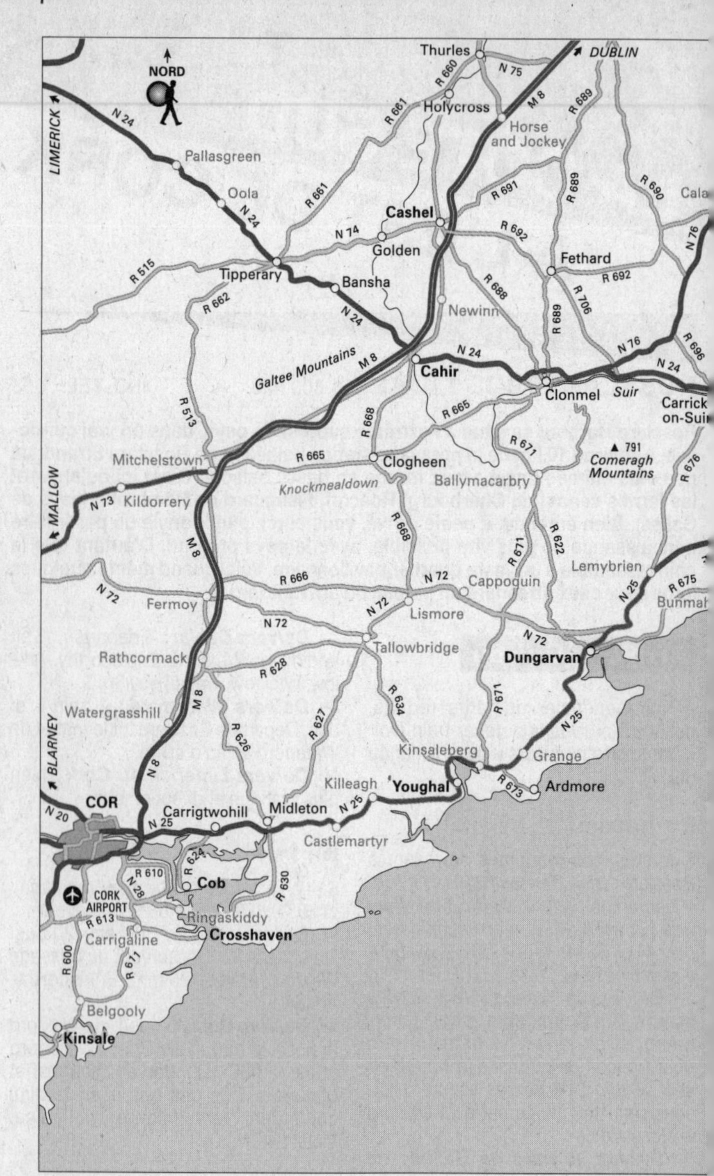
NORD
DUBLIN
LIMERICK
MALLOW
BLARNEY
Thurles
Holycross
Horse and Jockey
Pallasgreen
Oola
Cashel
Golden
Tipperary
Bansha
Fethard
Newinn
Galtee Mountains
Cahir
Clonmel
Suir
Carrick-on-Suir
Mitchelstown
Clogheen
Knockmealdown
Ballymacarbry
Comeragh Mountains
▲ 791
Kildorrery
Fermoy
Lismore
Cappoquin
Lemybrien
Tallowbridge
Rathcormack
Dungarvan
Watergrasshill
Kinsaleberg
Grange
Killeagh
Youghal
Ardmore
COR
Carrigtwohill
Midleton
Castlemartyr
Cob
CORK AIRPORT
Ringaskiddy
Crosshaven
Carrigaline
Belgooly
Kinsale

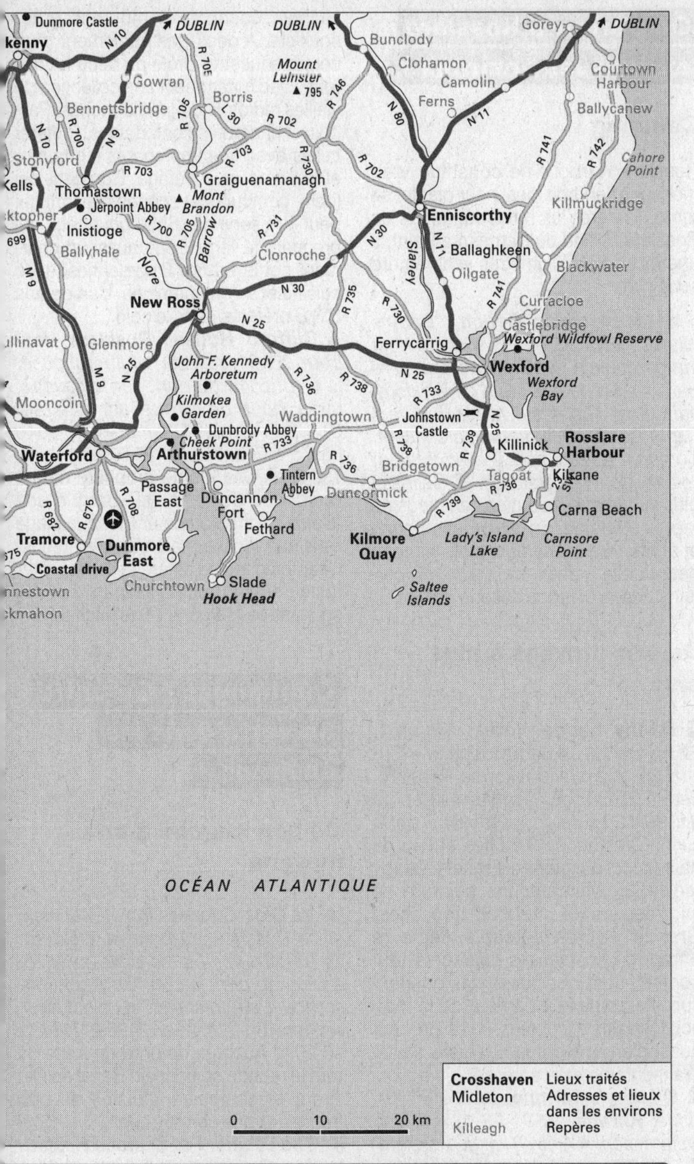

LA CÔTE À L'EST DE CORK

Où dormir à Rosslare et dans les environs ?

Camping

Rosslare Harbour ne constitue vraiment pas l'endroit idéal pour planter sa tente. Préférer les rares campings de Rosslare Strand ou Carnesore Point, à une dizaine de kilomètres vers le nord ou le sud.

⛺ ***St Margaret's Beach : Lady's Island.*** *☎ 91-31-169. • campingstmargarets.ie • À 15 mn de Rosslare Harbour. Prendre la route de Wexford, puis c'est fléché sur la gauche vers Carna Beach. Ouv de mi-mars à sept. Compter 18-20 € pour 2 avec tente et voiture. Douches gratuites.* Calme et plus intime que les autres campings de même standing. En pleine campagne et abrité. Accueil sympa, mais la mode des mobile homes en fera frémir certains. Plage presque déserte à 500 m.

De prix moyens à plus chic

🏠 ***Danby Lodge Hotel : Killinick.*** *☎ 91-58-191. • danbylodge.ie • Sur la N 25, à droite, à 8 km de Rosslare. Fermé 22-30 déc. Doubles avec petit déj 90-120 € selon saison et j. de la sem.* *Guesthouse* 3 étoiles et lieu de naissance du peintre Francis Danby (en 1793). Mais aucune peinture de lui, l'assurance coûterait trop cher ! Grande et très agréable demeure offrant de spacieuses chambres tout confort, dont quelques-unes donnent sur une pelouse à l'arrière de la maison. Breakfast copieux, mais on peut aussi bien prendre la chambre seule. Vraiment une belle adresse.

🏠 ***O'Leary's Farmhouse B & B :*** *Killilane,* ***Kilrane.*** *☎ 91-33-134. • olearysfarm.com • À env 6 km de Rosslare. Au 1er village après le port, prendre à gauche entre les 2 pubs, puis suivre les indications. Ouv tte l'année sf Noël. Doubles 70-80 € selon saison. CB refusées.* Grande *farmhouse* bio, bien isolée dans une campagne de bord de mer, avec son lot de veaux, vaches, cochons et moutons grassouillets. À deux pas également d'un centre équestre. Drôle de déco fourre-tout, avec notamment une collection de vieilles radios et de gramophones. Propose 7 chambres confortables. Préférer celles avec vue imprenable sur la mer et le phare, au 1er étage. Bon petit déj (pain, confitures et *scones* maison) qui peut être servi dès 6h30 pour ceux qui prennent le ferry. Loue aussi un charmant cottage pour 3 personnes, avec cuisine et salon cheminée. L'un de nos *B & B* préférés dans le coin.

🏠 ***Clifford House : Rosslare Harbour.*** *☎ 91-33-226. • cliffordhouse.ie • À 1,5 km du port, sur la gauche, tt au bout de la rue en impasse. Ouv tte l'année. Chambres en suite 65-75 €. Familiales (5-6 pers) 110-130 €.* Charmante propriété datant du début du XXe s, au bord d'une falaise qui surplombe une longue plage de sable. Sobre mais très bien tenue. Chambres toutes différentes, avec cheminée et vue pour la plupart. Accueil souriant de Margaret et de Michael.

Où manger ? Où boire un verre dans les environs ?

De bon marché à prix moyens

🍽 ***Ye Olde Coopers Inn :*** *à* ***Killinick,*** *entre Rosslare Harbour et Wexford. ☎ 91-58-942. Au bord de la N 25, à 8 km du port, à côté d'une station-service. L'été, ouv midi et soir ; l'hiver, lun-ven 16h-21h, w-e 12h30-21h. Plats 10-20 €.* Auberge de bord de route où tout le monde se connaît. Bar style Old Tudor et cheminée. Cuisine de pub franche et pas compliquée.

🍽 ***The Lobster Pot Seafood Restaurant :*** *à* ***Carna.*** *☎ 91-31-110. À 9 km de Rosslare. Depuis le port, prendre à gauche au village de Kilrane, direction Lady's Island, puis Carna Beach. Bien fléché. Tlj aux horaires de pub, sf lun. Mar-jeu, formule dîner 2 plats 23 €. Sinon,* bar food *jusqu'à 22h, plats*

20-30 €. Vieille et adorable auberge de campagne spécialisée dans la *seafood* et, comme son nom l'indique, dans le homard. Les murs, comme le plafond, sont peinturlurés de vert, et les hublots, comme la déco, donnent l'impression d'être dans les entrailles d'un vieux galion, mais côté 1re classe. Terrasse en bordure de route.

🍴 🍸 ***Culletons Bar :*** *à* ***Kilrane.*** ☎ *91-33-590. Sur la N 25 vers Wexford, à 2,5 km du port sur la gauche. Ouv à partir de 15h lun-jeu et à partir de 12h ven-dim. Plats 10-15 €.* Un grand pub assez sobre, le rendez-vous du coin. *Bar food* et plats typiques pour se mettre en bouche à la descente du ferry. Sert également des repas le soir et le dimanche midi à prix raisonnables. Faites donc une partie de fléchettes s'il pleut ou réchauffez-vous près de la cheminée. Musique traditionnelle le week-end.

WEXFORD (LOCH GARMAN)

9 600 hab. IND. TÉL. : 053

Jolie petite ville, fondée par les Vikings au Xe s, c'est la capitale de ce qu'on nomme ici le « comté modèle ». À Wexford, tout s'organise autour du *quay* et des commerces de Main Street. Nombre de monuments, vestiges et plaques commémoratives témoignent d'un passé mouvementé. À la fin du XVIIIe s, l'insurrection des United Irishmen y fut particulièrement réprimée.

Arriver – Quitter

🚌 🚂 ***Gare routière et gare ferroviaire*** *(plan A1)* ***:*** *Redmond Pl.* ☎ *91-22-522.* ● *buseireann.ie* ● *et* ● *irishrail.ie* ● *À la sortie de la ville vers Enniscorthy.*

En train

➢ ***De/vers Dublin :*** 6 départs/j. (slt 3 le dim). Dessert également Enniscorty, Arklow, Wicklow. Trajet : env 2h30.

➢ ***De/vers Rosslare :*** 6 départs/j. (slt 3 le dim). Trajet : 25-30 mn.

En bus

➢ ***De/vers Dublin*** *(via* ***Enniscorthy, Arklow****)* ***:*** tlj, env 20 bus. Trajet : env 2h30.

➢ ***De/vers Cork :*** 5 bus/j. via New Ross, Waterford (trajet : 1h), Dungarvan, Youghal et Midleton. 4 de ces bus (slt 2 le dim) continuent vers Killarney et Tralee. Trajet : 3h30.

➢ ***De/vers Roslare Harbour :*** bus très fréquents. Trajet : 25 mn.

➢ ***De/vers Kilmore Quay :*** tlj sf dim, 4 bus/j. (slt 2 bus le sam).

Adresses utiles

ℹ ***Office de tourisme*** *(plan B2)* ***:*** *Quay Front.* ☎ *91-23-111.* ● *discoverireland.ie/southeast* ● *Mai-sept, lun-sam (dim aussi en juil-août) 9h15-18h ; oct-avr, lun-sam 9h15-17h avec parfois une pause 13h-14h.* Bien documenté, compétent. Infos sur la région, nombreux guides et cartes (payants).

✉ ***Poste*** *(plan B2)* ***:*** *Anne St. Lun-ven 9h-17h30 ; sam 9h30-13h.*

@ ***Internet Centre*** *(plan A1)* ***:*** *20, Trimmers Lane. Lun-sam 10h-21h ; dim 12h-20h.*

■ ***Location de vélos : Hayes Cycles*** *(plan B3,* ***1****), 108, South Main St.* ☎ *91-22-462. Lun-sam 10h-18h. Compter 15-20 €/j.*

Où dormir ?

Bon marché

🏠 ***Kirwan House Hostel*** *(plan A2,* ***10****)* ***:*** *3, Mary St.* ☎ *91-21-208.* ● *wexfordhostel.com* ● *À 5 mn du centre. Congés : déc-janv. Compter 21-23 € en dortoir et 24-25 €/pers en chambre double ou triple. CB refusées.* 📶 Sur

3 étages, quelques chambres simples (doubles ou triples) et des dortoirs pour 6 à 8 personnes. On partage ici les salles de bains, le salon TV, le jardinet et l'immense cuisine. Bien au calme sur les hauteurs de la ville.

Où dormir dans les environs ?

Camping

⛺ **The Trading Post : Ballaghkeen.** ☎ *91-27-368.* • *wexfordcamping.com* • *À 14 km au nord de Wexford, sur la R 741 direction Gorey. S'adresser à la station-service mitoyenne. Ouv avr-sept. Compter 20 € pour 2 avec tente. Douches gratuites.* Camping en bord de route, pas bien grand avec sa vingtaine d'emplacements. Équipements simples mais propres. La plage est à 5 km et les randos à portée de godillots.

De plus chic à chic

Clonard House : Clonard Great. ☎ *91-43-141. Sur la R 733 vers Duncannon. En venant du centre (après env 3 km), tourner à gauche 200 m après le rond-point. Ouv avr-oct. Doubles 80-120 €.* Maison georgienne de 1783 dans un beau parc. Élégant escalier intérieur menant aux 9 chambres, dont 6 avec des lits à baldaquin. Décor et meubles à l'ancienne. Bon confort et accueil tout à fait charmant. En prévenant à l'avance, possibilité de dîner dans la ravissante salle à manger (40 €). Ça vaut vraiment la peine, d'autant que l'*Irish coffee* est offert !

Killiane Castle : Drinagh. ☎ *91-58-885.* • *killianecastle.com* • *À 4 km de Wexford. Prendre la N 25 vers Rosslare, c'est fléché à gauche 1 km après le rond-point. Ouv de mars à mi-nov. Double 100 €, familiales 125-150 €.* Belle *farmhouse* accolée à un imposant château normand du XIIe s. Cadre de charme où Jack et Kathleen Mernagh reçoivent fort courtoisement dans 8 chambres spacieuses avec TV et salle de bains, toutes différentes. Citons la n° 2, romantique avec sa vieille armoire, la n° 4 *(family room)* et la n° 8 avec 2 fenêtres d'angle et une belle vue sur le jardin et les champs. Loue aussi des appartements à la semaine, pour 2 ou 4 personnes. Bon petit déj. Possibilité de souper léger. Tennis, croquet (!), équitation à proximité et balades à faire dans les environs.

The Slaney Manor : Ferrycarrig. ☎ *91-20-051.* • *slaneymanor.ie* • *À 1 km au-delà de l'Heritage Park (5 km du centre, par la route d'Enniscorthy). Fermé à Noël. Doubles 110 € (dans l'annexe), 170 € (dans le manoir).* Manoir de 1820, au milieu d'une grande propriété dominant la rivière Slaney. Extérieurement, architecture assez banale, mais élégante décoration intérieure. Bon accueil. 10 chambres spacieuses avec jolie vue sur la campagne, dont 2 familiales, et 25 chambres dans l'annexe, l'ancienne *Courtyard*. Ceux qui cherchent l'isolement et l'originalité pourront essayer la maisonnette à toit de chaume, restaurée en chambre *en suite*. Possibilité de dîner sur commande. Un cadre vraiment pas commun.

Où manger ?

Allez savoir pourquoi, les restos de Wexford ont une durée de vie assez limitée... Tentez votre chance dans Main Street, où l'on trouve des pubs, boulangeries et cafés acceptables pour le déjeuner. Entre autres, la cafétéria sur le toit de l'opéra propose une belle vue panoramique.

Plus chic

Riverbank House Hotel *(plan B1, **21**) : juste de l'autre côté du pont.* ☎ *91-23-611. Tlj. Sert jusqu'à 21h (22h ven-sam). Plats 12,50-20 € (moins cher à midi) ; menus (le soir) env 21-24 €.* L'hôtel n'est pas bien beau, mais l'intérieur agréable et la cuisine fort correcte. On mange soit au bar central, soit dans la grande salle façon brasserie. Service diligent. Un bon rapport qualité-quantité-prix.

Le Tire Bouchon *(plan B3, **20**) : 112, South Main St.* ☎ *91-24-877.*

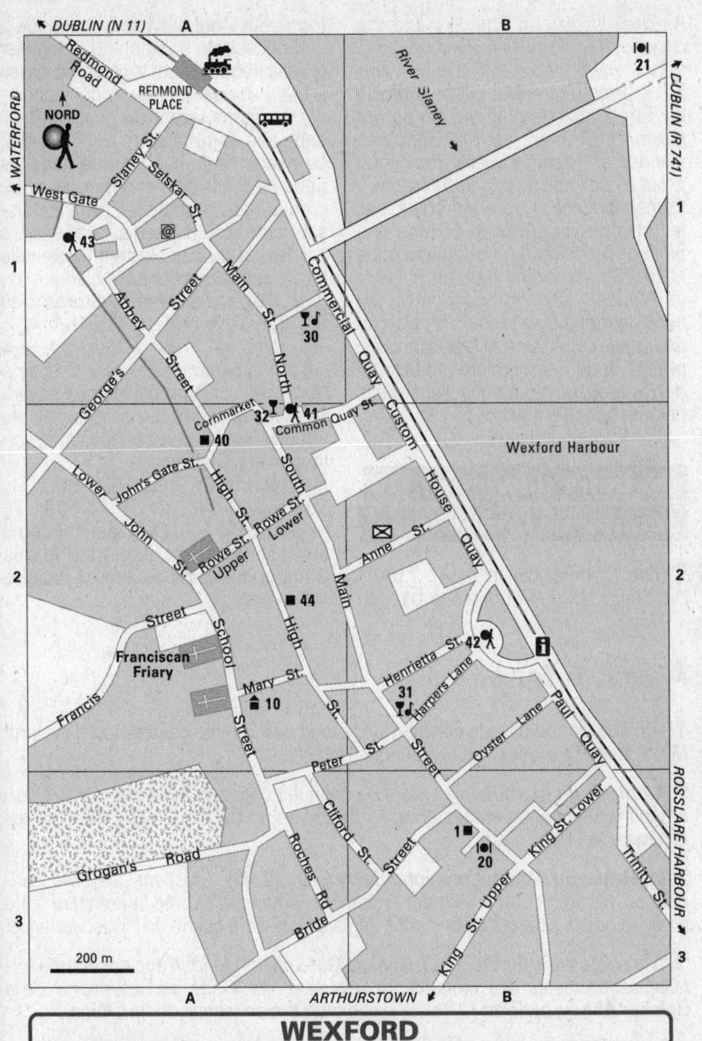

WEXFORD

Adresses utiles

- Office de tourisme
- 1 Hayes Cycles
- @ Internet Centre

Où dormir ?

- 10 Kirwan House Hostel

Où manger ?

- 20 Le Tire Bouchon
- 21 Riverbank House Hotel

Où boire un verre ? Où écouter de la musique ?

- 30 Wexford Centenary Stores
- 31 South 51
- 32 The Undertaker

À voir. À faire

- 40 Wexford Arts Centre
- 41 Place du marché
- 42 Statue du commodore John Barry
- 43 West Gate
- 44 Wexford Opera House

Au-dessus du pub The Sky and the Ground. *Tlj, le soir slt. Plats 16-25 €,* french value menu *26 €. Vin au verre 5-8 €.* Première étape gastronomique en Eire ? Ou dernier *dinner before leaving* ? Eh bien, au *Tire Bouchon,* viandes et poissons *speak French.* Le bœuf se poile de ne pas devenir *stew...* Le *fish* divorce d'avec les *chips...* et le verre de vin est plein comme une *pinte of Guinness.* Le soir, quand pubs et cafétérias voisins ferment cuisine, ce *Frenchie* tire son bouchon du jeu avec un menu avantageux. Et, histoire de vous mettre dans le bain irlandais, prenez donc une dernière mousse au pub maison, au rez-de-chaussée : belle déco et bonne ambiance.

Où boire un verre ? Où écouter de la musique ?

The Undertaker *(plan A1-2,* ***32****) : Bull Ring.* Un des derniers pubs « du fossoyeur » qui survivent en Irlande à une ancestrale tradition. L'*undertaker* utilisait fréquemment les fraîches caves à bière comme annexe pour conserver les corps, avant de noyer le deuil dans une sombre pinte de Guinness. Le nuage de fumée toxique dans les pubs ne tuant plus son monde, notre croque-mort a quitté les lieux en laissant juste son chapeau sur une étagère au-dessus du bar. Restent la clientèle locale et quelques bonnes bières.

Wexford Centenary Stores *(plan A1,* ***30****) : Charlotte St. ☎ 91-24-424. Programmation sur • thestores.ie • Dans une petite rue joignant le quay à North Main St.* Vieil édifice noir et vert. Terrasse couverte. Le soir, excellente atmosphère et concerts fréquents, surtout en été. Staff sympa.

South 51 *(plan B2,* ***31****) : 51, South Main St. ☎ 91-74-559. Tlj (w-e jusqu'à 2h).* Café-bar moderne sur 3 étages, avec jardin sur le toit. DJ et concerts pratiquement tous les week-ends.

À voir. À faire

➢ Balade sympa dans le ***centre-ville*** le long des commerçantes South et North Main Street. Quelques vieilles boutiques subsistent.

La place du marché *(plan A2,* ***41****) :* connue comme le *Bull Ring,* car les Normands y affectionnaient les courses de taureaux. Un monument y honore les insurgés de 1798.

La statue du commodore John Barry *(plan B2,* ***42****) : Crescent Quay.* Cet Irlandais de Wexford (1745-1803) dut émigrer en Amérique et créa la première flotte américaine qui lutta contre la marine anglaise lors de la guerre de l'Indépendance.

À la sortie (vers Enniscorthy), la ***West Gate*** *(plan A1,* ***43****),* l'ancienne porte fortifiée, est un vestige des remparts disparus de la ville. À côté, les belles ruines de la ***Selskar Abbey,*** bâtie au XIIIe s sur le site d'un ancien temple dédié à Odin.

– ***Festival d'Opéra :*** *au* ***Wexford Opera House*** *(plan A2,* ***44****), High St. ☎ 91-22-144 ou 400. • wexfordopera.com • Pdt 2 ou 3 sem, fin oct.* Depuis plus de 60 ans, très célèbre pour la qualité de ses productions. L'une des meilleures scènes du pays dans un bâtiment du début du XIXe s. Remanié et très moderne à l'intérieur. Pendant le festival, *lunch time concerts.*

– ***Wexford Arts Centre*** *(plan A2,* ***40****) : Cornmarket. ☎ 91-23-764. • wexfordartscenter.ie • Lun-sam 10h-17h30.* Installé dans les anciennes halles, construites en 1775. Il accueille expos, danse, théâtre, etc.

– ***Centres équestres :*** *rens auprès de l'office de tourisme (voir « Adresses utiles »).* Autour de Wexford, plusieurs centres proposent des randonnées à cheval dans la campagne ou en bord de mer.

DANS LES ENVIRONS DE WEXFORD

Irish Agricultural Museum et le parc du Johnstown Castle : *à 6 km au sud-ouest de Wexford. ☎ 91-84-671. • irishagrimuseum.ie •. Prendre la route de Rosslare (N 25) puis suivre le fléchage. Ouv 9h-16h30 (17h30 en été). Accès au parc : mai-sept, 3 € ; gratuit le reste de l'année. Entrée musée : 6 € (en sus du parc) ; billet combiné : 8 € ; réduc.*

Magnifique parc de 20 ha où il fait bon se promener le long du lac et dans des sous-bois riches de près de 200 variétés d'arbres (pourquoi ne pas sortir *the picnic* ?). Le château possède une tour de 1652. Le reste est une folie aristocratique du XIXe s dont seul l'*Entrance Hall* est ouvert au public.

- Le très intéressant *musée* occupe les anciennes dépendances. Collection de charrettes, vieux tracteurs et buggys. Reconstitution d'ateliers : charpentier et charron, forgeron, fabricant de harnais, etc. Au 1er étage : expo sur l'industrie du lait, la fabrication artisanale du beurre, et nombreux objets domestiques anciens.

National Heritage Park : à **Ferrycarrig.** *☎ 91-20-733. • inhp.com • À 3 km de Wexford, sur la route d'Enniscorthy (N 25). Mai-août, tlj 9h30-18h30 (17h30 hors saison). Dernière entrée 1h30 avt fermeture. Entrée : 8 € ; réduc.*

Dans un parc de 12 ha, une fascinante rétrospective historique de l'Irlande. Situé idéalement sur l'estuaire de la rivière Slaney où l'on retrouve toutes les conditions géographiques de l'époque : collines, bois, marécages et lacs.

Parcours de 1h30 environ. Panneaux et vidéo de 10 mn en français. Reconstitution grandeur nature des habitats, lieux de culte et sépultures de l'époque des premiers habitants de l'Irlande à ceux de l'époque médiévale. Campement du Mésolithique (7000 av. J.-C.), ferme du Néolithique (2500 av. J.-C.), dolmen, sépultures de l'âge du bronze, pierre oghamique, monastère paléochrétien, four à pain, moulin, *crannog* (île artificielle du VIIIe s protégée par une palissade), chantier naval viking.

Wexford Wildfowl Reserve : North Slob, *à 6 km au nord-est de Wexford. ☎ 91-23-406. • wexfordwildfowlreserve.ie • Par la R 741 (direction Gorey), 3 km après le pont, tourner à droite, c'est fléché. Tlj 9h-17h. Entrée gratuite.* Centre d'interprétation avec minimusée et tour d'observation. Un paradis pour les mordus d'ornithologie. Des dizaines de milliers d'oiseaux font en effet halte dans les *slobs* (paysage de petites digues et de marais) de Wexford et peuvent y être observés. Durant la période des migrations, d'avril à octobre, les guides sont intarissables sur les limicoles, canards et autres oies du Groenland. Un tiers de la population mondiale de ces oies à front blanc transite en effet par ici.

- La plage de *Curracloe,* où fut tournée la scène du débarquement de *Il faut sauver le soldat Ryan* de Spielberg, est toute proche.

ENNISCORTHY (INIS CÓRTHAID)

9 500 hab. IND. TÉL. : 053

Gentille ville, la deuxième du comté, accrochée à son flanc de colline, est à 23 km au nord de Wexford. Les amateurs d'histoire y trouveront un château normand très bien conservé et un centre culturel passionnant retraçant la tentative révolutionnaire des United Irishmen.

Arriver – Quitter

En bus

🚌 ***Arrêt de bus :*** *Temple Shannon Quay, au bord du fleuve. Compagnies* ***Eireann*** *(☎ 879-000, • buseireann.ie •)* et ***Wexford Bus*** *(☎ 91-42-742, • wexfordbus.com •).*

➢ ***De/vers Rosslare, Wexford ou Dublin*** *(avec les 2 compagnies)* **:** bus très fréquents, tlj.

➢ ***De/vers New Ross et Waterford*** *(Wexford Bus)* **:** 4 bus/j. (slt 3 le dim).

➢ ***De/vers Cork*** *(Eireann)* **:** 4-5 bus/j.

En train

🚂 ***Railway Station :*** *☎ 873-403. • irishrail.ie • Sur la rive opposée au château, traverser le pont de pierre, direction Blackwater.*

➢ ***De/vers Rosslare-Wexford*** (au sud), ***Arklow-Wicklow-Dublin*** (au nord) **:** dans les 2 sens, 6 trains/j. (slt 3 le dim).

Adresses utiles

ℹ ***Office de tourisme :*** *Millparkroad. ☎ 92-37-596. À 500 m du centre, sur la N 30 vers New Ross, (dans le National 1798 Rebellion Centre). Ouv lun-ven 9h30-17h15.*

✉ ***Poste :*** *au rond-point du château. Lun-ven 9h-17h30 ; sam 9h-13h.*

@ ***Internet Café Plus :*** *Temple Shannon St, à gauche du pont de pierre, rive opposée au château. Lun-ven 10h-21h ; w-e 12h-20h.*

Où dormir ?

Prix moyens

🏠 ***Lemongrove House :*** *Blackstoops. ☎ 92-36-115. • lemongrovehouse.ie • À 1,5 km du centre par la route de Dublin ; au rond-point de la N 11, prendre à droite. Congés : 2de quinzaine de déc. Compter 75-80 € pour 2.* 📶 Belle demeure récente de couleur jaune avec 6 chambres impeccables, toutes *en suite.* Particulièrement confortables, bien équipées et mignonnes. Jardin soigné. Accueil vraiment chaleureux d'Ann et de Colm.

Chic

🏠 🍽 ***Salville House*** *(Jane and Gordon Parker)* **:** *☎ 92-35-252. • salvillehouse.com • À 1,5 km d'Enniscorthy, sur la route de Wexford. Après l'hôpital, 1re à gauche (direction Brownswood), puis tt droit jusqu'à un embranchement ; prendre à gauche (c'est 500 m plus loin). Fermé à Noël. Compter 110 €. Dîner 40 € (4 plats). CB refusées.* 📶 *B & B* confortable et stylé dans une imposante demeure du XIXe s entourée d'un vaste jardin. Propose 3 chambres dont 2 *en suite* et 1 appartement pour 4. Accueil très agréable. Et surtout, une cuisine de haute volée : le proprio est un chef au talent reconnu. Mais si vous dînez ici, apportez votre propre vin, car la maison n'a pas la licence ad hoc !

Où manger ? Où boire un verre ?

Bon marché

Quelques ***take-away*** dans le centre où acheter pour quelques euros des burgers et autres *fish & chips.*

🍽 🍸 ***The Antique Tavern :*** *14 Slaney St. ☎ 92-33-428. Près du pont de pierre. Tlj 11h-23h30 (1h30 w-e). Plats (midi slt) 7-8 €.* Une des plus belles maisons de la ville, à colombages. Tout petit et intime, dans un cadre ancien, décoré d'antiquités. Bonne ambiance. Quelques tables en terrasse (chauffée en hiver) donnant sur la rivière. On s'y restaure de bonnes soupes, sandwichs et salades. Excellent *Irish coffee.*

🍽 🍸 ***Shenanigans :*** *Market Sq. ☎ 92-36-272. Sur la place centrale. Tlj 10h-23h30 ;* bar food *jusqu'à 18h. Plat correct env 10 €.* Pub animé et jeune avec, au rez-de-chaussée, sa grande salle et son écran géant, et, à l'étage, 2 tables de *pool.*

Prix moyens

|●| 🍷 ***The Bailey Café-Bar :*** *Barrack St.* ☎ *92-30-353. Au bord de la rivière, dans le centre. Cuisine tlj 10h-22h (dim 12h30-22h). Plats 11-22 €.* Snacks variés et plats du jour, grillades... Cadre de brasserie, avec mezzanine, TV écrans plats aux murs et serveurs vêtus de noir comme une *Guinness.* Cuisine plus qu'honnête et à prix doux. Longue carte des vins, dont certains au verre. Et puis, avantage indéniable, c'est l'un des rares endroits de la ville pour dîner ! Concerts le week-end.

À voir. À faire

👁👁 ***Enniscorthy Castle :*** *dans le centre.* ☎ *92-34-699.* ● *enniscorthycastle.ie* ● *Ouv avr-sept tlj 9h30-17h ; hors saison 10h-16h30. Attention, horaires sujets à changement. Entrée : 4 € ; réduc. Billet combiné avec le National 1798 Rebellion Centre : 8 € ; réduc.* Bâti au XIIIe s et restauré au XIXe s. Il reste de la forteresse initiale un gros donjon qui abrite un *musée* intéressant et hétéroclite où l'on peut admirer un beau mobilier ancien, des outils, des harpes celtiques, etc. Salle dédiée à l'insurrection paysanne de 1798 avec armes, plans, gravures, livres, etc. Belle collection de figures de proue.

👁👁 ***National 1798 Rebellion Centre :*** *Millparkroad.* ☎ *92-37-596.* ● *1798centre.ie* ● *À 500 m du centre, à droite sur la N 30 vers New Ross. Mêmes horaires que le château. Entrée : 6 €. Plaquettes en français disponibles à l'accueil.* Musée multimédia consacré à la rébellion des *United Irishmen.* Très ludique. Rappels historiques illustrés par des extraits de films, un accompagnement sonore et des mises en scène originales, comme la salle de l'Échiquier, qui symbolise la stratégie politique des différents courants révolutionnaires. La visite se termine par une reconstitution de la bataille de Vinegar Hill, moment charnière de la rébellion.

– ***Greyhound Track :*** ☎ *92-33-172. Courses de lévriers lun et jeu à 20h.*

Manifestations

– ***Fête de la Fraise*** *(Strawberry Fair)* ***:*** *en juin, sur 3 j.* Des groupes jouent dans les rues et pubs : théâtre, jeux pour les enfants, etc. Le dernier soir, élection de la Strawberry Queen !

– ***Street Rythm Danse Festival :*** *mi-août, sur 3 j.* ● *enniscorthystreetrythms.com* ● Musique et danse traditionnelles dans les rues de la ville.

– ***Blues Festival :*** *généralement le 2e w-e de sept.* ● *blackstairsblues.com* ● Grande concentration de musiciens américains qui improvisent des concerts dans les pubs et lieux publics.

KILMORE QUAY (CE NA CILLE MÓIRE)

420 hab. — IND. TÉL. : 053

À une vingtaine de kilomètres au sud-ouest de Wexford. Ravissant petit port de pêche tranquille, qui a conservé de nombreuses maisons à toit de chaume. Le soir, les bateaux partis taquiner le *trigger fish* rentrent au port, suivis par une myriade de mouettes gourmandes, voire de phoques qui se donnent en spectacle pour quelque poisson.

Adresse et infos utiles

✉ **Poste :** *rue principale. Lun-ven 9h-17h30 ; sam 9h-13h.*
– Pas de **banque** à Kilmore Quay.
🚌 **De/vers Wexford :** 3-4 bus/j., sf dim.

Où dormir ?

🏠 **Quay House :** *rue principale, près de la poste. ☎ 91-29-988. • quayhouse.net • Fermé à Noël. Double 80 €, petit déj inclus ; réduc à partir de la 3e nuit. Parking.* 💻 📶 Dans une grande maison, ancien relais de poste, 10 chambres avec, pour la plupart, vue sur la mer. Hyper spacieux et agréable, avec parquet et meubles de bois clair. Joli salon avec cheminée. Dans la cour, une annexe avec 4 autres chambres (70 €) prisées des pêcheurs de passage (il y a même une salle commune avec congélo et évier pour écailler le poisson !). Établissement tenu par Siobhan et Pat McDonnell, sans oublier Mickael McGuire, toujours disposés à donner quantité d'infos pratiques sur la région.

Où manger ?

🍽 **Kehoe's Pub :** *face à l'église. ☎ 91-29-830. Midi et soir, plats 13-20 €.* Resto-pub populaire, décoré d'objets découverts sur des épaves locales (de bateaux !). Cuisine simple à base de *seafood* : *home soup*, sandwichs, *crab and salmon salad*, etc. Certains soirs (de 19h à 23h), musique traditionnelle.

🍽 **Silver Fox :** *à 50 m du port. ☎ 91-29-888. Fermé en janv. Tlj en été au dîner et dim midi ; en mi-saison, jeu-dim. Résa conseillée. À partir de 30 € à la carte. Dim midi et menu* early bird *(17h-19h) 23-25 € avec 3 plats.* Notre coup de cœur pour sa cuisine de la mer, fine et onctueuse. Service parfait, dans un cadre guindé, un peu surfait, mais en tout cas soigné. Goûter au *Kilmore crab,* au haddock, au poisson du jour, aux huîtres (pas en été). Carte des vins fournie.

À voir. À faire

– **L'île aux oiseaux de Saltee :** on y observe parfois des phoques. *Demander Kevin Bates au port ou l'appeler au 📱 087-644-61-33. Départs selon conditions météo.*

Manifestations

– **Seafood Festival :** *1 sem en juil.*
– **Life Boat week-end :** *début août.* Parades de bateaux pour financer les sauveteurs en mer.

SUR LA ROUTE DE WATERFORD (PAR BALLYHACK)

ARTHURSTOWN (BAILE ARTÚIR)

IND. TÉL. : 05

Charmant petit port d'estuaire, bien situé pour approfondir la découverte de cette côte, dont la tour du Ballyhack Castle, l'abbaye cistercienne de Dun

brody (voir plus loin « Entre New Ross et Waterford ») et la Hook Head, restée sauvage et dotée de l'un des plus anciens phares d'Europe. Et puis, grâce au traversier, Waterford n'est pas loin.

Où dormir ? Où manger ? Où boire un verre ?

Plus chic

King's Bay Inn : ☎ 389-173. *En bas de la rue principale. Tlj 11h-23h30. Repas complet 20-25 €, le soir en été slt.* Un pub discret comme on les aime dans une baraque bleu délavé. Murs bien patinés, vieux comptoir de bois, petites salles (dont l'une pour darder ses fléchettes).

Chic et très chic

Marsh Mere Lodge : ☎ 389-186. • *marshmerelodge.com* • *Sur le front de mer. Ouv tte l'année. Double 95 €.* Vue superbe sur la baie depuis le salon, qui justifie peut-être les tarifs élevés. Surprenante maison, ordinaire en apparence mais dont l'intérieur aux chaudes boiseries a été arrangé avec beaucoup de goût et de soin par Maria McNamara. Élégant salon avec son piano, son sofa, sa cheminée et ses vieux tableaux. Couloirs émaillés de curiosités diverses. En tout, 5 chambres coquettes, personnalisées, mais sans vue sur la mer.

Dunbrody Country House : ☎ 389-600. *À la sortie du village vers Wexford. Congés : 9 j. autour de Noël. Dîner 18h30-21h30 et lunch dim slt. Menus 55-65 €.* Sunday lunch *35 €.* Somptueuse demeure sertie d'un parc d'une dizaine d'hectares, qui a appartenu à lord Donegall, un aristocrate anglais. Spécialités de volaille et de poisson. Très belle carte des vins. Service vraiment impeccable, et le chef, Kevin Dundon, jouit d'une renommée internationale. Il donne d'ailleurs des cours de cuisine à la journée ou plus : avis aux amateurs ! Un lieu gastronomique côté chère et astronomique côté chambres.

Où dormir dans les environs ?

Ocean Island : *à 2 km au sud de Fethard-on-Sea.* ☎ *(051) 397-148.* *087-241-56-82.* • *oceanisland@eircom.net* • *Sur la côte, au sud-est d'Arthurstown, sur la R 734. Ouv de mi-avr à sept. Compter 24 € pour 2 pers avec tente. Douches... et eau chaude payantes.* Niveau d'équipement correct, sans plus. Jeux pour les enfants (un peu beaucoup, d'ailleurs !). Plage à 2 km.

DANS LES ENVIRONS D'ARTHURSTOWN

Ballyhack Castle : *sur l'estuaire, à 2 km à l'ouest d'Arthurstown.* ☎ *389-468. Ouv de mi-juin à fin août, tlj 10h-18h. Entrée gratuite.* Heritage site. Tour fortifiée du milieu du XVe s, bâtie par les hospitaliers de Saint-Jean-de-Jérusalem.

Tintern Abbey : *à 2 km à l'est d'Arthurstown par la R 733.* ☎ *562-650. Ouv de mi-mai à fin sept, tlj 10h-18h (17h en oct). Entrée : 3 €.* Heritage site. Belles ruines d'une abbaye cistercienne du XIIIe s. Édifiée à la suite d'un vœu du comte de Pembroke sauvé d'une violente tempête. En Irlande, Dieu a toujours su s'y prendre ! Belle tour carrée et crénelée. Tout autour, une superbe forêt offre des balades enchanteresses. C'est là que les moines venaient cueillir baies, fruits et plantes médicinales !

Ducannon Castle : *à env 10 km au sud d'Arthurstown. Tlj 10h-17h30 de juin à début sept ; le reste de l'année, lun-ven 10h-16h30. Entrée : 5 € (visite guidée).*

Très beau panorama sur la baie, de Hook Head à Passage East. La réhabilitation de ce bastion en étoile, genre Vauban, a été entamée par Napoléon et dure encore, depuis que l'armée a quitté les lieux en 1986.

Hook Lighthouse : *à env 18 km au sud d'Arthurstown. ☎ 397-055. ● hookheritage.ie ● Tlj 9h30-17h (17h30 mai et sept, 18h juin-août). Entrée : 6 € (visite guidée).* Bâti par les Normands au XIIIe s, ses deux premiers niveaux sont bien conservés avec leurs trois chambres voûtées. Tout en haut, terrasse panoramique (les lanternes toujours en activité ne se visitent pas). La légende veut qu'au VIIIe s, des moines guidaient déjà ici, à la lanterne, les navires vers le paradis ou l'enfer, suivant le cas...

Slade Harbour : *à env 2 km de Hook Lighthouse (fléché).* Croquignolet petit havre protégé par de massives digues et surveillé par la ruine du château (XIIIe s). Notez le double bassin avec des digues en chicane pour bien s'abriter de la houle.

Ferry Ballyhack – Passage East

Rens : ☎ (051) 382-480. ● passageferry.ie ● Traversées en continu, tlj 7h (9h30 dim)-22h (20h oct-mars). Cher : 8 € l'aller simple et 12 € l'A/R. Sur la rivière Suir, permet de rejoindre Waterford directement (gain de 45 mn environ).

NEW ROSS (ROS MHIC THRÚIN)

4 900 hab. IND. TÉL. : 051

Bourgade commandant la Barrow, à une trentaine de kilomètres au nord-est de Waterford. Port fondé par les Normands au XIIIe s, très actif jusqu'au début du XXe s. L'une des plus violentes batailles de l'insurrection de 1798 s'y déroula. L'hôtel de ville servit de quartier général aux troupes anglaises assiégées par les 20 000 insurgés. De l'église Saint Mary, il ne subsiste que le chœur et le transept du XIIIe s. En haut de Goat Hill, quelques vestiges des remparts. Plus haut, *Irishtown* avec sa croix, qui marque l'endroit où les serfs irlandais se louaient aux riches fermiers au moment de la *Hiring Fair*.

Adresses utiles

Office de tourisme : *sur le quai (attenant au Dunbrody Ship). ☎ 421-857 ou 425-239. Tlj 9h-18h (17h en hiver).*

Poste : *Charles St. Presque en face du pont, au centre-ville. Lun-ven 9h30-17h30 ; sam 9h-13h.*

Où dormir ?

Bon marché

MacMurrough Cottages : *à 3 km de New Ross. ☎ 421-383. ● macmurrough.com ● Du centre-ville, monter la rue face au pont sur 700 m. Au feu, tourner à gauche puis, à la station-service, à droite, sur un chemin de campagne. Ouv avr-oct. Résa conseillée bien à l'avance. En cottage 20-30 €/pers (loc possible à la sem). CB refusées.* Perdue en pleine campagne, une ancienne *farmhostel* (AJ à la campagne) que les charmants propriétaires, Brian et Jennifer Nuttall (elle parle le français), ont fermé pour ne garder que 2 superbes cottages aménagés dans une ancienne dépendance décorée avec goût. Le premier (Kielthy's Cottage) dispose d'une chambre double et d'une *family room,* ainsi que d'une cuisine-*living room.* Le second (Stable Cottage est pour 2 personnes. Beaucoup de cachet. Possibilité d'acheter de bons produits de la ferme (miel, confiture, œufs, etc.).

Prix moyens

Killarney House B & B : *The Maudlins, à 2 km du centre. ☎ 421-062. 087-125-75-05. • homepage.eircom.net/~killarneyhouse • Du centre-ville, monter la rue face au pont sur 700 m. Au feu, continuer tt droit sur 2,5 km, c'est fléché vers la gauche. Ouv d'avr à mi-oct. Compter 60-70 € ; réduc à partir de la 2e nuit.* Accueil franchement sympathique, à l'image de cette maison neuve dont les chambres à louer, au rez-de-chaussée, donnent sur le jardin (sauf une !). 2 d'entre elles partagent une salle de bains sur le palier. Très clean et moquetté à souhait. Un endroit on ne peut plus calme.

Où manger ?

Peu de solutions gastronomiques ici. Sur South Street, on garde la frite chez ***M & J*** *(pork and chips, lamb and chips, fish & chips... à petits prix ; ouv le midi slt),* on cultive santé et fraîcheur au ***Nutshell*** *(salades, roulés aux légumes tendance bio à prix moyens ; ouv le midi slt).* Sinon, rubrique italienne, il reste ***Il Primo*** *(à prix moyens, tlj midi et soir).*

Et voilà French Bistro and Restaurant : *Irishtown. ☎ 421-307. Entre la N 39 et la rivière Barrow. Ouv mar-dim midi et soir (sf sam midi). Bistro menu 22 €, Gourmet menu 26 €. Menu early bird 25 € (servi 17h30-18h45 ven et sam, et tte la soirée les autres j).* Un restaurant français cosy qui s'est rapidement forgé une excellente réputation dans tout le sud du pays. Les viandes, en particulier, très bien préparées, sont à l'honneur. Bonne sélection de vins également. Service attentionné.

À voir

Dunbrody Famine Ship : *☎ 425-239. • dunbrody.com • Avr-sept, tlj 9h-18h (17h oct-mars). Entrée : 8,50 € ; réduc. Visite guidée obligatoire (compter 40 mn), 10h-17h (16h en hiver).* Superbe réplique d'un trois-mâts, sur lequel embarquaient les familles de New Ross pour fuir la famine de 1845. Construit sur place entre 1996 et 2001, ce navire rappelle avec réalisme les conditions dans lesquelles des millions d'Irlandais ont fui leur pays pour l'Amérique. Beaucoup n'ont d'ailleurs jamais atteint le Nouveau Continent.

ENTRE NEW ROSS ET WATERFORD

Kennedy Homestead : *à 6 km au sud de New Ross, en allant vers Dunganstown ; suivre la R 733 sur 3 km, puis prendre à droite, c'est fléché. ☎ 388-264. • kennedyhomestead.com • Juil-août, tlj 10h-17h ; mai-juin et sept, lun-ven 11h30-16h30 ; en hiver, slt sur résa. Entrée : 5 € ; réduc. Fermé en 2012, doit rouvrir en juin 2013.* Cette ferme a vu naître en 1820 l'arrière-grand-père du célèbre président des États-Unis. Toujours propriété de ses descendants, elle accueille un musée à la gloire de la « dynastie ». L'ancêtre alla chercher outre-Atlantique une vie meilleure. La pauvreté, la modestie, la banalité même de cette ferme contrastent avec John Fitzgerald Kennedy, devenu le numéro un de la nation la plus puissante du monde, qui n'était, lui, ni pauvre, ni modeste, ni banal, de même que les maisons qu'il habita. En juin 1963, JFK revint sur la terre de ses ancêtres et visita la ferme. L'occasion de retrouver des cousins issus de branches oubliées du clan...

John F. Kennedy Arboretum : *entre Ballyhack et Dunganstown, à 12 km au sud de New Ross. ☎ 388-171. Tlj : mai-août, 10h-20h (18h30 avr et sept, 17h oct-mars). Entrée : 3 € ; réduc. Visites guidées sur résa.* Heritage site. Pour les amoureux de grands parcs et de fleurs, une magnifique promenade à travers les

252 ha des collines de Slieve Coillte. Plus de 4 500 variétés d'arbres et arbustes à découvrir. Belle sélection de rhododendrons et d'azalées. Lac avec des canards et point d'observation. Petit centre touristique qui propose un audiovisuel.

Kilmokea Gardens : *Great Island,* ***Campile,*** *à env 15 km au sud de New Ross. ☎ 388-109. • kilmokea.com • Bien fléché depuis la R 733. Mars-nov, tlj, 10h-18h. Entrée : 7 € ; réduc. Visite sur rdv avec Mark Hewlett, un amoureux du jardinage.* Immense et superbe jardin paysager réputé dans tout le pays depuis sa création par un passionné d'horticulture en 1947. Des murs de pierre entourent un jardin à l'anglaise et un potager. Plus de 150 espèces de plantes, d'arbustes et de fleurs, parmi lesquelles d'étonnants spécimens exotiques (provenant d'Australie, du Chili, de Chine, du Brésil). Nos lecteurs fortunés pourront dormir et dîner dans une des magnifiques chambres du manoir georgien de 1794.

L'abbaye cistercienne de Dunbrody : *à 10 km à l'est de Waterford. Tlj de mi-mai à mi-sept, 10h-18h. Entrée : 2 €.* Fondée au XIIe s. L'abbatiale date du XIIIe s et la tour lanterne, à la croisée de transept, est du XVe s.

WATERFORD (PORT LÁIRGE)

50 000 hab. IND. TÉL. : 051

Cette ville portuaire va chercher loin ses origines au IXe s : les Danois fondèrent alors Vedrarfjord, vite capitale d'un petit royaume viking qui se maintint près de deux siècles. Les Anglo-Normands Raymond le Gros et Richard Fitzgilbert de Clare, dit Strongbow, y mirent fin. Ce dernier ravit Waterford puis la fille du roi irlandais Dermott McMurrough. La ville est désormais devenue un centre industriel dynamique, en plus d'être la capitale du fameux cristal de renommée internationale.

LA FABLE DU COQ ET DU TRÈFLE

En 1848, à Waterford, républicain zélé, le général Meagher fête le retour de la république en France. Il brandit notre drapeau offert par des Françaises amies de la cause républicaine irlandaise. Et voilà, le drapeau tricolore irlandais est né, inspiré du drapeau français. Le vert pour les nationalistes gaéliques, l'orange pour les partisans de Guillaume d'Orange et le blanc en guise de paix entre les deux camps. Ils pourraient nous laisser gagner au rugby !

Arriver – Quitter

En bus

Gare routière *(plan A1) : The Quay, face à l'office de tourisme. ☎ 879-000 (lun-sam 8h15-18h).* Dessertes nationales avec *Eireann* : • *buseireann.ie* • Dessertes locales avec *Suirway* (☎ *382-209 ; • suirway.com •).*

➢ ***De/vers Dublin :*** 12 bus express/j. via Carlow. Trajet : 3h. Également 3 bus/j. via New Ross, Enniscorthy et Gorey. Trajet : 4h.

➢ ***De/vers Cork :*** bus env ttes les heures (8h-21h), dim compris, via Dungarvan et Youghal. Trajet : 2h-2h30. En été, également des bus directs pour l'aéroport de Cork (1 bus/h, en sem slt

➢ ***De/vers Rosslare :*** 5 bus/j. via New Ross, Wexford. Trajet : 1h30.

➢ ***De/vers Limerick :*** 8 bus/j., (6

dim) via Carrick, Clonmel et Cahir. Depuis Limerick, correspondance pour Galway. Trajet : 2h30.

➢ ***De/vers la plage de Tramore :*** départs ttes les 30 mn (6h20-23h) ; dim, ttes les heures (8h-23h).

➢ ***De/vers Dunmore East :*** en été, 10 bus/j. ; hors saison, slt 7 bus/j. sf dim.

➢ ***De/vers Passage East :*** 3 bus/j. ; le dim, slt en été.

En train

Gare ferroviaire *(hors plan par A1) :* ☎ *873-401. De l'autre côté du pont (Plunkett Station).*

➢ ***De/vers Dublin :*** 5 trains/j. (4 le dim) via Kilkenny.

➢ ***De/vers Limerick :*** 3 trains/j. sf dim, avec changement à Limerick Junction.

➢ ***De/vers Rosslare :*** 1 train/j. sf dim. Départ de Rosslare tôt le mat et de Waterford en fin d'ap-m.

En avion

✈ ***Waterford Regional Airport : Kilowen,*** *sur la route de Dunmore East.* ☎ *846-600.* ● *flywaterford.com* ● Compagnie *Aer Lingus* et *Flybe.*

Par le bac

À ***Passage East,*** env 10 km à l'est sur la route de Dunmore East. Traversées tlj 7h (9h30 dim)-22h (20h oct-mars). ☎ *051-382-480.* ● *passageferry.ie* ● Env 5 mn de traversée. Gain de temps (45 mn) sur la route vers Wexford, mais perte d'argent (8 € l'aller simple, 12 € l'A/R).

Adresses utiles

Tourism Information Office *(plan B1) : The Quay.* ☎ *875-823.* ● *discoverireland.ie/southeast* ● *Mai-sept, lun-sam 9h15-18h (17h oct-avr).* Bonne doc sur la région.

✉ ***Poste*** *(plan C2) : Parade Quay et Keyser St. Lun-ven 9h-17h30 ; sam 9h-13h.*

@ ***Internet Café*** *(plan B1,* ***1****) : 5, Gladston St. Près de l'office de tourisme. Tlj 11h-minuit.*

@ ***Waterford e-Centre*** *(plan A1,* ***2****) : 10, O'Connell St.* ☎ *878-448. Lun-sam 9h30-21h (20h sam) ; dim 11h-18h.* Carte de membre et tarifs dégressifs.

■ ***Santé : Waterford Regional Hospital,*** *à 15 mn du centre sur la route de Dunmore East (☎ 848-000).* Côté pharmacie, ***Mulligan's Chemists*** *(plan B2,* ***3****), 41, Barronstrand St.* ☎ *875-211. Tlj sf dim 9h-18h.*

Où dormir à Waterford et dans les environs ?

Pour passer la nuit, on préfère Dunmore East sur la côte ou les *farmhouses* de la campagne environnante. Voici toutefois quelques adresses.

Bon marché

Mayor's Walk House *(plan B2,* ***11****) : 12, Mayor's Walk.* ☎ *855-427.* ● *mayorswalk.com* ● *Tt près du centre-ville. Ouv mars-oct. Double 50 €.* Maison de ville simple et fonctionnelle. Les 4 chambres partagent 2 sal-

■ **Adresses utiles**
- Tourism Information Office
- @ **1** Internet Café
- @ **2** Waterford e-Centre
- **3** Mulligan's Chemists

Où dormir ?
- **11** Mayor's Walk House
- **12** Hazelboook House B & B

Où manger ?
- **20** Sumatra Café & Restaurant
- **21** Brunch Café
- **22** Pub du Belfry Hotel
- **23** L'Atmosphère
- **24** La Bodega

Où boire un verre ? Où écouter de la musique ? Où danser ?
- **30** T. H. Doolan
- **31** Masons

À voir. À faire
- **40** Garter Lane Arts Centre
- **41** Fabrique de cristal de Kilbarry
- **42** French Church

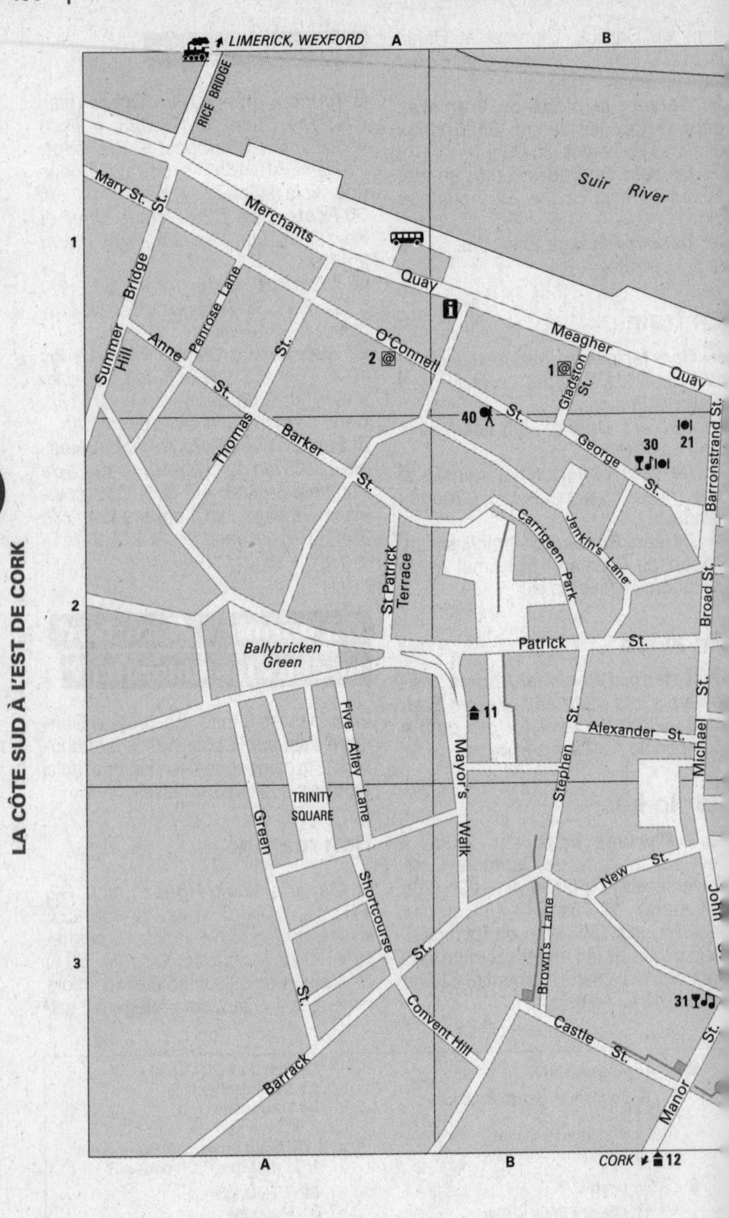
LIMERICK, WEXFORD
A
B
1
2
3
RICE BRIDGE
Suir River
Mary St.
Merchants
Quay
Meagher
Quay
O'Connell
St.
Bridge St.
Summer Hill
Penrose Lane
Anne St.
Thomas
Barker St.
Gladston St.
George St.
Barronstrand St.
Jenkin's Lane
Carrigeen Park
St Patrick Terrace
Broad St.
Patrick St.
Ballybricken Green
Five Alley Lane
Mayor's Walk
Stephen St.
Alexander St.
Michael St.
TRINITY SQUARE
Green St.
Shortcourse St.
New St.
John St.
Brown's Lane
Convent Hill
Castle St.
Barrack St.
Manor St.
CORK
1
2
11
12
21
30
31
40

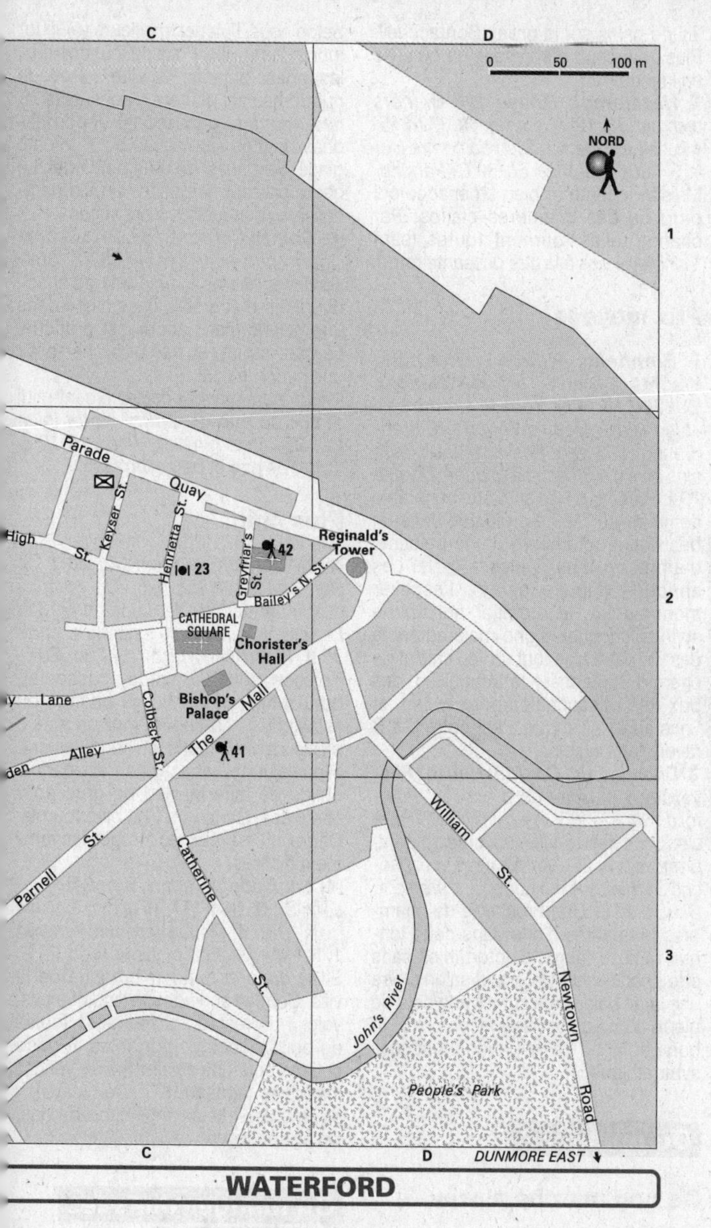
C
D
0
50
100 m
NORD
1
2
3
Parade
Quay
High
St.
Keyser St.
Henrietta St.
23
Greyfriar's St.
42
Reginald's Tower
Bailey's N. St.
CATHEDRAL SQUARE
Chorister's Hall
Bishop's Palace
Lane
Colbeck St.
The Mall
41
Alley
William St.
Parnell St.
Catherine St.
John's River
Newtown Road
People's Park
DUNMORE EAST

WATERFORD

les de bains sur le palier. Bon accueil. Plus beaucoup d'adresses de ce style en Irlande !

Hazelbrook House B & B *(hors plan par B3, **12**) : Cork Rd. ☎ 379-815. • hazelbrook.ie • À 2 km du centre (sur la R 680). Doubles 50-60 €. Parking.* Maison récente et bien aménagée qui propose des chambres claires. Par chance, elles tournent toutes (sauf 1 *single*) le dos à la très passante route.

Prix moyens

Blenheim House : Blenheim Heights, *à 6 km à l'est de Waterford. ☎ 874-115. • homepage.eircom.net/~blenheim • Depuis Waterford, prendre la R 683 vers Passage East. 5 km plus loin, c'est fléché à gauche. Double 76 €. Parking privé.* Cette vénérable demeure de 1763 est plantée dans un beau parc agrémenté d'une pelouse, d'arbres et d'un enclos à cerfs. Les antiques papiers peints, l'escalier monumental, le mobilier ancien de style et l'accueil digne mais agréable des Fitzpatrick en font un lieu chic et de charme. Ajoutons-y la tranquillité, des prix très raisonnables pour le lieu, et vous aurez saisi que c'est notre *B & B* favori dans le coin.

Diamond Hill Country House : Slieverue, *à 3 km au nord-est de Waterford. ☎ 832-855. • diamondhill.ie • Depuis le centre-ville, traverser le pont, prendre la N 25 vers Wexford, c'est fléché 3 km plus loin à gauche. Mars-sept. Double 70 €.* Une brochette de chambres pimpantes niche dans cette longue bâtisse rouge. Confortables sans être spacieuses. Un grand salon ouvre une large baie vitrée sur les angelots de pierre d'une balustrade façon chic. Un bon choix, au calme, avec un accueil sympathique.

Où manger ?

De bon marché à prix moyens

Sumatra Café & Restaurant *(plan B3, **20**) : 53, John St. Tlj sf dim 10h-17h (21h ven-sam). Plat env 10 €.* Selon nous, l'un des meilleurs *value for money* de la ville. Plats du jour copieux, lasagnes, paninis, volaille... Pour le quatre-heures, goûters alléchants (*scones,* muffins, chaussons) accompagnés de thés aromatisés ou d'un café glacé. Sert aussi de gros petits déj. Le cadre plaisant ne gâche rien, en particulier les banquettes fantaisistes.

Brunch Café *(plan B2, **21**) : George Court. Lun-sam 8h15-17h30.* Self-service moderne à des tarifs de snack qui, faute d'être sexy (il se niche dans une galerie marchande), est pratique, central, rapide et pas très cher pour une pause le midi.

On peut manger correctement midi et soir au ***pub du Belfry Hotel*** *(plan C2, **22**). Ouv 12h-18h. Plats 10-12 €.* Cadre de pub et petite terrasse.

Plus chic

L'Atmosphère *(plan C2, **23**) : 19, Henrietta St. ☎ 858-426. Lun-ven midi et soir ; w-e, dîner slt. Lunch env 13 €. Le soir, plats 13,50-30 € ou menu carte 35 €. Menu* early bird *(avt 19h) 20 €.* Poisson selon arrivage, cassoulet, bœuf Marengo... Ah ! ça change du *fish & chips* ! La cuisine maison a reçu plusieurs distinctions, et, honnêtement, elle fait un tel tabac qu'on est parfois obligé de faire le pied de grue pour une place. Carte des vins bien fournie. Cadre intime aux éclairages savamment distillés.

La Bodega *(plan B3, **24**) : 54, John St. ☎ 844-177. Tlj sf dim. Le soir, plats 19-27 €. Menus* early bird *(lun-ven 17h-19h) 19-25 € et* slow food *29 €.* Situé dans le quartier branché de la ville. Comme son nom ne l'indique pas, voici... un restaurant français ! Tables de bois, sièges confortables et déco colorée pour une cuisine *fusion* franco-irlandaise (agneau, Kilmore Quay *fish pie,* moules-frites). Large choix de vins. On en sort repu.

Où manger dans les environs ?

Suir Inn : *à* ***Cheekpoint,*** *à 10 km à l'est de Waterford. ☎ 382-220. Tlj sf*

LA CÔTE SUD À L'EST DE CORK

dim-lun 18h-22h. Bonne *seafood* à prix raisonnables (autour de 15 20 €). Ce pub bien sympathique trempe les pieds dans un port pittoresque au bord de la Suir. Très populaire chez les locaux.

Où boire un verre ? Où écouter de la musique ? Où danser ?

Liste des concerts de musique traditionnelle disponible à l'office de tourisme.

🍸 ♪ 🍽 ***T. H. Doolan*** *(plan B2, **30**) : George St.* Connu sous le nom de *Tee and Haitches,* c'est le pub le plus ancien de la ville. *Pub grub* et snacks le midi, et menu à la carte le soir (sauf le dimanche), dont le fameux *Irish stew.* Mais la vraie spécialité, c'est la musique : concerts presque tous les soirs, parfois par des vedettes de la chanson.

🍸 ♫ ***Masons*** *(plan B3, **31**) : John St, à l'angle de Manor St. • masons.ie • Ouv ts les soirs en été, w-e slt hors saison, 23h-2h.* L'une des rares boîtes de nuit du coin. Musique assez commerciale, dans un cadre qui se veut chicos et branché.

À voir. À faire

➢ ***Tours guidés de la ville (en anglais) :*** *de mi-mars à mi-oct, compter 7 €/pers. Rens à l'office de tourisme.*

★★★ ***Waterford Museum of Treasures*** *(plan A-B1) : Bishop's Palace. ☎ 849-650. • waterfordtreasures.com • À deux pas de la cathédrale. Juin-août, tlj 9h (11h dim)-18h ; sept-mai, 10h (11h dim)-17h. Entrée : 5 € ; réduc.* Passionnant musée où est présentée l'histoire de Waterford de 1700 à 1950. On en apprend beaucoup sur l'architecture du XVIIIe s. Le clou de la visite est une pièce en cristal de Waterford de 1780 (la plus ancienne du monde). Quant à l'histoire médiévale de la ville, elle est présentée dans *Chorister's Hall,* également proche de la cathédrale (mêmes horaires, mêmes tarifs).

★ ***Garter Lane Arts Centre*** *(plan B1-2, **40**) : 5, O'Connell St. ☎ 855-038. • garterlane.ie • Mar-sam 11h-18h pour les expos.* Installé dans deux élégantes demeures georgiennes. Programme à l'office de tourisme (concerts, danse, films, théâtre).

★★ ***La fabrique de cristal de Kilbarry*** *(plan C2, **41**) : The Mall. ☎ 317-000. • waterfordvisitorcentre.com • Avr-oct, tlj 9h30 (10h dim)-16h15 (18h pour la boutique) ; horaires réduits en hiver. Départs ttes les 20 mn. Tarif : 12 € ; réduc. Hors saison, se renseigner à l'office de tourisme.* L'âge d'or du cristal de Waterford se situe dans la première moitié du XIXe s. L'usine a ensuite fermé, avant de reprendre sa production 100 ans plus tard. Elle a déménagé en plein centre de Waterford en 2010 dans un bâtiment futuriste évidemment très vitré. Impressionnant showroom d'objets fabriqués ici, des pendules aux lustres en passant par les jeux d'échecs et autres commandes spéciales comme la coupe de Wimbledon. Il y en a pour tous les goûts à la boutique et les visites guidées permettent de voir les maîtres cristalliers à l'œuvre.

★ Les vestiges des remparts et autres monuments se pressent sur le Mall. Notamment, le ***City Hall,*** aux belles proportions, œuvre de l'architecte Roberts (1788).
– La ***Council Chamber*** présente quelques superbes productions en cristal de Waterford (comme les chandeliers). Possibilité de visite à certains moments (se renseigner à l'office de tourisme). Le ***Théâtre royal*** date de la même époque.
– À l'orée du People's Park, sur Catherine Street, s'élève la ***Court House*** (palais de justice), à la sévère et classique architecture. Façade à colonnes de 1849.

French Church (plan C2, **42**) : *Greyfriar's St. En suivant le quay. Pour visiter, s'adresser à la Reginald's Tower.* Ancienne abbaye franciscaine du XIIIe s, aujourd'hui en ruine. Elle fut offerte par la municipalité aux réfugiés huguenots à la fin du XVIIe s. Belle tour crénelée et quelques pierres tombales gravées.

Reginald's Tower (plan D2) : *☎ 304-220. Au bout du quay. Mars-mai, tlj 10h-17h ; juin à mi-sept tlj 10h-18h ; le reste de l'année, mer-dim 10h-17h. Entrée : 3 € ; réduc.* Heritage site. Tour édifiée en bois par les Danois au Xe s puis en pierre par les Normands au XIIe s pour défendre les quais. Elle abrite aujourd'hui un intéressant petit *musée de la Ville,* présentant quelques témoignages du passé bien émouvants : drapeau de la brigade irlandaise dans la guerre de Sécession américaine, lettres royales et charte de la Ville (octroyée par Richard II), épée du roi George. Du sommet, intéressant panorama.

Les vestiges des anciens remparts : de-ci, de-là, quelques restes des murailles vikings ou normandes, notamment sur le Mall et Spring Garden Alley *(plan C2-3).* Au bout de Castle Street, la *French Tower (plan B3).* Au débouché de Manor Street, la *Watch Tower* circulaire et la *Double Tower (plan B3).*

Manifestations

– ***Waterford Spraoi :*** *1er w-e d'août. Rens : ☎ 841-808. • spraoi.com •* Festival majeur de spectacles de rue en Irlande, avec de nombreux concerts, pièces de théâtre et une grande parade colorée dans le centre-ville pour clore les festivités. Chaque année, plus de 50 000 visiteurs y assistent. Ambiance garantie !

– ***Concerts :*** riche programmation de musique classique dans la cathédrale *(• christchurchwaterford.com •)* ; classique, jazz et variétés au Théâtre royal *(☎ 874-402 ; • theatreroyal.ie •).*

DUNMORE EAST (AN DÚN MÓR THOIR)

1 660 hab. IND. TÉL. : 051

Petit port au charme breton (comme par hasard jumelé avec Clohars-Carnoët dans le Finistère), enclavé entre de pittoresques falaises, avec de jolies maisons au toit de chaume et des villas dominant de petites criques de sable fin.

➢ Pour s'y rendre en bus, voir plus haut « Arriver – Quitter » à Waterford.

Adresse utile

■ ***Dunmore East Adventure Centre :*** *Stoney Cove. ☎ 383-783. • dunmoreadventure.com • À l'extrémité gauche du port en faisant face à la mer. Ouv tte l'année.* Cours, stages, location de windsurfs, canoës ou encore skis nautiques, y compris pour les gamins. Plus que l'exploit sportif, la balade au pied des falaises vaut vraiment le coup.

Où dormir ?
Où manger ?
Où boire un verre ?

Prix moyens

The Beach Guest House : *face à la plage. ☎ 383-316. • dunmorebeachguesthouse.com • Ouv mars-nov. Doubles 70-80 € selon saison, triples 90-100 €. Parking.* Dans une maison récente, 9 belles chambres *en suite* spacieuses et parquetées, dont 4 avec vue sur la mer. Bon accueil de la charmante hôtesse des lieux, Breda Battles.

Creaden View B & B : *Main St. ☎ 383-339. • creadenvw@eircom.net • À côté de la poste. Tte l'année. Doubles 65-75 € selon saison. CB refusées.* Petite maison de village adorablement tenue par Kathleen, non moins agréable pour ses hôtes. Si l'on préfère les 2 chambres *en suite* avec vue sur la mer et les falaises, celles avec vue sur rue sont également agréables.

Chic

The Strand Inn : *sur la plage. ☎ 383-174. Tlj midi et soir jusqu'à 21h. Le midi,* pub grub, *plats 10-15 €, et carte le soir, plats 20-27 €.* Restaurant renommé pour son poisson. Dans une maison ancienne du port, une déco sans originalité mais plutôt ensoleillée, avec une terrasse qui donne sur l'océan. Service diligent. Choix restreint mais préparation soignée : pâté maison, *seafood pasta, pork sirloin,* etc.

TRAMORE (TRÁ MÓR)

9 000 hab. IND. TÉL. : 051

Grande station balnéaire très populaire, avec, en plein village et face à la mer, un parc d'attractions qui met de l'animation dans le coin. Sa plage de 5 km de sable fin est fort prisée des surfeurs, surtout à marée basse (les vagues s'y creusent mieux) et malgré le vent souvent *onshore*. Sinon, Tramore n'offre pas une attractivité majeure.

Arriver – Quitter

➢ ***De/vers Waterford :*** bus ttes les 30 mn (ttes les heures le dim).

➢ ***En voiture :*** la splendide Coastal Drive vers ***Dungarvan*** s'impose.

Adresses utiles

Office de tourisme : *☎ 390-208. • tramoretourism.net • Sur la place de la gare routière. Ouv juin-août, lun-sam 9h-17h. Voir également le site internet • discovertramore.ie •*

Poste : *The Cross, près du* Grand Hotel. *Lun-ven 9h-17h30 ; sam 9h-13h.*

@ **Internet :** *à la bibliothèque, Market St. Derrière le* Grand Hotel *(en haut du village). Lun-ven 11h-13h, 14h-18h (20h mer-ven).*

T Bay Surf & Wildlife Visitor's Centre : *sur la plage. ☎ 391-297.* Petit centre d'infos sur la vie marine, doublé d'une école de surf et d'une boutique pour louer planches et combis (prix raisonnables).

Où dormir ?

Camping

Pour le camping, on est loin des grands espaces. Uniquement si l'on ne peut pas faire autrement. Sinon, pousser jusqu'à Dungarvan, campings plus sympas.

Newtown Cove : *☎ 381-979. • newtowncove.com • À 2 km de Tramore, après le golf sur la route côtière vers Dungarvan. Ouv de fin avr à fin sept. Selon saison, 20-25 € pour 2 avec tente. Douches payantes.* Bon, le terrain n'a pas de charme en soi avec ces damnés mobile homes qui cachent quelques arpents de verdure réservés aux tentes ! Mais c'est encore mieux que de s'entasser et payer plus cher dans les campings de la plage face à un mur grisounet. Salle TV et jeux. Cuisine à dispo et épicerie ouverte en été. Patron sympa.

Bon marché

Beach Haven Hostel & House : *Tivoli Terrace. ☎ 390-208. • beachhavenhouse.com • Sur la rue en direction de Waterford. Ouv tte l'année. Côté AJ, en dortoir (4-8 lits), 15-20 €/pers ; doubles ou triples 22-25 €. Côté* B & B, *doubles 60-80 €. Parking gratuit.* AJ privée gérée avec brio et un super esprit par Niamh et Avery. Les chambres et sanitaires sont propres, même si les événements prennent parfois le dessus à la haute saison. Cuisine, aire de barbecue, location de vélos. On peut aller prendre le petit déj au *B & B* pour 5 €, installé dans une grande maison, à la déco élégante et moderne. Comprend 8 chambres *en suite,* dont quelques familiales, plus calmes à l'arrière que sur la rue. Jeux et concours de dessin pour les enfants. Infos sur la région. Également des studios *self-catering* (3 nuits min en été). Une adresse tip-top.

De prix moyens à chic

Cliff House : *Cliff Rd. ☎ 381-497. • cliffhouse.ie • Bien indiqué, à 1 km sur les hauteurs de la ville. Ouv avr-oct. Doubles avec sdb 70-80 €.* Dans un quartier pavillonnaire. *B & B* avec une vue rasante sur la mer. Grand jardin avec allée de yuccas. 6 chambres confortables, la plupart avec vue sur la mer.

Glenorney By The Sea B & B : *Newtown. ☎ 381-056. • glenorney.com • À 1,5 km du centre sur les hauteurs de la ville. Ouv mars-oct. Doubles avec sdb 80-90 €.* Maison blanche récente, clone de ses voisines, proposant 6 chambres spacieuses et confortables, dont 2 familiales. Accessoires et services façon *B & B* irlandais...

Où manger ? Où boire un verre ?

Raglan Road : *Cross Market St. ☎ 381-324. Tlj 11h-22h (resto jusqu'à 20h). Plat 14 €.* Tant pis pour la vue sur la mer ! On entre ici dans un cocon fermé sur lui-même, peuplé de vieilleries du sol au plafond. Une sorte de pub-brocante pour casser une croûte bien copieuse et sans chichis.

VERS LES COMTÉS DE KILKENNY ET DE TIPPERARY

KILKENNY (CILL CHAINNIGH)

8 600 hab. IND. TÉL. : 056

Adorable ville médiévale, Kilkenny jouit d'un véritable écrin environnemental fait de forêts, de rivières enchanteresses et de grands espaces. Elle fut longtemps la capitale d'Irlande. La ville propose d'intéressants monuments, dont une importante concentration d'églises médiévales, et elle a su préserver son charme par une subtile politique de rénovation. Les boutiques présentent une pittoresque et ravissante homogénéité.
La culture irlandaise y tient également le haut du pavé. Et les musiques traditionnelle ou contemporaine y mêlent leurs notes, surtout lors de l'*Arts Week* (mi-août). Or, en Irlande, qui dit musique dit forcément... pub ! La ville en compte près d'une centaine pour déguster la *Smithwick's,* une bière ambrée réputée. Ou, plus connue chez nous, la... *Kilkenny.*

UN PEU D'HISTOIRE

La ville fut bâtie, comme bien d'autres, autour d'un monastère, fondé au VIe s par saint Canice. L'église de Canice, en gaélique, devint donc *Kilkenny*.
En 1366, la ville fut choisie pour être le siège du Parlement anglo-irlandais. En 1642, Kilkenny fut le siège de la confédération de Kilkenny, tentative de création d'un Parlement irlandais par la hiérarchie catholique, les chefs irlandais et la plupart des vieilles familles anglo-irlandaises qui voulaient faire cesser la colonisation de l'île et obtenir la liberté religieuse. Ce beau rêve échoua et Cromwell paracheva le travail en 1650 en attaquant la ville, lui infligeant des dommages considérables. La plupart des familles de Kilkenny qui participèrent à l'expérience du Parlement de 1642 furent alors expulsées dans le Connaught.

QUAND LA ROSE SE FAIT LYRE

Au XIVe s, l'Angleterre s'alerte de la gaélisation des Anglais d'Irlande. Les statuts de Kilkenny sont alors érigés en véritables lois d'apartheid avant la lettre, proscrivant tout mariage anglo-irlandais, la pratique du gaélique, les vêtements traditionnels et même les noms irlandais. Les Irish, chassés de la ville, s'exilent à côté, dans un quartier qui se nomme toujours Irishtown. Mais, ô ironie du sort, ces mesures en vigueur jusqu'au XVIIe s n'empêcheront pas bien des Anglais de devenir plus irlandais que les natifs eux-mêmes.

Arriver – Quitter

En bus

Bus Eireann (plan D2) **:** *McDonagh Station. Rens : ☎ (051) 879-000.* ● *buseireann.ie* ● *Devant la gare.*
➢ ***De/vers Dublin :*** 7 bus/j. (6 le dim). Trajet : 2h.
➢ ***De/vers Carrick-on-Suir et Clonmel :*** 9-10 bus/j. (6 le dim).
➢ ***De/vers Cahir et Cork :*** 3 bus directs/j. jusqu'à Cork (1 seul le dim). Sinon, correspondance à Clonmel. En tout, 3h de trajet.
➢ ***De/vers Waterford :*** 2 bus/j. (1 bus tard le dim).
➢ ***De/vers Limerick :*** 6 bus/j. en changeant à Clonmel (2 le dim). Trajet : env 3h.

En train

Gare ferroviaire (plan D2) **:** *à la McDonagh Station. ☎ 77-22-024.* ● *irishrail.ie* ●
➢ ***De/vers Dublin :*** 6 trains/j. (4 le dim), via Carlow et Kildare. Trajet : 1h40.
➢ ***De/vers Waterford :*** 6 trains/j. (4 le dim). Trajet : 40 mn.

Adresses et infos utiles

Office de tourisme (plan C3) **:** *Shee Alms House, Rose Inn St. ☎ 77-51-500.* ● *discoverireland.ie/southeast* ● *Mai-sept, lun-sam 9h-18h (juil-août, également dim 11h-13h, 14h-17h) ; oct-avr, lun-sam 9h15-13h, 14h-17h.* Hébergé dans une belle demeure du XVIe s.
✉ **Poste** (plan B2) **:** *High St. Lun-ven 9h-17h30 ; sam 9h-13h.*
@ **Mobile Connections** (plan C3) **:** *93, High St. Lun-sam 10h-18h ; dim 12h-16h.*

Où dormir ?

Campings

Tree Grove (hors plan par C3) **:** *Danville House, New Ross Rd. ☎ 77-70-302. 📱 086-830-88-45.* ● *treegrovecamping.com* ● *À env 1,5 km du centre-ville. Direction New Ross par la R 700, jusqu'au rond-point ; c'est tt droit, à 150 m. Pas de bus depuis le centre. Ouv de mars à*

LES COMTÉS DE KILKENNY ET DE TIPPERARY

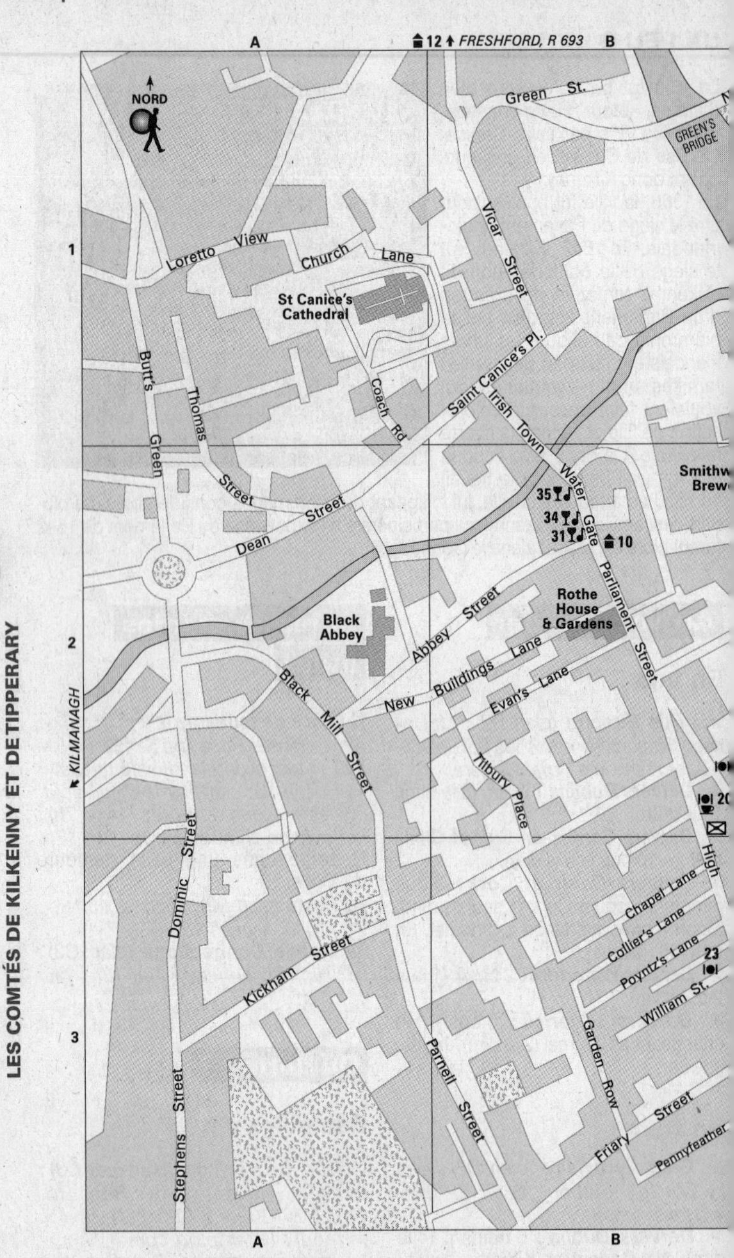
A
12 FRESHFORD, R 693
B
NORD
Green St.
GREEN'S BRIDGE
1
Loretto View
Church Lane
St Canice's Cathedral
Vicar Street
Butt's Green
Thomas Street
Coach Rd
Saint Canice's Pl.
Irish Town
Water Gate
Smithw
Brew
35
34
31
10
Dean Street
Rothe House & Gardens
Parliament Street
Black Abbey
Abbey Street
2
New Buildings Lane
Evan's Lane
KILMANAGH
Black Mill Street
Tilbury Place
20
High
Dominic Street
Chapel Lane
Collier's Lane
Poyntz's Lane
23
Kickham Street
William St.
3
Garden Row
Parnell Street
Friary Street
Pennyfeather
Stephens Street
A
B

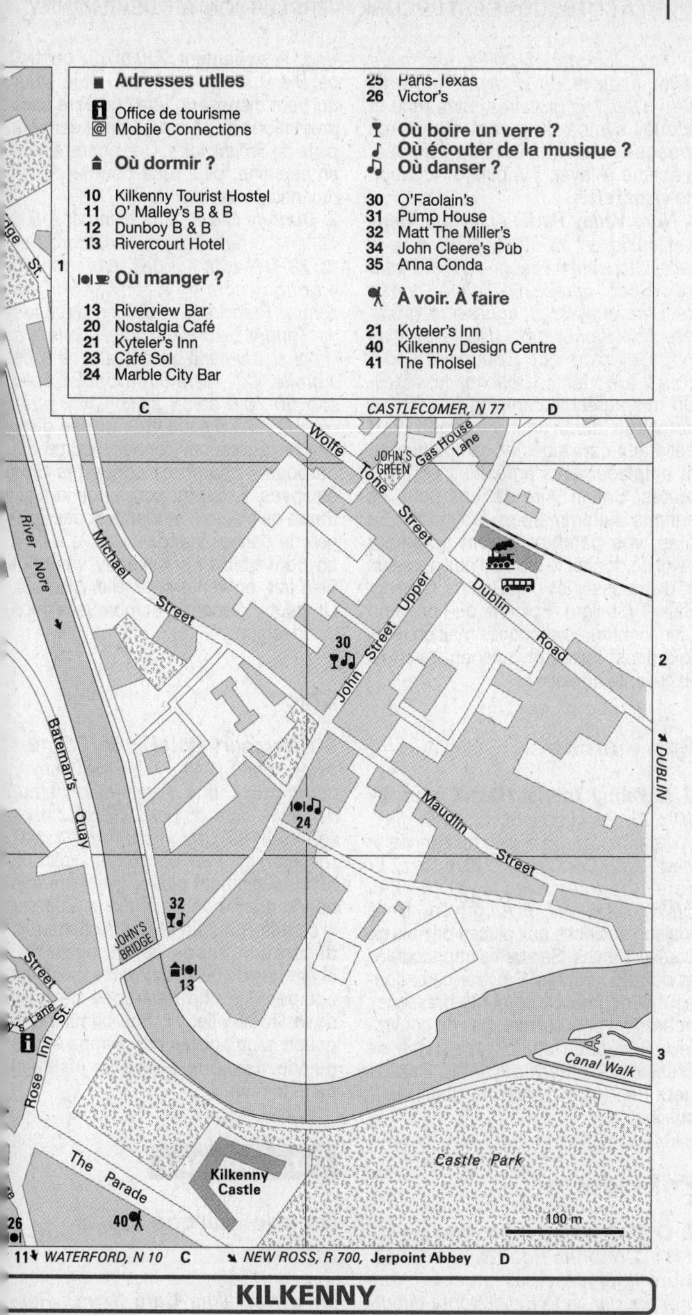
Adresses utiles
Office de tourisme
Mobile Connections
Où dormir ?
10 Kilkenny Tourist Hostel
11 O' Malley's B & B
12 Dunboy B & B
13 Rivercourt Hotel
Où manger ?
13 Riverview Bar
20 Nostalgia Café
21 Kyteler's Inn
23 Café Sol
24 Marble City Bar
25 Paris-Texas
26 Victor's
Où boire un verre ?
Où écouter de la musique ?
Où danser ?
30 O'Faolain's
31 Pump House
32 Matt The Miller's
34 John Cleere's Pub
35 Anna Conda
À voir. À faire
21 Kyteler's Inn
40 Kilkenny Design Centre
41 The Tholsel
C
CASTLECOMER, N 77
D
Wolfe Tone Street
JOHN'S GREEN
Gas House Lane
River Nore
Michael Street
John Street Upper
Dublin Road
DUBLIN
Bateman's Quay
Maudlin Street
JOHN'S BRIDGE
Street
Rose Inn St.
Canal Walk
Castle Park
The Parade
Kilkenny Castle
100 m
WATERFORD, N 10
NEW ROSS, R 700, Jerpoint Abbey
1
2
3

KILKENNY

mi-nov. Compter 15-20 € pour 2 avec tente (majoration possible certains w-e). Douches gratuites. Bien tenu et accueil sympa du gérant. Sanitaires presque luxueux. Cuisine équipée, machine à laver, TV, billard, location de vélos, etc.

***Nore Valley Park** : Annamult, **Bennettsbridge.** ☎ 77-27-229. • norevalleypark.com • Prendre la R 700 vers New Ross ; après env 7 km, à l'entrée de Bennettsbridge, tourner à droite direction Stoneyford ; c'est 3 km plus loin. Ouv mars-oct. Compter 16,50 € pour 2 avec tente. Douches gratuites.* Un très agréable camping à la ferme, aménagé dans un bon esprit. Part belle aux caravanes et camping-cars, et emplacements agréables pour les tentes. Calme. Aire de jeux pour les enfants, notamment un labyrinthe. En plus, vos bambins seront sûrement ravis de donner le biberon aux agneaux et de caresser les p'tits lapins. Cuisine. Salle TV, billard. Épicerie où l'on vend pain, confitures et *scones* maison. Parfois aussi tartes et quiches fraîches. Excellente adresse !

Bon marché

***Kilkenny Tourist Hostel** (plan B2, **10**) : 35, Parliament St. ☎ 77-63-541. • kilkennyhostel.ie • Ouv tte l'année sf vers Noël. Dortoir (6-12 lits) 15-17 €/pers ; doubles avec sdb 36-42 €. CB refusées.* AJ privée. Belle maison ancienne aux pièces peintes de couleurs vives. Sanitaires impeccables et dortoirs propres. Préférer ceux donnant sur l'arrière (vue sur la brasserie), nettement plus calmes. Pas de couvre-feu. Beaucoup d'infos et service de pressing. Coffres (payants). Pas de petit déj, mais possibilité d'utiliser la cuisine.

Prix moyens

***O' Malley's B & B** (hors plan par C3, **11**) : Ormonde Rd. ☎ 77-71-003. • omalleysguesthouse.com • 3e rue à droite par l'artère qui monte depuis Saint John's Bridge. Doubles avec sdb 60-80 € selon j. de la sem. Parking.* À seulement 300 m du centre, ce *B & B* est idéalement situé pour qui veut disposer d'une chambre sans prétentions au plus près de la dernière pinte de *Smithwick's.* Une bonne affaire en semaine, plus rude pour le porte-monnaie le week-end.

***Dunboy B & B** (hors plan par A-B1, **12**) : 10, Parkview Dr, Freshford Rd. ☎ 77-61-460. 📱 087-617-60-20. • dunboy.com • À env 1 km du centre. Prendre la R 693 en direction de Thurles ; au rond-point, juste avt l'hôpital, tourner à gauche et tt de suite à droite. Ouv mars-oct. Doubles avec sdb 60-70 € selon saison. CB refusées.* *B & B* situé en impasse dans une résidence pavillonnaire calme qui propose 4 chambres coquettes bien équipées. Excellent accueil de la maîtresse de maison, pétillante et passionnée de danses irlandaises. Elle a écrit un petit guide de Kilkenny vraiment bien fait, en vente chez elle, bien sûr. On peut y glaner de nombreuses infos sur la région.

Chic

***Rivercourt Hotel** (plan C3, **13**) : Saint John St. ☎ 77-23-388. • rivercourthotel.com • Face au château, de l'autre côté du pont. Doubles avec sdb 160-190 € selon confort. Promos sur Internet. Parking gratuit.* Voici un hôtel idéalement placé, avec une très bonne qualité de prestations. Vue sur le château pour un tiers des chambres, décoration moderne et agréable, chambres de taille honorable, très bien équipées, à une enjambée de pont de la vieille ville. Et, que demande le peuple... un accueil pro, sympa et pas guindé. Les prix élevés se justifient parfaitement.

Où manger ?

De bon marché à prix moyens

***Nostalgia Café** (Dore's Restaurant ; plan B2, **20**) : 2 entrées, au 66, High St et sur Saint Kieran's St* *(face au Kyteler's Inn).* ☎ *77-63-374 ou 77-71-919. Tlj 8h-22h. Petits déj 8-10 € ; repas 10-15 €.* Un amusant resto façon boutique de souvenirs bourrée à craquer d'objets divers (poupées, enseignes, sculptures...). Cadre chaleureux, et sympathique mezzanine dans le genre chalet suisse. Sans prétention, mais accueil et service très prévenants. Correct le midi pour une petite faim avec ses salades, sandwichs, ainsi que ses plats à base de poulet. Fait aussi *tea-room* et *delicatessen.*

|●| 🍷 ♩ ***Kyteler's Inn*** *(plan B2,* ***21****) : Saint Kieran's St.* ☎ *77-21-064. Service tlj sf dim-lun soir 12h-21h30. Plats 10-15 € le midi ; plus cher le soir.* Dans cette splendide maison historique du XIIIe s (lire plus loin « À voir. À faire »), envoûtante salle à manger au sous-sol, voûtée d'ogives sur colonnes de pierre. Super cadre pour boire un verre, voire profiter d'un bon concert (musique presque chaque soir, traditionnelle les vendredi et samedi). Côté assiette, la cuisine n'est pas vraiment ensorcelante.

|●| ***Riverview Bar*** *(plan C3,* ***13****) : Saint John St.* ☎ *77-23-388. Tlj midi et soir. Plats 11-14 €.* Voilà un lieu qui vaut pour sa terrasse en bord de rivière, pile-poil face au château. Par ailleurs, même si l'on mange ici avec les yeux, l'assiette est bien garnie et non ne paie pas plus cher que dans un pub du centre. Resto *rive gauche* côté budget qui ne renie pas le chic tendance *rive droite.*

Plus chic

|●| ***Café Sol*** *(plan B3,* ***23****) : 6, William St.* ☎ *77-64-987. Tlj 11h30-17h (lun-mar), 22h (mer-sam), 19h (dim). Plats le midi 10-16 € ; dîner env 30-35 €. Menus* early bird *(servis lun-jeu et dim, 17h30-21h, ven-sam jusqu'à 18h45) 23-27 €.* Cadre à la hauteur de l'enseigne, lumineux et chaleureux. Cuisine irlando-méditerranéenne à base de produits colorés et goûteux, soigneusement sélectionnés. Quelques plats végétariens.

|●| ♫ ***Marble City Bar*** *(plan C-D2,* ***24****) : 67-69, John St Lower, dans le* Langton House Hotel. ☎ *77-65-133. Tlj, déj 12h-15h, dîner 18h-22h30. Discothèque jeu-sam dès 23h. Plats 10-15 € et formules avec dessert. Le soir, compter 25-35 €.* Immense resto-*lounge* B.C.B.G. ayant remporté plusieurs années de suite le prix du *National Bar Catering...* La cuisine, copieuse et honnête – à défaut d'être fine et originale –, draine une clientèle de fidèles, surtout au déjeuner, où il est bondé avec tous les employés du coin qui y déboulent comme un seul homme. Service ultra-rapide.

|●| ***Paris-Texas*** *(plan C3,* ***25****) : 92, High St.* ☎ *77-61-822. Tlj 10h (12h dim)-23h (service jusqu'à 20h-21h).* Bar food *10-12 € et snack moins cher. Le soir, plats 15-30 €.* Énorme pub chaleureux avec plusieurs salles, mezzanine, vieux plancher, affiches anciennes aux murs, et un long bar chargé de babioles et de drapeaux américains. Une grande spécialité : les grillades, servies crépitantes sur leur planche de fonte. Également poulet mariné, paupiettes de poisson, etc. Bon rapport qualité-prix. Musique plutôt rock, et du *Irish folk* chaque mercredi soir.

|●| ***Victor's*** *(plan C3,* ***26****) : 22, Patrick St (dans le* Club House Hotel*).* ☎ *77-21-994. Tlj midi et soir. Le midi, plats 11-15 € ; le soir, 13,50-27 €. Menus* early bird *(18h-20h) 18-23 €.* Extérieurement, cet ancêtre (le doyen des restos de Kilkenny) en jette avec sa marquise et ses vitraux. L'intérieur ne déçoit pas : chic *a little bit,* mais pas guindé *at all.* Un accent de vieille Irlande. Et pourtant, la cuisine est dépoussiérée, inventive et sans complexe. Porc au cidre ou parfait de canard sont sans couac. On dépose les armes avec un *Death by chocolate cake. Glorious !*

Où dormir ? Où manger dans les environs ?

⌂ |●| ***Cullintra House :*** *The Rower,* ***Inistioge.*** ☎ *(051) 423-614.* ● *cullin* *trahouse.com • À 30 km de Kilkenny, sur la route de New Ross. Continuer pdt 7 km après le beau village d'Inistioge. Ouv tte l'année. Résa conseillée (2 nuits min demandées). Chambres 70-90 € pour 2. Dîner obligatoire 40 €.* Belle maison campagnarde 2,5 fois centenaire, située au pied du mont Brandon. Environnement bucolique à souhait, avec de belles balades à faire dans le coin. Dispose de 6 chambres très différentes, toutes joliment meublées. 2 d'entre elles sont mansardées, agréables mais petites. Les autres sont bien plus spacieuses (idéales pour une famille) et possèdent leur propre salle de bains. Dans le jardin, salon-salle de lecture où l'on peut aussi préparer son thé ou son café. Délicieuse cuisine de l'hôtesse, avec des produits locaux, dans une atmosphère chaleureuse.

Croan Cottages : *à* **Dunnamagan.** *☎ (056) 77-66-868. • croancottages.com • Depuis Kilkenny, prendre la N 10 vers Waterford. Une fois à Knocktopher, tourner à droite direction Callan (R 699) et se diriger vers Dunnamagan. Ensuite, c'est fléché. De l'autoroute M 9, sortie Knocktopher. Maisons 4-6 pers 295-540 €/sem selon saison ou 275-395 € le w-e (sf juil-août).* En pleine campagne, tenu par une jeune famille très accueillante. Maisons tout confort : cuisine équipée, machine à laver, salon TV, cheminée... Et si vous avez la flemme de cuisiner, vos hôtes peuvent vous livrer des plats de leur facture *(compter 12 €/pers).* L'électricité provient d'énergies renouvelables. Dans la propriété, chiens, poules, paons et moutons gambadent librement. Les proprios vous montreront aussi des variétés d'arbres rarissimes.

The Grand Inn B & B : *Nine-Mile-House,* **Co. Tipperary.** *☎ 647-035. • thegrandinn.com • À 25 km au sud-ouest de Kilkenny, sur la N 76. Ouv tte l'année. Chambre env 70 €.* Ancienne auberge datant de 1690. Maison très accueillante pour ses invités, qui regarde du côté de la vieille auberge de bord de route. Une agréable étape, à mi-chemin entre Carrick et Kilkenny.

Où boire un verre ? Où écouter de la musique ? Où danser ?

Riche vie nocturne dans les pubs de Kilkenny, même en basse saison (liste des spectacles et soirées traditionnelles à l'office de tourisme).

Pump House *(plan B2,* **31***) : 26, Parliament St. ☎ 77-63-924. Musique traditionnelle lun-mer (en été). Country et blues le dim, avec le* Barflies band.

O'Faolain's *(plan D2,* **30***) : John St Upper. ☎ 77-61-018.* Bar food. *Disco ts les soirs jusqu'à 2h30 (payant ven-sam).* Un pub hors du commun, bâti autour des ruines d'une ancienne église importée en morceaux du pays de Galles et reconstituée comme si de rien n'était. On sirote donc, contemplatif, sa pinte de *Smithwick's*, adossé à des pans d'église, avant de partir à la découverte de ce *late bar* réparti sur 3 niveaux, avec nombre de salles et recoins aux ambiances variées. Très calme en journée, mais de plus en plus animé au fil des heures ! Jardin pour les jours de beau temps et pour les fumeurs.

Matt The Miller's *(plan C3,* **32***) : John St Lower, à côté du John's Bridge. ☎ 77-61-696. Musique live lun et jeu-sam.* Bar food *tlj 9h-21h.* Une grande bâtisse haute en couleur, immanquable en bordure de la River Nore. Pub sur 3 étages, très animé lorsque débarquent DJs et groupes de rock.

John Cleere's Pub *(plan B2,* **34***) : 28, Parliament St. ☎ 77-62-573. • cleeres.com • Tlj en fin d'ap-m. Musique traditionnelle lun à 21h30. Blues, folk certains jeu et dim.* Pour ceux qui « speak fluent », parfois des pièces de théâtre.

Anna Conda *(plan B2,* **35***) : 1, Water Gate, Irishtown. ☎ 77-71-657.* Plein à craquer les soirs de musique traditionnelle : en général mardi, vendredi et samedi. Excellente ambiance.

À voir. À faire

➢ ***Tynan Walking Tours :*** *087-265-17-45. En saison, 3-4 départs/j. (slt 2 le dim) ; le reste de l'année, rens à l'office de tourisme. Coût : 7 €. Durée : 1h.* Tour du vieux Kilkenny à pied, commenté en anglais.

Kilkenny Castle *(plan C3) : ☎ 77-04-100. Tlj 9h30 (9h juin-août)-17h30 (16h30 oct-fév, 17h mars). Fermeture des guichets 1h avt. Feuillet en français. Entrée : 6 € ; réduc.* Heritage site.
Le premier fort en bois est construit en 1172 par le Normand Richard de Clare, dit « Strongbow ». Suit un château en pierre occupé en 1391 par l'une des plus importantes familles anglo-normandes, les Butler of Ormond, qui l'agrandit au fil des siècles, le transforme en château à vivre et le conservera jusqu'en 1967. Il est alors vendu à l'État pour la somme symbolique de 50 £, et le mobilier est définitivement dispersé. La visite débute par une vidéo présentant l'histoire tumultueuse du château (à droite en passant la porte d'enceinte).

CES REBELLES MANQUENT VRAIMENT D'ÉDUCATION...

Les Butler, grands aristocrates anglais en Irlande, ne comprirent pas au début du XXe s que l'histoire était en marche. Lord Ossory écrivit à l'un de ses amis : « Ce fut au matin du 2 mai 1922 qu'à l'heure tout à fait irraisonnable de 5h30, je fus réveillé par mon valet qui m'annonça : "Excusez-moi de vous déranger, your Lordship, mais les républicains irlandais ont pris d'assaut le château !". » Shocking, isn't it ?

– *Rez-de-chaussée :* superbe table en marbre du XVIe s (trop lourde, elle ne put être vendue !). C'est là qu'on exposait les corps des Butler à leur mort.
– *1er étage :* la North Tower, partie la plus ancienne (du XIIe s) servait de salle à manger. Tapisserie des Gobelins de 1660. Visite des chambres avec une très belle vue sur le parc. Salon des dames et salle à manger : superbement pompeux dans leur style XIXe s. Bibliothèque raffinée avec sa soie murale reconstituée. Étonnant escalier de type mauresque du XIXe s en pierre de Caen.
– *Grande galerie :* longue de 45 m. On y trouve tous les portraits de la famille au fil des siècles. Cheminée originale à deux foyers en marbre de Carrare avec des scènes de la vie des Butler. Une curiosité : sur le mur de droite, la troisième tapisserie des Gobelins possède un personnage (celui qui courbe la tête) avec six orteils. Normal, les tapissiers faisaient toujours une erreur, car aucune œuvre ne pouvait être parfaite, hormis celles de Dieu ! Poutres peintes et sculptées.
– *Cuisine :* pour finir la visite, on passe à la casserole... Belle collection de dinanderie. On y trouve encore le panneau d'appel des serviteurs et les vieux fourneaux. Un souterrain reliait la cuisine aux communs, de l'autre côté de la cour, pour éviter à la famille et à ses nobles visiteurs le spectacle du p'tit personnel !
➢ *Promenade* très chouette dans le parc *(ouv tlj, accès libre).*

Kilkenny Design Centre *(plan C3, **40**) : face au château. • kilkennydesign.com • Tlj 9h (10h dim)-18h.* Dans les anciennes écuries et maisons des palefreniers du château. Élégante cour semi-circulaire de 1760. Centre de design et de création réputé dans tous les domaines, ateliers et boutiques de vêtements, tissus et objets d'art.

The Tholsel *(plan B3, **41**) : High St.* Construction sur arcades surmontée d'un pittoresque clocher, c'est l'hôtel de ville édifié en 1761. Il conserve les archives de la ville : les minutes de 1230 et la charte de 1609 élevant Kilkenny au rang de ville. À côté, le *Butter Slip,* ruelle médiévale reliant High Street à Saint Kieran's Street.

Tout au long de cet étroit passage se tenait, aux XVIIe et XVIIIe s, le marché au beurre et aux œufs.

🚶 ***Kyteler's Inn*** *(plan B2,* ***21****)* **:** *Saint Kieran's St.* La plus vieille maison de Kilkenny (XIIIe s) en pierre grise, où résida Alice Kyteler qui pleura quatre maris, ce qui finit à la longue par la désigner à la population comme sorcière et empoisonneuse. Elle s'enfuit, et son infortunée servante, Petronella, étrenna le bûcher qui lui était destiné. Belle cheminée au rez-de-chaussée et cave joliment voûtée.

🚶 ***Shee Alms House*** *(plan C3)* **:** *Rose Inn St.* Encore une honorable vieillarde. Édifiée par un riche bourgeois en 1582 pour loger 12 pauvres, sa façade à pignon avec fenêtre en pierre, blasons sculptés abrite aujourd'hui l'office de tourisme.

🚶🚶 ***Rothe House & Gardens*** *(plan B2)* **:** *Parliament St.* ☎ *77-22-893.* • *rothe house.com* • *Avr-oct, lun-sam 10h30 et dim 14h-18h ; nov-mars, lun-sam 10h30-16h30. Entrée : 4,80 € ; réduc. Brochure en français. Jardins 9h-18h (prix modique).* C'est l'un des rares bâtiments civils du XVIe s (1594) subsistant encore en Irlande. Demeure du marchand John Rothe. Élégante architecture sur arcades, balcon central et pignon. Elle abrite aujourd'hui un *Musée historique.* Parmi les curiosités les plus significatives, une grande salle avec de beaux meubles, la charte de Charles II (de 1607) et le portrait de Mrs Lavery qui servit de modèle aux anciens billets de 1 £ et 5 £. Au dernier étage, très belle charpente, quelques objets et documents (lettre d'O'Connell, souvenirs sur Parnell). Un acte curieux : une autorisation d'utiliser un vélo, délivrée par les Anglais durant la guerre d'indépendance (1921), et des ouvrages de couture « éducatifs » réalisés par les jeunes filles. Beau jardin médiéval reconstitué selon le modèle d'époque.

🚶🚶 ***Saint Canice's Cathedral*** *(plan A1)* **:** *juin-août, tlj 9h (14h dim)-18h ; sinon, lun-sam 10h-13h, 14h-17h (16h oct-mars), dim ap-m slt. Entrée : 4 € ; réduc.* Round tower *en sus (ap-m slt) : 3 € ! Ticket groupé : 6 €.* Construite au XIIIe s sur l'emplacement de l'église édifiée par Canice, le saint patron de la ville, et dont il subsiste à l'extérieur une tour ronde tronquée. La tour centrale carrée est du XIVe s, nef et absides sont bordées de créneaux. À l'intérieur, belle ampleur de la nef rythmée par de larges arcades gothiques. La superbe voûte en charpente de bois date de 1863. Le bras nord du transept forme la partie la plus ancienne. On y trouve le trône d'origine en pierre de l'archevêque. Le baptistère au fond de la nef servit d'abreuvoir aux chevaux de Cromwell... Dans le bras sud du transept, tombes ornées de gisants de la famille Butler. Dans le bas-côté de droite, un autre tombeau avec de nombreux symboles de la Passion sculptés (1571). Dans la nef de gauche, belles pierres tombales rapatriées du cimetière. Possibilité de grimper dans la tour ronde et étroite située dans le cimetière. Panorama intéressant... par temps clément !

🚶 ***Black Abbey*** *(plan A2)* **:** on y distingue les trois étapes de la construction, qui a débuté en 1225. La nef du XIIIe s, le transept du XIVe s et la tour du XVIe s (largement reconstruite au XIXe s).

🚶🚶 ***Smithwick's Brewery*** *(plan B2)* **:** *Saint Francis Abbey.* • *smithwicks.ie* • *Visites avec dégustation à la clé : mar-sam 12h30-13h-15h et 15h30. Entrée : 10 €/pers.* Fondée en 1710, c'est la plus vieille brasserie d'Irlande, aujourd'hui rachetée par *Guinness.* Elle produit la fameuse bière rousse *Kilkenny* et sa cousine brune *Smithwick's* (plus forte et plus amère), prononcée ici « smiticks ». Les moines franciscains furent longtemps associés aux traditions des brasseurs, aussi la brasserie fut-elle érigée près de l'abbaye Saint-Francis. Détruite en grande partie (par devinez qui ?) en 1650, on en admire cependant toujours la grande baie du chœur et la haute tour à la croisée du transept.

– ***Les courses de lévriers*** *(Saint James Park ; hors plan par B1)* **:** *Fresford Rd. ☎ 77-21-214. À 1 km du centre. Mer et ven vers 20h30. Entrée : 10 €.* Typique.

DANS LES ENVIRONS DE KILKENNY

ꝰ ***Les vallées des rivières Barrow et Nore :*** ces paisibles cours d'eau très poissonneux musardent entre de douces collines et traversent des villages pittoresques. Randonnées très agréables à pied comme à vélo.

ꝰ ***Inistioge :*** village mignon comme tout, dans la vallée de la Nore. Coin de toute beauté, cerné de forêts, aux paysages vivifiants. Si une bouffée d'oxygène vous dit, visitez les fameux **Woodstock Gardens** *(tlj de potron-minet au crépuscule ; ☎ 77-94-000 ; • woodstock.ie • ; entrée 4 € par auto).* On y trouve séquoias géants, cèdres du Liban et autres pins mexicains.

ꝰ ***Graiguenamanagh :*** *à 31 km au sud-est de Kilkenny.* Village pittoresque paumé au bord de la rivière Barrow. On y trouve un bel exemple de pont en pierre bombé à sept arches et une écluse dominée par les ruines d'un probable moulin du XVIIIe s. Nombreux spots de pêche non loin de là. Juste après le pont, plusieurs itinéraires fléchés de balades le long de la rivière.

🍸 Après avoir constaté que le bonheur est bien dans le pré, voir qu'il est aussi dans le pub au ***F. J. Murray's Bar,*** dans la rue principale. Bel étalage de brocantes en vitrine et intérieur resté dans son jus (décor et clients) avec son plafond bas, sa vieille bibliothèque et ses consommateurs du cru... le bonheur, on vous dit !

ꝰꝰ ***Dunmore Caves*** *(grottes de Dunmore)* **:** *à 11 km au nord de Kilkenny, sur la route de Castlecomer par la N 78. ☎ 77-67-726. Tlj 9h30-17h (18h30 de mi-juin à mi-sept) ; nov-fév, mer-dim 9h30-17h. Dernière entrée 1h avt. Entrée : 3 € ; réduc. Visite guidée slt.* Heritage site. Intéressantes concrétions, stalagmites et autres stalactites, notamment la *Market Cross,* stalactite de 5 m de haut et 1,30 m de diamètre. Le lieu fut aussi le théâtre d'un massacre perpétré par les Vikings au Xe s.

ꝰ ***Jenkinstown Wood :*** *à 11 km de Kilkenny, fléché à gauche 1 km avt les grottes de Dunmore. Entrée gratuite.* Arboretum expérimental et parc animalier avec de nombreux cerfs. Agréable promenade. Aire de pique-nique.

ꝰ ***Thomastown :*** *à 18 km au sud de Kilkenny.* La bourgade, encaissée dans un méandre de la rivière Nore, possède encore de gros moulins abandonnés, une église en ruine, un château et les vestiges d'une tour médiévale.

ꝰꝰ ***Kells :*** *à 15 km au sud de Kilkenny (par la N 10). Accès gratuit.* En bordure de rivière s'élève ce prieuré augustinien en ruine aux impressionnantes fortifications (six tours bien costaudes, épaulées par de longs murs de belle pierre). Un beau site.

ꝰꝰ ***Jerpoint Abbey :*** *☎ 77-24-623. À 25 km env au sud de Kilkenny, en allant vers New Ross par la R 700. À Thomastown, prendre la direction Waterford. Tlj mars-sept 9h-17h30 ; oct tlj 9h-17h, nov tlj 9h30-16h. Le reste de l'année, sur résa. Entrée : 3 €. Brochure en français (payante).* Heritage site. Ruines d'une séduisante abbaye cistercienne. Fondée à la fin du XIIe s, elle resta en activité jusqu'en 1541. L'église remonte à l'époque romane, mais la grosse tour carrée à la croisée du transept date du XVe s. À l'intérieur de l'église, beaux monuments funéraires. Dans le chœur, élégante grande fenêtre percée plus tardivement (traces d'anciennes baies romanes). Cloître en partie détruit doté de jolies petites colonnes géminées, décorées de personnages, ecclésiastiques, chevaliers ou encore quelques créatures étranges. À vous de les reconnaître !

CASHEL (CAISEAL MUMHAN)

2 400 hab. IND. TÉL. : 062

Bourgade dominée par un piton rocheux flanqué d'un impressionnant ensemble d'édifices médiévaux, dont la plus ancienne chapelle romane d'Irlande. Cashel fut un temps capitale du pays, et Brian Borù s'y fit couronner en 977 avant de vaincre les Vikings.
La ville est aussi connue à travers tout le pays pour son fameux fromage, le *Cashel blue cheese*.

CHERCHE PAS DES CROSSES À SAINT PATRICK

C'est à Cashel que saint Patrick, distrait ou maladroit, planta la pointe de sa crosse épiscopale dans le pied du roi des Eoghanacht qu'il était en train de baptiser. Le roi resta de marbre, pensant qu'il s'agissait d'un rite initiatique incontournable ! Durant cette même cérémonie, le saint patron irlandais aurait expliqué à ses disciples le mystère de la Trinité par la métaphore du trèfle. Trèfle qui serait ainsi devenu le symbole national. Chanceux pays que l'Irlande !

Adresses utiles

Office de tourisme : *Main St. ☎ 62-511. • cashel.ie • Tlj 9h30-17h30 (fermé w-e d'oct à mi-mars).* Pas mal de doc, commentée par un personnel informé. On y trouve même du *Cashel blue cheese* ! Petite expo à côté, relatant l'histoire du comté (pas le fromage !).

Poste : *Main St. Lun-ven 9h-17h30 ; sam 9h-13h.*

@ Internet : *connexion possible à la* **Library,** *Friar St. Lun-sam 10h-17h (20h30 mar et jeu).*

Où dormir ?

Offre pléthorique de *B & B* tout autour du château.

De bon marché à prix moyens

Cashel Lodge : *☎ 61-003. • cashel-lodge.com • À la sortie de la ville sur la route de Dundrum (R 505), à 5 mn à pied du Rock of Cashel et du centre. Ouv tte l'année. Env 20 € en dortoir 6 lits et double 65 €, petit déj inclus. Camping 20 € pour 2 avec tente (avr-sept slt). Douches gratuites. CB acceptées.* Belle ferme, style longère bretonne en granit, transformée par les proprios en *hostel* nickel avec quelques lits en dortoir. L'agréable coin camping dispose de ses propres sanitaires. Également des chambres familiales en formule *self-catering*. Grande salle de bains et cuisine impeccablement tenues (les campeurs n'y ont pas accès). Excellente hospitalité de Tom et de Brid. Vue remarquable sur le Rock of Cashel en prime. Juste en face, jolies ruines de l'abbaye de Hore.

Cashel Holiday Hostel : *6, John St. ☎ 62-330. • cashelhostel.com • Dans une rue perpendiculaire à Main St, face à l'office de tourisme. Ouv tte l'année. Compter 16-18 €/pers en dortoir 6-8 lits ; double 46 €.* Dans une vieille demeure joliment rénovée. Cuisine, salle commune très conviviale avec cheminée.

Cashel Town B & B : *à côté de* Cashel Holiday Hostel *(mêmes proprio et tél). • cashelbandb.com • Doubles 60-70 € avec ou sans sdb privée.* Plus de confort qu'à l'AJ voisine, à des prix encore très abordables. Les murs des couloirs et des chambres sont émaillés de gravures, documents et citations historiques parcheminées,

LES COMTÉS DE KILKENNY ET DE TIPPERARY

souvent édifiantes. Le patron, féru d'histoire, vous en apprendra de belles ! Petit déj bio. Et on jouit de la cuisine de l'*hostel* pour faire son petit frichti.

Ashmore House : *John St. ☎ 61-286. 📱 086-103-70-10. • ashmorehouse.ie • Dans une rue perpendiculaire à Main St, face à l'office de tourisme. Ouv tte l'année. Double 70 €, petit déj compris. Parking privé.* Élégante maison georgienne bien patinée. En bas, déco gratinée, atteignant des sommets dans le genre joyeuse accumulation désordonnée. En haut, ça se calme un peu, les chambres sont toutes différentes. Parfois un peu kitschouilles mais plaisantes tout de même ! Bon accueil.

Où manger ?

Très peu de choix, et rien de bon marché, hormis un ou deux *take-away.*

Prix moyens

Restaurant Bailey's : *Main St. ☎ 61-937. Face à la poste. Tlj. Au bar (12h-14h sem ; 12h-21h30 w-e), plats 13-16 € ; au resto du 1er étage (mar-sam 17h30-21h30), plats 22-24 €.* Dans une maison de 1709, modernisée sans nuance. Bonne cuisine plus italo-mondialo-thaïlandaise qu'irlandaise.

The Bakehouse Coffee-Shop : *7, Main St. ☎ 61-680. Face à l'office de tourisme. Tlj 8h30 (10h dim)-17h30.* Petit salon de thé propret où l'on peut déjeuner sur 3 étages d'excellents sandwichs, de copieuses salades et de gâteaux crémeux à souhait. Bondé le midi, le service est alors un peu débordé.

The Rock Cinema Family Pizzeria : *Ladyswell St. ☎ 62-740. Tlj 12h-23h. Pizzas ou pâtes 9-14 €.* Sans ambition gastronomique, une pizzeria sympa pour les gamins qui mangent dans une minisalle de ciné, le nez sur l'écran.

Chic

Chez Hans : *Moor Lane. ☎ 61-177. Sur la rue menant au Rock of Cashel. Tlj sf dim-lun : café ouv 12h-17h30 ; resto ouv slt le soir. Congés : 2de quinzaine de sept. Au café, compter 16-20 € le plat. Au resto, 24-39 € le plat à la carte. Menus* early bird *2-3 plats 27-33 €, tlj sf w-e 18h-21h30 (19h ven).* Cette église érigée au milieu du XIXe s a cédé sa chaire pour la chère d'un restaurant très chic. Chouette décor avec vitraux, poutres apparentes, murs peints en vert foncé et décorés de toiles. Le chef, d'origine allemande, a reçu moult distinctions internationales. Bonnes spécialités de viande, cassoulet de fruits de mer et succulentes coquilles Saint-Jacques. Cher, mais justifié. Très belle carte des vins, et service raffiné. Hans tient également le café attenant au restaurant : plus abordable, il est très prisé.

Où dormir dans les environs ?

De bon marché à prix moyens

Derrynaflan B & B : Ballinure. *☎ (052) 91-56-406. • derrynaflanhouse.ie • Sur la R 691 vers Kilkenny, à env 10 km de Cashel. Ouv de mi-mars à oct. Double env 70 €.* Superbe ferme du XVIIIe s en pleine campagne, dans un environnement verdoyant et calme. Chambres très plaisantes donnant sur la campagne. Grande salle à manger colorée et pleine de charme, où tout le monde prend son petit déj autour d'une table imposante. Pain, confiture, yaourt et fromage : tout est *homemade* ! Déco chaleureuse, jolis meubles et accueil merveilleux de délicatesse. Excellent rapport qualité-prix.

White Villa : *Mantle Hill,* **Golden.** *☎ 72-323. • whitevilla.ie • À 4 km de Cashel, route de Tipperary. Ouv avr-sept. Double env 50 €. CB refusées.* Bien au calme, une maison moderne à la déco sortie de l'imagination de Lewis Carroll. Grand jardin avec une rotonde, peuplé de statues de déesses grecques et d'animaux en tout genre. Intérieur au choix : violet, turquoise ou rose. Tout ça bien à l'image de l'adorable couple de propriétaires, Eileen et Peter, qui se feront un plaisir de vous accueillir. Que demander de plus ?

Saint Joseph's B & B : *The Mall, à* ***Thurles,*** *sur la N 62. ☎ et fax : (0504) 24-211. 087-968-27-63. À 800 m du centre en allant vers Cashel. Ouv tte l'année sf 10 déc-10 janv. Env 70 € pour 2. CB refusées.* Adresse qui intéressera ceux qui remontent vers le nord : Thurles se trouve à moins de 20 km de Cashel. Ce *B & B* prodigue un accueil hors pair (un grand bravo à Helen Buggle-Sheahan) et offre un superbe petit déj (pain et scones maison). Bien dans la tradition des *B & B* irlandais, donc !

Plus chic

Dualla House : *☎ 61-487. 087-853-26-61. • duallahse@eircom.net • À 4 km de Cashel, sur la R 691 (vers Kilkenny), 1 km avt Dualla. Ouv Pâques-oct. Doubles avec sdb 80-90 €.* Grande et belle demeure georgienne âgée de 200 ans, au milieu d'une superbe propriété située sur une petite colline avec les Galtee et Comeragh Mountains en toile de fond. Chambres spacieuses, confortables et élégamment meublées. Les *family rooms* (pour 3 ou 4 personnes) jouissent d'une vue superbe sur les champs, où l'on peut voir gambader lapins, faisans, moutons et parfois des renards. Mairead Power, la propriétaire, est aussi calme et douce que sa maison. Une adresse idéale et vraiment paisible.

Où boire un verre ? Où écouter de la musique ?

Brian Boru : *Main St. À côté de la poste.* Pub moderne et récent qui accueille des concerts presque chaque dimanche soir. *Bier garden* à l'arrière.

M. Ryan Bar & Grocery : *76, Main St, juste derrière l'office de tourisme. Tlj 11h-23h (plus tard le w-e).* Curieux pub installé dans les rayonnages d'une ancienne épicerie. Décor original et chaleureux pour siroter son *Irish coffee*. La musique live du lieu, c'est le « bavassage » des gens du coin, à toute heure !

À voir

Rock of Cashel : *au sommet du gros piton rocheux dominant la ville, nommé aussi « rocher Saint-Patrick ». ☎ 61-437. Tlj sf Noël 9h-19h (17h30 de début sept à mi-oct et de mi-mars à mi-juin ; 16h30 de mi-oct à mi-mars). Derniers billets 45 mn avt fermeture. Entrée : 6 € ; réduc. Visites libres ou guidées (gratuites) ttes les heures. Brochure détaillée en français vendue à l'accueil, expliquant l'histoire tumultueuse, guerrière et complexe des lieux. Documentaire de 20 mn existant en français.* Heritage site.

– La visite débute par la *grand-salle des maîtres de chapelle* (XVe s). Au sous-sol, parmi les différentes pierres sculptées, la croix de saint Patrick (celle à l'extérieur est une copie).

– *Cormac's Chapel* (début du XIIe s) est probablement la chapelle romane la plus ancienne du pays. Une des plus belles aussi avec une architecture nettement plus sophistiquée que ses cousines, (influences germaniques et anglaises). Par exemple, les tympans sculptés au-dessus de certaines portes sont rarissimes en Irlande. En travaux (restauration) en 2012.

– Un siècle plus tard, on y accola une *cathédrale* de style gothique, caractérisée par de hautes et étroites fenêtres. Aujourd'hui sans toit, elle a beaucoup souffert des innombrables batailles et d'une violente tempête au XIXe s. Cela explique les modifications successives et les insertions d'arcs postérieures à la construction.

– À l'angle du transept nord, la haute *tour ronde* de 28 m date vraisemblablement du XIe s et constitue la partie la plus ancienne de l'ensemble.
Pour avoir une belle vue d'ensemble du Rock of Cashel, prenez la route de Dundrum. Vous passerez juste à côté de la très belle ruine cistercienne de *Hore Abbey,* fondée par les bénédictins au XIIe s.

Brù Borù Heritage Centre : *☎ 61-122. • bruboru.ie • Au pied du Rock, au niveau du parking. Ouv tte l'année, 9h-17h (16h en hiver). Entrée : 5 € ; réduc. Spectacle de danse et musique folk juin-août, mar-sam à 21h. Compter env 20 € ; réduc.* Pour en savoir plus sur l'histoire de Cashel et de ses rois. Exposition permanente consacrée à la musique irlandaise. Visite autoguidée à l'aide de bornes informatiques. Également un show en soirée. On peut même y dîner, comme au cabaret !

Cashel Folk Village : *dans Dominik St, 100 m derrière l'office de tourisme. ☎ 63-601. Mi-juin à mi-sept, tlj 9h30-19h30, sinon ferme à 17h30, voire 16h30 en hiver (sonnez !). Entrée : 5 € ; réduc. Cahier explicatif en français.* Drôle de musée qui contient une collection hétéroclite, riche et intéressante. Dans la cour, une roulotte de *tinkers* (gitans), un puits à vœux ou encore une série de façades originales de commerces d'époque (démontées pour être conservées ici !). L'intérieur de ces commerces est fidèlement reconstitué. Grande salle consacrée à la guerre d'Indépendance. Un joli voyage dans le passé.

DANS LES ENVIRONS DE CASHEL

Holycross Abbey : *à* **Holycross,** *env 15 km sur la R 660 en direction de Thurles. Accès libre.* Abbaye cistercienne bâtie vers 1180. Brillant travail de rénovation effectué en 1969, alors que l'édifice était en ruine. Notez la finesse architecturale. Abrite une *relic of the cross,* censée provenir de la « vraie » croix du Golgotha, qui a attiré les pèlerins en masse pendant des siècles.

CAHIR (CATHAIR DÚN IASCAIGH)

3 000 hab. IND. TÉL. : 052

Prononcer « Ka-her », nom venant de *Cathair,* signifiant « fort de pierre ». Le château de Cahir, impressionnant, superbe et très bien préservé, a d'ailleurs tapé dans l'œil de nombreux réalisateurs de cinéma. Sinon, la bourgade est une petite cité commerçante, avec son classique alignement de pubs. L'Irlande profonde, quoi !

CAHIR, HOLLYWOOD IRLANDAIS

En 1973, pour Barry Lindon, Kubrick tourna une scène de combat dans l'escalier en spirale du donjon. D'autres scènes furent filmées dans le château de Moorestown et sur la montagne de Knockmealdown. Pour Excalibur, Boorman séjourna 3 semaines dans le Glen of Aherlow. Plusieurs scènes y furent tournées : l'attaque du château, le roi Arthur blessé à mort dans la rivière, la rencontre de Lancelot et Guenièvre... Le dernier en date à avoir succombé à Cahir fut Mel Gibson, pour son film Braveheart.

Arriver – Quitter

Station de bus : *près du château.*

➢ **De/vers Dublin via Cashel :** 6 bus/j. Trajet : 3h (15 mn pour Cashel).

➢ **De/vers Cork :** 6 bus/j. Trajet : 1h20.

➢ **De/vers Galway :** 6 bus/j. (slt 4 le dim) ; changement à Limerick. Trajet : env 2h30.

➢ **De/vers Kilkenny :** 5 bus/j. (slt 3 le dim). Trajet : 1h40.

➢ **De/vers Waterford :** 8 bus/j. (slt 6 le dim), dont 3-5 bus continuent sur Wexford puis Rosslare. Trajet : 1h20.

Adresse utile

Office de tourisme : *Castle St. ☎ 74-41-453. • heritage-tourismcahir@eircom.net • Près de l'entrée du château. Mai-sept, lun-sam 9h15-18h (17h oct-avr).* Bon accueil.

Où dormir ?

Prix moyens

Silver Acre : *Clonmel Rd. ☎ 74-41-737. 086-192-07-67. • hoconnor315@eircom.net • Du centre-ville, prendre la route de Clonmel ; après 500 m, c'est indiqué sur la gauche. Ouv de mi-fév à nov. Doubles 60-65 €. CB refusées.* Maison moderne dans une résidence pavillonnaire. Jolies chambres, claires et agréables, avec salles de bains impeccables. Accueil sympa. Copieux breakfast avec *brown bread* maison.

Plus chic

Cahir House Hotel : *The Square, en plein centre. ☎ 74-43-000. • cahirhousehotel.ie • Double env 90 €. (payant).* Chambres tout confort, à la déco très *British.* Moquette écossaise tout le long de l'escalier. Demandez une chambre donnant sur le château (plus calme que sur la rue). Spa, massages, etc. Restaurant en bas (voir « Où manger ? »).

Où manger ?

The Lazy Bean Café : *The Square. ☎ 74-42-038. À 200 m du château. Tlj 9h-18h. Plats 6-9 €. Coffee shop* très en vogue, surtout parmi les jeunes filles et les dames de Cahir. Et pour cause ! Il propose des menus diététiques à base de produits bio. Café en grains, jus pressés, salades composées agrémentées de croûtons et de pignons de pin, sandwichs toastés ou non... De quoi garder la ligne dans un pays où l'alimentation n'est pas toujours des plus saine. Petite terrasse sur la rue.

The Bistro : *resto du* Cahir House Hotel *(voir « Où dormir ? »), The Square. En plein centre. À partir de 12 € le plat le midi ; 15-20 € le soir. Menu 20 € lun-ven soir.* Plusieurs salles de styles différents, du pub avec vénérable bibliothèque à la salle moderne et chicos. Une carte longue comme le bras et quelques plats du jour. Bonne cuisine, couronnée par des desserts que ne renieront pas les gourmands.

Où dormir ? Où manger dans les environs ?

Campings

Parson's Green : **Clogheen.** *☎ 74-65-290. • clogheen.com • À 13 km au sud de Cahir, à l'entrée du village à gauche. Ouv tte l'année. Compter 15 € pour 2 avec tente. Douches gratuites.* Camping récent, familial et confortable. Situé en bord de rivière, au pied des Knockmealdown Mountains, dans une très belle nature propice aux balades. Rigolo, on peut voir aussi l'ancien « sauna » viking et plein d'animaux pour vos bambins. *Coffee shop* et salle de jeux.

Powers the Pot : *Harney's Cross,* **Clonmel.** ☎ *61-23-085. • powersthepot.com • Depuis Clonmel, prendre la R 678 ; traverser la rivière direction Dungarvan ; tt droit au rond-point ; puis fléché sur 9 km. Ouv mai-sept. Compter 12,50 € pour 2 avec tente. Douches gratuites. Cuisine (sinon, plats préparés au bar). Parfois, musique traditionnelle.* Chez Niall et Jo, c'est le camping à la ferme pur jus où règnent les chats perchés et où les moutons tondent la pelouse. Petit terrain familial idéalement placé pour les randonnées dans les monts Comeragh. Le bonheur est ici dans le pré.

Ballinacourty House : Glen of Aherlow. ☎ *(062) 56-559 (camping) ou 000* (B & B). *• camping.ie • ballinacourtyhse.com •* (B & B). *Au nord-ouest de Cahir. Emprunter la N 24 direction Tipperary sur 14 km ; à Bansha, prendre à gauche la R 663, puis rouler 8 km.* B & B *de mi-janv à mi-déc ; camping mars-sept. Compter 21-23 € pour 2 avec tente ; doubles en* B & B *64-70 €. Au resto, menus 20-30 € ; plats 15-25 €.* Un camping superbement situé, dans l'une des plus belles vallées de la région, entre les Galtee Mountains et les Slievenemuck Hills. Calme assuré. Bon confort. Resto (le fils du patron est prof de cuisine) et *wine bar.* Excellent accueil. Beaucoup de charme, dans une très belle maison restaurée du XVIIIe s en grosse pierre grise.

Bon marché

Lisakyle Hostel & Camping : *de Cahir, prendre la R 670 vers* **Ardfinnan** *; à 2 km, c'est une maison recouverte de lierre, sur la gauche.* ☎ *74-41-963. Ouv mars-oct. Au camping, 16 € pour 2. Env 40 € la double et 16 €/pers en dortoir 4, 6 ou 8 lits. Douches gratuites.* Voilà une ancienne ferme transformée en AJ proposant 2 chambres doubles au rez-de-chaussée et des dortoirs mansardés à l'étage. Cuisine et pièce communes. Vraiment rien de très neuf, mais on aime bien l'aspect maison de poupée de porcelaine. Le coin camping est à l'arrière.

Où boire un verre ? Où écouter de la musique ?

W. H. Irwin Pub : *The Square, à côté du* Lazy Bean Café. ☎ *74-42-633. Tlj 10h-23h (plus tard en fin de sem). Sandwichs et soupe servis jusqu'à 15h. Musique folk dim à 17h et jeu-ven à 21h.* Pub chaleureux avec ses murs de bois et pierre. Derrière, un jardin agréable... entre deux averses !

À voir

Cahir Castle : ☎ *74-41-011. Tlj sf 24-30 déc : de mi-juin à août, 9h30-18h30 (17h30 de mars à mi-juin et de sept à mi-oct ; 16h30 en hiver). Entrée : 3 €. Visite guidée d'env 1h (en anglais) ttes les 90 mn. Film de 15 mn (existe en français).* Heritage site. D'origine normande, il date des XIIIe et XVe s. Bâti sur un îlot rocheux naturellement fortifié, il a fière allure avec ses huit tours, rondes et carrées, et son donjon normand central. Possession des Butler de 1375 à 1961, il avait la réputation d'être imprenable. Même Cromwell fut impressionné, c'est dire ! Ce qui ne l'empêcha tout de même pas de l'investir, mais sans trop de dégâts... pour une fois. Le dédale d'escaliers, de couloirs biscornus et de petites salles cachées est saisissant de complexité. Vous ne pouvez pas manquer, dans la salle des banquets, les énormes bois d'un *Megaceros giganteus* (élan géant pour les intimes), d'une envergure de 1,83 m. Retrouvés dans une tourbière, ils datent vraisemblablement de 10500 av. J.-C.

Swiss Cottage : *situé à 2 km au sud de Cahir, par la R 670. On peut aussi y aller à pied en longeant la rivière Suir.* ☎ *74-41-144. Avr-oct, tlj 10h-18h ; fermé* *nov-mars. Visite guidée obligatoire : 3 €, compter 1h.* Heritage site. Cette chaumière du début du XIXe s n'a de suisse que le nom. Elle servait de gentilhommière et de résidence de pêche à lord Butler. À l'intérieur, un papier peint panoramique français en excellent état, très en vogue dans les demeures bourgeoises du XIXe s.

DANS LES ENVIRONS DE CAHIR

Ormond Castle : *Castle Park,* **Carrick-on-Suir.** ☎ *(051) 640-787. À 40 km à l'est de Cahir par la N 24, au centre de Carrick. Avr-sept, mer-dim10h-18h. Entrée libre.* Heritage site. Le manoir a été construit au XVIe s sur les ruines d'un ancien château des Butler, comtes d'Ormond. Il subsiste deux tours massives et carrées de la vieille forteresse. Les passionnés d'architecture élisabéthaine trouveront dans ce manoir un des plus beaux exemples de ce type en Irlande.

Comeragh Mountains : *de Carrick-on-Suir, prendre la R 676 balisée avec des panneaux indiquant « Comeragh Drive ».* Ce superbe petit massif montagneux barre l'horizon au sud de Clonmel et Carrick. Complètement dénudé, il présente un paysage de crêtes déchiquetées et de cirques érodés. Étonnante impression de moyenne montagne, alors que le sommet du massif ne culmine qu'à 791 m. Nombreux sentiers pour de splendides randonnées sauvages entre crêtes et gorges profondes. Pour les amateurs d'oiseaux, les falaises du cirque de *Knockanaffrin* (à l'ouest du massif) abritent une colonie de corneilles mantelées. Au loin, vue panoramique sur l'océan qu'on rejoint par la jolie R 676.

RETOUR SUR LA CÔTE

DUNGARVAN (DÚN GARBHÁIN)

7 800 hab. IND. TÉL. : 058

Gentille bourgade entre Youghal et Tramore, avec un petit port protégé au loin par les falaises d'Helvick Head (joli point de vue). On peut visiter le King John's Castle, donjon d'une forteresse anglo-normande. Dans les faubourgs (Abbeyside), tour du XIIIe s, vestige d'une ancienne abbaye. À 5 km, belle plage de sable de Clonea Strand.

Adresses utiles

Office de tourisme : *Courthouse Buildings.* ☎ *41-741.* • *dungarvantourism.com* • *Ouv tte l'année, de mai à mi-sept, lun-sam 9h-17h30 (17h hors saison, avec pause déj).* Bon accueil.

@ **Sip' n Surf :** *The Quay.* ☎ *41-231. Lun-ven 8h30-19h30 (17h30 sam) ; dim 14h-18h.*

Où dormir ?

Campings

Casey's Caravan and Camping Park : Clonea. ☎ *41-919. Prendre la R 675 vers Tramore, puis tourner à droite après 3 km en suivant le fléchage. Ouv avr à début sept. Comp-*

ter 24-27 € pour 2 avec tente selon période. Douches payantes. CB refusées. Au bord d'une belle plage, les falaises au loin comme décor, voilà un camping bien tenu avec laverie et salle commune pour les jours où le ciel fait la grimace. Beaucoup d'espace. Boutiques pas loin. Attention, on ne peut pas réserver.

Bayview : *Gold Coast Golf Resort. ☎ 45-100. • bayviewcaravancamping.com • À 5 km du centre. Traverser le pont vers Tramore, puis tourner à droite après la longue digue, au bout de la lagune ; fléché. Ouv fév-oct. Compter 18-26 € pour 2 pers avec tente selon période. Douches payantes.* La route pour y accéder est belle, mais on ne voit pas la baie depuis le terrain. La traditionnelle armée de motor homes laisse peu de place aux tentes, séparées par une haie. On vient donc surtout pour apprécier le site, voire pratiquer le golf à deux pas.

De prix moyens à chic

Gortnadiha Lodge : *Ring. ☎ 46-142. 087-241-54-56. • gortnadihalodge.com • Prendre la N 25 direction Cork. Après env 3 km, tourner à gauche avt la grande côte. Ensuite fléché sur 2 km. Ouv 15 janv-15 déc. Double 90 €.* La maison trône au sommet d'une colline, au milieu d'un miniparc où coule un ruisseau. Environnement superbe. Eileen, hôtesse des lieux, fait rayonner sa gentillesse sur 3 adorables et très élégantes chambres *en suite.* Une petite terrasse surplombe le parc et domine la baie. Petit déj composé de produits locaux. Formidable.

Caseys Town House : *8, Emmet Terrace. ☎ 49-912. Double 60 €.* Dans une maison de ville façon coron des années 1940. Petite adresse, petits prix, mais qui offre l'avantage de se caser au cœur de la ville, dans une rue plutôt calme. Les chambres de taille moyenne sont meublées à l'ancienne (et dotées du confort habituel des *B & B*). Bon accueil.

Où manger ? Où écouter de la musique ?

The Shamrock Coffee-Shop : *4, O'Connell St. ☎ 42-242. À deux pas de la place centrale. Lun-sam 8h30-21h. Plats du jour midi et soir 10-12 €.* Vaste salle très quelconque façon cafét. Comme d'habitude, salades, *open sands, burgers* et tartes.

Quealy's : *82, O'Connell St. ☎ 24-555. Menu 20 € le midi ; le soir, repas 30-35 €.* Agréable pub qui sert une *bar food* nettement plus recherchée que la moyenne : tagliatelles aux tomates séchées et au bleu de Cashel, *salmon fish cake,* etc. Délicieux ! Et pour arroser tout ça, une bonne *Dungarvan,* bière locale jusqu'à la collerette. Parquet, banquettes de cuir, cheminée : l'ensemble est vraiment très cosy. Le soir, ambiance plus chic.

Marine Bar : *sur la N 25, à 8 km de Dungarvan en direction de Cork. ☎ 46-520. Tlj dès 17h. Dîner, slt juil-août.* Seafood *et plats 12-16 €.* Longue tradition de musique irlandaise et de conteurs. En été, *musicos* tous les soirs.

Où danser ?

Davitt's : *sur le* quay. *Ouv jusqu'à 2h30 le w-e.* La seule boîte du coin. Toute la jeunesse locale y guinche à la sortie des pubs sur un rythme techno et funk et sur 2 étages.

À voir

La stèle aux victimes de la Grande Famine : *à 8 km sur la N 25 vers Cork (fléché).* Monument érigé à l'emplacement où ont été enterrées en 1847, sans tombes et en groupe, des victimes de la famine.

YOUGHAL (EOCHAILL) 6 200 hab. IND. TÉL. : 024

Youghal (prononcer « Yaul ») est un croquignolet petit port. Il garde de son passé de ville de garnison sous Cromwell quelques jolis bâtiments anciens et de superbes paysages de plages désertes. Le port est vivant : la liste des aventuriers qui appareillèrent pour des horizons lointains en atteste. Sans compter son passé de star de cinéma (voir ci-dessous).

– Et pour voir Youghal tout émoustillé, venir en juin pour le *Rock'n Roll Festival* ou en juillet pour le *Marine Time.*

RALEIGH, FUMEUX PERSONNAGE

Sir Walter Raleigh, l'un des favoris de la reine Elizabeth Ire et grand aventurier, fut un temps maire de Youghal. De l'un de ses voyages, il rapporta une plante bizarre qui se fumait : le tabac. Il aurait importé ce végétal d'Amérique. Cela lui vaudra de se faire traiter de « stupid git » dans un tube des Beatles où John Lennon râlait, le tenant pour responsable de sa dépendance à la clope !

HOLLYWOOD DÉBARQUE À YOUGHAL

Le film *Moby Dick* (tiré du célèbre roman de Melville) fut en partie tourné à Youghal en juillet 1954. Pour donner au port irlandais l'apparence d'une petite ville de Nouvelle-Angleterre, il fallut repeindre toutes les façades d'une rue. « Un habitant, un seul, refusa de changer sa façade ; c'était celle d'un pub », écrit John Huston dans ses mémoires. Pour marquer leur désapprobation, les habitants cessèrent de fréquenter ce bar. Huston avait installé son QG au 1er étage d'un autre pub, aujourd'hui rebaptisé *Moby Dick's* (voir plus loin « Où boire un verre ? »). C'est dans ce Youghal maquillé de frais que furent tournées nombre de scènes : l'arrivée d'Ismaël à l'auberge *Spouter Inn,* sa rencontre fortuite avec l'étrange Queekeg, l'Indien baroudeur au visage scarifié, et bien sûr l'embarquement sur le *Pequod* pour la chasse à la baleine sur des mers lointaines. Pour la petite histoire, ce superbe trois-mâts ne put être mis à quai du fait de son fort tirant d'eau. Ainsi le *Pequod* ne pouvait-il entrer ou sortir du port que 1h par jour, à marée haute...

Arriver – Quitter

En bus

➢ ***De/vers Cork :*** bus fréquents (au moins chaque heure) 7h30-22h30. Trajet : moins de 1h.

➢ ***De/vers Waterford :*** 1 bus/h, du mat au soir.

➢ ***De/vers Ardmore :*** 2-3 bus/j. (slt 1 le dim).

Adresses utiles

🛈 ***Office de tourisme :*** *☎ 20-170. À une encablure du port. De mi-avr à mi-oct, tlj 9h30-17h30 (10h-17h w-e) ; l'hiver, lun-ven 10h-14h.* Organise une visite guidée de la ville à pied. Compter 6 € pour 1h30 de balade commentée.

✉ ***Poste :*** *Main St. Lun-ven 9h-17h30 ; sam 9h-13h.*

@ ***Internet : Cyberoom,*** *Main St. À côté de la poste. Lun-sam 10h30-20h ; dim 14h-18h.*

Où dormir ?
Où manger ?

Prix moyens

⌂ ***La Petite Auberge B & B :*** *2, The Mall. ☎ 85-906. • lapetiteauberge.ie • Sur le quai, direction Cork, 300 m après* *le port, dans la partie historique de la ville. Doubles 70-80 €.* La façade verte et ses luminaires donnent le ton. La belle porte espagnole de bois brut affirme la 1re impression. Et la déco soignée de l'intérieur confirme qu'on est ici chez des proprios de goût... voyageurs dans l'âme. Ces Irlandais (ne vous fiez pas au nom !) ont un accueil charmant, à l'image du lieu, avec ses chambres *en suite* ouvrant sur le quai, le vieux *town hall* et, au-delà, la mer. Seule une chambre, moins chère, donne sur l'arrière.

Coffee Pot Restaurant : *77, Main St. ☎ 92-523. Tlj (sf dim hors saison) 9h-17h30. Petits déj et bon choix de snacks 7-12 €. Lunch complet env 15 €.* Self-service très apprécié des familles. Rien de merveilleux, mais pratique, rapide et abordable.

Tides Restaurant : *Upper Strand, après la plage et le phare en direction de Cork. ☎ 93-127. Tlj sf lun-mar hors saison. Service 12h30-15h, 18h30-22h. Plats 9 € le midi, 15 € le soir, menu* early bird *19 €.* Salle de restaurant sur 2 étages avec cheminée à la déco contemporaine. Cuisine classique sans fard à prix raisonnables.

Chic

Aherne's : *163, North Main St. ☎ 92-424. • ahernes.net • En plein centre-ville. Tlj sf 24-29 déc. Doubles 120-130 €,* junior suites *140-150 €. Promos sur Internet.* Bar food *12h-22h. Formule* lunch special *env 10 €, plats 18-26 € ; formules* early bird *18h-19h30, 24-28,80 € ; sinon, service jusqu'à 21h30, 28,80-33,60 €.* Un resto fort réputé pour son poisson. Déco très élégante. Au *seafood bar,* délicieux sandwichs, saumon fumé, huîtres. Le soir, large carte où les plats (coquilles Saint-Jacques, praires farcies, poisson) sont bien plus chers. Quant aux 12 superbes chambres tout confort, leurs décor et ameublement raffinés font monter les prix.

Où boire un verre ?

Pub Moby Dick's : *Market Sq. ☎ 92-756. Face au port.* Vieille auberge de 1770, naguère tenue par des quakers, qui servit de quartier général à John Huston durant le tournage de *Moby Dick.* L'intérieur, banal de prime abord, vaut par ses nombreuses photos du film : notre favorite est cette dédicace « Mort à Moby Dick ! » de Gregory Peck en capitaine Achab. Les anciens qui se souviennent du tournage se raréfient, mais on peut toujours trinquer avec eux au bar. Les acharnés du génie hustonien pourront consulter les 3 dossiers de presse de l'époque, conservés comme des reliques. Mais la pièce la plus rare, cachée, c'est l'un des 8 exemplaires du scénario du film signé en début de carrière par Ray Bradbury *himself.* Bref, *Moby Dick* a laissé un sillage durable dans ce pub.

À voir. À faire

➢ **Balade dans la ville :** *itinéraire à l'office de tourisme.* Voir la belle *tour d'horloge* de 1777, ancienne prison abritant aujourd'hui les archives et un petit musée. On trouve aussi les vestiges de *remparts médiévaux* (derrière Saint Mary's Church, église du XIIIe s). Quelques vieilles bâtisses du XVIe s aussi, comme la *Red House,* dans le style Renaissance hollandaise. Dans South Main Street, l'*Almshouse* (1610), ancien hospice. Voir enfin le *Tynte's Castle,* tour du XVe s transformée en demeure par un négociant, puis utilisée comme entrepôt.

Heritage Centre : *dans le bâtiment de l'office de tourisme, mêmes horaires. Entrée gratuite.* Petit mais moderne et intéressant. Cependant, pour les anecdotes sur le coin, autant aller au pub d'en face.

Myrtle Grove : *à côté de l'église.* C'est dans le jardin de cette *Walter Raleigh House* que le célèbre aventurier aurait planté la première pomme de terre. Faute de pouvoir visiter ce jardin, fermé au public, on peut l'apercevoir depuis le cimetière de l'église. Avant de croquer une frite dans un pub.

DANS LES ENVIRONS DE YOUGHAL

Le village d'Ardmore : petite station balnéaire à quelques brasses de Youghal d'où le héros local, saint Declan, évangélisa la région avant même saint Patrick. Dominant le village, la ***cathédrale*** et sa ***Round Tower.*** Impressionnante tour de guet en grès du XIIe s, haute de 30 m. Sa porte d'entrée surplombe le sol de 4 m. Les moines de l'époque y gardaient précieusement livres et reliques. Juste à côté, les restes de la cathédrale, construite entre le IXe et le XIVe s. Notez l'arche en pointe du chœur, et surtout les arcs romans joliment sculptés. Des tombes tout autour donnent à ces ruines esseulées un aspect vraiment romantique.

CORK (CORCAIGH)

190 000 hab. IND. TÉL. : 021

Pour le plan I de Cork, se reporter au cahier couleur.

La fière cité de Cork est la troisième de l'île après Dublin et Belfast. Grosse ville active, elle déroule des faubourgs plutôt industriels, située sur deux affluents de la rivière Lee et quadrillée par quelques canaux. Si la comparer à Venise est franchement exagéré, cette ville a le mérite d'avoir gardé un caractère bien trempé. Elle mouille à une quinzaine de kilomètres de la côte. Les bateaux et les ferries s'arrêtent au fond d'une vaste rade très bien abritée (*Cork Harbour,* le deuxième plus grand port naturel du monde après Sydney) à côté de Cobh, où les plus grands navires de croisière du monde font encore escale aujourd'hui.
Jeune et dynamique, Cork mérite qu'on y traîne à pied (en voiture, c'est la panique) et qu'on déambule dans son réseau de rues animées.

JEU DE MAIN, JEU DE VILAIN !

Après le fameux match France-Irlande, gagné par les Français en 2009... haut la main (surtout celle de Thierry Henry), le plus gros bookmaker irlandais n'a pas manqué d'humour. Il a largement affiché une campagne de pub dans la zone de récupération des bagages de l'aéroport de Cork... « Paddy Power vous souhaite la bienvenue en Irlande, sauf si vous vous appelez Thierry »...

UN PEU D'HISTOIRE

Ville ouvrière, Cork est une rebelle : après la défaite de 1691 contre les orangistes à Limerick, c'est de Cork que Patrick Sarsfield embarqua ses troupes pour la France. Ces soldats irlandais, les *Wild Geese,* s'illustrèrent notamment à la bataille de Fontenoy. Au XIXe s, les habitants de la région participèrent aux grandes luttes paysannes et à l'insurrection feniane de 1865. Puis, lors de la guerre d'indépendance de 1919 à 1922, la brigade de l'IRA de Cork fut des plus héroïque. Terence McSwiney, maire de la ville, embastillé pour appartenance à l'IRA, mourut après 76 jours de grève de la faim en 1921. Engagement qu'on trouve aujourd'hui encore sur des T-shirts et autocollants qui vantent la « république populaire de Cork »... opiniâtre contre vents et marées, si souvent détruite qu'elle aligne difficilement des quartiers anciens homogènes. Le XIXe s y est cependant très présent. La fin du XXe s, marquée par un déclin de l'activité économique (fermeture des usines Ford, Dunlop, déroute des chantiers navals...), a donné place à une politique de dumping social dans les années 1990. Résultat : des géants économiques comme Apple, Amazon ainsi que des industries chimiques ont été attirés par les conditions fiscales et sociales très avantageuses qui leur étaient faites par le gouvernement. Même Pfizer est venu fabriquer ici (à Ringaskiddy) ses petites pilules de Viagra pour revitaliser cette économie en déroute...

Arriver – Quitter

En bus

Gare routière *(plan II, D1)* **:** *Parnell Pl.* ☎ *4508-188. Rens tlj 9h-18h.* On y trouve la compagnie des bus *Eireann.* Guichets ouv lun-sam 9h-17h30 (dim, juil-août slt) ; sinon, billetteries électroniques.

➢ ***De/vers Dublin via Cahir :*** tlj, 8h-18h ttes les 2h. Trajet : 2h30.

➢ ***De/vers Limerick et Galway :*** tlj, ttes les heures 7h30-19h30. Trajet : 2h.

➢ ***De/vers Waterford :*** tlj, ttes les heures 9h-21h. Trajet : env 2h30.

➢ ***De/vers Youghal :*** tlj, ttes les heures 8h-23h (certains, rares, continuent sur ***Ardmore***). Trajet : 1h.

➢ Pour les liaisons locales, se reporter aux villes et sites des environs concernés.

En train

Gare ferroviaire *(plan couleur I, D1)* **:** *Kent Station, Lower Glanmire Rd.* ☎ *4506-766.* ● *irishrail.ie* ●

➢ ***De/vers Dublin :*** lun-sam, ttes les heures 7h-21h ; 11 trains le dim. Trajet : env 3h.

➢ ***De/vers Limerick :*** lun-sam, ttes les heures 7h30-18h30 ; 7 trains avec changement à *Limerick Junction.* Trajet : 2h.

➢ ***De/vers Tralee, Rosslare Harbour, Waterford, Kilkenny :*** préférer le bus.

➢ ***De/vers Cobh :*** env 1 départ/h, 6h (8h30 dim)-23h. Trajet : 25 mn.

En bateau

Port de Ringaskiddy *(hors plan couleur I par C2)* **:** *à 20 km au sud-est de Cork (bien fléché depuis le centre).* En bus (n° 223), env 15 départs/j. (7-8 bus le w-e). Trajet : 30-45 mn. Compter 500 m de l'arrêt de bus au terminal des bateaux.

➢ ***De/vers Roscoff :*** *avec* ***Brittany Ferries*** *(résas au 42, Grand Parade, à côté de l'office de tourisme ;* ☎ *4277-801 ;* ● *brittanyferries.com* ●*).* 1 liaison/sem, sam depuis Cork, ven depuis Roscoff, avr-oct.

➢ ***De/vers Swansea :*** *avec* ***Fastnet Line*** *(au port ;* ☎ *4378-892).* 3 à 4 liaisons/sem.

En avion

Aéroport de Cork *(hors plan couleur I par C2)* **:** ☎ *4313-131.* ● *corkairport.com* ● *À 6 km du centre par la N 27 en direction de Kinsale.* Distributeur de billets, bureau de change, compagnies de location de voitures, etc.

➢ ***De/vers l'aéroport :*** bus très fréquents. Avec les compagnies *Eireann* (depuis/vers le terminal des bus de Cork) et *CityLink.* Compter 25 mn et env 4 €. Un taxi coûte env 15 €.

➢ ***De/vers Paris :*** 1 vol/j.

➢ ***De/vers Dublin :*** une dizaine de vols/j.

➢ ***De/vers Londres :*** nombreux vols/j.

➢ En été, vols également ***de/vers Bordeaux, Carcassonne, Rennes, Nice*** et ***La Rochelle.***

Adresses et infos utiles

Infos touristiques

Office de tourisme *(plan couleur I et plan II, C2)* **:** *Monument Buildings, 42, Grand Parade.* ☎ *4255-100.* ● *discoverireland.ie/southwest* ● *En été, lun-sam 9h-18h, dim 10h-17h ; en basse saison, tlj sf dim 9h15-17h.* Bien documenté, efficace. Tours guidés de la ville *(départs ttes les 45 mn ; durée 1h15 ; 14 €/adulte).*

Poste et télécommunications

✉ ***Poste centrale*** *(plan II, C2)* **:** *Oliver Plunkett St et Pembroke. Lun-sam 9h-17h30.*

@ ***Wired to the World*** *(plan II, C1 et D1,* ***52****)* **:** *sur McCurtain St (tlj 9h-2h) et sur North Main St (tlj 9h-minuit, 2h sam).*

@ ***PC Services*** *(plan couleur I, B2,* ***53****)* **:** *5, Wood St. ☎ 4254-666. Tlj 9h (11h w-e)-19h.*

Argent

■ ***Bureaux de change :*** *à l'office de tourisme, dans le centre-ville (taux officiel). À l'aéroport de Cork, guichet lun-ven 6h45-20h ; w-e 9h-18h30.*

Représentation diplomatique

■ ***Agence consulaire de Belgique :*** ***Dominic Daly,*** Pembroke House, Pembroke St. *☎ 4277-399. Lun-ven 9h15-13h, 14h-17h.*

Transports

■ ***Location de vélos : Cycle Scene*** *(plan II, C1,* ***51****), 396, Blarney St. ☎ 4301-183. Tlj sf dim 9h30-17h. Compter 15 €/j.*

■ ***Location de voitures :*** les grands loueurs classiques ont tous un bureau à l'aéroport. ***Hertz, Avis, National, Budget.***

Où dormir ?

De bon marché à prix moyens

⌂ ***Sheila's*** *(Cork Tourist Hostel ; plan II, D1,* ***61****)* **:** *Belgrave Pl, Wellington Rd. ☎ 4505-562. • sheilashostel.ie • Dans une rue parallèle à McCurtain St. Ouv tte l'année. Dortoir de 4-8 lits 14-18 €/pers ; doubles env 40-50 €. Petit déj continental payant. Parking gratuit. Réduc sur Internet.* Wi-Fi Sur les hauteurs de la ville, grande demeure transformée en *hostel*. Propose un max de services : *lockers* (coffres), laverie, sauna, salle vidéo et Internet. Cuisine bien équipée à disposition. Agréable terrasse sur le toit. L'accueil est excellent et les prestations très correctes.

⌂ ***Cork International Youth Hostel*** *(plan couleur I, A2,* ***11****)* **:** *1-2, Redclyffe, Western Rd. ☎ 4543-289. • irelandyha.org • À 1,5 km à l'ouest du centre-ville. Bus n° 8 de la gare routière ; descendre à l'arrêt « University ». Ouv tte l'année (sf Noël). Résa conseillée en juil-août. Dortoir de 6 lits 14-17 €/pers ; doubles 48-55 €. Sdb dans chaque chambre et dortoir. Parking gratuit.* 💻 Cette AJ officielle occupe une vaste bâtisse de style victorien en brique rouge bien rénovée et réaménagée. Propre, confortable, pas de couvre-feu, on a du mal à se croire dans une AJ. Infos sur les transports. Cuisine. Possibilité de petit déj.

⌂ ***Kinlay House*** *(plan II, C1,* ***62****)* **:** *à Shandon, 200 m plus bas que la cathédrale. ☎ 4508-966. • kinlayhousecork.ie • Descendre Roman St, et au feu prendre les escaliers sur la droite. Ouv tte l'année, 24h/24. Dortoir 15-19 €/pers ; doubles 44-54 € avec ou sans sdb, petit déj léger compris.* Bon, au-delà de la cuisine équipée, de la laverie et d'une ambiance plaisante, les chambres et dortoirs sont un poil cellulaires. Les sanitaires partagés par tous souffrent en période de rush.

De prix moyens à plus chic

Attention, en été, les *B & B* sont vite complets : réservez donc. Bien des maisons de la Western Road *(plan couleur I, A-B2)* versent dans le *tourist business* façon mini-hôtels plutôt que dans l'accueil familial. On vous a concocté une sélection.

⌂ ***Fernroyd House*** *(plan couleur I, B2,* ***15****)* **:** *4, O'Donovan Rossa Rd. ☎ 4271-460. • fernroydhouse.com • À 100 m de l'entrée nord-est de l'université. Tte l'année. Doubles 69-85 € selon*

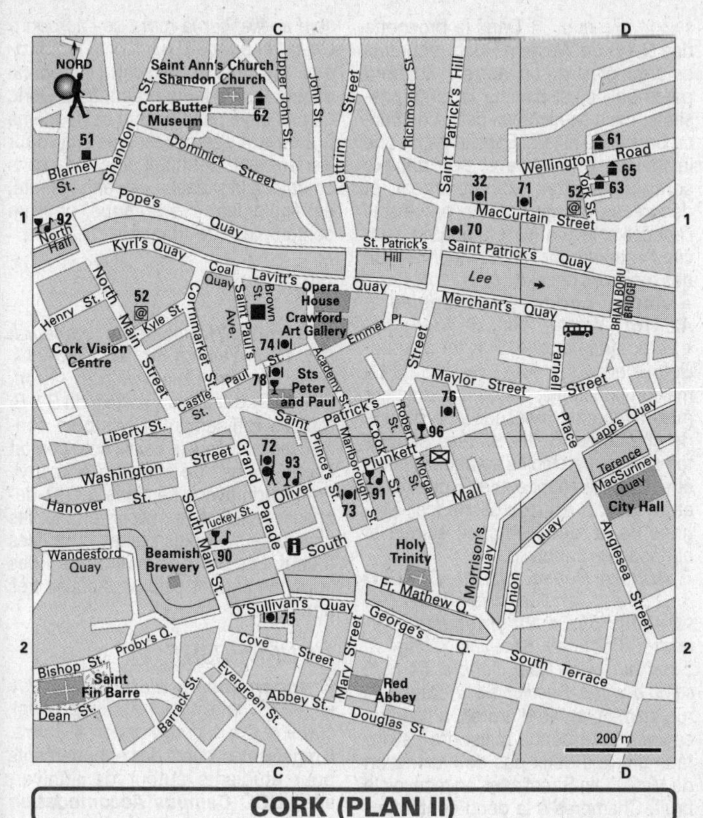

CORK (PLAN II)

Adresses utiles

- Office de tourisme
- 51 Cycle Scene
- 52 Wired to the World

Où dormir ?

- 61 Sheila's
- 62 Kinlay House
- 63 Glencora House
- 65 Auburn House

Où manger ?

- 32 Lennox
- 70 Gourmet Burger Bistro
- 71 Isaac's Restaurant et Greenes
- 72 Farmgate Café
- 73 Nash 19 Café et Clancys Bistro
- 74 Bully's
- 75 Quay Co-op Restaurant
- 76 Scoozi !
- 78 Newport

Où boire un verre ?

- 78 Newport
- 92 The Franciscan Well
- 96 The Hi-B

Où écouter de la musique ? Où sortir ?

- 90 An Spailpín Fánac
- 91 An Bodhran
- 93 An Brog

À voir. À faire

- 72 English Market

saison. Parking. Dans la brochette des *B & B* de Western Road, pourquoi celui-ci plus qu'un autre ? D'abord parce qu'il n'est pas sur la route passante, mais se niche au calme derrière un bras de la rivière. Ensuite parce que la maison principale et son annexe sont mignonettes extérieurement, et décorées avec goût. Enfin parce que l'accueil enlevé d'Avril, la proprio, suscite l'entrain pour toute la journée. Un des meilleurs choix du coin.

Acton Lodge *(plan couleur I, A2,* ***16****) : Western Rd.* ☎ *4344-161.* ● *actonlodge.com* ● *Ouv tte l'année. Double avec sdb 70 €. Parking.* La maison principale, décorée sobrement mais avec chic, possède une dizaine de chambres. Celles situées sous le toit sont un peu moins agréables, peut-être. La dépendance avec 5 chambres et un jacuzzi est très calme (car éloignée de la route). Accueil enjoué et atmosphère tranquille.

Auburn House *(plan II, D1,* ***65****) : 3, Garfield Terrace, Wellington Rd.* ☎ *4508-555.* ● *auburnguesthouse.com* ● *Face au Sheila's. Congés : 2 sem autour de Noël. Doubles 64-80 € selon période. Parking.* Dans une rue calme plantée d'arbres, à flanc de colline, cette bonne maison a l'avantage d'être à deux pas de l'animation de McCurtain Street sans en recevoir le bruit. Chambres à la déco contemporaine, certaines assez petites mais bien arrangées, presque toutes avec salle de bains privée. Également 3 chambres hyper spacieuses, dans une annexe de l'autre côté de la rue. Bon accueil d'Olive et de Kieran, un jeune couple dynamique.

Glencora House *(plan II, D1,* ***63****) : 1, York St.* ☎ *4506-394. Dans une petite rue en pente donnant sur McCurtain St. Ouv tte l'année sf vac de Noël. Double 60 €.* Petit *B & B* familial, modeste et propre. Bon accueil de Mary, qui parlote le français. Parmi les moins chers de la ville, mais chambres vraiment petites et lavabos minuscules. Sanitaires à l'extérieur. Si tout est complet ailleurs ou pour budgets serrés.

Travelodge *(hors plan couleur I par C2,* ***12****) : Black Ash, au rond-point de Kinsale.* ☎ *4310-722.* ● *travelodge.ie/cork-hotel* ● *À env 3 km au sud du centre-ville, sur la route de l'aéroport. Chambre env 60 €, sans petit déj. Promos sur Internet. Parking.* Une bonne affaire, vu les tarifs pratiqués à Cork. Le prix payé par chambre est le même à 2 ou à 4 personnes (pas mal pour les familles). Cet hôtel de chaîne sans charme, à la situation peu engageante, est finalement très pratique, pour un confort plus que correct.

Chic

Garnish House *(plan couleur I, B2,* ***17****) : Western Rd.* ☎ *4275-111.* ● *garnish.ie* ● *Selon confort et saison, 78-130 € pour 2.* Version luxe du *B & B*, tout en raffinement. Chambres spacieuses avec tout le tralala côté confort (3 catégories : de *standard* à *luxury*). Petit salon avec cheminée au rez-de-chaussée. Dans la maison à côté, les chambres sont plus petites et refaites à neuf. Les proprios louent aussi des appartements et studios. Accueil très pro.

À L'UNIVERSITÉ

Appartements d'étudiants : *ouv en été. Résa obligatoire. Compter env 500-900 €/sem pour 1 appart 4-8 pers.* 2 organismes louent des appartements pour étudiants autour de l'université : ***UCC Campus Accomodation*** *(● ucccampusaccomodation.com ●)* et ***Brookfield Lodge Hotel*** *(● brookfieldcork.ie ●).* Pour ce dernier, les résidents accèdent gratuitement au centre de loisir (jacuzzi, piscine, sauna...). Les prix sont élevés, et c'est intéressant en partageant un appart à 4 au minimum. Des chambres doubles sont aussi dispo, mais à des prix équivalents aux *B & B* et moins sympas. On vous donne quand même le tuyau...

Où dormir dans les environs ?

Campings

Blarney : Stone View. ☎ *4516-519.* ● *blarneycaravanpark.com* ● *À 8 km de Cork, à 2,5 km de Blarney,*

CORK ET SES ENVIRONS

direction Carrignavar, entre la N 20 et la R 617. Ouv avr-oct. Env 20-23 € pour 2 avec tente selon période. Douches gratuites. Incroyable, un terrain sans mobile homes ! Alors profitez bien des pelouses, du confort et de l'accueil. Également machines à laver, cuisine et modeste épicerie. Cerise sur le gâteau, le golf attenant (pas cher, location de clubs) avec vue sur le château de Blarney. Notre préféré dans le coin.

Jasmine Villa : Carrigtwohill. ☎ *4883-234. À 12 km de Cork, sur la route de Waterford (N 25). Situé sur la gauche à hauteur de Carrigtwohill, en direction de Midleton. Ouv avr-oct. Env 19-20 € pour 2 avec tente. Douches payantes.* Tout petit camping caché derrière un pavillon. Certes au bord de la route, il offre une bonne situation proche du parc de Fota et de Cobh (même s'il faut faire le détour par Midelton). Bon accueil.

De prix moyens à plus chic

La plupart de ces adresses se trouvent autour de Blarney, à 8 km au nord-ouest de Cork. En voiture, prendre la N 20 direction Limerick. En bus, à peu près toutes les heures depuis la gare routière.

Birch Hill House *(Dawson's Farmhouse)* **:** *à* ***Grenagh.*** ☎ *4886-106.* • *birchhillhouse@eircom.net* • *À 6,5 km au nord de Blarney (indiqué). Ouv mai-oct. Double 70 €. Farmhouse* installée dans une demeure victorienne confortable (1874). Propose 5 chambres donnant sur une rivière. Produits frais. Baby-sitter pour les routards en famille.

Maranatha Country House : *Tower,* ***Blarney.*** ☎ *4385-102.* • *maranatha-countryhouse.com* • *À 2,5 km à l'ouest de Blarney, direction Killarney. Ouv mars à mi-oct. Doubles 78-98 €, suite 120 €. Parking gratuit.* *Country house* possédant pas mal de charme. Au milieu d'un parc. Propose 6 chambres avec salle de bains, dont 1, la *Regal Suite,* immense et très aristocratique, possède un jacuzzi. Style romantique avec lits à baldaquin et œuvres d'art. Accueil courtois. N'ayez pas peur des gentils molosses qui gardent la maison ! Petit déj servi dans une véranda fleurie, kitsch au possible.

Vienna Woods Hotel : Glanmire. ☎ *4556-800.* • *viennawoodshotel.com* • *À 10 km à l'est de Cork par la N 25 (direction Waterford), puis à gauche (R 639) direction Glanmire. C'est fléché. Doubles env 65-130 € selon j. de la sem (attention, ça grimpe parfois exagérément le w-e).* Si proche de Cork, si tranquille dans son écrin de bois, voilà une excellente solution pour échapper au rapport qualité-prix assez moyen des hébergements de Cork. Parties communes et service dignes d'un 3-étoiles. Les chambres, de taille moyenne mais à la déco chic, sont très bien équipées.

Où manger ?

Bon marché

Plusieurs cafés et sandwicheries bio dans le ***marché anglais*** *(English Market),* dont le ***Farmgate Café*** *(plan II, C2,* ***72****).* ☎ *4278-134. Lun-sam 9h-17h. Compter 6-13 € pour 1 sandwich ou 1 plat copieux.* Au 1er étage, en surplomb des étals.

Quay Co-op Restaurant *(plan II, C2,* ***75****) : 24, O'Sullivan's Quay.* ☎ *4317-026. Au bord de la Lee. Lun-sam 9h-21h. Plats 10-12 €.* Au rez-de-chaussée : magasin de produits bio et végétariens. Aux 1er et 2e étages : self au cadre plaisant donnant sur la rivière et atmosphère détendue. Carte variée : lasagnes végétariennes, tartes, soupes et salades... Idéal le midi ou pour un petit déj équilibré – histoire d'éviter le trop riche *Irish breakfast* !

Nash 19 Café *(plan II, C2,* ***73****)* ***:*** *19, Prince's St.* ☎ *4270-880. Lun-ven 7h30-17h30. Plats à partir de 10 €.* Cadre agréable. Salle du fond décorée de livres en trompe l'œil. Bonne sélection de mets à base d'ingrédients locaux (légumes et viandes du coin). Accueil courtois, service efficace. Resto plus chic à l'arrière.

Lennox *(plan couleur I, B2 et plan II, C1,* ***32****) : 137, Bandon Rd et 41, McCurtain St. Tlj jusqu'à minuit.* Pour une petite faim de nuit, voici le très populaire champion du *fish & chips* poulet frit, *scampi,* etc. de Cork... après ou avant votre *pub crawling...*

Prix moyens

|●| ***Scoozi !*** *(plan II, C1,* ***76****) : 3-4, Winthrop Ave.* ☎ *4275-077. Tlj 8h (17h30 dim)-22h. Pizzas et pâtes 14-16 €.* Restaurant d'obédience italienne offrant plusieurs salles aux ambiances très différentes. On se croirait à chaque fois à l'intérieur d'une maisonnette avec ses bibelots, ses cadres relatant la vie quotidienne des Irlandais, son vaisselier aux faïences maniérées... Cuisine copieuse et succulents desserts maison à prix raisonnable. Clientèle de tous les styles.

|●| ***Bully's*** *(plan II, C1,* ***74****) : 40, Paul St.* ☎ *4273-555. Très central. Tlj 8h30-23h. Plats 12-20 €.* C'est assez petit, propre, toujours plein. Décor sobre. Atmosphère plutôt jeune et relax. Cuisine italienne, grillades, *fresh cod,* salades diverses sans éclat mais très correcte. Petite terrasse dans la rue.

|●| ***Newport*** *(plan II, C1,* ***78****) : Paul St Plaza.* ☎ *4254-872. Tlj midi et soir. Plats 11-17 € ; menu le soir 16 €.* Cuisine très variée, du burger au filet de saumon. Qualité honnête, mais l'endroit vaut surtout pour sa situation ultra-centrale et ses prix raisonnables. Intérieur chic et tendance. Belle terrasse sur la place piétonne. Bien aussi pour y prendre un verre (voir plus bas « Où boire un verre ? »).

|●| ***Gourmet Burger Bistro*** *(plan II, C1,* ***70****) : 8, Bridge St. Tlj 12h-22h (21h dim). Burgers 10-12 €.* Des burgers surtout, mais pas seulement. Et pas ce que vous imaginez. On sert là du bon matos à base de viande irlandaise bio, dont un burger à l'agneau (rare, non ?), au *blue cheese* local (de Cashel) et autre chutney à l'oignon maison. Pour arroser ça, de bons petits vins du monde à prix moyens.

Plus chic

|●| ***Isaac's Restaurant*** *(plan II, C-D1,* ***71****) : 48, McCurtain St.* ☎ *4503-805. Tlj sf dim midi. Le midi, plats du jour 11-18 €. Le soir, du jeu au dim,* early bird menu *25 € ou plats 15-30 €.* Très bonne adresse où l'on se bouscule (venir en début de service). On resterait bien des heures dans ces grandes salles hautes de plafond, aux murs égayés de photos et peinture. Cuisine internationale aux influences italienne, thaïe ou indienne : *seafood chowder, madras lamb curry, aubergines with tomatoes...* Pour les petites faims, il y a des sandwichs, des salades et des petits plats végétariens.

|●| ***Clancys Bistro*** *(plan II, C2,* ***73****) : 15-16, Prince's St.* ☎ *4276-097. Pour accéder à ce fameux pub-resto, il y a 2 entrées, dans 2 rues parallèles. Lun-sam 10h-23h30 (2h ven-sam), dim 12h-23h. Plats 12-18 €, menus* early bird *(17h-19h30) 18-22 €.* Au 1er étage se trouve une belle salle à manger arrangée avec goût, dans des tons océaniques et vivifiants. En bas, décor de *steakhouse.* On y sert une très bonne cuisine irlandaise, goûteuse et qui dénote une certaine passion pour la bidoche. Bonne carte des vins. Fait également pub.

|●| ***Café Paradiso*** *(plan couleur I, B2,* ***31****) : 16, Lancaster Quay, Western Rd.* ☎ *4277-939. Mar-jeu 17h30-22h, ven-sam 12h-15h. Plats env 15 € le midi, 23-25 € le soir. Menus 33-40 € le soir.* Bonne petite adresse toute bleue. Cuisine végétarienne à tendance méditerranéenne : lentilles chaudes avec des épinards, *falafel* avec de l'houmous à l'huile d'olive, risotto, polenta aux aubergines...

Chic

|●| ***Greenes*** *(plan II, C-D1,* ***71****) : 48, McCurtain St.* ☎ *4552-279. Dans une ancienne usine en brique, au fond d'une impasse, à côté de l'*Isaac's. *Le soir sf dim. Plats à la carte 17-30 € ;* value menu *25 € et menu table d'hôtes 37,50 €.* Ce bon resto est une valeur sûre de Cork. Cuisine très bien préparée. Cadre très agréable dans le calme d'une ruelle qui débouche sur un flanc de colline où ruisselle une inattendue petite cascade qu'on dévore des yeux derrière une grande baie vitrée. Très prisé.

Où boire un verre ?

Difficile de ne pas trouver bière à sa lèvre, car Cork a la réputation de posséder le plus de pubs au mètre carré de l'île. En voici une sélection, mais, comme dans toutes les grandes villes, les lieux à la mode changent bien vite. N'hésitez pas à faire du hors-piste. Et n'oubliez pas qu'ici on boit avant tout de la *Murphy,* une brune moins amère que la *Guinness,* ou de la *Beamish,* production locale plus légère et moins chère.

🍸 ***The Hi-B*** *(plan II, C1-2,* ***96****)* **:** *108, Oliver Plunkett St, face à la poste. Au 1er étage.* Tout petit pub bas de plafond et qui ressemble à un vieux salon. On y côtoie une faune du cru, cadres, étudiants, clochards, artistes, sains ou un peu amochés, joyeux ou en perdition... Le *Hi-B,* c'est tout un monde ! Juste une poignée de banquettes et un petit comptoir où les habitués s'agrippent à leur pinte. Le patron ne fait pas de concessions : portables et chewing-gums interdits, boissons sans alcool regardées d'un œil accusateur... vous êtes prévenu ! Concert chaque mercredi soir.

🍸 ***Newport*** *(plan II, C1,* ***78****)* **:** *Paul St Plaza.* Late bar *jeu-dim jusqu'à 2h ; en sem jusqu'à 23h. Voir « Où manger ? ».* Bar sur 3 étages, très à la mode. Clientèle variée et prix loin d'être excessifs.

🍸 ♩ ***The Franciscan Well*** *(plan II, C1,* ***92****)* **:** *14, North Mall. ☎ 4210-130. Tlj 15h-minuit. Musique le lun.* Blonde *Blarney,* brune *Shandon, Rebel* rousse, *Friar* la blanche et la mordante *Golden Otter* : voilà 5 bières tellement locales qu'elles sont brassées ici même. On peut même voir les cuves de fermentation depuis le *bier garden.* Et pour ceux qui ont éclusé le tout venant, il reste le *Shandon Orchad Cider...* y a d'la pomme !

🍸 Et puis, en vrac, les adresses à la mode se pressent dans le centre sur Washington Street (***The Washington Inn,*** par exemple), et Oliver Plunkett Street (***The Old Oak, Scotts,*** notamment).

🍸 Pour finir des adresses gays ou *lesbian* : **The Other Place** *(plan II, C1 ; 8, South Main St),* **Instinct** *(plan II, C2 ; sur O'Sullivan's Quay)* et **The Loafers** *(plan II, C2 ; dans Douglas St).*

Où écouter de la musique ? Où sortir ?

🍸 ♩ ***An Spailpín Fánac*** *(plan II, C2,* ***90****)* **:** *29-30, South Main St. ☎ 4277-949.* Bar food *lun-ven 12h-15h.* Pub défendant le gaélique et proposant d'excellents concerts de musique traditionnelle. Façade toute noire et intérieur sombre, avec un plafond bas. Bon accueil et atmosphère chaleureuse.

🍸 ♩ ***An Bodhran*** *(plan II, C2,* ***91****)* **:** *42, Oliver Plunkett St. ☎ 4274-544.* Bar food *12h-14h.* Musique traditionnelle 3 fois par semaine. Assez étroit. Vite plein. Belle verrière au fond.

🍸 ♩ ***An Brog*** *(plan II, C2,* ***93****)* **:** *73, Oliver Plunkett St. ☎ 4271-392.* Atmosphère jeune et rock. Vaste salle avec des banquettes le long des murs et un petit bout de terrasse dans la ruelle adjacente. Des DJs locaux s'y essaient régulièrement.

🍸 ♩ ***Isobar – Mardyke*** *(plan couleur I, B2,* ***42****)* **:** *Sheare's St. ☎ 4273-000. Tlj dès 12h.* Cork n'est pas seulement un bastion de la tradition, c'est aussi une ville au fait des dernières tendances musicales et des modes déco. Pour preuve, ce lieu branché installé dans d'anciens entrepôts en brique du XVIIIe s. Mobilier design, expos d'artistes locaux. Musique trip-hop, jungle et house. Forcément, les consos sont un peu chères.

À voir

Shandon Church *(Saint Ann's Church ; plan II, C1)* **:** *église protestante, sur la colline du quartier de Shandon. ☎ 4505-906. Tlj 10h-16h (17h en été) ; dim 11h30-15h30 (16h30 en été). Entrée : 6 € ; réduc.*

Érigée en 1722 à la place d'une église détruite lors du siège de 1690, avec force de grès rouge et de calcaire provenant des deux carrières qui contribuèrent à l'édification de Cork.
Son pittoresque clocher en poivrière est presque l'image de marque de Cork. En saison, ne pas manquer de grimper au sommet (fin de parcours un peu sportive). Superbe panorama sur la ville. Au passage, on peut même se taper la cloche. À deux, c'est plus efficace ; l'un tire les ficelles, l'autre lit la partition (fournie). La tour (affectueusement surnommée *Four-Face Liar*) est célèbre pour ses quatre pendules menteuses qui ne donnent jamais la même heure. Dans l'église, belle collection de livres anciens et architecture sobre des sanctuaires protestants (plafond dit en forme de tonneau).

👁 ***Cork Butter Museum*** *(plan II, C1) : ☎ 4300-600. • corkbutter.museum • En contrebas de Shandon Church. Mars-oct, tlj 10h-17h (18h juil-août) ; nov-fév, slt sur rdv. Entrée : 4 €. Brochure en français.* Dès la seconde moitié du XVIIIe s, la ville devint célèbre pour son commerce de beurre salé (500 000 tonneaux embarqués jusqu'aux Indes en 1892). Le marché ferma en 1924. Aujourd'hui, c'est un musée présentant les outils liés à la collecte du lait, à la fabrication de la crème et du beurre.

👁👁 ***Le quartier de Shandon*** *(plan couleur I, C1) : Shandon* vient de *Sean Dun* (« vieux fort »). Quartier populaire qui a gardé son authenticité. Vieilles ruelles prolétaires autour de la cathédrale Sainte-Marie (Lower Barrack View, Cathedral Avenue...) et au sud du Cork Butter Museum (Dominick Street, Widderling's Lane). Pittoresque Shandon Street avec ses anciennes boutiques colorées.
Prolonger la promenade vers la gare. Au nº 19 de Coburg Street, la maison où fut capturé John Lynch, fameux leader fenian (en 1865). De Saint Patrick's Hill, belle vue sur la rivière Lee et le centre-ville.

👁👁 ***Crawford Art Gallery*** *(plan II, C1) : Emmet Pl. ☎ 4273-377. Lun-sam 10h-17h. Entrée gratuite.* La partie la plus ancienne, de 1724, appartenait à la *Custom House.* On y trouve désormais des sculptures, quelques peintures du XIXe s, principalement locales, et des expos temporaires contemporaines.

👁👁 ***Saint Patrick's Street*** *(plan II, C1) :* la rue la plus animée, relookée en 2005. C'est, en fait, un canal recouvert à la fin du XVIIIe s, devenu le cœur commerçant de la ville. De Grand Parade avec ses vieilles maisons au Saint Patrick's Bridge qui enjambe la Lee, les boutiques nichent dans de beaux bâtiments du XIXe s.

👁 Dans le prolongement de Grand Parade, Cornmarket Street *(plan II, C1)* mène au ***marché populaire*** de ***Coal Quay.*** À l'ouest du marché s'étend la plus vieille partie de la ville, toujours appelée ***The Marsh*** (« le marais »), en référence à son passé tourbeux.

👁 ***Cork Vision Centre*** *(plan II, C1) : North Main St. ☎ 4279-925. • corkvisioncentre.com • Mar-sam 10h-17h. Entrée gratuite.* Il a investi les murs d'une ancienne église. Une maquette maousse, un film et des expos de photos donnent un aperçu rapide de Cork à travers les âges.

👁 Sur Grand Parade (proche de l'office de tourisme), imposant et pompeux ***monument aux Patriotes irlandais*** *(plan couleur II, C2)* de 1798, 1803, 1848 et 1867.

👁 ***English Market*** *(plan II, C2, **72**) : entrées sur Grand Parade et Prince's St. Lun-sam 8h-18h.* Date de 1780. Reconstruit en 1862 et 1981. Il brûla en 1980, mais subsistent toujours la pittoresque façade de brique de style romano-corinthien et, à l'intérieur, la fontaine kitsch. C'est l'occasion d'acheter saumon et poisson fumé.

De l'autre côté du canal, sur ***O'Sullivan's Quay*** *(plan II, C2)*, quelques élégantes demeures du XVIIIe s aux façades bombées. Mary Street mène à la ***Red Abbey,*** dernier vestige du Cork médiéval. Puis les quais longeant le Southern Canal mènent au ***City Hall*** *(plan couleur I, D2)*. Façade classique à colonnes doriques.

Saint Fin Barre's Cathedral *(plan II, C2)* **:** *Dean St. Au sud-ouest de la ville. Avr-oct, lun-sam 9h30-21h30 ; dim, ouv si on assiste à l'office. Entrée : 4 €.* Bâtie en 1865, dans le style gothique français, sur l'emplacement de la petite chapelle érigée au VIe s par le fondateur de Cork.

À l'angle de Grenville Place et Henry Street, une curiosité : ***Mercy Hospital*** *(plan couleur I, B1)*. Construit en 1767, à l'allure très méridionale avec les fenêtres à la vénitienne et le style dorique de l'entrée.

Cork Public Museum *(plan couleur I, A2)* **:** *Fitzgerald Park, Mardyke Parade. ☎ 4270-679. • museum@corkcity.ie • Lun-ven 11h-13h, 14h-17h (11h-18h en été) ; sam 11h-13h, 14h-16h ; dim 15h-17h (avr-sept slt). Entrée gratuite.* Au milieu d'un parc, un très intéressant musée d'Histoire de la ville installé depuis 1909 dans l'ancienne demeure du brasseur Beamish. Superbes objets d'art, argenterie, souvenirs historiques : bannières syndicales, affiches originales de la *Land War,* estampes et peintures. Au 1er étage : section sur le développement de la ville au Moyen Âge. C'est aussi un bon prétexte pour aller se promener dans le parc.

Cork City Gaol *(plan couleur I, A1)* **:** *Convent Ave, Sunday's Well. ☎ 4305-022. • corkcitygaol.com • Suivre Blarney St vers l'ouest ou longer les rives de la Lee via le Fitzgerald Park. Mars-oct, tlj 9h30-17h ; nov-fév, 10h-16h. Fermé 23-29 déc. Entrée : 8 € ; réduc. Audioguide en français.* Cette ancienne prison de Cork est superbement mise en scène avec ses cellules et leurs célèbres pensionnaires. Plein d'anecdotes, comme ce premier directeur qui avait fait creuser un tunnel pour se faire la belle chaque soir vers sa famille, de l'autre côté de la rue (ses tauliers britanniques n'ont pas trop apprécié !).

– ***Radio Museum Experience*** **:** *même endroit, mêmes horaires, mêmes tarifs (billet combiné 11 €).* Retrace les balbutiements de la radiodiffusion en Irlande et ses conséquences sur la vie quotidienne.

University College *(plan couleur I, B2)* **:** *Western Rd. Tlj jusqu'à 23h30.* Bâtiments du XIXe s, certains de style Tudor, au milieu d'un superbe parc, inaugurés en 1849 par la reine Victoria. Dans le *Stone Corridor,* expo de pierres (préhistoriques, oghamiques, etc.). Dans la *Aula Maxima,* joli décor intérieur : bibliothèque, panneaux de bois sculptés, poutres en chêne, galerie, vitraux, etc. Parfois s'y déroulent des concerts (durant l'année universitaire ; entrée gratuite).

Manifestations, culture

– ***WhazOn*** **:** • *whazon.com/cork* • Mensuel gratuit disponible un peu partout en ville. Tous les bons plans, manifestations culturelles, festivals et sorties nocturnes.

– ***International Choral Festival*** **:** *fin avr-début mai, pdt 4-5 j. • corkchoral.ie • Résas auprès de l'*Opera House *(voir ci-dessous).* Chants lyriques du monde entier.

– ***Live at the Marquee*** **:** *festival pop-rock qui voit se dérouler de nombreux concerts et théâtre de rue, la 2de quinzaine de juin. Résas : ☎ 0818-719-300 ou • ticketmaster.ie •*

– ***Guinness International Jazz Festival :*** *fin oct, sur 3-4 j. Rens : ☎ 4278-979. Fin oct, sur 3-4 j.* De grande réputation, il investit plus de 40 pubs, des hôtels et même l'opéra. *Sessions* gratuites ou pas. Superbe atmosphère, presque un carnaval de Rio à l'irlandaise. Réserver son logement bien à l'avance.
– ***Opera House*** *(plan II, C1) : Emmet Pl. ☎ 4270-022. • corkoperahouse.ie • Résas en ligne possibles.* Programme varié toute l'année.
– ***Courses de lévriers*** *(Greyhound Stadium ; hors plan couleur I par A2) : Curraheen Park, Bishopstown. ☎ 4543-095. À 3 km du centre. Prendre par la Western Rd. Bus nº 8. Jeu-sam à 19h50. Entrée : 10 € ; réduc étudiants.* Pour le topo sur les courses, voir « Courses de lévriers » à Dublin.

DANS LES ENVIRONS DE CORK

Blarney Castle : *☎ 4385-252. • blarneycastle.ie • À 8 km au nord de Cork, par la N 20 direction Limerick. Bus ttes les heures (moins le w-e) de la gare routière. Tlj : mai-sept, 9h-18h30 (19h juin-août ; jusqu'au crépuscule oct-avr). Manoir : visite guidée slt, au printemps, tlj sf dim 10h-14h, compter 45 mn. Fermé 24-25 déc. Entrée : 12 € (château et* « Rock Close »*) ; réduc.* C'est surtout par l'énorme donjon qu'on est impressionné, comme le furent Guillaume d'Orange, Cromwell et compagnie quelques siècles auparavant. On y teste sa souplesse en embrassant la fameuse pierre qui donne le don d'éloquence (une des étapes obligées des cars d'Irlando-Américains). Certes, il n'y a pas grand-chose à voir et le prix du ticket peut rester en travers de la gorge. Promenade tout de même intéressante dans l'intrigant sous-bois qui borde le château, The Rock Close, qui serait un ancien cercle druidique. Le manoir (toujours habité) se visite lorsque les proprios prennent le large.

ONLY BLA-BLA-BLA...

Lord Blarney se vit un jour demander par Elizabeth Ire de renoncer au mode d'élection traditionnel des clans irlandais et de passer sous la juridiction de la Couronne. L'astucieux lord trouvait toujours mille bonnes raisons pour différer ce changement. Alors que l'un des émissaires de la reine exposait à celle-ci la mille et unième raison, excédée, elle s'écria : « Ça va ! Tout cela ce n'est que du Blarney. » Et la langue anglaise s'enrichit d'une expression nouvelle : ce n'est que du « bla-bla ».

Fota House & Arboretum : *à* ***Carrigtwohill.*** *☎ 4815-543. • fotahouse.com • Sur la route de Cobh (en quittant la N 25). Lun-sam 10h-17h ; dim 11h-17h. Accès aux jardins gratuit, mais parking payant (3 €). Visite de la maison : 7 €.* Heritage site. Au sein du Fota Wildlife Park, le microclimat local a permis de faire pousser des arbres d'Asie, de l'Himalaya et d'Australie... Un des plus beaux arboretums d'Irlande, qui abrite aussi un zoo (entrée chère) et un golf. La Fota House est une belle demeure bourgeoise du XVIIIe s. Des salons de réception aux pièces de service des nombreux employés de la maison, place à l'imagination.

The Jameson Experience : *dans le centre de* ***Midleton.*** *☎ 4613-594. À 20 km à l'est de Cork, sur la N 25. Depuis Cork, trains tlj ttes les 1-2h, trajet 20 mn. Avr-oct, 4 visites tlj, 9h-18h (dim 10h-18h) ; le reste de l'année, sur rdv slt. Durée de la visite : 1h. Entrée : 13 € ; réduc. Visite guidée. Dépliant en français et guide francophone (en été slt).* Dans une ancienne distillerie qui n'est plus en activité. Siège des *Irish Distillers* qui produisent les célèbres whiskeys Paddy, Jameson, Powers... Vous y verrez le plus grand alambic du monde (144 000 l !). Visite très instructive conclue par un verre.

CROSSHAVEN

1 300 hab. IND. TÉL. : 021

À 18 km au sud-est de Cork, charmant petit port (haut lieu de la pêche au gros et de la plaisance) enclavé dans une crique pittoresque. En face, la baie et Cobh au fond.
Francis Drake, poursuivi par la flotte espagnole, se réfugia ici en 1585. Siège du plus ancien yacht-club au monde, le *Royal Cork Yacht Club,* fondé en 1720. Le *Gipsy Moth,* sur lequel sir Francis Chichester fit son fameux tour du monde, fut bâti ici. On y trouve aussi les plages de Cork : *Fountainstown, Weaver's Point, Church Bay* et *Myrtleville.*

Arriver – Quitter

➢ ***De/vers Cork :*** bus n° 222. 8-11 bus/j. Trajet : 40 mn.

Adresse utile

🅸 ***Office de tourisme :*** *baraque à l'entrée du village en venant de Cork. Lun-ven 9h-13h, 14h30-15h30 (16h30 en été).*

Où dormir ?
Où manger ?

🏠 I●I ***Bellevue B & B :*** *Myrtleville.* ☎ *4831-640.* ● *bellevuebb.com* ● *À 3 km de Crosshaven. Chambres 85-110 € selon standing et saison. Plats du jour 15-20 €, repas env 25 € (apporter son vin, ils n'ont pas la licence).* Wi-Fi Maison récente avec un jardin soigné, située face à la mer, à 300 m de la plage (toutes les chambres n'ont pas vue sur la mer !). Tout confort et tenu par des hôtes chaleureux. De surcroît, Gaby Neff prépare une bonne cuisine gastronomique, elle fait elle-même son pain et plein d'autres (bonnes) choses. Pour prendre le petit déj, agréable véranda avec son pied de vigne. Également 1 studio pour 4 personnes. On y parle parfaitement le français.

I●I ***Cronin's Pub :*** *sur le port.* ☎ *4831-829. Bar food servie lun-sam 12h-15h, dim 13h-16h. Plats 8-12 €.* Peu d'autres solutions pour déjeuner ici que ce lieu plein de punch avec sa déco surchargée de vieilles photos de boxe et autres objets de cuivre. Bonne ambiance locale et bonne chère tendance familiale. Pour se requinquer les jours de pluie : ça arrive...

COBH (AN CÓBH)

6 800 hab. IND. TÉL. : 021

À 24 km de Cork, au sud de Great Island. Jadis village de pêcheurs, Cobh (prononcer « Cove ») devint à la fin du XVIIIe s une importante base navale anglaise. C'est de là qu'embarquèrent, dans des conditions dramatiques, les Irlandais candidats à l'émigration pour le Nouveau Monde. Le célèbre *Titanic* y fit sa dernière escale (l'embarcadère d'origine existe encore !).
La ville, plaisante à parcourir, se donne des allures de station balnéaire, avec son avenue bordée d'arbres exotiques, ses aménagements pour piétons et ses hôtels avec vue. Dominées par l'imposante cathédrale, les rues dévalant vers le port et celle du quai proposent d'élégants alignements de coquettes demeures colorées. Le coin est éminemment touristique, et l'accueil général s'en ressent quelque peu. Dommage également que l'horizon soit barré par des industries un poil encombrantes pour le regard.

Arriver – Quitter

➢ ***De/vers Cork :*** pas de bus mais des trains ttes les heures, du mat au soir. Trajet : 25 mn.
➢ ***De/vers Kinsale, en bateau :*** *rens au ☎ 4811-485.* À la sortie nord de Cobh, un traversier vers Glenbrook permet de raccourcir en évitant Cork. Trajet : 5-7 € par auto, aller simple ou A/R.

Adresses utiles

ℹ ***Office de tourisme :*** The Old Yacht Club. *☎ 4813-301. • info@cobhhar bourchamber.ie • En plein centre-ville, sur le quai. Lun-ven 9h-17h30 ; w-e 13h-17h.* Office hyper actif ! Propose de nombreuses activités : visite de la ville, balades en bateau, etc.
@ ***Cobh Internet Café :*** *East Beach. Sur le quai. Lun-sam 10h-22h (13h dim).*

Où dormir ?
Où manger ?
Où boire un verre ?

Cobh attire de nombreux groupes de rock, de musique traditionnelle ou encore de jazz. Arpenter le centre-ville à la recherche du meilleur son.

🏠 ***Ard Na Laoi B & B :*** *15, Westbourne Pl. ☎ 4812-742. • ardnalaoi.ie • Face à l'office de tourisme. Fermé en déc. Résa conseillée. Double 60 €. CB refusées.* 📶 Les 2 chambres avec vue sont les plus chères, réservez-les à l'avance. Pas d'un charme exceptionnel, mais propret et bien central. Le *guest lounge* dispose d'une belle vue sur le port.
🍴 🍷 ***The River Room :*** *15, West Beach. ☎ 4813-293. Sur le quai, mitoyen de la poste. Env 6 € le snack.* Petit *coffee shop* sympa pour déguster de copieux sandwichs, tartes et salades. Soupes du jour et plusieurs plats selon les saisons.
🍴 🍷 ***The Quays :*** *17, Westbourne Pl. ☎ 4813-539. Sur le quai, à côté de l'office de tourisme. Tlj 12h-21h. Plats 8-12 € le midi et 14-21 € le soir. Menus 24-29 €.* Le ciel vous offre 2 options : abrité à l'intérieur d'une petite salle à la déco classique, ou sur la terrasse superbement située face à la baie. La cuisine se promet novatrice à la lecture de la carte (surtout le midi). Eh bien ! le résultat est plutôt réussi. C'est bon sans être dispendieux. Bonne pioche !
🍷 ***The Roaring Donkey :*** *Hilton Park. ☎ 4811-739. Dans la rue qui monte depuis la cathédrale (à 200 m).* L'un des plus fameux pubs de la ville. Musique traditionnelle chaque mercredi soir.

À voir

Cobh Heritage Centre : *gare ferroviaire de Cobh. ☎ 4813-591. • cobhheri tage.com • Mai-oct, tlj 9h30 (11h dim et jf)-18h (17h nov-avr). Dernière entrée 1h avt fermeture. Entrée : 7,50 € ; réduc.*
De cette ancienne gare victorienne, entre 1800 et 1950, 3,5 millions d'Irlandais embarquèrent sur un transatlantique vers le Nouveau Monde ou l'Australie. Un monde parfois meilleur, mais parfois pire. Cette expo narre l'histoire de Queenstown (le nom de la ville entre 1849 et 1920), son rôle stratégique et militaire.
– *Section consacrée à l'émigration des Irlandais :* elle expose les raisons de ces départs en masse (la Grande Famine surtout) et évoque en détail l'embarquement (l'agent du port énumérant le nom des passagers, les scènes d'adieu...), les effroyables conditions de vie à bord, maladies, tempêtes. Quant aux forçats, près de 40 000 hommes et femmes furent déportés vers l'Australie entre 1791 et 1853 à bord de « bagnes flottants » : beaucoup étaient condamnés pour leurs activités politiques contre les Britanniques.
En un siècle, 1,5 million d'Irlandais gagnèrent les États-Unis pour former aujourd'hui une diaspora forte de près de 40 millions d'*Irish Americans.* Un panneau

recense les plus célèbres d'entre eux, descendants de misérables migrants : gens de cinéma (voir encadré), constructeur de voitures (Henry Ford), milliardaire (J. P. Getty), champions de la raquette (Jimmy Connors et John McEnroe), chantre de la chasse aux sorcières (McCarthy), et bien sûr présidents (John F. Kennedy et Ronald Reagan).

STAR ACADEMY

Rien que dans le cinéma, l'Irlande et sa diaspora ont fourni une ribambelle de stars ! Les acteurs James Cagney, Jack Nicholson, Tyrone Power, Maureen O'Hara, John Wayne, Grace Kelly, Gene Tierney, Mel Gibson... Les cinéastes John Ford et John Huston complètent cette impressionnante liste.

– *La guerre, les bateaux à vapeur :* cette section montre le rôle du port de Cobh durant la guerre de l'Indépendance des États-Unis (1775-1781), les guerres contre la France et bien d'autres conflits (Crimée, Boers, Première Guerre mondiale).

– *Le Titanic :* le dernier port d'escale du célèbre paquebot fut Cobh, le 11 avril 1912. 3 jours plus tard, celui qu'on disait « *practically unsinkable and absolutely fireproof* » heurta un gros iceberg à environ 640 km au sud-est de Terre-Neuve et coula à pic, entraînant dans la mort près de 1 500 passagers. Il n'y eut que 700 survivants environ. Petit film documentaire (en anglais) et photos.

– *Le Lusitania :* coulé le 7 mai 1915 par une torpille allemande. Il assurait la liaison Liverpool-Cork-New York et sombra à 16 km au large de Kinsale : 1 198 morts et 761 survivants. Ce qui poussa les États-Unis à déclarer la guerre à l'Allemagne.

La cathédrale Saint-Colman : elle trône, imposante, au sommet de la colline qui domine la ville. De style néogothique, cet édifice fut construit entre 1868 et 1915 et largement financé par la communauté américano-irlandaise. Fameux carillon de 47 cloches, dont la plus grande pèse 3,5 t. Châsse contenant les reliques d'Oliver Plunkett, saint martyrisé en 1681. Pour les fans de chœurs, récital chaque dimanche (en été seulement) vers 16h30, 17h30.

Manifestation

– En été (juin et mi-août), Cobh est le théâtre de célèbres ***régates.***

LA CÔTE SUD À L'OUEST DE CORK

KINSALE (CEANN TSÁILE)

2 500 hab. IND. TÉL. : 021

C'est l'un des plus jolis ports irlandais et un centre populaire de yachting, à une trentaine de kilomètres au sud de Cork. Se loger à Kinsale coûte cher, aussi les routards peuvent-ils envisager de dormir dans les environs et de visiter la ville dans la journée. On peut y voir le *Giant's Cottage,* minuscule maison bleue, ainsi que de nombreuses maisons bariolées. Certaines sont de vraies œuvres d'art. En même temps, la tendance penche vers la prolifération des villas construites sans goût. Jusqu'à présent, l'homogénéité architecturale du site n'est pas encore trop altérée.

UN PEU D'HISTOIRE

Kinsale symbolise le début de la fin de l'indépendance de l'Irlande. C'est ici, en effet, que furent écrasés en 1601 les chefs gaëls et leurs alliés espagnols. Un véritable désastre : ce fut la célèbre « fuite des comtes » *(Flight of the Earls),* qui conduisit une large part de la noblesse irlandaise à émigrer sur le continent. Les Anglais firent de Kinsale l'une de leurs plus importantes bases navales, et, jusqu'à la fin du XVIIIe s, les Irlandais ne purent y séjourner.

Arriver – Quitter

➢ ***De/vers Cork :*** plus de 10 bus/j. de la gare routière *(Parnell Pl ; ☎ 4508-188),* env 7h-22h ; nettement moins le dim. Trajet : 50 mn.

➢ ***Vers Ballinspittal et Garrettstown :*** 2 bus en sem et 1 le dim.

Adresses utiles

🛈 ***Office de tourisme*** *(plan A1) : entre Pearse St et The Pier. ☎ 4772-234.* • *kinsale.ie* • *Ouv tte l'année, tlj 9h15-17h (19h en été).* Bonne doc sur la ville et la région. Départ tous les matins pour un tour de la ville historique en 1h15 (7 €) ; *infos : ☎ 4772-873.*

✉ ***Poste*** *(plan A1) : Pearse St. Lun-ven 9h-17h30 ; sam 9h30-13h.*

@ ***Webcafé*** *(plan A1) : juste à côté du musée. Tlj 10h-22h, ainsi qu'à l'**Internet Café** (Finishing Services), 71, Main St (plan A1).*

■ ***Banque*** *(plan A1) :* ***AIB Bank,*** *Pearse St. Lun 10h-17h ; mar-ven 10h-16h.* Distributeur.

■ ***Promenades guidées dans la ville : Historic Stroll in Old Kinsale,*** *tlj en saison depuis l'office de tourisme. En principe à 11h15 ainsi que 9h15 mai-sept (sf dim). Compter 6 €/pers. Rens : ☎ 4772-873.* Pour les balades nocturnes, contacter **Brian O'Neill** : *☎ 4772-240.* Départ tous les soirs à 21h en été, depuis la *Tap Tavern.*

■ ***Location de vélos*** *(plan A1) :* ***Mylie***

Murphys, 14, Pearse St (à côté de l'hôtel Blue Haven*).* ☎ *4772-703.*

■ ***Galerie Giles Norman*** *(plan A1) : 45, Main St.* ☎ *4774-373. • gilesnorman.com • À côté du resto* Skillet. *Tlj 10h-18h.* De très belles photographies en noir et blanc de Norman, qui a également une galerie à Paris et en Italie.

■ ***Farmer's Market*** *(plan A1) : Church Sq (Carpark). Derrière le poste de police. Ts les mar 9h-15h.* Tous les bons produits des environs de Kinsale.

Où dormir ?

Attention, en août, pendant la période des régates, réservation indispensable. Si nos adresses sont *full,* allez voir dans Main Street, il y a plein d'autres *B & B.*

Camping

⛺ ***Garrettstown House Holiday Park :*** *à 10 km au sud-ouest de Kinsale, par la R 604, 3 km au sud de Ballinspittle.* ☎ *4778-156. • garrettstownhouse.com • Ouv de mai à mi-sept. Compter 17-24 € pour 2 avec tente, marcheurs et cyclistes 7-8 €. Douches payantes.* Dans un parc de 8 ha, autour d'une vieille demeure (XVIIIe s), à 800 m de la plage. Épicerie, laverie, salle de jeux, tennis, billard. Présence massive de mobile homes. Bon accueil.

Bon marché

■ ***Dempsey's Hostel*** *(plan B1,* ***10****) : Eastern Rd.* ☎ *477-21-24.* 📱 *086-821-77-77. • hostelkinsale.com • À l'entrée de Kinsale, sur la route de Cork, à côté de la station d'essence. Ouv tte l'année. Lits en dortoir 15-16 €. Doubles 40-44 €. CB refusées. Parking.* 💻 Maison sans charme qui fonctionne comme une AJ. Salles de bains à partager. Un lit double dans un dortoir au rez-de-chaussée. Literie pas géniale. C'est avant tout un endroit convivial mais un poil négligé, pour routards désargentés et peu exigeants. Véranda pas déplaisante. Cuisine à disposition (pas de petit déj).

De bon marché à prix moyens

■ ***Joe's Café and Rooms*** *(plan A1,* ***12****) : 55, Main St.* 📱 *087-948-10-26. • joekinsale.com • Double 50 € (sans petit déj) et 60 € en juil-août.* Reconnaissable à sa belle devanture en pierre sculptée. Chambres doubles à l'étage. Pas le grand luxe, mais rénovées récemment et bien tenues. Seules 2 d'entre elles partagent une salle de bains ; TV pour certaines. Le petit déj se prend dans la salle du restaurant. Équipe jeune et sympa.

■ ***Rock View B & B*** *(plan A1,* ***14****) : The Glen Central.* ☎ *4773-162. • rockviewbb.com • Tte l'année. Double* en suite *70 €. Parking derrière la maison.* 📶 Au bout de la rue, c'est le bâtiment jaune et carmin (au-dessus d'un salon de coiffure), juste après la *Gallery Guest House.* Chambres pas trop grandes, confort minimum, mais c'est propre.

De prix moyens à plus chic

■ ***Ashgrove B & B*** *(hors plan par A1,* ***11****) : au début de Bandon Rd, pas très loin du centre.* ☎ *4774-127. • ashgrovekinsale.com • Mars-oct. Doubles env 70-80 € selon saison. Parking privé.* 💻 📶 Ce joli *B & B* géré avec professionnalisme propose 5 chambres impeccables, sobres et élégantes, avec salle de bains. Le tout dans une maison moderne et lumineuse, entourée d'un jardin propret. Petit déj varié.

■ ***Landfall House*** *(hors plan par A1,* ***11****) : Cappagh, Bandon Rd.* ☎ *4772-575.* 📱 *087-248-02-82. • landfallhouse.com • Dans les hauts de Kinsale ; suivre les flèches. Ouv début mars-nov. Chambres 70-100 € pour 2. CB refusées. Parking privé.* 📶 Superbe et spacieuse demeure très propre avec les chambres à l'étage, toutes *en suite.* 3 triples et 1 double. Grand jardin, calme assuré. Belle vue sur le large et le port. Super accueil de Margo Searls et copieux petit déjeuner. Un des *B & B* les plus sympas de l'Ouest !

■ ***The Olde Bakery*** *(plan A2,* ***21****) : 56, Lower O'Connell St.* ☎ *4773-012.*

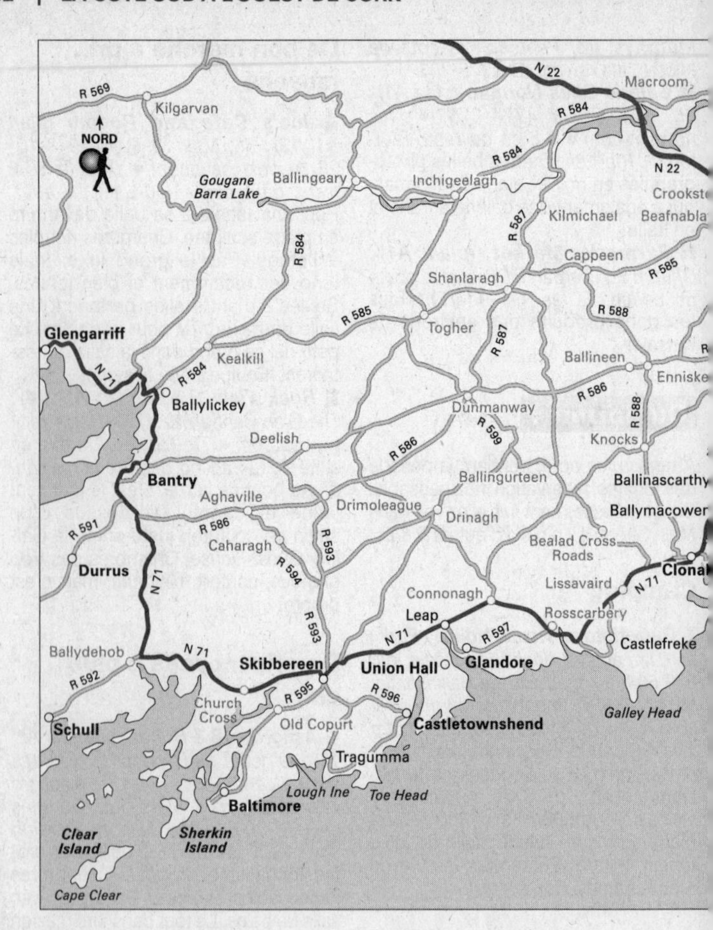

• *theoldebakerykinsale.com* • *Double 75 €.* Maison de 1850 qui abrita une boulangerie qui travaillait surtout pour l'armée anglaise retranchée dans son fort. Après l'indépendance, en 1922, elle dut, bien sûr, mettre la clé sous le paillasson. Aujourd'hui, vous ne serez cependant guère dans le pétrin, c'est, dans un coin discret, l'un des meilleurs *B & B* de la ville. Chambres cosy et superbe petit déj avec *scones* et confiture maison.

Gallery Guesthouse *(plan A1, **13**) : The Glen.* ☎ *4774-558.* • *gallerybnb.com* • *Ouv avr-oct. Doubles 70-90 € selon saison (et taille de la chambre).* L'une des dernières maisons de la rue. Immanquable avec sa charmante façade colorée. Jolies petites chambres avec salle de bains. Piano dans la salle à manger et ambiance jazzy. Proprios jeunes et pleins d'humour.

Plus chic

Desmond House *(plan A1, **16**) : 42, Cork St.* ☎ *4773-575.* • *desmondhousekinsale.com* • *Ouv tte l'année. Dou-*

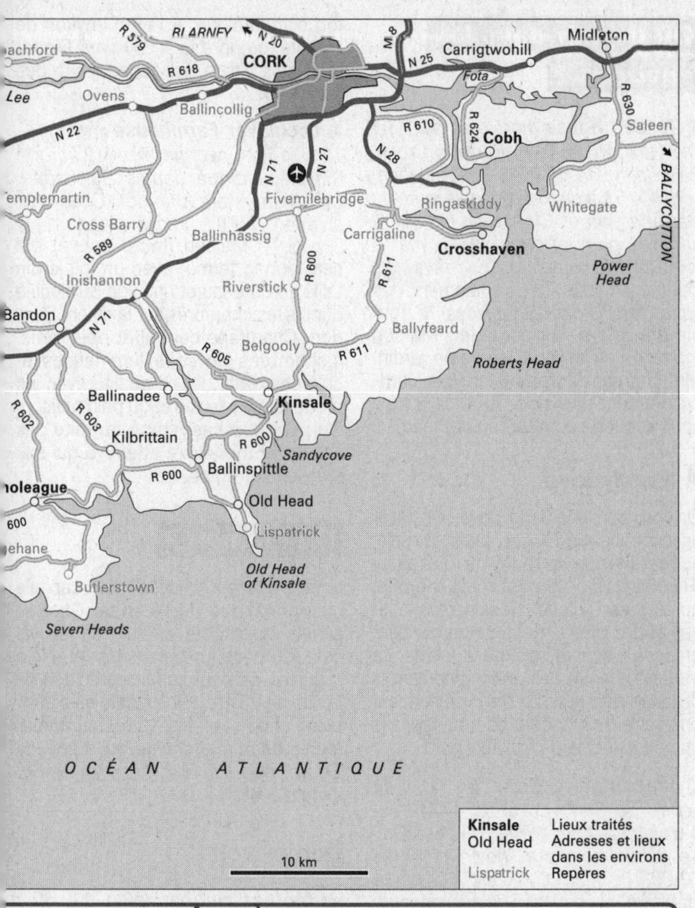

LA CÔTE À L'OUEST DE CORK

ble 140 €. 💻 📶 Un *B & B* au charme d'autrefois dans une maison du XVIIIe s. 4 chambres hyper vastes, avec mobilier ancien, moquette à fleurs, jacuzzi. Accueil à bras ouverts. Pour un séjour chic en centre-ville.

🏠 ***The Blue Haven Hotel*** *(plan A1,* ***17****)* **:** *Pearse St.* ☎ *4772-209.* • *bluehavenkinsale.com* • *Tte l'année. Doubles dim-jeu 80-130 € et w-e 110-160 € selon saison. Petit déj compris. Intéressants* « 2 Day Specials » *incluant le dîner (voir le site internet).* Chambres luxueusement meublées, beaux tissus, un côté élégant et sophistiqué. Accueil pro et souriant.

🏠 🍽 ***Trident Hotel*** *(plan A2,* ***18****)* **:** *Pier One, au bout du quai.* ☎ *4779-300.* • *tridenthotel.com* • *Doubles 90-210 € selon standing.* De style typiquement « Celtic Tiger », et, du coup, pas le plus beau bâtiment du port ! Chambres cependant confortables, comme il sied à un hôtel de cette catégorie. Et deux atouts quand même : la vue sur la baie et le port et un restaurant de très bonne réputation.

Où dormir dans les environs ?

🏠 ***Tesben House** (hors plan par A3) :* *Old Head Rd (R 604), Barrell's Cross, Ballinspittle Rd.* ☎ *4778-354.* • *tesben.com* • *À 5 km de Kinsale sur la route de Garrettstown et Clonakilty. Indiqué à partir du pont (et puis, c'est la même route que le camping). Ouv mars-nov. Double* en suite *70 € ; également des suites familiales. CB refusées.* Tout simple mais impeccable. Maison moderne au milieu d'un vaste jardin. Mrs Theresa Murphy se révèle particulièrement serviable. Toute la famille vous accueille comme l'un des leurs.

À Sandycove

On vous conseille Sandycove, une petite anse rocheuse à 3 km au sud de Kinsale, accessible par la route de Clonakilty (R 600 : passer le pont, puis à droite, après, c'est indiqué). Des champs cultivés et des prés à moutons descendent presque jusqu'au bord de la falaise. La mer sinue entre des collines couvertes de landes et ce damier bien vert, formant une sorte de monde à part qui rappelle un peu les abers du Finistère nord.

🏠 ***Walyunga B & B :** à 1 km de l'anse de Sandycove.* ☎ *4774-126.* • *walyunga.com* • *Bien fléché. Ouv de début mars à mi-nov. Chambres 70-80 € (la moins chère est la chambre standard, avec sanitaires à l'extérieur). CB refusées.* Une de nos adresses les plus fidèles. En pleine campagne, avec des promenades superbes tout autour. L'une des chambres possède une vue plongeante sur la baie (avec même un lit en biais pour être exactement dans l'axe !). Salon avec une collection de babioles assez amusantes. L'adorable proprio est une jardinière hors pair : vous jouirez d'un magnifique jardin et d'une maison envahie de plantes vertes en pleine santé !

À Ballinadee

Pour ceux qui préfèrent la tranquillité de la campagne à l'agitation des stations balnéaires, une petite adresse fort sympathique. À 11 km environ de Kinsale, prendre la N 600 vers Clonakilty, puis suivre Ballinadee (il y a des panneaux).

🏠 ***Lochinver Farmhouse :*** ☎ *4778-124.* • *lochinver.net* • *À 12 km de Kinsale, indiqué depuis Ballinadee. Ouv de mi-mars à fin oct. Chambres* en suite *70-80 € ; réduc à partir de la 3e nuit.* Maison (toute neuve) qui sent bon la ferme, avec un joli jardin taillé au cordeau et une vue privilégiée depuis les chambres sur la rivière Bandon. Chauffage central et *open fires.* 4 chambres *en suite* lumineuses et colorées. Petit déj de qualité avec les produits de la ferme et du pain maison. On peut aussi assister à la traite des vaches ! Propriétaire attentive qui sait recevoir ses hôtes.

Où manger ?

Kinsale a la réputation d'être la capitale gastronomique de l'Irlande. Chaque année, mi-octobre, se tient un festival des Gourmets. En dehors de cette fête culinaire, on peut se faire une idée de la qualité de la cuisine locale en s'attablant chez l'un des 12 restaurateurs réunis dans une chaîne qui s'appelle *Good Food Circle (consulter* • *food.kinsale.ie* •*).*

Bon marché

|●| ***Mother Hubbar** (plan A1, **30**) :* *Market Sq.* ☎ *4772-440. Tlj slt 8h30-14h (15h w-e). En-cas 4-6 €,* ploughman lunch *env 6 €.* Dans une maison ancienne. Une déco où le bleu domine et une atmosphère populaire, avec ses faïences kitsch au mur et ses tables recouvertes de nappes à carreaux. On y est parfois serrés comme des sardines ! La cuisine est faite devant vous avec des produits bien frais. Quelques tables dehors quand il fait beau. Très bon rapport qualité-prix.

|●| ***Patsy's Corner** (plan A1, **32**) :* *Market Sq (à l'opposé du musée). Tlj sf dim 8h-17h. Repas à moins de 10 €.* Même genre que le *Mother Hubbar.* Petit caboulot populaire et chaleureux où l'on déguste sans façons de savoureux

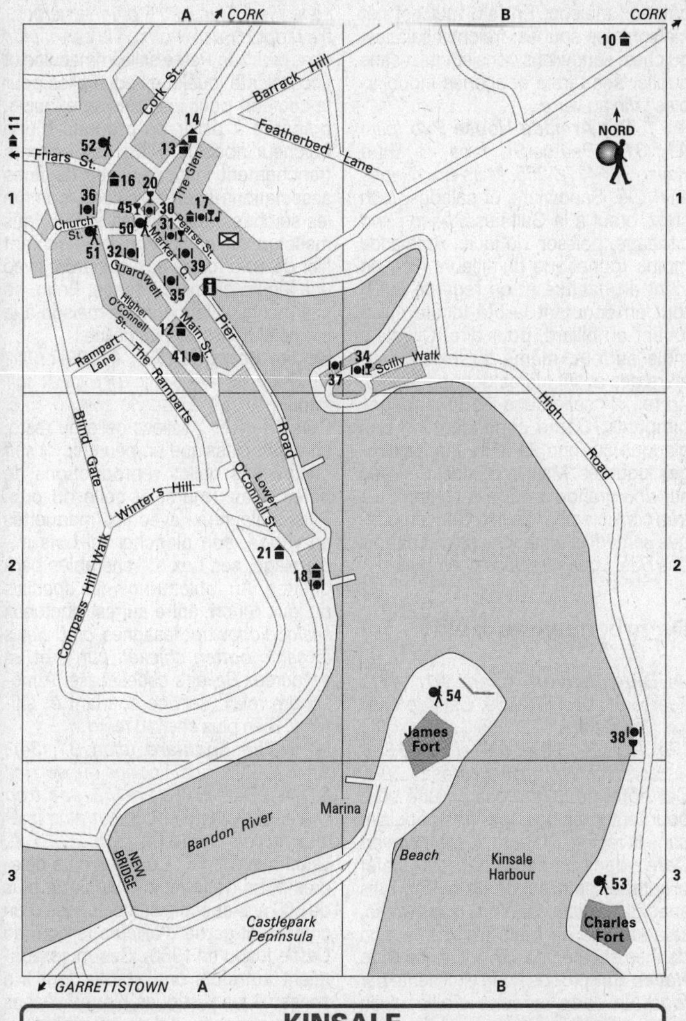

KINSALE

Adresse utile

Office de tourisme

Où dormir ?

10 Dempsey's Hostel
11 Ashgrove B & B et Land-fall House
12 Joe's Café and Rooms
13 Gallery Guesthouse
14 Rock View B & B
16 Desmond House
17 The Blue Haven Hotel
18 Trident Hotel
21 The Olde Bakery

Où manger ?

17 Blue Haven
30 Mother Hubbar
31 The Armada House Pub
32 Patsy's Corner
34 The Spaniard
35 Hobys Restaurant
36 Fishy Fishy Shop and Chippie
37 Man Friday
38 The Bulman et Toddies at the Bulman
39 Jim Edwards
41 Max's

Où boire un verre ? Où écouter de la musique ?

17 Blue Haven Bar
20 Su'Bar
45 Greyhounds

À voir

50 Kinsale Regional Museum
51 Saint Multose Church
52 Desmond Castle ou French Prison
53 Charles Fort
54 James Fort

gâteaux maison. En fait, tout est fait maison : les soupes, fraîches salades, quiches, sandwichs consistants... sans oublier ses tartes et *scones* inoubliables ! Vin au verre.

The Armada House Pub *(plan A1, **31**) : Pearse St, face au* Blue Haven. *☎ 4772-255. Mars-nov. Repas env 12 €.* Sandwichs et salades, *Irish stew,* bœuf à la Guinness, *bacon and cabbage,* poisson du jour... Ambiance moins touristique qu'ailleurs : ici, on vient en habitué et on regarde la TV tout en écoutant la FM locale et en jouant au billard, pour dire. Clientèle mâle surtout, même s'il existe toujours des aventurières pour pousser la porte... 1re salle dans les tons rouges pimpants. Cadre cependant un peu glauque au fond, la faute aux éclairages lugubres. Mais la cuisine, détaillée sur une grande ardoise à l'entrée, est très correcte pour le prix. Concert chaque samedi et dimanche soir, et parfois des DJs. Loue quelques chambres.

De prix moyens à chic

Blue Haven *(plan A1, **17**) : Pearse St. ☎ 4772-209. Dans le centre. Service tlj 9h-22h (*bar food *jusqu'à 17h). Plats 8-15 € au café et 20-26 € au restaurant. Menu table d'hôtes 37,50 €.* Cet hôtel de luxe présente une offre pour toutes les bourses. Très populaire dans la région. D'abord, le ***Blue Haven Café*** : dans un cadre de petite cafét proprette, petit déj de 9h à 12h. Puis snacks, *bagels,* paninis, sandwichs, salades, jus de fruits frais, sélection de thés et cafés de 12h à 17h. Le ***Blue Haven Bar*** propose une excellente *bar food* (sa carte recoupe d'ailleurs en partie celle du resto de luxe). Le midi, prix acceptables, délicieuses spécialités locales comme les *seafood soup, whole seabass,* moules marinière, *seafood platter,* etc. Bons et substantiels sandwichs et desserts maison. Le soir (de 18h à 22h), c'est le ***Fishmarket restaurant,*** cher mais cadre luxueux (comme l'hôtel) et tellement bon... Service efficace et souriant.

Hobys Restaurant *(plan A1, **35**) : 5, Main St. ☎ 4772-200. Tlj sf dim 18h-21h (un poil plus tard en été). Résa conseillée. Menu 25 € d'un remarquable rapport qualité-prix. À la carte, plus cher, bien sûr.* Petite salle immaculée et accueillante (quelques aquarelles pour la couleur) pour une cuisine exquise, préparée à partir de produits d'une fraîcheur absolue. Plats aux accents franchement inspirés, avec de fines associations sucrées-salées, comme les seiches caramélisées sur un frais mesclun de salade ou le succulent filet de sole fourré aux épinards, avec une légère crème citronnée. Enfin, ne pas manquer la meringue maison à la crème et fruits frais, un délice !

Jim Edwards *(plan A1, **39**) : Market Quay. ☎ 4772-541. Tlj midi et soir jusqu'à 21h30. Menus le soir 20-25 €. Plats 18-30 €.* 2 salles : celle du resto, au cadre classique un peu chic et *stiff* malgré ses belles reproductions de bateaux aux murs, et celle du pub. Plus chaleureux, avec ses maquettes en vitrine, son plancher mi-bois mi-carrelage, ses box et vénérables banquettes. Au tableau noir, les *specials* du jour. Sinon, entre autres, onctueux *seafood chowder,* lasagnes, *crab claws in garlic butter, chicken curry,* et un savoureux *Bailey's cheesecake.* Atmosphère relax, service souriant et efficace. Bien plus cher au resto.

The Spaniard *(plan B1, **34**) : ☎ 4772-436. Sur la colline qui domine la ville.* Bar food *12h-15h pas trop chère, mais resto nettement plus onéreux le soir (18h-21h, plats 20-27 €).* Value menu *24 €.* L'un des plus célèbres pubs de la région, vieux de plus de 300 ans et édifié sur les ruines d'un château (il garda d'ailleurs le nom de *Castle* jusqu'en 1960). Ses murs abritaient autrefois une étable dont il a conservé les rustiques pierres sèches et les grosses dalles au sol couvertes de sciure. L'antique cheminée réchauffe les frileux. Tellement connu que les gens viennent de loin y boire une *Murphy's* en poussant la chansonnette. La cuisine maison est délicieuse. Le midi, bons *fish cakes.* Agréable terrasse tout en longueur. Musique traditionnelle (sauf du mardi au jeudi).

Fishy Fishy Shop and Chippie *(plan A1, **36**) : ☎ 4700-415. Face à l'église Saint-Multose. Horaires restreints : mar-sam 12h-16h (18h pour* *la boutique). Compter 15-20 € sans la boisson.* Le café-poissonnerie... un concept pour le moins novateur ! Comme décor, des portraits de fiers pêcheurs, entre 22 et 60 ans de métier. On achète son poisson ou ses fruits de mer au poids, on chope un homard dans le vivier, puis on choisit les accompagnements (frites coupées à la main)... Tableau noir avec les *specials* du jour. Il n'y a plus qu'à mettre les pieds sous la table ! Terrasse. Service jeune, dynamique et souriant. Attention, en saison vite rempli, nous conseillons d'arriver dès l'ouverture. Il existe aussi le *Fishy Fishy Restaurant* sur le port, aux horaires plus larges (tous les jours sauf dimanche soir et lundi soir), mais on trouve l'endroit moins chaleureux et moins rigolo.

|●| 🍸 ***The Bulman*** *(plan B2,* ***38****) :* *Summer Cove.* ☎ *4772-131. Sur la route du fort Charles, face à un embarcadère. Tlj.* Bar food *10-16 €.* Vieux pub romantiquement situé face à la baie. Cadre hyper chaleureux, cheminées fonctionnant tard en saison. Soupes maison, *seafood chowder,* sandwichs, moules de la baie, *burgers, fish & chips...* À l'étage, le resto *Toddies* (voir plus loin « Plus chic »).

Plus chic

|●| ***Man Friday*** *(plan A1,* ***37****) :* *Scilly Walk.* ☎ *4772-260. Sur la colline menant à Summer Cove. Tlj 17h-22h30. Résa conseillée. Plats 23-30 €.* Early bird menu *25 € (lun-ven 17h30-19h30, sam 17h30-18h30 et dès 16h dim) et* 3 course menu *37,50 € sans oublier le* sunday lunch. Cadre assez sophistiqué dans les tons blanc et ivoire. Décor composé de jolies peintures et d'une superbe collection de porcelaines. Terrasse face à la baie. On y déguste huîtres chaudes, sole Colbert, turbot grillé au crabe, sauce poivron rouge, *hot Kinsale seafood platter...*

|●| ***Toddies at the Bulman*** *(plan B2,* ***38****) :* *Summer Cove.* ☎ *4772-131. Sur la route du fort Charles, face à un embarcadère. Tlj sf dim et lun 12h30-15h, 18h30-22h. Résa obligatoire. Plats env 20-30 €.* Pour le dîner, on se précipite au *Toddies* à l'étage, élu meilleur *gastro pub* du comté de Cork en 2010. Accueil particulièrement affable de Pearse et de Mary. Cadre très élégant, avec ses pans de mur en pierre sèche, ses tableaux modernes et son mobilier cossu. Atmosphère chic. Très belle cuisine à base de produits d'une grande fraîcheur, plats finement élaborés : délicieux *fish cakes, dromeland estate wood pigeon, pan roasted scallops...*

|●| ***Max's*** *(plan A1,* ***41****) :* *48, Main St.* ☎ *4772-443. De mars à mi-déc, tlj sf lun-mar 12h30-15h, 18h-22h. En basse saison, conseillé de téléphoner. Intéressant* early eating menu, *avt 19h30 24,50-30 € et le soir plats 21-30 €.* Cadre sobre et élégant, plancher de bois verni et impressionnante cheminée en pierre. Cuisine française de haute volée. Goûter à la cuisse de canard au porto sur un lit de lentilles du Puy et à l'agneau irlandais aux haricots coco, abricots séchés et sauce au cidre.

Où manger dans les environs ?

On peut soudain avoir envie de déjeuner dans le coin de The Old Head, sans avoir à revenir à Kinsale.

|●| ***The Speckled Door :*** *sur la route de The Old Head.* ☎ *4778-243. Plats 10-22 €.* Pub de campagne, avec grande salle à manger panoramique attenante et un *beer garden.* Belle vue sur la baie et cuisine de qualité. Poisson, moules de la baie, *seafood chowder, fish & chips* et le classique *corned beef and cabbage.*

|●| ***Hurley's :*** *sur la place principale,* ***Ballinspittle.*** ☎ *4778-019. Service 12h30-19h.* Du classique goûteux et bien servi : *steak sandwich, creamy seafood chowder, chicken curry, T-bone...*

Où boire un verre ? Où écouter de la musique ?

🍸 ♪ ***Blue Haven Bar*** *(plan A1,* ***17****) :* *Pearse St.* ☎ *4772-125. Tlj jusqu'à*

22h30. A récupéré l'ancien bâtiment du *Fish Market,* ce qui a permis d'espacer les coins pour papoter. Cadre un brin cossu, dans les tons roses et rouges enrichis de tableaux aux couleurs pimpantes. Mobilier confortable, profonds fauteuils, animation garantie et tous les jours de la musique live de grande qualité. Les lundi, mercredi et jeudi, musique traditionnelle. Mardi et dimanche soir, blues, jazz ou crooner, etc. Bons cocktails et possibilité de se restaurer (voir « Où manger ? »).

🍸 ***Greyhounds*** *(plan A1,* ***45****) : dans la petite rue partant de Market Sq et du musée.* Peut-être le plus ancien pub de la ville (300 ans). Minuscule, bas de plafond. Encore dans son jus, avec son comptoir et ses vieux box en lattes de bois, ses 2 cheminées crachant encore ses odeurs de tourbe en mai... Et des tronches d'Irlandais comme on n'en voit plus guère.

🍸 ***Su'Bar*** *(plan A1,* ***20****) : Bohemian Quarter.* Un bon bar à jus de fruits et *smoothies.* Rien d'artificiel. D'originales combinaisons à partir de fruits bio. Quelques tables dehors.

À voir

Kinsale Regional Museum *(plan A1,* ***50****) : Market Sq. ☎ 4777-930. Installé dans l'ancien tribunal (Court House). Se renseigner à l'office de tourisme pour les horaires d'ouverture, en principe très limités (mai-sept, mer-sam 10h30-13h30). Entrée libre.* L'édifice date de 1600. On admirera la jolie façade d'inspiration flamande de 1706 et le clocher avec *weather-fish.* À l'intérieur, un fourre-tout curieux, un peu ringard, parfois émouvant. Souvenirs historiques et maritimes, photos et illustrations sur la ville, cartes, livres, etc. Parmi les pièces les plus intéressantes : la charte d'Elizabeth Ire donnée à Kinsale en 1590, la charte de Jacques Ier avec d'exquises enluminures, de très fines dentelles. Dommage que ce musée ne dispose pas de moyens financiers, car il possède en réserve des milliers d'objets. En fin de visite, voir la vieille salle du tribunal. C'est là que se déroula l'enquête sur le torpillage du *Lusitania.* L'ambassadeur d'Allemagne à Dublin a offert au musée le rapport du capitaine qui coula le bateau. Il corroborerait la thèse qui courait à l'époque sur le fait que le *Lusitania* transportait un gros stock de munitions en plus des passagers...

Saint Multose Church *(plan A1,* ***51****) : Church St.* Elle date de la fin du XIIe s et possède toujours sa grosse tour carrée d'origine normande. À l'intérieur, quelques monuments funéraires du XVIe s.

Desmond Castle ou French Prison *(musée du Vin ; plan A1,* ***52****) : dans Desmond Castle, Cork St. ☎ 4774-855. De début avr à mi-sept, tlj 10h-18h ; dernière admission 45 mn avt fermeture. Entrée : 3 € ; réduc.* Heritage site. Cette ancienne résidence seigneuriale du XVIe s fut longtemps appelée *French Prison* (de nombreux soldats français y périrent dans un incendie). Bâtie par Maurice Fitzgerald, Earl of Desmond, comme maison des Douanes, puis utilisée comme prison. La vocation carcérale de la demeure perdura jusqu'à la guerre d'Indépendance américaine, pendant laquelle un certain nombre de marins rebelles y furent également détenus. Aujourd'hui, la bâtisse renferme un petit musée consacré à l'étonnante histoire de la ville et du gouleyant nectar. Au XVe s, Kinsale, qui prospère déjà dans le commerce du vin, importe du bordeaux. Deux siècles plus tard, « la fuite des comtes » disperse les nobles familles irlandaises dans le monde entier. Certains se réfugient dans le sud-ouest de la France et fondent des propriétés désormais célèbres (comme Hennessy). D'autres s'installent en Australie, en Amérique, et même en Martinique, où la famille Dillon distille le fameux rhum qui porte son nom.

Charles Fort *(plan B3,* ***53****) : sur l'éperon de Summer Cove. ☎ 4772-263. De mi-mars à fin oct, tlj 10h-18h ; de nov à mi-mars, mar-dim 10h-17h ; dernière* *admission 45 mn avt fermeture. Entrée : 4 € ; réduc. Tours guidés.* Heritage site. Construit au XVIIe s par le même architecte que le Kilmainham Royal Hospital à Dublin. C'est aujourd'hui la plus importante fortification en Irlande, conçue en forme d'étoile. Occupé par Jacques II, le fort fut pourtant pris par les troupes williamites en 1690. Ensuite, une caserne à l'intérieur abrita une garnison anglaise jusqu'à la libération du sud de l'Irlande en 1922. Pour y aller, route charmante par la colline de Scilly, son quartier de pêcheurs et ses vieux cottages. De la route dominant le fort, superbe panorama sur la baie. En face, sur la presqu'île de Castlepark, datant de la même époque et témoin des mêmes péripéties, ***James Fort*** *(fort James ; plan B2,* ***54****),* qui garde également l'entrée du port depuis 1602 et qui est tout aussi impressionnant. Une balade à faire en partant du fort Charles : descendre derrière ce dernier et longer la mer jusqu'au port de Kinsale.

DANS LES ENVIRONS DE KINSALE

➢ ***Balade à pied*** splendide (sur 2 km) : passer devant *The Bulman.* Bientôt, à gauche, franchir un tourniquet en fer forgé noir. Merveilleuse promenade sur un chemin romantique qui longe la mer.

➢ Belles ***balades à vélo ou à pied*** à faire en boucle, sur la *Compas Hill Walk* (30 mn) et la *Scilly Walk.* Et sur la route de Kinsale à Ballinadee qui longe la rivière Bandon.

La plage de Castle Park : petite crique au sable fin, familiale, avec vue sur le fort Charles. On peut y faire du canoë et longer la côte.

Old Head of Kinsale : *à une dizaine de km au sud.* Grosse falaise escarpée d'où l'on profite d'un joli panorama. Ruines d'un château du XVe s édifié à l'emplacement d'un des grands forts de l'Irlande des Gaëls. Hélas, cette bonne « vieille tête » a été livrée aux pelleteuses pour construire un golf, et l'accès y est aujourd'hui bien entendu réservé ! Tout fout l'camp... Aurez-vous toujours l'occasion d'y apercevoir quelques pingouins guillemots et mouettes tridactyles ? Sur le flanc ouest de la falaise, belle *plage de Garrettstown.*

– Possibilités de ***pêche en mer.*** Se renseigner à l'office de tourisme de Kinsale.

DE KINSALE À SKIBBEREEN

Un parcours enchanteur, truffé de ports croquignolets, de villages assoupis, de petits estuaires, nichés au creux de douces collines.
Pour faire du stop vers Clonakilty, se placer après le pont à 2 km de Kinsale.

TIMOLEAGUE (TIGH MOLAIGE)

560 hab. IND. TÉL. : 023

Pour se rendre à Timoleague, emprunter la route côtière entre Kinsale et Clonakilty. Avant d'y arriver, on aperçoit, de l'autre côté de la baie, *Courtmacsherry,* gentil port de plaisance tout coloré dans un environnement boisé. Location de bateaux pour la pêche en haute mer.

➢ ***De/vers Cork :*** bus tlj sf dim, dans l'ap-m.

Où dormir ? Où manger ? Où boire un verre ?

⛺ ***Sexton's Caravan & Camping : Carahue.*** ☎ *88-463-47.* 📱 *087-220-80-88.* • *sextonscamping.com* • *À 4 km de Timoleague, route de Clonakilty. Ouv 15 mars-15 oct. Compter 22 € pour 2, tt compris ; 10 € pour marcheurs et cyclistes.* Un petit camping familial et sans prétentions, situé sur une butte bien aérée, avec une jolie vue dégagée sur la campagne. Très bon accueil. Patron haut en couleur, fi-fille au dynamisme souriant. Sanitaires corrects. Laverie et cuisine (dans la même pièce !). Points électriques partout. Ravitaillement (corn flakes, sucre, œufs, lessive) à la réception. Location de vélos et petite salle de billard. Barbecue. En cas de grosse pluie, possibilité de louer une caravane. Infos sur les soirées musicales dans les pubs du pays.

I●I ***Dillons :*** *Mill St.* ☎ *88-463-90. À côté de la poste. Ouv jeu-dim (et lun fériés) pour le café 11h-12h30, lunch 12h30-14h30 et le soir 18h-21h30 ; dim 12h30-14h30, 18h-20h30. Plats env 10-20 €. CB refusées.* Cadre de bois blanc plaisant, pour une petite cuisine personnalisée n'utilisant que des produits frais : *John Hurley corned beef and cabbage,* plateau de saumon organique et fumé, moules à la noix de coco, gingembre et coriandre.

🍸 ***Grainnes Pub :*** *Mill St.* ☎ *88-464-58. À côté du* Dillons. Pub grub *midi et soir (10-12 € le plat) de 18h à 21h* et Guinness *bien tirée.* Avec le bateau en vitrine, embarquez pour une bonne pizza maison et autres lasagnes, filet de sole, *mixed grill,* snacks divers...

Où manger chic dans les environs ?

I●I ***The Pink Elephant Harbour View : Kilbrittain.*** ☎ *88-496-08. Sur la très belle route côtière de Kinsale, à env 7 km. En été, tlj midi et soir ; en basse saison, tlj sf lun-mar. Le soir mer-sam 18h-21h (dim 18h-20h), plus le midi le w-e. Prévoir 20 € au déj, min 30 € au dîner.* Sunday lunch 28 €. Couleurs roses très irlandaises, on ne peut le rater. Maison dominant la baie. Intérieur cossu. De tout, *seafood* bien sûr, mais aussi agneau de Timoleague à l'ail et romarin succulent, lotte à l'ananas et avocat et turbot aux moules, beurre blanc au safran. Grosses tables en terrasse, vue superbe. Grande pelouse idéale pour les enfants.

À voir. À faire

👁👁 Superbe **abbaye** franciscaine du XIVe s, qui fut l'une des plus importantes d'Irlande (entrée libre). Tombes sculptées à l'intérieur et romantique cimetière au bord d'un bras de mer.

➢ Belle promenade jusqu'à Courtmacsherry, le long de l'estuaire (environ 3 km). De là, ***Millenium Walk*** avec plusieurs itinéraires pour tous les mollets vers les *Seven Heads* (sept criques encaissées). Superbes vues et tranquillité totale.

➢ Beau circuit entre Timoleague et Clonakilty, en prenant la ***Coast Road*** (30 km). Ça vaut la peine d'y prendre son temps.

➢ ***Promenades en bateau :*** *contacter* **Mark Gannon** *(après le* teatime*) à Courtmacsherry.* ☎ *88-464-27.* Journées de pêche et observation des oiseaux.

Manifestation

– ***Festival de la Moisson*** *(Harvest Festival) : août.*

CLONAKILTY (CLOICH NA COILLTE)

3 500 hab. IND. TÉL. : 023

Bourg sympa situé dans une région très fertile à une cinquantaine de kilomètres à l'ouest de Cork, sur la N 71. Il présente plein de devantures colorées de magasins. Pour se loger, on trouve dans les environs proches une poignée de *farmhouses.*
Michael Collins, organisateur de l'IRA pendant la guerre d'indépendance et négociateur de la partition de l'île, est originaire du coin. L'anniversaire de sa mort est l'occasion d'une grande fête annuelle qui dure toute la semaine, autour du 22 août. Autre personnalité (presque) de la région : Henry Ford, dont l'arrière-grand-père était originaire du village de Ballinascarthy, à 8 km au nord de Clonakilty.

Arriver – Quitter

En bus

➢ ***De/vers Cork :*** lun-ven, env 8 bus 7h20-19h05 ; 7 bus dim 9h35-19h05. Trajet : 1h10. *Infos : ☎ (021) 4508-188.*
➢ ***De/vers Skibbereen :*** vers Skibbereen, lun-ven 10h10-19h05 ; ven soir, 1 bus de plus (vers 23h50) ; 6 bus dim 10h10-21h05. Trajet : 1h15. 2 bus continuent jusqu'à la ***péninsule de Mizen Head*** (Schull, Goleen).

Adresses utiles

Office de tourisme : *Ashe St, dans le centre. ☎ 88-340-51 ou 88-332-26. • clonakilty.ie • Juin-août, tlj 9h-18h (dim et j. fériés 10h-17h30) ; sept-mai, tlj sf dim 9h15-17h.* Bien documenté et accueil sympa. Plan de la ville.
■ ***Banques :*** *Pearse St.*
@ ***Clon Business :*** *en face de la banque AIB. ☎ 88-345-15. Lun-ven 9h-18h ; sam 10h-17h.* Connexion Internet, téléphone.
■ ***Location de vélos : Murphy*** *(MTM Cycler), 33, Ashe St. ☎ 88-335-84. Lun-sam 9h-17h ; dim 9h-12h. Prévoir 10-12 €/j.*
■ ***Laundry :*** *au 50, Pearse St ou à* ***On the Wash Basket,*** *à côté de la poste, dans la galerie Spiller's Lane couverte.*

Où dormir ?

Camping

Camping Desert House : *sur la route de Ring. ☎ 88-333-31. • deserthouse@eircom.net • À 1 km du centre, indiqué au rond-point à l'entrée de la ville. Ouv début mai-fin sept. Env 16-21 € pour 2 avec voiture et tente ; marcheurs et cyclistes 10-12 €. Douches payantes.* Camping à la ferme (40 ha) assez rustique, face à la rivière. Accueil bourru. Salle pour la vaisselle et salon TV. Terrain entouré par les vaches dans le pré, le bonheur !

De prix moyens à plus chic

An Sugán : *41, Strand Rd. ☎ 88-337-19. • ansugan.com • Rue principale, proche de l'office de tourisme. Congés : nov-janv. Doubles 70-90 €. B & B* de bon confort, juste à côté du pub du même nom (voir « Où manger ? »). Chambres pimpantes et au calme.

Plus chic

O'Donovan's Hotel : *Pearse St. ☎ 88-332-50. • odonovanshotel.com • Double 90 €, petit déj compris.* Au cœur de la ville, vénérable hôtel plein de charme et de souvenirs, dirigé par la 6e génération de proprios. Charles Parnell, Guglielmo Marconi, Michael Collins y séjournèrent. Tout l'hôtel est empreint de cette atmosphère historique. Faites-vous raconter l'enterrement du singe en 1943 (avec les honneurs militaires). On adore le bar, son comptoir sculpté, ses box chaleureux. Chambres de bon confort.

Où manger ?

De bon marché à prix moyens

|●| ***Betty Brosnans :*** *58, Pearse St. ☎ 88-340-11. 📱 086-806-4613. Tlj sf mer ap-m et dim 9h-17h. Snacks et petits plats 4,50-10 €.* Un *coffee shop* comme on en voit beaucoup en Irlande. Sauf qu'ici les plats changent tous les jours et que tout est fait maison (lasagnes, *chicken curry, cod filets...*). Prix honnêtes. À noter : on peut y prendre un *full Irish breakfast* en matinée. Expos temporaires de photos pour accompagner tout ça (les amoureux du noir et blanc seront ravis).

|●| ***An Sugán :*** *41, Strand Rd. ☎ 88-337-19. Rue principale, proche de l'office de tourisme. Env 12-15 € le midi, plats 15-30 € le soir. Menus 30 et 37,50 €.* Très populaire. Clientèle mélangée (tendance *middle class*, vu les prix... *middle*). Noter les kilos de cartes de visite au-dessus du bar. Bonne atmosphère, patron sympa. Décor chargé d'histoire. Aux premiers frimas, cheminée avec un bon feu. Fameux pour sa *bar food* qui change régulièrement. Le soir, à la carte, c'est plus cher mais plus copieux et toujours délicieux : *lobster, fresh fillets of plaice* (plie), *Atlantic seafood basket.*

|●| ***La Brasserie Restaurant*** *(O'Donovan's Hotel)* ***:*** *Pearse St. ☎ 88-332-50 ou 88-338-83. Ouv 8h-22h. Fermé la sem de Noël. Env 10-14 € le plat principal le midi ; le soir, plats 15-20 € à la carte.* Set dinner *25 €.* Recommandée pour son *full lunch* le midi. Poulet farci au jambon, *home made cheese and potato cake,* porc crème et champignons. Le soir, viandes et grillades, c'est plus cher. Très correct, mais ambiance de banale cafétéria.

De prix moyens à plus chic

|●| ***Costelloe's Malt House Granary :*** *30, Ashe St. ☎ 88-343-55. Tlj sf lun-mar, le soir 17h-22h. Plats 18-26 €.* Early bird menus *20 et 25 €.* Entre quelques murs de schiste, cadre assez classieux, mobilier cossu pour une cuisine aux inspirations bien maîtrisées et n'utilisant que des produits bio (la maison donne scrupuleusement leur origine). Des plats bien séduisants : le filet de lotte farci au crabe, les huîtres grillées à la crème de saumon fumé, *seafood platter...*

Où dormir ? Où manger dans les environs ?

Camping

⛺ **Hayes Caravan Park : Castlefreke.** *☎ 88-483-95. À 11 km au sud-ouest de Clonakilty et à 4 km de Rosscarbery. Ouv début mai-fin sept.* Situé à côté des ruines du château de Castlefreke, face à la plage, c'est pas mal l'usine à caravanes. Une vingtaine d'emplacements pour tentes quand même. Un peu plus cher que le *Camping Desert House.*

Prix moyens

🏠 |●| ***An Garrán Cóir :*** *Rathbarry,* **Castlefreke.** *☎ 88-482-36. ● angarrancoir.com ● Sur la N 71, à 4,6 km en direction de Rosscarbery. Ouv tte l'année. Double 70 €. Dîner sur commande 18-24 €.* Sympathique *farmhouse* tenue avec professionnalisme. Salon et salle à manger aux décor et mobilier élégants et chaleureux. 5 chambres immenses et de grand confort avec baignoire (jets massants). Bonne cuisine utilisant les produits bio de la ferme. Petit déj extra. Barbecue. Terrain de tennis un peu rustique. Sorties en bateau organisées. L'accueil est exceptionnel.

Kilkern House : *Rathbarry,* ***Castlefreke.*** *☎ 88-406-43. • kilkernhouse.com • À env 7 km de Clonakilty par la route côtière. Bien signalé sur la route de Skibbereen (N 71). Prendre la direction de Galley Head. Doubles 70-80 € selon saison. CB refusées.* La ferme des O'Donovan domine un lac. Très chouette campagne environnante et superbe jardin descendant vers le lac. 4 chambres regardent la mer. Plage de sable à environ 1 km. Très bonne adresse pour couples avec ou sans enfants (service de baby-sitting), récompensée par plusieurs *Best home stay awards.*

Ard Na Greine : Ballinascarthy. *☎ 88-391-04. • ardnagreine.com • Direction Bandon sur la N 71 ; à 6,4 km, après Ballinascarthy, c'est indiqué sur la gauche. Ouv mars-oct et fin d'année. Doubles 70-80 € et chambres familiales (pour 4 pers). Dîner 20-30 €.* Grande *farmhouse* agréable avec les vaches au pied de votre lit. Accueil chaleureux de la famille Walsh (qui, pour l'occasion, a remporté le prix du « *2003 Irish Welcome* »). Possibilité de dîner : plats copieux et excellente cuisine familiale, préparée par Norma (si c'est le jour de l'*Irish stew,* hmm !). Breakfast dans la lignée.

Ballard House : Ballymacowen. *☎ 88-338-65. • ballardhouseclonakilty@gmail.com • À 4 km de la ville, par la R 600. En été slt, car dans l'année elle reçoit les étudiants du* college *à côté. Double 70 €, petit déj compris.* Dans la campagne. Demeure de style contemporain. Chambres *en suite* classiques et bien tenues. Immense bow-window pour se détendre. Bon accueil.

Deasy's Harbor Bar : ***Ring,*** *à 2 km de Clonakilty. ☎ 88-357-41. Au sud-est, par la route côtière.* Light lunch *tlj (dim 13h-15h). Le soir, mer-sam 18h-21h30. Compter au moins 20 €.* Face à la baie, tout seul, un adorable vieux pub dans son traditionnel décor marin prodiguant une bonne et fraîche cuisine à base de poisson et fruits de mer.

Où boire un verre ? Où écouter de la musique ?

De Barra : *55, Pearse St. ☎ 88-333-81. Pour connaître le programme : • debarra.ie • Sandwichs servis 12h-16h ; à partir de 6 €.* Pub mythique au décor hétéroclite amusant. Plein de souvenirs, photos et cartes postales brunies par des années de tabagie. Derrière, salle spacieuse pour les concerts. Musique traditionnelle quasiment tous les soirs. Un pub pour mélomanes, tenu jusqu'il y a peu par Noel Redding, musicien pop-rock que l'on voit en photo avec Jimi Hendrix, Ray Charles, Sting, Paul McCartney, David Bowie... Instruments accrochés un peu partout. Incontournable !

Shanley's : *Connoly's St. ☎ 88-337-90.* Dans la même famille depuis 1904. Pub fameux pour son ambiance et son cadre agréable. Beaucoup de musiciens s'y retrouvent. Concerts en fin de semaine. Pas la peine d'y aller en journée, c'est mort.

An Teach Beag (prononcer « Tchioc Bioc », la « petite maison » en gaélique) *: 5, Recorder's Alley. ☎ 88-332-50. Prendre sous le porche à côté de* O'Donovan's Hotel *; c'est au fond de l'allée. Tlj jusqu'à 23h30 (23h dim).* Pub récent aménagé à l'ancienne dans une chaumière, avec vrai feu de bois dans la cheminée, murs blancs et recoins confidentiels. On peut y écouter des concerts de musique folk chaque vendredi et samedi dès 21h30 (et, en saison, au moins 4 soirs). Et un bon CD à acheter ! Dans la même allée (même maison), ***The Venue,*** quant à lui, propose un *beer garden* animé et des concerts de plus grande ampleur.

À voir

La poste : *en face de l'église catholique et d'Emmet Sq.* L'une des plus curieuses d'Irlande : elle occupe une ancienne et adorable église presbytérienne.

Emmet Square : *dans le centre.* Place entourée de jolies maisons georgiennes. Au milieu, le jardin Kennedy aux mille couleurs chatoyantes. Voir aussi, en bordure de place, la statue de l'enfant du pays, Michael Collins, inaugurée en 2002 par l'acteur Liam Neeson (qui joua le rôle magnifiquement dans le film sur sa vie). À côté de la poste, ***Spiller's Lane,*** une galerie marchande sympa.

West Cork Railway Model Village : *sur la baie d'Inchydoney. ☎ 88-332-24. • modelvillage.ie • En saison, tlj 11h-17h (hors saison, mer-dim 11h-17h ; juil-août 18h). Entrée : 8 € ; 12 € avec le trajet en p'tit train. Réduc.* Reconstitution des villages de la région à échelle réduite (au 1/24). Possibilité de visiter le coin en train touristique, pour ceux qui aiment...

West Cork Regional Museum : *Western Rd. ☎ 88-331-15. En face de l'école. Mai-oct, tlj 10h-18h30 (horaires un peu élastiques, car le musée est géré par un bénévole). Entrée : env 3 €.* Consacré en partie au mouvement indépendantiste local et aux brigades de patriotes dans les années 1900-1920. Souvenirs des héros de l'ombre tels que Dick Barrett, Mary Jane Irwin, Sean Hayes... Petite vitrine sur Eamon De Valera (photos, son stylo à plume). Ne pas manquer l'émouvante lettre de Dick Barrett écrite à sa famille depuis sa prison, la veille de son exécution : « Je vais mourir mais digne et sans regrets, ma mission est accomplie... »

Birthplace of Michael Collins : *prendre la direction de Rosscarbery. Après 3 km, emprunter une route à droite. C'est indiqué, mais pas très facile à trouver quand même.* Deux maisons en pleine campagne dont une en ruine où vécut la famille Collins. Celle encore debout n'est pas la plus ancienne. La première fut en fait incendiée en 1921 par les *Black and Tans.*
– Ceux qui s'intéressent au personnage visiteront le ***Michael Collins Centre*** *: à Arigideen (à 2 km sur la route de Timoleague). ☎ 88-461-07. • michaelcollinscentre.com • De mi-juin à mi-sept, lun-ven 10h30-17h ; sam 11h-14h. Entrée : 5 €.* Toute la vie du célèbre rebelle (1890-1922) racontée en vidéo et en diapos. Dehors, reconstitution d'une embuscade !

Manifestations

– ***Festivals de Musique traditionnelle :*** *le premier fin juin, début juil, le second pdt le dernier w-e d'août ; ven-dim, musique dans de nombreux pubs.*

DANS LES ENVIRONS DE CLONAKILTY

Plage : *à* ***Inchydoney,*** *à 5 km au sud du bourg, sur le pittoresque promontoire qui s'avance dans la baie.* Curieusement, la plage était entrecoupée de collines couvertes d'herbe. On y trouvait même, il y a encore quelques années, certains coquillages rares dont ceux de « la Sainte Vierge ». Malheureusement, les pelleteuses ont fait leur office et la plage est beaucoup moins chouette qu'avant.

Autre ***plage*** très populaire, celle ***d'Owenahincha,*** si longue que, le jour de la Saint-Patrick, on y fait des courses de trot.

Galley Head : en passant par Ardfield, petite route qui longe la côte bordée de murs de pierre. À Galley Head, des criques à l'eau transparente où les plus courageux iront taquiner les poissons.

Rosscarbery : niché au fond de son aber. Cathédrale protestante de 1612. À côté, quelques vestiges d'un monastère du VIe s. Sur la route Rosscarbery-Glandore, on aperçoit *Coppinger's Court,* ruines d'un château du XVIIe s.

GLANDORE (CUAN DOR)

IND. TÉL. : 028

Un très joli petit bourg auquel on accède par une route étroite et vallonnée. 2 km avant d'arriver à Glandore, on découvre l'un des plus beaux cercles de pierres du comté, celui de *Drombeg.* Il daterait de 1 000 ans av. J.-C. Vestiges d'un puits de cuisson à proximité. Juste avant le bourg, on trouve le *château de Kilfinnan* (pas de visite). Certains de ses murs ont 4 m d'épaisseur. Vue superbe sur le port et plus loin les deux îlots Adam et Ève.

Où dormir ?
Où manger ?
Où boire un verre ?

The Meadow Camping Park : *à 1 km de Glandore en venant de Rosscarbery (R 597). ☎ 332-80. • meadowcamping@eircom.net • Bien indiqué. Ouv 30 avr-15 sept. Compter 20 € pour 2 (douche chaude 1€) et 9 € marcheurs et cyclistes.* Familial et calme : moins de 20 emplacements ! Situé en pleine campagne. Propriétaires très gentils. Équipement minimum.

Kilfinnan Farm : *☎ 332-33. • kilfinnanfarm@eircom.net • À l'entrée de Glandore en venant de Rosscarbery, sur la gauche (la R 597) ; bien indiqué. Ouv de mi-mars à fin oct. Compter 90 €. Parking privé.* Rien que la route qui domine la baie de Glandore vaut le détour. Maison en pleine campagne surplombant le port. Les chambres sont à l'étage, à côté de celles des enfants. Toutes avec salle de bains. Calme et reposant. Accueil affable. On y déguste un petit déj à base de produits de la ferme. Salle à manger panoramique.

Bay View B & B : *au centre du village, à deux pas du* Glandore Inn. *☎ 331-15. Doubles 70-80 € selon saison.* Construction simple, mais c'est hyper bien situé et au bord de l'eau même. 4 chambres lumineuses et de bon confort (dont 2, la no 1 et la no 3, avec vue plongeante). Bon accueil.

The Glandore Inn : *dans le village. ☎ 334-68. Plat env 10 €.* Pub ouvert toute l'année en service continu, qui installe des tables de jardin dès les beaux jours, face au port d'Union Hall, sur la route, côté baie. Très recherché ! Assiette de crudités, *pasta,* moules, *cod* au gratin, crevettes ou saumon.

UNION HALL (BRÉANTRÁ)

IND. TÉL. : 028

Un vrai « port de poupée ». Arrivée des chalutiers vers 20h. Le climat est réputé pour sa douceur et ses effets bénéfiques pour l'inspiration. Swift venait souvent ici. Il y écrivit de fort beaux poèmes.

Où dormir ?
Où manger ?
Où boire un verre ?

🏠 ***Seascape B & B :*** *dans le village. ☎ 339-20. ● seascape.ie ● Face au dernier bassin du port. Ouv mars-nov. Doubles 65-70 € avec sdb privée ou commune. CB refusées.* Une vénérable bâtisse de pierre, décorée de façon superbe par Julie (beaucoup de bois à l'intérieur). La maison est un délice de goût. 4 chambres seulement, mais cosy tout plein. Accueil charmant de toute la famille.

🏠 ***Shearwater Country House B & B :*** *Keelbeg. ☎ 331-78. ● shearwaterbandb.com ● Une très grande maison en hauteur, indiquée à partir du port. Ouv avr-fin oct. Compter 70 € pour 2 (60 € avec petit déj continental). Parking privé.* Grandes chambres *en suite* bien meublées, avec baignoire pour certaines et balcon pour l'une (à réserver tôt). Vue panoramique sur la baie et les collines de Glandore depuis la terrasse où est servi le breakfast.

🍴 ***Dinty's Bar and Restaurant :*** *au coin de Main St. ☎ 333-73. Tlj jusqu'à 21h.* Lunch menu *12h-17h.* Reconnaissable à sa façade rose. *Seafood,* steak, pâtes, *burgers*... certes du classique, mais bien exécuté.

🍴 🍸 ***Casey's Bar :*** *dans le village. ☎ 335-90. Tlj midi et soir, jusqu'à 20h30. On peut bien manger pour env 10-15 €.* Quelques spécialités : *Irish stew, seafood platter,* moules, sandwichs. Plaisante terrasse sur l'eau aux beaux jours.

🍸 Au ***Malloney's,*** on joue au billard, et chez ***Nolan's,*** Guinness super bien tirée !

CASTLETOWNSHEND (BAILE AN CHAISLEÁIN)

141 hab. IND. TÉL. : 028

L'un de nos petits ports préférés, caché à quelques kilomètres au sud-ouest de *Union Hall.* Pour l'atteindre, on traverse une succession de prairies et de vallées profondes. Modeste, simple, coloré... et peuplé d'habitants chaleureux ! Ses maisons s'alignent le long de l'unique rue pentue se terminant dans la mer. Belle plage à Tragumna, tout près.

Où dormir ?
Où manger ?

Prix moyens

🏠 ***Sandycove House B & B :*** *☎ 362-23. ● sandycovehouse.com ● À 3 km, direction Tragumna, indiqué sur la droite en arrivant au village. Ouv de mi-mars à fin oct. Chambre env 70 €. CB refusées.* Breda et John, absolument adorables, possèdent une jolie maison qui domine l'océan et les falaises. Les 3 chambres doubles et la familiale (4 personnes : 120 €) sont dotées de leur propre salle de bains. Mais seules 2 d'entre elles ont vue sur mer. Plage de Sandy à 10 mn de marche. Une bonne adresse pour se reposer et respirer l'air du large, le rêve pour les amateurs de paix, de nature et de solitude.

🍴 ***Mary Ann's Bar :*** *dans la rue principale. ☎ 361-46. Tlj :* bar food *12h-14h30 ; resto 18h-21h. Résa vivement conseillée. Plats à partir de 12 €. Parfois,* dinner menu *autour de 25 € ; carte env 40 €.* Cuisine de qualité régulière servie dans une bonne ambiance. Cave de choix.

Chic

🏠 ***The Castle Guest House & Holiday Homes :*** *Main St. ☎ 361-00. ● castle-townshend.com ● Congés :*

15 déc-15 janv. Chambres 90-120 € pour 2 selon taille, vue et saison. Une demeure seigneuriale du XVIIe s, restaurée avec maestria. Jonathan Swift y a séjourné. Calme total. Beaux jardins surplombant le port. À l'intérieur, mobilier d'époque, toiles et nombreuses curiosités. Les chambres sont très différentes, chacune avec sa personnalité. Petit déj copieux servi dans une salle à manger aristocratique. Deux petits défauts cependant : d'abord, ce n'est pas le grand luxe, on paie pour un cadre unique. Ensuite, accueil et rapports, disons-le, parfois peu aimables. Également des cottages. Pour ceux qui n'y résident pas, possibilité de visiter le château, mais seulement en mai, juin et septembre (10 € par personne).

À voir. À faire

Visite du ***parc*** et du ***château,*** Main Street. Voir *The Castle* ci-dessus.

➢ Possibilité de ***balade en mer*** (avec ou sans pêche) avec un pêcheur très sympa. Pour trouver Collin Barnes, s'adresser au *Mary Ann's Bar* ou demander sur le port. Noms et numéros de téléphone des pêcheurs sur le port, à côté du robinet public.

Pour les amateurs de châteaux, voir aussi celui de ***Glenbarrahane.*** Également un ancien fort préhistorique avec des murs de 3 m d'épaisseur.

SKIBBEREEN (AN SCIOBAIRÍN)

2 000 hab. IND. TÉL. : 028

Un nom rendu populaire par la célèbre chanson des Dubliners, et l'une des plus importantes bourgades du comté, entre Clonakilty et Baltimore. Assez touristique, car très souvent choisi comme « camp de base » pour la visite de la région. Sur la rive de la Llen, à l'ouest de la ville, ruines d'une abbaye cistercienne. À l'intérieur, quelques tombes datant de la Grande Famine.

Arriver – Quitter

Gare routière : *sur Bridge St, juste en face du* Cahalanes Bar.

➢ ***De/vers Cork*** *(via* ***Clonakilty****)* ***:*** env 8 bus/j. Trajet : 1h50.

➢ ***De/vers Bantry, Glengarriff, Kenmare, Killarney :*** 1 bus express/j. fait l'aller-retour direct, mais juin-août slt. Le reste de l'année, pas de direct : aller à Timoleague et prendre une correspondance.

➢ Sur le plan local, bus ***de/vers Dunmanway, Ballineen, Enniskeane, Schull, Goleen*** et ***Baltimore.***

Adresses utiles

Office de tourisme : *Town Hall North St. ☎ 217-66. Fax : 213-53. • skibbereen@failteireland.ie • En été, tlj 9h-19h ; hors saison, lun-ven 9h15-13h, 14h-17h.* Bonne doc sur la ville.

✉ ■ ***Poste et banques :*** *dans Market St et Main St.*

@ **Coffee.Post.Com :** *North St. Dans le centre-ville, près de l'office de tourisme.*

@ **West Cork Arts Centre :** *North St. C'est la maison rose à côté de la cathédrale (Cork Rd). Lun-sam 10h-18h.* Association destinée à promouvoir l'art dans la région. Expos temporaires, on y a vu des trucs sympas. Au dernier étage, une salle d'accès à Internet.

■ **Location de vélos : Roycroft,** *Llen St. ☎ 212-35. Sur la route de l'*Heritage Centre. Accueil rugueux au premier abord. Location moins chère à l'AJ *Russagh Mill* (voir « Où dormir ? »), mais elle est située en dehors de la ville.

Où dormir ?

Camping

▲ **The Hideaway Camping :** *à 500 m en sortant de la ville, sur la route de Castletownshend. ☎ 222-54 ou 332-80 (hors saison). • skibbereencamping@eircom.net • Ouv de mai à mi-sept. Compter env 20 € pour 2 (+ 1 € pour la douche chaude). CB refusées.* Petit camping familial bien tenu. Surtout des caravanes.

Bon marché

⌂ **Russagh Mill Hostel :** *Russagh. ☎ 224-51. • russaghmillhostel.com • À 1,5 km sur la route de Castletownshend. Dans un ancien moulin. Ouv avr-fin oct. Compter 15 €/pers en dortoir et 20 €/pers en chambre double.* Familiy room *60 €.* Wi-Fi Une des rares *youth hostels* survivant dans la campagne irlandaise, avec son va-et-vient incessant et son joyeux chahut ambiant. Un charme rustique, parties communes conviviales et accueil super. Cuisines à disposition. Location de vélos. Opérant la majeure partie de l'année avec des colonies de vacances, cette adresse géniale propose diverses activités sportives (escalade, canoë, tir à l'arc, etc.), mais elle est aussi vite complète. Faites confiance à Murphy, athlète accompli, qui a gravi l'Everest !

Où dormir dans les environs ?

⌂ **Bunalum Farmhouse :** *direction l'hôpital, sur la route R 593 (vers Bantry), à 4 km du centre-ville. ☎ 215-02. • bunalunfarm.com • Ouv mai-oct. Double 76 €.* Coin tranquille. Belles chambres et petit déj avec produits de la ferme et pain maison. Dans une maison du XIXe s, attenante à la ferme. Excellent accueil.

⌂ |●| **Grove House & Courtyard Cottage :** *☎ 229-57. • grovehouse.net • Direction l'hôpital, à 2 km du centre-ville ; indiqué sur la droite. Ouv tte l'année. Chambre double 118 € ; cottages, également pour 2, à partir de 99 €. Possibilité de dîner : env 29 €, vin compris.* Wi-Fi Au bout d'une allée d'arbres, une vieille maison bourgeoise de caractère. Pour les amateurs de luxe et de romantisme, le temps d'une nuit. L'intérieur aurait largement sa place dans un magazine de déco (murs en pierre sèche, tissus pimpants). 3 cottages charmants derrière la maison, avec jacuzzi à l'intérieur (ou même, pour l'un d'entre eux, jacuzzi extérieur sur la terrasse !). Très exclusif !

Où manger ?

Bon marché

|●| **Annie May's Restaurant :** *11, Bridge St. ☎ 229-30. Tlj tte l'année. Plats env 9 € le midi et 13-17 € le soir.* Cadre plaisant et accueil fort sympathique. Clientèle d'habitués le jour du marché ; sinon, menu touristique. Copieux *today's specials.* Spécialités : *Irish stew* et poulet aux herbes. Fait aussi *B & B,* central et à tarifs classiques. Une bonne vieille adresse qui ronronne.

De bon marché à prix moyens

|●| **The Church :** *Bridge St. ☎ 236-25. Lun-jeu 12h-18h. Ven-sam 9h-21h,*

dim 12h-20h. Plats 16-21 €. Menu early bird *(18h-20h) 25-30 €.* Mes bien chers frères, mes bien chères sœurs, ne vous étonnez pas de découvrir ici une atmosphère tout à la fois joyeuse et recueillie : le resto s'est installé dans une ancienne église méthodiste. Détruite à la suite d'un violent incendie. L'église fut reconstruite et, du coup, certains éléments de décor proviennent d'ailleurs, comme l'escalier récupéré d'un manoir du nord de la France, le balcon en fer d'une chapelle du pays de Galles et les doubles portes de l'hôpital de Cork... Superbes vitraux prodiguant une douce ambiance, nimbée d'une lumière colorée. Et, comble de bonheur, on y sert une très belle et généreuse cuisine traditionnelle. C'est la cantine de nombreux employés locaux. Le *seafood chowder* se révèle presque un plat à lui tout seul, viandes tendres et légumes cuits juste ce qu'il faut, délicieuses lasagnes... On vous confesse, après cette belle messe culinaire, qu'on renouvellerait bien ce péché de gourmandise !

|●| ***Kalbo's Bistro :*** *26, North St.* ☎ *215-15. Tlj sf dim 9h-18h (21h ven-sam). Le midi, env 15 € ; le soir, env 20-30 € le repas.* Petite salle, toiles cirées pour un excellent *beef stew,* pâtes du jour, gâteaux maison. Plats au tableau noir. Monsieur cultive des légumes bio et madame les cuisine. Bon et frais, une vraie recherche dans la préparation des plats.

Achats

Factory Tregumma : *à 8 km de Skibbereen, sur la route de Castletown, Union Hall.* Vente de pulls, peaux de mouton, etc. Un poil moins cher qu'en ville. Directement du producteur au consommateur.

DANS LES ENVIRONS DE SKIBBEREEN

Creagh Gardens : *à 6 km sur la route de Baltimore.* ☎ *221-21. Tlj 10h-18h. Entrée : 5 €. Chiens interdits.* Sentiers embaumés par les azalées, rhododendrons, camélias, fuchsias, magnolias, etc.

Le lough Ine : *sur la route de Baltimore, indiqué après le golf.* Une superbe balade, idéale à vélo, le long du golf. On a l'impression de longer un lac. En arrivant au niveau de la mer, à gauche c'est un « cul-de-sac » (en anglais dans le texte) ; à droite, puis à gauche, des barques attendent la photo souvenir. Un peu plus loin, au niveau de la *Glannaeen House,* le chemin descend vers une petite crique de pêcheurs à l'eau transparente. La route continue ensuite vers Baltimore. S'y rendre avec une carte (au 1/120 000, c'est suffisant). En prenant la route sur la gauche avant le cul-de-sac, on peut se retrouver (par hasard) en face, et on y découvre des criques encore plus sauvages.

Heritage Centre : *Upper Bridge St, Skibbereen.* ☎ *409-00.* • *skibbheritage.com* • *À la sortie ouest de la ville. Ouv de mi-mars à fin oct, fermé dim-lun : juin-sept, tlj 10h-18h (dernière admission à 17h15) ; le reste du temps, lun-ven 10h-18h. Entrée : 6 € ; réduc. Projection du film possible en français, mais les audioguides et les panneaux explicatifs sont en anglais : demander une traduction à la réception.* Installé dans les anciens bâtiments de la compagnie de gaz, un musée à la mémoire des victimes de la Grande Famine, sous forme interactive. Pour mieux comprendre une période déterminante de l'histoire de l'Irlande. *Skibbereen* fut l'une des régions les plus touchées (10 000 victimes, dans des fosses communes autour de la ville).

Les plages de Tragumna (6,5 km), ***Tralispeen*** (6 km) et ***Sandycove*** (10 km).

DE SKIBBEREEN À GLENGARRIFF

BALTIMORE (DÚN NA SÉAD)

200 hab. IND. TÉL. : 028

À 15 km de Skibbereen, la route qui mène à cet adorable village de pêcheurs longe une baie splendide. Baltimore, en plus de la pêche et de la construction de bateaux, est devenu l'un des plus importants rendez-vous de la navigation de plaisance du pays. En mai, lors du festival de musique traditionnelle *Fiddle Fair*, l'affluence bat des records. Le reste de l'année, ce petit port retrouve son calme et accueille une petite communauté saisonnière de Français. C'est le port d'embarquement pour Sherkin et Cape Clear, îles à l'entrée de la baie, qui le protègent de bien des tempêtes.

LES RAFLES ALGÉRIENNES

Baltimore connut en 1631 l'une des rares incursions arabes en Irlande : à la suite d'une attaque menée par le pirate Murat Reis (un renégat d'origine hollandaise qui s'était mis au service de différents sultanats d'Afrique du Nord), 200 Irlandais furent emmenés comme esclaves à Alger (d'où le nom du pub Algiers Inn). Le vieux château en ruine des O'Driscoll reste l'un des témoignages de cette époque agitée.

Adresses et infos utiles

Office de tourisme : *sur le port, dans un magasin de souvenirs.* • *baltimore.ie* • Infos sur la région, l'île de Cape Clear. Horaires des bateaux. Vu les horaires restreints de cet office, on vous indique également une borne d'info située dans le hall de l'hôtel *Casey's* (voir « Où dormir ? »).

Épicerie : *sur le port, à côté de la boîte aux lettres.*

– Il n'y a plus de poste et toujours pas de banque à Baltimore (seulement un distributeur de billets à l'épicerie).

Ferry de Baltimore à Schull qui fait gagner 35 km aux cyclistes. ☎ *391-53.* • *westcorkcruises@eircom.net* • *De mi-juin à mi-sept.*

Où dormir ?

Bon marché

Top of the Hill : *1, Freke Terrace, sur la droite en arrivant au centre-ville.* *087-743-15-85.* • *topofthehillhostel.ie* • *Compter 18 €/pers en dortoir ou 44 € en chambre double ; familiales 54-78 € ; petit déj en sus.* AJ récente. 24 lits répartis dans un dortoir pour garçons, un pour filles et une poignée de chambres doubles et triples. Murs tout blancs, genre hôpital : on est loin du bazar animé de certaines AJ ! Basique mais très propre, draps fournis, couette douillette, salle de bains dans le couloir. Cuisine à disposition.

Prix moyens

Slipway B & B : *The Cove, traverser le village jusqu'à la baie, vers Beacon ; à 500 m des pubs.* ☎ *201-34.* • *theslipway.com* • *Ouv mai-sept. Chambres 72-80 €. CB refusées.* Une vénérable demeure joliment rénovée en bois, cordes et matériaux marins chauds au regard. Belles chambres avec vue sur la marina. Bien au calme. Wimie n'apprécie pas trop les fumeurs, peut-être parce que tout est en bois. En tout cas, accueil délicieux. Pièce commune panoramique. Possibilité de prendre le petit déj en terrasse aux beaux jours. Petit cottage à louer juste à côté.

🏠 ***Fastnet House B & B :*** *au centre du village, face au* Customs House Restaurant. ☎ *205-15.* ● *fastnethouse@eircom.net* ● *Ouv mars-oct. Chambres* en suite *70-80 € selon standing. CB refusées.* Grande maison familiale de 1820. Les proprios l'ont joliment rénovée, tout en respectant soigneusement le caractère. Escalier, planchers en bois, murs en pierres apparentes, cheminées traditionnelles contribuent à créer une chaleureuse atmosphère. Certaines chambres sont suffisamment spacieuses pour y ajouter un lit d'enfant. D'autres ont vue sur la côte. Accueil sympa de la famille Carthy.

🏠 ***The Stone House B & B :*** *à l'entrée du village, sur la droite ; bien indiqué.* ☎ *205-11.* 📱 *087-796-14-56.* ● *aquaventures.ie* ● *Ouv tte l'année. Doubles 72-80 € (sans le petit déj, 55-65 € selon saison) ; réduc pour les plongeurs.* Dispose de 4 chambres avec salle de bains. Copieux petit déj avec pain maison. C'est la maison d'un club de plongée ; organise aussi des tours d'observation des baleines et dauphins, ainsi que du *snorkelling* (masque et tuba !). Belle vue sur la côte. Plongeurs et terriens apprécieront l'ambiance décontractée du lieu. Accueil chaleureux.

🏠 ***Rathmore House :*** *à 3 km du centre en venant de Skibbereen.* ☎ *203-62.* ● *baltimorebb.com* ● *Ouv tte l'année. Chambres 70-80 €.* La maison surplombe des pâturages qui descendent vers la baie. Cadre agréable et vue splendide. Attention, si les chambres devant sont de bonne taille, ne pas s'en faire refiler une derrière, elles sont vraiment minuscules pour le même prix (avec vue sur le hangar !). La n° 3 est superbe. Petit déj copieux et accueil chaleureux.

🏠 ***Rolf's Country House :*** *Baltimore Hill.* ☎ *202-89.* ● *rolfscountryhouse.com* ● *À 500 m de l'entrée du bourg, sur une colline. Ouv tte l'année. Doubles 80-96 € avec petit déj. Possibilité de louer un cottage (4-5 pers) pour 1 w-e ou 1 sem (500-650 € selon saison).* Intérieur chaleureux tout en bois clair. Confortable et tenu par une famille franchement sympathique. Excellents resto et *wine bar* (voir plus bas). Possibilité d'acheter les bons produits maison. Presque un petit complexe touristique, mais managé sur un mode familial. Cottages vraiment plaisants, d'un fort bon rapport qualité-prix. Jardins tout autour.

Chic

🏠 ***Casey's of Baltimore :*** *à l'entrée du village.* ☎ *201-97.* ● *caseysofbaltimore.com* ● *Tte l'année sf 20-27 déc. Doubles 120-150 € selon saison ; prix majorés les w-e d'affluence. Surveiller les promos sur Internet. Au resto, repas 30-35 € ;* bar food *très correcte servie midi et soir env 25 €* (set value menu). Établissement assez touristique regroupant un hôtel, un *seafood restaurant* et un *traditional pub.* Propose 14 chambres de petit luxe avec tout le confort. Certaines profitent d'une vue imprenable sur la mer. Lits *king size.* Au resto, bonne cuisine à prix chic.

Où manger ?

De bon marché à prix moyens

🍴 ***Sibin :*** *à Rath, hameau sur la gauche avt d'arriver à Baltimore.* ☎ *203-83. Tlj 12h30-20h30 (21h hte saison).* Seafood platter *24,95 €. Résa conseillée le dim midi, ou venir de bonne heure.* En dehors des sentiers battus, on aime bien ce pub qui a su conserver une âme et propose une cuisine faite avec cœur et les bons légumes du jardin. *Seafood platter* copieux et d'une belle fraîcheur. Sinon, *daily specials* et plats traditionnels : canard à l'orange, *T-bone,* côtelettes d'agneau. Beaux desserts maison. Accueil sincère, service efficace. Musique live le week-end et cours de cuisine.

🍴 ***La Jolie Brise :*** *sur le port.* ☎ *206-00. Tlj 8h30-23h. Prévoir 10-20 €.* Horaires et situation bien pratiques, et on peut manger, à l'intérieur ou en terrasse, pizzas, poisson du jour, moules marinière, steak... Tenu par le proprio français de *Chez Youen* (son resto est très cher). Loue des chambres correctes juste au-dessus *(Waterfront Hotel),* mais c'est vraiment cher (120 à 160 € pour 2 en haute saison) et bruyant (situé sur la petite place, très animée l'été, du pub *Bushe*).

De plus chic à très chic

Rolf's Restaurant Café Art & Wine Bar : *voir « Où dormir ? ».* ☎ *202-89. Tlj sf lun-mar 12h30-14h30, 18h-21h. Plats 16-29 €.* Special value menu *29,50 € ; moins cher le midi.* En tout, 3 salles dont 1 à l'étage. Cuisine d'une grande finesse. Bonne carte de salades, pâtes, poisson et viande, accompagnée par une chouette carte des vins (italiens, français, sud-africains), dont certains au verre. Goûter aux Saint-Jacques à la provençale flambées et au *West Cork pudding and quail eggs...* Le tout dans un cadre artistique (expos) et servi par une équipe décontractée.

Où boire un verre ?

Bushe's Bar : *sur le port.* ☎ *201-25.* Bar food *à partir de 9h30.* Soupes et bons sandwichs pour pas cher. Pub fréquenté par les pêcheurs et les *ferrymen,* et aussi par de nombreux touristes. Atmosphère amicale à l'heure du coucher du soleil. Fait aussi *B & B* (3 chambres rénovées avec salle de bains). Seul petit défaut : petit déj continental.

À voir. À faire

Le château de Dun na Sead : *dans le village.* ☎ *207-35. 1er juin-30 sept, tlj 11h-18h. Entrée : 3 €.* Construit à la fin du XVIe s, il fit partie du système de défense du clan O'Driscoll contre les Anglais. Après la défaite de Kinsale, il passa aux mains des occupants. Cromwell en fit une caserne pour ses troupes en 1649, puis il fut abandonné. Une énergique restauration permet aujourd'hui de le visiter.

➢ Petite **balade** au coucher du soleil, après dîner, jusqu'à *Beacon Point* (un amer bien connu des marins). Jolie route bordée de murs de pierre. Belles falaises.

Plongée

■ **Aquaventures :** The Stone House B & B *(voir « Où dormir ? »).* ☎ *205-11.* 📱 *087-796-14-56.* • *aquaventures.ie* • Aucun problème pour ceux qui ne sont pas PADI, mais plutôt délicat pour les frileux. Quelques épaves fameuses à explorer, dont celle du cargo *Kowloon Bridge,* la plus longue du monde avec ses 300 m ! Également des sous-marins autour du Fastnet (les célèbres U260 à 36 m). Propose également des *snorkelling tours* (observation des poissons en surface).

■ **Baltimore Diving :** *à deux brasses du précédent, sur le port.* ☎ *203-00.* • *baltimorediving.com* • Possède aussi des chambres.

Stage de voile

■ **Glenans Irish Sailing Club :** *après le port de pêche. Rens à la Old Station House :* ☎ *206-30.* • *glenans.asso.fr* •

Fêtes

– **Fiddle Fair :** *pdt la 1re quinzaine de mai.* • *fiddlefair.com* • *Se déroule en partie au* Harbour Hotel *et dans certains pubs.* Festival de musique traditionnelle qui connaît un franc succès.

– ***A Taste of Baltimore :*** *fin mai, dans les pubs de la ville. Rens :* ☎ *201-59.* Couplé avec le *Baltimore Wodden Boat Festival.*
– En août, un certain nombre de manifestations : ***régates*** au début du mois ; ***pêche au requin*** et ***pêche de fond*** la dernière semaine.

L'ÎLE DE SHERKIN

85 hab. IND. TÉL. : 028

Située juste en face de Baltimore. Peu touristique, tranquillité assurée.
➢ ***Pour s'y rendre depuis Baltimore :*** en été, 12 bateaux/j. 7h45-20h30 (retours 8h-20h45). En hiver, 8 bateaux/j. 7h45-17h30 (dim 5 bateaux). *Rens :* 📱 *087-244-78-28 ou 087-263-84-70. • sherkinferry.com • 10 €/adulte, 4 €/enfant ; tarif famille. On peut également s'adresser au* Bushe's Bar.

Adresse et infos utiles

✉ ***Bureau de poste :*** *ouv jusqu'à 18h30.* Coin épicerie.
– Un site pour découvrir les richesses insoupçonnées de l'île : • *sherkinisland.ie* •
– ***Service de minibus*** *(mai-août slt)* entre le port et les hôtels.

Où dormir ? Où manger ? Où boire un verre ?

🏠 ***Horseshoe Cottage :*** *pas très loin du débarcadère.* ☎ *205-98.* 📱 *087-996-15-57. • gannetsway.com • Juin-sept. Compter 90 € pour 2, 80 € à partir de la 2e nuit.* Propose 3 chambres d'excellent confort *en suite.* Très calme, dans un environnement de rêve. Package intéressant : 2 nuits, plus 1 journée en mer en *schooner* (possibilité de voir dauphins et peut-être baleines) pour 325 €.

🍽 🍷 Deux *pubs* sympas, le ***Jolly Roger*** et le ***Murphy's*** (loue des chambres aussi : ☎ *201-16*). Les gens sont cool sur l'île.

À voir. À faire

Les ruines d'un ***château*** victime des raids de pirates au XVIe s, ainsi que celles d'une ***abbaye*** franciscaine.

Belle ***plage*** à ***Silver Strand,*** derrière l'église.

L'ÎLE DE CAPE CLEAR (OILÉAN CHLÉIRE)

120 hab. IND. TÉL. : 028

▶ Pour le plan de l'île, se reporter à la carte Les péninsules de Mizen Head, Durrus et Beara.

C'est un *Gaeltacht,* c'est-à-dire que ses habitants y parlent principalement le gaélique et que l'île accueille de jeunes citadins venus se perfectionner dans la langue. À part le Fastnet Rock et son phare, il n'y a pas de point plus au sud en Irlande.

Sur l'île, très vallonnée, peu de routes, bien sûr. Quelques maisons éparpillées de-ci, de-là. Côté solitude, c'est vraiment super, du moins si vous évitez les grands week-ends et la saison estivale. Ne pas hésiter à couper à travers champs pour explorer l'extrême sud de l'île, sur les rochers du Sud-Ouest.
– En principe, les deux épiceries de l'île vendent à peu près tout ce qu'il faut, mais rien ne vous empêche de faire des provisions.
– Infos sur ● *oilean-chleire.ie* ●
– Économisez l'eau, précieuse sur Cape Clear.

OBSERVATION DES OISEAUX

Cape Clear offre quelques belles possibilités d'observation d'oiseaux. En juin et en juillet, on peut observer des *manx* en bandes qui passent dans le ciel de l'île à raison de 10 000 oiseaux par heure. Mais leurs sorties sont plutôt nocturnes. D'août à mi-septembre, c'est l'époque des *bonxies* et des phalaropes. Et de septembre à novembre, avec une pointe en octobre, la migration d'oiseaux du continent américain vers la Sibérie. Les meilleurs points d'observation sont Bullig Blannan, The Bill of Clear. Prévoir une bonne paire de jumelles et s'armer de patience. Infos, de Pâques à novembre, au ***Cape Clear Bird Observatory*** *(à droite du port, quand on débarque sur l'île : ☎ 391-81).* Fait aussi dortoir pour les ornithologues (voir plus bas).

Arriver – Quitter

En bateau

➢ ***Au départ de Baltimore :*** *☎ 391-53. 📱 087-268-07-60. ● capeclearferry.com ●* De fin mai à mi-sept, 3-4 bateaux/j. (le reste de l'année, 2 bateaux/j.). Bien se renseigner au port, pour ne pas manquer le bon départ ! Également avec la compagnie *Cailin Oir (☎ 419-23 ; ● capeclearislandferry.com ●).* Avr-oct à 10h30, 14h, 17h, plus 19h le ven (dim à 11h, 14h, 17h, plus 12h juin-août). Retour à 9h (10h dim), 12h, 16h, plus 18h juin-août. Trajet : 50 mn. Autour de 16 € l'aller-retour ; réduc. Ne pas jeter le billet qu'on achète à bord du bateau, il reste valable pour le retour.
➢ ***De/vers Schull :*** normalement, en juin et sept, 1 départ/j. ; en juil-août, 3/4 départs/j. avec le *Karycraft (☎ 282-78 ; ● capeclearferries.com ●)* Compter 45 mn de traversée. Gratuit pour les vélos.

Adresses utiles

ℹ ***Office de tourisme*** *(Biuro Oifige) : proche du débarcadère. ☎ 391-00 (en été) ou 19 (le reste de l'année). Ouv slt en été.* Plan de l'île disponible. Infos sur les bateaux.
✉ ***Poste :*** *lun-ven 9h-13h, 14h-17h30 ; sam 9h-13h.*
@ ***Internet :*** *à la bibliothèque, installée dans une cabane de chantier sur le port. Ouv mer-sam, l'ap-m slt. Gratuit, à condition de prendre la carte de membre.*
■ ***Épicerie*** *(Grocery Shop ou An Siopa Beag) : sur le port. ☎ 390-99. Tlj 10h-20h.* Snacks le midi ; le soir, plats chauds à prix modérés (*roast-beef*, saumon)...

Où dormir ?

Où manger ?

Où boire un verre ?

Camping

⛺ ***Camping Cuas an Uisce :*** *à South Harbour. ☎ 399-82. 📱 086-197-19-56. ● chleire-haven.com ● Ouv avr-30 sept. Arriver le mat ou en fin d'ap-m, car il n'y a souvent personne à la réception. Env 20 € pour 2 avec tente.* Il s'agit d'un pré en pente, dominant une baie :

LA CÔTE SUD À L'OUEST DE CORK

vue superbe sur la mer. Mais le site est très venteux. Yourtes et tipis à louer. Sanitaires impeccables. Infos sur les balades.

Bon marché

Cape Clear Hostel : *à South Harbour. ☎ 419-68. • capeclearhostel.com • Accessible à pied par un chemin qui traverse l'île du nord au sud (10 mn de marche depuis le débarcadère). Ouv mai-sept (reste de l'année, peut ouvrir, sur résa). Env 18 €/pers en dortoir, simple mais propre et coloré. Quelques family rooms.* Grande bâtisse face à la mer. Cuisine à disposition. Location de kayaks, de masques et de tubas. Infos sur l'île, les randos, l'observation des oiseaux et des baleines.

Bird Observatory Hostel : *sur le port, à droite en débarquant. ☎ 391-81. • birdwatchireland.ie • Ouv Pâques-nov. Compter 20 €/pers.* Une petite maison rénovée qui propose 7 lits à l'étage. Réservé aux ornithologues. Cuisine à disposition et douche commune.

Prix moyens

B & B Cluain Mara : *South Harbor, à 200 m du port. ☎ 391-53. • capeclearisland.com • En plein centre de l'île. Ouv tte l'année. Résa indispensable. Chambre env 60 €. Possibilité de dîner au bar (voir plus bas) et de louer des cottages à la sem.* Maison tenue par un couple adorable, Mary et Ciaràn O'Driscoll. Une bonne adresse, donc, avec 5 chambres dont 2 jouissent d'une belle vue sur la mer. Endroit très calme. Ciaràn organise aussi des balades en bateau autour des îles pour observer les oiseaux.

Ard Na Gaoithe B & B : *après l'AJ, suivez le fléchage, ça monte dur ; téléphonez chez Eileen Leonard pour qu'on vienne vous chercher à l'embarcadère. ☎ 391-60. • ardnagaoithe.ie • Chambre 70 €.* Belle petite maison rénovée et indépendante de celle des proprios, perdue dans la lande. 6 chambres et un joli jardin pour se relaxer.

Ciaràn Danny Mike's Pub & Restaurant : *au centre de l'île. ☎ 391-53 ou 72. Snacks le midi env 6-8 € et dîner (19h-21h) 15-20 €.* Le seul endroit où l'on peut trouver à manger à coup sûr, toute l'année, midi et soir. Tenu par Mary, dont on vous parle plus haut *(B & B Cluain Mara)*. Grande salle de billard, animation musicale le week-end et bancs d'église dans le pub. Belle terrasse avec vue sur South Harbour.

Pub Club Chléire : *sur le port, près du débarcadère. Ouv slt en été, tlj le soir.* Snack au rez-de-chaussée et pub au 1er étage. Simple et pas cher.

Cotter's Bar : *sur le port, en hauteur. Ouv tte l'année tlj en soirée.* Soirées musicales.

À voir. À faire

Heritage Centre : *à 20 mn à pied du port, sur le chemin menant au nord-est de l'île, juste avt une petite chapelle. ☎ 391-19. • capeclearmuseum.ie • Ouv juin-août, tlj 12h-17h. Entrée : 4 € ; réduc.* Petit musée installé dans l'ancienne école et consacré à l'ethnographie de l'île : photos, objets traditionnels... Un vieux foyer de ferme a été reconstitué avec un drôle de fauteuil en paille tressée à côté de la cheminée. Voir aussi le vieux standard téléphonique.

Les falaises de l'île offrent de merveilleux points de vue sur la péninsule de Dunmanus et les autres îles. Sur le versant nord-ouest de l'île, le *château de Dunamore.* Observatoire des oiseaux.

➢ ***Le tour Cape Clear-Schull-Baltimore :***

■ ***West Cork Coastal Cruises :*** *voir au* Mike's Pub. *☎ 391-53. • capeclearisland.com •* Balades au Fastnet Rock et autour des îles.

Randonnées

Se munir tout d'abord d'un plan de l'île.

➢ Toutes les pointes extrêmes de l'île sont belles à découvrir à pied, notamment la ***pointe nord-est*** qui se distingue par ses grandes éoliennes dressées au sommet d'une colline battue par les vents.

➢ ***Le tour de l'île*** (se fait aisément en 1 journée. En 2h seulement, on peut faire une petite balade très sympathique, au départ du port. En voici l'itinéraire résumé : du port, prendre la direction de l'AJ située à South Harbour ; puis emprunter un chemin à gauche de l'AJ qui monte vers le nord-est. Avant d'arriver au site de découverte de la pierre de Cape Clear *(Cape Clear Stone),* prendre sur la gauche un sentier qui grimpe sur un monticule d'où l'on a un super panorama de l'ensemble de l'île. Le sentier débouche de l'autre côté sur la chapelle, non loin de l'*Heritage Centre.* De là, la route bitumée descend vers le port.

➢ Avec un peu plus de temps, possibilité d'aller jusqu'au bout de la pointe nord-est de l'île *(Coosadoughlas),* le site de *Foilcoo* (nord), le site du vieux phare *(the Old Lighthouse),* au sud.

Manifestation

– ***Festival Storytelling :*** *1er w-e de sept.* • *capeclearstorytelling.com* • Contes et chansons.

LA PÉNINSULE DE MIZEN HEAD

IND. TÉL. : 028

La pointe sud-ouest de l'Irlande. À ne pas rater, de préférence le matin de bonne heure. Falaises abruptes, criques noyées dans un brouillard mystique, troupeaux en liberté, le temps semble s'écouler différemment.

– Une précision plus terre-à-terre : au bout de la péninsule, aucun établissement n'accepte de carte de paiement. Alors, soyez prévoyant : le dernier distributeur de billets se trouve à Schull.

SCHULL (1 050 hab.)

Prononcer « Scole ». Village de pêcheurs plein de charme qui préserve sa tranquillité entre port et montagne. Si vous passez une nuit dans la péninsule, c'est sans conteste le meilleur endroit. Le mont Gabriel (440 m) offre un panorama superbe depuis son sommet. Là encore, une étape privilégiée de la navigation de plaisance. Tous les gens du coin connaissent le nom du producteur de cinéma, aujourd'hui décédé, Daniel Toscan Du Plantier, car le meurtre de sa femme en 1996, dans leur villa à quelques kilomètres, a fait pas mal causer dans les pubs.

Arriver – Quitter

En bateau

➢ ***De/vers Cape Clear :*** avec le *Karycraft.* ☎ *282-78.* 📱 *086-237-93-02.* • *capeclearferries.com* • *Billet : 15 € ; réduc et* family ticket. Juil-août, 3 bateaux/j., à 10h30, 14h30 et 16h30 ; retours à 11h30, 15h30 et 17h30. Juin et sept, 1 bateau/j., vers 14h30 ; retour à 17h30. Compter 45 mn de traversée. Gratuit pour les vélos. Également, balade vers le *Fastnet* (20 €): juil, jeu à 19h ; août, mar et jeu à 19h.

En bus

➢ ***De/vers Skibbereen et Cork :*** slt 2 bus/j., dim compris. Lun-sam à 8h05, 13h40 et 17h50, et dim à 13h55 et 17h50. Trajet : env 30 mn pour Skibbereen, 2h15 pour Cork. Passe aussi par Clonakilty. *Rens : ☎ 450-8188.* • *buseireann.ie* • Avec *West Cork Rural Transport* : mer, Schull-Skibbereen à 10h50.

➢ ***De/vers Goleen :*** 2 bus/j. Trajet : 20 mn. Lun-sam à 13h35 et 16h50. Dim à 12h et 13h35.

➢ ***Vers Bantry :*** mar, avec *West Cork Rural Transport. ☎ 527-32.* • *ruraltransport.ie* • Par Durrus à 10h20 et 14h20.

Adresses et infos utiles

Pas d'office de tourisme, mais un guide d'infos pratiques que l'on trouve dans la plupart des magasins du village. Consulter également • *schull.ie* •

@ ***Internet : @ your leisure,*** *Main St. ☎ 286-00.* Internet et quelques infos touristiques.

■ ***Allied Irish Bank :*** *4, Main St. À côté de l'arrêt de bus.* Distributeur.

■ ***Location de vélos : West Cork Bike Hire,*** *14, Ard Chleire. ☎ 277-00.* • *westcorkbikehire@gmail.com* • À droite au niveau de la banque *AIB*, puis à 500 m, bien indiqué.

■ ***Schull Watersport Centre :*** *The Pier. ☎ 285-54.* Location de petits voiliers, bateaux gonflables et kayaks.

– ***Country Market :*** *sur le Pier Rd Car Park, dim à partir de Pâques, 10h-14h.* Tous les bons produits locaux et un peu d'artisanat.

– Festival : ***Art in Schull,*** début juillet.

Où dormir ?

Prix moyens

🏠 ***Stanley House B & B :*** *Colla Rd. ☎ 284-25.* • *stanley-house.net* • *À la sortie du village en direction de Mizen Head, 500 m après le planétarium sur la droite. Ouv mars-oct. Double 76 € ;* family room *(avec 2 chambres) 110 €.* 💻 📶 Très belle maison, un peu à l'écart et qui surplombe la baie. Hôtesse absolument charmante. Préférer les chambres à l'étage, plus spacieuses ; 3 d'entre elles donnent sur la mer. Également un cottage pour 2 personnes, loué à la semaine (très cosy, avec cuisine équipée et véranda). Petit déj avec des produits du coin. Jolie véranda et jardin en pente douce. Une de nos meilleures adresses.

🏠 ***Sea View B & B :*** *Coorydorigan. ☎ 283-73. 📱 086-076-30-45.* • *seaviewschull.com* • *Entrer dans le village et tourner avt l'église, au niveau du parking ; c'est 400 m plus loin. Ouv tte l'année sf Noël et 1er janv. Compter 60-70 €. CB refusées. Parking privé.* 💻 📶 Propose 3 chambres *en suite*, au calme et toutes avec vue sur mer. Salon pour les hôtes.

Où manger ?

Pour un si petit village, Schull compte un nombre conséquent de pubs au mètre carré (on en rêverait en Bretagne !). Tous servent une *bar food* classique, midi et soir. Vous trouverez certainement votre bonheur en arpentant la rue principale !

🍽 ***The New Haven Restaurant :*** *Main St. ☎ 286-42. Tte l'année (et tlj mai-août) 16h-22h (ainsi qu'à midi le w-e).* Resto populaire où l'on se nourrira correctement sans attentat au portefeuille. Longue banquette de moleskine, grosses tables de bois. Accueil convivial, atmosphère animée. Steaks tendres et bien garnis, *seafood pasta,* bœuf casserole, pizzas craquantes et le tradi *fish & chips.*

🍽 🍷 🎵 ***The Waterside Inn :*** *Main St. ☎ 282-03. Resto ouv mar-sam soir.* Bar food *env 12 € le midi ; au resto, plats 17-28 €.* Pub-restaurant moderne qui se divise en 2 parties : le *Waterside Café* et l'*Evening Restaurant.* Ici se cache un vrai cuistot, dont la soupe

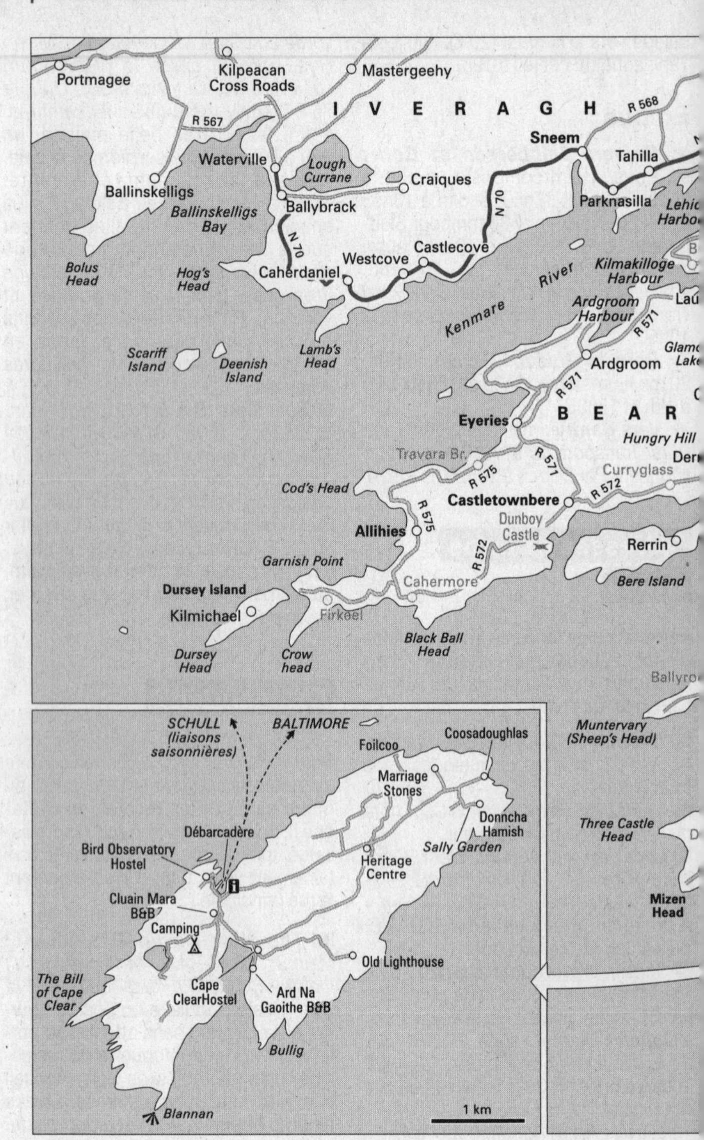

de poisson est un délice, le sandwich-steak et le poisson à la bière un régal, et on n'a pas essayé toute la carte ! Bon choix de desserts. Concerts en fin de semaine.

|●| ***Paradise Crèpe :*** *Main St.* ▯ *087-743-74-27. Ouv juin-sept.* Une sympathique crêperie française où l'on

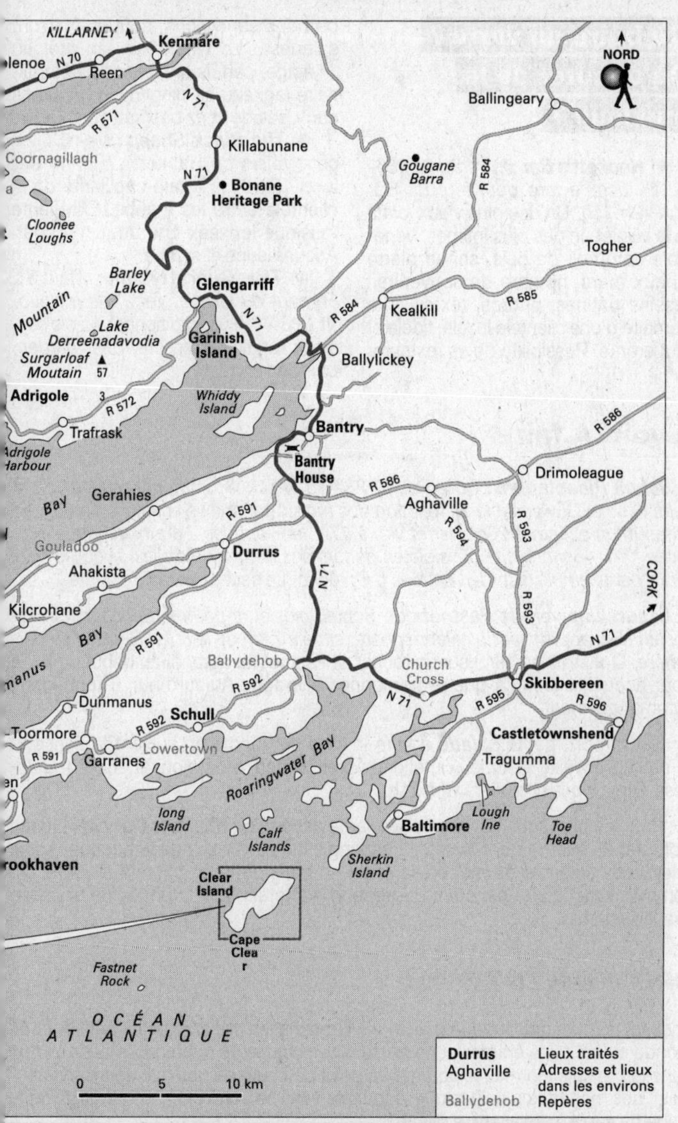

LES PÉNINSULES DE MIZEN HEAD, DURRUS ET BEARA

dégustera des crêpes originales. Décor de bois brut, agréable terrasse sur *deck* derrière. Accueil cordial. Goûter la *Frenchy* (camembert, lard et concombre), la *Lily Rose*, la *Maya Bee* et tant d'autres bien appétissantes. Vin au verre.

Où boire un verre ? Où écouter de la musique ?

🍷 🍽 ***Hackett's Bar :*** *Main St.* ☎ *286-25. Tlj jusqu'à tard pour le pub.* Bar food *12h-15h.* Un des plus vieux *joints* de la ville et un des plus intimes. Vénérable comptoir de bois, sol en pierre et, aux murs, nombre de souvenirs : dessins patinés, photos, textes... La mémoire d'une clientèle locale, fidèle et exubérante. Possibilité de se restaurer de bons sandwichs, soupes maison, salades... Le week-end, en été, au 1er étage, parfois une *Indian night* culinaire (agneau au gingembre, légumes curry, salade et riz basmati pour 15 €).

🍷 🍽 ***The Black Sheep :*** *Main St. Le petit voisin du* Hackett's. *Bonne* bar food *12h-21h.* Totale capillarité de la clientèle entre les 2 pubs. Excellente musique le week-end de juin à août. Accueil jeune et sympa.

🍷 🍽 ***The Bunratty Inn :*** *Main St. En haut du village, vers Mizen Head.* ☎ *283-41.* Pub traditionnel. *Music sessions* régulières en été. *Beer garden, bar food* correcte.

À voir. À faire

🏛 ***Schull Planetarium :*** *Colla Rd.* ☎ *283-15. • schullcommunitycollege.com • Dans l'école. Ouv variable en fonction des mois.* Star shows *en juin lun à 20h, en juil-août lun et sam à 20h, mer et ven à 17h ; en sept, les 2 premiers dim à 18h. Durée : env 45 mn. Visite possible en dehors des heures officielles, avec les scolaires, par exemple (sur rdv). Entrée : 5 € ; réduc.* Le seul planétarium d'Eire.

🏛 ***Excursions vers le Fastnet :*** *de Schull, plusieurs petites compagnies proposent de s'approcher du célèbre phare, situé à 7 km de la côte. Rens à l'embarcadère.* Construit en 1849 sur un rocher, le Fastnet fut agrandi au début du XXe s pour accueillir jusqu'à quatre personnes à la fois. Aujourd'hui, il fonctionne automatiquement.

➢ Sur le port, petite ***balade*** à faire le long de la côte en suivant la pancarte « Foreshore Walk » jusqu'au cimetière. Après un bon repas, pour attaquer la *Guinness.* Retour des chalutiers vers 21h.

➢ Pour les plus aguerris, impressionnante ***ascension du mont Gabriel*** (440 m). Compter 3h aller-retour. Départ du parking situé au-dessus de la banque. Après quelques centaines de mètres, la route se transforme en chemin en terre. Du sommet, magnifique panorama. Attention, toutefois, aux caprices de la météo avant de partir.

CROOKHAVEN (250 hab.)

Ensuite, la route musarde un maximum. Crookhaven apparaît enfin, petit bout du monde coloré : une épicerie, une poste, une poignée de restos dont deux où l'on parle le français (normal, le port est un point de chute de pas mal de marins français), des mouettes placides que le touriste venu se perdre là n'effraie pas. Petite plage de sable juste avant le village.

Où dormir ? Où manger ?

🏠 ***Galleycove House B & B :*** *chez Mrs Newman.* ☎ *351-37. • galleycovehouse.com • À 600 m à gauche avt d'arriver à Crookhaven. Ouv mars-nov. Prévoir 75-90 € selon saison.* Longue demeure de pierre en surplomb dans un coin sauvage. 4 chambres *en suite* avec TV, et surtout une vue sur l'océan et le Fastnet. Celles à l'étage sont plus petites mais charmantes. Jardin et terrasse. Bon accueil. Un peu cher quand même, mais seule, donc en position dominante dans le coin.

Billy O'Sullivan : *sur le port.* ☎ *353-19.* Bar food *12h-18h (19h en été).* Pub extra où toute la famille est francophile. Excellents sandwichs, *seafood chowder* (avec les crabes locaux), *scones* maison et paniers de crevettes fraîches en saison à prix modérés. Chaleureux au possible : murs de schiste, vieille cheminée, carte de la Bretagne au mur, chouettes gueules en noir et blanc, photos de tournage de films... Tables sur le quai quand le *sun is shining.*

MIZEN HEAD

En allant vers Mizen Head, on passe par **Barleycove,** l'une des plus belles plages de sable de l'Ouest. Les inévitables caravanes ne gâchent pas trop le paysage.

Où dormir ? Où manger dans la péninsule de Mizen Head ?

Camping

Barleycove Holiday Park : ☎ *353-02 ou (021) 4346-466 en basse saison. Sur la R 591, la route côtière entre Goleen et Crookhaven. Ouv de Pâques à mi-sept. Env 20 € pour 2 avec tente. Douches payantes.* Un vrai parking à caravanes... sans oublier les mobile homes ! Cela dit, pas mal de verdure alentour et confort correct. Épicerie, salle de jeux. Très fréquenté en été mais calme en mi-saison.

Chic

The Heron's Cove : *à* **Goleen,** *entre Schull et Crookhaven.* ☎ *352-25.* ● *heronscove.com* ● *Resto ouv le soir avr-sept (hors saison, slt sur résa). Fermé autour de Noël. Chambres env 70-80 € en B & B selon exposition. Chambre familiale 105 €. Menu 27,50 €, compter 40 € à la carte.* Propose 5 chambres, dont 4 avec vue sur mer, toutes *en suite* et avec TV. Bien placé, au-dessus d'une petite crique, face à une grosse éolienne. Salle à manger panoramique, terrasse. Très agréable de manger au-dessus de l'eau. Cuisine réputée (qui a obtenu un prix en 2011) : *crab cakes,* plateau de saumon, canard à la pékinoise... Une bonne adresse assurément.

À voir

Mizen Head : le point le plus au sud d'Irlande. Énormes *falaises* très découpées. Un pont franchissant une large faille mène au **phare.** Aujourd'hui automatisé. Marconi, pour ses travaux, a pas mal fréquenté le coin au début du XXe s. Vieux de 100 ans, l'ancien pont, qui commençait à montrer des signes de faiblesse, a été entièrement reconstruit. Le cap est souvent envahi de brouillard, si bien que, pour guider les bateaux, il n'y a pas si longtemps, on n'avait qu'un moyen : faire sauter des charges de dynamite. S'il fait beau, on jouit de la meilleure vue sur le mythique *Fastnet* (le phare, pardi !). En revanche, si le temps est comme d'habitude, vous ne verrez que vos pieds...

Mizen Head Visitor's Centre : Goleen. ☎ *352-25 ou 351-15.* ● *mizenhead.ie* ● *Juin-sept, tlj 10h-18h. De mi-mars à fin mai et en oct, 10h30-17h. De nov à mi-mars, w-e slt 11h-16h. Entrée : 6 € ; réduc.* Centre d'interprétation du site. Relate l'histoire du phare et du Fastnet Rock, la géologie, la faune et les traditions locales. Bien mis en scène tout ça (dioramas). Impressionnante liste des naufrages dans le coin depuis... 1379. Photos de la construction du phare. Reconstitution d'une grande cabine de pilotage de navire, avec simulateur. Possibilité de s'initier au pilotage pendant 3 mn. Vidéo sur l'œuvre de Marconi. Agréable cafétéria...

Possibilité d'aller voir les vestiges des ***châteaux*** de la famille O'Mahony. Leurs ruines ont désormais fusionné. Pour y aller, après avoir passé le lac de Lissygriffin (sur la gauche), tourner sur la droite au carrefour et continuer jusqu'au bout de la route.

LA COAST ROAD

L'une des routes les plus sauvages de la région. En se perdant, on peut se retrouver à ***Toor Point,*** le plus adorable cul-de-sac que nous ayons jamais visité. Superbe route côtière par Dunkelly. On a même droit à un fier donjon en chemin. En face se profile la côte de la péninsule de Durrus, plus paisiblement campagnarde, moins rude, moins accidentée. Le long de la route côtière passant par Dunmanus, possibilité d'apercevoir parfois des phoques dans les rochers. Par la route intérieure depuis Toormore, on croise l'adorable cimetière primitif de *Kilheangul,* à l'ombre d'une minuscule chapelle en ruine. Romantique en diable !

DURRUS (DUBH ROS)

850 hab. IND. TÉL. : 027

Village très agréable. Point de départ de la balade de la péninsule de Sheep's Head. Pêche libre dans la rivière Four Mile Water (truites saumonées). Location de bateaux pour la pêche côtière. Noter, sur la route de Schull, à quelques centaines de mètres du bourg, les restes du grand hangar à grain.

Où dormir ? Où manger ? Où boire un verre ? Où écouter de la musique ?

Pas grand-chose pour dormir dans le coin, mais on peut faire la visite en l'espace d'une journée et on y trouve trois bonnes adresses pour se restaurer.

Camping

Dunbeacon Caravan & Camping Park : *à l'entrée de Durrus, à 4 km en venant de Goleen, sur la R 591. ☎ 628-51. • julaclem@gmail.com • Ouv juin-sept. Env 18-19 € pour 2 avec tente et voiture. CB refusées. Douches payantes.* Petit camping aux installations basiques mais fort sympathique, en pleine nature et face à la mer. S'étale tout doucement sur une colline... Belles pelouses, ombragé, bosquets délimitant les emplacements. Sanitaires corrects. Rien à voir avec les habituels parkings !

Prix moyens

The Sheep's Head : *dans le centre de Durrus. ☎ 628-22. Lun-sam 12h-23h30 (voire plus tard) ; dim 12h30-22h.* Bar food *servie tte la journée.* Sunday lunch *25 €.* Cadre accueillant. Menu alléchant avec des plats cuisinés à partir de 11,50 € et les *daily specials.* Copieux *Union Hall salmon platter,* moules de Bantry, agneau au romarin, poulet *tikka,* etc. *Live music* le week-end.

Chic

Blairs Cove Restaurant and B & B : *☎ 611-27 ou 629-13 (resto). • blairscove.ie • À 2 km au sud de Dur-*

rus sur la route de Mizen Head. Ouv tte l'année, sf 3 sem en janv (et les autres mois d'hiver, téléphoner). Resto ouv de mi-mars à fin oct, sf dim-lun, slt le soir et dim midi (ouv lun en juil-août). B & B *150-260 € selon confort et saison (tarif maxi appliqué les ven et sam). Compter env 58 € pour le dîner, 30 € pour le* sunday lunch. Dans un coin splendide et isolé dominant la baie. Grand jardin. Une maison georgienne de 250 ans, tenue par un couple germano-belge, qui abrite 4 appartements superbes pour plusieurs personnes dans ses anciennes écuries restaurées. Resto tout aussi impressionnant. Intérieur de caractère : chandelles, feu de bois dans l'âtre, etc. Clientèle très chic.

The Good Things Café : *à 1 km du centre de Durrus, vers Ahakista-Kilcrohane. ☎ 614-26. Ouv juil-août tlj le midi et jeu-lun le soir ; ouv le ven soir (Friday Nights) sur résa de mi-mars à fin oct. Plats 23-26 €.* Carmel Somers tient l'une des plus fameuses écoles de cuisine de l'Ouest. 2 fois par an, elle cesse ses cours et accorde son talent aux gastronomes. Quand on pénètre chez elle, on sent de suite qu'on se trouve dans un lieu magique. Cette femme a la passion de la cuisine et, avec la complicité des meilleurs producteurs du coin, elle vous concocte des petits plats d'une sincérité et d'une authenticité totales. Merveilleux desserts. Et, bien sûr, les anglophones repartent avec son livre...

LA PÉNINSULE DE SHEEP'S HEAD

IND. TÉL. : 027

Coup de cœur pour cet endroit bien préservé, dont les paysages vallonnés feront la joie des randonneurs et des cyclistes. Autre atout, les gens du coin sont particulièrement chaleureux. Emprunter la jolie route de Durrus à Kilcrohane. À *Ahakista,* émouvant monument commémorant une catastrophe aérienne au large de Mizen Head en 1985. À *Kilcrohane,* village qui existait déjà au VIIIe s, on fait pousser des centaines de maisonnettes aussi moches les unes que les autres. Festival fin juillet (tout comme à Ahakista). Pour revenir vers Bantry, on peut emprunter la pittoresque route du Nord, appelée *Goat's Path* (« sentier de la chèvre »). Beau panorama sur les deux baies depuis le petit col, peu après Kilcrohane. À *Gerahies,* attachant petit coin de plage.

Où dormir ?

Où manger ?

Bon marché

Carbery View Hostel : *The Paddock,* **Kilcrohane.** *☎ 670-35. Au centre du village, sur la gauche en venant d'Ahakista, indiqué « Hostel ». Ouv tte l'année. Env 15 €/pers.* Une petite dépendance avec seulement 8 lits dans une pièce, un coin cuisine et une salle de bains. Tout simple, mais bien tenu. Maison nichée entre les pâturages à moutons et la mer. Demander pour planter sa tente *(7 €/pers).*

Prix moyens

Hillcrest Farm : Ahakista. *☎ 670-45. 087-944-29-13. • ahakista.com • Indiqué dans le village. Ouv avr-oct. Chambres 70-74 € ; réduc enfants. CB refusées.* Belle *farmhouse* restaurée avec soin, en haut d'une colline, surplombant la baie de Dunmanus. Superbe environnement. À 5 mn de la mer et de la plage. Très bonne tenue et délicieux accueil de l'hôtesse. Propose 4 chambres confortables, toutes avec salle de bains. Une partie de la maison peut également être louée à la semaine : 7 places, cuisine équipée. Chaleureuse salle à manger pour déguster le petit déj composé de produits de la ferme. Possibilité de baby-sitting. Balades à faire en partant de la ferme.

Reenmore Farmhouse *(Mrs Jenny Barry) : à 2 km d'Ahakista.* ☎ *670-51. • reenmore.com • Vers Kilcrohane, en contrebas de la route (500 m). Ouv de mars à fin nov. Double 64 €. Possibilité de dîner : env 22 €. CB refusées.* Belle ferme au bord de l'eau. Tenue par une gentille famille. 6 chambres, dont 4 avec bains. Dans un paysage sauvage à souhait, pour nos lecteurs romantiques, un p'tit bout du monde ! En outre, fidèle comme tout dans l'hospitalité, c'est l'une de nos plus anciennes adresses !

Sea Mount Farmhouse *(Mrs Julia McCarthy) : Goat's Path Rd Glenlough West.* ☎ *612-26. • sea mountfarm.com • À 12 km de Bantry, sur la route nord de la péninsule. Ouv mars-fin oct. Chambre 64 €. Dîner 25 €.* Bien situé. Accueil très chaleureux avec thé et *scones* : la famille est particulièrement prévenante. Propose 6 chambre... de bains. Très be... gnée. Une de nos r... qui organise aussi ... dées ou pas, dans Sh... née, demi-journée). L... ramènent en voiture à la... reconduisent le lendem... où vous vous étiez arrêté...

Où boire un verre ? Où écouter de la musique ?

***Ahakista Bar** (ou Tin Pub) : à l'entrée d'**Ahakista,** côté Durrus.* ☎ *673-37. Ouv mai-oct, tlj midi et soir.* Amusante baraque en tôle peinte. Terrasse sur un superbe jardin. Des groupes musicaux s'y produisent chaque mardi et dimanche soir, dans des shows parfois mémorables. Ambiance très chaleureuse. Soupes et *pies* servis toute la journée.

À faire

– ***Pêche en mer et observation des phoques : Sailors Home, Ahakista.*** ☎ *672-01. À la sortie du village, vers Kilcrohane.* Luc Brosens est le troisième mousquetaire belge de la péninsule de Durrus. Il propose des balades en mer de 1h30 à 2h, à environ 50 € pour 5 personnes. *Pour la pêche, c'est autour de 150 €/j. (7 pers max) et 50 € la ½ journée (plus 10 € par pêcheur). Résa impérative.*

BANTRY (BEANNTRAÍ)

3 150 hab. IND. TÉL. : 027

Bourgade nichée au creux d'une rade somptueuse au nord de la péninsule de Durrus, qu'on traverse plus souvent qu'on y réside. Ne pas manquer la célèbre *Bantry House* et ses jardins suspendus. Moins esthétique, un port pétrolier s'est installé à la fin des années 1960 sur une île en face entourée d'eaux profondes. Mais l'explosion du bateau *Betelgeuse,* il y a quelques années, qui fit une cinquantaine de victimes, provoqua la fermeture de la raffinerie.

UN PEU D'HISTOIRE

En 1689, une flotte envoyée par Louis XIV vint en aide au roi Jacques II et affronta celle de Guillaume d'Orange en baie de Bantry. En 1796, une autre flotte, avec à bord Hoche et Wolfe Tone, vint soutenir les *United Irishmen* en lutte contre l'Angleterre. Une poisse incroyable poursuivit l'expédition. Une violente tempête aux abords de Bantry dispersa l'armada, et une quinzaine de bateaux seulement, sur 45, purent se réfugier dans la baie. En l'absence de Hoche, les troupes françaises ne débarquèrent pas. Une occasion ratée qui aurait peut-être permis de faire gagner plus de 100 ans à la cause de libération nationale !

Arriver – Quitter

Station de bus : *sur le quai.*

➢ **De/vers Cork :** 8 bus/j. tte l'année. Trajet : 2h.

➢ **De/vers Glengarriff, puis Killarney :** 1 seul bus/j. et slt en été. Départ en fin de matinée.

Adresses utiles

Office de tourisme : *Old Courthouse, Wolfe Tone Sq.* ☎ *502-29. Avr-oct, lun-sam 9h15-17h (18h juil-août, dim inclus).* Demander le prospectus *Suggested Tours* avec les endroits à découvrir à vélo.

✉ **Poste :** *au croisement de William St et Main St.*

@ **Fast.Net :** *New St.* ☎ *516-24. Lun-ven 9h-18h ; sam 10h-17h. Également sur Bridge St.* ☎ *516-25.*

■ **Banques :** *The Square et New St.* Distributeur à côté du resto *O'Connors.*

■ **Location de vélos : Nigel's Bicycle Shop,** *route de Glengarriff.* ☎ *526-57.*

Où dormir ?

Bon marché

Hostel Harbour View : *Town Sq.* ☎ *511-40. Sur le quai du port, central donc et non loin de l'arrêt des bus. Ouv tte l'année. Env 12,50 €/pers en dortoir (8-10 lits) ; 15 €/pers en chambre double.* Petite maison de pierre et de brique. Coin cuisine et salon. Le tout, bien fatigué, mériterait un bon rajeunissement. Accueil vraiment peu enthousiaste. Pour les budgets très serrés, cela fera tout de même l'affaire.

De prix moyens à plus chic

Atlantic Shore B & B : *à env 1 km sur la route de Glengarriff.* ☎ *513-10.* 📱 *086-156-81-79.* • *atlanticshorebandb.com* • *Panneau discret sur la droite. Ouv mars-oct. Compter 64-70 € pour 2. CB refusées.* Cette belle maison blanche abrite 6 chambres élégantes et lumineuses, avec salle de bains et literie douillette. Petit déj somptueux : Maggie n'a pas son pareil lorsqu'il s'agit de confectionner du pain et des *scones* ! Confiture maison aussi. Super accueil de l'hôtesse. Son mari tient un centre de plongée à Bantry : on dit ça pour ceux qui voudraient piquer une tête.

The Mill : Newton. ☎ *502-78.* • *the-mill.net* • *À la sortie de la ville, à gauche, sur Glengarriff Rd. Ouv fév-déc. Compter 70 €. CB refusées. Parking.* À bonne distance de la route et présentant une architecture chaleureuse. 6 chambres agréables avec bains. Fort bien tenu et décoré avec goût, ce qui est loin d'être le cas dans tous les *B & B* ! Dans la salle à manger, tableaux peints par Tosca Kramer, la patronne hollandaise. De fait, les hôtes sont vraiment charmants. Petit déj copieux, servi dans une petite véranda bien agréable. Petit bar pour faire son thé ou son café, cuisine à disposition. *Laundry service.*

De chic à très chic

Bantry House : ☎ *500-47.* • *bantryhouse.com* • *À l'entrée de la ville en venant de Skibbereen. Ouv mars-oct. Compter 169-199 € pour 2 selon saison ; réduc enfants. Bien sûr, entrée gratuite pour le château. Parking.* Pour le plaisir de s'offrir une nuit dans un Monument historique (lire « Bantry House » plus loin, dans « À voir »). Seulement 8 chambres, dont 2 familiales. Toutes possèdent une vue sur le jardin, et 2 d'entre elles donnent aussi sur la mer. Déco superbe, bien entendu, avec mobilier moderne, tissus précieux et objets d'art. Et le plus indispensable : un miroir chauffant (antibuée) dans la salle de bains ! Copieux petit déj avec café équitable, s'il vous plaît ! Salle de *snooker*. *Tearoom* ouvert toute la journée.

The Maritime Hotel : *juste à l'entrée sud de Bantry. ☎ [illegible] • themaritime.ie • Doubles 99-180 € selon saison. Tarifs intéressants en milieu de sem et si l'on réserve sur Internet.* Pour ceux qui veulent du luxe et du moderne, un récent 4 étoiles... Typique des années « Celtic Tiger », écrasant de sa lourde architecture l'entrée de ville. Cependant, cadre intérieur superbe et chambres au décor et mobilier raffinés. Élégants bar et salle à manger. Terrasse avec *deck* surplombant le port, pour des couchers de soleil d'anthologie. Propose également un spa, avec une magnifique piscine, à l'esthétique particulièrement originale.

Où manger ?

Bon marché

Floury Hands : *Main St. Tlj le midi (12h30-13h30, lunch special 5 €). Snacks 6-8 €.* Boulangerie très populaire pour déjeuner sur le pouce. Salle en bas et à l'étage.

De prix moyens à plus chic

The Fish Kitchen : *New St. Au 1er étage. ☎ 566-51. Tlj sf dim-lun, midi et soir 21h. Résa conseillée. Plats le midi 8-11 €, le soir 15-28 €.* Un des meilleurs restos de poisson qu'on ait testés et pour cause, c'est une création de la poissonnerie au rez-de-chaussée (et le frais, ils en connaissent un rayon !). Conseillé de réserver, car la salle aux beaux murs de schiste n'est pas trop grande. Au tableau noir, les *specials* du jour. Huîtres, excellent haddock, moules marinière, tajine de *monkfish* (lotte) et même, caché dans la carte, un *sirloin* pour ceux qui se seraient trompé de resto. Accueil gentil, service efficace.

The Waterfront : *The Quay, à côté du Snug. ☎ 539-33. Tlj 9h-21h (dim 12h-21h). Plats copieux env 10-12 €. Menu 20 € (avec 1 verre de vin).* Genre de self cafétéria, bien pratique le midi et fort populaire le soir. Surtout de la viande au menu. Musique certains soirs.

The Brick Oven : *The Quay. ☎ 525-01. Tlj service en continu jusqu'à 22h.* Dinner menu *à partir de 17h. Compter 15-20 €.* Carte très étendue, mais la pizza domine ici (servie en 2 tailles), cuite au feu de bois dans un four artisanal que le proprio a ramené des USA. Goûter la populaire « Heart Stopper » ! Atmosphère bistrot traditionnel, *casual*, relax, grandes tables pour les joyeuses bandes ou les familles...

The Snug : *The Quay. ☎ 500-57. Tlj 12h-15h, 18h-21h. Plats à partir de 14 €.* Dans un cadre chaleureux aux murs en pierre sèche, bois verni et lumières bien ajustées. Un peu cher pour une cuisine assez classique mais hyper copieux ! On vous défie de finir votre assiette. Viandes diverses, *chili con carne*, moules, lasagnes, *burgers*, *seafood platter*... Toujours plein à craquer. Ambiance conviviale et animée. Concerts le week-end.

Où dormir ? Où manger dans les environs ?

Camping

Eagle Point Camping Park : Ballylickey, *à 7 km de Bantry, sur la route de Glengarriff. ☎ 506-30. • eaglepointcamping.com • Ouv 20 avr-24 sept. Compter 26-29 € pour 2. Douches gratuites.* Tout le confort, mais prix plus élevés que la moyenne. Chiens non admis. Au bord de la mer, dans un joli cadre. Sanitaires propres. Tennis. Aller tout au bout du terrain pour bénéficier de la vue superbe.

Prix moyens

La Mirage B & B : *Droumdaniel,* **Ballylickey,** *sur la N 71. ☎ 506-88. • lamirage@circom.net • Sur la route de Glengarriff, à 3 km de Bantry, quit-*

ter la N 71 peu avt Ballylickey ; indiqué. Ouv avr-sept. Doubles 60-70 €. CB refusées. Une grande maison moderne dans la campagne. Vue superbe alentour. Propose 2 chambres *en suite* et 2 standard. Bien aménagé, radio, sèche-cheveux et lit confortable. Le traditionnel *tea or coffee* est offert en arrivant. Accueil très soigné et, quand il fait froid dehors, Siobhan vous met une bouillotte dans le lit. Au petit déj, jus d'orange pressée, confiture maison et grand choix de céréales... Une bonne adresse pour se sentir comme chez soi.

Drom Cloc House : Dromcloc. *☎ 500-30. • dromclochouse.com • À 4 km au sud-ouest de Bantry, quitter la N 71 au niveau du* Westlodge Hotel. *Ouv mars-oct. Double 64 €.* *Farmhouse* bien au calme surplombant la baie. Un des plus chouettes environnements qui soient. Balades au bord de l'eau à faire en fin d'après-midi. 6 chambres sympas, toutes *en suite*. Quelques-unes avec vue. Bon accueil par une mamie adorable.

Très chic

***Sea View House Hotel* : Ballylickey.** *☎ 500-73 ou 504-62. • seaviewhousehotel.com • À 5 km au nord de Bantry, sur la N 71. Ouv de mi-mars à mi-nov. Resto ouv aux non-résidents 19h-21h. Chambres standard avec petit déj 150-190 € ; minisuites 175-185 €. Dîner 45 €. Formules ½ pens.* Une gigantesque demeure toute blanche au milieu d'un noble jardin. Décoration et ambiance raffinées. Chambres de poupée. Celles du rez-de-chaussée avec entrée indépendante. *Lounge* avec cheminée. Accueil et service impeccables. Cuisine excellente.

Où boire un verre ? Où écouter de la musique ?

***The Anchor Tavern* :** *à l'angle de William St et New St. ☎ 500-12.* Pub très populaire, récemment rénové mais sans perdre son cachet. Décoré d'émouvants souvenirs de la mer (vieux harpons à baleine). Intime et chaleureux, fauteuils confortables, bar circulaire. Soirée folk de temps à autre. Ne pas manquer de lire les dictons affichés dans la salle !

***The Quays* :** *The Quay. ☎ 509-00. Tlj.* Bar food *servie midi et soir.* Pub neuf, pas vraiment authentique mais aménagé comme si. Ambiance plutôt jeune. Noter les vieilles photos de la région et celles, parfois très artistiques, de... rugby.

***Murphy's* :** *New St.* Authentique pub bien patiné où la *Guinness* coule à flots. Décor hétéroclite où cohabitent objets marins, cuivres, caricatures et d'insolites souvenirs de la guerre de Sécession. Noter les petites maximes gravées dans le laiton derrière le comptoir. Propose tout au fond un populaire *beer garden*.

À voir

Sur la place, face à la mer, la ***statue de saint Brendan,*** le célèbre moine navigateur, qui, dit-on, découvrit en l'an 1000 l'Amérique.

***Bantry House* :** *à l'entrée sud de la ville. ☎ 500-47. • bantryhouse.com • Ouv de début avr à fin oct, tlj 10h-18h. Entrée payante et chère : compter 11 € ; réduc. Jardins seuls : 5 €.*
Immense demeure georgienne du XVIIIe s, agrandie au XIXe s. Les *earls* (« comtes ») de Bantry, dont Richard White était le premier, l'occupèrent à partir de 1750. Le second *earl* la meubla et la décora de toutes les œuvres d'art et objets collectés lors de ses voyages. Cela lui donne une atmosphère baroque particulièrement originale. Les descendants de ces fameux comtes habitent toujours les lieux !

Rez-de-chaussée
– *Salle de réception :* peintures, porcelaines, objets d'art. Superbes cheminées sculptées, bustes en marbre.

– *Chambre rose :* tapisserie d'Aubusson fabriquée pour Marie-Antoinette, tables Boulle, estampes enluminées soie et or, objets insolites (collections d'œufs d'oiseaux, jeux d'échecs, etc.).
– *Salle des Gobelins :* tapisserie Louis XVI *(Noces de Vénus et Mars),* pianoforte anglais en bois d'érable.
– *Antichambre :* ravissantes gravures de Tiepolo et Piranese (vues de Rome). Une pièce : une lettre originale de l'amiral Nelson de 1786. Belle comtoise marquetée.
– *Salle à manger :* le summum du kitsch anglo-hitchcockien ! Quelques pièces uniques comme le vaisselier-buffet sculpté de *putti* et de motifs végétaux (et qui occupe tout le mur du fond). Les dessertes avec pied de lion sont pas mal non plus. Intéressant *Marché aux fruits* par Snyders (visages réalisés par Rubens).
– *Palier :* portes recouvertes de cuir espagnol peint du XVIe s. Remarquer les deux grosses consoles Empire, avec pieds en forme d'aigle.
– *Grand salon :* majestueuse bibliothèque donnant sur le jardin. Grand *lobby* aux colonnes corinthiennes et cheminées ornementées. Beau mobilier dont un piano, cadeau d'anniversaire pour le comte.
– *Grand escalier :* ne pas manquer ces « adresses » somptueusement enluminées, signes d'allégeance offertes au maître par les locataires, les employés, l'église locale, etc.

1er étage
– *Chambres en rotonde :* à droite. Vue superbe sur la baie. Lit à baldaquin en acajou sculpté (1755). Entre les deux petites pièces, anciens cabinets de toilette, avec un petit cabinet de curiosités religieux (icônes peintes et argent), ainsi qu'une maison de poupée.
– Enfin, beaux *jardins* à l'italienne. Ne pas manquer de grimper le grand escalier dans la colline pour la perspective de la *Bantry House* se détachant sur la baie, et admirer l'ordonnancement des parterres de fleurs et de buis, les vases et statues à l'antique, pelouses, etc.
🍷 Salon de thé ouvert toute la journée (de 10h à 17h), au rez-de-chaussée de la demeure. Non-fumeurs, même en terrasse.

★ ***Le Musée folklorique :*** *derrière la caserne des pompiers, en plein centre. ☎ 555-64. Lun-ven 10h30-12h, 14h-16h30.* Tout petit et succinct !

Manifestation

– ***West Cork Chamber Music Festival :*** *fin juin, début juil, à la* Bantry House *(voir plus haut), en coopération avec Cork. • westcorkmusic.ie • Résa conseillée.* Un festival de Musique de chambre de très haute qualité.
– En revanche, plus de ***Bantry Mussel Fair*** ! La fête de la Moule était une telle beuverie qu'elle a été supprimée.

DANS LES ENVIRONS DE BANTRY

★★ ***Gougane Barra :*** *à env 20 km au nord-est, sur la R 584.* C'est dans cet endroit retiré que la Lee (rivière de Cork) prend sa source. Le village (hameau isolé comprenant un hôtel, un *coffee shop* et un magasin), blotti au creux de trois montagnes aux versants accidentés, possède un lac et une forêt magnifiques. Cet ensemble est protégé par un parc national, le premier créé en Irlande. Pas étonnant que saint Finbarr, fondateur de Cork, ait choisi d'y implanter son monastère (un ermitage). Aujourd'hui, une chapelle se détache d'un bouquet d'arbres sur une petite île. Aux beaux jours, les jeunes mariés font quasiment la queue pour s'y faire photographier. Sentiers balisés, pêche à la truite (avec permis), nombreuses activités liées à la nature. Plus loin, pour rejoindre Glengarriff, on franchit le pittoresque *Keimaneigh Pass,* qui signifie le « col du cerf » en gaélique.

GLENGARRIFF (AN GLEANN GARBH)

900 hab. IND. TÉL. : 027

C'est ici que se manifestent le plus les effets bénéfiques du Gulf Stream. Tout autour et sur les îles, forêts luxuriantes, collines et jardins abondamment fleuris. Pas étonnant que dans ce décor idyllique se bâtirent de nombreux hôtels et villas, et que le coin soit éminemment touristique. Mais, miracle irlandais, pas de foules bruyantes, ça reste tout petit, calme et familial ! Cela dit, une fois effectuées les principales balades du coin, vous risquez de vous ennuyer un peu. Mais si vous avez le temps d'y passer la nuit, n'hésitez pas.

LES TROPIQUES EN IRLANDE !

Autour de cette baie hyper protégée pousse une végétation subtropicale étonnante (on y voit même des palmiers et des bambous), une véritable oasis. Merci le Gulf Stream ! Et pourtant, le nom gaélique de Glengarriff, An Gleann Garbh, signifie « vallon rocailleux » !

– Noter qu'il n'y a pas de banque à Glengarriff : les plus proches sont à Bantry, Castletownbere et Kenmare.

Arriver – Quitter

➢ ***De/vers Bantry et Cork :*** lun-sam, 3 bus/j. ; dim, slt 2 bus.

➢ ***De/vers Castletownbere :*** tlj, 2 bus/j.

Adresses utiles

ℹ ***Office de tourisme :*** *☎ 632-01. Au centre, à côté du* Murphy's Village Hostel. *Mai-oct, tlj 9h-17h (21h en hte saison). À ne pas confondre avec l'autre* **bureau de tourisme** *à l'entrée du village, privé et moins complet. ☎ 630-84.*

✉ ***Poste :*** *dans le supermarché à la sortie nord du village.*

Où dormir ?

Campings

On voit pas mal de ***camping-cars*** se garer sur le parking du magasin *Quills* (voir « Achats », plus loin).

⛺ ***O'Shea Camping :*** *Castletownbere Rd. ☎ 631-40. À 2 km, sur la route de Castletownbere (la R 572). Ouv de mi-mars à oct. Prévoir 15-18 € tt compris pour 2 avec tente. Douches gratuites. CB refusées.* Un tout petit camping dans un jardin fleuri. Sanitaires corrects. Emplacements bien délimités et belles pelouses. Petite serre où le patron fait pousser toutes sortes de plantes. Possibilité de stocker ses boissons au frais, de laver son linge et de se faire la cuisine. Ne pas oublier sa bombe antimoustiques.

⛺ ***Glengarriff Caravan & Camping Park :*** *à côté de* O'Shea Camping. *☎ 631-54. • glengarriffccp@gmail.com • Ouv d'avr à fin oct. Prévoir 23-27 € pour 2 avec tente et voiture.* Plus grand et plus « pro » que le précédent. Joliment arboré. Musique traditionnelle dans le pub du camping, mais seulement pour les résidents, nous a bien précisé la proprio ; message reçu !

Bon marché

⌂ ***Murphy's Village Hostel :*** *dans le centre. ☎ 635-55. • murphyshostel.*

com • Ouv tte l'année. Dortoir 15 €/pers ; chambre 20 €/pers. Auberge récente comportant 3 dortoirs et 5 chambres avec sanitaires à partager. Draps fournis. Cuisine équipée avec terrasse. *Common room* avec cheminée. Horaires des bus et plein d'infos, c'est le rendez-vous des sacs à dos de la ville. Bon accueil. Possibilité de déjeuner au resto du rez-de-chaussée.

Prix moyens

🏠 🍽 ***The Hawthorn Bar :*** *Main St.* ☎ *636-25. Doubles 50 € (petit déj continental) et 60 €* (Irish breakfast). Pour ceux souhaitant résider en pleine ville, une solution à prix modérés intéressante. De plus, chambres impeccables, colorées, avec salles de bains spacieuses.

🏠 🍽 ***The Heights Farmhouse :*** *Carrigrour.* ☎ *630-88. En venant de Bantry, c'est à droite à l'entrée de Glengarriff, juste avt l'hôtel* Eccles. *Ouv 1er mai-1er oct. Env 64-66 € pour 2.* Petite route qui grimpe sec sur environ 1,5 km pour déboucher au sommet d'une colline. Située sur la gauche, avec grande entrée ronde en buissons de laurier. La maison est au fond du jardin. Vue stupéfiante sur la baie. En tout, 4 petites chambres agréables *en suite*. Possibilité de dîner. Collection assez surprenante d'animaux empaillés de Mrs & Mr Harrington.

🏠 ***Beechwood House :*** *Inchintaggart.* ☎ *632-92.* 📱 *086-804-19-20. • beechwood-glengarriff.com • À env 1,5 km de Glengarriff, sur la route de Castletownbere. Ouv avr-sept (parfois oct). Chambres avec sdb et TV 66-70 €. Parking.* 📶 *B & B* bien tenu et confortable. Chauffage central. Dans un coin calme, en surplomb entre la route et la côte. Vue sur d'étranges collines rocheuses. Grand jardin.

Chic

🏠 ***Eccles :*** *sur le port, à côté du* Wooden Pier. ☎ *630-03. • eccleshotel.com • Sur la route principale Bantry-Kenmare. Ouv tte l'année sf 23-28 déc. Compter 100-120 € pour 2 selon saison. ½ pens possible. Loue aussi des apparts à la sem. Formules spéciales et promos sur Internet.* Bel hôtel face à la mer et à l'île Garinish. L'un des plus anciens d'Irlande (1745). Élégante façade avec balcon et auvent en fer forgé. Intérieur meublé en style anglais ancien avec colonnes sculptées, cheminée, gravures, etc. Restauré en 1988, mais a conservé en grande partie son charme. Yeats, Synge, George Bernard Shaw honorèrent les lieux de leur séjour. Les romantiques demanderont la belle chambre où Yeats écrivait ses poèmes. Attention, on ne retrouve pas le même charme partout ; certaines chambres sont banales. TV et téléphone. Tennis, canots pneumatiques et planches à voile mis à la disposition des clients. Restaurant et pub avec musique le week-end (voir « Où manger ? Où boire un verre ? Où écouter de la musique ? »).

Où manger ? Où boire un verre ? Où écouter de la musique ?

Rien de très exceptionnel côté restauration à Glengarriff.

🍽 ***Murphy's Village Kitchen :*** *voir « Où dormir ? ». Dans le centre.* Le resto de l'AJ. *Fish & chips* au cadre en bois propret. Comptoir et quelques banquettes pour avaler burgers, hot dogs et autres *nuggets* pas trop gras...

🍽 🍸 🎵 ***Cottage Bar & Restaurant :*** *rue principale, face au magasin* Quills. ☎ *633-31. Plats 10-12 €.* Cuisine très moyenne, mais au moins le service est rapide. Plus adéquat pour un snack accompagné d'une bière que pour un dîner en amoureux. Terrasse. Concerts le week-end.

🍽 ***Glengariff Park Hotel :*** *Main St.* ☎ *630-00. Repas env 20-25 €.* Cet hôtel de standing possède un resto correct et à prix modérés au rez-de-chaussée. Plats classiques bien servis, dans un cadre aéré et plaisant.

🍽 ***Eccles :*** *voir « Où dormir ? ». Tlj.* Bar food *servie 12h-21h et resto plus chic.*

Au resto, menu 35 €. Plats 12-22 €. Lunch pas si cher que ça pour un hôtel de cette classe. Un dessert diabolique se nomme curieusement « Death by chocolate »... Animations musicales certains week-ends.

🍷♪ ***Blue Loo :** rue principale.* ☎ *631-67.* Rien de particulier, pour son ambiance ringarde peut-être... Voir l'*Ideal European* sous la TV, les fameuses « lettres à la maman » reprenant les clichés anglais de l'Irlandais un peu limité et la collection de cartes postales machos au-dessus du comptoir... En revanche, billard et bons concerts folks le week-end.

Achats

***Quills :** dans le centre.* ☎ *634-88. Tlj.* Grande maison jaune aux volets verts. Magasin spécialisé dans la laine.

***Irish Craft Centre :** en face de* Quills. *Ouv grosso modo 10h-18h.* Pulls en laine, carpettes en peau de mouton... De l'ovin sous toutes ses formes !

À voir. À faire

***Bamboo Park :** à l'entrée du village, côté Bantry.* ☎ *639-75 ou 630-07.* • *bamboo-park.com* • *Ouv tte l'année, tlj 9h-19h. Entrée : 6 € ; réduc ; gratuit pour les enfants.* Ce parc est la concrétisation du projet d'une famille belge de faire pousser des bambous sur le sol irlandais. Les premières pousses ont d'ailleurs été plantées en coopération avec la bambouseraie d'Anduze, dans les Cévennes. Depuis l'ouverture du parc en 1999, les 30 espèces de bambous et les 12 espèces de palmiers ont eu le temps de pousser, et ils ont désormais une taille très respectable. Mais il y a aussi l'ancien jardin, et on peut faire une jolie balade dans le calme avec superbe vue sur la baie de Glengarriff. De même, accès à une petite plage privée. Avec de la chance, peut-être un (ou deux) phoques séjournant au soleil !

➢ On vous recommande une promenade tranquille d'une vingtaine de minutes au bord de l'eau, dans le centre du village : la ***balade de « Poulgorm ».*** Criques intimistes, sous-bois bien frais et barques esseulées, le tout dans un silence requinquant. Le sentier commence derrière le grand magasin *Quills* et rejoint l'embarcadère près de la *Old Church Coffee House.*

DANS LES ENVIRONS DE GLENGARRIFF

***L'île Garinish** (Inalcullin) :* sur un îlot rocheux furent créés, en 1910, de superbes jardins à l'italienne. Ancien terrain militaire anglais où avait été édifiée une tour Martello, suite à la tentative de débarquement de Hoche en 1796. Racheté par *John Annan Bryce* (député au Parlement britannique) pour en faire sa résidence. À défaut du manoir projeté, il y construisit un cottage. Parmi ses invités figura George Bernard Shaw en 1923 qui, le climat semblant décidément favorable, y écrivit une pièce. Nombreuses et rares essences subtropicales favorisées par le Gulf Stream, qui n'a jamais flirté si près avec la côte.

➢ *Pour s'y rendre : avr-oct slt. Bateaux ttes les 20-30 mn au départ du Wooden Pier (vers l'hôtel* Eccles*), du Blue Pool (dans le village) ou, quand la marée le permet, d'Ellen's Rock (route de Castletownbere). Prix affichés à l'embarcadère : env 10 € depuis Blue Pool et Ellen's Rock, 12 € depuis le Wooden Pier (c'est géré par des compagnies différentes). Vous l'aurez noté, le « plus petit voyage en bateau » est aussi le plus cher d'Irlande, car on paie également un droit d'entrée sur l'île (env 4 €). Bien coûteux, tout ça... On rencontre quelques phoques en cours de route. Penser à apporter des jumelles. Jardins ouv lun-sam 9h-17h30, dim 11h-18h.* Heritage site. *Infos :* ☎ *633-33.* • *bluepoolferry.com* •

Venir dès l'ouverture, pour profiter de l'endroit et faire la promenade pratiquement seul. Plus tard, lorsque 200 personnes se promènent sur 15 ha, ça gâche un peu le plaisir !

En revanche, gratuite est la balade dans la ***forêt de Glengarriff.*** Si vous tombez à la bonne saison, vous aurez tout au long de votre route des rhododendrons géants et des propriétés aux jardins superbes. On arrive bientôt à des collines dénudées qui entourent un lac très beau *(Barley Lake).* Tout y est : village typique, rivière qui glougloute... À ne pas manquer.
La forêt commence à 3 km de Glengarriff sur la route de Kenmare. La balade jusqu'au lac fait 17 km aller-retour. Route extrêmement étroite, avec beaucoup de virages et peu d'endroits pour dépasser. Le lac lui-même est inaccessible à tout véhicule, même aux vélos, mais on peut en parcourir un bon bout par une petite route. À l'office de tourisme, petit dépliant avec carte et propositions de balades dans un rayon de 1 à 5 km.

LA PÉNINSULE DE BEARA

IND. TÉL. : 027

Une des moins fréquentées de toute la côte ouest. On a parfois l'impression de déranger le mode de vie tant les habitudes semblent immuables. Au centre de la péninsule, deux belles chaînes de montagnes : les Caha Mountains et les Slieve Miskish Mountains.
Trouver absolument le moyen de passer par le *Tim Healy Pass,* un col situé sur la route d'Adrigole à Lauragh. La route est complètement perdue dans la montagne, tortueuse à souhait. La vue sur les deux versants est tout simplement époustouflante, surtout sur celui du nord.
Tout en bas, encaissé au creux des montagnes, on aperçoit le superbe *Glanmore Lake,* au milieu d'une riche nature préservée, chaos de rochers et belle végétation. Les cygnes viennent vous manger dans la main.
– Remarque : pour les stoppeurs, c'est tellement isolé qu'ils risquent de faire la moitié du trajet à pied. En revanche, génial à vélo avec la *Beara Cycle Way.*

L'HÉCATOMBE DU *TIM HEALY PASS*

Cette route fut commencée pendant les années de la Grande Famine (1845-1850) pour donner du travail aux chômeurs. Les ouvriers touchaient, à l'époque, 2 pence par jour pour 12h de labeur. Le chantier dut vite être arrêté, étant donné le taux élevé de mortalité. Il ne reprit qu'en 1928, et la route du col fut enfin ouverte 3 ans plus tard.

ADRIGOLE (500 hab.)

Où dormir ?
Où manger ?

Hungry Hill Lodge Hostel & Camping : *☎ 602-28. ● hungryhilllodge.com ● Quasi à l'embranchement pour le Healy Pass. Ouv tte l'année. Env 20 €/pers en dortoir et 40-50 € en chambre double. Compter 20 € pour 2 au camping.* Sur sa butte, entourée de grasses pelouses, on voit de loin, cette auberge rouge et blanche. Camping et emplacements pour camping-cars. Location de vélos. Pour la soif, un pub. Bon endroit pour rayonner dans la péninsule.

🏠 🍽 ***Ocean View Farmhouse :*** *Faha, Bayview House.* ☎ *600-69.* ● *oceanviewadrigole@gmail.com* ● Farmhouse *située à l'entrée d'Adrigole en venant de Glengarriff. Bien indiqué. Ouv mai-fin oct. Propose 4 chambres simples mais correctes 60 € (58 € à partir de la 2e nuit). CB refusées.* Excellent accueil de Margaret, qui adore la France. Belle vue sur la baie de Bantry. Possibilité de dîner *(sur résa à l'avance : plat 12 €).*

Achats

Adrigole Arts : ☎ *602-34. Face au stade de foot. Ouv Pâques-oct lun-sam 10h-18h (et dim, mai-sept, 11h-18h).* De très beaux bijoux, poteries, pulls en laine, etc. Mais tout n'est pas produit sur l'île d'Émeraude.

À faire

– ***West Cork Sailing Centre :*** *The Boat House.* ☎ *601-32.* ● *westcorksailing.com* ● *Après le stade de foot.* Location de catamarans (également pour les enfants) et de kayaks pour aller visiter les côtes de l'île de Bere. Leçons de voile, du débutant au confirmé. Belle vue depuis la terrasse du « bistrot ».

CASTLETOWNBERE (BAILE CHAISLÉAIN BHÉARA)

Petit port bien abrité entre les Slieve Miskish Mountains et l'île de Bere, un des importants rendez-vous pour la pêche en haute mer. Possibilité de louer des bateaux pour se rendre à l'île de Bere ou pour aller voir baleines et dauphins qui séjournent fréquemment dans la baie.

Arriver – Quitter

En bus

Rens pour les bus : ☎ *700-07.*

➢ ***De/vers Bantry :*** 1 bus/j.

➢ ***De/vers Cork :*** 1 bus/j.

➢ ***De/vers Allihies :*** 1 bus/j. l'été, l'ap-m. Retour d'Allihies le mat.

Adresses utiles

ℹ ***Beara Tourism and Development Association :*** *The Square, sur la place centrale, juste à côté de la caserne des pompiers.* ☎ *700-54.* ● *bearatourism.com* ● *Ouv en été, lun-sam 9h-17h.*

@ ***Business Services :*** *à côté de l'office de tourisme. Propose un accès à Internet lun-ven. Ferme à 17h30.*

Où dormir ?

Camping

⛺ ***Camping Berehaven Golf Club & Amenity Park : Filane,*** *sur la route de Glengarriff.* ☎ *719-57 ou 707-00.* ● *berehavengolf.com* ● *À 3 km de Castletownbere, face à l'île de Bere et de son épave. Il faut traverser le terrain de golf. Ouv tte l'année. Env 15-20 € pour 2. Réduc pour le golf.* Quelques emplacements pour planter sa tente ou mettre son camping-car, face à la mer. Bar-restaurant du club de golf.

Bon marché

🏠 ***Evergreen Cottage Hostel :*** ☎ *703-02. À 2 km de Castletownbere, sur la route d'Allihies. Ouv Pâques-sept. Env 15 €/pers.* Tenu par un couple sympathique. Propose 2 chambres doubles dans une annexe de la maison. Coin tranquille. Appartement autonome donc, avec cuisine. Conviendra aux groupes et aux familles.

Prix moyens

🏠 ***Rodeen B & B :*** ☎ *701-58.* 📱 *086-314-34-43.* ● *rodeencountryhouse.com* ● *À env 2 km vers Glengarriff ; bien indiqué. Chambre env 70 €. Dîner* *sur résa 25 €. Réduc à partir de 2 nuits. CB refusées.* Belle vue sur la mer et tranquillité garantie. Jardin tropical luxuriant. Chambres pas trop grandes mais correctes *en suite.* Possibilité de dîner sur réservation préalable. Breakfast original et riche.

Où manger ?

Cronin's Hideaway : *West End. ☎ 703-86. À la sortie ouest de Castletownbere. Resto tlj 17h (16h dim)-24h. Lunch lun, mar, jeu et ven 12h45-14h. Compter 10-15 € pour 1 plat principal.* Façade jaune et mauve. 2 formules : excellent *take-away* (ferme tard) ou resto classique avec *chicken curry,* poisson frit et viande.

Murphy's Restaurant : *Main St, à l'embranchement de la route conduisant au port. ☎ 702-44. Tlj 9h-21h. Plats 8-12 €.* Sert une bonne cuisine, simple et pas chère. *Local seafood platter,* camembert frit *cranberry sauce, mixed grill,* pinces de crabe au citron... Sur un mur, noter le protocole d'amitié entre Castletownbere et Locmiquélic (Bretagne), rédigé en irlandais, en breton, en anglais et en français. Fréquenté par les locaux.

Jack Patrick's : *Main St. ☎ 703-19. Fermé dim en hiver.* Special lunch *et snacks (12h-15h) 8-15 € ; menu le soir env 22 €.* Garantie d'une viande succulente, car le mari de la patronne tient la boucherie qui jouxte le resto. Pas mal de plats : lasagnes maison, moules farcies, *smoked mackerel salad.* Grand choix de desserts.

Où boire un verre ?

MacCarthy's Bar : *Main St, sur la place centrale. ☎ 700-14.* Pub-épicerie dont la façade rouge et noir figure sur l'un des derniers bouquins à la mode au titre sans surprise : *MacCarthy's Bar* (des impressions d'Irlande par un routard plein d'humour). Le pub a été nommé d'après Aidan, un docteur épique qui a survécu à la Seconde Guerre mondiale grâce à la bombe atomique ! Et ce n'est qu'un extrait... Cadre ancien comme on les aime, plein d'atmosphère. Accueil sympathique.

À voir dans les environs

L'île de Bere : belles balades, beaux points de vue et une tour Martello à visiter. Possibilité de louer des bateaux sur le port pour s'y rendre. Sinon, emprunter le ferry avec *Bere Island Ferry Service (☎ 750-09 ; • bereislandferries.com •).* Fin juin-sept, 8 départs/j. (5 le dim) ; départs moins fréquents le reste de l'année. Autre ferry à Pontoon, à 3,5 km sur la route de Glengarriff, avec *Murphy's Ferry Service (☎ 750-14 ; • murphysferry.com •).* Juin-août, jusqu'à 7 départs/j. ; slt 4-5 départs/j. le reste de l'année. Compter dans les 8 € l'A/R pour un piéton.

ALLIHIES

D'un seul coup, par la route du Sud, on découvre en arrivant sur Allihies un panorama somptueux sur la lande, le petit village s'étirant le long de sa Main Street, la belle plage de Ballydonegan et les montagnes environnantes.

Un peu d'histoire

Au XIXe s, on y exploitait d'importantes mines de cuivre, aujourd'hui désaffectées. Ouvertes en 1812, elles employèrent jusqu'à 1 200 personnes en 1850. À l'époque, un mineur commençant à travailler à 15 ans mourait 15 ans plus tard. Elle ferma en 1885. Au-dessus du village, quelques ruines et un bout de cheminée rappellent cette époque. Pour en savoir plus, faire un petit tour au musée.

Où dormir ?

Camping

⛺ **Camping** *(The Strand) : possible dans un pré, devant la plage de Ballydonegan (à 1 km env du village), à côté des caravanes. ☎ 730-02. Env 8 €/pers (les proprios passent prendre leur dû le soir).* Douche payante à la ferme (juste en face).

De bon marché à prix moyens

🏠 **Allihies Hostel :** *dans le centre d'Allihies, à côté du pub* O'Neill's. *☎ 731-07. • allihieshostel.net • Ouv avr-oct. Lits en dortoir 18-20 €/pers et env 50-55 € pour 2 en chambre. CB refusées.* Petite AJ privée. Différents types de logements, du dortoir de 4 ou 8 lits à la chambre familiale en passant pas la double standard ou *en suite*. Salon très agréable, à l'atmosphère contemporaine. Cuisine. Laverie.

🏠 **Sea View Guesthouse :** *dans le centre du village. ☎ 730-04. • seaviewallihies.com • Fermé à Noël. Une dizaine de chambres env 80 € pour 2.* Même maison que le supermarché et la pompe. Atmosphère de petit hôtel familial plus que de *B & B*. Agréable (chambres spacieuses avec parquet) et bon rapport qualité-prix. Préférer les chambres donnant sur la mer, *of course* (même prix) ! Loue aussi un appartement dans le village et une belle maison à 1 km.

🏠 **Beach View :** *Ballydonegan. ☎ 731-05. • beachviewbandb.com • Tte l'année. Double 60 €. CB refusées.* 💻 📶 Aux marges du village, un confortable *B & B* dans un coin très calme. Grand jardin gardé par de gentils nains. Panorama extra sur la baie. Irène Harrington est une hôtesse adorable, aux petits soins pour ses hôtes. Copieux petit déjeuner.

Où manger ? Où boire un verre ?

🍽 🍸 **O'Neill's :** *dans le village. ☎ 730-08. Tlj 10h-21h tapantes. Plats 10-15 €.* Accueil et clientèle à l'irlandaise, chaleureux et convivial. Cuisine simple mais copieuse. Surtout, poisson et fruits de mer ultrafrais. Même s'ils ne sont pas au menu, demander s'il y a de l'*open crab* ou de l'*open salmon*, délicieux ! Salle de *bar food* ou salle de resto, avec ou sans TV. Concerts, occasionnellement, le samedi soir.

Où dormir ? Où manger dans les environs ?

🏠 **Garranes Hostel :** *à* **Garranes.** *☎ 730-32 ou 731-47. • dzogchenbeara.org • À mi-chemin entre Castletownbere et Allihies. Ouv tte l'année. De 15 €/pers en dortoir à 40 € pour 2 en chambre privée.* Jolie maison en pierre sèche en surplomb de la mer avec de superbes balades à faire en bord de falaise. Le *warden* professe une philosophie type « bouddhisme tibétain » (retraite, méditation). Ne conviendra donc pas à nos lecteurs les plus exubérants ! Intérieur en bois assez chaleureux, atmosphère très « fellow-travellers ». Seulement 18 lits, vite complet donc. 1 chambre familiale également. À côté, un centre de méditation (mais rassurez-vous, personne ne vous obligera à y aller !). Une situation et une adresse assez exceptionnelles !

🏠 🍽 **Windy Point House B & B :** *chez Agnès Sheehan,* **Garnish.** *☎ 730-17. • windypointhouse.com • Tt au bout de la presqu'île de Beara. Situé à env 10 km d'Allihies, 200 m avt le terminus de la route et le point de départ du cable car pour Dursey. Ouv avr-oct. Un merveilleux bout du monde pour 70 € pour 2 (60 € à partir de la 2e nuit). CB refusées.* 📶 *B & B* avec 6 chambres *en suite* qui dominent toutes vraiment la mer ! On a un faible pour les 2 (avec balcon) situées dans une dépendance. Le soir, Agnès mijote de bons petits plats pour ses hôtes (sur réservation, compter 18 € le dîner, à 18h pétantes). Les gâteaux et le pain sont faits maison. Très bon accueil.

▲ |●| ***Harbour View B & B : Garnish.*** ☎ *731-39. Env 1 km avt d'arriver au Dursey Cable Car. Double 70 €. Possibilité de manger le soir (réserver à l'avance). CB refusées.* Une maison moderne sans caractère particulier et un accueil pas trop exubérant, mais les 3 chambres (dont 2 *en suite*) sont correctes. Surtout, environnement sauvage et super vue sur le large. Une bonne alternative si tout est plein ailleurs.

▲ |●| ***Reentrisk School House :*** ☎ *730-42.* 📱 *087-323-85-50. À env 4 km d'Allihies, vers Eyeries. Ouv mai-sept. Slt 2 chambres env 70-80 €. CB refusées.* Dans un des coins les plus sauvages de la péninsule. Pour les plus romantiques de nos lecteur(trice) s. Une maison d'artistes accrochée à la colline, aux chambres décorées avec beaucoup de goût. Sanitaires communs. Un immense *lounge,* avec baie vitrée et cheminée, donne sur la mer ; y manger est un plaisir à lui tout seul. D'autant qu'Annie, ancien cuistot sur un navire de pêche, vous prépare à manger (bio !) si vous avez réservé. Une excellente adresse, tout simplement.

Manifestation

– ***Sports Day :*** *15 août.* Une tradition séculaire à Allihies : jeux, courses de chevaux, match de foot, etc. L'occasion de rencontrer tous les gens du coin et de partager leur joie.

À voir. À faire à partir d'Allihies

➢ Nombreuses possibilités de ***randonnées*** à pied. Se procurer le feuillet *Discover Allihies.* Fortins en pierre, *standing stones,* dolmens, *holy wells,* tours Martello, etc. baliseront vos itinéraires.

➢ Superbe balade de 10 km jusqu'à Eyeries (voir ci-dessous) par le ***chemin des Copper's Mines.*** Il se trouve sur la gauche, à la sortie du village.

Le musée des Copper's Mines : ☎ *732-18.* ● *acmm.ie* ● *Ouv juin-sept (et à Pâques) tlj 10h-17h. Avr, mai et oct, le w-e 12h-17h. Entrée : 5 € ; réduc.* Intéressant petit musée, abrité dans l'ancienne église méthodiste construite en 1845 pour les mineurs originaires de Cornouailles. Un autre bâtiment abrite le café et la galerie d'art. Subsistent quelques machines et ruines de ce qui fut la plus grande mine d'Irlande au XIXe s. Présentation didactique de l'histoire géologique, sociale et humaine de la région, ainsi que les techniques d'extraction du temps passé.

L'île de Dursey : l'une des balades les plus populaires dans le coin. Environ 25 km aller-retour. Prendre la route de Castletownbere. Après la traversée du gap de Barnes (petit col avec le panorama sur Allihies), tourner à la première route à droite vers Garnish Point, puis suivre la route jusqu'au point de départ du téléphérique, le *cable car* (installé en 1969 et long de 374 m). En saison, bus le mardi et le vendredi reliant le point de départ du téléphérique et Castletownbere (se renseigner à l'office de tourisme). *Le* cable car *fonctionne tte l'année lun-sam 9h-10h30, 14h30-16h30, ; dim 9h-10h, 13h-14h (*because *la messe), ainsi que 16h-17h juin-août. Un conseil : arriver 30 mn avt le dernier départ, car la cabine ne contient que 6 places, elle peut donc se remplir très vite. Compter 4 € ; réduc enfants.* Sur l'île (5 km²), intéressantes promenades, puits sacré. Nombreuses observations d'oiseaux, dauphins et baleines.

Si vous êtes en voiture, au retour, petit crochet vers la jolie ***plage de Garnish*** (indiqué « Garnish Pier »).

EYERIES

La très belle route Allihies-Ardgroom, sur la côte nord de la péninsule de Beara, passe par Eyeries, où les habitants rivalisent d'imagination dans le choix des couleurs des maisons. Et ça continue à l'intérieur même de l'église. Magnifique collection de vitraux, offerts par les familles à la mémoire de leurs défunts.

Où dormir ? Où manger ? Où boire un verre ?

Inches House : *à 2,5 km du village. ☎ 744-94. • eyeries.com • Prendre la route de Castletownbere, puis fléché sur la gauche. Cottages 320-480 €/sem selon saison et taille (2-4 pers). Selon disponibilité, peuvent aussi se louer pour 2-3 j.* Maree et John, un jeune couple anglais dynamique et sympa, proposent 3 jolies maisons mitoyennes en pierre du pays. Des couleurs douces et fraîches, du confort et du charme, de la nature et du calme autour, une atmosphère reposante. On s'y sent vraiment bien. Pour ceux que ça intéresse, John organise aussi des balades en mer (pêche, observation des dauphins) : • *irelandseaangling.com* •

Formanes House B & B : *☎ 743-60. • formaneshouse.com • Sur la route principale, presque en face du terrain de foot. Fermé à Noël. En tout, 4 chambres en suite, env 60 € pour 2. CB refusées.* Toute rose, en partie en pierre, comme la petite arche du jardin. Tout autour, la campagne. Déco au parfum des années 1960-1970. Au choix, chambre rose, blanche ou en bois blanc... Accueil sympathique. Dîner sur demande. Location de cottages, dont pour les robinsons, une mignonne maison sur l'île de Dursey (250 € la semaine, une vraie aubaine !).

Quelques ***pubs*** autour de l'église. Au ***Causkey's Bar,*** remarquer l'enseigne (un pélican, fallait-il le préciser). À l'intérieur, somptueuse vue – à s'en faire tirer un stout – depuis la baie vitrée ou la terrasse. Snack en saison. Et un bon resto, ***Auntie Mays,*** dans Main Street *(☎ 744-77).*

Où dormir ? Où manger dans les environs ?

Autour de Lauragh

Beara Camping & Hostel The Peacock : *Coornagillagh,* ***Tuosist.*** *☎ (064) 66-842-87. • bearacamping.com • À 5 km de Lauragh, en direction de Kenmare (en bordure de la R 571). Ouv tte l'année. Env 18 € la nuit pour 2 avec tente et voiture. « Bungalow » 35 € pour 2.* Petit camping vieillot tenu par une gentille famille. Environnement calme et jolies balades tout autour. Bloc w-c cependant très rustique, on ne se casse pas la tête pour le confort ici ! *Coffee shop.* Possibilité de laver son linge. S'il pleut trop (comment serait-ce possible ?), location de petites *cabins* et *huts* bricolées (pas chères certes, mais demander à en voir plusieurs, car certaines sont un peu vétustes – les minicontainers en plastoc sont à éviter...). Pour les soiffards : pub et plage à 500 m.

Creveen Caravan & Camping Park : *à 2 km de Lauragh en direction du Healy Pass. ☎ (064) 66-831-31. • creveenlodge.com • Camping à la ferme ouv Pâques-fin oct. Compter 18 € pour 2 avec tente et voiture. CB refusées. Douches payantes.* Sanitaires simples. Bien tenu dans l'ensemble. Une quinzaine d'emplacements. Superbe panorama et moutons en liberté dans la prairie. Des cottages à louer également.

Mountain View B & B : *Healy Pass Rd,* ***Lauragh.*** *☎ (064) 66-831-43. • oldstonecottage.com • Sur la route du Tim Healy Pass (bien indiqué). Ouv de mi-mars à oct. Doubles 60-70 €. Repas 16-20 €. CB refusées.* En pleine nature, maison ordinaire entourée par les moutons. Petite famille à l'accent du terroir et hôtesse affable. Demander une chambre avec vue sur la campagne pour éviter celle qui donne sur la citerne. Possibilité d'y manger (on peut apporter son vin !). Également un cottage à louer à la semaine.

Josie's : *Lakeview House, Clogherane,* **Glanmore Lake** *(bien indiqué).* ☎ *(064) 668-3155. Sur la route de la Healy Pass. Tte l'année. Plats 15-26 €.* Dans un environnement sauvage à souhait, une superbe salle à manger panoramique où vous dégusterez une des meilleures cuisines régionales, savante fusion de la tradition française et des vrais produits irlandais. Grande réputation pour les steaks aussi. Fait salon de thé l'après-midi. Loue également 2 chambres de bon confort dans un genre de chalet (70 €). Priez qu'il ne fasse pas beau, sinon on n'a plus envie de repartir du coin.

À voir. À faire dans les environs

➢ Jusqu'à Kenmare, ***route*** très étroite, longeant des falaises déchiquetées. En particulier celle qui musarde le long de la côte, vers Kilkatherine Point.

Derreen Gardens : *à* ***Lauragh.*** ☎ *(064) 66-835-88. Ouv avr-oct, tlj 10h-18h. Entrée : 6 € ; enfants ½ tarif.* Les amoureux des jardins et des arbres ne manqueront pas ce bel arboretum situé en bord de mer. La promenade au milieu des arbres (rhododendrons, cèdres, cryptomerias, etc.) dans ce cadre enchanteur est absolument féerique.

➢ En voiture, prendre la ***Healy Pass Road*** et aller au moins jusqu'au col. La vue sur le lac est magnifique. Sur la route depuis Lauragh, vieille pompe à essence avec, à côté, une drôle de maison miniature d'un *leprechaun,* ce gnome irlandais qui habite, paraît-il, au pied des arcs-en-ciel.

LE RING OF KERRY

Certainement la plus populaire des péninsules irlandaises. La beauté du paysage vient avant tout des contrastes ininterrompus offerts à chaque virage de la route. Les vallées couvertes de sapins succèdent à des landes immenses, descendant sur des kilomètres vers la mer sur un fond déchiqueté par les îles, les baies et lagunes, jouant sans cesse avec le soleil, changeant de couleur, de végétation, d'aspect... Un must pour randonneurs et cyclistes. Un conseil pour éviter aux automobilistes de rester coincés derrière un car bondé d'Américains en goguette : faire le tour dans le sens des aiguilles d'une montre (la majorité des bus le fait dans le sens inverse).

LA KERRY WAY

Une des plus belles randonnées irlandaises, en boucle (136 miles, autrement dit 217 km). Elle peut être suivie de n'importe quelle étape de son itinéraire : Killarney-Black Valley-Glencar-Glenheigh-Kells-Failmore-Mastergeehy-Windy Gap-Sneem-Kenmare-Killarney. Pour les bons randonneurs, doués d'un solide sens de l'orientation (de nombreux passages dans les tourbières, sans marque). Si l'on souhaite alterner marche et bus publics, voir « Se déplacer en bus », ci-dessous.
Le point culminant à 365 m, au Windy (« venteux » !) Gap, permet la traversée des montagnes sauvages de l'Irlande. Un frisson devant la beauté des rhododendrons mauves qui poussent partout, les lacs noirs de tourbe, les cercles de pierre des forts celtiques et les jardins du littoral sud, adoucis par le Gulf Stream. Une randonnée à monter soi-même si vous voulez n'en faire qu'une étape.
– ***Documentation :*** cartes *Ordnance Survey* n° 78 et n° 20 *Cork-Kerry Tourism Map Guide to the Kerry Way.* Balisage noir et jaune mais peu fréquent. On peut aussi se procurer sur place le dépliant *Ring of Kerry Cycle Route* avec la carte du parcours en sept sections. • *kerryway.net* •

Se déplacer en bus

Quelques bus au départ de Killarney desservent la péninsule.
➢ Tte l'année, 1-2 bus/j. (sf dim) relient Killarney à ***Waterville,*** via ***Killorglin*** et ***Cahersiveen.*** Fin juin-fin août, 2 bus/j. supplémentaires font le tour de la péninsule en passant par ***Killorglin, Gleinbeigh, Cahersiveen, Waterville, Caherdaniel*** et ***Sneem.*** Entre Killarney et Killorglin, 4-5 bus/j. en sem (fréquence réduite dim).
➢ Pour rejoindre ***Kenmare,*** 2 possibilités : changer à Sneem ou passer par Killarney. Voir « Arriver – Quitter » à Kenmare.

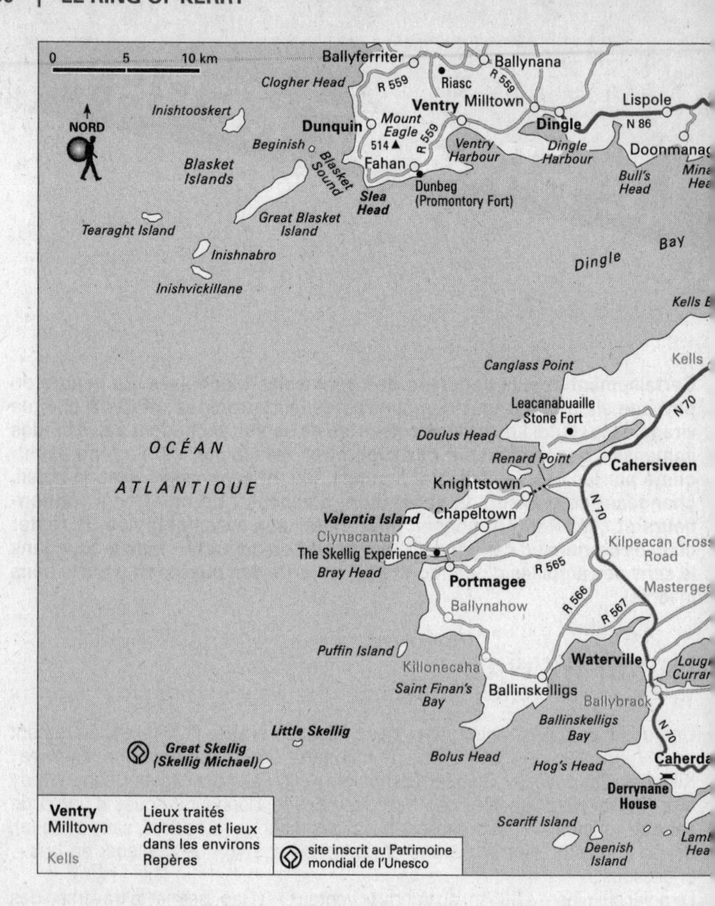

KENMARE (AN NEIDIN)

2 700 hab. IND. TÉL. : 064

Petit centre de pêche, point de départ du Ring of Kerry au sud. Animé en été. La ville est plutôt agréable, ordonnant ses demeures colorées sur les deux rues principales. Les gens font le plein, essuient lunettes et pare-brise, retiennent leur souffle... et en route pour une jolie excursion !

– ***Foire aux bestiaux :*** *15 août.*

Arriver – Quitter

En bus

➢ ***De/vers Tralee et Killarney :*** 2 bus/j. lun-ven tte l'année ; 1 bus le w-e en été.

➢ ***De/vers Sneem :*** 2 bus/j. en été. Hors saison, 1 seul bus (ven). Compagnie *Teddy McCarty* (📱 *087-231-50-14*), basée à Sneem.

➢ ***De/vers Bantry :*** juin-août.

LE RING OF KERRY

➢ ***De/vers Cork :*** passer par Killarney.

Adresses utiles

■ ***Office de tourisme :*** *The Square.* ☎ *66-412-33.* ● *corkkerry.ie* ● *Ouv avr-nov ; 9h-19h juin-sept. Pause le midi hors saison.*

✉ @ ***Poste :*** *Henry St.* ☎ *66-414-90. En face de l'AJ. Dans une boutique.* Accès Internet.

@ ***Internet : Live Wire,*** *Rock St (perpendiculaire à Main St).* ☎ *66-427-14. Lun-ven 10h-18h.* Également à la poste.

■ ***Location de vélos : Finnegan's Corner,*** *Henry St.* ☎ *66-410-83. Tlj (sf dim hors saison) 10h-18h30 (21h30 en été).* Bien vérifier l'état des engins (les freins en particulier).

■ ***Kenmare Bay Diving : Bonane.*** *087-699-37-93.* ● *bearadiving.com* ● *À 11 km, sur la route de Glengarriff.* Propose des plongées et cours tous niveaux.

■ ***Star Sailing & Adventure Centre : Dauros,*** *à 6 km de Kenmare, sur la route de Castletownbere (R 571).* ☎ *66-412-22.* ● *staroutdoors.ie* ● *Ouv tte l'année.* Propose du canoë-kayak, du raft, de la voile, etc. Également des croisières de 1h30 sur la Kenmare River.

■ ***Kenmare Coach and Cabs : Gortamullen.*** *☎ 66-414-91.* ● *kenmarecoachandcab.com* ● Tours des péninsules de Beara ou Kerry et excursions sur Glengarriff. 60 ans d'expérience. Voyages de groupes en minibus sur 1 journée (de 10h à 17h). Prix en fonction du nombre de personnes.

Où dormir ?

Bon marché

Kenmare Fáilte Hostel : *à l'angle de Henry St et Shelbourne St. ☎ 66-423-33.* ● *kenmare.eu/failtehostel* ● *Ouv de mi-mai à mi-oct. Compter 18 €/pers en dortoir ; doubles avec sdb commune ou privée 44-52 €. Également des triples et des quadruples.* Dans une ancienne demeure, une AJ fort bien placée, remarquablement tenue et qui n'est pas dénuée de charme. Sanitaires impeccables. Chambres doubles plaisantes avec parquet. Cuisine bien équipée (avec une belle cuisinière d'époque). Excellent accueil. Location de vélos en face.

Prix moyens

Druid Cottage : *☎ 66-418-03. 086-345-07-94.* ● *druidcottagekenmare.com* ● *À la sortie de Kenmare, sur la route de Sneem (N 70). Ouv fév-nov. Compter 55-70 € pour 2. CB refusées.* Enfin un *B & B* dans une ancienne demeure du XIXe s (ça ne court pas les rues dans le coin) ! Tout en pierre, avec véranda. Pas mal de charme. Au calme, en retrait de la route, jardin verdoyant. Au total, 4 chambres avec salle de bains privée, meublées à l'ancienne, murs de pierre dans certaines. Bon accueil de Bernadette, qui ne manquera pas de vous donner moult conseils pour vos escapades.

Virginia Guesthouse : *Henry St. ☎ 66-410-21. 086-372-06-25.* ● *virginias-kenmare.com* ● *Congés : autour de Noël. Doubles 65-90 € selon saison et type de chambre.* Un superbe *B & B* de ville à prix très raisonnable. Chambres impeccables, douillettes et tout. Surtout, vous apprécierez l'accueil tout à la fois adorable et pro de Noreen. Ainsi que l'un des meilleurs petits déjeuners du Kerry, préparé uniquement avec des produits rigoureusement sélectionnés ou faits maison (comme le *fruity muesli*). Délicieux et original *Noreen's blue cheese pears and bacon.* Et pour que les plats soient cuisinés sans précipitation, les commandes sont prises la veille. La même attention se retrouve dans la qualité des autres prestations. Resto *(Wild Garlic)* au rez-de-chaussée. Rue à pubs, les clients n'ayant pas trop le sens du sommeil des autres ne sont pas vraiment souhaités !

Greenville B & B : *Killowen Rd, The Lodge. ☎ 66-417-69.* ● *maureensayersgreenville@gmail.com* ● *À deux pas du centre-ville, sur la route de Cork. Ouv avr-oct. 6 chambres avec sdb, env 70 € pour 2. CB refusées. Parking privé.* Bien en retrait de la rue, avec un jardin devant. Certes du classique, mais chambres spacieuses et plutôt agréables. Gentil accueil de Mrs et Mr Sayers. Bien tenu.

De chic à très chic

Sea Shore Farm Guest House : Tubrid. *☎ 66-412-70.* ● *seashorekenmare.com* ● *À env 2 km du centre-ville ; prendre la route de Sneem (N 70), puis fléché sur la gauche, à la sortie de Kenmare. Ouv avr-oct. Compter 90-100 € pour 2.* À mi-chemin entre le *B & B* et le petit hôtel familial, dans un environnement superbe, un établissement plein d'élégance qui propose 6 chambres spacieuses et très confortables (dont 1 familiale), avec vue sur la Kenmare River. Accueil courtois et charmant, hôtes vraiment aux petits soins pour la clientèle. Plein d'infos utiles pour vos escapades dans le coin. Une de nos adresses coups de cœur.

Foleys Guesthouse : *16, Henry St. ☎ 66-421-62.* ● *foleyskenmare.com* ● *En plein centre. Ouv tte l'année. Doubles avec sdb env 80-120 €. Parking gratuit à proximité.* Un hôtel à prix encore abordable, avec de grandes chambres à la déco standardisée mais confortables. Éviter simplement celles qui donnent sur le pub.

Où dormir dans les environs ?

De bon marché à prix moyens

☗ ***Greenwood Hostel :*** *Coomnakilla Rd,* ***Templenoe.*** *☎ 66-892-47. 📱 089-475-64-51. • greenwoodhostel.com • À 10 km env de Kenmare, sur la route de Sneem (N 70) ; à 1,5 km de la sortie de Templenoe, bifurquer à droite, direction Coomnakilla, c'est à 100 m. Ouv tte l'année. Compter 17-20 € en dortoir ; doubles 40-54 €.* Une AJ récente tenue par des Allemands et située en pleine nature. Dortoirs de 4 à 6 lits, chambres avec sanitaires privés ou communs. Bois blanc, couleurs pêchues, beaucoup de charme. Salon avec cheminée et cuisine équipée à disposition. Grand jardin arboré. Atmosphère conviviale. Une de nos plus séduisantes AJ privées, c'est dit !

☗ ⛺ ***Hazelwood B & B :*** *Castletownbere Rd,* ***Killaha.*** *☎ 66-414-20. • kenmare-bnb.com • À 3 km sur la route R 571, vers Lauragh (côté sud de la Kenmare River). Ouv tte l'année. Double 70 €.* Vieille ferme joliment rénovée, au bord de l'eau, avec beaucoup d'espace (bois, prairies et petites plages). 4 chambres de bon confort (dont 2 familiales). Les propriétaires ont le projet d'ouvrir un camping dans la propriété.

Où manger ?

Très bon marché

|●| ***Wharton's Fish & Chips :*** *en haut de Main St. Tlj jusqu'à 2h (4h sam).* Du bon, du vrai : *wild cod* (cabillaud sauvage), frites coupées à la main et sauce tartare maison. L'été, longue table sur rue.

De bon marché à prix moyens

|●| ***Jam's :*** *Henry St. ☎ 66-415-91. Tlj sf dim 10h-17h. Sandwichs 4-5 €, plat 10 €.* Très couru pour une petite pause le matin ou pour le déjeuner. On est tout de suite accueilli par les délicats effluves de cuisine et de gâteaux. Très bon choix de sandwichs. Quelques plats au hasard : *beef lasagne,* saumon frais... Quiches et *cheese cake* à se damner ! La bonne cantine connue de tous et fréquentée par tout le monde ! Si vous avez aimé, succursale à Killarney *(Old Market Lane).*

|●| ***Prego :*** *18, Henry St. ☎ 66-423-50. Tlj 8h-15h, 18h-21h30. Repas env 10-15 €.* Un des favoris des jeunes pour ses pizzas craquantes et des pâtes tout à fait honorables (et on n'a pu achever la goûteuse *lasagne al forno*). Quelques plats simples : poulet au jambon, salades diverses. Terrasse intérieure dans la verdure.

|●| ***Purple Heather :*** *Henry St. ☎ 66-410-16. Tlj sf dim jusqu'à 18h. Plats du jour 10-12 € le midi ; également des sandwichs. Plats 22,90-34 € le soir.* Dans une grande maison en pierre, un bar-resto-*lounge* à la déco rustique et chaleureuse pour se sustenter dans une atmosphère tranquille. Dans la journée, *bar food* et bons sandwichs au pain maison à bons prix. Le soir, plats assez chers, comme la sole de Douvres farcie palourdes, sauce crème et brandy...

|●| ***O'Donnabhain :*** *Henry St. ☎ 66-421-06. Tlj midi et soir (service jusqu'à 21h). Plats 13-22 € le soir (snack moins cher le midi).* Pub-resto très chaleureux avec ses *snugs,* son bar en bois verni et son vénérable parquet. On lui voue aussi une sympathie particulière pour sa présentation d'émouvants témoignages historiques, ses « unes » originales de journaux (la campagne de boycott, le traité de paix de janvier 1922, le centenaire de la révolte de 1798 et de Robert Emmett), le tout enrichi de photos sépia et de documents de qualité. Un contexte culturel donc agréable pour manger une bonne cuisine de bistrot à prix modérés, copieuse et rapide. Quelques plats réguliers : poulet Kiev, *beef Guinness stew,* pizzas. Bons desserts.

De prix moyens à plus chic

I●I ***P. F. McCarthy :*** *Main St. ☎ 66-415-16. Tlj sf dim et lun soir 12h-15h, 17h-21h. Plats 8-12 € le midi, 16-25 € le soir.* Derrière une façade de pub traditionnel se cache un cadre plutôt banal. Le soir, excellente cuisine modernisée à l'image de ce jarret de porc à l'orange et à la compote de fruits. Très bons brunchs avec *bagels, pancakes,* croissants, etc. En principe, musique à 22h30 les vendredi et samedi (plus rarement à 20h).

I●I ***Foley's :*** *Henry St. ☎ 66-421-62. Tlj midi et soir. Congés : janv. Plats 8-13 € le midi (quelques sandwichs également), 15-20 € le soir. Menu* early bird *20 €, 18h-19h.* Au choix, salle de resto assez conventionnelle ou pub à l'atmosphère cosy (même carte). Parfois un peu d'attente pour qu'une table se libère. Bon *bar-menu,* sandwichs, *today's special, hot fisherman's platter, Irish stew, chicken curry, fish & chips,* moules au vin blanc et *seafood,* bien sûr.

I●I ***Horseshoe :*** *3, Main St. ☎ 66-415-53. Tlj le soir 22h (lun-ven pour le lunch). Plats 15-26 €.* Pour son *pub grub* de qualité régulière et son cadre chaleureux, ses tableaux, gravures, lumières tamisées et bougies, vieilles banquettes et box pour amoureux. À signaler, une excellente bande-son (jazzy, bluesy, country et crooners). Réputé surtout pour ses viandes (agneau du Kerry, *spare ribs, burgers*).

Chic

I●I ***Packie's :*** *Henry St. ☎ 66-415-08. Tlj sf lun 17h30-21h30. Plats 12-34 €.* Packie, c'est le surnom de Patrick, le proprio. Le petit resto de luxe des notables locaux et de tous ceux souhaitant effectuer leur bonne bouffe de l'année. Le chef, Martin Hallissey, n'utilise quasiment que des produits bio. L'un des plats vedettes : le *roast monkfish garlic and ginger crust* (la lotte ail et gingembre en croûte). Cadre élégant, murs de pierre, feu qui crépite dans la cheminée, peintures. D'aucuns pourraient dire que les tables sont un peu serrées et que celles près du bar sont trop exposées au bruit, mais c'est à peu près les seules critiques !

Où manger ? Où boire un verre dans les environs ?

I●I 🍸 ***Sailor Bar :*** *route de Castletownbere (vers Lauragh). ☎ 66-426-84. à 4 km env (après le* Hazelwood B & B*). Ouv avr-oct et slt le soir en basse saison.* En retrait de la route, avec une belle terrasse dominant la baie et super animée aux beaux jours. Excellents fruits de mer à prix abordables et belle ambiance.

Où boire un verre ? Où écouter de la musique ?

🍸 ***Florry Batt's :*** *Henry St. ☎ 66-414-38.* On y boit la meilleure *Guinness* de la ville (une question de tuyauterie, paraît-il). 2 parties : le bar pour regarder les matchs et la salle de billard avec cheminée. On aime bien ce pub à l'ancienne, avec son vieux comptoir en bois ouvragé et sa barre de cuivre pour que les clients puissent s'accrocher (disposition désormais très rare !).

🍸 ♩ ***Bold Tady Quill Pub :*** *dans le* Landsdowne Arms Hotel, *en haut de Main St. ☎ 66-413-68.* Intérieur assez classe avec cheminée. Atmosphère sympa lorsque des groupes s'y produisent, le week-end en général.

🍸 ♩ ***Atlantic Bar :*** *The Square, à proximité de l'office de tourisme. ☎ 66-410-94. 📱 087-996-71-36.* Y pointer le bout de son nez le dimanche (groupes de musique traditionnelle). Les autres soirs, l'ambiance s'avère souvent tristoune. Petite restauration (sauf samedi soir et dimanche).

Crowleys : *Henry St.* L'un des pubs les plus anciens et les plus pittoresques. Musique, mais de façon irrégulière.

O'Murchu's *(Ryan's Bar)* **:** *Main St.* Un pub qui ne propose des soirées live pratiquement que le dimanche soir). Clientèle un peu plus jeune que les autres.

Achats

Quill's Woolen Market : *The Square. Tlj.* Pour acheter des pulls d'Aran à prix intéressants.

À voir. À faire

Kenmare Heritage Centre : *The Square. ☎ 66-412-33. Mêmes horaires que l'office de tourisme ; d'ailleurs, l'accès se fait par là.* Tout petit musée sur l'histoire de la ville et de la région, la famine, les personnages célèbres nés ou ayant séjourné ici.

Kenmare Lace and Design Centre : *derrière l'office de tourisme. Au 1er étage. ☎ 66-429-78 ou 26-36. Mai-oct, 10h15-13h, 14h15-17h30. Fermé dim (hors saison sur rdv).* Petite salle intime pour présenter ce qui fut une importante activité au XIXe s. et pendant la première moitié du XXe s. Initié par les sœurs du *Convent of Poor Clares* en 1861. Donne un bon aperçu de cet art universel. Expo de dentelles du XIXe s. Démonstration régulière d'une dentellière et possibilité d'acheter la production récente.

Seafari : *Kenmare Pier. ☎ 66-420-59. • seafariireland.com • Sur le port de Kenmare. 1-4 départs/j. avr-oct. Compter env 20 €/pers ; réduc.* Croisière « éconature » sur la Kenmare River pour observer oiseaux et phoques. À la barre, un capitaine sans pipe, mais avec barbe, qui prête volontiers ses jumelles d'une main et organise un spectacle de marionnettes de l'autre. Thé ou café, distribution de bonbons... ambiance sympa évidemment. On en oublierait presque la note, un peu salée tout de même...

DANS LES ENVIRONS DE KENMARE

Bonane Heritage Park : à **Bonane,** *à 12 km de Kenmare, sur la route de Glengarriff. 083-106-08-94. • bonaneheritagepark.com • Accès permanent. Tarif : 4 € (à glisser dans une boîte à l'entrée) ; réduc. Pour les tours guidés, téléphoner.* Un ensemble de petits sites archéologiques datant de l'âge de la pierre, du bronze et du fer, disséminés le long d'un sentier bien aménagé. Rien de très impressionnant cependant (vestige d'une habitation fortifiée, pierres dressées, etc.). Le cercle de pierres est certainement le site le plus intéressant. Un phénomène surprenant se reproduit tous les dix-huit ans et demi : la lune, en se levant, semble alors escalader la crête de la montagne qui ferme l'horizon. Ce phénomène s'est produit la dernière fois en juin 2006 ! Pas d'bol !

Balades à cheval

■ **Dromquinna Stables :** *Blackwater Bridge. ☎ 66-410-43. • dromquinna-stables.com • Ferme située à 5 km de Kenmare, sur la route de Sneem. Juste avt le village de Templenoe. Y aller de préférence avt 10h. Fermé dim-lun hors saison.* Chevaux et poneys très bien soignés par la famille O'Sullivan. Tarifs assez élevés, mais jolis programmes et balade inoubliable le long de la Kenmare River, dans la forêt, en montagne ou en bord de mer.

SNEEM (AN TSNAIDHM)

650 hab. IND. TÉL. : 064

Coquet village, devenu très touristique en haute saison, aux nombreuses maisons peintes de couleurs vives. Une symphonie de vert gazon, mauve, toutes les tonalités de rose et de jaune. Une poignée de pubs en ville. Sur la place principale, une stèle rappelle la venue du général de Gaulle en juin 1969.

– ***Fête du village :*** *en août.*

Adresses utiles

■ ***Distributeur de billets :*** *dans le supermarché* Christian's Foodstore, *en face de la station* Texaco. *Ouv 9h30-21h30.*

@ **Internet : Sneem Resource Centre,** *sur la place, côté Waterville.* ☎ *66-455-45. Lun-ven 10h-14h (17h ven).*

Où dormir ?

Prix moyens

🏠 ***Bank House :*** *North Sq.* ☎ *66-452-26.* 📱 *087-238-39-88. Une grande maison verte au centre du village, près du pont. Ouv mars-nov. Doubles 60-70 €. CB refusées.* Wi-fi Cette demeure georgienne, pleine d'atmosphère, est habitée depuis près de 2 siècles par la famille Harrington, ce qui explique la décoration soignée. Plein de bibelots et objets en cristal, atmosphère chaleureuse et intime. Propose 5 chambres, certes un peu exiguës, mais des petits déj excellents. Très bon accueil.

🏠 ***Derry East Farmhouse :*** *à 1 km de Sneem, en direction de Caherdaniel, à droite juste après le petit pont.* ☎ *66-451-93.* ● *derryeastfarmhouse.com* ● *Ouv mai-31 oct. Chambre en* suite *70 €. CB refusées.* Le *B & B* à l'ancienne. La déco n'est pas des plus moderne, chambres parfois petites et salles de bains minuscules, mais confort correct et la maison, au milieu des landes, est bien située. Court de tennis. Possibilité de dîner. Accueil charmant.

Où manger ?

Où boire un verre ?

🍽 ***The Village Kitchen :*** *dans le centre, à côté du pont.* ☎ *66-452-81. Tlj jusqu'à 18h (21h en été). Rien au-dessus de 11-12 €.* Petite salle de resto populaire (toiles cirées, box) vite remplie le midi. Une carte de sandwichs, salades, quiches, burgers, quelques plats consistants (*chicken curry,* saumon pommes sautées) et de bons desserts faits maison.

🍽 ***Blue Bull :*** *South Sq.* ☎ *66-453-82. Tlj. Lunch 12h-17h30,* dinner *18h-21h30. Plats env 10 € le midi, 11-22 € le soir.* Une salle de *bar food* à la belle déco (mélange d'ancien et de touches contemporaines). Vénérables photos du vieux Sneem, comptoir de bois et belle cheminée. Bonne cuisine avec quelques spécialités du cru (*Irish stew, fish pie, boiled bacon and cabbage,* etc.). Atmosphère tranquille et plaisante terrasse derrière. *Live music* 3 fois par semaine en saison.

🍽 ***O'Sullivan's, Sacré-Cœur Restaurant :*** ☎ *66-451-86. À la sortie de Sneem, en direction de Waterville. Ts les soirs (21h et en été 22h) et dim midi Pâques-fin oct. Plats 15-25 €.* Un vrai resto. Bonne cuisine réputée. Propose de bon crus, disponibles en demi-bouteilles. Cadre un peu passe-partout.

🍽 🍸 ***Danny O'Shea's :*** *North Sq.* ☎ *66-455-15. En continu 12h-21h.* Un pub-resto avec terrasse à l'arrière qui donne sur la rivière. Classique : *thaï curry chicken, Dingle Bay scampi, beef lasagne...* Musique traditionnelle en été. Sympa, accueil jeune.

Où dormir ?
Où manger chic
dans les environs ?

■ |●| ***Tahilla Cove Country House :*** *☎ 66-452-04.* ● *tahillacove.com* ● *À 8 km, sur la route de Kenmare. Ouv de Pâques à mi-oct. Compter 80-150 € pour 2 selon saison et vue. Dinner 25 €.* Très belle demeure, au milieu d'un parc, au bord de l'eau. L'un des coins les plus enchanteurs qu'on connaisse. Chambres de charme très confortables, accueil au diapason. Bar particulièrement cosy ouvert aux non-résidents. Excellente restauration délivrée dans une élégante salle à manger. Belles balades à partir du *B & B.*

DANS LES ENVIRONS DE SNEEM

Staigue Fort : *à 14 km de Sneem, en direction de Caherdaniel. À la sortie de Castlecove, fléché sur la droite. Accès par une route étroite, déconseillée aux camping-cars. Entrée : 1 €. Une boîte, près du portail, recueille les oboles. Au niveau de la route principale,* exhibition centre *pour les plus motivés slt. Pâques-sept, tlj 10h-21h.* Merveilleusement situé. On comprend qu'il ait résisté au temps quand on voit l'enceinte circulaire de 2 m d'épaisseur et de plus de 5 m de haut. Pas de mortier, les pierres sont super ajustées et, à l'intérieur, des escaliers témoignent de la finesse de la construction. Rien de spectaculaire en soi : l'émotion est toujours, bien entendu, à hauteur des goûts et des motivations personnels...

CAHERDANIEL (CATHAIR DHÓNAILL)

350 hab. IND. TÉL. : 066

Petit village sur la route de Waterville (à 50 km de Kenmare) ; pas grand-chose à y faire, sauf s'y arrêter et profiter du coin (et c'est déjà pas mal !). Belle plage, avec club de sports nautiques. Quelques balades à faire en canoë, de la plongée, et les passionnés d'histoire irlandaise iront se recueillir dans la maison d'O'Connell dans le parc national de Derrynane. Ne pas oublier aussi le lough Currane, avec son île (Abbey Island), où vivaient des moines. Les passionnés d'ornithologie iront faire un tour au *Bird's Sanctuary* près des dunes.

Où dormir ?
Où manger ?

De bon marché à prix moyens

■ ***The Travellers Rest Hostel :*** *dans le centre de Caherdaniel, face à la station* Texaco. *☎ 94-751-75.* ● *hostelcaherdaniel.com* ● *Ouv fin fév-fin oct. Env 18,50 € en dortoir ; double 43 €.* Petite maison en bord de route. C'est la proprio de la station-service qui s'occupe de la maison. 2 dortoirs et une poignée de petites chambres avec sanitaires communs. Très bien tenu. La déco est mignonne, l'atmosphère chaleureuse. Cuisine équipée et salon avec bibliothèque. Une adresse fort sympathique.

■ ***The Olde Forge :*** *route de Kenmare,* ***Rathfield,*** *à 1 km du village, en direction de Sneem. ☎ 94-751-40. 📱 087-227-71-05.* ● *theoldeforge.com* ● *Ouv tte l'année. 6 grandes chambres 60-70 €, ttes avec sdb. Repas 15 € (café compris). CB refusées.* Maison des années 1960 avec une immense pelouse face à la baie. Demander, si possible, les chambres avec vue sur le large. Déco assez kitsch. Bon accueil.

The Blind Piper : ☎ *94-751-26. Dans le village, sur la route de la maison de Daniel O'Connell. Ouv tte l'année, tlj. On peut y manger jusqu'à 20h30 (21h en été). Plats 11-20 €. Quelques sandwichs.* Feu dans l'âtre et parfois du jazz en sourdine. En principe, *live music* le jeudi et le samedi soir en été. Quelques tables dehors. Une bonne adresse locale.

O'Carroll's : *Castlecove.* ☎ *94-751-51. Tlj en été midi et soir (21h). Compter 15-25 €.* Se dit le seul resto de plage d'Irlande, et c'est bien possible. En tout cas, la plage de sable est mignonne (si on oublie l'inévitable parc de caravanes). Cuisine correcte, surtout poisson et fruits de mer : homards en vivier et huîtres. Terrasse, ça va de soi.

Où dormir dans les environs ?

Camping

Wave Crest Caravan Park : *à 1,6 km de Caherdaniel, sur la route de Sneem.* ☎ *94-751-88.* • *wavecrestcamping.com* • *Tte l'année. Env 23 € pour 2 avec tente et véhicule ; prix spéciaux pour les randonneurs et les cyclistes. Douches payantes.* En bord de mer, éparpillé parmi les rochers. Environnement vraiment sauvage. Excellente situation, confortable, et esthétique nettement plus discrète que le camping voisin. Sanitaires corrects. Épicerie et petite cafétéria.

Prix moyens

Moran's Farmhouse B & B : *Bunavalla, à 6,5 km de Caherdaniel.* ☎ *94-752-08.* • *moransfarmhouse.ie* • *À 4,5 km du village (en direction de Waterville), fléché sur la gauche (au niveau du resto panoramique) ; c'est au bout de la route qui descend vers la mer. Ouv avr-oct. Compter 70-74 € pour 2. CB refusées.* Posée sur le versant d'une verte colline blanche de moutons, une maison qui propose des chambres dans lesquelles règne une douce atmosphère. 3 bénéficient d'une vue panoramique époustouflante sur les îlots et les falaises léchées par de puissants rouleaux d'écume. Accueil affable. Possibilité de dîner. Balades pédestres alentour (Kerry Way notamment). Une superbe adresse.

À voir

Derrynane House (maison de Daniel O'Connell) **:** ☎ *94-751-13. Fléché depuis le centre de Caherdaniel. Avr et oct-nov, mer-dim et j. fériés 10h30-17h ; mai-sept, 10h30-18h. Dernière admission 45 mn avt fermeture. Tarifs (pour la visite de la maison) : 3 € ; réduc. Entrée libre et permanente pour le parc. Demander la petite documentation en français (gratuite). Audiovisuel (en anglais).* Heritage site. La maison de ce grand homme politique irlandais du XIXe s est transformée en musée. Cet avocat, né à Cahersiveen, élu triomphalement député du comté de Clare alors que les catholiques étaient privés des droits civiques les plus élémentaires, imposa aux Britanniques, en 1829, l'Acte d'émancipation des catholiques, qui leur permit d'accéder à la fonction publique et leur accorda l'éligibilité. Il organisa ensuite une grande campagne contre l'Acte d'union avec l'Angleterre.

Grand brasseur de foules, O'Connell déplaçait des centaines de milliers de personnes à ses meetings. Au sommet de sa campagne, en 1843, craignant une épreuve de force avec les autorités britanniques, il annula un meeting non autorisé et en ressortit très déconsidéré. Nombre de ses jeunes partisans le quittèrent alors pour fonder Young Ireland, mouvement plus radical.

La maison, genre petit manoir de campagne, se situe dans un environnement idyllique. Pleine de souvenirs et d'objets d'époque ayant appartenu à O'Connell, elle est encore comme habitée.

– *Rez-de-chaussée :* dans la salle à manger, beaux portraits de famille, dont celui de O'Connell par *J. P. Haverty*. Mobilier d'époque. Petite vitrine dans une autre

pièce où, parmi d'autres émouvants objets, on découvre le tromblon de *Robert Emmet*, héros national, leader de la révolte de 1803.
– *1er étage :* dans l'élégant salon, le siège sculpté du *Liberator* (comme on appelait O'Connell) et une table massive en chêne et noyer qu'on lui avait offerte. Outre sa boîte à bijoux, son réveille-matin et un cadeau électoral après sa victoire à l'élection de 1828, on découvre dans une vitrine son pistolet avec lequel il tua un adversaire en duel (toute sa vie, il le regretta). Pièce rare : l'affiche historique de 1844 où O'Connell appelait à la non-violence. Enfin, dans la bibliothèque, son lit de mort.
– *Dépendances :* chapelle privée et l'incroyable char qui porta le politicien en triomphe (hyper kitsch, genre péplum à l'irlandaise) lorsqu'il fut libéré de prison.

Derrynane House se trouve au milieu d'un petit ***parc national*** superbe (120 ha sur 1,5 km de littoral) : plantes tropicales géantes et plages immenses protégées par les dunes, parmi les plus belles du Kerry. D'ailleurs, après les avoir vues de la route, vous ne pourrez résister à leur attrait (comme de Gaulle en 1969, les photos de ses promenades solitaires à cet endroit ont fait le tour du monde). Sur la route, entre les plages et la maison d'O'Connell, *pierre oghamique* qui remonterait aux IVe-VIIe s. Belles balades balisées dont un *nature trail.*

Abbey Island : *à 1 km de Derrynane House. Prendre la route à droite à l'entrée du parc ; au portail (avec une cloche), bifurquer à gauche, c'est au bout.* À marée basse, possibilité de rejoindre les ruines de l'abbaye d'Aghamore, un petit havre de paix. L'ancienne abbaye, en ruine, est toujours utilisée comme cimetière, ce qui suppose que les enterrements se font à marée basse !

WATERVILLE (AN COIREÁN)

700 hab. IND. TÉL. : 066

La route depuis Caherdaniel mène au col de Coomakista où l'on découvre une chouette perspective du Kerry. Aux roches découpées succèdent des bords de mer sages et paisibles. On parvient à Waterville, station balnéaire au fond de la baie de Ballinskelligs, un long village étiré, peu défiguré par les signes agressifs propres aux stations balnéaires. Très beaux paysages aux alentours : des collines descendent vers la côte, des falaises couvertes de champs bien verts s'avancent dans la mer, donnant un aspect sauvage et fascinant à ce coin du Ring of Kerry. Les admirateurs de Charlie Chaplin iront voir la collection de photos que le patron de l'hôtel *Butler Arms* a constituée lorsque la famille Chaplin y vint en vacances dans les années 1960. Et on ne peut rater sa statue sur la promenade.
– Attention, pas de banque à Waterville (mais un distributeur dans le supermarché *Centra*). Pour surfer sur le Net, rendez-vous chez *Peter's Place Café* (voir « Où manger ? Où boire un verre ? »).
– Sur le front de mer, petit *office de tourisme (ouv en saison 9h-17h).*

Où dormir ?

Bon marché

Peter's Place : *à l'entrée du village, à droite (venant de Caherdaniel). 087-995-01-99. • facebook.com/Peterplacewaterville • Ouv 17 mars-1er nov. 13 €/pers en dortoir (petit déj compris), double 32 € et familiale 40 €.* Face à la mer, une grande maison se divisant entre le café et l'AJ. Côté logement, les nostalgiques des années hippies retrouveront le joyeux capharnaüm d'antan, les fauteuils défoncés et le vieux piano, le désordre libertaire, poétique et coloré qui sied en de tels lieux... Rustique donc, mais propre et bien tenu dans l'ensemble. Eau chaude, cheminées au bon feu de tourbe (l'une d'elles superbement peinte par un aborigène australien). Pas de télé et en échange, de belles musiques. Quant à la salle du café, elle se révèle tout aussi chaleureuse, colorée et conviviale. Excellent petit déjeuner et moult bons gâteaux et *scones* (voir plus loin)... Organisation de la balade aux îles Skellig. Super accueil de Peter qu'on connaît depuis tant d'années.

Prix moyens

Clifford's B & B : *Lower Main St.* ☎ *94-742-83.* • *cliffordbandb.com* • *À l'entrée du village en venant de Caherdaniel. Ouv mars-nov. Double* en suite *74 € ; réduc de 10 % à partir de la 2e nuit.* *B & B* de 6 chambres spacieuses dont 2 bénéficient de la vue sur l'océan. Très agréable, avec une ambiance bon enfant. 1 chambre familiale. Bon service, idem pour l'accueil. Plein d'infos en ce qui concerne le golf, la pêche, la rando, le vélo et les sorties aux îles Skellig. Abbie se charge d'organiser tout ça pour vous.

The Old Cable House B & B : *Cable Station.* ☎ *94-742-33.* • *oldcablehouse.com* • *À la sortie, vers Cahersiveen, indiqué. Ouv tte l'année. Chambres* en suite *de caractère 50-70 €. Dîner 15-20 € (menu* early bird *18h-19h).* Une vieille bâtisse qui appartenait à la Compagnie transatlantique du télégraphe, celle qui relia l'Amérique à l'Irlande en 1856... Bref, toute une page d'histoire dans cette charmante maison. En revanche, pas de vue sur la mer. Au resto, carte mettant l'accent sur les produits locaux : poisson de l'Atlantique, agneau du Kerry, bœuf des fermes du coin, moules de la baie de Ballinskelligs...

Klondyke House : *New Line Rd.* ☎ *94-741-19.* *087-994-50-73.* • *klondyke-house.com* • *À la sortie du village, vers Caheirsiveen. Ouv tte l'année. Doubles 60-70 €, dont 3 avec vue.* Maison moderne sans charme particulier mais à deux pas de la mer. Chambres tout confort et fonctionnelles. Bon accueil.

O'Grady's Townhouse : *Spunkane.* ☎ *94-743-50.* • *ogradyswaterville.com* • *À la sortie du village en direction de Cahersiveen. Ouv mars-oct. Compter 60-70 € pour 2.* Grosse demeure bien éloignée de la route. Entrée à colonnes et intérieur cossu. Compte une poignée de chambres *en suite*, agréables, bien tenues, mais pas de vue sur le large. Bon petit déj.

Chic

The Smugglers Inn Gourmet Restaurant & Guesthouse : *Cliff Rd, en bord de mer, vers le golf.* ☎ *94-743-30.* • *thesmugglersinn.ie* • *Ouv avr-oct. Compter 70-110 et 110-150 € pour 2 selon saison et standing. Resto (voir « Où manger ? Où boire un verre ? »).* C'est la résidence des golfeurs de tous pays, car le 18-trous a une réputation mondiale, même des stars y sont passées... Donc, des chambres luxueuses dont certaines avec vue sur la mer (et ce ne sont pas forcément les plus chères !). Belle salle à manger devant la mer. Plage à côté.

Brookhaven Guest House : *Newline Rd.* ☎ *94-744-31.* • *brookhavenhouse.com* • *À 800 m du centre, vers Cahersiveen. Doubles 70-100 € selon saison et taille. Réduc à partir de 3 nuits. Parking privé.* Coin très peu urbanisé, face à la mer, en retrait de la route, grand jardin... Calme et espace assurés. Grande demeure moderne offrant 6 chambres tout confort. Téléphone direct, TV satellite, etc. Copieux petit déjeuner. Accueil affable.

Où dormir dans les environs ?

Skellig Hostel : **à Ballinskelligs.** ☎ *94-799-42.* *086-397-78-34.* • *skellighostel.com* • *Ouv tte l'année. Compter 12-18 €/pers en dortoir et chambres doubles 28-52 € selon saison.* AJ récente (même genre que celle de Portmagee), très bien située (coin vraiment extra). Cadre chaleu-

LE RING OF KERRY

reux tout en bois blanc. 7 dortoirs et une quinzaine de chambres, dont des familiales, avec sanitaires privés ou communs, correctement tenus. Grande cuisine commune (avec 2 frigos, 2 freezers). Draps fournis. Possibilité de réserver. Une des plus luxueuses AJ qu'on connaisse.

Beach Cove B & B : *à* ***Ballinskelligs,*** *entre Waterville et Portmagee.* ☎ *94-793-01.* 📱 *087-139-02-24.* • *stayatbeachcove.com* • *Ouv mars-début oct. Compter 65-70 € pour 2 ; réduc à partir de 3 nuits.* Dans une maison moderne joliment construite (murs de pierre) et blottie au fond de la Saint Finian's Bay, 3 chambres confortables *en suite,* bénéficiant d'un emplacement idéal (on a l'impression d'avoir la baie pour soi !). Salle des petits déj avec vue imprenable sur le large. Bon accueil de Bridie O'Connor. Plage tout à côté. Une adresse rare pour un excellent rapport qualité-prix !

Atlantic View : *Sea View, Toor.* ☎ *94-743-35.* • *joecurranelect@eircom.net* • *De Waterville, prendre la route de Kenmare, à 3 km env, tourner à droite (bien indiqué), puis suivre une route étroite à travers les champs. Ouv mars-oct. Double 60 €.* Superbe environnement. Grande demeure moderne en partie en pierre du pays, avec un grand jardin. 3 chambres avec vue sur la mer, dont 2 *en suite.* Là aussi, bonne adresse. La Kerry Way ne passe pas loin, pour les amateurs de balades.

Où manger ?
Où boire un verre ?

De bon marché à prix moyens

Peter's Place Café : *sur le front de mer, à l'entrée de Waterville en venant de Caherdaniel. En principe, avr-oct, 11h-19h* et wine bar *juin-sept (17h-21h) ; j. de fermeture/sem variables selon l'humeur du patron.* Un sympathique salon de thé avec une belle sélection de gâteaux maison et de boissons chaudes. Cadre on ne peut plus chaleureux. Petite terrasse avec vue sur mer.

Lobster Bar Restaurant : *Main St, sur le front de mer.* ☎ *94-746-29. Tlj midi et soir. Snack env 5 € et plats 8-10 € servis midi et soir ; pour le dîner, la carte s'étoffe avec des plats jusqu'à 20 €.* Intérieur bois, spacieux. Clientèle populaire et groupes. Cuisine plutôt rustique tout en restant très correcte. *Chicken curry,* burgers, bon *seafood chowder...* Musique traditionnelle certains soirs.

An Corcán : *Main St.* ☎ *94-747-11. Tlj midi et soir (jusqu'à 21h). Salades, sandwichs et plats 8-15 € le midi, plats 10-25 € le soir.* Un resto au cadre simple et à la déco sobre. Rien de tapageur, juste une carte variée, des plats généreux à base de produits frais, un service aimable et des prix très raisonnables. Quelques plats végétariens également. Le plus familial de nos restos.

The Fishermen's Bar and Restaurant : *Main St.* ☎ *94-741-44. Ouv midi et soir jusqu'à 20h30. Le soir, plats 16-30 € (un peu moins cher le midi).* Dans une longue bâtisse traditionnelle en pierre. C'est le pub du *Butler Arms Hotel*. Cadre sympathique avec poutres apparentes, coins, recoins et banquettes confortables pour une bonne *bar food.* Quelques plats : le canard rôti au four, le *tandoori chicken.*

Sheilin Seafood Restaurant : *dans la rue des supermarchés.* ☎ *94-742-31.* 📱 *087-611-45-67. Congés nov-fév. Ouv Pâques-oct, 17h30-22h. Plats 16-27 € ; menu* early bird *22 €, 18h-19h.* Un sympathique petit resto proposant principalement fruits de mer et poisson. Excellent risotto au saumon fumé. 2 petites salles agréables.

Chic

The Smugglers Inn Gourmet Restaurant & Guesthouse : *voir « Où dormir ? ». Menu* early bird *(18h-19h) 25 €, également servi à midi ; carte 35-40 €.* Vaste véranda panoramique pour une belle cuisine de la mer. Homard et langouste dans le vivier. Viande tendre, beau poisson, crabe au gratin, mais nous recommandons le *seafood platter.*

Un savoureux assortiment de poisson frais et fumé, chair de crabe, pince de tourteau, avec *coleslaw* et un délicat petit mesclun... un repas à lui tout seul. Service gentil et efficace.

DANS LES ENVIRONS DE WATERVILLE

➢ Une belle ***balade*** à faire après le repas, sur la grande plage face au golf, au bout de la route. À 2 km du centre de Waterville.

★★★ ***Skellig Ring :*** *de Waterville, prendre la route la plus tortueuse pour rejoindre Cahersiveen, en passant par Saint Finan's Bay.* Route très étroite, très difficile pour les camping-cars. Paysages époustouflants ! C'est la suite naturelle du Ring of Kerry. Le crochet passe tout d'abord par ***Ballinskelligs,*** petit village au bord de l'eau qui offre, outre une AJ et quelques *B & B* (voir « Où dormir dans les environs ? »), une plage de sable fin et les ruines romantiques d'une ancienne abbaye. La lande et la prairie descendent en pente douce en s'évasant sur des kilomètres vers la mer. Puis, pittoresque petite route jusqu'à ***Portmagee,*** village de pêcheurs de caractère d'où partent la plupart des bateaux pour les îles Skellig. Nous sommes en plein *Gaeltacht,* les pancartes sont en gaélique. Peu de voitures et des pentes diaboliques : stoppeurs et cyclistes vont connaître des heures difficiles ! Arrivé au sommet, la récompense : un panorama fabuleux sur les deux baies et leurs îles, Valentia sur toute sa longueur, la péninsule de Dingle au loin, etc.

★★★ ***L'intérieur de la péninsule :*** pour se rendre à Killarney, de Waterville part une route plus étroite que la voiture rejoignant, en plein milieu de la péninsule, ***Glencar.*** La route passe par ***Lissatinning*** et le magnifique ***Ballagisheen Pass.*** Sur un versant des forêts, sur l'autre des tourbières à perte de vue. On longe ensuite le lough Caragh, paradis des pêcheurs au pied du Carrantuohill, le sommet le plus élevé d'Irlande (1 040 m).

L'ÎLE DE VALENTIA (OILÉAN DAIRBHRE)

IND. TÉL. : 066

Pour ceux qui ont un petit peu de temps, le tour de cette île très jolie et peu fréquentée vaut la peine. Les stoppeurs, en revanche, souffriront (mais ça vaut le coup !).
Valentia fut un temps très peuplée : 2 920 habitants en 1841, environ 650 aujourd'hui. Son port, Knightstown, est le plus à l'ouest de l'Europe, du moins sans compter l'Islande (et le plus proche de Terre-Neuve, C.Q.F.D.). L'île a servi de point de départ au premier câble transatlantique téléphonique. Le 18 août 1858 était transmis le message ainsi libellé : « L'Europe et l'Amérique sont unies par liaison télégraphique. Gloire à Dieu, paix sur la terre aux hommes de bonne volonté. » Aux dernières nouvelles, c'est resté un vœu pieux.

Comment y aller ?

➢ L'île est reliée à Portmagee depuis 1971 par un pont gratuit. Également en bac au départ de *Renard Point* (à 2 km de Cahersiveen) env ttes les 10 mn (par beau temps, bien sûr !), très pratique si l'on se trouve de ce côté. Attention, il ne fonctionne que début avr-fin sept, 7h45-21h30 (8h30-21h30 dim) (*☎ 087-241-89-73).* Compter env 8 € l'A/R et env 5 € l'aller simple pour 1 voiture (3 € l'A/R à vélo).

Où dormir ? Où manger ? Où boire un verre ?

⌂ |●| ***The Ring Lyne Private Youth Hostel :*** *dans le village de* ***Chapeltown.*** *☎ 94-761-03. • ringlyne@yahoo.ie • Juste au centre de l'île. Ouv tte l'année. Compter 18 €/pers en petit dortoir et 25 €/pers en chambre de 2. Également des chambres en B & B 55 €. CB refusées.* Pas le grand luxe, mais bien tenu... Au rez-de-chaussée, pub qui fait resto (ouvert tous les jours, midi et soir, *Irish stew* renommé). Cuisine pour le petit déj. Lave-linge. Au pub, zicos le jeudi en été.

⌂ ***The Royal Pier B & B : Knightstown.*** *☎ 94-761-44. • royalvalentia.com • Ouv tte l'année. Double 75 €.* L'ex-*Royal Hotel,* petit palace des années 1848, propose aujourd'hui une vingtaine de grandes chambres avec salle de bains. Il conserve, bien sûr, ses boiseries, ses rampes d'escalier sculptées. La grande cage d'escalier, totalement rénovée, vient de retrouver son lustre d'antan. Quant aux chambres, elles possèdent ce côté un peu défraîchi comme peuvent l'être les vieux palaces, mais c'est propre (et certaines sont en voie de rénovation). Si vous réservez en avance, demander la n° 1 (celle qui a le plus de charme). Au rez-de-chaussée, décoré de jolies gravures sur la vie des pubs, très grand bar avec *darts* et *pool.* Musique certains soirs. Excellent accueil et bonne *bar food* à prix modérés (*seafood chowder,* saumon fumé local, *calamari,* pâtes à la *carbonara,* etc.).

⌂ ***Spring Acre Guesthouse :*** *face au port de* ***Knightstown.*** *☎ 94-761-41. • springacrebb.com • Ouv de mars à mi-oct. Double avec sdb 70 €. CB refusées.* À droite du port, grande maison avec vaste jardin descendant vers la mer. Chambres assez spacieuses avec, pour certaines, vue sur le port. Une maison à louer également.

|●| 🍸 ***Bostons Pub : Knightstown,*** *en haut de la rue principale. ☎ 94-761-40. Ouv tte l'année, midi et soir. Possibilité de manger avr-oct. Plats 10-15 €, sandwichs 4-6 €.* *Bar food* correcte, sans plus.

À voir. À faire

Skellig Experience : *de l'autre côté du pont de* ***Portmagee.*** *☎ 94-763-06. • skelligexperience.com • Mai-juin et sept, ouv 6 j./sem 10h-18h ; en été, tlj 10h-19h ; avr et d'oct à mi-nov, ouv 5 j./sem (téléphoner avt) 10h-17h. Entrée : 5 € ; réduc. Audiovisuel (en anglais). Fin avr-fin oct, en plus du centre d'interprétation, minicroisière de 1h45 (A/R) est proposée. Départ du centre vers 15h. Les départs se faisant en fonction des conditions météo, pas de résa la veille ; il faut téléphoner le j. même avt 12h. Compter 22 € ; forfait famille (2 adultes, 2 enfants) 60 € ; réduc.* Il s'agit d'un petit centre d'interprétation sur les îles Skellig. Une large place est consacrée à la vie des moines dans ces îles et dans la région du sud-ouest de l'Irlande. Également tout sur l'histoire du phare de 1820 à 1960 et sur la vie de la faune et des oiseaux du coin. Quelques émouvants souvenirs de la dernière guerre, comme ces neuf jeunes Américains qui périrent en se crashant sur *Skellig Michael,* avec leur *Liberator* (le 27 janvier 1944).

Valentia Heritage Centre : *à* ***Knightstown,*** *School Rd (en face l'église Saint-John). ☎ 94-764-11. • vhc.cablehistory.org • Avr-sept, tlj 10h30-17h. Entrée : 3 € ; réduc.* Un petit musée un peu fourre-tout, un peu poussiéreux, mais qu'on aime bien pour son atmosphère hors du temps. Installé dans une ancienne école, il témoigne de ce que fut autrefois la riche vie sociale de l'île, le folklore, l'éducation, la religion, les activités humaines avec, entre autres, l'extraction de l'ardoise (elle servit notamment pour couvrir la Chambre des communes à Londres). Émouvant aussi, l'hommage rendu au télégraphe transatlantique. Les célèbres Samuel Morse, Cyrus Field ou encore Charles Bright vinrent sur l'île œuvrer à la première liaison télégraphique entre Europe et Amérique. Jusqu'à 200 personnes travaillèrent au terminus téléphonique et télégraphique de Valentia. Il ferma en 1966.

À la pointe de ***Bray Head,*** bifurquer sur la gauche en visant l'espèce de forteresse (une tour de guet napoléonienne), passer la barrière aux moutons et continuer jusqu'au bout du chemin caillouteux. Belle balade longeant les falaises.

Sur la côte nord, seuls les mystiques rendront visite au ***sanctuaire*** abrité dans une immense grotte d'où tombe une petite cascade, ancienne carrière d'ardoise rouverte en 1997. En chemin, en passant à la hauteur du *Valentia Lighthouse* (1851), on bénéficie par beau temps d'un panorama splendide sur Beginish Island, Cahersiveen et la pointe de Doulus Head. Arrêt quasi obligatoire.

Également des ***stages de plongée*** dans d'excellentes conditions techniques et de séjour. *Rens :* ***Valentia Island Sea Sports,*** *à* ***Knightstown.*** *☎ 94-762-04. • info@valentiaislandseasports.ie • À deux pas de l'arrivée du ferry. Ouv de mi-mai à oct.* Ceux qui ne manquent pas d'air iront même explorer des épaves.

PORTMAGEE (AN CALADH)

600 hab. IND. TÉL. : 066

On n'est plus sur l'île de Valentia mais juste en face, de l'autre côté du pont. Petit village de pêcheurs avec son bouquet de jolies maisons colorées et sagement alignées face au port. Une douce atmosphère. C'est de là que partent les bateaux pour les îles Skellig.

Où dormir ? Où manger ?

De bon marché à prix moyens

Portmagee Hostel : *☎ 94-800-18. 087-962-81-00. • portmageehostel.com • À 500 m du port, en direction de Ballynahow. Ouv tte l'année. Compter 12-15 € en dortoir, doubles 30-50 € selon confort et saison.* Une AJ récente et propreté nickel. Beaucoup de bois blanc utilisé, ce qui donne une certaine chaleur à cette structure moderne. Chambres avec salle de bains privée ou commune. Également des chambres familiales pour 4 personnes. Grande cuisine à disposition. Fourniture des draps. Accueil sympathique de la jeune Lucy, qui s'occupe de tout.

The Bridge Bar : *sur le port. ☎ 94-771-08. Tlj midi et soir jusqu'à 20h30. Plats 10-20 €.* Ici, pas de vieux murs patinés mais de la pierre, plus toutes les chaleureuses nuances de rouges et une agréable déco marine. Au milieu, un bon feu dans l'âtre. Ce pub, propriété de *The Moorings,* a été désigné pub de l'année en 2007. Bonne cuisine tournée vers le large (sole et chips, plateau froid de fruits de mer, poulet à la cajun). Musique traditionnelle les vendredi et dimanche (avec danses irlandaises). *Irish night* le mardi.

The Fisherman's Bar : *à côté du précédent. ☎ 94-771-03.* Un peu moins touristique, plus intime que le précédent. Breakfast, lunch et *dinner.* Cuisine traditionnelle. Bon *seafood chowder.*

Chic

The Moorings : *sur le port. ☎ 94-771-08. • moorings.ie • Tlj sf lun (sf j. fériés) 18h-21h. Resto ouv avr-oct. Doubles 100-140 € selon standing,* *petit déj inclus. Plats 18-26 €.* Une quinzaine de chambres lumineuses dans les tons blanc et ivoire, de grand confort. Élégante salle à manger, avec parquet et les inévitables objets de la mer. Bonne cuisine où poisson et fruits de mer sont évidemment en bonne place. Quelques plats originaux : l'agneau séché au fromage fumé et chutney de menthe-tomate ou le cabillaud frit aux oignons rouges caramélisés... Sinon, *hot seafood platter* et autres délices de la mer.

LES ÎLES SKELLIG

Ce sont deux îles à une quinzaine de kilomètres au large de Bolus Head, les mieux préservées et les plus spectaculaires des îles irlandaises. L'une, interdite d'accostage, n'abrite que des oiseaux ; l'autre, la plus grande, *Skellig Michael,* inscrite au Patrimoine mondial de l'humanité de l'Unesco, possède un phare datant de 1865. Il y a longtemps pourtant, sur ces 200 m² de falaise abrupte, vivaient des moines, et des foules de pénitents venaient s'y purifier. Nul doute que même les moins sincères en revenaient lavés et pardonnés. Malgré l'isolement, des moines intrépides s'installèrent là vers le VIe ou le VIIe s avant de retourner cinq ou six siècles plus tard sur la terre ferme, à Ballinskelligs. Ni les rudes éléments, ni les Vikings ne sont venus tout à fait à bout du complexe monastique. Des centaines de marches, taillées dans le roc par les moines, mènent aux ruines d'une petite chapelle, une plus grande (de construction postérieure), six cellules, deux oratoires, quelques croix et tombes... Stèles et croix en pierre illustrant la transition entre paganisme et catholicisme. Ne pas rater le *Saint Brendan's Well* et les falaises au bout. Fabuleux !

Sur la petite Skellig, plus de 20 000 couples d'oiseaux nichent (la deuxième colonie de fous de Bassan au monde, pétrels tempêtes, macareux...). À l'évidence, ils sont source de viande pour les moines...

Comment y aller ?

Possibilité de s'y rendre en bateau avr-oct, mais slt les jours de beau temps, sinon impossible d'accoster. Même en été, rien n'est sûr... Résa indispensable la veille, mais ce n'est que le matin même que l'on est vraiment fixé. Les bateaux partent de Portmagee vers 10h ou 10h30. Certains sont plus rapides que d'autres et permettent de débarquer dans les premiers sur l'île, ce qui est appréciable pour débuter l'ascension. Compter 50 mn env de trajet, 2h-2h30 sur place. Retour à Portmagee vers 15h. Certains bateaux partent du *Renard Point,* mais la traversée est plus longue. Une quinzaine de bateaux sont autorisés à accoster, 1 seule fois/j. Nombre d'entre eux proposent donc l'ap-m de faire une simple balade autour des îles sans mettre le pied sur la terre ferme. La balade vaut le coup, mais, dans ce cas, autant s'adresser à *Skellig Experience* (lire « À voir. À faire » au chapitre « L'île de Valentia »), qui propose la même excursion, moins chère, avec visite du centre d'interprétation comprise ! N'oubliez pas vos jumelles, si vous en avez. N'hésitez pas à demander des infos dans votre lieu d'hébergement, de nombreux *B & B* se chargeront d'ailleurs de faire la résa pour vous. Dernier point : pas de resto, prévoir le pique-nique (mais on ne peut manger que sur la jetée d'arrivée, ne pas laisser des déchets). Tarif : env 45 €.

Voici une liste (non exhaustive) de contacts :

■ ***Des Lavelles :*** *📱 087-237-10-17.* • *des.levelle@gmail.com* •

■ ***Casey's :*** *☎ (066) 94-724-37. 📱 087-*

239-54-70. • *skelligislands.com* • Basé à Cahersiveen. Peut vous amener le matin gratuitement de Cahersiveen jusqu'à Portmagee.

Deux compagnies basées à Waterville peuvent aussi vous emmener gratuitement jusqu'à Portmagee :

■ ***Joe Roddy & Sons :*** *087-120-99-24.* • *skelligstrips.com* • Bateaux rapides. Départs 10h-10h30 (durée : 45 mn). Plus de 40 ans d'expérience.

■ ***Waterville Boats :*** *rens au* Lobster Bar, *auprès de Michael O'Sullivan.* ☎ *(066) 94-748-00. 087-220-23-55.* • *watervilleboats@gmail.com* • Départ vers 9h15 en principe.

CAHERSIVEEN (CATHAIR SAIDHBHÍN)

2 000 hab. IND. TÉL. : 066

Petite bourgade (jumelée avec Pluvigner, en Bretagne) située dans une longue vallée, au pied des Iveragh Mountains. Lieu de naissance de Daniel O'Connell, en 1775, et point de départ pour trois monuments intéressants : le *château de Ballycarbery* (il est très amusant de se perdre dedans), *Cahergal Fort* et *Leacanabuaille Fort* (ruines sur un rocher livrant une fort belle vue sur les environs). Pourquoi ne pas suivre le *O'Connell Heritage Trail,* un chemin de randonnée de 6 km autour du village ? Sinon, Cahersiveen est avant tout une ville de passage, mais, comme on vous salue amicalement dans la rue et que les pubs y sont si accueillants, on y reste parfois sans raison précise...

Adresses utiles

Office de tourisme : *New St (la rue principale), dans le Cahersiveen Community Resource Centre.* ☎ *94-725-89. Ouv juin-sept.*

@ ***Internet :*** *à la bibliothèque municipale* (library), *New St. Mar-sam 10h-13h30, 14h30-17h30. Gratuit.*

■ ***Location de vélos : Casey Cycles,*** *New St.* ☎ *94-724-74. À la sortie de la ville, en direction de Waterville. Lun-sam 9h-18h tte l'année, et dim mat en été. Près de 15 €/j., 70 €/sem.*

■ ***Banques : AIB*** et ***Bank of Ireland*** *dans la rue principale.*

Où dormir ?

Camping

Camping de Mannix Point : ☎ *94-728-06.* • *campinginkerry.com* • *Venant de Waterville, il se trouve à l'entrée de Cahersiveen, sur la gauche. Ouv de mi-mars à mi-oct. Env 23 € pour 2 avec une voiture, 8,50 € pour le routard à pied ou à vélo. CB refusées. Douches payantes.* Situé au bord d'une plage de galets. Chaleureux accueil pour les routards de la part du proprio Mortimer Moriarty, qui connaît tous les sentiers de rando du coin. Bon feu de tourbe dans la salle commune, musiciens presque tous les soirs en juillet-août. Souvent, il y a une ambiance aussi forte qu'en ville. Très propre. Lave-linge. Possibilité de pêche en mer. Un de nos meilleurs campings, plébiscité par nos lecteurs (et pas seulement par eux puisque le camping reçoit régulièrement de nombreux *awards,* dont ceux, entre autres, du *Best Park in Ireland Overall* et du meilleur accueil en 2006 !).

Bon marché

Cahersiveen Sive Hostel : *15, Newmarket St (East End).* ☎ *94-727-17. 087-275-45-61.* • *sivehostel.ie* • *À la sortie du village, vers Killarney. Ouv tte l'année. Prévoir 12-16 € en dortoir et 36-48 €/pers en chambre double, 50 € la familiale.* Petite maison de village colorée et hyper bien tenue. Cuisine équipée (certes un peu petite quand l'AJ est pleine). Une poignée de chambres pour 2 dans une maisonnette au fond du jardin, plus calmes (réserver en été). Une AJ à taille humaine et agréable. Excellent accueil de Mary, aux petits soins pour ses hôtes et qui organise le transfert (gratuit) pour Portmagee.

Où dormir dans les très proches environs ?

Prix moyens

Cul Draíochta B & B : *Points Cross, Cahersiveen.* ☎ *94-731-41.* *087-765-71-06.* • *culdraiochta.ie* • *À 1,5 km du centre, en direction de Waterville, sur la droite, juste avt la route qui mène au ferry. Fermé pour les fêtes de fin d'année. Doubles 55-65 € selon saison.* Dinner *15-20 €.* À première vue, ça ressemble davantage à une école. Il s'agit pourtant d'un *B & B* très confortable avec 5 chambres spacieuses *en suite.* Les proprios, Ian et Ann Nugent, sont adorables et connaissent une foule de choses sur la région. Belle vue sur la baie de Valentia Island. Repas possible le soir (réserver). Un bon rapport qualité-prix.

The Final Furlong Farmhouse and Riding Stables : *Cahersiveen.* ☎ *94-733-00.* • *thefinalfurlong.com* • *À 1,5 km env sur la route de Killarney. Ouv avr-sept. Doubles 55-60 €. Également une* room only *option (sans le petit déj). CB refusées.* Grande *farmhouse* rénovée avec 4 chambres aux différentes couleurs, toutes *en suite.* Certaines ont vue sur l'estuaire, la montagne et les vaches dans le champ. Possibilité de monter à cheval, les *beach gallops* sont inoubliables. Une belle adresse.

Avoca Lodge : *Gurranearagh, Cahersiveen.* ☎ *94-739-47.* • *avocalodge.com* • *À 1 km env du village. Prendre la route de Waterville, puis fléché sur la droite (petite route juste avt le carrefour pour le resto* O'Neills *et le ferry). Ouv mai-sept. Double en suite 70 €. CB refusées.* Une jolie maison récente avec des pans de murs en pierre, d'autres de couleur jaune comme les ajoncs épineux qui fleurissent dans la lande voisine. 3 chambres avec vue sur la baie, lumineuses, très confortables et à la belle déco plutôt moderne. Un cadre reposant et un accueil sans fausse note.

Sea Breeze B & B : *Reenard Rd.* ☎ *(066) 94-726-09.* • *seabreezebandb.com* • *À 2 km du centre, sur la route du ferry pour Valentia. Ouv mars-oct. Compter 60-70 € selon confort et saison. CB refusées.* Belle maison moderne avec véranda entourée de massifs de fleurs superbement entretenus. Propose 6 chambres aux couleurs fraîches mais un peu exiguës. La plupart avec salle de bains. Accueil charmant et copieux petit déj à partir de produits frais et faits maison. Là encore, plein d'infos utiles pour préparer vos excursions.

Où manger ? Où boire un verre ? Où écouter de la musique ?

De bon marché à prix moyens

Nombreux ***coffee shops*** offrant sandwichs, tartes et salades dans le centre-ville (et même une pâtisserie française).

Craineen's Pub : *5, Main St.* ☎ *94-721-68. Tlj sf dim jusqu'à 15h. Plats env 8-10 €.* Cadre chaleureux avec ses tableaux, gravures, collection de coupes d'*angling. Bar food* habituelle, mais une cuisine correcte pour pas cher (salade, poulet-frites...). Ambiance souvent assez bruyante. Musique traditionnelle le week-end en été (le mercredi parfois).

The Fertha : *20, Main St.* ☎ *94-720-23.* Grande salle classique. Pas le pub possédant le plus de charme, mais excellente *bar food.* Box confortables. Pas de plats au-dessus de 12 € et patron affable. En particulier, délicieux *Irish stew* parfumé et servi généreusement, plie fraîche, rôti de porc sauce pommes... Musique de temps à autre.

The Anchor Bar : *Main St. ☎ 94-819-35. Le petit voisin du Craineen's. Petit déj 10h30-12h (sf dim), et* bar food *correcte (env 10-12 €).* Un des plus anciens pubs de la ville, clientèle populaire. *Beef and Guinness pie,* moules de la baie, salade de saumon fumé, *fish of the day...*

An Bonnan Bui : *11 a, Main St. ☎ 94-817-31. À l'entrée du bourg, sur la gauche en venant de Waterville.* Bar food *10h30-20h30. Plat env 12,50 €.* Sympa de se restaurer sous le portrait de James Connolly et de sa *Citizen Army.* Quelques plats réguliers : colin à la mode cajun, tortellini épinards-ricotta, lasagnes maison... Musique le jeudi soir. *Beer garden.*

Ring of Kerry Hotel : *Valentia Rd. ☎ 94-725-43. À l'entrée de la ville (venant de Waterville). Tlj en continu.* Cafétéria déco bois blanc et tons marins, agréable, spacieuse, banquettes confortables pour une *bar food* d'excellente réputation. Hôtel de bonne classe, n'empêche, pas de plats au-dessus de 11-12 €...

Mike Murts Bar : *New St. ☎ 94-723-96. En plein centre.* Un pub entre épicerie et quincaillerie-magasin de pêche, avec un billard dans le fond. Fut le dernier des derniers à fabriquer des tonneaux. Certes, aujourd'hui, on n'y vend plus guère de clous, d'ustensiles et d'outils, mais il a su demeurer dans son jus et sa patine. Aux premiers frimas (ou aux derniers), le feu de tourbe crépite dans la cheminée. Un monument culturel de la ville. En principe, en été, *live music* le mercredi et certains vendredis soir. Musique au pub **Shebeen** également, juste à côté.

De prix moyens à plus chic

QC's Seafood Restaurant : *3, Main St. ☎ 94-722-44. Tlj sf lun (sf juil-août). Lunch 12h30-14h30 et* dinner *18h30-21h30. Menu* early bird *(17h30-19h) 22 €. Le soir, plats env 16-30 €.* En face du *Craineen's.* Un des meilleurs restos de la ville dans un cadre plaisant et confortable (murs en pierre sèche, grande cheminée). Spécialités de bœuf braisé aux céleri et échalotes grillées, sauce au vin et de poisson du jour pané à la bière, purée de pois.

Où manger dans les proches environs ?

The Point Bar *(O'Neills)* **:** *Renard Point. ☎ 94-721-65. À 3 km de Cahersiveen, à côté du ferry pour Valentia (bien indiqué sur la route de Waterville). Tlj sf dim midi et soir jusqu'à 21h30. Congés : nov-fév. Compter 30-40 €/ pers.* Une affaire dans la même famille depuis 150 ans, c'est du sérieux ! D'ailleurs, ce resto est considéré comme le meilleur de la région pour le poisson et les fruits de mer, et on est assez d'accord. Cadre chaleureux, décor marin (ça va de soi !), beau comptoir en bois, banquettes confortables pour une cuisine de la mer d'une fraîcheur absolue. Service adorable et, si les plats parfois tardent un poil à venir, c'est que tout est fait à la demande. Belle *sea food selection* (un plat à lui tout seul) et quelques plats vedettes comme la lotte *(monkfish)* spéciale maison ou *roman style,* les *crab claws pil-pil* (pinces de crabe), le crabe au gratin... C'est tout simplement savoureux, bien servi.

À voir

The Old Barracks : *Bridge St. ☎ 94-727-77. • theoldbarracks.com • Juin-sept, lun-ven 10h-16h30 (18h en juil-août), sam 11h30-16h30, dim 13h-17h ; le reste de l'année, horaires selon disponibilité des bénévoles qui le tiennent. Fermé déc-fév. Entrée : 4 € ; réduc.* Musée sur l'histoire de la ville, installé dans l'ancienne caserne de la *Royal Irish Constabulary,* la police d'Irlande sous contrôle britannique. Elle brûla bien sûr pendant la guerre d'indépendance et resta longtemps à l'état de ruine. Beaucoup d'histoire, par panneaux et photos (en anglais seulement.

– *Rez-de-chaussée :* reconstitution de la petite gare de Cahersiveen qui fonctionna de 1893 à 1960. Section consacrée à la pêche, qui fut jusqu'aux années 1960 une importante industrie locale. Collection de « certificats de records » établissant le poids des poissons.

– *1er étage :* la vie de *O'Connell,* le héros national. C'est un aperçu bien sûr, ça ne remplace pas la visite de sa maison de Caherdaniel. Émouvante section sur la Grande Famine... La région comptait 30 888 personnes en 1841... Aujourd'hui, trois fois moins ! Reconstitution d'une chaumière d'antan.

– *2e étage :* géologie, botanique, ornithologie et faune régionale. « Gloires » locales, politiques, littéraires et sportives. Importants documents sur la guerre d'indépendance, l'insurrection de 1916, le Mouvement fenian (1867)...

***L'église Daniel O'Connell* :** *Main St.* Difficile de louper cette église aux allures de cathédrale. De style néogothique, c'est l'une des trois seules au monde à porter le nom d'un laïc. Par ses proportions, son côté colossal, on mesure là vraiment le pouvoir de l'Église au XIXe s (et l'immense notoriété de O'Connell). Œuvre de l'architecte qui construisit la cathédrale de Cobh.

À faire

– ***Tour de la baie et des îles environnantes*** avec le bateau amphibie de *Valentia Harbour Tours.* *087-052-75-62.* • *valentiaharbourtours.com* • En saison, jusqu'à quatre tours quotidiens. Au passage, *Beginish Island,* le *phare de Valentia,* la station du câble transatlantique, le *port de Knightstown* et les ruines du *château de Ballycarbery.* Durée : 1h30 environ.

– De nombreuses ***activités sportives*** peuvent être pratiquées à Cahersiveen et dans les environs. Rando pédestre, observation des baleines, *bird watching,* pêche (en mer, en rivière...), etc. *Résas auprès d'Yves Clees.* *086-323-15-64.* • *activeholidayskerry.com* •

Festival

– ***Celtic Festival :*** *1er w-e d'août.* • *celticmusicfestival.com* • Avec courses de chevaux et musique traditionnelle. Assez folklo, pas de barrières, bestioles de toutes les tailles ! On danse dans la rue et dans tous les pubs. Il vaut le détour !

DE CAHERSIVEEN À KILLORGLIN

La route jusqu'à *Glenbeigh* est particulièrement jolie. *Kells Bay* est une petite plage peinarde ainsi qu'un coin extra pour souffler un peu : forêt plongeant dans la mer, jolie crique. Peu après, la route en corniche permet d'avoir une chouette vue sur la péninsule de Dingle. À *Rossbeigh,* grande plage de dunes (sur la gauche à l'entrée de Glenbeigh, en venant de Cahersiveen). Tout le coin est très fréquenté et assez touristique. Sur le chemin de Killorglin (N 70), en bifurquant à droite (juste avant le *Kerry Bog Village Museum*), on arrive au *lough Caragh.* La route va jusqu'à Glencar, paysage de forêts, de lacs, de torrents. Ensuite, descendre vers Killorglin au travers d'un immense désert de tourbe. Superbes contrastes.

KILLORGLIN (CILL ORGLAN)

3 500 hab. IND. TÉL. : 066

Chaque année, mi-août, cette bourgade agricole est en fête : fermiers et marchands de bestiaux s'y retrouvent pendant 3 jours pour la *Puck Fair* (de *an Puca,* « bouc » en gaélique), qui accompagne la foire aux bestiaux. En effet, un bouc est couronné roi de la fête ; on le hisse sur une estrade et, pendant 3 jours, nourri et abreuvé, il présidera aux festivités ! Si vous êtes dans le coin, à ne pas louper. À signaler pour les amateurs d'abbayes, à 1 km de Miltown (direction Killorglin), celle offrant l'une des plus belles fenêtres gothiques du XIIIe s.

UN PEU D'HISTOIRE

On raconte que le futur émancipateur des catholiques Daniel O'Connell fut à l'origine de la *Puck Fair.* En 1808, jeune avocat inconnu, il eut à défendre le *landlord* local, Harman Blennerhasset. Celui-ci avait été privé par le vice-roi d'Irlande du droit de lever les taxes sur la vente des bêtes à la foire de Killorglin. O'Connell réussit à démontrer juridiquement que les chèvres n'étaient pas incluses dans le document d'interdiction du vice-roi. Une foire aux chèvres put alors se tenir, et un bouc fut exhibé sur une estrade. Le petit avocat qui avait « rendu chèvre » le vice-roi devait par la suite aller très loin... À l'évidence, le bouc est un symbole trop païen pour être réduit à cette anecdote. La coutume a donc probablement des origines préchrétiennes, d'où son surnom de fête celtique.

Adresses utiles

Office de tourisme : *au rond-point, en haut de la rue principale. ☎ 97-614-51. Mai-sept, lun-ven 9h-17h ; 10h-16h le reste de l'année.* Horaires de bus affichés à l'extérieur.

■ ***Distributeurs automatiques de billets :*** *dans la rue principale.*

Où dormir ?

Prix moyens

Riverside House B & B : *près du centre. ☎ 97-611-84. • riversidehousebnb.com • Dans la rue qui longe l'église sur la droite. Ouv de mi-mars à oct. Doubles avec ou sans sdb 54-60 €. CB refusées.* Une grande maison avec terrasse face à la rivière et aux collines. Accueil chaleureux de la famille, qui peut vous indiquer les randonnées à faire dans la région. Chambres un peu kitsch mais plutôt plaisantes ; la plupart avec vue. Très agréable salle pour le petit déj avec là encore une belle vue sur la rivière. Une adresse sympa.

Où dormir ? Où manger dans les environs ?

Glenross Caravan & Camping Park : à **Glenbeigh.** *☎ (064) 66-315-90 ou (066) 97-684-51 (mai-août). • killarneycamping.com • À l'entrée du village en venant de Killarney et à 3 km de la plage de Rossbeigh. Ouv mai-sept. Selon saison, compter 25-26 € pour 2 avec tente et voiture. Mobile homes (6 lits) à louer à la sem. CB refusées.* Au bord de la route, mais de taille modeste et très bien tenu. Mêmes propriétaires que le *Fleming's White Bridge Cam-*

ping de Killarney (petite réduction si l'on séjourne dans les 2 campings). Location de vélos.

🏠 🍽 ***Bleachfields Heritage and Holiday Village : Milltown.*** ☎ *97-659-15. • bleachfield.com • Ouv tte l'année. Resto mar-jeu 12h-16 et ven-dim 12h-21h. Cottages 2-4 chambres ; compter 345-650 €/sem selon saison pour 3 chambres. Le midi, plats 4-12 €, le soir 9-20 €.* À l'entrée de la ville, un ancien hameau composé de plusieurs jolis cottages, réhabilité en résidence de vacances tout confort. Le plus grand abrite un café-resto qui propose de bons petits plats irlandais à prix tout doux. Jolie déco ; quelques tables au coin du feu. Salon de thé. De temps à autre, des soirées irlandaises... Petit musée historique sur place.

🏠 ***Kilburn House : Milltown.*** ☎ *97-673-64. • stayatkilburn.com • En contrebas de la N 70, sur la gauche en venant de Killorglin, juste avt Milltown. Congés : déc-janv. Doubles 70-80 € avec douche ou sdb.* 📶 Une belle et grande maison face aux Slieve Mish Mountains, avec sa rotonde lumineuse pour le petit déj et ses chambres confortables aux couleurs élégantes. Chacune porte le nom d'un corps de ferme : *Stables, Paddock...* Une étape reposante où vous pouvez aussi dîner (sur commande). Une excellente adresse.

🏠 ***Tom and Eileen's Farm : Castlemaine.*** ☎ *97-673-73. • tomandeileens.com • À 11 km de Killorglin. De Castlemaine, prendre la route de Tralee, puis à 1 km, fléché sur la gauche. Ouv mai-sept. Compter 64-70 € selon saison. CB refusées.* 💻 📶 Grande demeure récente à l'atmosphère très « vieille Irlande » que d'aucuns trouveront un peu froide et classique. Chambres confortables, toutes *en suite* et avec couverture électrique ! Proprio attentive et aux petits soins pour les visiteurs.

Où manger ? Où boire un verre ? Où écouter de la musique ?

Prix moyens

🍽 ♩ ***Kerry's Vintage Inn :*** *en haut de la rue principale.* ☎ *97-623-37. Tlj midi et soir. Plats 11-15 € le midi, 13-20 € le soir.* Un sympathique pub-resto à la déco hétéroclite. Cuisine traditionnelle ; très bon *Irish stew. Live music* le week-end hors saison, du jeudi au samedi en été.

🍽 🍷 ***Bianconi Inn :*** *Annadale Rd.* ☎ *97-614-07. À l'angle de la rue principale et de la route pour Beaufort.* Bar food *4-18 € midi et soir ; nettement plus cher au resto (ouv le soir sf dim).* Un joli bar-resto au cadre accueillant et agréable. On y sert des sandwichs bon marché, de bonnes salades et un bon *pub grub.* Grande variété de cafés.

🍷 ♩ ***Kingdom Bar :*** *dans la rue principale.* ☎ *97-611-40.* Vieux cadre patiné et agréable avec cheminée. Bonne musique irlandaise tous les soirs en été, les week-ends hors saison. Le reste du temps, l'endroit peut être désert ! Sert l'un des meilleurs *Irish coffees* de la ville. Table de billard. Pas de restauration.

Chic

🍽 ***Nick's Restaurant :*** *dans la rue principale.* ☎ *97-612-19. Ouv le soir slt, mer-dim. Menus 35-55 € ; plats 19,50-36 €.* Un des bons restos de l'Ouest. Cadre cosy avec ses banquettes de velours rouge, ses recoins intimes. La carte propose d'excellents poissons et plateaux de fruits de mer (coquilles Saint-Jacques, saumon, langouste, etc.), mais les carnivores ne sont pas oubliés (succulent *peppered steack flamed in brandy*).

Manifestation

– ***Puck Fair :*** *mi-août.* Voir l'introduction et « Un peu d'histoire », plus haut.

DANS LES ENVIRONS DE KILLORGLIN

Kerry Bog Village Museum : *à 7,5 km de Killorglin vers Glenbeigh (N 70).* ☎ *97-691-84.* • *kerrybogvillage.ie* • *Tlj 9h-18h. Entrée : 6 € ; réduc.* Une poignée de maisonnettes du XVIIIe s avec un intérieur reconstitué à l'identique (maison du tourbier, du forgeron, du couvreur de chaume, de l'ouvrier, etc.).

KILLARNEY (CILL ÁIRNE)

15 000 hab. IND. TÉL. : 064

Hyper touristique depuis que la reine Victoria honora la ville de sa présence, Killarney se trouve au carrefour de toutes vos balades dans le Kerry. La ville ne possède aucun monument, si ce n'est la cathédrale Sainte-Marie (plutôt moche), construite par Pugin, architecte anglais qui réalisa aussi le parlement de Londres. Il n'est pas indispensable de séjourner dans la ville, d'autant qu'il existe aussi de belles adresses pas loin. Bon, cela dit, il y a quand même une sacrée animation. Quand c'est bourré dans certains pubs, les soirées sont chaudes !

Par ailleurs, tout le monde reconnaît la beauté du parc national et de ses sites : les *jardins de Muckross,* l'abbaye, etc. À ne pas rater donc !

– Parking gratuit à côté de la cathédrale.

– Avertissement : le premier week-end de mai, c'est *The Rallye of the Lakes.* Killarney est en ébullition ! Grande beuverie généralisée, voitures de sport qui vrombissent nuit et jour, tronçons de route interdits à la circulation dans les environs, embouteillages monstres.

Arriver – Quitter

Carrefour routier important, Killarney est le lieu de départ pour quasiment toutes les destinations.

En bus

Station de bus *(plan I, D2) : dans un complexe commercial.* ☎ *66-300-11.* • *buseireann.ie* • Voici les principales lignes.

➢ ***De/vers Cork :*** en moyenne, 1 bus/h, via Macroom. Trajet : 1h30.

➢ ***De/vers Dublin :*** env 5 bus/j., via Limerick. Trajet : 7h.

➢ ***De/vers New Ross, Wexford et Rosslare Harbour :*** env 3-5 bus/j. selon saison. Près de 6h pour Rosslare Harbour.

➢ ***De/vers Limerick :*** nombreux départs/j.

➢ ***De/vers Tralee :*** départs quotidiens fréquents. Trajet : 45 mn.

➢ ***De/vers Galway :*** une petite dizaine de bus/j. Trajet : 5h.

➢ ***Ring of Kerry*** (Killorglin, Glenbeigh, Cahersiveen, Waterville, Caherdaniel et Sneem) *:* voir « Se déplacer en bus » au début du chapitre consacré à cette péninsule.

➢ ***De/vers Kenmare :*** 2 bus/j. lun-ven tte l'année ; 1 bus le w-e en été.

➢ ***De/vers Dingle :*** 3-5 bus/j. selon saison. La plupart passent par Tralee.

En train

Gare ferroviaire *(plan I, D2) : face à la station de bus.* ☎ *(1850) 366-222. Rens sur place 24h/24.*

➢ ***Pour Dublin :*** 1-2 trains/j. Sinon, nombreuses possibilités avec changement à Mallow.

➢ ***Pour Cork :*** 2-4 trains directs/j. Sinon, liaisons avec changement à Mallow.

➢ ***Pour Limerick :*** correspondance à Limerick Junction. Tlj, 4-5 liaisons avec, en principe, changement à Mallow.

➢ ***Pour Tralee :*** une petite dizaine de trains/j.

En avion

✈ ***Kerry Airport : Farranfore,*** *à 15 km au nord de Killarney.* ☎ *(066) 97-646-44.* • *kerryairport.com* •

➢ ***Pour Dublin :*** 5 liaisons/j.

➢ Vols vers la ***Grande-Bretagne*** (Londres-Luton, Londres-Stansted et Manchester).

Adresses utiles

Infos touristiques

ℹ ***Office de tourisme*** *(plan I, B2) :* *Beech Rd (près du grand parking).* ☎ *66-316-33.* • *discoverireland.ie/southwest* • *Juin-sept, tlj 9h-19h ; oct-mai, lun-sam 9h15-17h.* Très bien documenté, avec aussi 3 bornes interactives pour faire soi-même ses recherches (hébergements, sites, actualités). Réservation de logement possible grâce au site internet et d'excursions à la journée (Ring of Kerry ou péninsule de Dingle, 19-25 €). Accueil charmant et en français. Autres infos sur • *killarney.ie* •

Poste et Internet

✉ ***Poste*** *(plan I, B2) : New St. Lun-ven 9h-17h30 ; sam 9h-13h.*

@ ***Leaders Computer Store*** *(plan I, B2,* ***1****) : 8 A, Beech Rd, New St.* ☎ *66-396-35. Tlj sf dim 9h30-13h30, 14h-17h30 (17h sam).*

Location de vélos

Compter environ 12-15 €/j. et 60-70 €/sem.

■ ***O'Sullivan Cycles :*** *plusieurs boutiques, dont 1 en face de l'office de tourisme (plan I, B2,* ***2****).* ☎ *66-312-82.* • *killarneyrentabike.com* • *Également dans New St, près de la cathédrale (plan I, A2,* ***2****). Tlj 9h-18h (19h en été).* Matériel neuf. Bonnes prestations, carte fournie gratuitement.

■ ***The Sugan Hostel*** *(plan I, C2,* ***11****) : Lewis Rd.* ☎ *66-331-04. Tte l'année, tlj 9h-18h.*

Divers

■ ***Librairie O'Connors*** *(plan I, B2,* ***3****) : Beech Rd. À deux pas de l'office de tourisme.* Vous y trouverez les grands quotidiens français en été (parfois même hors saison).

■ ***Laverie*** *(plan I, C2,* ***4****) :* ***J. Gleeson's Laundrette,*** *Brewery Lane. Lun-sam 8h30h-18h.*

Où dormir ?

Bon marché

🏠 ***Killarney Railway Hostel*** *(plan I, D1,* ***12****) : Dennehy Rd, Fair Hill.* ☎ *66-352-99.* • *killarneyhostel.com* • *Dans une ruelle à deux pas de la gare et de l'arrêt de bus, donnant sur Cork Rd. Ouv tte l'année. Pas de curfew. Selon confort, compter 10-18 € en dortoir et 44-52 € pour 2 en double privée. Petit déj compris.* 💻 *(payant).* 📶 113 lits en dortoir 4-10 lits et des chambres doubles et familiales. L'accueil est dynamique et souriant. Cuisine bien aménagée. Service de laverie payant. Garage à vélos.

🏠 ***Neptune's*** *(Killarney Town Hostel ; plan I, B2,* ***10****) : New St, au fond d'une petite impasse.* ☎ *66-352-99.* • *neptuneshostel.com* • *Très central. Ouv tte l'année. Selon saison et confort, 12-20 €/pers en dortoir et 40 € pour 2 en chambre privée avec* light breakfast. 💻 📶 Grande AJ privée d'une centaine de lits (en chambres de 1 à 8). Staff de réception sympa. Cuisine bien équipée. Service de laverie payant. Location de vélos. Les dortoirs et chambres côté ruelle peuvent être un peu bruyants en raison du pub juste en face.

🏠 ***The Sugan Hostel*** *(plan I, C2,* ***11****) : à l'angle de College St et Lewis Rd.* ☎ *66-331-04.* • *suganhostelkillarney.com* • *Ouv tte l'année. Pas de curfew. Compter 15-17 €/pers en dortoir et 40 € la chambre double.* 📶 Belle façade colorée et murs de pierre. Très convivial, mais les espaces sont réduits et pas toujours bien entretenus. Cuisine pour préparer sa tambouille. Location de vélos.

■ Adresses utiles	☗ Où dormir ?
i Office de tourisme	**10** Neptune's
@ **1** Leaders Computer Store	**11** The Sugan Hostel
2 O'Sullivan Cycles	**12** Killarney Railway Hostel
3 Librairie O'Connors	**13** The Mountain Dew
4 J. Gleeson's Laundrette	**16** Orchard House B & B
11 The Sugan Hostel (location de vélos)	**18** The Ross
	19 Fuchsia House

BED & BREAKFAST ET GUESTHOUSES

Probablement la ville d'Irlande qui en possède le plus.

– *Conseil :* en été, il faut impérativement réserver, et longtemps à l'avance. Réservations possibles via le site internet de l'office de tourisme (voir « Adresses utiles »).

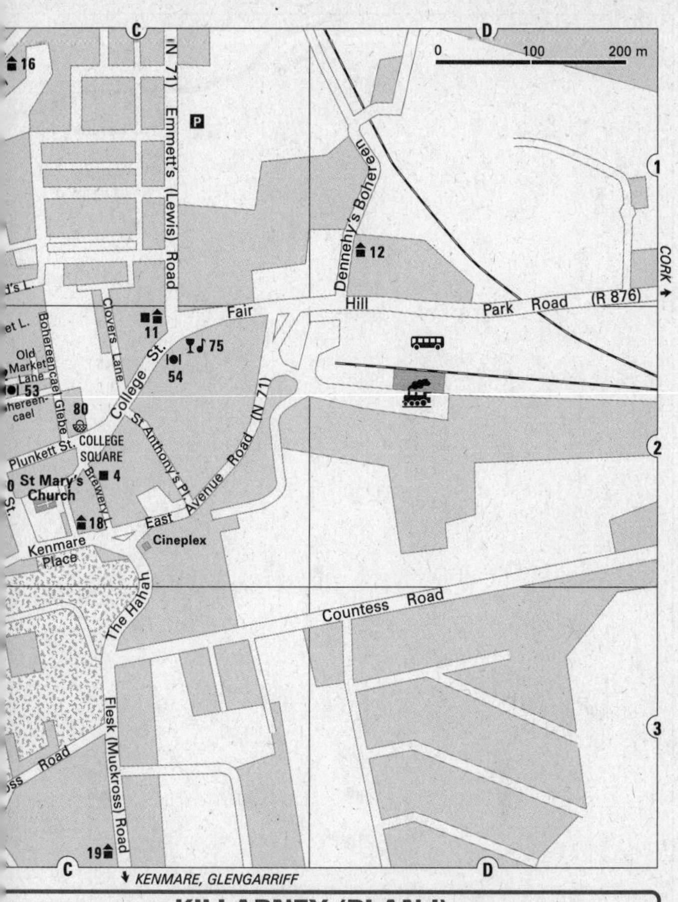

KILLARNEY (PLAN I)

Où manger ?

50 The Country Kitchen
51 Deenagh Lodge Restaurant
52 Der O'Sullivan
53 Jam
54 Murphys Pub
58 West End House
59 Bricín et Gaby's
60 The (O'Leary's) Flesk

Où boire un verre ? Où écouter de la musique ?

70 O'Connors
72 The Laurels Bar
75 Buckley's Bar

Achats

80 Aran Sweater Market

Prix moyens

Carriglea House *(plan II,* ***17****)* ***:*** *Muckross Rd (N 71).* ☎ *66-311-16.* • *carrigleahouse.com* • *À 1,5 km env du centre, sur la gauche de la route, en face du* Lake Hotel. *Ouv avr-fin oct. Doubles avec douche ou bains 68-80 €. CB acceptées.* Cette belle demeure victorienne à flanc de coteau offre une vue imprenable sur le lac. Les chambres, spacieuses, se répartissent

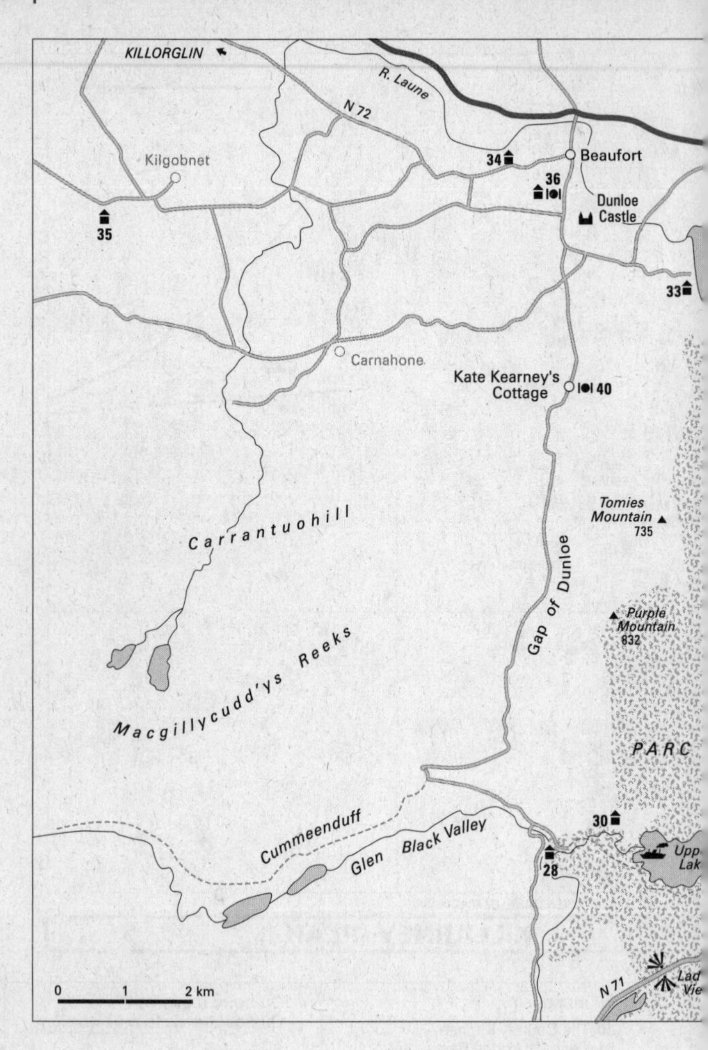

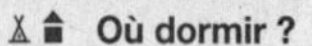

Où dormir ?

- **15** Alderhaven Country Home
- **17** Carriglea House
- **20** Fleming's White Bridge Camping
- **21** Flesk Caravan & Camping Park
- **22** White Villa Farm
- **23** Beech Grove Camping
- **24** Fossa Caravan Park
- **25** Ross Castle Lodge
- **26** Killarney International Youth Hostel
- **27** The Peacock Farm Hostel
- **28** Black Valley Youth Hostel

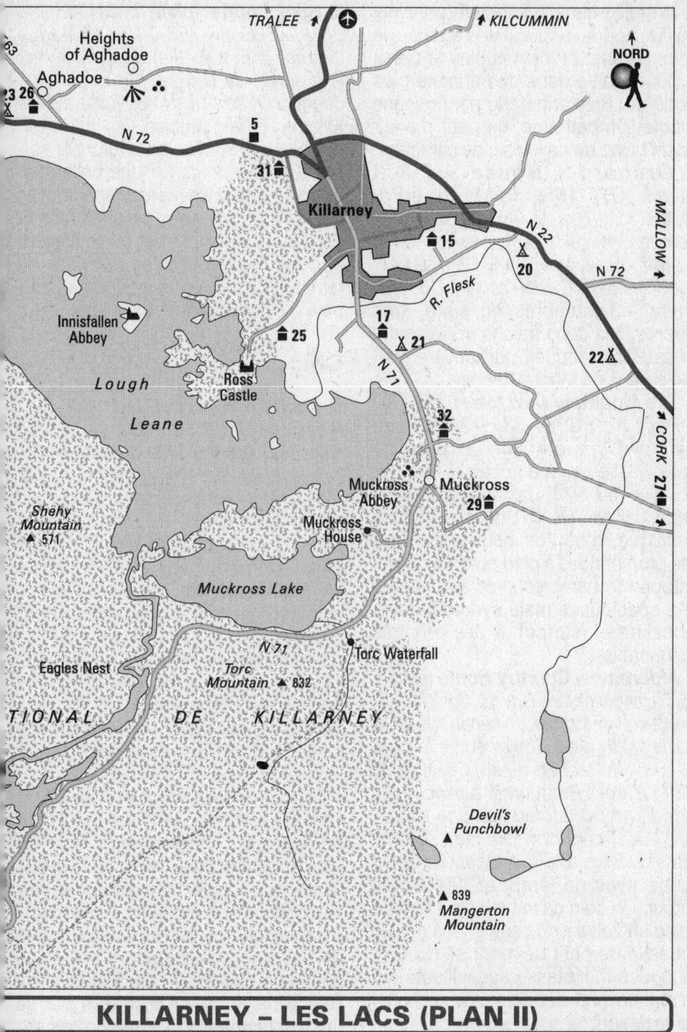

KILLARNEY – LES LACS (PLAN II)

29 Muckross Riding Stables
30 Hillcrest Farmhouse
31 Sika Lodge
32 Killarney Lakeland Cottages
33 The Invicta B & B
34 Pot of Gold
35 Farmstead Lodge
36 Inveraray Farmhouse

Où manger ?

40 Kate Kearney's Cottage.

Balades à cheval

5 Killarney Riding Stables

pour moitié dans le bâtiment principal (où l'on apprécie l'escalier d'époque, le vieux parquet et les meubles anciens) et pour moitié dans une annexe plus moderne. Bien entretenu par un jeune couple sympathique, ce petit manoir est un havre de paix plein de caractère.

Orchard House B & B *(plan I, C1,* ***16****) : Saint Ann's Rd. ☎ 66-318-79. 📱 086-316-32-47. • orchardhousekillarney.com • À 10 mn à pied du centre. Ouv tte l'année. Doubles 65-75 € selon saison. CB refusées.* 3 chambres *en suite,* très propres, à la déco fraîche et plaisante. TV satellite. Accueil particulièrement chaleureux de Maria Moloney.

The Mountain Dew *(plan I, C3,* ***13****) : 3, Ross Rd. ☎ 66-338-92. • mountain.dew@live.ie • Sur la route de Ross Castle, juste à l'écart du centre. Doubles 50-60 €, familiales 70-90 € selon saison.* Une *guesthouse* classique, d'où l'on peut partir pour des promenades à pied au bord du lac. Propose 6 chambres avec salle d'eau. Peu spacieuses mais sympathiques, au calme et, surtout, à des prix très raisonnables.

Alderhaven Country Home *(plan II,* ***15****) : Ballycasheen Rd. ☎ 66-319-82. • alderhaven.com • En venant de Cork par la N 22, c'est 300 m après le pont de la voie ferrée. En venant de Killarney par Muckross Rd, tourner à gauche sur Woodlawn Rd (au feu après la station* Top*). Ouv mars-nov. Doubles 70-80 € selon saison.* Belle maison de style Tudor, avec un jardin et des arbres autour. Un coin calme et vert à 5 mn à peine en voiture du centre. Très agréable salle de petit déj pour se réveiller en douceur. Hôtesse accueillante qui se met en quatre et donne plein d'infos sur la région.

Ross Castle Lodge *(plan II,* ***25****) : Ross Rd. ☎ 66-369-42. • killarneyb-and-b.com • Sur la gauche de la route après le golf. Ouv de mars à mi-nov. Doubles 72-90 € selon saison.* À l'écart de la ville, en allant vers le château. Dans un cadre paisible et verdoyant, une maison charmante, accueillante et plutôt chic. 4 chambres *en suite,* spacieuses, claires et élégantes. Bref, une adresse qu'on aime beaucoup, cosy et chaleureuse.

Sika Lodge *(plan II,* ***31****) : Ballydowney. ☎ 66-363-04. • sikalodgekillarney.com • À 1 km du centre-ville. À la sortie de la ville, sur la gauche, direction Killorglin (N 72), juste avt les* Killarney Riding Stables. *Ouv mai-sept. Doubles 55-80 € selon confort et saison. CB acceptées.* Une belle maison de pierre grise récemment rénovée par les tout nouveaux proprios Alan et Serena. L'ensemble est cosy, élégant et chaleureux, tout à fait dans l'air du temps... Petit déjeuner gourmand, préparé par la maîtresse de maison.

Chic

Fuchsia House *(plan I, C3,* ***19****) : Muckross Rd. ☎ 66-337-43. • fuchsiahouse.com • À 5 mn du centre-ville.* Luxueux B & B *sur la route de Muckross, 250 m après la station* Top. *Ouv de mi-mars à oct. Compter 76-94 € pour 2 selon saison.* En fait, il s'agit plus d'un petit hôtel de 8 chambres (dont quelques familiales), spacieuses, élégantes et très confortables. Mention spéciale pour la belle salle où l'on prend le petit déj, donnant sur le jardin. Très bon accueil. Une belle adresse à l'atmosphère reposante.

The Ross *(plan I, C2,* ***18****) : Kenmare Pl. ☎ 66-318-55. • theross.ie • Ouv tte l'année, sf 23 déc-3 janv ; nov-mars, ouv slt w-e. Doubles 180-220 €, petit déj compris.* Cet hôtel central a misé sur le style design. Mélange harmonieux de bois, de pierre, et beaux tissus, aux couleurs vives dans les parties communes, aux tons plus chauds dans les chambres. Très belles salles de bains. Accès gratuit au spa et au parking du *Killarney Park Hotel* voisin. Une adresse qui se distingue par sa modernité, mais qui ne déroge pas à la tradition de l'hospitalité irlandaise.

Où dormir dans les environs ?

Campings

Fleming's White Bridge Camping *(plan II,* ***20****) : Ballycasheen Rd. ☎ 66-315-90. • killarneycamping.*

com • *À 2 km de Killarney et à 200 m de Cork Rd. Ouv de mi-mars à fin oct. Compter 27 € pour 2 avec tente et voiture. CB refusées. Douches payantes.* ᯤ À proximité de la voie ferrée. Situé le long de la rivière Flesk. Confortable et calme (malgré quelques trains de temps en temps). Sanitaires propres. Location de vélos. Accueil charmant.

⛺ ***Flesk Caravan & Camping Park*** *(plan II,* ***21****)* ***:*** *Muckross Rd, à 2 km de Killarney.* ☎ *66-317-04.* • *killarneyfleskcamping.com* • *À proximité du parc national et de la Muckross House. Ouv Pâques-fin sept. Compter 25-26 € pour 2 avec tente et voiture. Douches payantes.* Sanitaires impeccables. Resto, laverie, cuisine à disposition... Assez fréquenté en été. Bruit des corbeaux dérangeant pour certains campeurs et sol un peu caillouteux.

⛺ ***White Villa Farm*** *(plan II,* ***22****)* ***:*** *à 4 km, vers Cork (N 22).* ☎ *66-206-71.* • *killarneycaravanpark.com* • *Ouv début mai-fin sept. Autour de 18 € pour 2 avec tente ; 7e nuit offerte. Douches payantes. CB refusées.* ᯤ De taille très raisonnable et l'un des moins bondés l'été. Herbe bien grasse, mais proche de la route et de la voie ferrée.

⛺ ***Beech Grove Camping*** *(plan II,* ***23****)* ***:*** *Beech Grove,* ***Fossa.*** ☎ *66-718-48.* • *beechgrovecaravanandcamping.com* • *À 6,5 km env de Killarney en direction de Killorglin, 50 m avt le* Fossa Caravan Park. *Les bus (peu nombreux) Killarney-Killorglin s'arrêtent à proximité. Ouv début mai-fin sept. Compter 21-24 € pour 2 avec tente et voiture. Douches payantes.* En bordure de route. Plus petit et plus agréable que le *Fossa Caravan Park.* Sanitaires moyens. Locations de mobile homes et de vélos. Épicerie du *Fossa Caravan Park* pas loin. Accueil sympa.

⛺ ***Fossa Caravan Park*** *(plan II,* ***24****)* ***:*** ***Fossa.*** ☎ *66-314-97.* • *fossacampingkillarney.com* • *À 6,5 km de Killarney en direction de Killorglin. Les bus (peu nombreux) Killarney-Killorglin s'arrêtent à proximité. Ouv avr-sept. Compter 20-23 € pour 2 avec tente et voiture.* 💻 En bordure de route. Bondé en été (arriver vers 12h) et accueil moyen. C'est un peu l'usine... Une épicerie à l'entrée. Fait aussi AJ.

Bon marché

🏠 ***Killarney International Youth Hostel*** *(plan II,* ***26****)* ***:*** *Aghadoe House,* ***Killarney.*** ☎ *66-312-40.* • *killarneyinternationalhostel.com* • *À 5 km de la ville, sur la route de Killorglin, bifurquer à droite, direction Dingle (R 563) ; c'est à 400 m sur la gauche. Ouv tte l'année. Compter 15,50-20 €/pers en dortoir 6-8 lits, 40-54 € en* private room *de 2-4 lits. Petits déj 5-8 €.* ᯤ AJ officielle, probablement l'une des plus belles d'Irlande. Située dans un manoir au milieu d'un parc immense surplombant le lough Leane. Près de 140 lits. Location de vélos. Possibilité de faire des tours dans le Kerry au départ de l'AJ. En été, complètement bondé (l'accueil s'en ressent beaucoup) et ça fait un peu usine !

🏠 ***The Peacock Farm Hostel*** *(hors plan II,* ***27****)* ***:*** *Gortdromakiery,* ***Muckross.*** ☎ *66-335-57.* • *peacockhostel@eircom.net* • *À 9 km de Killarney ; prendre la direction de Kenmare ; peu avt l'entrée de la Muckross House, tourner à gauche (direction lough Guitane) ; puis une petite route grimpe sur la droite (AJ bien indiquée). De Cork, sur la N 22, tourner à gauche, 1,5 km après le village de Glenflesk (direction lough Guitane) ; après, c'est bien indiqué. 2 barrières à ouvrir en cours de route (à refermer absolument) pour atteindre cette charmante AJ en pleine nature. Ouv avr-sept. Lits en dortoir 15-16 € ; doubles 40-44 €. CB refusées.* Situé sur la sauvage Stoompa Mountain avec vue plongeante sur le lac. Bon accueil des proprios, Owen et Rose Barnes. Au total, une vingtaine de lits. Cuisine aménagée. Intérieur au décor chaleureux. Balades superbes tout autour. De plus, ils assurent le transport 2 fois par jour depuis la gare et l'arrêt de bus. Livres à disposition pour organiser ses balades. Quelques cannes à pêche aussi pour les vocations tardives.

🏠 ***Black Valley Youth Hostel*** *(plan II,* ***28****)* ***:*** ***Beaufort.*** ☎ *66-347-12 ou (01) 830-45-55 (siège à Dublin pour les résas).* • *anoige.ie* • *2 façons d'y aller : soit par Beaufort (l'AJ est à 8 km du parking du gap of Dunloe et à 20 km de Killarney) ; soit en quittant la route Killarney-Kenmare sur la droite,* *l'AJ est indiquée et se trouve alors à 11 km (36 km depuis Killarney). Ouv mars-oct. Fermé 10h30-17h. Compter env 14-22 € en dortoir de 4-12 lits, sanitaires communs. CB acceptées.* Situé dans un endroit vraiment sauvage. Le bateau de l'Upper Lake s'arrête à 1,5 km environ de l'AJ. Petite épicerie attenante, où l'on trouve le minimum nécessaire.

Prix moyens

Au sud-est de Killarney, vers Cork

Muckross Riding Stables *(O'Donovan's Farm ; plan II,* ***29****) : Mangerton Rd,* **Muckross.** *☎ 66-322-38. • muckross-stables.com • Prendre la route de Kenmare (N 71) ; après le* Muckross Park Hotel, *indiqué sur la gauche. Ouv de mars à mi-nov. Double 70 €, familiale 100 €. CB refusées (sf séjour dépassant 2 nuits).* C'est surtout le cadre qui nous a séduits ici, avec cette vaste pelouse qui dévale jusqu'à la lisière du bois. Bon accueil, simple et chaleureux. 6 chambres *en suite,* dont 1 familiale. Possibilité de faire du cheval et du poney (gratuit pour les enfants). Une adresse idéale avec des enfants !

Killarney Lakeland Cottages *(plan II,* ***32****) :* **Muckross.** *☎ 66-332-90. • killarneycottages.com • Avt Muckross, sur la gauche de la route menant à lough Guitane. Compter 235-560 €/sem pour 2 ; 305-690 €/sem pour 3-5 pers, etc.* 19 petites maisons aux portes colorées disséminées dans un parc paysager, chacune avec sa cheminée, sa table de jardin et son mobilier rustique. Elles peuvent accueillir jusqu'à 7 personnes (1 chambre en bas et 2 en haut). Pas la grande intimité certes, mais un ensemble plutôt réussi, et surtout une formule de *self-catering* économique, notamment pour les familles.

À l'ouest de Killarney, vers Killorglin

Hillcrest Farmhouse *(plan II,* ***30****) : Gearhmeen, Black Valley. ☎ 66-347-02. 087-985-35-41. • hillcrestfarm house.com • Double 72 €. Dîner 28 € sur demande.* Au fin fond du Gap, calme garanti mais accès à vos risques et périls ! Une petite maison pimpante et accueillante à proximité de l'embarcadère. Les chambres, tout confort, sont fraîches et jolies. Vue magnifique. Nombreux sentiers de rando ou de vélo au départ de la maison.

The Invicta B & B *(plan II,* ***33****) : Tomies,* **Beaufort.** *☎ 66-442-07. • theinvicta.com • À 11 km de Killarney. Sur la route de Killorglin (N 72), à la sortie de Fossa, prendre à gauche, direction Glencar, puis à 2,5 km env, à gauche vers le lough Leane (fléché). Ouv mars-oct. Compter env 70 € pour 2. Repas sur demande.* 4 belles et grandes chambres *en suite* avec vue sur le lac ou la campagne. Les pêcheurs seront ravis : Mr Sweeney propose des barques à louer.

Pot of Gold *(plan II,* ***34****) :* **Beaufort.** *☎ 66-441-94. • potsofgold@eircom.net • À 10 km env de Killarney. Dans le village, prendre la route en face du* Beaufort Bar, *c'est 300 m plus loin, à côté du terrain de foot. Ouv 1er avr-1er nov. Doubles 70-76 €. CB refusées.* Un *B & B* classique et sans surprises, avec 6 chambres *en suite.* Un accueil simple et plein de gentillesse. Le soir, pas besoin de prendre la voiture pour caler sa faim, le *Beaufort Bar* est à 5 mn à pied.

Inveraray Farmhouse *(plan II,* ***36****) : chez Mrs et Mr Spillane,* **Beaufort.** *☎ 66-442-24. • inver-aray.com • À 10 km de Killarney. À Beaufort, passer devant le* Beaufort Bar, *c'est 300 m plus loin sur la droite, direction le Gap of Dunloe. Ouv 1er mars-15 nov. Doubles avec sdb 60-90 € selon vue et saison ; tarifs dégressifs. Dîner 23-25 €.* La maison n'a rien de bucolique mais les chambres sont gentiment arrangées. Les plus chères ont accès direct au joli jardin, avec vue sur la montagne, les vaches, les p'tits veaux et les moutons (la totale !). Bon petit déj. Une adresse au calme et à l'atmosphère sympathique.

Farmstead Lodge *(plan II,* ***35****) : Shanara Cross, Kilgobnet,* **Beaufort.** *☎ 97-619-68. • homepage.eircom.net/~farmsteadlodge • À 7 km de Killorglin. Du village, prendre la route de Beaufort, puis à 3 km env, tourner à droite (fléché). Ouv mars-nov. Doubles 56-60 €.* Dinner *(sur résa) 23 €. CB refusées.* Encore une *farm* qui n'a de ferme que le nom. C'est un peu loin, la mai-

KILLARNEY

son est « neuve » et sans charme, mais tout cela est largement compensé par la jovialité communicative de la famille. Chambres agréables et lumineuses avec parquet flottant et déco dans l'air du temps.

Où manger ?

Essentiellement deux rues pour combler vos appétits : High Street et New Street. Vous y trouverez toutes sortes de restaurants (étrangers, traditionnels, végétariens...) pour toutes les bourses. Pour les fauchés, deux **fish & chips** *(plan I, C2)* dans Plunket Street, chez *Mike's Fast-Food* et *Allegro.*

Bon marché

I●I ***Jam*** *(plan I, C2,* ***53****)* **:** *Old Market Lane. ☎ 66-377-16. Lun-sam 8h-17h. Snacks 5-10 €.* Comme son petit frère de Kenmare, ce snack propose des plats et salades variés, à manger sur place ou à emporter. Pâtisseries non moins appétissantes. Excellent rapport qualité-prix.

I●I ***The Country Kitchen*** *(plan I, B2,* ***50****)* **:** *New St, face à la rue de l'office de tourisme. ☎ 66-337-78. Tlj sf dim 8h-17h (20h en été). Salade de poulet,* roast-beef *et* Irish stew *8-10 €.* Ne vous fiez pas à la vitrine de pâtisserie, il y a un cuisinier dans la *kitchen* du fond. On mange sur des tables cirées. Self-service.

I●I ***Der O'Sullivan*** *(plan I, C2,* ***52****)* **:** *12, Main St ; face à Plunkett St. Tlj jusqu'à 18h.* Même principe que le précédent, en plus moderne, avec ses plats en vitrine puis son enfilade de tables. Mais ici, la déco est sobre et lumineuse, et vous serez servi à table.

I●I ***Deenagh Lodge Restaurant*** *(plan I, A2,* ***51****)* **:** *à l'entrée du parc du même nom, dans l'ancienne maison des gardiens ; c'est la maison coiffée d'un toit de chaume. Pâques-oct, tlj 10h-18h. Sandwichs, salades, soupes et pâtisseries permettent de déjeuner pour 10-12 €.* L'intérêt est d'y être quand le soleil brille et de squatter les tables extérieures : tranquillité assurée. Balade possible jusqu'au Ross Castle, à 2,5 km.

– Ne pas oublier de jeter un coup d'œil au ***O'Connors*** *(plan I, B2,* ***70****)* et au ***Buckley's Bar*** *(plan I, C2,* ***75****),* des pubs qui proposent une petite restauration à prix raisonnables.

Prix moyens

I●I ***Murphys Pub*** *(plan I, C2,* ***54****)* **:** *College St. ☎ 66-312-94. Tlj midi et soir. Plats 8-28 €.* Un classique depuis 1955 qui propose une cuisine copieuse (que l'on retrouve également au *Squires,* même proprio, juste à côté). Mouton du Kerry, *fish & chips* ou bœuf à la *Guinness,* ce dernier étant du goulasch local. Déco et ambiance pub garanties. À l'étage, bon resto mais plus cher...

I●I ***The (O'Leary's) Flesk*** *(plan I, C2,* ***60****)* **:** *Main St ; face à Plunkett St. ☎ 66-311-28. Tlj 17h30-22h30. Plats 15-20 €.* Une grande salle à la fois chic et populaire, gentiment désuète. Un lieu improbable où se croisent locaux, touristes et vétérans de l'*American Legion,* autrefois basée à Killarney. La salle est d'ailleurs un peu bruyante et ceux qui recherchent plus d'intimité peuvent se retirer au fond dans une petite salle (un peu tristoune, pour le coup). Spécialités de poisson et fruits de mer, mais aussi d'agneau du Kerry. Une adresse d'un autre temps...

Plus chic

I●I ***West End House*** *(plan I, A2,* ***58****)* **:** *Lower New St. ☎ 66-322-71. Dans le prolongement de New St. Ouv le soir slt, mar-dim (dernière commande à 21h30). Résa conseillée. Plats 22-26 € ; menu 35 € ;* early bird *27 € (17h30-18h30).* Installé dans une demeure de charme du XIXe s. Cadre extrêmement plaisant. Décoré avec goût et raffinement, alliance harmonieuse du bois sculpté et de la pierre, agrémenté de jolis tableaux. Atmosphère intime et chaleureuse pour une cuisine de qualité. Spécialités de viandes fort bien préparées. Remarquable rapport qualité-prix.

I●I ***Bricín*** *(plan I, B1,* ***59****)* **:** *26, High St. ☎ 66-349-02. Ts les soirs sf dim (et lun hors saison). Plats 19-26 € ; menus* early bird *19-29 € (17h30-18h30).* Une très belle salle à manger, aux murs rouges chargés de tableaux et aux boiseries patinées et une déco évoquant l'Art nouveau. Ambiance tout à la fois chic, intime et informelle. À la carte, quelques spécialités traditionnelles : *boxty* (une grosse crêpe de pomme de terre), saumon irlandais, agneau du Kerry... Mais aussi pas mal de pâtes et de plats végétariens ou exotiques. En prime, au rez-de-chaussée, une boutique de livres et d'artisanat.

Chic

Gaby's *(plan I, B1,* ***59****)* **:** *27, High St. ☎ 66-325-19. Ts les soirs sf dim. Congés : mi-fév à mi-mars. Résa vivement conseillée. Plats 18-42 €.* Avec ses belles boiseries à l'ancienne et sa vaste salle, ce resto s'avère un classique ! Sa réputation d'excellent resto de poisson est sans faille et, ce, depuis plus de 20 ans. Petit bémol pour les prix, qui ont quand même tendance à sacrément gonfler avec les années. Mais après tout, vous n'êtes pas obligé d'opter pour le homard, la spécialité maison. Décor marin, cuivres, aquarelles... Très belle carte des vins.

Où boire un verre ? Où écouter de la musique ?

O'Connors *(plan I, B2,* ***70****)* **:** *7, High St. ☎ 66-302-00.* La ville ne manque pas de pubs, mais celui-là est l'un de nos préférés. Musique tous les soirs en saison vers 21h. Si vous maîtrisez suffisamment la langue de Yeats, ne manquez pas le one man show au 1er étage à 21h (du mardi au samedi en été). Arriver tôt, car il peut y avoir de 3 à 45 spectateurs, selon les groupes de touristes américains. Mais on peut aussi ne pas apprécier ce spectacle, qui a perdu bien de sa spontanéité. Certains soirs, Pat Sugrue se met dans la peau d'un patron de pub qui va mettre la clé sous la porte. On est attablé devant une *Guinness* pendant que lui vide la sienne, faisant défiler souvenirs et chansons locales, le tout avec l'accent de Killarney. Petit service de restauration.

The Laurels Bar *(plan I, C2,* ***72****)* **:** *Main St. ☎ 66-311-49.* Un pub très populaire au cadre patiné. Ceux qui ont la trentaine bien tassée et davantage s'y sentiront à leur aise. Ambiance bon enfant. Resto attenant, ouvert le week-end mais on peut aussi manger côté pub et, ce, tous les jours.

Buckley's Bar *(plan I, C2,* ***75****)* **:** *College St. ☎ 66-310-37.* Pas trop de touristes, mais qualité des *seisiúin* inégale. On y sert des *specials* (sauf le dimanche) à prix honnêtes. En principe, musique traditionnelle le samedi soir.

Achats

– Beaucoup de magasins où vous trouverez d'authentiques pulls irlandais. Site touristique oblige, en été, certains restent ouverts jusqu'à 23h. Pensez à marchander vos achats.

Aran Sweater Market *(plan I, C2,* ***80****)* **:** *College St. ☎ 66-397-56. • aransweatermarket.com •* Notre préféré. Plutôt plus beau, plutôt plus cher qu'ailleurs. Plus de choix surtout. Beaucoup de pure laine vierge en provenance des îles d'Aran et surtout, un grand choix de pelotes pour les fans de tricot !

KILLARNEY

Balades à cheval

Killarney Riding Stables *(plan II,* ***5****)* **:** ***Ballydowney.*** *☎ 66-316-86. • kerrytrailride.com • À 1,5 km de Killarney, route de Killorglin (N 72). Ouv tte l'année.* Propose des circuits de 2 ou 5 j. dans de magnifiques paysages (plages désertes, bords de lac, forêt, montagne). Bien entendu, possibilité de monter à cheval à l'heure, au cœur du parc national (compter 35 €, prix dégressif au-delà).

DANS LES ENVIRONS DE KILLARNEY

➢ Pour les ***randonnées,*** la carte fournie par l'office de tourisme est insuffisante. Mieux vaut acheter la nº 70 ou la nº 78 *Discovery Series,* chez Ordnance Survey.

➢ Pour profiter de toutes les belles choses de la région, de nombreuses possibilités : on peut réserver par exemple des excursions en bateau, en calèche, à dos de poney (pour ceux qui ont les moyens et les jambes pas trop longues)... On peut aussi faire une balade guidée de 2h dans le parc national. Rens auprès de l'office de tourisme.

The Heights of Aghadoe : *direction Killorglin (N 72), puis à 5,5 km de Killarney, bifurquer à droite direction Dingle (R 563), puis à nouveau à droite 500 m plus loin. Se garer à côté de l'hôtel et remonter à pied la petite allée, jusqu'au belvédère.* C'est de ce point de vue que l'on profite du plus complet et du plus impressionnant panorama du *lough Lein* (Leane), en gaélique « lac du savoir ». Les premiers habitants lui donnèrent ce nom parce qu'ils remarquèrent les allées et venues incessantes des grands de l'époque, qui venaient recueillir l'enseignement des moines de l'île d'Innisfallen. Brian Boru fut aussi l'un des étudiants de cette « université de l'Ouest » et, plus tard, déménagea à Aghadoe même, dans un monastère dont on voit encore les ruines au pied de la colline.

Ross Castle : *à 3 km au sud de Killarney ; en direction de Kenmare, prendre la 1re route à droite après le rond-point du centre (à l'angle de la station-service).* ☎ *66-358-51. Tlj : de mi-mars à oct, 9h30-17h45 (dernière admission à 17h) ; juin-août, 9h-18h30. Visites guidées slt (en anglais) : durée 40 mn. Compter 4 € ; réduc (forfait famille 10 €).* Heritage site. Un beau gros donjon du XVe s qui se dresse au bord du lough Leane. À sa construction, une prophétie prédit que la forteresse ne tomberait jamais, sauf si une attaque était lancée depuis le lac. Les troupes de Cromwell ne réussirent pas à la prendre par la terre ; c'est alors que Ludlow, le chef du détachement, s'avança vers le château par le lac avec un bateau. Sans combattre, croyant la prophétie en train de se réaliser, la garnison se rendit ! Bel exemple d'auto-intoxication et un sacré gag historique... ! Vous n'êtes pas obligé de faire la visite, le site en lui-même vaut le coup.

➢ Du Ross Castle, possibilité d'escapade sur l'***île d'Innisfallen*** où des souverains, paraît-il, se rendaient pour recevoir l'enseignement des moines *(☎ 66-310-68. • derostours.com • ; départs en saison tlj à bord du* Lily of Killarney *10h30-16h30 ; compter 10 €/pers, 25 €/famille pour 1h de balade).* Abbaye en ruine avec joli porche roman.

➢ Se renseigner par ailleurs à l'office de tourisme sur le bateau partant du Ross Castle et se rendant à ***Upper Lake.*** Il embarque les vélos pour environ 15 €/pers. Cher, certes, mais petite croisière sympa et qui permet ensuite de revenir à Killarney par le gap of Dunloe. En principe, départ en saison (de mars à octobre) et en fonction de la météo, à 11h du Ross Castle, à 14h du Upper Lake. Réserver impérativement.

Killarney National Park : *☎ 66-314-40. • muckross-house.ie • Par la route de Kenmare (N 71). L'entrée principale se trouve à 6 km de Killarney (grand panneau bleu sur la droite). Sinon, possibilité de se garer au niveau du parking de l'abbaye et de marcher 1 km env pour atteindre la Muckross House. Éviter le 1er parking venant de Killarney, c'est le plus éloigné, et les conducteurs de calèches harcèlent un peu (ils n'ont rien à voir avec les services du parc ; de plus, ils sont chers). Ouv tte l'année aux marcheurs. Pour les voitures, 8h-18h (19h en saison, voir 20h en juil-août). Camping strictement interdit. Petit* Visitor's Centre *ouv, en principe, mai-sept, tlj 9h-17h. Audiovisuel sur Killarney et le parc (en anglais).* Heritage site.

Plus de 10 000 ha recouvrant forêts, lacs et montagnes, et offrant de chouettes promenades. Son cœur en est la Muckross House et ses jardins. Il fut légué à la nation irlandaise.

Iol Très jolie et agréable cafétéria pour déjeuner et goûter.

– *La Muckross House : ☎ 66-701-44. Ouv juil-août, tlj 9h-19h ; sept-juin, tlj 9h-17h30. Dernier billet 1h avt fermeture. Fermé à Noël. Entrée : 7 € ;* joint ticket *avec la ferme 12 € ; réduc (forfaits famille). Visite guidée obligatoire (parfois en français) d'une heure, un chouia rébarbative.* C'est l'ancienne demeure de Henry Herbert, député qui représenta le Kerry aux Communes. De style victorien, elle a été édifiée en 1843, et a conservé l'essentiel de son mobilier. C'est un véritable voyage dans le temps, au cœur de la noblesse du XIXe s. Dans la salle de réception, remarquer les écrans ajustables en bois laqué près de la cheminée, qui permettaient aux gentes dames de préserver leur visage (et leur maquillage !) de la chaleur des flammes. Après l'atelier de tissage et la boutique d'artisanat, aménagés au sous-sol, ne manquez pas la belle brochette de cloches au plafond (32 cloches pour 32 salles !). Chacune étant d'un son différent, les serviteurs pouvaient ainsi identifier dans quelle pièce leurs maîtres les demandaient...

COMME REINE FAIT SON LIT, REINE SE COUCHE...

Au cours de la visite, on peut admirer la chambre où dormit la reine Victoria. Rien n'a changé depuis son passage. À un détail près, le lit ! En effet, au beau lit à tentures, la reine préféra, à son habitude, son « simple » lit de camp. Les lits était en effet considérés de tout temps comme des pièges potentiels où il était facile de dissimuler une bombe ou des armes, voire d'empoisonner les draps ou le matelas. Les monarques et gens d'importance voyageaient donc avec leur propre lit par peur d'un attentat.

– *Les jardins de Muckross : accès gratuit.* Tout autour, grâce au microclimat, éclate une merveilleuse nature. Accès libre, en permanence. Superbes massifs de rhododendrons et d'azalées. Jardin de rocaille parcouru de sentiers et petits escaliers, bordé de pins sylvestres ou écossais et d'arbustes nains de toutes sortes. Il y a quelques années, on lui a adjoint un arboretum où l'on rencontre notamment l'arbousier, toujours verdoyant avec ses fleurs de couleur crème.

– *Les Muckross Traditional Farms : ensemble de fermes, cottages et bâtiments traditionnels. Juin-août, tlj 10h-18h ; mai-sept, tlj 13h-18h ; avr et oct, slt les w-e et j. fériés 13h-18h. Fermé nov-mars. Dernier billet 1h avt fermeture. Entrée : 7,50 € ; réduc et* joint ticket *avec Muckross House 12 € ; réduc (30 € pour une famille).* La vie rurale d'antan se révèle fort bien reconstituée. Beau mobilier. Le long du parcours, on visitera la maison du laboureur, une ferme typique de l'Ouest, la forge et l'atelier du menuisier, le four à chaux, etc. À ne pas manquer !

– *L'abbaye de Muckross : à env 1 km. Entrée gratuite (quand même !).* Brûlée par les troupes de Cromwell en 1652, mais les restes de cette abbaye franciscaine du XVe s sont fascinants. Tour massive. Les McCarthy, O'Sullivan et O'Donoghue, trois grands chefs de clans, y sont enterrés, ainsi que de grands poètes gaéliques des XVIIe et XVIIIe s. Cloître remarquable de style gothique sur deux côtés, de styles normand et roman sur les autres. Au milieu, un if plusieurs fois centenaire.

Torc Waterfall (cascade de Torc) **:** *plus loin sur la route de Kenmare (à env 7,5 km de Killarney). Sentier depuis Muckross House ; compter 2 km, belle balade.* Cascade de 18 m dans les bois. Assez impressionnant... quand il a plu avant.

Lady's View : *à 13 km de Killarney, route de Kenmare. On découvre l'Upper Lake et la vallée. Préférer le 2e parking un peu plus haut, plus tranquille et, en prime, la vue sur un autre lac.* Très beau paysage. La reine Victoria est à l'origine de ce nom. La première fois qu'elle vit le panorama, elle s'enthousiasma tellement qu'elle autorisa ses dames de compagnie à l'admirer avec elle. C'est beau, non ?

🚶🚶🚶 ***Le Carrantuohill :*** *pour y aller, prendre la direction de Beaufort, puis Gortbue School. Laisser la voiture (parking payant en été) et continuer à pied jusqu'au sommet. Sentier balisé mais se munir impérativement d'une carte détaillée (se renseigner à l'office de tourisme). L'aller-retour prend 6 bonnes heures. Rens sur • croninsyard.com •* Le plus haut sommet d'Irlande (1 040 m). Après 1h30 d'approche, on se retrouve face à un éboulis de pierre extrêmement dangereux, qu'on appelle ici (pas pour rien !) *The Devil's Ladder* (« l'échelle du Diable »). Attention également aux passages de tourbières.

🚶🚶🚶 Très belle randonnée jusqu'au ***Devil's Punchbowl,*** un « sommet » à 839 m, à l'est de Muckross. Juste avant le parking du parc national, en venant de Killarney, prendre la route à gauche en direction de Mangerton, sur 2 km ; puis à droite, à la pancarte « Mangerton 1 mile » ; après 1 mile, se garer le long de la route face à un chemin caillouteux qui part sur la gauche, dans un virage à angle droit. Attention : ce n'est pas une promenade dominicale. Se munir impérativement d'une carte détaillée, de bonnes chaussures, de suffisamment d'eau et d'un équipement contre le froid, l'ascension peut s'avérer dangereuse en raison des changements brusques de climat. Le lac du *Devil's Punchbowl* est atteint en moins de 2h (autant pour redescendre). On peut continuer l'ascension en laissant le lac sur sa gauche, ce qui permet d'en faire le tour par la crête. On profite alors d'un superbe panorama, comprenant entre autres le Carrantuohill.

🚶🚶🚶 ***Le gap of Dunloe :*** *prendre la route de Killorglin (N 72). Après Fossa, bifurquer à gauche, puis fléché. Après quelques petits km, on arrive au parking du* Kate Kearney's Cottage. *C'est là que commence le gap. Accès à priori interdit aux voitures non autorisées (l'accès est en fait réservé aux résidents ou clients des* B & B *ou de l'AJ). Il est quasiment impossible de se croiser et la conduite s'avère assez stressante...*
C'est un superbe défilé étroit entre deux hautes collines qui s'étire sur une dizaine de kilomètres. Ça monte jusqu'à un col d'où l'on a une vue super sur l'Upper Lake. De ce lac, on peut redescendre sur Ross Castle en bateau (en saison et sur réservation auprès de l'office de tourisme).
Pour faire la balade, plusieurs possibilités. Depuis le parking du *Kate Kearney's Cottage,* on peut grimper dans une calèche ou attaquer la route à pied. Plusieurs agences proposent un package qui inclut le bus jusqu'au parking du *Kate Kearney's Cottage,* la calèche jusqu'au lac et le retour par bateau. Là encore, renseignements à l'office de tourisme. Possibilité de se rendre au *gap* par la route de Kenmare et de tourner à droite à Moll's Gap. Beaucoup moins de monde que sur le chemin du Cottage.

🍴 🍷 🎵 Possibilité de se restaurer au ***Kate Kearney's Cottage*** *(plan II,* ***40****).* ☎ *66-441-46. Tlj en saison.* Nourriture correcte et prix raisonnables. Musique traditionnelle et spectacle de danse la plupart des soirs en été. Assez touristique, mais bon enfant.

🚶🚶 ***O'Sullivan's Waterfall :*** *à 10 km env de Killarney. Prendre la route de Killorglin. Après Fossa, tourner à gauche direction Glencar, puis 2,5 km plus loin, à gauche direction lough Lean ; se garer 600 m plus loin et suivre le chemin indiqué « Tomies Wood ».* Compter 1h30 aller-retour. Balade reposante.

🚶🚶🚶 Possibilité de rejoindre *Waterville* par la route du centre. De Killarney ou de Killorglin, rejoindre ***Glencar.*** De là, l'itinéraire passe à travers un paysage sauvage. Route particulièrement étroite entre Glencar et le col. Superbe ***col de Ballaghisheen,*** paysage radicalement différent sur les deux versants.

DE LA PÉNINSULE DE DINGLE AU SHANNON

Trop de voyageurs visitant le Ring of Kerry oublient un peu vite la péninsule de Dingle. C'est un tort. Voilà un vrai morceau de bravoure et de beauté sauvage. Une chaîne de montagnes arides (entre 800 et 900 m en moyenne) et de collines rocheuses couvertes d'une lande maigrichonne joue avec le ciel et les nuages, avant de tomber dans l'océan, soit brutalement sous forme de falaises, soit plus en douceur avec des baies abritées et des plages de sable. Certains de ces sommets battus par les vents cachent de petits lacs d'altitude, accessibles par des sentiers. Pour bien saisir l'inquiétante « étrangeté » de ce paysage, il faut monter un jour de pluie et de vent jusqu'au *col de Connor (Connor Pass).* De là, le regard embrasse les deux versants de la péninsule de Dingle, avec à l'horizon (et des deux côtés) la mer toujours présente.
Impossible aussi de ne pas évoquer la grandeur austère de la *montagne de Brandon (Brandon Mountain)* au nord-ouest de la péninsule. Regardez bien cette montagne « inspirée » : elle est exposée vers l'Atlantique. C'est ici, dans ces ultimes territoires côtiers de l'Ouest, que survit la vraie Irlande gaélique. Dans cette poche culturelle préservée *(Gaeltacht),* on parle presque partout le gaélique. Les noms des villages ne sont écrits que dans cette langue.
Vous l'avez compris, c'est l'un de nos coins favoris en Irlande et il mérite quelques jours. Pour avoir une petite idée des paysages, allez voir le film *La Fille de Ryan,* qui a été tourné dans la région, ou encore *Horizons lointains* (*Far and Away* en v.o.). Les jeunes femmes de la péninsule ne tarissent pas d'éloges sur Tom Cruise et se souviennent de son passage à cette occasion, en 1992 !

LA DINGLE WAY

Si vous voulez être dans le coup, elle s'appelle *Sli Chorca Dhuibhne* en gaélique. Le sentier de 153 km fait le tour de la presqu'île en partant de Tralee. À suivre par Tralee, Camp, Cloghane, Ballyferriter, Ventry, Dingle, Annascaul, Inch, Killelton, Tralee.
Son point culminant au col de Brandon (640 m) permet à l'itinéraire de longer le littoral et de pénétrer au cœur du pays gaélique : mégalithes, forts de pierre, gravures de l'alphabet oghamique, légendes des saints patrons irlandais ou « Saint's Road » (ces braves gens prenaient la mer dans des auges en pierre !)...
– ***Documentation :*** carte n° 70 *Discovery Series* éditée par Ordnance Survey pour une vision globale de la péninsule. *The Dingle Area Peninsula Guide* (en français), en vente sur place. Balisage noir et jaune.

LA FILLE DE RYAN (LE FILM)

Le célèbre film de David Lean (voir « L'Irlande et le cinéma » dans « Hommes, culture, environnement ») fut entièrement tourné dans la péninsule de Dingle

en 1969. La grande plage d'Inch, battue par les vents d'ouest, apparaît dans plusieurs scènes mémorables. À Slea Head, une petite stèle commémorative *(Ryan's Daughter Stone)* rappelle le tournage du film.
Le village fut entièrement réalisé pour le film et démonté ensuite. Seule la petite école, entre Dunquin et la plage, n'a pas bougé. Dans le film, elle servit d'école à l'instituteur interprété par Robert Mitchum. Pour achever son film, David Lean affronta un nombre inouï d'obstacles. « Cela revenait à construire le Taj Mahal avec des allumettes », disait Robert Mitchum à propos de ce tournage difficile.

DINGLE (AN DAINGEAN)

2 000 hab. IND. TÉL. : 066

Adorable petit port de pêche, bien abrité au fond de la baie. Les habitants de Dingle parlent encore le gaélique ; les étudiants de Dublin et d'ailleurs y viennent pour se perfectionner dans la langue de leurs ancêtres.
– Comme dans la plupart des villages irlandais, le 26 décembre de chaque année se déroule le *Wren's Day,* festival au cours duquel les gens se déguisent avec des costumes en paille et paradent dans les rues avec orchestre et tout, et tout.

UN PEU D'HISTOIRE

On trouve à Dingle la maison de l'homme qui tenta de sauver la reine Marie-Antoinette (à l'emplacement du presbytère). En 1792, lord Rice, né à Dingle et officier de la brigade irlandaise, projeta de faire évader la reine ; quand elle apprit qu'elle devrait abandonner le roi et ses enfants, elle aurait refusé l'ordre et préféré la guillotine.

FUNGIE LE DAUPHIN

Assez inhabituel, un dauphin *Tursiops truncatus* a élu domicile dans la baie de Dingle depuis 1984. Très convivial, il suit les bateaux qui lui rendent visite et exécute souvent ses galipettes. Il y a plusieurs façons de l'observer. On se gare à Lough (à moins de 2 km de Dingle, vers Annascaul) et on essaie de l'apercevoir du bord de mer. De même, on peut marcher sur la rive au départ du *Skellig Hotel,* puis aller jusqu'à la tour au bout de la baie. Là, on descend dans la crique et l'on fait un peu de bruit pour attirer l'attention. Certains vont carrément se baigner au lieu-dit Sláidín (à l'embouchure de la baie, à gauche quand on est face à la mer) et nagent à sa rencontre quand il n'y a pas de bateau dans le coin pour l'attirer. Enfin, la manière la plus classique, c'est de faire une excursion en bateau : le prix de la sortie (environ 16 € par adulte) est remboursé si Fungie ne se montre pas. Mais il vieillit et on se demande à Dingle comment on pourra remplacer une telle attraction...

Arriver – Quitter

➢ ***De/vers Killarney et Tralee :*** 3-5 bus/j. selon saison. La plupart passent par Tralee (ou par Castlemaine et Inch en juil-août).

Adresses utiles

ℹ @ ***Office de tourisme :*** *The Quay.* ☎ *91-511-88.* ● *discoverireland.ie/southwest* ● *En saison, lun-sam 9h15-17h, dim (juin-août, voire sept) 10h-17h ; hors saison, lun-sam 9h15-13h, 14h-17h.*

✉ ***Poste :*** *Main St ; dans une boutique en fond d'impasse. Lun-sam 9h-17h30 (13h sam).*

@ ***The Old Forge Internet Café :*** *Holy Ground.* ☎ *91-502-23. Mars-sept 9h30-19h (voire 21h en été) ; oct-fév tlj sf dim 10h-18h. Wifi gratuit avec une conso.* 12 PC mais aussi fax, copies, scan... Ou, mieux (car là, c'est gratuit), à la ***bibliothèque*** *(library) : Green St.*

☎ *91-514-99. Lun-sam 10h-17h (20h jeu).*

■ ***Bank of Ireland, Bank AIB :*** *Main St. Au niveau de la poste.* Distributeurs automatiques.

■ ***Dingle Medical Centre :*** *The Mall.* ☎ *91-522-25.*

■ ***Location de vélos : Paddy's Bike Hire,*** *Dykegate Lane (à côté des AJ).* ☎ *91-523-11. Mars-oct, tlj 9h-19h.* ***Foxy Johns,*** *Main St.* ☎ *91-513-16. Compter 10 €/j.* Ce pub-quincaillerie-loueur de vélos vaut assurément le coup d'œil !

■ ***Dingle Bay Charters :*** *à la marina (s'adresser à Marine & Leisure).* ☎ *91-513-44.* 📱 *087-672-61-00. • dinglebaycharters.com •* Balade en mer à partir de 10 €. Excursions pour Great Blasket Island. Compter 30 € l'A/R par personne. Également écotour (40 €) et pêche au gros (25 € les 2h).

Où dormir ?

Bon marché

🏠 ***The Hideout Hostel :*** *Dykegate St.* ☎ *91-505-59. • thehideouthostel.com • En plein centre. Ouv tte l'année. Compter 15-18 €/pers en dortoir et 40-60 € la double avec salle d'eau.* 💻 📶 Une AJ à taille humaine, avec ses dortoirs de 4 lits. Les chambres sont simples mais propres. Une grande cuisine, bien équipée, est à disposition, sinon l'AJ a son propre petit resto *(An Canteen)*. Pas de chichis, mais bien accueillant.

🏠 ***The Grapevine Hostel :*** *Dykegate St.* ☎ *91-514-34. • grapevinedingle.com • En plein centre. Ouv tte l'année (slt w-e en déc-janv). Compter 17-24 €/pers selon taille du dortoir ; double 48 €. CB refusées.* 📶 Petite AJ de 26 lits, rénovée pendant l'hiver 2010, menée tambour battant par la maîtresse de maison, qui impose ses choix : pas de TV, mais, dans la salle commune avec cheminée, place à la discussion, à la lecture et à la musique. Atmosphère conviviale. Dortoirs de 3 à 8 lits, avec salle d'eau malheureusement bruyante pour la douche du soir. Petit déjeuner self-service. Cuisine à disposition. Location de vélos à côté.

⛺ 🏠 ***Rainbow Hostel*** *(plan La péninsule de Dingle,* ***10****) : Dingle.* ☎ *91-510-44. • rainbowhosteldingle.com • À 1,5 km du centre. À la sortie de la ville (côté Ventry), au niveau du rond-point et en venant du port, prendre tt droit. C'est à 800 m sur la droite. On peut venir vous chercher à l'arrêt de bus. Navette gratuite pour rejoindre le centre-ville. Ouv tte l'année. Compter 15-18 € en dortoir, 40 € pour 2 en chambre privée. Possibilité de camper (9 €/pers). CB refusées.* 📶 Une AJ bien tenue avec douches et sanitaires communs, mais en nombre limité. Chouette salle à manger et cuisine à disposition. Bloc sanitaire pour les campeurs.

Prix moyens

En juillet et août, tout est souvent complet dans le centre de Dingle. La solution consiste à loger dans la péninsule, à quelques kilomètres de Dingle. Dans tous les cas, résa indispensable.

🏠 ***Kirrary :*** *Avondale St.* ☎ *91-516-06. • collinskirrary@eircom.net • Ouv de mars à mi-déc. Doubles en suite 66-76 €. CB refusées.* 💻 📶 Un des rares *B & B* de Dingle avec un jardin. Chambres impeccables, un peu exiguës toutefois. Et puis, Eileen, aux petits soins pour ses hôtes, est adorable. Elle loue également 2 très agréables maisons (3 et 4 chambres ; 300 à 600 € par semaine), une en bord de mer (à environ 10 km de Dingle) et l'autre sur les hauteurs de la ville. Organisation d'excursions archéologiques.

🏠 ***Russell's :*** *The Mall.* ☎ *91-517-47. • maryr@iol.ie • Rue perpendiculaire à Main St. En venant de Killarney, tourner à droite après la station* Esso. *Fermé à Noël. Compter 64-80 € pour 2, 90-120 € pour 4. CB refusées.* 💻 📶 *B & B* de type familial, calme, car un peu en retrait de la rue. 6 chambres *en suite* assez différentes, toutes impeccables et bien équipées. Celles au dernier étage, mansardées, s'avèrent plus douillettes. Très bon petit déj, avec notamment du poisson frais pêché par monsieur.

Tower View : *High Rd.* ☎ *91-529-90.* ● *towerviewdingle.com* ● *Sur la gauche en montant depuis le rond-point de Milltown. Ouv mars-nov. Doubles en suite 70-80 €.* Une grosse bâtisse jaune et bordeaux et, par derrière, un enclos où gambadent moutons, chèvres, poules et canards. À l'intérieur, 6 chambres sobres et bien entretenues, avec vue sur mer ou montagne.

Devane's B & B : *Goat St.* ☎ *91-511-93.* ● *devanesdingle.com* ● *Dans le prolongement de Main St, vers les hauteurs. Ouv mars-fin oct. Doubles en suite 60-70 € selon saison.* 6 chambres, tout à fait correctes et à la propreté sans faille. Familiale au dernier étage, mansardée et lambrissée (avec un simple velux en guise de fenêtre). Accueil agréable de Geraldine.

Boland's : *Goat St.* ☎ *91-514-26.* ● *bolandsdingle.com* ● *Dans le prolongement de Main St, vers les hauteurs. Ouv tte l'année. Doubles 50-70 € selon saison.* *(dans certaines chambres slt).* Dans une maison particulière récente, 9 chambres simples et plutôt mignonnes mais à l'entretien aléatoire. Accueil discret.

Chic

Pax House : *Upper John St.* ☎ *91-515-18.* ● *pax-house.com* ● *À env 800 m du centre, dans le prolongement de John St. Fermé janv-fév. Doubles et suites 80-135 € selon saison, vue et confort.* Une adresse de charme, tournée vers la mer et décorée avec goût. La vue y est époustouflante et la maison plus que ravissante. Les objets que John (son sympathique propriétaire) rapporte des quatre coins du monde en font un vrai petit musée. 12 chambres et suites de taille variable, toutes parfaitement équipées ; les plus chères ont même une terrasse avec vue (d'autres, en entresol, n'ont pas de vue du tout, attention !). Un havre de paix douillet et raffiné. Un bel endroit pour casser sa tirelire.

Greenmount House : *Upper John St, Gortonora.* ☎ *91-514-14.* ● *greenmounthouse.ie* ● *À env 400 m du centre, dans le prolongement de John St. Fermé autour de Noël. Doubles 80-150 € selon vue, confort et saison.* En surplomb de la ville, avec une jolie vue sur le port et la baie. Maison moderne et imposante, au calme. Mary et John Curran reçoivent délicieusement dans leur chaleureux intérieur. Chambres confortables (celles de la partie ancienne possèdent inévitablement un petit plus). À propos, si vous réservez, précisez bien si vous voulez une chambre avec vue pour éviter d'en avoir une petite avec vue sur le muret ! Patrons très fiers que Julia Roberts soit venue cacher ses amours dans leur maison ! Beau petit déj dans la véranda (avec le panorama en prime).

Où dormir dans les environs ?

Clonmara *(plan La péninsule de Dingle,* ***11****) :* ***Milltown.*** ☎ *91-516-56.* ● *clonmara.com* ● *À 1 km env du centre ; prendre la route de Ventry, puis 1re à gauche après le pont. Ouv mars-oct. Compter 70-80 € pour 2 selon saison. CB refusées.* Une maison récente sans le charme de l'ancien, mais dont les nombreux atouts en font une bien belle adresse. Arrimée de l'autre côté de la baie, dans la nature, la maison contemple paisiblement les façades colorées du port. Les 5 chambres sont confortables et lumineuses, les couleurs chaleureuses. Toutes bénéficient de la vue sur la baie ! L'accueil est parfait. Un sans-faute.

Cill Bhreac B & B *(plan La péninsule de Dingle,* ***12****) :* ***Milltown.*** ☎ *91-513-58.* ● *cillbhreachouse.com* ● *À 1,5 km de Dingle, sur la route de Ventry. Ouv de mi-mars à mi-nov. Doubles 60-70 €. CB refusées.* Grosse demeure moderne, avec jardin et belle vue sur la baie de Dingle. 8 chambres coquettes et confortables. Essayer d'en avoir une avec vue sur la baie (c'est le même prix !). Accueil absolument charmant.

Où manger ?

Bon marché

An Café Liteartha (prononcer « litra ») *: Dykegate St. ☎ 91-522-04. Dans une rue perpendiculaire à Main St. Tlj (sf dim hors saison) 10h-18h, en principe.* Librairie-salon de thé-resto où l'on peut grignoter des tas de bonnes petites choses (env 6 €). Spécialisée dans les bouquins en gaélique, mais possède aussi une très bonne sélection de livres de photos, recueils de légendes, romans, etc. Dans la salle au fond à la chaleureuse atmosphère, rencontres cosmopolites assurées si l'on se met à la table autour de sandwichs au saumon, salades, soupes, *homemade cakes, scones,* etc.

Prix moyens

Fish at the Marina : *sur la jetée de la marina, celle qui fait face à l'aquarium. 086-378-85-84. Tlj 10h-17h ; ouv certains soirs juin-sept. Plats 10-15 €. CB refusées.* Installé dans les anciens docks, c'est le seul resto au bord de l'eau. La déco minimaliste et le service décontracté donnent un côté branché à cette adresse, qui se veut simple et efficace. Assiettes à base de poisson, servi en salade, frit ou cuisiné. Propose également des petits déj. Quelques tables en terrasse.

The Goat Street Café : *en haut de Main St. ☎ 91-527-70. Ouv lun-sam 10h-16h. Plats 6,50-13 €.* Petit resto-salon de thé avec une poignée de tables où il est plaisant de se poser (bois blanc, expo-vente de tableaux). Bonne cuisine aux horizons culinaires variés et lointains (tajine aux légumes, plats au curry, salade grecque, etc.). Sympa.

Out of the Blue : *face au port, à deux pas de l'office de tourisme. ☎ 91-508-11. Ouv ts les soirs, plus dim midi. Plats 21-32 € ; menu* early bird *32 € (17h30-18h30).* Une adresse qui s'est forgé une solide réputation. Pas de frites, pas de surgelés, que du poisson et du frais ! Pas de carte non plus, mais des plats qui changent en fonction de la pêche du jour. Le tout parfaitement cuisiné.

The Blue Zone : *voir « Où boire un verre ? Où écouter de la musique ? ». Pizzas 10-16 €.* Cadre très sympa. En été, glaces maison.

Old Smoke House : *Main St. ☎ 91-525-43. Dans le bas de la rue. Plats env 7-8 €.* Idéal à midi : quiches, *pies,* salades...

Plus chic

The Global Village : *Upper Main St. ☎ 91-523-25. Ouv de mars à mi-nov, mer-dim, slt le soir. Résa conseillée. Plats 19-38,50 €. Menus* early bird *25,50-28,50 € (2-3 plats), 18h-19h.* Derrière une devanture étroite se cache une des meilleures tables de la ville. Dans la salle, la déco est sage, de bon goût, et le service prévenant. Aux fourneaux, le chef s'exprime avec talent et originalité. Une cuisine savoureuse et précise qui séduira les papilles les plus exigeantes.

The Half Door : *John St. ☎ 91-516-00. Ouv avr-oct, tlj midi et soir jusqu'à 22h. Plats 24-45 €. Lunch 20-34 € selon nombre de plats. Menu* early bird *29,50 € (3 plats) 17h30-18h30, puis 40 €.* Vous êtes gâté en restos chic. Celui-ci propose une cuisine très fine avec un chef particulièrement doué pour les sauces et la préparation du poisson.

Où boire un verre ? Où écouter de la musique ?

Les pubs ne manquent pas à Dingle, et il y en a pour toutes les sensibilités ! N'hésitez pas à demander autour de vous, il y aura certainement un concert quelque part, le soir de votre passage. Voici les principales pointures. À signaler aussi, les concerts de musique folklorique donnés à l'église de Dingle en saison.

Tábainne Tis Na Cúinte : *The*

Mall. ☎ *91-528-53. Ouv tlj à partir de 15h.* Situé juste à côté de la *Court House,* l'un des bâtiments historiques de la ville, qui a donné (en gaélique) son nom à ce pub coloré et pittoresque. Musique tous les soirs, toute l'année (plus de 400 concerts par an !) ce qui assure une *craic* d'enfer ! Notre pub préféré à Dingle...

Dick Mack's : *Green St, en face de l'église.* ☎ *91-591-60.* Pub assez touristique mais très sympa. Le patron, qui est aussi cordonnier, laisse tomber ses godasses et change de comptoir pour vous tirer un *stout* bien crémeux. Pas de tables basses, pas de canapés, pas de tapis ni de moquette, ce n'est pas un pub-salon mais un pub-atelier de réparation de chaussures ! Dehors, des étoiles sur le trottoir, comme sur Hollywood Boulevard. Elles portent les noms de quelques célébrités de passage à Dingle : Paul Simon, Julia Roberts...

O'Flaherty *(Ua Flaibeartaig)* **:** *Bridge St.* ☎ *91-519-83.* Le vieux O'Flaherty, qui mourut en 1970, fut l'un des plus grands musiciens du pays et le meilleur au *bodhran.* En saison, musique traditionnelle tous les soirs à partir de 22h. Très touristique en été, normal !

The Blue Zone : *Green St.* ☎ *91-503-03. En face de l'église. Tlj 17h-minuit (2h en été). Fermé lun de mi-oct à mi-mai. Verres de vin à partir de 5 €.* Un resto-bar à vins qui fait souffler un vent nouveau sur la vie nocturne de Dingle. Une déco moderne qui ose le mélange des couleurs. Un coin *lounge* avec fauteuils et un long comptoir pour siroter son p'tit ballon sur fond de blues ou de jazz. Près d'une cinquantaine de vins du monde entier. Tenu par Patrick, un Français qui a bien bourlingué avant de poser ses valises dans ce p'tit coin d'Irlande. Ne pas rater les concerts, à partir de 22h les mardi, jeudi et vendredi en saison.

John Benny Moriarty Pub : *Strand St, en face de l'office de tourisme.* ☎ *91-512-15.* Y aller le mercredi soir, lorsque la patronne, Eilis Kennedy, une chanteuse de renommée nationale, pousse la chansonnette en gaélique. Ambiance cosy et posée.

Balades à cheval

■ ***Dingle Horse Riding Stables : Ballynabooly.*** 📱 *086-821-12-25.* • *dinglehorseriding.com* • *Indiqué en haut de High Rd, sur la gauche en venant du rond-point de Milltown. Ouv tte l'année.* Propose des balades à l'heure (35 €), à la demi-journée ou à la journée, en montagne ou en bord de mer. Poneys pour les moins de 12 ans.

VISITE DE LA PÉNINSULE

La *Slea Head Drive* (bien fléchée) fait le tour de l'extrémité ouest de la péninsule au départ de Dingle (elle revient au même endroit). Tout le coin est fascinant. Puis, en passant au centre par le Connor Pass, depuis Dingle, vous découvrirez le nord et l'est de la péninsule.

Se déplacer en bus

➢ En été, 2 bus/sem (lun et jeu). relient ***Ballyferriter*** à ***Dingle*** via ***Dunquin.*** Dans la partie nord, 1 bus/sem slt entre ***Cloghane*** et ***Tralee.***

➢ Sinon, pour les stoppeurs fatigués ou pressés voulant profiter des belles choses, des minibus touristiques partent de Killarney ou de Dingle et font le tour, en 1 journée, de la péninsule. Cher. Renseignements à l'office de tourisme de Killarney ou de Dingle.

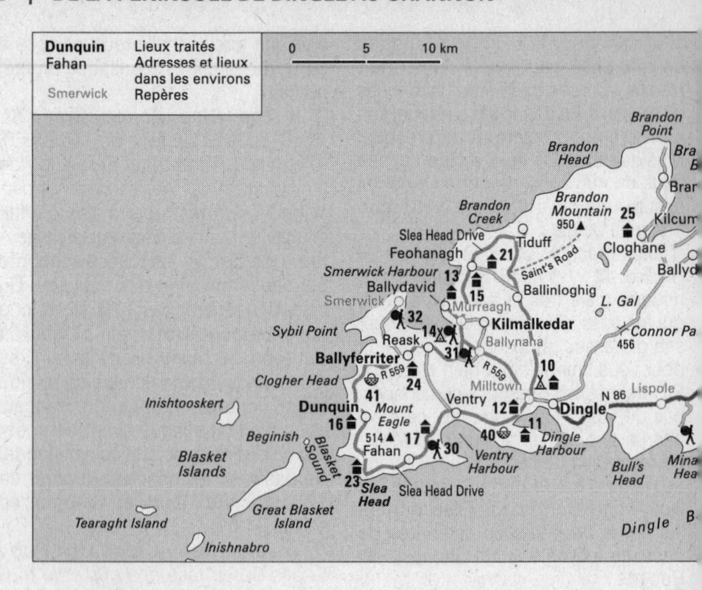

Où dormir ?

- **10** Rainbow Hostel
- **11** Clonmara
- **12** Cill Bhreac B & B
- **13** Tigh TP
- **14** Campail Teach an Aragail
- **15** Tigh An Phóist
- **16** Dún Chaoin Youth Hostel et Gleann Dearg B & B
- **17** Garvey's Farmhouse
- **18** The Anchor Caravan & Camping
- **19** Green Acres Caravan Park
- **20** Beenoskee B & B et The Shores Country House
- **21** An Riasc
- **22** Dingle Gate Hostel

Où dormir dans la péninsule ?

Le long de la Slea Head Drive

Camping

Campail Teach an Aragail *(Oratory House Camp ; plan La péninsule de Dingle,* ***14****)* **:** *à* **Camp.** *☎ 91-551-43. ● dingleactivities.com ● À 8 km de Dingle et à 300 m de l'oratoire de Gallarus. Ouv avr-fin sept. Env 18-20 € pour 2 avec tente et voiture. Douches payantes.* Le camping le plus à l'ouest de toute l'Europe, paraît-il. Environ 42 emplacements relativement intimes. L'ensemble est bien tenu. Demander au patron des infos sur les randonnées à faire.

Bon marché

Tigh TP *(plan La péninsule de Dingle,* ***13****)* **: Ballydavid** *(Baile na nGall). 087-246-05-07. ● tigh-tp.ie ● Sur le port. Ouv tte l'année. Compter 50 € pour 2 en hte saison (moins cher en basse saison).* Impossible de louper ce grand bâtiment jaune et rouge posé en bord de mer. Dans une ambiance jeune et décontractée, ce pub offre des chambres-dortoirs de 3 ou 4 lits avec salle d'eau. C'est convivial, propre et agréablement

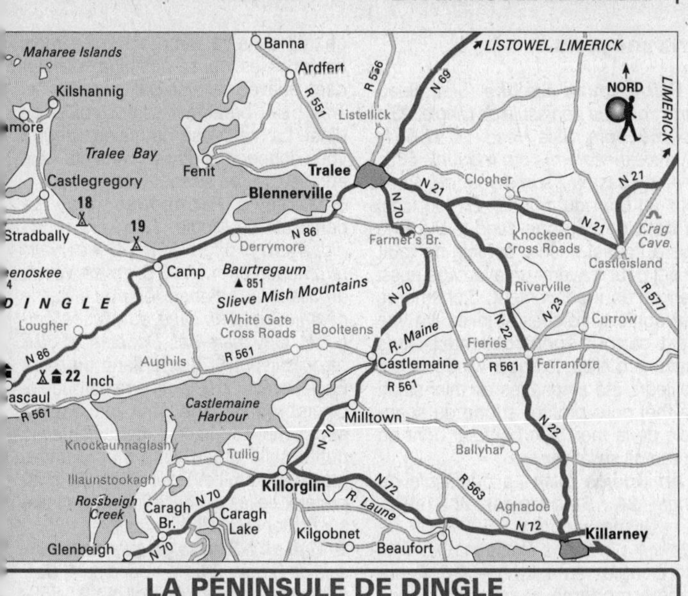

LA PÉNINSULE DE DINGLE

23 Feirm Chinn Sléibhe
24 An Spéice et Tigh an t-Saorsaigh
25 Mount Brandon Hostel et O'Connor's Guesthouse
26 Four Winds

Achats

40 Holden Leathergoods
41 Louis Mulcahy

À voir

14 Gallarus Oratory
30 Celtic Museum
31 Dunbeg Fort ou Dun Beag Fort
32 Dun an Oir Fort
33 Minard Castle

situé, pour un confort plus qu'acceptable. Cuisine à disposition. Voir également « Où manger ? Où boire un verre ? Où écouter de la musique dans la péninsule ? ».

Tigh An Phóist *(plan La péninsule de Dingle,* **15***)* **:** *An Bóthar Buí,* ***Ballydavid*** *(face à l'église). ☎ 91-551-09. • tighanphoist.com • À 3,5 km au nord de Ballydavid (Baile na nGall) et à 13 km au nord-ouest de Dingle. Ouv de mars à fin oct. Compter 11-18 € en dortoir et 14-20 €/pers en chambre double, la plupart avec simple lavabo.* AJ privée, en plein *Gaeltacht*. Avec seulement 27 lits, on s'y sent vraiment chez soi. Cuisine équipée. Balades super tout autour. Pour savourer la douceur des soirées, prendre la route à droite en sortant de l'auberge. Arrivé au bord de mer, vue splendide sur les Three Sisters. Loue également 2 appartements confortables, pour 4 ou 5 personnes (formule *self-catering*).

Dún Chaoin Youth Hostel *(plan La péninsule de Dingle,* **16***)* **:** *à* ***Dunquin*** *(Dún Chaoin), Ballyferriter. ☎ 91-561-21. • anoige.ie • À la sortie de Dunquin, en direction de Ballyferriter. Ouv mars-oct. Fermé 10h-17h. Compter 14-18,50 €/pers en dortoir (4-10 lits) et 20-21 €/pers en chambre double. Draps et serviette en sus. Petit déj 4 €, dîner 12,50 €.* AJ officielle. Fort bien située, ça va de soi, en bordure de la Dingle Way. Une cinquantaine de lits : en été, c'est souvent complet. En principe, propre.

Prix moyens

Feirm Chinn Sléibhe *(Slea Head Farm ; plan La péninsule de Dingle,* ***23****) :* **Coumeenole,** *Slea Head. ☎ 91-561-20. ● sleaheadfarm.com ● Double 68 €. Repas possible, sur demande.* Vous voici au bout du monde ! En tout cas, au bout de l'Europe avec le *B & B* le plus à l'ouest... On y est loin de tout, ce qui peut s'avérer un avantage aussi bien qu'un inconvénient. 3 chambres tout confort, fraîches et jolies. La vue y est surtout époustouflante ! Dans chacune d'elles, les bow-windows ont d'ailleurs été aménagés en mini-salon (de thé) pour profiter à fond du spectacle de la mer... Un bonheur dont on ne saurait se lasser.

An Spéice *(plan La péninsule de Dingle,* ***24****) :* **Ballyferriter.** *☎ 91-562-54. ● anspeice.com ● À 500 m du village, en allant vers Dunquin. Ouv fév-oct. Doubles* en suite *60-66 €.* Petite longère moderne et proprette, avec pelouse et vue sur la mer. Chambres à la déco soignée et donnant sur le jardin. Un rapport qualité-prix très honorable.

An Riasc *(plan La péninsule de Dingle,* ***21****) : An Feothanach,* **Ballydavid.** *☎ 91-554-46. ● anriasc.ie ● Entre Ballydavid et Brandon Creek, prendre à droite en direction de Feothanach, fléché à gauche après le village. Congés : janv. Doubles 80-90 € selon saison. Dîner (bio) sur résa (30 €).* En pleine nature, cette belle maison en pierre propose 4 chambres *en suite*, douillettes et joliment décorées. Un bon compromis entre tradition et modernité. Ambiance intemporelle, familiale et chaleureuse. Pour le petit déj, vous pourrez, entre autres, déguster les délicieux *scones* et pains maison de Denise, l'hôtesse. Un coup de cœur.

Gleann Dearg B & B *(plan La péninsule de Dingle,* ***16****) :* **Dunquin** *(Dún Chaoin), Ballyferriter. ☎ 91-561-88. ● homepage.eircom.net/~gleann-dearg ● À l'entrée de Dunquin, sur la droite en venant de Fahan. Ouv Pâques-nov. Doubles 57-60 €. Sur commande, repas 25-35 €.* Au bord d'une route (calme), avec une fort belle vue sur les îles Blasket (à 500 m du lieu d'embarquement). Accueil particulièrement sympathique. Au total, 5 petites chambres à la déco vieillotte mais confortables, dont 2 à l'étage, mansardées et avec salle de bains commune. Très beau breakfast et possibilité de dîner. La maîtresse de maison pourra vous donner des renseignements. Une adresse où l'on se sent bien.

Garvey's Farmhouse *(plan La péninsule de Dingle,* ***17****) : Kilvicadownig,* **Ventry.** *☎ 91-599-14. ● garveysfarmhouse.com ● À 3,5 km de Ventry en allant vers Fahan (bifurquer sur le chemin juste en face du Musée celtique). Ouv mars-oct. Doubles 70-80 € selon saison.* Sur le flanc du mont Eagle, avec un panorama remarquable. Chambres dans le goût irlandais (à savoir rustico-kitsch !), certaines avec petite salle d'eau. Une plus grande, idéale en famille. Pour le même prix, préférer celles qui bénéficient de la vue sur la mer ! Excellent accueil.

Tigh an t-Saorsaigh *(plan La péninsule de Dingle,* ***24****) : rue principale,* **Ballyferriter** *(face à l'église). ☎ 91-563-44. ● searspub.com ● Ouv tte l'année en principe. Doubles avec salle d'eau 50-60 € selon saison ; familiale 85 €. CB refusées.* Quelques chambres, simples, à l'arrière d'un vieux pub traditionnel (voir « Où manger ? Où boire un verre ? Où écouter de la musique dans la péninsule ? »).

Dans le nord de la péninsule

Camping

The Anchor Caravan & Camping *(plan La péninsule de Dingle,* ***18****) : ☎ 71-391-57. ● anchorcaravanpark.com ● À env 3 km de Castlegregory (fléché sur la gauche). Ouv Pâques-sept. Compter 18-20 € pour 2 avec tente et voiture. (payants).* Avec accès direct à la plage. Peu de places pour les tentes. Bien pour rayonner dans la péninsule, à mi-chemin entre Dingle et Tralee.

Et son clone, **Green Acres Caravan Park** *(plan La péninsule de Dingle,* ***19****) : ☎ 71-391-58. ● greenacrespark.com ● À 6 km. Ouv Pâques-sept. Compter 10-15 € selon saison, électricité comprise. CB refusées. (payant).*

Bon marché

Mount Brandon Hostel *(plan La péninsule de Dingle,* ***25****) :* ***Cloghane.*** *☎ 71-382-99. • mountbrandonhostel.com • Ouv Pâques-sept. Compter 17-20 €/pers en dortoir de 4 lits et 40-45 € la double avec salle d'eau. Apparts 4 pers 300-425 €/sem. Possibilité de planter sa tente en bord de mer (10 €/pers).* Une maison en pierre située au cœur du village, près du pub *Donnell's* et au-dessus d'une petite épicerie, dans laquelle il faut se renseigner pour les conditions d'hébergement. Pittoresque assuré ! Agréables chambres doubles ou petits dortoirs. Loue aussi 1 appartement pour 4 personnes. AJ très bien tenue.

De prix moyens à plus chic

Beenoskee B & B *(plan La péninsule de Dingle,* ***20****) : Cappateige, Connor Pass Rd,* ***Castlegregory.*** *☎ 71-392-63. • beenoskee.com • À 1,5 km env de Stradbally, en allant vers Dingle. Ouv tte l'année, sf à Noël. Doubles 60-70 € selon saison. CB refusées.* Dominant la Brandon Bay et avec vue (s'il vous plaît !) sur l'une des plus grandes plages d'Irlande, un adorable *B & B* dans une maison moderne. Bonne humeur et confort sont au rendez-vous. Et puis, on adore le petit rire canaille de Mary. 5 chambres, un peu kitsch (dans le goût irlandais, quoi !) dont 3 avec des fenêtres qui s'ouvrent généreusement sur la baie et que l'on vous recommande vivement ! Petit déj préparé avec amour. L'un de nos coups de cœur dans la péninsule.

The Shores Country House *(plan La péninsule de Dingle,* ***20****) : Cappateige, Connor Pass Rd,* ***Castlegregory.*** *☎ 71-391-96. • theshorescountryhouse.com • Ouv de mi-fév à nov. Doubles 70-90 €, familiales 110-140 €. Cottages 250-750 €/sem ((loc sam-sam). Repas sur résa 25-35 €.* Juste à côté du précédent, avec la même superbe vue. En revanche, le style diffère : grande villa très cossue, chambres spacieuses avec bow-windows face à la mer, à la déco soignée, très bien équipées et ultra-propres. Une adresse classe, pas des plus authentique, mais pourquoi bouder son confort ?

O'Connor's Guesthouse *(plan La péninsule de Dingle,* ***25****) : Main St,* ***Cloghane.*** *☎ 71-381-13. • cloghane.com • Ouv mars-oct. Doubles 70-80 €.* Le patron de ce pub populaire (qui fait aussi restaurant) propose une dizaine de chambres *en suite*, bien tenues. Nos préférées sont celles qui donnent sur la très jolie Brandon Bay, comme la salle du petit déjeuner. Sublime à marée basse !

Dans le sud-est de la péninsule

De bon marché à prix moyens

Dingle Gate Hostel *(plan La péninsule de Dingle,* ***22****) :* ***Annascaul.*** *☎ 91-571-50. 087-932-02-16. • dinglegatehostel.com • À 16 km de Dingle, 27 km de Tralee et 2 km d'Annascaul, en direction de Camp. Les bus reliant Dingle à Tralee passent juste devant. Ouv tte l'année. Compter 12 € en dortoir et 18 €/pers en chambre double.* AJ installée dans un grand bâtiment moderne sans charme particulier, mais accueil sympa du jeune patron qui a quitté Dublin pour se mettre au vert. Au choix, dortoirs avec douche et w-c communs ou chambres *en suite* pour 2 à 6 personnes. Cuisine équipée. Simple, propre et pas cher. Également un espace vert pour camper *(8 €/pers).*

Four Winds *(plan La péninsule de Dingle,* ***26****) :* ***Annascaul.*** *☎ 91-571-68. • thefourwindsbb.com • Au centre du village, juste après le pont (en direction de Dingle), prendre à droite, puis, tt de suite, la 1re rue qui monte sur la gauche ; c'est un peu plus loin sur la gauche. Compter 60 € pour 2.* Dans cette maison entourée de montagnes, 4 chambres *en suite* et 1 appartement familial bien équipé *(2 chambres ; 200-400 €/sem + l'électricité.* *).* Atmosphère plaisante.

Où manger ? Où boire un verre ? Où écouter de la musique dans la péninsule ?

Nos adresses sont indiquées dans l'ordre dans lequel on les rencontre en partant de Dingle et en parcourant la boucle dans le sens des aiguilles d'une montre.

Le long de la Slea Head Drive

Le Skipper : Ventry. ☎ *91-598-53. Au centre du village. Ouv tlj mars-oct (se renseigner hors saison). Plats 13-26 € ; le midi, lunch (3 plats) 16 €.* En longeant la mer, on a vite fait de repérer cette maison bleue et sa terrasse lasurée. Il faut dire que ce petit caboulot de marins, tenu par un Français, est bien mignon, à défaut d'être discret. À la carte, fruits de mer d'Irlande, à la sauce *Frenchy* : moules, poissons nobles, homard... Baguette pour les nostalgiques.

Paidi O Se's : *à* **Ventry.** ☎ *91-590-11. En face de l'église, à 1,5 km du centre.* Pub traditionnel très sympa. Belle musique irlandaise et parfois des danses.

The Stonehouse Restaurant : Fahan. ☎ *91-599-70. Juste en face du fort de Dunbeg. En saison, tlj 10h-17h, plus ven-dim soir ; oct-mars, horaires réduits, mieux vaut téléphoner. Snack env 5 € et, le soir, plats de* seafood *et de viande 16-30 €.* Sur la Slea Head Drive, vous ne manquerez pas ce bâtiment récent, tout en pierre, y compris le toit, imitant les constructions anciennes. Depuis la terrasse, la vue sur la baie est superbe (malgré le parking !) et les touristes ne s'y trompent pas...

Dunquin Pottery & Caife : *un peu avt* **Dunquin,** *en venant de Ventry.* ☎ *91-561-94. Tlj 10h-18h (19h juil-août). Salades 8-10 €.* Bon, on y croise plus de touristes que de locaux et il faut traverser la boutique pour accéder au resto, mais l'adresse tombe à point nommé pour caler un p'tit creux avec d'excellents cakes, soupes, etc. Et puis, la vue est bien jolie !

Tigh an t-Saorsaigh : *Main St,* **Ballyferriter** *(face à l'église).* ☎ *91-563-44. Resto ouv midi et soir mai-sept.* On aime bien ce vieux pub traditionnel tenu par Diarmuid. Une planche d'épave a servi pour fabriquer le comptoir. Bonne soupe et sandwichs consistants. *Sessions* en saison. Très bonne ambiance.

Tigh TP : Ballydavid *(Baile na nGall).* ☎ *91-553-00. Resto ouv en été slt. Plat env 12 €.* Agréable pub-resto sur le port avec *pub grub* toute la journée. Musique traditionnelle la plupart des soirs en été (groupes locaux). Possibilité de pêche en mer.

Gorman's Clifftop House & Restaurant : *Glaise Bheag,* **Ballydavid.** ☎ *91-551-62. • gormans-clifftophouse.com • À 1,5 km de Ballydavid (Baile na nGall), en direction de Brandon Creek. Ouv mars-oct ; resto le soir slt. Doubles 100-150 € selon confort et saison, petit déj compris. Plats 17,50-28,50 €.* Vaut le détour, tant pour la cuisine que pour la vue sur le large. Propose également de superbes chambres. Un coup de cœur.

Dans le nord et l'est de la péninsule

Ned Natterjack's : Castlegregory. ☎ *71-394-91. À la sortie ouest du village. Resto ouv tlj 12h-21h (slt w-e hors saison). Plat env 12 €.* En bord de route, facile à repérer grâce à son bonhomme tombé dans une barrique. Ce vieux pub authentique propose une cuisine simple mais généreuse. Les jours de pluie, on apprécie la grande salle avec cheminée. Par beau temps, on s'attable sous la tonnelle. Musique tous les soirs en été (le week-end hors saison).

The Village Bistro : Castlegregory. ☎ *71-398-78. Ouv ts les soirs en hiver, plus le midi les w-e à partir de Pâques ; ouv midi et soir en été (service non-stop en fait). Snacks et plats 5-23 €.* Petit resto au cadre simple et agréable, tenu par la même famille depuis plus de 50 ans. Patron dévoué, horaires souples, prix doux et produits frais. C'est surtout le seul resto ouvert hors saison ! Cuisine sans prétention avec, notamment, un excellent *fish chips*... (bémol sur les frites, pourtant fraîches).

Le Tomasín : Stradbally. *71-391-79. Bar-resto ouv midi et soir en été (à partir de 18h hors saison). Plats 10-22 €.* Facile à reconnaître, ce pub est jaune canari avec un toit de chaume ! Belle déco de photos du film *La Fille de Ryan* ; d'ailleurs, les cinéphiles pourront même se faire indiquer les lieux exacts du tournage. Une adresse chaleureuse où l'on savoure en toute convivialité une bonne *pub grub*.

Pub Mullaly O'Shea : *à* **Brandon.** *71-381-54. Dans le village. Snacks et plats 4-18 €.* Un pub aux murs jaunes qui sert à boire et à manger *(pub grub).*

The South Pole Inn : *à* **Annascaul,** *dans le centre. 91-573-88. Tlj 12h-23h (1h les ven-sam) ; service 12h-21h. Plats 10,50-18 €.* Un pub aux robustes murs de pierre et aux belles photos noir et blanc rendant hommage aux expéditions polaires de l'aventurier Tom Crean, l'enfant du pays qui fut, sur ses vieux jours, propriétaire du pub. Bref, un véritable héros local ! Bonne atmosphère. *Live music* le samedi soir.

Ashe's Bar : *à* **Camp.** *71-301-33. Prendre la route d'Annascaul ; c'est juste après la station-service* Top. *Tlj à partir de 17h.* L'un des plus vieux pubs de la péninsule ! Bonnes *music sessions.*

Camp Railway Tavern : *à* **Camp.** *À la sortie du village, en direction de Castlegregory (R 560). Ouv tlj.* Michael, le patron, arbore une barbe légendaire et sait raconter des histoires pittoresques (quand il ne chante pas !).

Fitzgerald : *à* **Castlegregory.** *71-391-33. Ouv tte l'année.* Maurice, le patron, organise en été des soirées de musique traditionnelle. Bonne ambiance.

Achats

Beaucoup de très jolies boutiques d'artisanat et de créateurs dans le centre de Dingle. Nos deux préférées : **Lisbeth Mulcahy** (*91-516-88. • lisbethmulcahy.com •*) avec de splendides lainages (pulls, écharpes, bonnets, plaids, etc.) et de belles poteries. Pas donné mais vraiment beau et différent de ce que l'on trouve ailleurs. Ou **Commoum** (*91-513-80. • commodum.ie •*) pour ses tricots et ses belles pelotes de laine des îles d'Aran.

Holden Leathergoods *(plan,* **40***) : The Old Schoolhouse,* **Burnham.** *91-517-96. • holdenleathergoods.com • À 5 km de Dingle, sur la route de Ventry (panneau sur la gauche). Lun-sam 8h30-17h30, plus dim en été.* Au bord de l'eau. Le meilleur artisan de cuir de la péninsule, dit-on (on peut le voir travailler)... Très beau mais très (trop ?) cher. Site superbe, bien au calme.

Louis Mulcahy *(plan,* **41***) :* **Clogher.** *91-562-29. Entre Dunquin et Ballyferriter. Tlj 10h-18h (19h en été).* Un atelier de potier assez impressionnant qui offre un grand choix de vases, lampes, assiettes et autres récipients aux décorations originales. Quelques idées de cadeaux... Café et salon de thé sur place.

À voir dans la péninsule

Le long de la Slea Head Drive

Bon, voici les sites les plus intéressants, dans l'ordre, en empruntant la Slea Head Drive par le sud, depuis Dingle. Ici, rien de spectaculaire. Seulement des témoignages dispersés de ce que fut la très riche vie monastique du coin du Ve au VIIIe s. Vestiges simples, émouvants des quelque 60 implantations religieuses dans la péninsule et les îles. Rien qu'autour de Gallarus, vous en découvrirez une bonne dizaine. Prétexte à marcher dans la campagne, dans des coins sauvages et d'admirer de superbes points de vue.

*** ***Entre Ventry et Slea Head,*** plusieurs centaines de *clochans,* ou *beehives* : petites huttes de pierre qui servaient autrefois au stockage de la nourriture pour les bergers ; certaines, pas trop en ruine, sont fléchées. Malheureusement, de nombreux paysans font payer un petit droit d'accès.

* ***Celtic Museum*** *(plan,* ***30****)* **:** *au bord de la route principale, au niveau de la* Garvey's Farmhouse, *dans une maison bien signalée.* 087-770-32-80. *Avr-oct, tlj 10h-17h30 ; le reste de l'année, téléphoner. Entrée : env 5 € ; réduc enfants.* Fondé et dirigé par un Américain, ce tout petit musée abrite des objets préhistoriques (silex, sculptures, etc.) découverts en Irlande (notamment le crâne du seul mammouth de l'île), en Europe, et même au Sahara. La décoration reprend les fresques de la grotte Chauvet. Un peu chérot !

** ***Dunbeg Fort ou Dun Beag Fort*** *(plan,* ***31****)* **:** *à partir de Fahan, juste en face du resto en pierre, un sentier de quelques centaines de mètres mène au fort.* ☎ *91-597-55. Ouv avr-sept 9h-19h30 (18h mars, oct et nov). Fermé déc-fév. Entrée : 3 € ; réduc.* Le site fut occupé dès l'âge du bronze (500 ans av. J.-C.), le fort, quant à lui, date probablement des VIIe, IXe et XIe s, du Moyen Âge quoi qu'il en soit ! Il était entouré de buttes de terre, mais nul ne sait encore quel était leur rôle exact : défensif, cultuel ou rituel. Peut-être s'agissait-il d'un simple lieu d'habitation. On dénombre plusieurs « forts » de ce type sur la côte ; celui-ci est le mieux conservé. Malheureusement, la moitié du rempart de pierre s'est effondrée dans la mer du haut de la falaise. Un rempart haut de 3 m et de 6 m de large ! Un visuel complète l'ensemble (en français sur demande et en fonction de l'affluence) et présente les résultats des dernières fouilles.
En sortant, 50 m plus loin, les vestiges d'un hameau sinistré par la famine de 1845.

* Sur le site de ***Fahan*** notamment, à 500 m après le fort de Dunbeg, on trouve des ruines héritées des premiers chrétiens (accès payant). Des centaines de bâtis ronds en forme de huttes, utilisés jusqu'au XIXe s comme logements. On trouve aussi des menhirs, des restes de forts, des croix sculptées, les ruines d'une minuscule église médiévale.

FORT DE FÉES !

On trouve sur la presqu'île de Dingle beaucoup de vestiges plutôt bien préservés. Cela s'explique par le fait qu'une croyance locale associait aux fées ces insolites constructions de pierre. De ce fait, personne n'osait y toucher, de peur de s'attirer les foudres des fées. Particulièrement susceptibles et rancunières comme chacun sait.

Dans le même coin, petite ***plage*** et ***falaise de Coumeenole,*** où un cargo s'échoua en 1982 et où furent tournées des scènes de *La Fille de Ryan.*

*** ***Slea Head :*** *à* ***Dunquin*** *(le village le plus à l'ouest d'Europe !).* Magnifique falaise au bout de la péninsule, d'où l'on voit les îles Blasket, uniquement peuplées de moutons. Les spécialistes reconnaîtront la petite plage des contrebandiers dans *La Fille de Ryan.*

➢ *Fin avr-fin sept env, les excursions pour les îles Blasket partent du petit port de Dunquin.* ☎ *91-564-22.* *085-775-10-45. Départs d'avr à oct, tlj 10h-16h, mais se renseigner avt, car tout dépend des conditions météo. Résa conseillée en saison. Compter env 20 €/pers l'A/R ; réduc.* Balade d'environ 3h sur l'île. Propose aussi, au départ de Dingle, des écotours pour aller voir les dauphins, les phoques et les baleines (30 €).
Possibilité d'excursions au départ de Dingle avec *Dingle Bay Charters* (voir « Adresses utiles » à Dingle). Un peu plus cher.

** ***Great Blasket Island Visitor's Centre :*** *à* ***Dunquin*** *(Dún Chaoin).* ☎ *91-564-44. À la sortie du village, en allant vers Ballyferriter. Mars-oct, tlj 10h (11h dim et j. fériés)-18h. Entrée : 4 € ; réduc. Petite brochure (gratuite) et vidéo en français.*

Heritage site. En venant de Dingle, vous ne pouvez pas rater ce grand bâtiment, aujourd'hui bien intégré dans le paysage. Fin donc de la polémique ! Surtout qu'il remplit pleinement sa fonction de mémorial et impose le recueillement. On y apprend l'histoire incroyable de ces îles qui furent habitées jusqu'en 1953 et dont les derniers habitants furent rapatriés « de force » sur la péninsule et réinstallés par le gouvernement. D'autres préférèrent tenter leur chance en Amérique ! Expos avec de remarquables photos noir et blanc, audiovisuel. Informations sur la culture gaélique, la langue, l'émigration, la vie locale. Très bien fait. Restauration sur place : les gourmand(e)s goûteront aux gâteaux. Bon choix, prix modérés et vue splendide !

➢ Au départ du centre (et du parking), une promenade nouvellement balisée (de 40 mn à 1h) permet de longer la côte et de rejoindre l'***école*** où Robert Mitchum jouait à l'instituteur dans ***La Fille de Ryan.*** Ou plutôt ce qu'il en reste car, ce ne sont plus que ruines battues par le vent. Le site n'en demeure pas moins magnifique et le souvenir poignant. Les plus pressés iront en voiture et emprunteront la première route à gauche après le musée (une impasse en réalité). En catimini (et hors saison), car on ne peut guère s'y garer... Le plan de cette petite balade est disponible au *Great Blasket Island Visitor's Centre*.

Paysage encore plus sauvage que Slea Head vers ***Clogher Head.*** Les jours de tempête, les vagues viennent se fracasser contre les falaises déchiquetées.

Ballyferriter (Baile an Fheirtéaraigh)

Un des plus importants villages de la pointe. Jumelé avec Bulat-Pestivien en Bretagne. Vestiges du château de Pierce Ferriter, poète et soldat, l'un des derniers chefs irlandais qui résistèrent à Cromwell. Jolies plages de Wine Strand et Beal Ban.

Corco Dhuibhne Regional Museum : *en face de l'église.* ☎ *91-561-00.* • *westkerrymuseum.com* • *Pâques et mai-sept, tlj 10h-17h ; le reste de l'année, téléphoner. Entrée : env 2,50 € ; réduc.* Installé dans une ancienne école. Petit panorama géologique, archéologique et historique du coin. Expos temporaires également.

L'église Saint-Vincent-de-Paul : *en face du musée.* Ce fut la première église construite dans l'Ouest (en 1855), 5 ans après la famine. Sa construction, prise en charge par la population, fut considérée comme une revanche sur le malheur.

➢ Belle balade vers ***Dun an Oir Fort*** *(fort de l'Or ; plan,* ***32****) : pour y aller en voiture, prendre la direction de Dunquin, puis bifurquer à droite à 800 m du village (panneau « Golf Chursa »). 1,3 km plus loin, prendre à droite (ne pas traverser le pont de pierre), puis 3 km plus loin, encore à droite. Ensuite, fléché. Parking payant (possibilité de se garer avt).*
Ici se déroula une bataille (vers 1580) entre une petite armée d'Espagnols et d'Italiens, venus soutenir la révolte des Irlandais, et les troupes anglaises. Trop faibles, Espagnols et Italiens se rendirent au bout de quelques jours. Généreusement, les Anglais les massacrèrent. Quant aux Irlandais qui étaient avec eux, ils n'eurent d'abord « que » tous les membres brisés, puis furent pendus le lendemain ! Le massacre fut, à l'époque, un avertissement pour décourager toute tentative extérieure d'aider la rébellion. Ne restent que des tumulus de terre couverte d'herbe sur un escarpement rocheux.

En poursuivant encore le long de la Slea Head Drive

Reask : *la route nord depuis Ballyferriter mène ensuite à Reask (2 km). Après avoir passé un pont, un pub et un garage, tourner tt de suite à droite pour le site* *(petit panneau discret) ; c'est 300 m plus loin, côté droit. Accès gratuit.* Ici s'éleva, du Ve au XIIe s, un petit ensemble monastique. Rien de spectaculaire en soi (on peut passer à côté sans s'en rendre compte !). Aujourd'hui, il ne reste guère que les fondations d'habitations, étables, oratoires. Belle pierre debout, gravée de dessins au trait primitif.

En quittant le site, une petite route mène à la belle ***plage de Ballinrannig.***

Gallarus Oratory *(plan,* ***14****)* **:** *à 10 km de Dingle. ATTENTION ! le site est en principe gratuit et libre d'accès.* ☎ *(066) 324-02. On y accède par un petit sentier situé à 400 m du parking (fléchage discret et petit portail). En réalité, on vous incitera à payer 3 € (gratuit moins de 16 ans) pour l'entrée, le parking (privé) et une vidéo de 15 mn (en anglais slt). Tlj 9h-21h (17h hors saison).* C'est une petite chapelle en forme de bateau renversé, construite en pierre sèche, caractéristique de l'architecture primitive irlandaise. Le plus beau monument de ce type en Irlande, c'est surtout le seul à avoir traversé les siècles sans dommages. Alors que la plupart des oratoires datent du VIIe ou du VIIIe s, on pense que la finesse de construction de celui-ci indique une édification plus tardive (en revanche, la croix à côté est du VIIe s). Fait de pierres plates avec un côté plus fin vers l'extérieur pour permettre l'écoulement des eaux de pluie. Une toute petite fenêtre à l'est et la porte vers l'ouest pour capter, les jours de beau temps, la luminosité du paysage. Gallarus inspira le grand poète Seamus Heaney (Prix Nobel de littérature en 1995).

Kilmalkedar Church *(Cill Maolchéadair)* **:** *à quelques km de Gallarus. Bien indiqué. Accès libre.*
L'un des sites religieux les plus importants de la péninsule. Sur l'emplacement d'un ancien monastère fondé par saint Maolcethair au VIIe s subsistent les murs d'une église de style roman (XIIe s), entourée par un cimetière. Grande pour l'époque : nef de 9 m de long et presque 6 m de large. On note une très nette influence du style de la célèbre chapelle de Cormac. S'attarder sur les détails du porche. La tête sur la voûte serait celle du fondateur. De chaque côté, on devine des têtes d'animaux. À l'intérieur du porche, avec un peu d'imagination, on perçoit une tête de taureau. On y a retrouvé une pierre dite « d'alphabet », qui aurait servi à l'instruction des élèves du monastère.
Dehors, ne pas manquer une très intéressante pierre tombale gravée en forme de demi-soleil (un cadran solaire, quoi...), ainsi qu'une pierre oghamique et, bien entendu, le panorama ! À 200 m s'élève la maison où aurait habité le célèbre navigateur saint Brendan.

Brandon Creek : appelée également *Coosavuddig (Cuasan Bhodaigh).* Située près de Tiduff, c'est de là que saint Brendan se serait embarqué pour Terre-Neuve, 5 siècles avant Christophe Colomb ! Le récit de son voyage, *The Navigatio,* fut l'un des best-sellers de la littérature médiévale. Tim Severin, qui a refait le voyage dans les mêmes conditions, a également écrit un excellent ouvrage : *The Brendan Voyage* (traduit en français sous le titre *Le Voyage du Brendan,* éd. Albin Michel).

Près de Ballinloghig, à ***Ballybrack,*** s'élève ***The Saint's Road,*** sentier empierré, assez raide, montant au mont Brandon (953 m), deuxième plus haute montagne d'Irlande. Il n'en reste que quelques portions significatives. Ce fut, au Moyen Âge, un important lieu de pèlerinage. Aujourd'hui, la balade retrouve des adeptes. Quelques signes permettent de suivre le chemin sans trop de problèmes (direction assez droite vers le sommet). En cas de brouillard, ne pas tenter de monter trop haut. Surtout, arrivé au sommet, ne pas en faire le tour : les faces est et nord sont assez dangereuses. Tout en haut, quelques ruines. On dit que c'était là le PC de saint Brendan, d'où il décida son fameux voyage.

Dans le nord et l'est de la péninsule

Voici l'itinéraire qu'on vous propose, toujours au départ de Dingle mais avec une boucle passant cette fois-ci par le nord et l'est de la péninsule puis par le sud. Une partie à laquelle on consacre souvent moins de temps, à tort. Certes, on y trouve moins de vestiges et de falaises tourmentées, mais les plages comptent parmi les plus belles du pays, et les routes de montagne réservent de superbes panoramas.

★★★ ***Connor Pass*** *(col de Connor)* **:** c'est un col élevé, entre Dingle et Kilcummin. Notre route préférée pour rejoindre Tralee. Dur, dur pour les cyclistes ! Si la route a été élargie, elle reste étroite entre le col et Ballyduff. Pas évident pour les camping-cars et interdit aux plus de 2 t ! Quant aux voitures, qu'on se rassure, la route est parfaitement carrossable et les nombreux refuges permettent de croiser sans souci. Bien se renseigner toutefois sur les conditions météo, faute de quoi, vous pourriez vous retrouver dans une totale purée de pois. Paysage époustouflant, surtout quand on voit les deux versants, très différents. Côté nord, les baies de Tralee et Brandon avec la péninsule de Rough Point et de longues prairies dévalant vers la mer. Côté sud, un versant plus austère. Le matin, le jeu du soleil et des brumes donne des résultats merveilleux. *Stradbally Strand,* longue et belle plage, fort peu fréquentée, où le Gulf Stream concède quelques degrés supplémentaires aux baigneurs.

★★ Ceux qui disposent de temps ne regretteront pas le détour par ***Cloghane,*** un petit village sympathique, bien moins touristique que le reste de la péninsule, et ***Brandon,*** charmant petit port. La côte est ici plus sauvage, on observe par ailleurs dans le coin de nombreux oiseaux.

ℹ À Cloghane, face à l'église, petit office de tourisme, ouvert uniquement en saison.

★★ Au nord de Castlegregory, un petit archipel, les ***Maharee Islands*** (aussi appelé *Seven Hogs*), où l'on peut observer d'incroyables concentrations de sternes. Les amateurs de solitude peuvent même séjourner sur l'une de ces îles (Illauntannig) où l'on peut louer, d'avril à octobre, une maison pour 7 ou 8 personnes (4 chambres). *Rens : Bob Goodwin, ☎ (066) 71-394-43. Compter 500-550 €/sem, transfert inclus.* En revanche, la péninsule jusqu'à Fahamore et Kilshannig est un haut lieu de fréquentation touristique en été (nombreux campings moches et bondés de mobile homes !).

ℹ @ À Castlegregory, petit office de tourisme, uniquement en saison.

★★ ***La route entre Camp et Aughils*** *(env 10 km)* **:** *emprunter au départ la route d'Annascaul puis, à moins de 1 km, prendre la route à gauche, dans un virage avt le pont en pierre (Scenic Route).* Plus pentue et moins large que celle du Connor Pass, avec quelques nids-de-poule en prime, mais la vue sur le Ring of Kerry est splendide.

★★ Très belle route qui longe la baie et passe par Inch vers Killorglin et Killarney ou vers Dingle, c'est selon. À ***Inch,*** plage de sable blanc de 4 km de long, bordée de dunes, rendue célèbre par le film *La Fille de Ryan* et très fréquentée.

★★ ***Minard Castle*** *(plan,* **33***)* **:** *à env 10 km d'Annascaul. Prendre la route vers Dingle, puis à 6,5 km, fléché sur la gauche.* Juste quelques vestiges : une tour qui domine la jolie baie de Kilmurry. Ce fut l'une des places fortes des Knights du Kerry au XVe s. Là aussi, Walter Hussey, chef de l'une des plus puissantes familles anglo-normandes, résista jusqu'au dernier homme aux troupes de Cromwell. Tout le coin est vraiment sauvage. À 200 m des ruines (prendre le chemin goudronné qui contourne la tour par le haut), on découvre le *puits de Saint-Jean-Baptiste (Holy Well).* Ses eaux étaient réputées guérir certaines maladies.

Randonnées dans la péninsule de Dingle

Carte indispensable : *Discovery Series* n° 70.

➢ De Cloghane, possibilité de grimper au ***mont Brandon.*** Prendre la route nord, puis tourner dans la première à gauche ; continuer jusqu'au bout de Faha ; de là, un sentier part vers le sommet. Bien se renseigner sur les conditions météo et avoir de bonnes chaussures. Autre balade fascinante, à l'ouest de Faha, vers le fort de Benagh *(Binn na Port).* Bien la préparer avec la carte *6-inch Ordnance Survey.* Les murs du fort sont faits de pierres acérées jusqu'à 2 m d'épaisseur. Cloghane possède aussi une belle plage. Plus loin, Brandon se révèle également un bon camp de base. Magnifique côte de Brandon Point à Brandon Head.

➢ Plus vers l'est, pour les amateurs de paysages forestiers, belle balade au ***Beenoskee.*** Situé près de deux petits lacs, au sud de Stradbally.

➢ Chouette randonnée guidée du ***loch a Dúin.*** Situé entre les monts Slievenagower et Slievenalecka. Point de départ au lieu-dit Kilmore Cross, à l'intersection des routes Tralee-Dingle-Cloghane. C'est un sentier nature et archéologie, aménagé par l'office de tourisme de Cloghane. Il traverse des propriétés privées ; il est donc demandé aux promeneurs de respecter barrières et murets, ainsi que de conserver leurs détritus. Franchissez au départ le sas métallique verrouillé par un simple loquet. En cours de route, vous découvrirez quelques exemples de *rock art* de l'âge du bronze. Ce n'était pas seulement un art décoratif, d'aucuns y voient également des signes d'adoration du Soleil ou simplement astronomiques. Flore intéressante. Paysages âpres d'où jaillissent les cris des *skylarks* ou *fuiseogs,* hirondelles de montagne. Au passage, une *cist grave,* genre de dolmen de l'âge du bronze primitif *(early Bronze),* des *clochāns* (bories ou huttes de pierre), une petite île fortifiée, des *wedge tombs,* etc. Ces vestiges ne se révèlent pas spectaculaires en soi. Il faut les restituer dans une vallée qui, depuis des dizaines de milliers d'années, n'a subi quasiment aucune altération. Cette beauté sauvage est à consommer modérément, avec beaucoup de sensibilité...

➢ En bord de mer, balade familiale sur la ***plage de Fermoyle,*** à proximité de Stradbally, et les dunes. Observation des oiseaux et de la flore. Plus difficile à repérer, des tas de coquillages pétrifiés vieux de plus de 2 000 ans.

➢ Balade du ***loch An Mhonain.*** On y parvient par une route au départ de Cloghane. Prendre à gauche, peu avant l'office de tourisme.

DE TRALEE À LIMERICK

TRALEE (TRÁ LÍ)

22 000 hab. IND. TÉL. : 066

Ville carrefour, ville-marché et capitale administrative du coin. La plus grosse agglomération du Kerry présente un visage sympathique, avec ses boutiques populaires et son atmosphère animée. C'est surtout un point de convergence des bus et des trains ; à ce titre, il peut s'avérer utile d'y faire escale. Les automobilistes ne s'attarderont pas forcément.
C'est à Fenit, le port de Tralee, que serait né saint Brendan, parti traverser l'Atlantique dans sa coquille de noix.

Arriver – Quitter

Mainline Rail and Bus Station : ☎ *71-235-22. À l'angle d'Oakpark Rd et J. J. Sheeny Rd.*

En bus

➢ ***Bus pour toutes les directions :*** Tralee est notamment situé sur l'*Interlink Expressway* qui permet des correspondances rapides avec Cork, Dublin, Waterford, Limerick et Galway : une dizaine de départs/j. Bus locaux pour Dingle, Killarney, Listowel et, dans une moindre mesure, Ardfert.

En train

➢ ***De/vers Dublin :*** 1-2 trains directs/j. Sinon, nombreuses possibilités avec changement à Mallow.

➢ ***De/vers Cork :*** 2-3 trains directs/j. Sinon, liaisons avec changement à Mallow.

➢ ***De/vers Limerick :*** correspondance à Limerick Junction pour atteindre le centre-ville. 4-5 liaisons/j., avec, en principe, changement à Mallow.

➢ ***De/vers Killarney :*** une petite dizaine de liaisons/j.

En avion

✈ ***Kerry Airport :*** *à* ***Farranfore,*** *à 20 km au sud de Tralee.* ☎ *(066) 97-646-44.* • *kerryairport.com* •

➢ ***De/vers Dublin :*** 3 liaisons/j.

➢ Vols vers la ***Grande-Bretagne*** (Londres-Luton, Londres-Stansted et Manchester).

Adresses utiles

■ ***Office de tourisme :*** *Denny St, Ashe Memorial Hall.* ☎ *71-212-88.* • *discoverireland.ie/southwest* • *Dans le musée, au rdc (sur le côté). Mars-déc, tjs sf dim 9h15-17h ; janv-fév, tlj sf w-e.* Renseignements et réservations pour les hébergements. On peut s'y procurer la carte (payante) de la *Dingle Way.*

✉ ***Poste :*** *Rock St (petit bureau dans le centre, face à* Kirby's Brogue Inn*) ou Edward St (bureau principal, un peu excentré, dans une rue perpendiculaire à Castle St, au niveau de Saint John's Church).*

■ ***Eason :*** *The Mall. Ouv tlj.* Librairie où l'on trouve quelques quotidiens français.

■ ***Location de vélos : Tralee Gas & Nursery Supplies,*** *Strand St.* ☎ *71-220-18. Tlj 8h-17h45.*

■ ***Taxis : Speedy Cabs,*** ☎ *71-274-11.*

■ ***Jackie Power Tours :*** *2, Lower Rock St.* ☎ *71-294-44. Face à* Kirby's Brogue Inn. En saison, propose des virées express en bus, sur résa, au cœur du Ring of Kerry et de la péninsule de Dingle, notamment. Compter env 25 €/pers.

Où dormir ?

La ville accueille fin août la célèbre *Rose de Tralee,* fête locale à fuir ou non selon son envie (voir, plus loin, « Manifestations, culture »). À cette période, de nombreux *B & B* augmentent leurs prix. Liste disponible à l'office de tourisme.

Camping

▲ ***Woodlands Camping Park :*** *Dan Spring Rd.* ☎ *71-212-35.* • *kingdomcamping.com* • *À 10 mn à pied du centre de Tralee sur la N 86 (derrière l'*Aqua Dome*). Ouv tte l'année. Selon saison, 17-19 € pour 2 avec tente et voiture. Douches payantes.* Un camping 4 étoiles, assez joli et bordé de quelques arbres, mais rapidement bondé. Bien équipé : laverie, cuisine commune, jeux pour enfants, salle TV. Tarif réduit pour les campeurs qui veulent accéder aux piscines et autres jeux d'eau de l'*Aqua Dome* tout proche.

Bon marché

■ ***Castle Hostel :*** *Upper Castle St.* ☎ *71-251-67.* • *castlehostel.ie* • *À côté de* Talknet *(boutique Internet). Fermé autour de Noël. En dortoir, 15-18 €/pers ; petit déj inclus ; en chambre privée, compter 45-50 € pour une double.* 💻 *(payant).* 📶 Cette AJ privée, qui peut accueillir 30 personnes. C'est propre, neuf et fonctionnel, même s'il manque un peu d'espace... Que ce soit les chambres doubles ou les dortoirs (de 4 à 8 personnes), tous possèdent une salle de bains privée. Cuisine commune, mais pas de laverie (il y en a une non loin, dans la même rue).

Où manger ?

Bon marché

Paddy Mac's : *The Mall. ☎ 71-215-72. Pub tlj. Resto lun-sam, midi slt : soupes, sandwichs, salades et plats chauds 4-15 €.* Ici, on aime bien le décor et l'atmosphère : vieux objets, affiches, photos et publicités anciennes, comptoir vénérable en bois. Le soir, clientèle jeune et *middle class* qui se retrouve autour d'une pinte. Bonne bande-son pop et rock en général, avec des concerts de musique traditionnelle 1 à 2 fois par semaine (voire plus en été).

Bar de l'Imperial Hotel : *27, Denny St. ☎ 71-277-55. Tlj, mat, midi et soir (jusqu'à 21h). Snack env 8 € ; plats 10-15 €.* Superbe façade Régence, *so chic !* L'intérieur, chaleureux et convivial, est bien moins impressionnant mais ne manque pas de charme. Déco sur le thème du foot et du rugby, avec de magnifiques photos en noir et blanc qui vous feront voir le sport (et les joueurs !) sous un autre jour. Bonne cuisine de pub, classique, traditionnelle et sans complications. Excellent *Irish breakfast.*

De prix moyens à plus chic

Kirby's Brogue Inn : *Rock St. ☎ 71-232-21. Au centre-ville. Tlj. Cafétéria en bas, pour le petit déj et le déj jusqu'à 15h ; resto au 1er étage le soir slt, 18h-22h. Le midi, plat env 10 € ; au dîner, env 30 €, mais viande et poisson assez chers.* Autrefois lieu de rendez-vous et de libations des fabricants de chaussures qui travaillaient dans Brogue Lane, à côté. Belle architecture extérieure et, à l'intérieur, ambiance chaleureuse, que ce soit dans la jolie cafétéria moderne, dans le resto ou dans le pub (qui sert de la *bar food* toute la journée). En haute saison, très touristique. En été, groupes de *folk music* chaque soir (hors saison, seulement les vendredi et samedi) et piano-bar au resto certains jours.

Cassidy's Restaurant : *16, Abbey St. ☎ 71-288-33. En plein centre-ville. Tlj sf lun, le soir slt. Plats 14-24 €, menu* early bird *22,50 € (17h-19h).* Lumières tamisées, nappes sur les tables, clientèle plutôt chic... ce resto se prête aux dîners romantiques, même si les tables sont assez serrées dans les différentes petites salles, qui s'avèrent bruyantes en cas d'affluence. Dans un cadre simple et plaisant, avec de vieilles photos en noir et blanc aux murs, on déguste de bons produits locaux (pêche du jour et agneau... à la menthe !). Ils sont cuisinés avec pas mal de finesse et de recherche. Ça change de l'ordinaire !

Où dormir ? Où manger dans les environs ?

The Farmhouse : *Knockanish, The Spa. ☎ 71-220-36. • thefarmhouse-tralee.com • À 4 km de Tralee. Prendre la direction d'Ardfert (R 551), puis à gauche direction Fenit (R 558) ; indiqué un peu plus loin sur la droite. Ouv avr-oct. Double standard ou en suite env 60 €. CB refusées. (gratuit).* Une belle ferme blanche entourée d'un joli jardin et perchée sur le versant d'une douce colline qui domine la baie (certaines chambres disposent de cette vue dégagée). Déco sobre et agréable pour les 5 chambres simples, doubles ou triples offrant un excellent rapport qualité-prix. Salon cossu avec TV, aussi chaleureux que l'accueil des adorables proprios.

The Spa Seafood Deli : The Spa. *☎ 71-369-01. À 4 km de Tralee. Prendre la direction d'Ardfert (R 551), puis à gauche direction Fenit (R 558). Tlj de mai à fin sept (sf lun mai-juin) ;*

le reste de l'année, ouv slt ven-dim. Plats 11-24 €. Au-dessus de la poissonnerie-traiteur, une vaste et lumineuse salle panoramique offrant une large vue sur l'estuaire. La carte courte (garantie de fraîcheur) est entièrement vouée aux poissons et produits de la mer. Le chef, d'origine basque, se concentre sur le produit et va à l'essentiel. Le résultat est exquis, à l'image de ces succulentes « *Sauteed crab claws* » (pinces de crabe sautées, si vous n'aviez pas compris !). Service décontracté mais souriant et efficace.

The Tankard : *Kilfenora,* ***Fenit.*** *☎ 71-361-64. À 10 km de Tralee. Prendre la direction d'Ardfert (R 551), puis à gauche direction Fenit (R 558). C'est sur la gauche, au bord de l'eau. Pub tlj midi et soir jusqu'à 22h ; resto en saison slt, le soir et dim midi. Snacks et plats à partir de 7 € dans la journée. Le soir, compter plutôt 13-28,50 €.* Un grand resto sur la route du port (assez belle, de surcroît) qui propose une cuisine réputée (pas mal de poisson et de crustacés). Une belle affaire le midi, avec un *pub grub* qui permet de profiter d'une bonne cuisine à prix fort raisonnables. Au resto, clientèle et atmosphère plus chic ; superbe vue sur la baie. Terrasse aux beaux jours.

The Station House : *à* ***Blennerville,*** *près du moulin à vent. ☎ 71-499-80. À env 2 km de Tralee, à l'entrée de Blennerville, sur la route de Dingle. Tlj. Sandwichs, plats et salades 7-24 € le midi, 10-27 € le soir ;* lunch menus *18-20 € (2-3 plats) ;* early bird *19-23 €. En été,* BBQ menus *15-25 €.* Vaste resto assez branché et design, vaguement inspiré d'une gare, car l'ancien chemin de fer passe à côté. La carte sort des classiques irlandais pour faire quelques incursions vers la Méditerranée, en particulier vers l'Italie. Et c'est réussi ! On peut aussi juste venir boire un verre et écouter du jazz le samedi soir.

Où boire un verre ? Où écouter de la musique ?

The Abbey Inn : *The Bridge, en plein centre. ☎ 71-233-90. Tlj.* Un immense pub-bar au décor hétéroclite, avec, d'un côté, une ambiance un peu médiévale qui se dégage des boiseries sombres et du mobilier de style religieux, et, de l'autre, une partie moderne et design. Pour les amateurs de pop-rock, concerts surtout le jeudi, voire le samedi soir : bons groupes et atmosphère animée par la clientèle assez jeune.

The Sean Og's : *en face de* The Abbey Inn. *☎ 71-288-22. Tlj. Interdit aux moins de 23 ans !* Le bon vieux pub avec sa robuste cheminée de pierre. Groupes de musique irlandaise presque tous les soirs en saison.

Greyhound Bar : *9, Pembroke St. ☎ 71-251-88. Tlj.* Pub bien popu et typique. Des pintes et une bonne dose d'accent gaélique. Nombreux concerts (relâche les mardi et mercredi) : musique traditionnelle, ballades, country, etc.

The B Bar, au Brandon Hotel : *Prince's St. ☎ 71-233-33. Tlj.* Au rez-de-chaussée d'un grand hôtel moderne, un peu excentré, près d'une église, ce vaste bar, assez design, est fréquenté par une clientèle plutôt chic. Avec ses quelque 30 m de long, c'est sûrement le zinc qui peut aligner le plus de pintes de toute l'Irlande. Concerts les vendredi et samedi.

À voir. À faire

➢ Se balader dans les ***rues et ruelles du centre,*** comme Denny St avec ses maisons georgiennes, pour l'ambiance. Les jours de marché (jeudi après-midi sur le terrain de foot et vendredi toute la journée sur *The Square,* en centre-ville) et le samedi matin, échantillon extra de la population.

Le monument des nationalistes du Kerry : *Denny St (l'élégante avenue menant au Ashe Memorial Hall, ou Kerry County Museum).* Il commémore les héros des différents soulèvements contre les Anglais : 1798 *(United Irishmen),* 1803 (rébellion emmenée par Robert Emmet), 1848 (Young Irelanders), 1867 (Fenians). De belles citations de Robert Emmet, J. Mitchel, Allen Larkin et O'Brien.

Court House : *Ashe St. Ne se visite pas.* Œuvre de Richard Morrison (XIXe s), ce grand bâtiment gris et austère présente un porche de style ionique. Les canons rappellent les Kerrymen morts dans les expéditions coloniales anglaises : guerre de Crimée (1854), révoltes en Inde (1860).

Le parc de la ville : *près de l'Ashe Memorial Hall, ou Kerry County Museum.* Très agréable, il possède un beau jardin de roses, une fontaine en l'honneur de William Mulchinock, qui composa la *Rose de Tralee,* un jardin des sens et des jeux pour enfants.

Kerry County Museum : *Ashe Memorial Hall, au bout de Denny St. ☎ 71-277-77. ● kerrymuseum.ie ● Juin-août, tlj 9h30-17h30 ; sept-mai, mar-sam 9h30-17h. Entrée : 8 € ; réduc. Plusieurs brochures en français (gratuites).*
Début de la visite au *2e étage.* Après une salle consacrée aux expos temporaires et un petit film sur les beautés du Kerry (pas de commentaire, il n'y a qu'à se laisser porter par les images qui défilent sur grand écran...), place à 10 000 ans d'histoire, des premiers habitants préhistoriques de la région jusqu'à ce lundi de Pâques 1949, où fut proclamée la république d'Irlande du Sud : mannequins en costume d'époque, mises en scènes, objets anciens sont exposés.
Puis, direction le *rez-de-chaussée* pour un autre voyage dans le temps grâce à une intéressante reconstitution historique de Tralee à l'ère médiévale : scènes de la vie quotidienne, des petits métiers, des habitations, de la vie sociale. La réalisation du décor et des personnages a été particulièrement soignée. Les recherches ethnographiques et archéologiques ont été poussées très loin pour rendre la reconstitution la plus proche de la vérité historique. Du coup, on ne met pas longtemps à se plonger dans cette atmosphère et à y croire.

Tralee Bay Wetland Centre : *Ballyard Rd. ☎ 71-26-700. ● traleebaywetlands.org ● À l'entrée de la ville, en face de l'*Aqua Dome. *Mars-oct, tlj 10h-17h. Entrée : 6 € ; réduc.* Expo consacrée à la faune, la flore, aux marécages, aux marais environnants (3 000 ha en tout). Le billet d'entrée comprend 10 mn de promenade en bateau électrique et la montée (en ascenseur) dans la tour d'observation. Après remise en état de la vieille ligne de chemin de fer (en 2013 ?), on pourra rejoindre le moulin de Blennerville en train (il allait autrefois jusqu'à Dingle !). Le lieu est avant tout destiné aux familles qui trouveront là canoë, embarcation à pédales, initiation à la pêche ou à la notion d'écosystème et de quoi occuper les plus petits.

Aqua Dome : *☎ 71-288-99. ● aquadome.ie ● Tlj 10h-22h (20h sam-dim hors juil-août). Entrée : 15 € ; réduc et forfaits.* Un complexe aquatique à l'architecture futuriste plutôt réussie. Toboggans, piscine à vagues et autres jeux et jets d'eau... Bien pour occuper la petite famille un jour de pluie (pas donné, quand même !). Sauna compris pour les adultes. Minigolf également (en supplément).

Manifestations, culture

– ***Kingdom Greyhound Racing Track*** *(courses de lévriers)* ***:*** *Oakview Park. ☎ 71-240-33. Mar et ven-sam 20h-22h30. Entrée, à acheter sur place : env 10 € ; réduc.* Demandez aux parieurs de vous expliquer le déroulement de la course et des jeux. Ambiance assurée, dans les tribunes et... au bar.
– ***La Rose de Tralee :*** *fin août, pdt 4 j. Rens : ☎ 71-213-22 ou ● roseoftralee.ie ●* L'une des plus grandes fêtes régionales, qui se tient depuis plus de 50 ans. Impossible de décrire l'ambiance, il faut voir. Nombreux groupes musicaux. Tout se termine dans la joie et la bière. Pensez à réserver votre *B & B* longtemps à l'avance. Élection de la Rose de Tralee : pour concourir, il suffit d'avoir des racines irlandaises, même lointaines, ce qui explique l'afflux d'Américaines. Vraiment fou !

– ***Siamsa Tíre Theatre :*** *Town Park, entre l'Ashe Memorial et le Town Hall.* ☎ *71-230-55.* • *siamsatire.com* • *Ouv tte l'année.* L'un des meilleurs centres culturels d'Irlande. Théâtre, danse, folklore, musique, etc. De mai à fin septembre, spectacles du National Folk Theatre Company (Siamsa Tíre).

DANS LES ENVIRONS DE TRALEE

Blennerville Windmill Visitor's Centre : ☎ *71-210-64. À env 2 km de Tralee, à l'entrée de Blennerville, sur la route de Dingle. On peut y aller en 20 mn à pied depuis Tralee en suivant le canal. Avr-oct, tlj : juin-août, 9h-18h ; avr-mai et sept-oct, 9h30-17h30. Entrée : 5 € ; réduc.*

Ancien moulin à vent, construit dans les années 1780 au bord du Blennerville Quay (premier port de Tralee au XVIIIe s) et aujourd'hui bien rénové. On peut grimper au sommet et admirer le mécanisme du toit pivotant. Parfois, les jours de vent favorable, on le fait fonctionner.

Dans le *Visitor's Centre,* après une petite vidéo introductive (en français sur demande), très intéressantes expos sur l'histoire des moulins à vent et la fabrication de la farine. Et aussi, plus émouvant, tout sur l'histoire de l'émigration régionale. Les chiffres de l'époque sont impressionnants : de 1830 à 1845 partirent de Tralee 1 800 personnes ; de 1846 à 1855 (au moment de la Grande Famine), 16 200 ! Au total, au début du XIXe s, 63 100 Irlandais quittèrent le Kerry pour l'Amérique et l'Angleterre à bord de bateaux(-cercueils), dont le *Jeanie Johnston,* qui fut le plus célèbre « bateau de famine » durant la période 1847-1858 (petite reconstitution à l'étage). Sa particularité ? Aucun passager n'y trouva la mort, que ce soit par noyade ou par maladie.

À QUELQUES-UNS MALHEUR EST BON...

L'émigration, qui a concerné tant de personnes dans cette région de Kerry, ne fut pas une catastrophe pour tout le monde. Les compagnies maritimes fleurirent et s'enrichirent. Tout comme leurs agents qui sillonnaient le Kerry à la recherche de clients.

Le canal de Blennerville : *longe la route de Dingle (N 86), entre Tralee et Blennerville.* Creusé en 1846, il permit aux bateaux de remonter jusqu'à Tralee pour chercher les émigrants. Aujourd'hui, les berges du canal ont été transformées en promenade (à pied ou à vélo). On peut le remonter jusqu'à la mer, d'où le paysage sur la baie de Tralee et la péninsule de Dingle est superbe.

Annagh Church : *à 2 km en direction de Dingle ; fléché sur la droite.* Construite à l'emplacement de l'un des nombreux lieux supposés de naissance de Saint Brandon. L'église est très ruinée mais le site est ravissant. Sur un petit pan de mur, une superbe sculpture de cavalier... sans tête !

La cathédrale et les églises d'Ardfert : *à 6 km au nord-ouest de Tralee vers Ballyheige (R 551).* ☎ *71-347-11. Petit centre d'interprétation (avec expo sur les fouilles et l'histoire du site), ouv début mai-fin sept, tlj 10h-18h (dernière entrée 45 mn avt). Entrée : 3 € ; réduc. Le site en lui-même est en accès libre (par un portail sur la droite du centre d'interprétation).*

Remarquable ensemble. À l'origine, un monastère fondé par saint Brendan, le navigateur. L'imposante cathédrale fut édifiée au XIIIe s sur des éléments romans plus anciens (dont le porche et l'arcade aveugle du mur ouest). On notera ses trois fenêtres très élevées.

À côté de la cathédrale, on découvre les vestiges de deux églises. *Teompall na Hoe* présente une belle nef romane et le riche décor floral de sa fenêtre sud. L'autre, *Teompall na Griffin,* date du XVe s et tient son nom des griffons à l'intérieur.

À 1 km de là s'élève l'abbaye franciscaine fondée en 1253 par Thomas Fitzmaurice. Accès libre. Beaux restes : massive tour carrée, élégante fenêtre dans le transept sud (du XVe s) et, de la même époque, deux ailes du cloître.

La plage de Banna : *à quelques km à l'ouest d'Ardfert.* C'est sur cette longue plage que sir Roger Casement débarqua avec sa cargaison de fusils en 1916 (pour le soulèvement de Pâques). Il fut arrêté peu après dans un fort, à 2 km d'Ardfert. Belle plage également à ***Ballyheige,*** un peu plus loin encore (et à environ 19 km de Tralee), et charmante balade sur la *Kerry Head.*

LISTOWEL (LIOS TUATHAIL)

3 400 hab. IND. TÉL. : 068

Importante bourgade commerçante s'étendant sur les rives de la Feale, à 27 km au nord-est de Tralee, sur la route de Limerick. Ruines d'un château du XVe s, le dernier à tomber lors de la rébellion contre la reine Elizabeth Ire. Place principale et Main Street alignent quelques pittoresques devantures et façades. C'est de la fenêtre du *Listowel Arms Hotel* que Parnell fit son dernier discours, en 1891. Un certain nombre d'écrivains irlandais vécurent (comme John B. Keane ou Bryan McMahon) ou vivent toujours à Listowel, ce qui vaut à la ville la réputation d'être « *the literary and cultural capital of Ireland* ». Rien que ça !

Adresse utile

Office de tourisme : *dans l'église Saint-John.* ☎ *225-90. De fin mai à mi-sept slt, lun-ven 9h30-17h15.*

Où dormir dans les environs ?

Plusieurs *B & B* sur Tarbert Road, à la sortie nord de la ville.

Billeragh House Hostel : Billeragh. *087-988-04-31. ● billeraghhousehostel@yahoo.com ● À 6 km sur la route de Tralee, côté droit (panneau). Arrêt de bus sur la ligne Tralee-Listowel : Six Crosses Filling Station, près de l'hostel. Ouv tte l'année, mais téléphoner avt pour réserver en basse saison. Double 40 € ; chambre familiale (pour 6) 50 € ; lit en dortoir 18 €. CB refusées.* Une maison de style georgien, datant du milieu du XVIIIe s et entièrement couverte de lierre. Pour les individuels, les familles ou les groupes (dortoirs de 5 à 7 personnes), une bonne adresse qui peut accueillir une trentaine d'hôtes. Cuisine à disposition, laverie, mais aussi salle de bains (douches chaudes) dans toutes les chambres.

Où manger ? Où boire un verre ? Où écouter de la musique ?

Fitzgerald's : *21, Market St.* ☎ *537-44. Dans le centre. Tlj 12h30-18h (21h ven-mar). Le midi, snacks et plats 5-15 € ; le soir, plats 18-26 €.* Cuisine irlandaise de bon rapport qualité-prix servie dans une jolie salle à la déco soignée.

The Horse Shoe : *14, Lower William St.* ☎ *210-83. Dans le centre-ville. Tlj 12h-21h. Plats 11-23 €.* Ce petit resto-pub tout en longueur, annoncé par un fer à cheval en façade, prodigue un accueil sympathique et une bonne nourriture pas chère. Concert le samedi soir.

Allo's Bar : *41, Church St. ☎ 228-80. Tlj sf dim-lun ; bistrot 12h-19h et resto midi et soir. Plats 13-22 € le midi, 20-29 € le soir.* Ce resto réputé a obtenu l'Euro-toques (ça ne s'invente pas !) en 2003. Bonne cuisine, clientèle plutôt chic. Côté resto, cadre classique et élégant ; côté bistrot, déco néorétro, également agréable.

Manifestations, culture

– **Writer's Week :** *fin mai, début juin. Pour en savoir plus : ● writersweek.ie ●* Avec colloques, lectures, ateliers d'écriture, théâtre, films, musique, etc. À propos, ne pas manquer d'aller boire une pinte au **pub de J. B. Keane** (William Street), l'un des plus fameux écrivains irlandais (né à Listowel, mort en 2002) et auteur de la pièce de théâtre dont a été tiré le film *The Field* (voir l'introduction à Leenane).
– Fameuses **courses de chevaux** : *mi-sept, pdt 1 sem, pdt le Harvest Festival.* Nombreuses animations dans les rues.
– **Saint John's Theatre & Arts Centre :** *dans l'église, sur la place du marché, à côté de l'office de tourisme. ☎ 225-66. ● stjohnstheatrelistowel.com ●* Bonne programmation culturelle (ciné, musique, expos). L'originalité : la scène remplace l'autel, avec des vitraux d'époque en fond de décor.

DANS LES ENVIRONS DE LISTOWEL

À **Ballylongford** (nord de Listowel), ruines de l'*abbaye de Lislaughtin.* À 3 km, vestiges du *château de Carrigafoyle,* siège du clan des O'Connor du Kerry, construit en 1490 à l'entrée du Shannon. En outre, on y trouve une adresse très recommandable pour passer la nuit ou rayonner dans la région :

Castle View House B & B : *Carrig Island,* **Ballylongford.** *☎ (068) 433-04. ● castleviewhouse.com ● À une quinzaine de km de Listowel, à côté du château de Carrigafoyle. Ouv tte l'année sf autour de Noël. Doubles 56-60 € selon saison. Dîner sur résa 22 €.* Une maison à l'écart de tout, sur un îlot et en bordure de rivière, dans un beau coin de nature. Accueil attentionné par le propriétaire, francophone. Chambres *en suite* et tout confort : 3 doubles et 3 triples, au style classique. Salon TV et terrasse particulièrement agréable l'été.

La traversée du Shannon

■ **Ferry Tarbert-Killimer :** *☎ (065) 90-531-24. ● shannonferries.com ● Tte l'année (sf le j. de Noël). Résa possible en ligne. Sinon, tickets à acheter directement sur le ferry : 18 € le passage (voiture et passagers) ; 28 € l'A/R. Cyclistes : 5 € ; 7 € l'A/R.* Pour les pressés qui souhaitent rejoindre directement le comté de Clare, traversée agréable d'une vingtaine de minutes, qui évite un détour de 140 km. Si vous êtes à pied, avant de monter dans le ferry, faites-vous adopter par une voiture, vous ne paierez pas (sinon, c'est le même tarif que pour les cyclistes).

➢ **De Tarbert :** 1 départ ttes les heures (ttes les 30 mn en été). 1er départ à 7h30 (9h30 dim) ; dernier départ à 21h30 en juil-août (19h30 le reste de l'année).
➢ **De Killimer :** 1 départ ttes les heures (ttes les 30 mn en été). 1er départ à 7h (9h dim) ; dernier départ à 21h (19h oct-mars).
Attention, parfois les horaires fluctuent un peu, ne calculez pas trop juste pour votre passage le soir. En pleine saison, le ferry est dédoublé et les passages s'effectuent alors ttes les 30 mn 10h-18h.

Où dormir ? Où manger dans le coin ?

Voir aussi un peu plus loin, nos adresses « dans le sud-ouest du Comté de Clare », à Kilrush, de l'autre côté du Shannon.

À Tarbert

The Ferry House Hostel : *The Square. ☎ (068) 365-55. En plein centre du village, à env 10 mn à pied du ferry. S'il n'y a personne, téléphonez pour qu'on vienne vous ouvrir la porte (reste à espérer qu'on vous réponde !). Ouv tte l'année. Compter 15-20 € en dortoir et 22-25 €/pers en chambre privée.* Une halte pratique pour les cyclistes exténués ayant raté le dernier bateau. En tout, 35 lits répartis en chambres doubles (certaines avec salle de bains privée) ou en dortoir de 4 à 8 personnes (avec salles de bains communes). Salle TV, cuisine, laverie et, en été, un café au rez-de-chaussée qui vend des snacks. Boutique Internet à côté.

Enright's : *au centre du village. ☎ (068) 362-14. Tlj sf dim soir, jusqu'à 20h. Plats et salades 11-15 €.* On partage la table avec des habitués pittoresques et on mange des plats irlandais classiques, servis en généreuses portions et accompagnés de l'inévitable pomme de terre.

ADARE (ÁTH DARA)

2 000 hab. IND. TÉL. : 061

À 15 km à l'ouest de Limerick. Adare est un endroit très touristique, considéré par beaucoup comme LE « plus joli village irlandais », très vert, avec des cottages aux toits de chaume, tous alignés les uns à côté des autres (et tous reconstruits au XIXe s). ***So cute !*** **Les Japonais adorent (et nous aussi, il faut bien l'avouer). Les amateurs d'abbayes en ruine seront eux aussi à la fête. Il y en a trois, fort belles, dans de grands parcs.**

DE PÈRE EN *FITZ*

Le mot « fitz » vient du latin filius (« fils » en français !). Au Moyen Âge, l'usage voulait que le nom du père devienne le surnom du fils. Adare fut donc fondé par un certain Walter. Son fils, Gerald Fitzwalter, lui succéda. Après lui, Maurice Fitzgerald (le premier comte d'Adare au XIIe s), qui eut deux fils Gerald Fitzmaurice et Thomas Fitzmaurice. Ce dernier eut un fils John Fitzthomas, et ainsi de suite...

Adresses utiles

Office de tourisme : *dans l'Heritage Centre, Main St. ☎ 396-255. • discoverireland.ie/ShannonRegion • Ouv tte l'année. Mai-sept, tlj 9h-18h ; sinon lun-sam slt, 9h-17h (en hiver, fermé à la pause déj).* Infos (mais aucun conseil) sur les *B & B* disponibles à Adare et dans les environs, sur les lieux à visiter, etc.

Où dormir ? Où manger ? Où prendre le thé ?

Camping

Adare Camping & Caravan Park : *à 3 km d'Adare. ☎ 395-376. 087-279-15-25. • adarecamping.com • Prendre* *la R 519 vers Ballingarry ; c'est indiqué sur la gauche. Ouv avr-oct. Si la réception est fermée, sonner à la maison des proprios à côté. Pour 2 pers avec tente et voiture, 19 €. Possibilité de louer tentes et sacs de couchage. Douches payantes.* Un camping familial en pleine campagne, bien sous tous rapports. Sanitaires propres. Laverie, cuisine, petite épicerie de dépannage (en été), jeux à l'extérieur pour les enfants et... jacuzzi (payant) !

Prix moyens à plus chic

Dunraven Arms Hotel : *☎ 605-900. • dunravenhotel.com • À l'entrée du village, impossible de le rater. Ouv tlj, tte l'année. Doubles et suites 80-300 € selon confort et saison. Snacks et plats 4-15 € ; plats 16-24 € le soir au resto.* Datant de 1792, l'auberge de village dans toute sa splendeur... Délicieusement cosy et *so old fashion* avec ses boiseries, ses tableaux et ses cheminées. Lunch au bar ou dans la véranda ; dîner dans une élégante salle à manger. Cuisine fine et savoureuse, à base de produits locaux. Remarquable rapport qualité-prix le midi. Chambres magnifiques, dans le même esprit et proposant un confort optimum. Belles promos hors saison qui rendent cette adresse « chic » tout à fait abordable. Piscine couverte et salle de sport.

Adare Manor : *☎ 396-566. Compter 10,50-12,50 € pour un thé et une pâtisserie, jusqu'à 25,50 € pour l'Afternoon tea.* Caché au fond de son parc, un impressionnant manoir à l'impressionnante architecture néo-gothique ! Déco chargée comme il se doit... L'hôtel 5 étoiles est du genre inabordable mais le thé (ou le lunch) s'avère un bon moyen de goûter au luxe feutré de ce lieu d'exception. Accueil charmant, souriant, tout à la fois détendu et solennel. Un coup de cœur.

Où dormir dans les environs (lointains) ?

Flemingstown House : Kilmallock, *à 45 km au sud de Limerick et 30 km d'Adare. ☎ (063) 980-93. • flemingstown.com • À 4 km env au sud-est de Kilmallock, sur la R 512, direction Kilfinnane : c'est sur la gauche après la petite église. Ouv fév-début nov. Doubles 90-100 €. Dîner sur résa 30-45 €.* Une adresse qui intéressera ceux voulant faire un arrêt campagnard avant Limerick ou Tipperary. En pleine nature, une magnifique demeure assurant un calme agréable. Accueil à la hauteur du confort des 5 chambres (certaines triples) ; déco de charme et de caractère, élégante et stylée (meubles anciens et baignoires à pattes de lion !). Ravissante salle à manger pour un plantureux breakfast. Évidemment, ce standing a un prix... Killmallock est une bourgade agréable qui peut s'enorgueillir de quelques jolis vestiges médiévaux.

À voir

De juin à octobre, *The Adare Heritage Centre* propose des visites guidées du village, du château médiéval et des trois abbayes, ou du moins de ce qu'il en reste *(6 €/pers ; réduc).*

The Adare Heritage Centre : *dans le même bâtiment que l'office de tourisme, petit. ☎ 396-666. • adareheritagecentre.ie • Ouv tte l'année : mai-sept, tlj 10h-16h ; sinon horaires plus restreints en basse saison. Entrée : 5 € ; réduc.* Tout sur les Normands et l'histoire de la ville, à grand renfort de maquettes.

DANS LES ENVIRONS D'ADARE

Flying Boat Museum : à **Foynes.** *☎ (069) 654-16. • flyingboatmuseum.com • À 25 km au nord-ouest, sur la N 69 en direction de Tarbert. Tlj de mi-mars à nov, 9h-17h. Dernière admission 1h avt fermeture. Entrée : 9 € ; réduc.* Ce petit musée consacré aux premiers hydravions est placé sous la présidence de l'actrice Maureen O'Hara, qui avait épousé un as de l'USAF, pionnier des liaisons entre New York et l'Europe. De 1939 à 1945, Foynes était la plaque tournante des lignes aériennes entre les États-Unis et l'Europe, assurées par la *PanAm.* Une première salle est dédiée à l'histoire de l'aviation civile. Deux autres présentent Foynes pendant la Seconde Guerre mondiale et proposent des simulateurs de vol où l'on peut s'amuser. Enfin, on visite un hydravion, réplique à taille réelle posée sur un bassin. Également une brochure et une vidéo en français réunissant des extraits de vieux films sur les hydravions. Pour les amateurs, on peut aussi goûter un *Irish coffee* à la cafétéria du musée.

UN PETIT REMONTANT POUR PASSAGERS SECOUÉS

C'est un chef cuisinier de Foynes, Joe Sheridan, qui a inventé, en 1942, l'Irish coffee : un hydravion avait dû rebrousser chemin en raison des conditions atmosphériques et, pour réconforter les passagers, Sheridan eut l'idée d'ajouter au café du whiskey. « Est-ce du café brésilien ? », demanda un passager américain. « Non, c'est un Irish coffee ! », improvisa Sheridan... Le fameux breuvage était né.

LIMERICK (LUÍMNEACH)

57 110 hab. IND. TÉL. : 061

Troisième grande ville d'Irlande après Dublin et Cork, Limerick a traîné pendant trop longtemps une image peu positive, par son passé de ville ouvrière. Cependant, les choses évoluent. Limerick rénove ses quartiers, met en valeur ses monuments, se lance dans un urbanisme plus flatteur. Et puis, c'est une ville jeune, étudiante (campus le plus moderne du pays), avec des pubs animés. Le film d'Alan Parker, sorti en 1999 et tiré du livre du même nom, *Les Cendres d'Angela* (écrit par Frank McCourt), qui se passe à Limerick, est également arrivé à point nommé. D'ailleurs, un circuit de promenade à travers la ville lui est consacré.

UN PEU D'HISTOIRE

Limerick fut d'abord, au IXᵉ s, une importante base à partir de laquelle les Vikings rayonnaient pour piller l'intérieur du pays. En 978, après une victoire militaire de Brian Boru (un des grands chefs d'Irlande) sur une armée de Vikings, la ville fut

■ Adresses utiles

- Office de tourisme
- @ QQ Internet
- 1 National Irish Bank
- 3 Police Station

Où dormir ?

- 10 The Boutique Hotel
- 11 Trebor B & B
- 12 Glen Eagles
- 13 Courtbrack

Où manger ?

- 21 Texas Steak Out
- 25 The Hunt Museum Cafe
- 30 The Locke Bar & The Oyster House Restaurant
- 31 The Grove

Où boire un verre ? Où écouter de la musique ?

- 20 Nancy Blake's
- 30 The Locke Bar
- 32 Tom Collins
- 34 Bourkes
- 35 The White House Bar

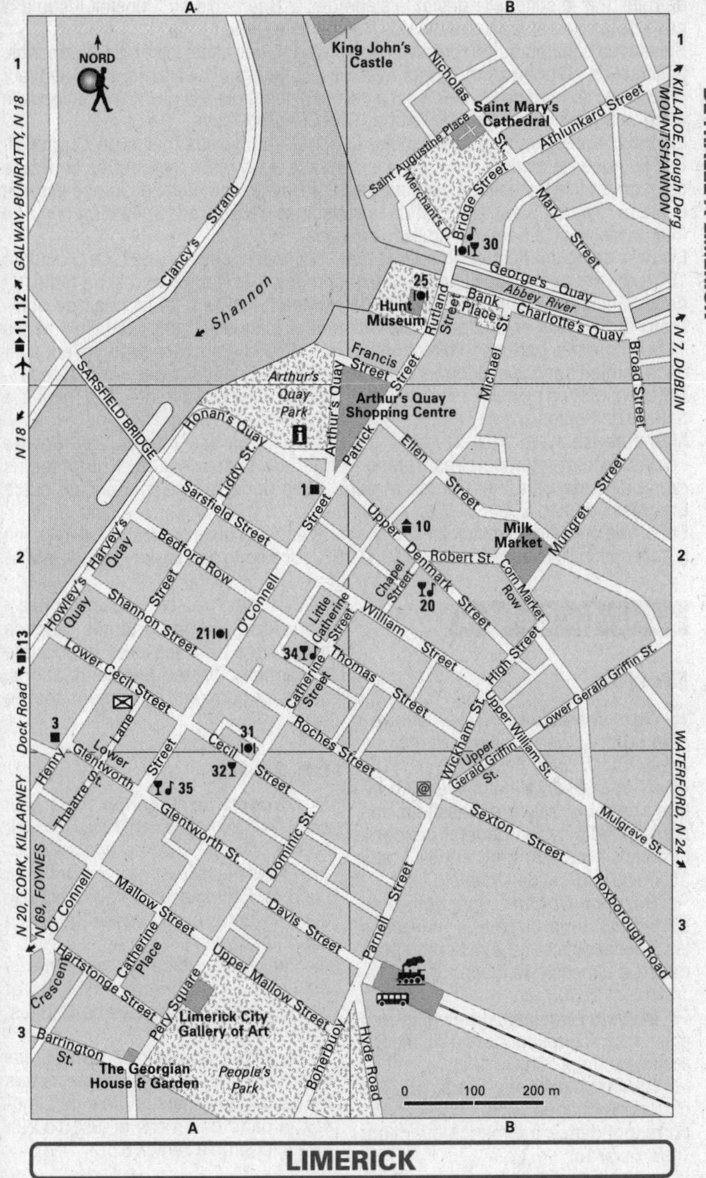
NORD
King John's Castle
Saint Mary's Cathedral
Nicholas St.
Athlunkard Street
Saint Augustine Place
Merchant's Q.
Bridge Street
Mary Street
George's Quay
Abbey River
Bank Place
Charlotte's Quay
Hunt Museum
Rutland Street
Francis Street
Michael St.
Broad Street
Clancy's Strand
Shannon
Arthur's Quay Park
Arthur's Quay
Arthur's Quay Shopping Centre
Honan's Quay
SARSFIELD BRIDGE
Liddy St.
Patrick Street
Ellen Street
Sarsfield Street
Upper Denmark Street
Milk Market
Mungret Street
Robert St.
Corn Market Row
Chapel Street
Harvey's Quay
Bedford Row
O'Connell Street
Howley's Quay
Shannon Street
Little Catherine Street
William Street
High Street
Lower Gerald Griffin St.
Lower Cecil Street
Catherine Street
Thomas Street
Wickham St.
Upper William St.
Upper Gerald Griffin St.
Lane
Henry St.
Lower Glentworth St.
Theatre St.
Cecil Street
Roches Street
Glentworth St.
Dominic St.
Sexton Street
Mulgrave St.
Roxborough Road
O'Connell
Mallow Street
Davis Street
Parnell Street
Crescent
Hartstonge Street
Catherine Place
Pery Square
Upper Mallow Street
Limerick City Gallery of Art
Barrington St.
The Georgian House & Garden
People's Park
Boherbuoy
Hyde Road
0 100 200 m
KILLALOE, Lough Derg MOUNTSHANNON
N 7, DUBLIN
WATERFORD, N 24
GALWAY, BUNRATTY, N 18
11, 12
N 18
Dock Road 13
N 20, CORK, KILLARNEY
N 69, FOYNES
1 2 3 10 20 21 25 30 31 32 34 35

LIMERICK

détruite. Par la suite, elle devint le siège des O'Brien, rois du Munster, jusqu'à la prise de la ville par les Normands de Raymond le Gros.
Suivant un schéma qu'on retrouve dans bien d'autres cités, les Anglo-Normands, désireux de ne point se mélanger avec ces « primitifs » d'Irlandais, édifièrent leur propre cité au nord de la ville. C'est ainsi que l'on retrouve la division traditionnelle entre *Irish Town* et, au nord de l'Abbey River, *English Town*.
En 1651, après un siège de 3 mois, Limerick tombe aux mains de Cromwell. En 1690, la ville devient à nouveau le symbole de la résistance. Après la défaite de Jacques II le Catholique à la bataille de la Boyne, Guillaume d'Orange assiège Limerick. Patrick Sarsfield, chef de la résistance, réussit, à la suite d'un coup de main audacieux, à détruire l'artillerie ennemie.
L'armée orangiste doit lever le siège mais elle revient en août 1691. Le 3 octobre 1691, devant des propositions de paix honorables, la ville se rend et un traité (dit de Limerick) est signé. Sorte d'édit de Nantes à l'envers, il reconnaît de nombreux droits civils et juridiques aux catholiques irlandais. Patrick Sarsfield et ses 11 000 hommes partent en direction de Cork d'où ils embarquent pour s'engager dans l'armée française et former la fameuse brigade irlandaise des « Wild Geese ». Cette émigration militaire est absolument unique : ils s'illustrèrent notamment à la bataille de Fontenoy.
Malheureusement, le parlement de Dublin, composé majoritairement de colons protestants sectaires, refuse le traité de Limerick. Les expropriations reprennent de plus belle et les atroces « lois pénales » se mettent en place progressivement.
Enfin, ville ouvrière, Limerick fut l'un des rares endroits où le combat social rejoignit la lutte nationaliste dans la période 1920-1922. Une sorte de « soviet » dirigea la ville.

Arriver – Quitter

En train

Gare ferroviaire *(Travel Centre ; plan B3)* **:** *Colbert Station, Parnell St. Infos : ☎ 315-555. Résas : ☎ (01) 703-40-70 (à Dublin).* ● *irishrail.ie* ● Attention : certains trajets nécessitent une correspondance (en général rapide) à Limerick Junction, gare située à env 35 km au sud-est de Limerick.
➢ ***De/vers Dublin :*** une quinzaine de trains/j. (une dizaine le dim) dans les 2 sens, directs ou avec correspondance à Limerick Junction, 5h30-21h. Trajet : 2h-2h30.
➢ ***De/vers Rosslare :*** 1 train/j. (sf dim et j. fériés) ; correspondance à Limerick Junction. Trajet : 3h.
➢ ***De/vers Cork :*** env 10 trains/j. (7 le dim) dans chaque sens, 6h30-22h45 ; correspondance à Limerick Junction. Trajet : env 1h.

En bus

Gare routière *(Travel Centre ; plan B3)* **:** *Colbert Station, Parnell St. ☎ 313-333. Rens sur les horaires 24h/24 : ☎ 319-911.* ● *buseireann.ie* ● L'une des plus importantes plaques tournantes pour les bus. Impossible d'énumérer toutes les destinations, celles-ci couvrant quasiment tout le pays.

En avion

✈ **Aéroport de Shannon** *(hors plan par A1)* **:** *à 24 km de Limerick. Rens sur les vols : ☎ 712-000.* ● *shannonairport.com* ● Plusieurs liaisons avec Dublin et Londres. Également des vols directs de et vers Nantes avec *Ryanair* (slt avr-fin oct, 2-3 fois/sem).
– À l'aéroport, office de tourisme *(tlj 7h-17h30)*, distributeur de billets et change, nombreux loueurs de voitures, accès Internet, etc.
➢ ***Navettes Limerick-aéroport :*** *rens au ☎ 313-333.* 1 bus en moyenne ttes les heures de la gare routière de Limerick, à partir de 7h env et jusqu'à 22h env. Aller simple : env 7 €.

Adresses utiles

Office de tourisme *(plan A2)* **:** *Arthur's Quay. ☎ 317-522.* ● *disco* *verireland.ie/ShannonRegion* • *Ouv tte l'année : juil-août, tlj 9h (11h dim)-18h ; sinon, lun-sam 9h-17h (fermé 13h-14h de mi-sept à mi-mai).* Très organisé et efficace. Tous les renseignements et infos utiles, y compris les horaires des bus. Vente de livres et de cartes routières. Demander *The Daily Adventure,* périodique gratuit pour connaître les programmes de spectacles, les musées, monuments et autres lieux à visiter dans la *Shannon Region.* Également une brochure gratuite sur la balade dans le Limerick médiéval.

✉ ***Poste*** *(plan A2)* ***:*** *Lower Cecil St.*

@ ***QQ Internet*** *(plan B3)* ***:*** *Wickham St.* ☎ *469-322. Tlj 11h-minuit.* Connexions pas chères et nombreux ordinateurs.

■ ***National Irish Bank*** *(plan A2,* ***1****)* ***:*** *lun-ven 10h-16h (17h lun).* Distributeurs de billets.

■ ***Représentant consulaire pour la France :*** *Mrs Marie Hacket.* ☎ *343-051.*

■ ***Consulat honoraire pour la Belgique*** *(hors plan par A2)* ***:*** *Mullock & Sons, The Shipping Office, Dock Rd.* ☎ *315-315.*

■ ***Police Station*** *(plan A2,* ***3****)* ***:*** *Henry St.* ☎ *212-400.*

■ ***Hôpital régional*** *(hors plan par A3)* ***:*** *Doordoyle.* ☎ *301-111.*

■ ***Arthur's Quay Pharmacy*** *(plan B2)* ***:*** *dans le centre commercial.* ☎ *416-662. Lun-sam 9h-19h ; dim 13h-18h.*

■ ***Taxis :*** ☎ *313-131 ou 411-422.*

– Attention aux parkings publics ! Ils sont nombreux en ville, mais avant de vous engouffrer dedans, vérifiez bien les horaires. Certains ferment à 19h, voire 18h30 en semaine. Passée cette heure, impossible de récupérer la voiture ! Jusqu'au lendemain matin...

Où dormir ?

Bon marché

⌂ ***Courtbrack*** *(hors plan par A2,* ***13****)* ***:*** *Courtbrack Ave, Dock Rd.* ☎ *302-500.* • *courtbrackaccom.com* • *À 2 km du centre-ville, par Dock Rd, sur la gauche. Ouv aux touristes de juin à mi-août. Réception 24h/24. Compter 23,50-30 €/pers, petit déj inclus.* Wi-Fi Propriété de l'université de Limerick, cet établissement en brique rouge compte une centaine de lits en chambres individuelles, doubles ou pour 4 personnes. Consigne à bagages. Cuisine, laverie, très grande salle TV. C'est excentré, mais on rejoint le centre-ville en 15 mn à pied.

Prix moyens

⌂ ***The Boutique Hotel*** *(plan B2,* ***10****)* ***:*** *Denmark St.* ☎ *315-320.* • *theboutique.ie* • *Doubles 59-69 €, petit déj compris.* Wi-Fi *Parking voisin avec tarif privilégié.* De « boutique hôtel », cet hôtel n'a que le nom. Ici point de luxe tapageur, de design effréné ou de déco paroxystique ; juste un remarquable rapport qualité-prix. Les chambres sont néanmoins spacieuses, jolies et confortables. Très central, il se situe au-dessus de pubs (très) animés... le week-end. Mieux vaut penser à demander une chambre donnant sur l'arrière.

⌂ ***Glen Eagles*** *(hors plan par A1,* ***12****)* ***:*** *12, Vereker Gardens, Ennis Rd. 455-521.* • *gleneaglesbandb@eircom.net* • *En direction d'Ennis et de Galway par le Sarsfield Bridge. Doubles 60-64 €.* Le *B & B* le plus proche du centre (1 km environ). 4 chambres simples mais de bon confort. Bon accueil. Idéal donc pour nos lecteurs non motorisés ou ne veulent pas conduire au retour du pub.

⌂ ***Trebor B & B*** *(hors plan par A1,* ***11****)* ***:*** *Ennis Rd.* ☎ *454-632.* • *treborhouse.com* • *À 1,5 km du centre, en direction de Galway, sur la gauche. Ouv mai-sept. Doubles 68-70 € selon saison ; familiale 90 €. Parking privé.* Wi-Fi *(gratuit).* Agréable demeure (mais au bord d'une route très passante), tenue par Mr et Mrs McSweeney, un couple de retraités accueillants et serviables. 5 jolies chambres confortables, toutes *en suite* et avec TV. Préférez celles donnant sur le jardin. Arrêt de bus (ligne de l'aéroport) à quelques mètres et centre-ville à 10 mn à pied.

Où dormir dans les environs ?

Campings

Bunratty Camping & Caravan Park : *Low Rd,* **Bunratty.** ☎ *369-190.* • *bunrattycamping.com* • *À 1 km du parc folklorique, par la route qui passe devant le château (c'est sur la gauche et bien indiqué). Ouv tte l'année. Compter 20 € pour 2 avec tente et voiture. Douches chaudes gratuites.* *(gratuit).* Rien d'extraordinaire mais bien placé. Une grande pelouse pour un petit camping équipé d'une cuisine, d'un lave-linge et de sanitaires corrects.

Bon marché

Jamaica Inn : *Mount Levers,* ***Sixmilebridge,*** *Co. Clare.* ☎ *(061) 369-220.* • *jamaicainn.ie* • *À env 16 km au nord-ouest de Limerick. Réception tlj 8h30-13h, 15h30-22h. Fermé 1er déc-10 janv. Env 19-25 €/pers en dortoir (8-10 pers) ou en chambre double selon saison.* Une AJ récente, sans charme mais bien agencée, fonctionnelle et propre. Une cinquantaine de lits dans des dortoirs (avec salle de bains commune), des chambres familiales, des doubles et des simples (toutes avec salles de bains privées). Resto (seulement pour les groupes), cuisine commune, laverie, salle TV, baby-foot, commerces à côté et plein d'autres services pratiques, comme le bus 4 fois par jour depuis Sixmilebridge pour l'aéroport de Shannon et pour Limerick. Une gare, toute proche (ligne ferroviaire Galway-Limerick) a ouvert. Autre avantage : l'AJ est située aux portes du comté de Clare et près des plus beaux châteaux de la région. Accueil vraiment jovial de Michael, en français de surcroît.

Où manger ?

Bon marché

Pas mal d'établissements font également le *pub grub* le midi.

The Grove *(plan A2-3,* ***31****) : 11, Cecil St.* ☎ *410-084. Lun-ven 9h-15h30. Plats végétariens (tarte, pizza, salade, lasagnes) env 9-10 €.* Un petit resto où l'on sert des portions généreuses qui compensent l'exiguïté du lieu : guère plus de 7 tables à toile cirée que l'on partage avec d'autres herbivores. S'y côtoient cols blancs et étudiants dans un cadre simple mais zen. On peut aussi emporter son plat et se régaler sur un banc dans le Perry Park à côté.

The Hunt Museum Cafe *(plan B1,* ***25****) : Custom House, Rutland St.* ☎ *312-662. Tlj 10h (14h dim)-17h ; dim et j. fériés, salon de thé slt. Snacks et plats 4-10 €.* L'adresse n'est pas fréquentée uniquement par les visiteurs du musée qui souhaitent reprendre des forces après la découverte des belles collections d'art ! Nombreux sont les habitués du coin qui apprécient l'excellent rapport qualité-prix de la cuisine servie au déjeuner (de 12h à 15h), à base de produits frais et locaux, voire bio. On peut aussi se régaler de pâtisseries et d'un thé dans l'après-midi, dans cette agréable salle colorée, en contemplant la rivière depuis les larges baies vitrées sous les arcades.

De prix moyens à plus chic

Texas Steak Out *(plan A2,* ***21****) : 116, O'Connell St.* ☎ *410-350. Tlj 12h-22h30 (22h dim). Plats 11-26 €. Lunch 8 ou 19 € ; le soir, menu env 25 €.* Évidemment, établissement peu irlandais, nous direz-vous ! Avec raison, mais en l'absence de bonnes adresses vraiment typiques, dans ce royaume du steak, des serveurs dynamiques jonglent avec des spécialités tant américaines (hamburgers, *chicken wings,* etc.) que mexicaines *(nachos, quesadilla, burritos, enchiladas, fajitas).* Grand choix de plats copieux, élaborés ou très simples (bonnes grillades). C'est western jusque dans la déco de cette sombre salle en sous-sol... On peut aussi se consoler en se disant que le bœuf est irlandais !

The Locke Bar & The Oyster House Restaurant *(plan B1,* ***30****) : 3, George's Quay.* ☎ *413-733. Tlj*

12h30-21h (voire 22h le w-e). Fermé Vendredi saint et à Noël. Snacks et plats 8-26 € ; 20 € le soir. Menu early bird *22,50 €.* Vaste établissement avec plusieurs salles et 3 cheminées. Cuisine de pub tout à fait correcte : *burgers, fish & chips* et pas mal de fruits de mer ; délicieuses *bangers and mash* (saucisses-purée). Connu également comme pub très animé (voir « Où boire un verre ? Où écouter de la musique ? »). Service jeune, souriant et efficace.

Où boire un verre ? Où écouter de la musique ?

Nancy Blake's *(plan B2,* ***20****) : Upper Denmark St. ☎ 416-443. Tlj. Interdit aux moins de 23 ans !* Avec sa sciure au sol, son dédale de salons et ses cheminées, difficile de faire plus pittoresque ! Clientèle mélangée avec pas mal d'étudiants. Musique rock et funky à tue-tête le week-end. Belle ambiance. Toute l'année, concerts de musique traditionnelle les lundi, mercredi et samedi. Cour pavée *(beer garden)* particulièrement animée aux beaux jours. Possibilité de déjeuner sur le pouce (soupes et sandwichs).

The Locke Bar *(plan B1,* ***30****) : 3, George's Quay. Tlj.* Il est agréable de s'installer en terrasse sur le quai, en bord de canal, quand il fait beau. Sinon, l'intérieur n'est pas mal non plus : ce vieux pub, ouvert en 1724, a conservé une chaleureuse atmosphère. Musique tous les soirs, toute l'année (traditionnelle du dimanche au mardi, *live* les mercredi et samedi, piano le vendredi). L'été, concerts à l'extérieur les vendredi et samedi.

Tom Collins *(plan A3,* ***32****) : 34, Cecil St. ☎ 415-749. Tlj à partir de 16h.* L'un des plus vieux pubs de Limerick. Décor intérieur en bois sculpté, vieux tableaux, le tout noirci par la fumée. Atmosphère typique et clientèle d'artistes et de musiciens.

Bourkes *(plan A2,* ***34****) : 72, Catherine St. ☎ 411-680. Tlj.* Un lieu où il fait bon s'arrêter pour boire une pinte. Musique 5 fois par semaine (à 18h ou 21h30 selon les soirs). Un lieu convivial. Petite terrasse l'été.

The White House Bar *(plan A3,* ***35****) : 52, O'Connell St. ☎ 412-377. Tlj à partir de 12h.* Pub haut de plafond, clair et à la déco plaisante, avec ses vieilles photos et affiches aux murs. On y sert des sandwichs pour le déjeuner et c'est animé en soirée. Poésie le mercredi et musique traditionnelle le dimanche.

Dolan's Pub *(hors plan par A2) : 3-4, Dock Rd, à l'angle de Saint Alphonsus St. ☎ 314-483. • dolanspub.com • C'est sur la gauche en suivant Dock Rd (prolongement de Howley's Quay), depuis le centre-ville (à env 1 km). Lun-jeu à partir de 17h, ven-dim dès 10h.* Situé dans le quartier des entrepôts, le long de la rivière Shannon, où les jeunes affluent dans les quelques bars du coin, dès le jeudi soir et jusqu'au samedi. Dans ce vaste pub, chaleureux avec sa cheminée et ses poutres apparentes, on joue de la musique traditionnelle irlandaise tous les soirs à partir de 21h-21h30. Possibilité de manger sur place aussi. À l'arrière, salle de concerts dans un ancien entrepôt, comme son nom l'indique : ***The Warehouse*** est réputé pour ses live de tous styles, en général le week-end.

Achats

The Celtic Bookshop *(plan B1) : 2, Rutland St. ☎ 401-155. Lun-sam 10h-17h.* Grand choix de livres (parfois en français) sur la culture celte, bien sûr, mais aussi sur l'histoire de la région, les balades, etc.

À voir. À faire

Visite guidée payante sur l'histoire de la ville, tous les jours de juin à septembre. *(6 € ; réduc ; 📱 083-300-01-11. • limerickwalkingtours.com • ou auprès de l'office de tourisme).* Selon les jours, visite du quartier médiéval (2h30) ou du quartier georgien (1h30). Autre visite guidée, l'« *Angela's Ashes walking tour* » départ de l'office de tourisme.

Dans English Town

*** **King John's Castle** *(plan A-B1) : à l'entrée de la ville. ☎ 360-788. • shannonheritage.com • En venant de Galway, sur la N 18. Tlj 10h-17h. Entrée : 9 € ; réduc. Guide en français disponible. Attention ! château fermé pour travaux de nov 2012 à mars 2013.*
Impressionnante forteresse anglo-normande datant du début du XIIIe s. Construite sur King's Island, qui allait devenir English Town. Sa massive porte d'entrée, avec les deux grosses tours, est la marque traditionnelle de l'architecture militaire normande. Elle s'ouvre sur une plongée dans l'histoire, remarquablement réalisée. On peut admirer les fouilles effectuées lors de la rénovation du château.
– *Rez-de-chaussée* consacré à la période viking et à une introduction à l'histoire de la ville sur 800 ans (court diaporama).
– *À l'étage,* des fresques décrivant l'histoire de Limerick entre 1200 et 1600. Reconstitution des fortifications pour une bataille de contre-mines. On y découvre que King John n'a jamais visité le château... Enfin, aperçu des guerres de Guillaume d'Orange, et, dans l'auditorium, un film sur le siège de 1691.
– *Dans la cour,* réplique d'une machine de guerre, un trébuchet.
– *Une tour* du château est dédiée au King John, où l'on apprend qu'il avait mauvais caractère... Dans l'autre tour, une pièce reconstitue le travail d'un frappeur de monnaie. Cette activité débuta au XIIIe s : pour la première fois, la monnaie était utilisée dans tout le pays. Dans la tour sud-ouest se rejoue aussi la signature du traité de Limerick. Sur le rempart, vue panoramique.
– *Au sous-sol,* fondations de trois maisons prénormandes, datant des XIe et XIIe s.

* **Limerick Museum** *(hors plan par B1) : Castle Lane. ☎ 417-826. • limerickcity.ie • Entrée à gauche de King John's Castle. Mar-sam 10h-13h, 14h15-17h. Entrée gratuite.* Un petit musée municipal très hétéroclite et assez poussiéreux qui présente des objets témoins de l'histoire locale : pièces de monnaie, outils préhistoriques, couverts en argent, quelques peintures, etc. Amusant, une expo d'objets trouvés lorsqu'on vidangea le canal au début des années 2000 : une grenade, des pistolets, des boulets de canon, des bijoux, etc.

➢ ***Balade autour du château*** *(hors plan par A1) :* au nord du château, de l'autre côté de la route, s'élève le *palais de l'Évêque (Bishop's Palace),* reconstruit au XVIIIe s en style palladien (ouvert du lundi au vendredi de 10h à 16h). À côté, le *centre maçonnique* : à Limerick, la première loge fut fondée en 1732. À l'entrée du pont s'élève la *Toll House,* construite en style gothique en 1840. Traverser le *Thomond Bridge,* qui enjambe le Shannon aujourd'hui, avec ses jolies arches, datant des années 1830. Belle vue sur le château depuis l'autre rive. Et, sur la gauche en sortant du pont, la *pierre du Traité.* Ce rocher, sur lequel fut signé le traité de Limerick, en 1691, repose sur un socle.

* ***Saint Mary's Cathedral*** *(plan B1) : ☎ 310-293. Accès depuis Bridge St. Tlj 9h-17h (dim, slt pour la messe de 11h). Entrée : 2 €.* Le plus ancien bâtiment de la ville est aussi l'une des plus vieilles églises d'Irlande. Caractéristique par sa tour et son toit crénelés. Construite par Domhnall Mor O'Brien, roi du Munster, en 1168. De cette époque subsistent le porche ouest (roman), la nef et certaines parties du transept. Chœur, fenêtres, tour et chapelles datent du XVe s. Pendant l'été, beaucoup de chorales et de concerts.

Dans Irish Town

* Une fois traversé l'Abbey River, on retrouve quelques vestiges du passé de la ville dans le tracé parfois tortueux des rues. Agréable balade.

Hunt Museum *(plan B1)* **:** *Custom House, Rutland St.* ☎ *312-833.* • *huntmuseum.com* • *Tlj 10h (14h dim)-17h. Entrée : 5 €, réduc, gratuit dim, et lun 2 places pour le prix d'une. Brochure explicative en français et visites guidées gratuites assurées par des bénévoles, dont certains parlent le français.* Après le Musée national de Dublin, c'est la plus belle collection de bijoux et d'objets d'art depuis l'âge de pierre jusqu'au XXe s. Elle est installée sur trois niveaux dans la maison des Douanes, construite en 1769 pour récolter les impôts de Limerick, lorsque les bateaux de marchandises passaient par là. Ce sont deux antiquaires passionnés, John Hunt, originaire du coin (1900-1976), et sa femme, Gertrude, qui amassèrent ces trésors (peu de beaux-arts, surtout des objets archéologiques et des arts décoratifs) au fil des années : émaux de Limoges, ivoires sculptés, tableaux (dont un de Picasso jeune) et bronzes, dont une petite statue de cheval qui se cabre, autrefois attribuée à Léonard de Vinci. Ne pas hésiter à regarder dans les tiroirs sous les vitrines, c'est fait pour et on y découvre même un Gauguin, une aquarelle de Renoir et un autre Picasso !

Le musée abrite aussi un bon petit resto (voir plus haut « Où manger ? »).

Milk Market *(plan B2)* **:** marché en plein air (mais couvert) qui attire, depuis 1852, une foule de visiteurs le samedi (de 8h à 16h) pour le *Famous Food Market.* En réalité, il s'y passe tous les jours quelque chose ; le dimanche est dévolu aux familles et du lundi au vendredi, des boutiques sont aussi ouvertes. On y trouve de tout : des vêtements, des fripes, des fruits et légumes, du poisson, de la viande, etc. Ambiance animée où se mêlent les harangues des commères vantant les mérites de leurs bottes de radis, les trilles des *whistles* des gamins et les sauts de voix des acheteurs négociant leurs marchandises.

Sur Crescent, à l'entrée de O'Connell Street, ***statue*** *(plan A3)* du grand émancipateur des catholiques, Daniel O'Connell, représenté en toge romaine.

DANS LES ENVIRONS DE LIMERICK

Bunratty Castle : *à 15 km à l'ouest, sur la route d'Ennis ou de Shannon (comté de Clare ; voir carte du Burren).* ☎ *360-788.* • *shannonheritage.com* • *Sept-mai, 9h-17h30 (dernière admission à 16h15) ; juin-août, 9h-17h30 et 18h le w-e. Attention, l'accès au château lui-même est possible jusqu'à 16h slt, tte l'année. Fermé 24-26 déc. Parc + château mars-oct : 15 € ; nov-fév : 12 € ; parc seul à partir de 16h : 9,75 € ; réduc et forfaits famille. Plan en français.*

Le château

Depuis les Vikings jusqu'au XVe s, il y eut bien des forts et châteaux construits, mais tous brûlèrent. Celui-ci fut construit par Maccon McSioda McNamara en 1425. Il fut par la suite la résidence des O'Brien. Superbement restauré.
L'intérieur présente l'une des plus belles collections de meubles du XVe au XVIe s qu'on connaisse. Arriver dès l'ouverture. Au mois d'août, c'est souvent la foule...
– *Dans la salle de la garde principale* se tenaient les banquets pour les soldats. Intéressant fauteuil en bois sculpté venu de France (XVIe s).
– Le *great hall,* la plus belle salle du château, où « l'étiquette » était de rigueur en s'adressant au comte. Des tapisseries françaises, comme la *Fontaine de la connaissance,* vieille de 500 ans.
– *Le Nord solaire :* les appartements du comte. Admirez le chandelier allemand du XVe s, placé en lustre dans la pièce. Il représente une sirène, sorte de déesse de la Pêche.
Tous les soirs, sur réservation, repas médiéval avec volailles, hydromel servi par des jeunes filles coiffées d'un hennin, au son de la harpe celtique... Bref, tout l'attirail du folklore irlandais revu et corrigé dans le style hollywoodien, donc très kitsch...

Bunratty Folk Park
Village de paysans entièrement reconstitué. Pour une fois, une attraction touristique vraiment intéressante. Rue villageoise du XIXe s avec son école, le pub, les boutiques (quincaillier, drapier et autres), l'église, etc. On y trouve aussi huit fermes, deux moulins à eau, une forge. Certaines maisons d'époque, comme la *Hazelbrook House* ou la *Bunratty House* sont originelles. D'autres ont été remontées sur le parc, mais la plupart sont des répliques. Bien malin qui fera la différence. Beau mobilier rustique, petits rideaux aux fenêtres, et même l'odeur de terroir. Goûtez les *fruit scones* après avoir assisté à leur fabrication dans la ferme du Val-d'Or.

Durty Nelly's : *au pied du château de Bunratty. ☎ 364-861. Tlj midi et soir. Snacks 5-14 € ; plats 11-24 €.* Pub connu dans toute l'Irlande du Sud depuis 1620... « Nelly la Cochonne » n'est plus, mais, d'après certains vieux nostalgiques qui hantent toujours les lieux, il y a des soirs où l'ambiance est particulièrement gratinée. Car cette patronne faisait payer les récalcitrants en nature... L'intérieur est conforme au véritable pub irlandais et la bière excellente. En principe, musique du jeudi au dimanche soir.

Le lough Gur : *sur la route de Kilmallock (R 512), vers le sud, à une vingtaine de km de Limerick.* Belle randonnée pédestre agrémentée de dolmens, menhirs, sites préhistoriques et du plus grand cercle de pierres irlandais.
– *Centre d'interprétation : ouv de Pâques à août, sem 10h-17h, w-e 12h-18h. ☎ 385-186. • loughgur.com • Entrée : 5 € ; réduc.* Demander la vidéo en français : histoire des Celtes et des fermiers sur 6 000 ans. On peut s'y procurer une brochure (en anglais) pour visiter les différents sites archéologiques autour du lac.

Dans le genre tout aussi bucolique, toute la région du ***lough Derg,*** à une vingtaine de kilomètres au nord-ouest de Limerick : O'Briensbridge, Killaloe, Mountshannon... Rien de spectaculaire : sur les rives du lough Derg, les paysages de lacs et de forêts s'insèrent entre les Slieve Aught Mountains et le Derg. Un coin qui incite au repos, à la détente, aux balades à vélo et à la pêche.

LE COMTÉ DE CLARE

En général, on traverse plutôt rapidement le comté de Clare, jetant un œil ou deux en haut des Cliffs of Moher. Il révèle d'autres atouts au fil des kilomètres.
À l'attention de ceux qui en sont à leur deuxième ou troisième voyage, on aborde des endroits qui valent le coup, plus à l'intérieur des terres.
Ce comté était pauvre, l'un de ceux que les Anglais renoncèrent à coloniser. Il n'en est pas moins chargé d'histoire : près de 200 châteaux, 150 vieilles églises, 2 300 forts de pierre ou de terre... Nombre d'entre eux échappèrent aux destructions de Cromwell : sûrement une conséquence heureuse de l'aridité, de la pauvreté et de l'isolement de la région.
Au XIXe s, une poignée de *landlords* régnaient sur des milliers d'hectares dans le comté, tandis que 16 000 familles ne possédaient rien du tout.
Le comté présente des visages bien différents. Au sud, d'Ennis à Loop Head, un relief doux, peu spectaculaire. La région du lough Derg, assez vallonnée, ressemble à nos Vosges. La côte de Loop Head à Lisdoonvarna est plus disparate et plus escarpée (Cliffs of Moher). Enfin le Burren, relief unique en Irlande (et en Europe aussi), terre sauvage, constitue le paradis des randonneurs.
La côte à partir de Quilty et le Burren sont inséparables, les allers-retours d'une région à l'autre fréquents. En quelques centaines de mètres, en effet, on peut changer radicalement de paysage.
Notre itinéraire part vers l'ouest, la côte et le Burren. La péninsule de Loop Head (à l'extrême ouest) est traitée après Ennis. (Se reporter à la carte du Burren.)

ENNIS (INIS)

29 000 hab. IND. TÉL. : 065

Petite ville provinciale typique et adorable qui a fêté ses 760 ans en l'an 2000. Elle mérite que l'on s'y attarde un peu. Ennis présente les restes d'une vieille ville avec des rues et ruelles tortueuses pittoresques, entièrement refaites. Une belle abbaye franciscaine, Ennis Abbey, fut un haut lieu culturel au XIVe s.

P Pour se garer, des parkings payants... Un sur Market Place, un autre derrière l'office de tourisme et encore un le long de la rivière, en deçà d'Abbey Street ou sur Parnell Street.
– Marché le vendredi matin et le samedi matin sur Market Place.
– Fin mai, *Fleadh Nua,* festival de Musique traditionnelle, pendant 1 semaine.
● *fleadhnua.com* ●

Arriver – Quitter

En train

Gare ferroviaire : *sur Station Rd, au sud du centre.* ☎ *68-404-44.* ● *irishrail.ie* ● *Au rond-point, direction Quin, c'est juste sur la droite. Guichet ouv 6h30-14h (guichet automatique le reste du temps).*

➢ ***De/vers Galway :*** 3-5 trains/j. 10h15-20h15.

➢ ***De/vers Limerick :*** 7 trains/j. (8 le dim), 6h45-18h45.

➢ ***De/vers Dublin :*** 7 trains/j. (7 le dim), 6h45-18h45.

➢ ***De/vers Cork :*** changement à Limerick.

En bus

Station de bus Eireann : *même adresse que la gare ferroviaire. Infos :* ☎ *68-241-77.* ● *buseireann.ie* ● Nombreuses destinations desservies (quelques liaisons avec Adare, Corofin, Killarney ou Tralee), dont les lignes régulières suivantes.

➢ ***De/vers Dublin, Limerick, Cork, Galway, Gort, Clarinbridge et Oranmore :*** départs ttes les heures 7h-21h30 env.

➢ ***De/vers Sligo et Derry :*** 3-5 bus/j. dans chaque sens. Changement à Galway.

➢ ***De/vers Shannon Airport :*** une quinzaine de départs/j. dans les 2 sens, 7h-minuit (compagnie *Bus Eireann*). Trajet : min 30 mn.

➢ ***De/vers Kilrush et Kilkee :*** bus directs. En tout, 3-4 bus/j., 10h30-18h30, voire 21h30 le ven, d'Ennis ; 3 de Kilkee 9h-17h (2 bus hors saison).

➢ ***De/vers Ennistymon, Lahinch, Liscannor, Cliffs of Moher, Miltown Malbay, Lisdoonvarna et Doolin :*** en saison, 4 bus/j. 10h30-18h30 au départ d'Ennis, 2-3 bus/j. en hiver.

Adresses utiles

Office de tourisme : *Arthur's Row.* ☎ *68-283-66.* ● *discoverireland.ie/shannonregion* ● *Dans le centre. Juil-août, tlj 9h30-17h30 ; sinon, mar-sam 9h30-17h30 (mais fermé sam de janv à mi-mai), avec, certains j., fermeture 13h-14h.* Plan gratuit d'Ennis et des environs. Vente de guides (parfois en français) et cartes de la région. Résas (gratuites) d'hébergement et de visites guidées payantes (dont une de la ville, de mai à octobre, tous les jours sauf les mercredi et dimanche). Hôtesses très dévouées.

✉ ***Poste :*** *sur Bank Pl et Market Pl.*

@ ***Internet :*** *à la bibliothèque, Harmony Row.* ☎ *68-463-53. De l'autre côté de la rivière par rapport à l'office de tourisme. Lun et mer-jeu 10h-17h30 ; mar et ven 10h-20h ; sam 10h-14h. Gratuit (max 1h/j.).* Se munir d'une pièce d'identité et éviter la sortie des classes.

■ ***Banques :*** *sur Bank Pl.* Distributeurs de billets.

■ ***Taxis :*** ☎ *68-422-22.*

Où dormir ?

Pas mal de *B & B,* tous excentrés. Liste disponible à l'office de tourisme qui pourra se charger de la réservation.

Bon marché

Rowan Tree Hostel : *Harmony Row.* ☎ *68-686-87.* ● *rowantreehostel.ie* ● *Contourner Ennis par les boulevards circulaires (Carmondy St, Cornmarket St, Mill Rd), puis tourner en direction du centre-ville, l'hostel est sur la droite, légèrement caché mais bien signalé. Ouv tte l'année. Compter 15-40 €/pers en dortoir (4-14 pers) ou en chambre (1-6 pers).* 💻 📶 *(gratuits).* Posée au bord de la rivière Fergus, cette magnifique bâtisse georgienne du XVIIe s abrite l'une des plus belles AJ que l'on connaisse. Confort optimum et charme absolu, voilà qui change ! Ambiance conviviale au bar-resto (ouvert à tous, 10h-23h) ou dans les pièces communes joliment arrangées. Chambres et dortoirs parfaitement tenus. Cuisine à disposition, laverie, et téléphone gratuit vers l'international !

Plus chic

The Old Ground Hotel : *O'Connell St.* ☎ *68-281-27.* ● *flynnhotels.com* ● *En plein centre. Doubles*

100-200 €, petit déj compris (grosses promos et forfaits sur Internet). Un hôtel à l'ancienne, dans un bâtiment datant du XVIIIe s. Une adresse chic et élégante mais pas guindée. Avec sa centaine de chambres, on est loin de la petite adresse de charme, surtout quand l'hôtel accueille mariages, congrès et conférences. Néanmoins, les prestations restent excellentes et le rapport qualité-prix attractif (surtout si vous décrochez une promo sur Internet). 2 restos sur place, hautement recommandables (*The Town House* et *The Poet Corner Bar,* voir « Où manger ? »).

Où dormir dans les environs ?

Lakeside Country Lodge : *Barntick,* **Clarecastle.** *☎ 68-384-88. • lakeside.ie • À 5 km d'Ennis. Prendre la direction de Limerick, puis à droite à la station* Maxol *: c'est avt le village de Clarecastle (indiqué). Fermé de mi-nov. à fin fév. Résa conseillée. Doubles 60-70 €.* Un *B & B* au milieu des moutons et des chevaux, surplombant un lac et les ruines d'une église au loin : vue particulièrement agréable de la véranda. 5 chambres immenses et cosy (dont certaines familiales), avec salle de bains. Une très bonne adresse, compte tenu des tarifs raisonnables.

Où manger ?

Bon marché

Brandon's Bar : *70, O'Connell St (près de la cathédrale). ☎ 68-281-33. Tlj juin-sept à partir de 13h ; et sinon tlj sf mar-mer à partir de 19h.* Pub grub *servie aux heures d'ouverture. Plats 4-10 €. CB refusées. (gratuit).* Pas un choix extraordinaire, mais une des meilleures *bar food* de la ville. Décor populaire avec ses toiles cirées. Musique le soir (voir « Où boire un verre ? Où écouter de la musique ? »).

De prix moyens à plus chic

Ennis Gourmet Store : *1, Barrack St. ☎ 68-433-14. Lun-sam 10h-20h (21h30 le w-e). Sandwichs 5-9 €, salades 12-14 €, plats chauds 10-15 €.* Cette épicerie fine-cave à vins a installé quelques tables devant son comptoir et en terrasse, pour grignoter des assiettes de fromage et de charcuterie, des sandwichs à composer soi-même. De bons produits à déguster sur place ou à emporter. Adorable !

The Poet Corner Bar : *au rdc de l'*Old Ground Hotel. *☎ 68-281-27. Ouv tlj jusqu'à 21h. Snacks et plats (servis à tte heure) env 5-19 €.* On adore ce magnifique pub aux boiseries ancestrales et patinées. Touristes et locaux viennent y boire un thé ou une *Guinness* sous l'œil protecteur des plus grands écrivains irlandais : Flann O'Brien, Bernard Shaw, Oscar Wilde... La *pub grub* s'avère délicieuse et plutôt bon marché. Mention spéciale pour le trio de saucisses fourrées au boudin noir. *Gorgeous !* Ambiance tranquille et conviviale au coin du feu, bien plus festive les soirs de concert (voir ci-après).

Brogan's : *24, O'Connell St. ☎ 68-294-80. Tlj midi et soir jusqu'à 22h (21h30 dim). Résa conseillée le soir. Plats 6-12 € au bar, 12-20 € au resto ; menu* early bird *env 17 €. Le resto de la* middle class *locale.* Un parfum très provincial pour une nourriture classique. L'accent est surtout mis sur les viandes et les grillades. *Gaelic steak, chicken curry* et quelques autres spécialités de poulet. Cependant, pas très imaginatif pour les légumes !

Town Hall : *O'Connell St. ☎ 68-281-27. Au sein de l'*Old Ground Hotel. *Tlj 12h-17h, 18h- 21h30 (en fait, ouv dès 10h pour le breakfast). Plats 19-24 €.* Un resto pour un dîner en amoureux, dans un cadre assez chic et spacieux. À la carte, une cuisine moderne et savoureuse, qui change des basiques irlandais, avec des influences italiennes et françaises. Mais aussi des desserts plutôt originaux.

Où boire un verre ? Où écouter de la musique ?

🍷 ♩ **Cruise's :** *Abbey St. ☎ 68-289-63.* Un vieux pub qui possède beaucoup de caractère avec ses murs aux vieilles pierres et boiseries. Musique traditionnelle tous les soirs (sauf lundi hors saison) de 21h jusque tard...

🍷 ♩ **Brandon's Bar :** *70, O'Connell St.* Grande salle agrémentée de vieilles affiches, bouteilles, photos jaunies d'Ennis. Musique rock, blues, folk ou traditionnelle les soirs de week-end. Clientèle jeune et bonne atmosphère.

🍷 ♩ **The Poet Corner Bar :** *voir plus haut « Où manger ? ». Concerts mer-dim.*

🍷 ♩ **Ciaran's :** *1, Francis St. ☎ 68-401-80. Dans le centre d'Ennis, en face du* Queen's Hotel. Même si le pub n'a pas beaucoup de cachet, vieux et jeunes, toutes classes sociales confondues, se réunissent ici pour écouter d'excellentes *sessions* tous les soirs en été, ou uniquement les vendredi ou samedi le reste de l'année.

🍷 ♩ **Alexander Knox's :** *18, Abbey St. ☎ 68-228-71.* Pub traditionnel mais jeune, sur 2 étages. Déco soignée à la fois moderne et ancienne. Le soir, musique dans tous les coins (DJ ou concert).

🍷 ♩ **Brogan's :** *24, O'Connell St.* Dans le bar, au fond du resto, musique en principe tous les soirs.

Où acheter de la musique celtique ?

🧺 **Custy's Traditional Music Shop :** *O'Connell St. ☎ 68-217-27. Dans une ruelle perpendiculaire à O'Connell St, à côté de* Brogan's. *Lun-sam 9h-18h.* Un grand choix de disques, mais aussi de nombreux instruments, au cas où une vocation naîtrait en cours de voyage. Si vous ne connaissez rien à l'*Irish music,* on vous conseillera très gentiment.

À voir

★★ **Ennis Friary** (abbaye d'Ennis) **:** *Abbey St. ☎ 68-291-00. Dans le centre. Avr-fin sept, tlj 10h-18h (dernière admission 45 mn avt fermeture). Entrée : 3 € ; réduc. Brochure en français.* Heritage site. Construite par des franciscains, elle fut à l'origine de la fondation de la ville, vers 1240. En 1375, l'abbaye possédait une extraordinaire renommée : 350 moines et une école avec 600 élèves. Nef d'une grande ampleur, aujourd'hui à ciel ouvert, avec clocher à la croisée du transept. De la construction initiale demeurent encore le chœur et sa très belle aile avec cinq fenêtres, côté est. Le cloître et la tour furent ajoutés vers 1400. Sol du chœur dallé de pierres tombales. Dans le transept droit, deux grandes baies gothiques. Ne pas manquer, sur le mur de gauche, la tombe des *Creagh,* élaborée en 1843 à partir de panneaux récupérés sur la tombe des *McMahon,* datant, quant à elle, du XVe s. Décors sculptés médiévaux assez élaborés. Nombreuses scènes, dont une remarquable *Mise au tombeau.*

★ Dans le centre-ville, au passage, vous remarquerez une colonne surmontée d'une statue, au début de O'Connell Street, ***monument dédié à Daniel O'Connell,*** qui fut député de Clare, à l'endroit même où une foule gigantesque lui demanda de se présenter aux élections, en 1828.

★ ***O'Connell Street*** et ***Abbey Street*** sont des rues agréables, bordées de boutiques. Dans le centre, plusieurs rues piétonnes, notamment autour de ***Merchant's Place*** et ***Parnell Street,*** où plusieurs maisons ont été joliment repeintes. ***Lower Market Street*** n'est pas mal non plus.

Un peu excentré à l'ouest de la ville, près du pont de Mill (au bout de Mill Road, prolongement de Harmony Row), au carrefour des routes pour Lisdoonvarna, colonne surmontée d'une statue, ***The Maid of Erin,*** monument commémorant les martyrs de Manchester : O'Brien, Allen et Larkin, dirigeants du mouvement fenian exécutés en 1867, suite au décès d'un policier dans l'attaque d'un fourgon pour libérer deux activistes. Également une agréable promenade depuis cet endroit jusqu'au centre, le long de la rivière Fergus.

Clare Museum : *dans le bâtiment de l'office de tourisme. ☎ 68-233-82. • clarelibrary.ie • Ouv tte l'année, 9h30-13h, 14h30-17h30. Fermé dim-lun (sf juin-fin sept). Entrée gratuite. Quelques explications en français.* Voici 6 000 ans d'histoire du comté de Clare, imprégnés de religion et intimement liés à l'eau (océan et Shannon !). Mais aussi tout sur le héros local Daniel O'Connell et sur Holland, l'inventeur du sous-marin. Une bonne introduction avant de visiter le comté, avec des bornes interactives.

DANS LES ENVIRONS D'ENNIS

Dysert O'Dea : *à 12 km au nord d'Ennis. Sur la route de Corofin (la R 476), puis à gauche (bien indiqué).*
Sur le site de la dernière bataille que livrèrent les Normands pour conquérir l'Irlande (en 1328), ruines d'une *abbaye* fondée au VIIIe s et tour ronde du XIIe s. En arrivant, dans un champ, une splendide *croix* monumentale du XIIe s. Sur l'une des faces, crucifixion et évêque sculptés. Sur l'autre, harmonieux graphismes gaéliques (assez effacés, hélas !). Dans l'*église* du XIIe s, beau portail roman sculpté, orné de visages humains et de têtes d'animaux. Le reste a été assez remanié. Cimetière à l'intérieur du site.
Dans le petit *château* du XVe s près de l'abbaye, on peut voir un audiovisuel sur l'histoire de la région et visiter une petite section archéologique. *☎ 68-374-01. • dysertcastle.com • Mai-sept, tlj 10h-18h. Entrée : 4 € ; réduc.*

Quin Abbey : *à* ***Quin,*** *à une dizaine de km au sud-est d'Ennis. Ouv Pâques-oct, lun-ven (sf mar) 10h-16h ; w-e 9h-15h. Entrée gratuite.* Abbaye franciscaine du XVe s construite sur les ruines d'un château anglo-normand. Ses ruines majestueuses ont fort belle allure et son cloître est l'un des mieux préservés d'Irlande. Série intéressante de pierres tombales s'étalant sur plusieurs siècles.

Knappogue Castle : *☎ (061) 360-788 (château de Bunratty). • shannonheritage.com • À 4 km au sud de Quin. Mai-août, tlj 10h-16h30. Entrée : 6 € ; réduc.* Construit au XVe s et siège du clan des McNamara, leaders de la rébellion de 1641. Seul le gros donjon est d'origine, une grande partie du reste des édifices ayant été rajoutée au XIXe s. L'ensemble a été restauré en 1966, dans le style du XVe s. Vaste jardin XIXe s. Au 1er étage, dans la *ClanCullen Room,* se trouvaient les quartiers du seigneur, avec une intéressante cheminée sculptée. Au 2e étage, le *great hall* et, un peu plus loin, un vitrail représentant *Brian Boru,* le seigneur partant en guerre. Le château accueille des banquets « médiévaux », sur résa, de mai à fin août.

Craggaunowen, The Living Past : à ***Kilmurry.*** *☎ (061) 360-788 (château de Bunratty). • shannonheritage.com • À env 8 km à l'est de Quin (bien indiqué). En principe, ouv de Pâques à août, tlj 10h-17h. Entrée : 9 € ; réduc.* Perdu dans la campagne, le site comprend une reconstitution d'une cité lacustre de l'âge du fer (un *crannog*) ainsi qu'un fort circulaire et un bateau construit sur le modèle de celui utilisé par saint Brendan pour découvrir l'Amérique (bien avant Christophe Colomb !). Très intéressant. Également un donjon du XVIe s.
Cafétéria aux mêmes horaires que le site (soupes, sandwichs, thé et *scones*).

LA CÔTE OUEST DU COMTÉ DE CLARE

Dysert O'Dea, c'est encore la campagne. À partir de Corofin, on pénètre dans le Burren, paysage quasi lunaire (voir plus loin).
Notre itinéraire va désormais suivre la côte, au départ du ferry, mais il est évident que toutes les combinaisons bords de mer-montagnes du Burren sont possibles. D'autant plus que les distances (sauf pour les auto-stoppeurs) restent courtes. Une visite de la côte et du Burren nécessite au moins 3 ou 4 jours.

Où dormir à Kilrush, au plus près du ferry ?

Voir aussi plus bas, nos adresses sur Talbert, de l'autre côté du Shannon. On vous rappelle que ce ferry permet d'éviter un détour par Limerick de 140 km. À part ça, Kilrush ne présente guère d'intérêt.

Katie O'Connors Holiday Hostel : *49, Frances St. ☎ (065) 90-511-33. • katieshostel.com • Dans le centre, au-dessus de l'office de tourisme. Ouv de mi-mars à fin oct. Compter 15-21 €/pers en dortoir ou chambre double. CB refusées (mais distributeur juste à côté).* Petite AJ privée d'une trentaine de lits, en dortoirs de 4 à 10 personnes ou en chambre double. Cuisine charmante avec cheminée, baby-foot, mais pas de laverie (il y en a une non loin). Accueil sympa.

– Pour ceux arrivant par ferry depuis Tarbert, possibilité d'observer la colonie de dauphins qui a élu domicile dans l'estuaire du Shannon. Sinon, excursions possibles depuis Carrigaholt et Kilrush, d'avril à octobre (sorties en fonction des conditions météo) : *☎ 90-581-56. • dolphinwatch.ie • ; sorties tlj ; 25 €/pers, réduc. Ou* ***Kilrush Creek Marina :*** *☎ 90-513-27 ; • discoverdolphins.ie • ; plusieurs sorties/j. en été ; 22 €/pers, réduc.*

LA LOOP HEAD, KILKEE ET LA CÔTE VERS QUILTY

IND. TÉL. : 065

Ceux qui fêtent leur dixième voyage en Irlande, qui ont presque tout vu dans le comté de Clare, prendront plaisir à flâner sur la *Loop Head,* vaste péninsule doucement vallonnée, à l'embouchure du Shannon. Le meilleur itinéraire consiste, à la sortie de Kilkee, à prendre la *Coast Road* (ou *Moveen West)* en passant par Newtown, Cross, puis Ross. Les villes et les villages traversés n'offrent guère d'intérêt, mais la côte est vraiment belle et sauvage. Dès les premiers kilomètres, on longe de superbes falaises, moins hautes mais aussi belles que celles de Moher, et moins fréquentées ! On en prend plein les yeux, d'autant que la route est vraiment au bord des falaises... Attention tout de même aux risques de chute. Au bout de la péninsule, on peut entendre le souffle des baleines les jours sans vent.

QUI M'AIME ME SUIVE...

Au bout de la Loop Head, vers le phare, on surnomme l'impressionante cassure dans la falaise « le saut de l'amant » parce qu'un jour un homme, poursuivi par les avances d'une dame, sauta sur le rocher. Il rata son coup et tomba dans la crevasse... Bon, une autre version dit que c'était, en fait, une sorcière. On comprend mieux !

La Loop Head se termine au nord par de hautes falaises dominées par un phare, auquel on n'a pas accès. Sur l'un des côtés, un immense rocher est séparé de la falaise par une cassure très droite et profonde. La mer s'y engouffre et résonne sourdement. Une bonne bouffée d'iode ! Néanmoins, soyez prudent et restez sur le sentier, car il n'y a aucune sécurité.

Où dormir ?

Voir également nos adresses dans les environs de Listowel (« Où dormir ? Où manger dans le coin ? »).

⩓ ***Strand Camping** : Killard Rd, **Doonbeg.*** ☎ *90-553-45. ● strandcamping doonbeg.com ● Sur la baie de Doonbeg, bien indiqué depuis le village : à moins de 1 km sur la droite, en bord de mer. Ligne de bus, avec arrêt à Doonbeg, reliant Kilkee et Kilrush. Ouv tte l'année. Pour 2 pers avec tente et voiture, 18 €. CB refusées. Douches chaudes gratuites.* Un minuscule camping, très simple, avec un petit bloc sanitaire, basique mais propre. Pas de cuisine, mais un barbecue et une laverie. Accueil très nature et jovial de la pétillante Pippa, qui fait partie du jazz-band de Doonbeg. Baignades et pêche au saumon recommandées. Vous aurez peut-être la chance de voir quelques phoques à marée basse.

Où manger ?

On vous a prévenu, vous voilà au bout du bout du monde ! Deux bars-restos ; l'un, le ***Keating's*** ouvert seulement le week-end et en saison (jolie vue mer) et l'autre, le ***Lighthouse Inn,*** ouvert tous les jours, toute l'année (mais cuisine vraiment pas terrible)... Autre solution, revenir sur Miltown Malbay ou prévoir le pique-nique !

MILTOWN MALBAY ET SPANISH POINT

IND. TÉL. : 065

Miltown Malbay est un petit village à l'ouest d'Ennis et au sud d'Ennistymon. Festival de Musique traditionnelle à la gloire de William Clancy chaque année, en juillet, qui se déroule dans les divers pubs de la ville.
À Spanish Point, tout à côté, le bord de mer est assez plat, avec des plages de sable, du vent et de grosses vagues. En 1588, des bateaux de l'Invincible Armada se sont échoués en face de Spanish Point. Les marins dont les corps ont été repêchés sont enterrés dans les environs.
Au sud de Miltown Malbay, *Quilty,* toute petite station balnéaire familiale, avec de longues plages et dunes.
Le coin est très beau, mais certains endroits de la côte souffrent de la construction de centaines de petits « cottages » de vacances, tous identiques... Pourtant, le caractère sauvage de la région attire encore.

Où manger ? Où boire un verre ? Où écouter de la musique ?

Rares sont les soirs sans musique !

|●| 🍸 ♩ ***Cogan's** : **Miltown Malbay,** dans la rue principale.* Petit pub sans prétention mais qui s'avère une bonne adresse pour grignoter un morceau comme pour boire un verre au coin du feu. Pas cher du tout. Musique traditionnelle tous les soirs vers 21h30.

🍸 ♩ ***Friels*** (marqué ***Lynch***) ***: Miltown Malbay.*** *En plein centre, près du garage et de la* Bank of Ireland. *Tlj à partir de 18h.* Petit pub mignon. Atmosphère *friendly.* Musique en principe les mercredi, vendredi et samedi en été (uniquement le samedi le reste de l'année).

Cleary's : ***Miltown Malbay.*** ☎ *70-842-01. Juste à gauche en direction de Lahinch.* Pub très authentique, où le « salon de mamie » est attenant au bar... Musique traditionnelle le jeudi soir toute l'année.

Marrinan's Pub : ***Miltown Malbay,*** *également dans la rue principale.* Musique le mercredi soir ; les chanteurs sont les bienvenus, particulièrement s'ils viennent chanter les chansons traditionnelles de leur pays. Bretons, Basques ou Auvergnats sont donc invités à pousser la chansonnette. Avis aux amateurs !

LAHINCH (AN LEACHT)

650 hab. IND. TÉL. : 065

À 10 km au nord de Miltown Malbay, Lahinch est une station balnéaire propre, familiale, au bord d'une immense plage. Vagues plutôt costaudes. C'est le paradis des surfeurs et l'un des spots les plus connus de l'Irlande (meilleure période en automne-hiver, voire au printemps). Également un golf extra le long de la mer, avec une tour en ruine en plein milieu.

Adresses et infos utiles

Tourist Information Centre : *Main St ; dans une boutique.* ☎ *70-820-82. • lahinchfailte.com • En été, tlj 9h-21h ; juin-sept, tlj 10h-17h.* Résas d'hébergement, cartes, brochures sur les visites, horaires des bus, etc.

Poste : *Main St.*

Banque : *un distributeur de billets à l'office de tourisme, bureau qui fait aussi change.*

Internet : *connexion à un prix élevé au resto* Danny Mac's *(voir « Où manger ? »).*

Arrêt de bus : *à la sortie du village (mais près du centre), au carrefour pour Ennistimon et Liscannor.* Ligne Limerick-Doolin (via Ennis et Lisdoonvarna) : 2 bus/j. (3 en été) dans les 2 sens. Autre liaison, avec Galway, slt en été : 1 bus/j. dans les 2 sens.

Pour se garer, un grand ***parking*** côté plage, près de l'office de tourisme.

Où dormir ?

Camping

Ocean View Camping : *un peu au sud du village, à moins de 1 km en direction de Miltown Malbay, sur la N 67.* ☎ *70-816-26. Ouv mai-sept. Env 16 € pour 2 avec tente. Douches gratuites.* Grand camping disposant d'une cinquantaine d'emplacements pour les tentes, le reste étant occupé par un bon nombre de mobile homes. Cuisine commune, salle de jeux et salle TV, mais pas de laverie. Aucun charme !

Bon marché

Lahinch Hostel : *Church St.* ☎ *70-810-40. • visitlahinch.com • Dans le centre du village, juste à côté de l'église, au bout de la rue principale. Ouv tte l'année. Compter 15-17 €/pers en dortoir ; 20 €/pers en chambre double ou familiale.* Une AJ privée de 54 lits, équipée d'une grande cuisine, d'un barbecue sur la terrasse en haut, d'une salle commune avec TV, du chauffage central et de machines à laver. Minidortoirs de 4 à 10 lits, ainsi que des chambres doubles ou familiales. Toutefois propreté très moyenne... Également un *B & B (Castleview Lodge)* géré par les mêmes proprios, excentré, en direction d'Ennistymon.

Prix moyens

Cois Farraige : *Milton Malbay Rd, Cregg.* ☎ *70-815-80. • coisfarraige.net • Au sud de Lahinch. À 800 m sur* *la route côtière de Miltown Malbay, sur la droite, presque en face du camping. Ouv mars-fin nov. Doubles 60-70 €. CB refusées.* Longue bâtisse moderne de style traditionnel qui dispose de 6 chambres confortables, toutes *en suite*, certaines prévues pour 4 personnes (les familles disent merci !). Au choix, (petite) vue sur la mer, les chevaux ou le camping ! Beau panorama également depuis la salle de petit déj. Salon avec TV et cheminée, aussi chaleureux que l'accueil.

Plus chic

Moy House : ☎ *70-828-00.* • *moyhouse.com* • *À la sortie de Lahinch, en direction de Milltown Malbay. Doubles 185-360 €. Dîner 55 €.* Une fabuleuse maison face à la mer, aux allures de phare et datant du XVIIIe s. La déco est un peu vieillotte et chargée mais elle ne manque pas de charme... L'endroit possède énormément de cachet. Une adresse romantique en diable ! L'hôtel figure en bonne place parmi les 100 meilleures adresses en Irlande, et ce, depuis plus de 20 ans. La table est tout aussi réputée. Pas donné, l'on s'en doute. Pensez à surveiller les forfaits et les promos proposés sur le site internet.

Où manger ?

Joe's Café : *juste à côté de l'office de tourisme.* ☎ *70-861-13. Tlj 9h30-17h (21h ven-sam et en juin-août). Breakfast, snacks 5-9 €, plats chauds 7-14 €.* Joyeuse ambiance dans ce petit resto dédié aux cuisines du monde : salades, *pies*, pizzas, sandwichs ou plats du jour. Attablé dans une charmante salle très colorée et conviviale, le plus dur est de choisir parmi la longue et appétissante carte aux plats bon marché venus d'Inde, d'Orient, d'Italie, du Mexique... Gardez une place pour les desserts maison !

The Cornerstone : *Main St, à côté de la poste.* ☎ *70-812-77. Resto tlj 13h-21h (21h30 en été). Snacks et plats 5-22 €.* Maison en pierre, aux fenêtres rouges. 2 salles agréables où les gens du coin se donnent rendez-vous autour d'une pinte et d'un match à la TV. Bonne cuisine, notamment un délicieux *Irish beef stew*.

Danny Mac's : *Main St.* ☎ *70-810-20. Tlj 9h30-21h (21h30 en été). Snacks et plats 5-19 €.* L'intérieur est chaleureux, avec des banquettes confortables dans de petits box en bois, du lambris clair au plafond et des murs colorés. Cuisine classique et roborative.

Où manger dans les environs ?

Chic

Barrtrá Seafood Restaurant : *à* **Barrtrá,** *5 km au sud de Lahinch, sur la route de Miltown Malbay, par un petit chemin sur la droite (panneau).* ☎ *70-812-80. Ouv mars-sept ; tlj en juil-août, tlj sf mer en juin et sept et tlj sf mar-mer mars-mai. Plats 14-25 € ; menus 28-49 €.* Joli petit resto avec vue sur la baie de Liscannor. Parfait pour un tête-à-tête, devant le coucher de soleil à admirer depuis la véranda. Cuisine fine et généreuse, poisson ultra-frais servi avec ses légumes du jour (parfois bio et cueillis dans le jardin !). Accueil délicat et avenant.

Où boire un verre ? Où écouter de la musique ?

The Cornerstone : *voir « Où manger ? ». Musique traditionnelle sam en été, voire les jeu et dim.* Déco chaleureuse avec des boiseries rouges. Atmosphère bon enfant. Dommage que le feu de tourbe soit factice...

The Nineteenth Bar : *Main St. En été, tlj à partir de 12h (sinon 16h). Musique et ballades presque ts les soirs de mi-juin à mi-sept ; le reste de l'année, c'est plus rare.*

Achats

Celtic T-Shirt Shop : *sur la promenade.* ☎ *70-815-64. Tlj 9h-22h en été,*

11h-17h en hiver (en fév, ouv slt le w-e). Cette boutique présente les créations dessinées et imprimées à l'atelier de sérigraphie attenant : des T-shirts aux motifs du *Livre de Kells* (voir le Trinity College dans le chapitre sur Dublin). Parmi les plus beaux d'Irlande, même s'ils sont un peu chers. Ils créent aussi des motifs plus personnels.

À faire

■ ***Seaworld Leisure Centre :*** *sur la promenade. ☎ 70-81-900. • lahinchseaworld.com • Piscine aux horaires larges mais compliqués : tlj 9h-20h (18h w-e) mais, parfois, ouvre à 7h et ferme à 21h. Aquarium : tlj 10h-18h. Entrée piscine : 7 € ; aquarium 9 € ; combiné : 11 €. Réduc et forfaits famille.* L'ensemble regroupe un aquarium et une piscine (avec jacuzzi, sauna, etc.).

Où apprendre à surfer ?

■ ***Lahinch Surf School :*** *cabane au bord de la plage, au fond du grand parking, près du* Seaworld Leisure Centre. *📱 087-960-96-67. • lahinchsurfschool.com • Juin-août, tlj ; hors saison, le w-e ou sur résa. Compter 35 € les 2h de cours de surf en groupe. Et aussi un bureau dans la boutique (qui ne loue pas de matériel) sur la rue principale, à côté du garage.*

ENNISTYMON (INIS DIOMÁIN)

880 hab. IND. TÉL. : 065

Village commerçant et animé au bord de la Cullenagh, dans une vallée pittoresque. À l'entrée du bourg, cette rivière tombe en cascade et offre, sur ses berges, une jolie promenade. S'écrit aussi Ennistimon.

– On y trouve l'une des rares banques du coin avec distributeur, ainsi qu'un supermarché ouvert tard le soir. Bon à savoir...

Où dormir ?
Où manger ?

⌂ ***Páirc an Fhia :*** *Deerpark Upper. ☎ 70-711-34. • deerpark.clareireland.net • À la sortie du village en direction de Lisdoonvarna ; bien fléché, sur la droite (juste après le supermarché). Doubles 70-76 €.* Wi-Fi. Une grande maison jaune, plutôt cossue. Chambres sobres, agréables et confortables. L'accueil est timide et réservé, mais les hôtes se révèlent vite charmants et dévoués. Si vous séjournez plusieurs jours dans le coin, ils se feront un plaisir de partager leurs coups de cœur et vous prêteront même un GPS avec toutes sortes de balades et circuits préprogrammés. Suivez le guide ! Le petit déjeuner est excellent (saumon fumé et œufs brouillés mémorables).

⌂ ***Grovemount House :*** *Lahinch Rd. ☎ 70-714-31. • grovemount-ennistymon.com • À env 1 km du centre, sur la droite ; bien fléché. Ouv avr-oct. Doubles 66-80 € selon saison.* Wi-Fi. Sur une butte dominant la ville, grosse et charmante maison blanche, au calme. Les 6 chambres sont confortables (toutes triples, *en suite* et avec TV), mais un peu impersonnelles, et celles avec un numéro impair offrent une vue sur la campagne plutôt que sur la route... En fait, c'est quasiment un petit hôtel avec sa réception et son accueil très efficace.

Falls Hotel : ☎ *70-710-04. • fallshotel.ie • Depuis la rue principale du village, dans le centre, prendre une rue perpendiculaire au panneau indiquant l'hôtel. Ouv tte l'année. Doubles 130-210 € selon saison et standing ; grosses promos sur Internet.* Doté de 140 chambres, de 9 appartements bien équipés (pour 3 à 7 personnes) et d'un *lodge* (pour environ 8 personnes), il est situé en haut d'une colline, entouré d'un beau parc, au calme et surplombe la rivière et les chutes. Mais ce qui fut autrefois une jolie maison georgienne est aujourd'hui devenu un grand hôtel pour « *apparatchiks* » et autres touristes américains. Il conviendra donc aux lecteurs plus sensibles au confort qu'au charme. Les chambres sont impeccables et les équipements excellents : tennis, piscine couverte et spa. Possibilité de déjeuner ou de dîner sur place, côté bar (menu imposé au resto, un peu cher... et plutôt triste). Accueil anonyme.

Unglert's Bakery : *New Rd.* ☎ *70-716-99. Prendre la rue principale direction Ennis et, au pont, c'est sur la droite, dans la maison jaune. Tlj sf dim-lun 9h-18h.* Des sandwichs à moins de 4 € dans une boulangerie où l'on peut déguster sur place pâtisseries et viennoiseries. Délicieux *scones* et *carrot cake* ! Plus de choix pour le sucré que pour le salé...

Byrne's : *Main St.* ☎ *70-710-80. Mars-oct, tlj 10h-22h ; nov-fév, ouv slt jeu-dim. Le midi, plats à partir de 11 € et menus 15-18 € (2-3 plats) ; le soir, plats 14-22 €.* Avec sa belle façade édouardienne, voici notre meilleure adresse en ville. Salle à manger cosy, éclairée le soir de guirlandes et de bougies. De jour, belle vue sur les chutes depuis la véranda et la terrasse. Cuisine dans l'air du temps, fine et soignée à base de produits frais et locaux : risotto, agneau braisé, poisson du jour... Accueil charmant et service souriant. Quelques chambres à l'étage.

Où boire un verre ? Où écouter de la musique ?

Cooleg's : *Main St. En plein centre-ville.* Le pub du village avec son petit feu, ses larges banquettes et son long comptoir. Musique le mercredi soir et parfois le vendredi. *Sessions* assurées par les habitants du village qui jouent, dansent et chantent ici de père en fils et de mère en fille... Ambiance rare et authentique. Un coup de cœur ! Le pub voisin est sympa aussi mais ne propose pas de musique.

Daly's : *Main St. En face du* Cooleg's. *Tlj.* Petit pub vieillot, avec des plaques émaillées anciennes, des articles jaunis, des gravures... et une cheminée. *Sessions* 4 fois par semaine en été, sinon les week-ends. Au comptoir, tous les pochetrons du coin !

Falls Hotel : *voir « Où dormir ? Où manger ? » plus haut. Tlj à partir de 11h.* Le vaste bar (faux-)chic, avec ses gigantesques baies vitrées qui dominent la rivière et la cascade, vaut le coup d'œil.

Balades à cheval

The Willie Daly Riding Centre : ☎ *70-713-85. Prendre la route de Lisdoonvarna, puis tourner à gauche après 2 km (panneau). Pâques-fin oct, tlj 10h-17h, voire plus tard en été. Compter env 30 €/h.* Centre équestre avec poneys et chevaux, dirigé par Willie, qui est aussi connu dans le pays comme étant le dernier *match maker* d'Irlande, un marieur professionnel en quelque sorte. Randonnées de 1 à 3h, dont l'une passe près d'un château hanté et une autre se fait sur la plage ; séances de 30 mn environ pour les enfants. Débutants acceptés. Au moins 2 départs par jour. Bien se faire préciser l'itinéraire emprunté pour éviter toute mauvaise surprise.

CLIFFS OF MOHER (LES FALAISES DE MOHER)

IND. TÉL. : 065

C'est un peu comme Étretat, mais avec les falaises en noir, en plus haut, en plus dramatique... Le coin est resté particulièrement sauvage, même s'il est très fréquenté par les touristes. Pour mieux en profiter, ne pas hésiter à venir tôt (quand il n'y a pas encore foule) ou en fin d'après-midi, c'est là que la lumière est la plus saisissante.
Certaines falaises atteignent 214 m (parmi les plus hautes d'Europe), et, au total, ce front de mer à pic s'étend sur 8 km. Une petite tour *(O'Brien's Tower)* fut construite en 1835 pour mieux les contempler (sur la droite). Sacrément impressionnant. On dit que, par temps clair, on peut apercevoir la Loop Head, les montagnes du Kerry, les îles d'Aran et les Twelve Bens du Connemara. Petites promenades aménagées. Rester prudemment sur les sentiers (très) balisés.

Infos utiles

– Les falaises se situent à 3 km du village de ***Liscannor,*** en suivant la côte.
– L'accès aux falaises elles-mêmes n'est pas payant, mais parking obligatoire (un billet à 6 € par personne inclut l'entrée aux expos et le parking ; 4 € pour les seniors et gratuit pour les moins de 16 ans s'ils sont accompagnés). En pratique, vous pouvez ruser et arriver avant ou après l'ouverture pour ne pas avoir à payer... On vous déconseille en revanche l'accès au site après la fermeture, pour de simples raisons de sécurité. Cela peut s'avérer très dangereux à la nuit tombée et il n'y a plus rien à voir !
– ***Visitor's Centre :*** *☎ 70-86-141.* • *cliffsofmoher.ie* • *Horaires qui peuvent changer, mais, en principe, ouv tlj : juin 9h-20h (20h30 le w-e) ; juil-août, 9h-21h ; mai-sept, 9h-19h (19h30 le w-e) ; avr 9h-18h30 (19h le w-e) ; mars et oct, 9h-18h (18h30 le w-e) ; nov-fév, 9h-17h.*
Un bâtiment récent à l'architecture troglodyte pour le moins originale, qui se fond parfaitement dans le paysage. À la fois lieu commercial (magasin de souvenirs, restos, distributeur de billets) et lieu d'expos sur l'océanographie et la géologie des falaises, leur faune et leur flore, ainsi que les interactions avec l'homme. Également un audiovisuel sur le comté de Clare et un point de vue inédit sur les falaises... L'ensemble est plaisant à regarder, avec aussi des bornes interactives. Plan-brochure en français.
– Les horaires d'ouverture de la tour O'Brien dépendent de la météo et du nombre de visiteurs *(2 € supplémentaires).*
➢ À partir de 2013, un sentier de randonnée côtière sera ouvert, permettant de rejoindre Hags Head depuis les falaises de Moher (et même depuis Doolin). Plutôt sportif, à réserver aux bons marcheurs bien chaussés (3h aller-retour).
➢ ***Bus*** ttes les heures en été pour Doolin, Galway et Ennis ; slt 1/j. hors saison (2 pour Ennis). Sinon, faire du stop. L'accès au site sera alors gratuit !
➢ Plusieurs compagnies organisent des ***minicroisières*** pour contempler ces belles falaises en contre-plongée. Le panorama, vu d'en bas, est tout aussi impressionnant et la promenade nautique d'environ 1h permet en plus de voir de plus près les nombreux oiseaux nichant sur les versants escarpés. Ils sont particulièrement nombreux d'avril à fin juillet.
Pour se renseigner et acheter les tickets, il faut aller directement au petit port de Doolin, d'où partent les bateaux. Ils naviguent tous les jours (plusieurs croisières quotidiennes) d'avril à fin octobre, sauf en cas de mauvais temps ou de mer agitée.

Compter environ 20 € par adulte ; réduc pour les enfants et les familles. Petit tuyau : pour son dernier trajet de la journée, le bateau *Jack B,* affrété par *Doolin 2 Aran Ferries* (☎ *70-759-49 ;* • *cliffs-of-moher-cruises.com* •), ne revient pas à Doolin, mais va jusqu'à Liscannor où il reste pour la nuit. En choisissant cette croisière, on a donc la possibilité d'admirer les falaises sur toute leur longueur (les autres circuits n'en couvrent qu'une partie), et notamment *Hag's Head,* arche naturelle formée dans les rochers. Ensuite retour à Doolin (pour récupérer la voiture) en taxi ou en bus (c'est compris dans le prix !).

Il existe aussi un billet combiné à 35 € qui permet de passer en outre 4h sur Inisheer, la plus mimi des îles d'Aran.

Où dormir ?

Voir aussi plus loin le chapitre sur Doolin.

Prix moyens

Sea Haven : Liscannor. ☎ *70-813-85.* • *seahaven-liscannor.com* • *Moins de 1 km après Liscannor en direction de Lahinch, sur la gauche. Fermé autour de Noël. Doubles 70-76 € selon saison ; familiales 100-110 €.* Superbe maison surplombant la baie. Elle abrite 6 chambres (dont des familiales) à la déco assez chargée et kitsch, mais spacieuses et confortables, toutes avec salle de bains.

Où manger ?

Vaughan's : *Main St,* **Liscannor.** ☎ *70-815-48. Situé sur la droite après le* Logues Liscannor Hotel, *en venant de Lahinch.* Bar food *servie tlj jusqu'à 18h pour le lunch, 21h (voire 21h30) pour le dîner. Compter 5-15 € les sandwichs et plats le midi, 18-30 € pour un plat le soir.* Belle déco marine et cossue autour du feu de cheminée dans ce pub où l'on déguste des plateaux de fruits de mer, d'excellents poissons et autres plats servis en parts copieuses. Adresse très réputée et régulièrement récompensée pour la qualité de sa cuisine.

Logues Liscannor Hotel : Liscannor. ☎ *70-860-00. À l'entrée du village, en venant de Lahinch, sur la gauche. Ouv fin avr-oct. Tlj. Plats env 12-15 € le midi, plus chers le soir.* Gros hôtel qui propose de bons *specials* le midi, à prix modérés. Bien plus onéreux le soir, mais cuisine réussie, notamment le poisson et l'agneau du Burren. Jolie vue sur la mer et un petit port en contrebas.

Où boire un verre ? Où écouter de la musique ?

Joseph MacHugh's Pub : Liscannor. ☎ *70-811-63. À côté du* Vaughan's. *Tlj.* Ce pub chaleureux et bien décoré offre une agréable cheminée ou une terrasse pour les beaux jours. Il programme de la musique traditionnelle le week-end. Et sert aussi à manger.

DOOLIN (DÚLAINN)

300 hab. IND. TÉL. : 065

Son nom vient de *Dubh Linn,* la « mare noire », comme Dublin. Ce minuscule port de pêcheurs à 8 km de Lisdoonvarna n'a pas de charme particulier mais est célèbre dans le monde entier comme symbole de la *folk music* et du paysage irlandais typique. Presque une légende ! Pourquoi Doolin ? Tout autre petit port irlandais aurait pu être choisi ! D'ici, on peut embarquer au

plus près des îles d'Aran, ça a dû jouer. En tout cas, depuis quelque temps, le coin s'institutionnalise. Toujours d'excellents musiciens, mais en été ça devient dur de profiter de leur talent.
Doolin est un village assez étendu, sans véritable centre : Roadford au nord, Fisherstreet au milieu et le port au sud. Les maisons sont dispersées le long de petites routes ou de chemins.
– ATTENTION ! plage très dangereuse. Et pas de distributeur de billets !

Arriver – Quitter

En bus

🚌 ***Station de bus :*** *devant le* Paddy Doolin Hostel, *où l'on peut acheter un ticket tlj 7h30-21h (20h en hiver). Mais on peut aussi le faire directement dans le bus.*
➢ ***De/vers Dublin, Galway, Limerick, Cork et Killarney, mais aussi les falaises de Moher et Ennis*** (avec *Bus Eireann*) **:** min 2 bus/j. dans chaque sens, tte l'année ; liaisons supplémentaires en été.

En bateau

➢ Pour les ***îles d'Aran,*** avec *Doolin Ferries.* Voir le chapitre « Les îles d'Aran ».

Adresses utiles

🛈 ***Tourist Information :*** *au cœur du village, à côté de l'*Hotel Doolin. ☎ *70-756-49. Ouv mars-fin oct, 8h30-19h30.* Infos et résas sur place. Liste des hébergements, horaires de bus, de bateaux (et billetterie)... Circuits de randos et circuits vélos (11 boucles en tout).
@ ***Doolin Internet Café :*** *Fisher St.* ☎ *70-748-88.* Au Doolin Activity Lodge. *Tlj 9h-22h (21h en hiver). Tarifs prohibitifs...* Loue aussi des vélos pour 15 €/jour.

Où dormir ?

Voici pas mal d'adresses, afin de ne pas être démuni en haute saison. Question accueil, Doolin demeure très touristique. L'indifférence polie cohabite donc avec un sourire parfois plus sincère...

Campings

⛺ ***Nagles Doolin Caravan & Camping Park :*** *au port.* ☎ *70-744-58.* • *doolincamping.com* • *À 100 m de l'embarcadère pour les îles d'Aran. Ouv de mi-mars à mi-oct. Compter 17 € pour 2 avec tente. Douches payantes.* En raison de son exposition, le site est toujours très venté. Évidemment, super bien situé pour les romantiques balades au bord de la mer, mais surpeuplé en saison, car peu étendu, et fatalement bruyant. Cuisine commune bien équipée. Même si l'eau est dite « potable », par précaution, mieux vaut apporter son eau minérale. Lave-linge et sèche-linge payants.
⛺ ***O'Connors Riverside Camping :*** *derrière la* O'Connors Guesthouse. ☎ *70-744-98.* • *campingdoolin.com* • *Ouv de mi-mars à mi-oct. Selon saison, 17-20 € pour 2 avec tente. Douches et électricité payantes.* De bonne qualité, avec sanitaires propres, assez de douches, une pièce pour cuisiner, laverie et salle TV.
⛺ ***Aille River Hostel :*** *voir aussi la rubrique « Bon marché ». Un petit champ accueillant, juste derrière l'AJ : 18 € la nuit pour 2 avec tente.* Possibilité d'utiliser tous les services de l'AJ. Arriver tôt en été, car le terrain en question est tout petit. Et les premiers arrivés sont les premiers servis !

Bon marché

🏠 ***Aille River Hostel :*** *Fisher St.* ☎ *70-742-60.* • *ailleriverhosteldoolin.ie* • *Près du carrefour au centre de Doolin, bien fléché. Ouv en principe de mi-fév à fin nov (en hiver, mieux vaut téléphoner avt). Selon saison et taille du dortoir, 15-17 €/pers ; doubles 38-42 €. CB refusées.* Cette AJ très chaleureuse n'est pas banale, à l'instar du proprio, Karl, vraiment sympa. Ça change des standards habituels. Ici, c'est un charmant cottage en pierre, vieux de plus de 300 ans, où ont été aménagés plusieurs dortoirs (4, 6 et 8 lits), plus quelques chambres doubles, pouvant héberger une quarantaine de personnes en tout. Les salles de bains sont communes ou privées, ça dépend. Les hôtes bénéficient de tout le confort : chauffage central, feu de tourbe, petits coffres-forts dans les chambres, lave-linge gratuit. Cuisine bien équipée et location de vélos. L'AJ a été élue *« best independent hostel »* en 2010.

Doolin Hostel : *Fisher St. 087-282-05-87. • doolinhostel.ie • Fermé 20-28 déc et 4-28 fév. Compter 14-17 €/pers en dortoir et 20-30 € en chambre. Plats 8-14 €.* La plus ancienne AJ privée du village, récemment reprise par le fils de la famille (qui a entrepris pas mal de travaux et d'améliorations). En tout, 90 places en dortoirs de 4, 6 ou 8 lits, qui se partagent des salles de bains communes, ou en chambres doubles, parfois *en suite.* Confortable et propre, l'AJ est pourvue d'une vaste cuisine moderne, plus laverie, chauffage central, petite boutique d'alimentation, téléphone international, bureau de change, vente de tickets de bus, etc. Salon TV avec cheminée et petit resto sur place.

Rainbow Hostel : Roadford. *70-744-15. • rainbowhostel.net • Dans le village, côté nord. Ouv tte l'année. Compter 12-17 €/pers en dortoir et 17-22 €/pers en chambre privée. Petits déj 4-7 €. CB refusées.* Cette petite AJ privée dispose d'une trentaine de lits (en dortoir de 3 à 8 personnes ou en chambre double), d'un salon à la déco très chaleureuse, d'une cuisine équipée, de douches chaudes (toutes les chambres sont *en suite*) et d'une laverie. Location de vélos également. Propose aussi une balade gratuite de 1h30 dans le Burren et un diaporama sur la région. Les proprios, qui vivent à côté, font, par ailleurs, *B & B* dans leur maison : 4 jolies chambres, *en suite* et avec TV, cosy, colorées et meublées de bois clair, d'un bon rapport qualité-prix (doubles de 56 à 70 € selon saison).

Flanagan's Village Hostel : *Toomullin,* **Roadford.** *70-745-64. • flanaganshostel.com • À la sortie nord, peu avt l'église. Ouv tte l'année. Compter 13-16 €/pers en dortoir et 18-22 €/pers en chambre double. CB refusées.* Petite *hostel* de 24 lits, surtout en dortoirs de 4 à 11 personnes assez spacieux, parfois *en suite.* Moderne et sans chaleur. Propre à défaut d'être charmant. Grande cuisine donnant sur la campagne. Petit salon avec son poêle. Laverie.

Prix moyens

Half Door B & B : Roadford. *70-759-59. • halfdoordoolin.com • Depuis la rue principale, en allant vers le nord, tourner à gauche (panneau) au niveau du* MacDermott's Pub. *Ouv mars-oct. Doubles 70-80 € selon saison, familiales 90-110 €. CB refusées.* Cette petite maison possède 5 chambres *en suite,* à la déco moderne, simples mais cosy. Certaines sont mansardées, ce qui en fait tout le charme. De plus, le salon TV est chaleureux et la salle de petit déj agréable.

Páirc Lodge : *après le pub* O'Connors. *70-747-52. • pairclodgedoolin.com • Sur la droite en allant vers l'embarcadère. Ouv Pâques-fin oct. Doubles env 60-70 € selon saison.* Le salon pour les hôtes, avec sa véranda, sa cheminée, sa plaisante déco, moderne et chaleureuse, donne un avant-goût des 6 chambres : elles sont spacieuses, confortables et coquettes, quelques-unes ayant vue sur mer.

Doonmacfelim House : *Sea Rd. 70-745-03. • doonmacfelim.com • Dans la rue principale, presque en face de* Doolin Activity Lodge. *Ouv tte l'année. Doubles 60-80 € selon saison. CB acceptées.* Ce *B & B* reconnaissable à sa façade rouge brique propose 8 grandes chambres tout confort (avec salle de bains et TV), à la déco classique et fleurie. Le petit plus : un terrain de tennis à la disposition des hôtes.

O'Connors Guesthouse : *à* **Doolin.** *70-744-98. • oconnorsdoolin.com • À deux pas de l'*Aille River Hostel. *Ouv de fév à fin nov. Doubles 60-80 € selon saison.* Cette grande maison rose orangé (couleur melon ?) comporte 10 chambres (pour 2 à 4 personnes) spacieuses, confortables et coquettes, toutes *en suite*. 2 chambres peuvent accueillir des handicapés. Le proprio gère le camping situé juste derrière.

Plus chic

Sea View House : *Fisher St.* 087-267-96-17. • *seaview-doolin.ie* • *Face au pub* O'Connors, *c'est la maison jaune. Congés : mi-déc à mi-janv. Résa conseillée bien à l'avance pour l'été. Doubles 80-116 € selon saison.* Superbe adresse surplombant le bourg, et c'est rare : d'ailleurs, la belle petite terrasse offre un panorama face à la mer, tout comme le salon. Les chambres sont sobres et jolies. Il y en a 4 au total (2 pour 3 personnes), dont 2 avec vue sur les flots, toutes avec salle de bains et TV, lecteur DVD. Grand confort bourgeois, mais l'accueil des proprios est simple et sympa. Petit déj extra.

Cullinan's Guesthouse : *au croisement central.* ☎ *70-741-83.* • *cullinansdoolin.com* • B & B *ouv de mi-fév à mi-déc ; resto Pâques-Halloween. Resto tlj sf mer et dim, le soir slt (pdt les vac scol, ouv le dim mais fermé lun). Doubles 60-96 € selon saison. Plats 20-27 € ; menus* early bird *24,50-29,50 €.* Une imposante demeure très agréable, avec une jolie salle à manger aux baies vitrées donnant sur le petit pont en pierre et la rivière qu'il enjambe. Jardinet et terrasse au bord de l'eau. En tout, 10 chambres *en suite* superbes et spacieuses (certaines pour 3 ou 4 personnes). En outre, l'accueil est très pro et le resto, réputé (il fait souvent le plein). Avec un chef aussi talentueux, on vous laisse imaginer la carte du petit déj.

Où manger ?

Bon marché

Doolin Café : Roadford. ☎ *70-747-95. À côté de la* Rainbow Hostel, *après le pont sur la droite en venant du sud. En saison, tlj 11h-20h ; hors saison, en principe ven-dim 11h-20h. Congés : janv-fév. Sandwichs et soupes 5-9 €.* Dans ce petit cottage chaleureux, on trouve des livres, des disques et des cartes pour se balader dans le coin, mais on peut aussi faire une pause pour grignoter un snack ou une pâtisserie : plats du jour pas chers, *scones* et autres gâteaux maison... Il y a peu de choix, mais c'est frais.

Prix moyens à plus chic

MacDermott's Pub : Roadford. ☎ *70-743-28. Après le pont, sur la droite en allant vers le nord. Repas tlj 13h-21h30. Snacks 4-8 € et plats 11-17 €.* Ce pub « historique », l'un de nos préférés sur Doolin, propose une excellente cuisine traditionnelle : *Guinness pie, Irish stew, fish & chips*... Le tout copieux et savoureux.

O'Connors : *sur le chemin du port.* ☎ *70-741-68. Sert également une* bar food *correcte, tlj 12h-21h30. Plats 9-25 €.*

Roadford House : Roadford. ☎ *70-750-50. Depuis la rue principale, en allant vers le nord, tourner à gauche (panneau) au niveau du* MacDermott's Pub. *Resto slt pour le dîner, 18h-20h30 (voire 21h). Juil-août, tlj sf lun ; sinon, tlj sf lun et mer (mais en nov-déc, ouv slt le w-e). Fermé Noël-mars. Plats 21-27 € ;* value menu *24 €.* Cette adresse raffinée garantit une cuisine recherchée, associant avec bonheur saveurs salées et sucrées. On a le choix parmi des plats appétissants et bien présentés, pas trop chers pour la qualité. Bonne sélection de vins également. Dans une salle moderne, claire, à la déco sobre, avec tableaux contemporains aux murs et lumière tamisée, madame assure un service prévenant pendant que monsieur officie aux fourneaux. Un mariage réussi !

Où boire un verre ? Où écouter de la musique ?

MacDermott's Pub : *voir ci-dessus « Où manger ? ».* Le pub favori des gens du coin, tenu par la même famille depuis 1867. Musique tous les soirs (vers 21h) de la Saint-Patrick à fin octobre ; le week-end seulement en hiver. Ne désemplit pas jusqu'à tard : l'ambiance est conviviale et typique. Ici plus qu'ailleurs, comme le dit la pub, on « *live life to the power of Guinness* » (on « vit la vie à la puissance Guinness »).

MacGann's : *situé près de la rivière, non loin du* MacDermott's Pub. ☎ *70-741-33. Tlj dès 10h.* Beaucoup de monde aussi dans ce cadre chaleureux, agrémenté d'une cheminée, de vieux objets et de photos anciennes. Possibilité d'y manger quelques petites choses (jusqu'à 21h30), puis musique à partir de 21h30, pratiquement tous les soirs de l'année (moins souvent en janvier-février, cependant).

O'Connors : *voir ci-dessus « Où manger ? ».* Le pub le plus connu. Sa réputation dépasse largement les frontières de l'Irlande. Arriver tôt si l'on veut espérer trouver une place pas loin des musiciens. Le patron se vante d'avoir de la musique 363 jours par an (sauf le Vendredi saint et le jour de Noël), mais, quand c'est plein, il faut vraiment tendre l'oreille. Le genre d'adresse victime de son succès : ce pub est moins authentique et convivial que les autres (que ce soit dans l'accueil, la déco et l'ambiance)...

LISDOONVARNA (LIOS DÚIN BHEARNA)

770 hab. IND. TÉL. : 065

À 13 km des falaises de Moher, une station thermale et un « village carrefour » important. C'est ici qu'on vient soigner ses rhumatismes. Mais il s'agit aussi d'un haut lieu du tourisme irlandais local. Cependant, la ville ne possède pas de charme particulier, c'est surtout une halte pratique...

LE *MATCH MAKER FESTIVAL*

Chaque année, ***en septembre,*** se tient le *Match Maker Festival,* littéralement le « festival des Faiseurs de rencontres ». Cela fait 150 ans que les célibataires (de 18 à 80 ans !) viennent ici chercher l'âme sœur, notamment des Américain(e)s. Ce mois-là, la ville est pleine de cœurs solitaires de tous les pays.

Leur trait commun ? Ivres tous les jours, et ce dès la fin de la matinée... c'est du joli ! Les pubs ouvrent en effet toute la journée et bénéficient d'une extension d'ouverture nocturne jusqu'à 1h, qui, dans la réalité, se prolonge jusqu'à 2h ou 3h... L'entrée est d'ailleurs souvent payante, notamment lorsque l'on peut guincher. Quelle folle ambiance ! L'événement ne manque pas d'intérêt sociologique. Et les femmes ne sont pas les moins exubérantes !

Si vous n'appréciez pas ce genre de manifestation, on vous conseille de passer votre chemin, car les prix augmentent honteusement à cette période.

Outre la recherche effrénée d'une relation d'un soir, voire plus si affinités, on peut participer à des concours de barbecue, assister à des courses de chevaux, à l'élection de Miss Lisdoonvarna...

Pour en savoir plus : • *matchmakerireland.com* •

Arriver – Quitter

Station de bus : *pas vraiment de station, mais les bus font halte devant le* Burke's Garage, *au carrefour principal (vers* Roadside Tavern*), et en face, sur la place centrale.*

➢ ***De/vers Galway :*** 4-5 bus/j. en été, 3 en hiver, dans les 2 sens. Attention, dim, 2 allers-retours slt (et même 1 seul en hiver).

➢ ***De/vers Limerick :*** tlj, dans les 2 sens, 3 bus/j. en été, 2 en hiver.

➢ ***De/vers Doolin :*** 3 bus/j. en été dans les 2 sens.

Adresses et infos utiles

✉ **Poste :** *dans le centre, sur la rue principale, près d'*Irish Arms.
– Attention, pas de distributeur de billets dans le village.

Où dormir ? Où manger ?

De bon marché à prix moyens

Boghill Centre Hostel : ☎ *70-746-44.* ● *boghill.com* ● *À env 4 km de Lisdoonvarna, en pleine campagne. Pour y aller, prendre la route vers Kilfenora sur 2,5 km, puis tourner à droite (panneau), et ensuite à gauche. Ouv tte l'année. En dortoir, 17-23 €/pers ; double 58 €. Petit déj 6 €. Camping 8,50 €/pers. CB refusées (mais possibilité de payer en ligne ; 5 % de supplément).* Une petite trentaine de places, en dortoirs de 4 à 6 lits, qui se partagent des salles de bains, et quelques chambres doubles *en suite.* Vaste salon ouvert sur la campagne, cuisine commune bien équipée. Un côté baba indéniable, qui ne conviendra pas forcément à tout le monde. Mais l'endroit est rigolo et cool, un peu bricolé... C'est aussi un centre de musique intéressant. Des cours de yoga sont également dispensés et on cultive un potager bio. D'ailleurs, une cuisine végétarienne pas chère est servie sur demande le soir.

Burren Hostel (Sleepzone) **:** *route de Doolin (à 300 m de la rue principale, indiqué sur la droite, après la* Roadside Tavern*).* ☎ *70-740-36.* ● *sleepzone.ie* ● *Compter 18-20 € en dortoir selon saison et capacité de la chambre ; doubles 25-28 €/pers selon saison. Également des tarifs pour familles. Pas de petit déj. Sur Internet, pas mal de promos.* Dans ce qui fut le *Carrigan Hotel, Sleepzone* (maison mère à Galway) a aménagé une nouvelle AJ de 110 lits (dortoirs de 4 à 10 personnes). L'avantage est d'avoir du neuf dans de l'ancien. Cuisine, salle à manger, laverie, billard, salon TV avec cheminée... C'est tout propre, rénové, coloré. Toutes les chambres et dortoirs ont une salle de bains privée. L'antithèse du *Boghill Centre,* quoi !

Prix moyens

Ballinsheen House : *Galway Rd.* ☎ *70-748-06.* ● *ballinsheen.com* ● *Juste à l'extérieur du village, sur la droite. Ouv mars-oct. Doubles 60-85 € selon confort et saison ; familiales 74-110 €.* Bien jolie maison jaune pâle sur la route de Ballyvaughan, au calme. Un bon compromis entre la proximité du village et la tranquillité de la campagne. 5 chambres (dont certaines pour 3 ou 4) avec salle de bains, agréables et confortables. Accueil amical.

The Roadside Tavern : ☎ *70-740-84. Dans la rue qui descend vers Doolin, perpendiculaire à la rue principale. Tlj : resto midi et soir en été ; jusqu'à 15h le reste de l'année. Sandwich env 4 €, plats 11-15 €.* Super sandwichs au saumon fumé, mais aussi *Irish stew.* On vous recommande le *hot smoked salmon* et sa sauce moutarde ! Atmosphère agréable avec la cheminée qui réchauffe quand le temps est maussade. Une adresse réputée pour ses *music sessions,* tous les soirs pendant le *Match Maker Festival,* les vendredi et samedi le reste de l'année. Le pub possède également une petite entreprise de fumage de poisson *(smokehouse)* 100 m plus bas, que l'on peut visiter (voir « Où acheter du saumon fumé ? »).

Où dormir ? Où manger dans les environs ?

Au nord de Lisdoonvarna

Slieve Elva Farmhouse *(chez Gerry et Aoife Swords)* **:** ☎ *70-743-18.* ● *slieveelva.com* ● *À 2,5 km au nord* *de Lisdoonvarna. En retrait de la N 67 (vers Galway), c'est bien indiqué sur la gauche. Ouv avr-sept. Double 70 €. Dîner sur résa env 25 € (si l'on reste min 2 nuits). CB refusées.* Cette maison moderne en pleine campagne, loin de la cohue estivale, propose 6 chambres (dont 4 *en suite*), joliment décorées, claires et grandes. Quelques *family rooms*. Agréable salle à manger et un salon à disposition des hôtes, avec feu de tourbe. On vous sert des produits de la ferme à l'occasion d'un riche petit déj. Excellent accueil du couple de proprios, dont le mari était cuisinier. On pourra même vous apprendre à couper la tourbe *(turf cutting)*. N'en abusez pas cependant, les tourbières étant en principe des milieux protégés.

À Fanore (Fán Óir)

À une douzaine de kilomètres, sur la route côtière Lisdoonvarna-Ballyvaughan, quelques bonnes adresses dans ce petit village étiré le long de la route, entouré de paysages impressionnants et doté d'une belle plage de sable blond.

Rocky View Farmhouse : *Coast Rd. ☎ 70-761-03. • rockyviewfarmhouse.com • À la sortie nord du village, après la rivière, sur la gauche en allant vers Ballyvaughan (panneau). Ouv Pâques-fin oct. Doubles 65-68 € selon saison. CB refusées.* Installée pas loin de la mer, cette *farmhouse* est bien tenue et l'accueil est vraiment adorable : la maîtresse de maison est aux petits soins, tout comme son mari, qui parle le français. Les 6 chambres, toutes équipées d'une salle de bains, sont jolies : certaines peuvent héberger 3 ou 4 personnes et d'autres donnent sur la mer. Très agréable véranda pour le petit déj, un thé ou un peu de lecture, avec vue sur le relief si particulier du Burren.

Ballinalacken Castle Country House & Restaurant : *☎ 70-740-25. • ballinalackencastle.com • Sur la route de Lisdoonvarna à Fanore, à env 5 km de Doolin (R 477). Ouv de mi-avr à fin oct. En hte saison, doubles 110-200 € avec petit déj selon standing et vue. Menu 40 €.* Depuis la route, on voit bien l'hôtel, grosse bâtisse jaune, datant de 1840, sur une colline, dans un grand parc agrémenté d'une tour du XVe s. Grandes chambres à la déco classique, aux meubles anciens et lits à baldaquin. Salon et bar bourgeois et cosy. Fait aussi resto (tous les soirs sauf le mardi : 40 €). Vaste pelouse devant l'établissement et parc tout autour. Site superbe avec vue extraordinaire sur la mer, les îles d'Aran et les falaises de Moher au loin.

O'Donohue : Craggah *(Fanore), à 12 km de Lisdoonvarna, sur la droite, sur la route de Black Head. ☎ 70-761-19. Ouv avr-sept, tlj. Plats env 12-21 €.* C'est un pub tenu par la même famille depuis 4 générations, et l'on y mange très correctement. Cuisine à base de produits locaux frais (dont de bons fruits de mer). En plus, aux beaux jours, sa terrasse face à la mer (avec vue sur les îles d'Aran) est agréable.

Vasco Dine Wine Deli : Craggagh. *☎ 70-760-20. Mai-sept, tlj sf lun 11h30-20h. Plats 8-19 € selon appétit, ainsi que des snacks côté* deli. Un petit resto, pimpant et coloré, proposant des produits locaux et de saison (agneau ou saumon du Burren), cuisinés *in a mediterranean style*. On mange, si le temps le permet (!), sur une grande terrasse regardant la mer. Vins (bonne petite sélection) et bières ne sont pas oubliés. Sympa aussi à l'heure de l'apéro pour une simple grignote.

Où boire un verre ? Où écouter de la musique ?

Musique dans la plupart des hôtels de Lisdoonvarna. Cependant, c'est plus souvent de la country ou de la ballade guimauve que de la musique traditionnelle.

Match Maker Bar : *dans la rue principale. ☎ 70-740-42. Ouv ts les soirs.* Plein à craquer le week-end et superbe atmosphère lors des concerts.

LE COMTÉ DE CLARE

Pendant le festival, c'est un des pubs les plus chauds !

🍷🎵 Essayer aussi le pub de la ***Royal Spa*** (en face du *Match Maker Bar*), celui du ***Ritz,*** à côté *(tlj ; concerts sam, plus dim en été)*, ou encore l'établissement le plus réputé de tous pour la qualité de sa programmation, la ***Roadside Tavern*** (voir « Où dormir ? Où manger ? »), où des groupes se produisent le week-end et certains soirs en semaine.

🍷🎵 De mai à septembre, tous les samedis soir, musique live au pub ***O'Donohue*** *(☎ 70-76-119)* à Craggah (Fanore), à 12 km, sur la route de Black Head.

Où acheter du saumon fumé ?

Burren Smokehouse : *près de la* Roadside Tavern. ☎ *70-744-32. Tte l'année, tlj 10h-17h (9h-18h mai-fin sept).* On y trouve différents poissons fumés : saumon bien sûr (élevage, bio ou sauvage), maquereau, truite... Petite vidéo vous expliquant le procédé du *hot smoked salmon,* pour lequel le feu est allumé à l'extérieur du four... Dégustations également. Petit point info sur place (à peine quelques documents).

LA RÉGION DU BURREN

Voici une vaste région désertique, riche de paysages lunaires vers Lisdoonvarna, Ballyvaughan et Corofin. Un des bras droits de Cromwell, décrivit le Burren ainsi : « C'est une région où il n'y a pas assez d'eau pour noyer un homme, pas assez de bois pour le pendre, pas assez de terre pour l'enterrer. »

Burren **vient du gaélique « boireann » et signifie « lieu de pierre ». Cette pierre, effectivement omniprésente, c'est un lapiaz karstique, du nom de Karst, en Croatie. C'est magnifique, mais pour les auto-stoppeurs malchanceux, ça peut s'avérer très galère.**

Les rochers abritent de nombreuses grottes, des courants d'eau se jetant dans des poches appelées « marmites de géants » et des ***turloughs,*** **lacs qui disparaissent durant l'été (le calcaire se fendille alors et laisse s'infiltrer l'eau). Le Burren fut très peuplé aux temps préhistoriques. En témoignent les nombreux ouvrages de pierre, dolmens, mégalithes, qui parsèment la campagne. La flore y est très riche au printemps, surtout dans le High Burren. Retenez la dernière quinzaine de mai pour admirer dans leurs plus beaux atours les** ***Ophrys apifera, Gentiana verna*** **et autres** ***Carlina vulgaris.***

Pour les randonneurs, des sentiers originaux : les ***green roads,*** **routes qui furent tracées en divers endroits du Burren, pendant la période de la Grande Famine. Ces grands travaux collectifs furent organisés par l'administration anglaise pour occuper les dizaines de milliers de paysans sans terre, et leur permettre de gagner cinq pence par jour !**

CES ITINÉRAIRES QU'ON AIME BIEN

Pour ceux qui arrivent de Galway, plusieurs façons d'aborder le Burren. Possibilité de combiner, bien sûr. Le Burren mérite au moins 2 jours de visite. Pour les descriptions détaillées des sites, voir les chapitres correspondants.

➢ ***La route de la côte Ballyvaughan-Lisdoonvarna (par Black Head) :*** il faut un véhicule ; sinon, on risque de rester assez longtemps sur le talus... Paysage sau-

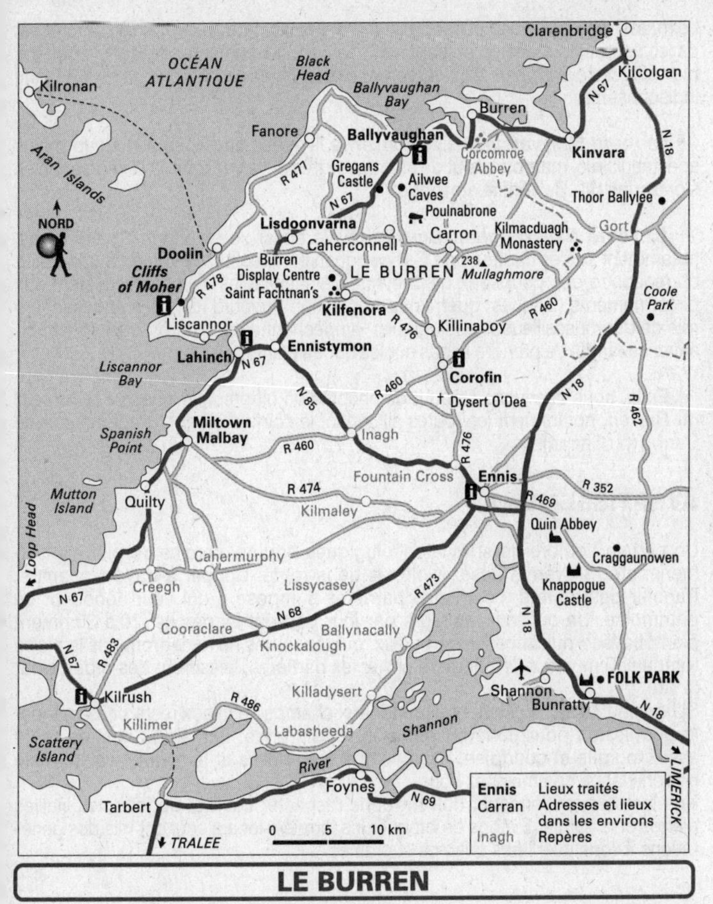

LE BURREN

vage, tourmenté et chaotique. Les blocs de calcaire dévoilent toutes les nuances de gris. Des blocs disséqués en tous sens, puis, de façon surprenante, en surfaces presque planes, fendues en de longues crevasses symétriques et régulières au bord de l'eau. Les montagnes, quant à elles, se présentent en couches de calcaire superposées et ondoyantes, se fissurant lorsque la roche est plus friable. Le vent transporte le limon dans les crevasses qui retiennent l'eau, et le miracle se produit : une flore extraordinairement riche y pousse. Les fantaisies du temps, il y a quelque 15 000 ans, faisant alterner des périodes de glaciation et de brusques réchauffements, produisirent le plus étonnant cocktail de plantes que l'on puisse imaginer. Ici coexistent au printemps des espèces de type maritime et des fleurs caractéristiques des régions d'altitude. Cette bizarrerie de la nature est unique en Europe. Nous recommandons vivement de vous procurer (si vous la trouvez !) la brochure en couleur *The Burren*, dans la série « The Irish Heritage », écrite par Maryangela Keane.

Le massif de Black Head possède un certain nombre de *green roads*. L'intérêt est de les parcourir, toutes ou en partie, et de ne pas se contenter de la route côtière, bien sûr. Carte *Burren (A Map of the Uplands of North West Clare)* en noir et blanc indispensable.

➢ ***La route Ballyvaughan-Lisdoonvarna*** livre des paysages beaucoup moins spectaculaires, mais offre tout de même une très belle vue dans la portion appelée *Corkscrew Hill.* Belvédère aménagé.

➢ ***La route Ballyvaughan-Corofin*** révèle aussi de splendides panoramas, notamment sur les hauteurs de Ballyvaughan en direction de la mer. Sur le trajet, on rencontre des troupeaux de chèvres. Ces serviables animaux sauvèrent aux pires moments (famines, guerres) la population. Aujourd'hui, elles endossent le rôle de débroussailleuses écologiques, empêchant ainsi le *hazel scrub* (petit noisetier sauvage) de prendre le pas sur les autres plantes.

➢ Enfin, nous décrivons en bout de chapitre un pittoresque itinéraire dans l'***est du Burren,*** notamment les routes sillonnant le coin du mont Mullaghmore et de Carron (ou Carran).

AVERTISSEMENT

Un certain nombre de sites archéologiques (fortins, cercles de pierres, dolmens, etc.) s'avèrent assez éloignés de la route. Couper à travers champs, franchir des murets, ouvrir des barrières s'impose à qui veut découvrir ce patrimoine. Un ou deux visiteurs par jour passent inaperçus. 20 à 30 riment bientôt avec « nuisances ». Parmi eux, quelques-uns ne remettront pas la pierre tombée du mur, oublieront de refermer les barrières, laisseront des ordures sur le site...
Si l'on peut assez facilement accéder aux champs, le mieux reste de demander la permission pour pénétrer dans un terrain privé, démarche somme toute assez logique et courtoise. Les champs sont privés et le *right of way* n'existe pas en Irlande comme chez nous.
Nos lecteurs randonneurs doivent donc respecter cet état de faits, les vieilles pierres et la nature. Évitons de braquer les fermiers locaux, qui ont mis des générations à constituer leurs champs et prairies...

Se balader avec un guide

On peut très bien effectuer des balades tout seul dans le Burren en se débrouillant avec des cartes, mais, pour ceux qui veulent se simplifier les choses, contacter :
– ***Shane Connolly :*** ☎ *(065) 70-771-68 ;* 📱 *088-265-48-10 ;* ● *homepage.eircom.net/~burrenhillwalks* ● *; 2 départs/j. en été, depuis l'église de Ballyvaughan ; compter env 15 €/pers la demi-journée.* C'est un fermier qui adore sa région et la fait connaître à ceux qui le désirent.
– ***Stephen Hegarty*** travaille, quant à lui, avec le *Burren Display Centre* de Kilfenora, mais il faut réserver au moins 2 j. à l'avance : ☎ *70-889-31 ;* 📱 *087-685-54-91.* ● *burren-tours.com* ●
– Citons aussi ***Tony Kirby*** à Kilnaboy, plébiscité par nos lecteurs, il connaît la région comme sa poche et parle le français ! Il a écrit de nombreux guides qui font référence : ☎ *(065) 68-277-07 ;* 📱 *087-292-54-87 ;* ● *heartofburrenwalks.com* ●
– Ou encore ***Burren Wild Tours :*** 📱 *087-877-95-65 ;* ● *burrenwalks.com* ●
On vous rappelle que le parc national, à Corofin, propose également des sorties « Nature » et des visites guidées gratuites.

Quelques balades à pied

– Nous recommandons vivement l'achat de *The Book of the Burren,* publié par Tír Eolas. C'est l'ouvrage le plus complet et le plus passionnant sur le sujet : histoire, littérature, patrimoine, faune, flore... le tout joliment illustré. Pas donné. Également *The Natural History of the Burren,* par Gordon d'Arcy.
– Pour les randonnées à proprement parler, deux best-sellers tout à fait abordables : *The Burren and the Aran Islands, A Walking Guide* de Tony Kirby. 15 itinéraires en boucle (2-6h) dans le Burren (et les îles d'Aran). Là encore parfaitement détaillé et documenté. Ou encore, *West of Ireland Walks,* de Kevin Corcoran (intègre aussi le Connemara et le comté de Mayo). 4 itinéraires sont proposés pour le Burren : les falaises de Moher (8 km, 3h), Slieve Elva (10 km, 3h30), Black Head (4,5 km, 5h) et Abbey Hill (5 km, 2h30).
Si vous ne disposez que de peu de temps, les offices de tourisme ou le parc national éditent et proposent quelques circuits détaillés.

La Burren Way

La Burren Way (45 km de sentiers balisés) est peut-être la plus originale des randonnées irlandaises. Ses plateaux karstiques jouent avec les érosions du calcaire. Ils prennent des formes étranges où les crevasses du rocher se couvrent de fleurs, jusqu'au bord du littoral. Gentianes et géraniums pour cet environnement lunaire ; bruyères pour les tourbières acides de l'autre côté du Slieve Elva (300 m). Les falaises de Moher dominent de 200 m l'océan de leur à-pic, non loin des îles d'Aran.
Un itinéraire linéaire au départ de Ballyvaughan, par Formoyle, Ballinacken, Doolin, Moher, jusqu'à Liscannor et Lahinch. La meilleure section est entre Ballyvaughan et Ballinacken. La section proche de Doolin suit la route. La dernière partie de cette balade (entre Moher et Liscannor) peut poser un petit problème, car le fermier dont les champs se trouvent sur le chemin interdit parfois le passage.
– ***Documentation :*** *Ordnance Survey* n°s 14 et 51 (plus précise) et *The Burren, Folding Landscapes* de Tim Robinson, une carte très détaillée pour les randonnées.
– ***Balisage :*** petit homme jaune et flèches jaunes.

Adresse et info utiles

ℹ ***Burren National Park :*** *dans le bâtiment du Clare Heritage Centre, à* ***Corofin.*** *☎ 68-276-93. • burrennationalpark.ie • npws.ie • Avr-sept, tlj 10h-17h (sf lun en avr).* Exposition permanente sur la faune, la flore et la géologie. Propose de nombreuses randonnées guidées gratuites. Pas mal de doc et de cartes sur place. Notamment la brochure (gratuite) *The Burren walking trails* détaillant 11 boucles de 5 à 112 km (de 2h à 5 jours).
– ***Burren 4 ticket :*** *4 attractions pour un seul ticket à 18 €/pers (valable 7 j.).* Concerne les falaises de Moher, le *Burren centre,* l'*Aillwee cave* et le *Caherconnell fort.* Les sites sont d'intérêt variable, faites vos calculs.

COROFIN (CORA FINNE)

400 hab. IND. TÉL. : 065

Petit village-étape paisible, plutôt joli et agréable, à 14 km au nord d'Ennis, proposant un intéressant Musée régional, le *Clare Heritage Centre.* S'orthographie aussi Corrofin. C'est également le siège du parc national du Burren (voir plus haut).

Où dormir ? Où manger ? Où boire un verre ? Où écouter de la musique ?

De bon marché à prix moyens

Corofin Village Hostel & Camping Park : *Main St. ☎ 68-376-83. • corofincamping.com • Ouv avr-fin sept ; possibilité pour les groupes hors saison en contactant à l'avance. Compter 18 €/pers en dortoir ou chambre collective et 20 €/pers en chambre double. En camping, compter env 20 € pour 2 avec tente et voiture. CB refusées. Douches chaudes gratuites.* AJ privée installée dans une maison du village avec des chambres pas très grandes, toutes équipées de TV, mais qui partagent des salles de bains communes. Cuisine super équipée, machines à laver et sèche-linge, jolies chambres de 2 à 8 lits. Tout est clair, pimpant. Marie, la proprio, qui parle le français, connaît fort bien la région et elle est une source d'infos très utile. Juste derrière l'AJ, un petit camping. Salle de jeux. Tri des déchets. Musique traditionnelle juste à côté, le jeudi soir en juillet et août. Un seul bémol : les pubs voisins sont parfois un peu bruyants.

Inchiquin Bar et Anne's Kitchen : *Main St. ☎ 68-377-13 (et ☎ 68-375-94 après 18h). • annecampbell.ie • Ouv tte l'année. Resto lun-sam 10h-18h, dim (sf en hiver) 12h-18h. Nuitée env 15 €/pers. Sandwich env 4 € et plats env 8-11 €.* Troquet de village, populaire et sympa, servant de bons petits plats chauds faits maison (y compris les desserts). Très bons *seafood chowder* et *Irish stew.* Possède une terrasse à l'arrière et une *hostel* au-dessus. Les 6 chambres (certaines *en suite*) peuvent héberger 2 à 4 personnes. Simples, confortables et propres, elles constituent un excellent rapport qualité-prix.

Teac Uí Dálaig : *Main St. ☎ 68-376-88. Tlj.* Réputé pour sa bonne musique traditionnelle le week-end, et un *set dancing* selon les groupes, où se retrouvent les *addicts* de tous âges des environs. Les femmes « cravatent » leurs hommes et sortent leurs plus beaux souliers. Ça vaut vraiment le déplacement, et vous serez certainement enrôlé dans une gigue endiablée.

Prix moyens

Lakefield Lodge *(Mrs Mary Cleary B & B) :* *Ennis Rd. ☎ 68-376-75. • lakefieldlodgebandb.com • À la sortie du village, vers le sud. Ouv début avr-fin oct. Doubles 66-70 € selon saison. CB acceptées.* Propose 4 chambres *en suite,* avec TV, coquettes et confortables. Accueil très courtois. Bonne source d'infos sur le coin (le propriétaire est une mine inépuisable de renseignements en matière de pêche). Plantureux petit déj.

Où dormir ? Où manger dans les environs ?

Fergus View *(famille Kelleher) : à* ***Killinaboy*** *(ou Kilnaboy). ☎ 68-376-06. • fergusview.com • Peu après Corofin (route de Kilfenora), vers le nord. À l'entrée du village, en venant de Corofin. C'est la maison jaune à gauche (panneau). Ouv de début mars à fin oct. Doubles 72-76 € selon saison et nombre de nuits. CB refusées.* Petite *country house* extra et très bien placée pour rayonner dans le Burren. Famille charmante. 6 chambres avec salle de bains, à la déco soignée. Mr Kelleher, spécialiste de la pêche, pourra vous donner des conseils et connaît aussi des balades à pied.

Inchiquin View *(chez John et Betty Kelleher) :* ***Killinaboy.*** *☎ 68-377-31. • bkellinchfmho@eircom.net • C'est juste après* Fergus View, *sur la gauche aussi en venant de Corofin. Ouv Pâques-fin oct. Double 76 €.* Vous trouverez ici un accueil adorable, 4 chambres (3 doubles et 1 *single*) agréables avec salle de bains et plein de conseils sur la région. Possibilité d'y dîner *(sur résa ; env 20 €/pers).* Belle vue sur la campagne.

À voir

Le musée du Clare Heritage Centre : *Church St. ☎ 68-379-55. • clareroots.com • Dans une petite église située sur une rue perpendiculaire à la rue principale. Ouv mai-sept, lun-ven 9h-13h, 14h-17h30 (le centre, situé dans la même rue, ouvre dès avr et abrite le siège du parc national ; voir plus haut). Entrée : 4 € ; réduc.* Un Musée régional intéressant, dont le thème est l'ouest de l'Irlande de 1800 à 1860. Présentation vivante et détaillée de la vie rurale, de l'histoire, de la culture. Émouvante section sur la Grande Famine, les expulsions de fermiers, l'émigration, la mort lente du gaélique, ainsi qu'une traditionnelle expo d'outils, objets domestiques, instruments de musique, vêtements (dont le fameux *Irish cloak*), etc. Exposition d'œuvres de Frederic Burton, un artiste local.

KILFENORA (CILL FHIONNÚRACH)

130 hab. IND. TÉL. : 065

C'est la petite capitale du Burren. Grande richesse archéologique dans les environs. L'occasion de superbes balades à pied dans une campagne sauvage. On l'appelle *the city of the crosses*, pour ses magnifiques croix celtiques.

Où dormir à Kilfenora et dans les environs ?

Kilfenora Hostel : *au centre du village, sur la rue principale, à côté d'une église. ☎ 70-889-08. • kilfenorahostel.com • Fermé 1er nov-1er fév. Compter 20-24 €/pers avec petit déj selon taille du dortoir ; double 52 €. (payant).* AJ privée de 46 lits répartis en chambres doubles et dortoirs de 4 à 10 personnes. Tous sont *en suite*, bien tenus et colorés. Les hôtes disposent aussi d'une cuisine, d'un barbecue sur la terrasse (jolie vue) pour l'été, d'une laverie et d'une salle TV avec cheminée. Juste à côté, restauration (tous les jours, midi et soir) et animation au pub *Vaughan's*, qui programme certains soirs des concerts de musique traditionnelle.

Clare's Rock Hostel : *à* **Carron** *(ou Carran). ☎ 70-891-29. 087-123-53-89. • claresrock.com • À 13 km de Kilfenora, à l'entrée de Carron, sur la gauche en venant de Killinaboy. Ouv de mi-mars à fin sept ; résa conseillée en hte saison. Compter 18-22 €/pers selon dortoir ou chambre double. Petit déj 3 €. CB refusées (mais possibilité de payer en ligne).* 2 grandes maisons en pierre voisines abritent une AJ privée extra en plein Burren, très bien tenue par un passionné de football gaélique. Confortable et complet : cuisines bien équipées, laverie, location de vélos, pub *(resto en saison ; env 12 €)* à proximité... Chambres familiales, doubles ou dortoirs (avec ou sans salle de bains privée) pour une capacité totale de 60 à 70 lits. Par la fenêtre, l'Irlande rurale dans toute sa splendeur. Seul problème, le lieu est isolé et aucun bus n'y mène... Sinon, plein d'infos sur la région et des conseils sur les itinéraires de balades.

À voir

Burren Display Centre : *dans le centre du village. ☎ 70-880-30. • theburrencentre.ie • De mi-mars à mai et sept-oct, tlj 10h-17h ; juin-août, tlj 9h30-17h30. Fermé en hiver. Entrée : 6 € ; réduc.* Montage audiovisuel (en français) de 12 mn, maquettes et gentilles reconstitutions expliquant l'origine du Burren, sa faune et sa flore. Une bonne introduction à la région. Un peu cher malgré tout. Le centre propose également des excursions à pied, les coordonnées de guides pour accompagner les randonneurs et de la documentation en français (traduisant les panneaux de l'expo du centre). Sur place aussi, une carte des environs, pour trouver les petits *ring forts,* dolmens ou cairns.

Coffee shop et *tearoom* agréable juste à côté.

Saint Fachtnan's Cathedral : *en contrebas du Burren Centre. Tlj 10h-17h (parfois 18h).* Pas plus grand qu'une église, mais le terme de « cathédrale » fut retenu, car Kilfenora formait en 1152 un tout petit diocèse. Son chœur, du XIIe s, ruiné mais protégé d'un toit de verre, offre encore une grande fenêtre à trois baies ornées de petits chapiteaux sculptés. Y ont été disposées de magnifiques croix restaurées. Observez la célèbre *Doorty Cross,* du XIIIe s. Dans ce même chœur, se trouvaient des bas-reliefs représentant des évêques. Ils sont désormais visibles à l'entrée de l'actuelle église. Avec eux, un évêque accompagné de deux ecclésiastiques, d'un oiseau et d'anges sur ses épaules. Cela symboliserait la réforme de l'Église irlandaise au XIIe s.

En sortant, ne manquez pas, à 100 m de là, la *West Cross,* une superbe croix celtique majestueusement dressée dans son pré (accès par le fond du cimetière).

DANS LES ENVIRONS DE KILFENORA

Superbes découvertes à faire autour du village de ***Noughaval,*** à quelques kilomètres de Kilfenora sur la route d'*Aillwee Caves*. Notamment les sites de *Cahercutteen* et de *Ballyganner* (prendre la route de l'église pour y accéder).

La route Corofin-Ballyvaughan

Retour sur la route Corofin-Ballyvaughan, dans le sens sud-nord (la superbe R 480), pour visiter plusieurs sites de toutes les époques et frémir devant l'aridité du Burren.

Carron Church : *pas dans le village de Carron (ou Carran), mais sur la route Corofin-Ballyvaughan (R 480), avt Poulnabrone (bien indiqué).* Un exemple très représentatif des églises médiévales. Le cimetière, dont les tombes sont souvent de simples roches, domine une large vallée. Portail du XVe s.

Caherconnell Fort : *juste avt le dolmen de Poulnabrone, sur la gauche (pas loin de la route). L'entrée est payante, via le* Visitor's Centre. ☎ *70-899-99. • burrenforts.ie • Mars-oct, tlj 10h30-17h ; juil-août 10h-18h. Entrée : 7 €. Brochure (gratuite) en français.* Ce fort circulaire, à l'architecture assez impressionnante, fut construit entre l'an 900 et l'an mille afin de protéger des familles de fermiers. Il fut occupé jusqu'au XVIIe s. Le site fait toujours l'objet de fouilles. Ce qui remet d'ailleurs en cause récemment la datation du fort que l'on estimait jusqu'alors contemporaine des VIe-IXe s. On a découvert aussi que le site était déjà habité au Néolithique. Une vidéo (en français sur demande) offre une visite virtuelle du site en remontant le temps. On s'y croirait ! On regrette néanmoins l'absence de terrasse panoramique qui permettrait d'appréhender le site dans son entier. On regrette aussi et surtout le prix d'entrée, bien trop élevé...

Le dolmen de Poulnabrone : *accès libre et gratuit.* À 100 m de la route, au cœur du paysage minéral du Burren, se dresse le plus célèbre dolmen de la région. Les fouilles ont exhumé 33 corps, certains remontant à 3800 ans av. J.-C. Site à voir au lever ou au coucher du soleil : la lumière est bien plus féerique et il y a beaucoup moins de monde. Des panneaux (en anglais) présentent l'histoire et la géologie si particulière du Burren. Très bien fait !

Plus de Burren encore !

La route Killinaboy-Carron

Les accros et ceux qui veulent découvrir des endroits encore plus sauvages trouveront de quoi se réjouir, notamment dans le coin de ***Carron-Turlough.*** À la sortie de Killinaboy, prendre la première à droite, direction Lisdoonvarna.

Sur la route, plusieurs ***wedge tombs*** accessibles, dont l'une est remarquable. Dissimulée par la végétation, elle est indiquée par un panneau 3 km après Killinaboy, sur la gauche.

➢ Balades à pied pour découvrir les ***polje,*** vastes dépressions calcaires qui débouchent sur d'abruptes vallées. ***Kilcorney,*** à 1,5 km à gauche de la zone église de Carron-dolmen de Poulnabrone, en est un des exemples les plus fameux.

Cahercommaun Fort *(Cathair Chomain)* ***:*** *à mi-chemin de la route Killinaboy-Carron.* L'un des forts préhistoriques les mieux préservés, habité jusqu'au Xe s par une communauté d'éleveurs. Des étables et différents instruments domestiques y furent dégagés. Bien qu'officiellement Monument national, son accès fut contesté par le fermier local. Renseignez-vous au *Burren Centre* de Kilfenora, au cas où...
➢ La route, à elle seule, vaut le trajet. Le site est indiqué par une pancarte. Garer sa voiture au parking (avec panneau explicatif). Environ 45 mn aller-retour. Pas de difficultés majeures. Avec un œil sur les enfants, possibilité de s'y aventurer en famille. Au début, chemin matérialisé. Quelques pancartes aux carrefours importants. Passages dans les murs. Puis le chemin disparaît à l'avant-dernière pancarte. Petite grimpette. Passage un peu confus : nécessité de repérer une sorte d'avenue empierrée s'élevant entre deux bosquets. La dernière pancarte est alors bien visible au fond à droite. Le fort est situé en demi-cercle au bord d'une haute falaise. Trois enceintes. Seule celle du milieu est ronde et fait 8 m d'épaisseur. Quasiment pas de visiteurs (même en août). Le passage sur le mur côté falaise peut s'avérer dangereux.

Burren Perfumery : **Carron** *(ou Carran).* ☎ *70-891-02.* • *burrenperfumery.com* • *Après Carron, à 2,5 km, au bord du Carron Turlough (bien indiqué). Tlj 10h-17h (18h en mai-juin et 19h en juil-août). Accès libre.* La plus ancienne parfumerie d'Irlande, dans un endroit fort sauvage, à côté du deuxième plus grand *turlough* d'Europe : un lac qui se remplit et disparaît dans les fissures calcaires au gré des pluies. En fait, l'établissement est surtout un point de vente de produits concoctés à partir des plantes endémiques (celles-ci étant protégées localement, elles viennent en réalité d'un peu plus loin). Mais on vous montre aussi un beau film sur le Burren (meilleur que celui du *Burren Display Centre* de Kilfenora), des photos et un (tout petit) jardin aromatique. Fabrication de savon certains jours. Charmant accueil en français de Sadie Chowen.
Sur place, *tearoom* : *Pâques-fin sept, tlj 11h-17h.* Sert des produits bio et faits maison (soupes, salades, desserts).

East Burren View : *après Carron, prendre à droite en direction de la parfumerie. Puis, à env 1 km, au carrefour, continuer tt droit.* Un pittoresque point de vue sur le mont Mullaghmore, avec ses imposants plis caractéristiques. Pancarte sur le bord de la route, puis 300 m dans un grand champ. Sentier assez visible. Panorama unique sur les plissements « burrenesques ». Au retour, de l'autre côté de la route, beau dolmen *(wedge tomb).*

➢ Enfin, voici une agréable randonnée dans une zone classée parc national : l'escalade du ***Mullaghmore*** (238 m). On trouve le chemin à 1,5 km du carrefour Corofin, Boston et Killinaboy (6 km à l'est de Carron). Attention, ce n'est pas très repérable. Le chemin part vers le sud-est et atteint une petite colline d'où l'on aperçoit le monastère de Kilmacduagh. Suivre l'arête toujours sud-est. Elle s'infléchit progressivement vers le sud pour parvenir au pied du Mullaghmore. Ascension aisée. Retour en restant à droite des petits bois.

Kilmacduagh Monastery : *à env 6 km de Gort, sur la route de Corofin (la R 460) ; puis indiqué.* Ensemble de vestiges assez étonnant, qui se voit de loin : ruines de quatre églises médiévales, ainsi qu'une haute tour ronde du XIIIe s, légèrement inclinée mais parfaitement préservée, et une cathédrale du XIe s (dommage, on ne peut pas y entrer).

BALLYVAUGHAN (BAILE UI BEACHÁIN)

201 hab. IND. TÉL. : 065

Ce village, mignon comme tout, permet de rayonner dans tout le Burren, jusqu'aux falaises de Moher, voire Galway. Idéal pour tous ceux qui cherchent un port d'attache ! Cette petite station balnéaire composée de quelques maisons disséminées ici et là, dégage un charme tranquille assez irrésistible. Bref, on adore !

Adresses et infos utiles

Office de tourisme : *derrière la supérette à la sortie du village, direction Kinvara.* ☎ *70-774-64.* ● *discoverballyvaughan.com* ● *Tlj 10h-18h.* Complet et compétent. Pas mal de doc : cartes gratuites ou payantes, guides de rando, etc.

Laverie Connoles : *en face de la station-service.* *086-341-28-75. Tte l'année, lun-sam 9h-17h (voire 18h).* Également des vélos à louer au même endroit.

Arrêt de bus : *devant la supérette (tickets à vendre dans le bus).* Ligne Galway-Doolin : dans les 2 sens, lun-sam, 4-5 bus/j. en été (sinon slt 2) et 2 le dim (1 seul en basse saison).

– Attention, pas de banque ni de distributeur de billets.

Où dormir ?

De prix moyens à plus chic

Meadowfield B & B : *à 200 m du centre du village, direction Kinvara, sur la gauche.* ☎ *70-770-83.* ● *meadowfield.net* ● *Ouv Pâques-oct. Doubles 50-70 €, familiale 75 €. CB refusées.* 9 chambres assez simples, pas très grandes, sans charme mais très correctes, avec salle de bains privée et TV. La chambre du fond, à l'étage, dispose d'une vue sur la baie. Un bon rapport qualité-prix.

Oceanville : *Pier Rd.* ☎ *70-770-51.* ● *clareireland.net/oceanville* ● *En direction de Fanore, sur le port, juste après le* Monk's Bar, *sur la gauche, face à la mer. Ouv mars-nov. Doubles 65-68 € selon saison. CB refusées.* Un *B & B* surplombant la mer, que l'on regarde par les baies vitrées en prenant le petit déj. Grandes chambres plutôt vieillottes ; certaines avec salle de bains et certaines avec vue sur la baie. Excellent accueil.

Drumcreehy House : ☎ *70-773-77.* ● *drumcreehyhouse.com* ● *À 3 km du village, sur la route de Kinvara, sur la droite. Ouv tte l'année. Résa impérative nov-fév. Doubles 84-100 € selon saison.* Le haut de gamme du *B & B*, dans une imposante demeure moderne, face à la baie de Galway. Une dizaine de chambres ravissantes (dont 2 sont situées dans un petit cottage), avec, au choix, vue sur la mer ou sur le Burren. Elles sont très confortables, agrémentées de meubles de bois clair, de quelques objets chinés, et même de touches « ethniques », comme ces masques africains. Le soir, le *lounge* à l'atmosphère intimiste, au coin du feu, est bien agréable. Petit déj royal. Accueil très pro. Une adresse coup de cœur.

☗ ***Rusheen Lodge :*** *☎ 70-770-92. ● rusheenlodge.com ● À 1 km du village, en direction de Lisdoonvarna, sur la gauche de la route. Fermé de mi-nov à mi-fév. Doubles 90-100 € et suites 130-190 € selon saison.* Ce *B & B* est presque un petit hôtel. En tout, 9 chambres et suites (qui ont un salon en plus), à la déco classique, assez grandes et très confortables (salle de bains, TV, etc.). Certaines ont vue sur Aillwee Mountain. Un salon cossu et un petit déj extra.

☗ ***Location de cottages :*** *☎ (061) 411-109. ● rentacottage.ie ● Situés sur le port, près du centre, sur la droite quand on va vers Fanore. Compter 320-795 €/sem selon saison, capacité et confort (min 2 nuits).* Adorables cottages avec toits de chaume, aux abords du petit port. 3 ou 4 chambres tout confort, pour 6 à 8 personnes, plus cuisine équipée, TV et cheminée. Prix plus intéressants si l'on est nombreux, bien sûr.

☗ ***Monk B & B :*** *sur le port. ☎ 70-770-59. ● monkssg@yahoo.ie ● Voir ci-dessous (« Où manger ? »). Ouv tte l'année. Double 70 €.* Au dessus du pub *Monk's*, une poignée de chambres au confort simple mais offrant (pour la plupart) une vue superbe le port et la baie.

Où manger ?

De bon marché à prix moyens

|●| ***The Tea Junction :*** *au petit carrefour central. ☎ 70-772-89. Tlj sf mar 9h30-16h ou 17h ; l'hiver, ouv quelques heures. Petits plats sur le pouce, pour les petites faims, env 4-7 €. CB refusées.* Sandwichs, salades et soupes, sur place ou à emporter. Petit déj également. Dehors, 2 ou 3 tables pour grignoter au soleil.

|●| ***Monk's Bar :*** *sur le port. ☎ 70-770-59. Un peu excentré, en direction de Fanore. Tlj 12h-19h (20h le w-e, et même 21h en été). Sandwich 10 €, plats 12-26 €.* Maison ancienne aux murs chaulés et aux fenêtres rouges. Rendez-vous populaire des Irlandais comme des touristes. Intérieur joliment arrangé. Quelques confortables fauteuils autour de la cheminée. Excellente réputation pour sa *bar food,* son poisson et ses fruits de mer : *seafood chowder,* copieux *seafood platter,* moules, sandwichs et snacks divers. Aux beaux jours, tables dehors.

|●| ***Logues Lodge :*** *Main St. ☎ 707-70-03. Ouv tlj midi et soir. Snacks et plats 5-25 €.* C'est l'un des rares restos ouverts à l'année et où l'on peut dîner (un peu) tard. Rien d'étonnant donc à ce que l'on s'y retrouve à toute heure du jour (et du soir). Et que les habitués et les touristes se pressent au comptoir ou au coin du feu le temps d'une bière, d'un *Irish coffee,* d'un club sandwich ou d'une bonne grillade. Fait aussi hôtel.

Plus chic

|●| ***An Fulacht Fia :*** *Coast Rd. ☎ 70-773-00. Excentré, en direction de Fanore, face à la baie (bien indiqué). Pâques-août, ouv le soir (sf lun) et dim midi. Hors saison, ouv slt le w-e : ven-sam soir, plus dim midi et soir. Fermé de janv à la Saint-Patrick. Plats 17-30 €. Réduc de 10 % 17h-18h30.* La salle donne le ton : un style moderne au design original, chic et chaleureux, avec, en prime, vue sur la baie. La cuisine ne dépare pas, avec une carte offrant peu de choix, mais garantissant d'excellents produits, parfaitement préparés, finement cuisinés, dans un registre « terroir créatif ». Le service attentionné et impeccable couronne le tout. Une adresse idéale pour un dîner romantique !

Où dormir ? Où manger dans les environs ?

Prix moyens

Rockhaven Farmhouse : Cahermacnaughton. *☎ 70-744-54. • rockhaven-ballyvaughan.com • À 9 km, à mi-chemin entre Ballyvaughan et Lisdoonvarna, en pleine cambrousse mais fléché depuis la N 67. Ouv mai-sept. Double 64 €. CB refusées.* Au milieu de nulle part, cette maison blanche modeste offre un calme total et, comme le coin est peu fréquenté, une chance d'y trouver de la place en haute saison. Sur les 3 chambres, 2 sont *en suite* ; toutes sont assez petites, sans charme particulier mais confortables.

Linnane's : New Quay, *à env 12 km de Ballyvaughan, à gauche sur la route de Kinvara (N 67). ☎ 70-781-20. Tlj midi et soir : jusqu'à 21h l'été et le w-e en hiver ; jusqu'à 20h en sem l'hiver. Plats env 10-25 €.* C'est un rendez-vous populaire local, sans charme à l'intérieur mais authentique et avec un environnement agréable, au bord de l'eau. Dans la salle principale, une vieille barque, qui servait à traverser l'estuaire juste en face, est suspendue au plafond. L'été, terrasse les pieds dans l'eau. Pas étonnant que la carte fasse la part belle aux poissons (notamment le saumon fumé) et aux fruits de mer (homard, *seafood chowder*, huîtres, etc.). C'est simple, pas très raffiné mais copieux et pas trop cher.

Très chic

Gregans Castle : *à env 5 km de Ballyvaughan, à gauche sur la route de Lisdoonvarna. ☎ 70-770-05. • gregans.ie • Ouv de mi-fév à fin nov. Resto slt pour dîner. Doubles 205-245 €, petit déj inclus, selon standing et saison ; suites bien plus chères. Au bar, plats 22-26 €. Au resto, plat 36 € et menus complets 55-85 € (2 courses 69 €).* Sous ses airs austères, c'est le grand luxe dans cette vaste demeure de 1750, magnifiquement située : depuis le parc, le salon et certaines chambres, vue sur Aillwee Mountain, la baie de Galway et Cappanawala Mountain... Les 20 chambres, très stylées, mariant avec goût moderne et ancien, sont douillettes et calmes. Vélos à la disposition des hôtes. Resto chic dans l'enceinte de l'hôtel : c'est cher, mais la finesse, l'originalité de la cuisine et le cadre le justifient. Si vous n'êtes pas en fonds, vous pourrez toujours vous rabattre sur le *teatime* au bar, très cosy, pour profiter de cet endroit qui possède un charme fou !

Où boire un verre ? Où écouter de la musique ?

Monk's Bar : *voir* *« Où manger ? »*. De la musique tous les samedis soir de l'année.

À voir. À faire

Aillwee Caves : *à 3,5 km de Ballyvaughan, sur la route de Corofin. ☎ 70-770-36. • aillweecave.ie • Tte l'année, tlj 10h-17h30 (18h30 en été ; 17h en hiver). Entrée : 12 € ; réduc.* Bird of Prey *: 8 € ; réduc.* Joint ticket *17 € (comprenant donc la grotte et le spectacle de faucons). Forfaits famille et (grosse) réduc en achetant son billet en ligne.* Grotte découverte en 1940 par un berger de Ballyvaughan, Jacko McGann. Stalactites et stalagmites en silice. Visite guidée de 35 mn, d'intérêt limité si vous êtes fin spéléologue. En revanche, le site propose un parcours fléché dans le paysage de rocaille jusqu'à un point de vue sur le Connemara. Vaut le coup pour la balade ! En option, un spectacle d'oiseaux de proie en vol et possibilité de les voir de plus près en cage.

La jolie ***plage de Bishopquarter*** est située à moins de 4 km de Ballyvaughan, sur la route de Kinvara. Indiqué sur la gauche. Large panorama de la baie de Galway au Gleninagh Castle.

DANS LES ENVIRONS DE BALLYVAUGHAN

Gleninagh Castle : *à env 5 km de Ballyvaughan, sur la route de Black Head. Prendre le chemin sur la droite et poursuivre sur 400 m : c'est un cul-de-sac, la tour est dans le champ, au fond.* Une tour de la fin du XVIe s, disposée en L et composée de cinq étages. Ne se visite pas, mais c'est un super coin pour pique-niquer. Site très paisible avec également une petite fontaine sacrée.

➢ ***Randonnée sur le massif de Black Head :*** une balade de 2h, facile, au départ de Fanore (ce n'est pas une boucle mais un aller-retour). Se garer sur le parking de l'église Saint-Patrick, à 13 km de Ballyvaughan. Puis revenir sur la route principale, passer la rivière et, au bout de 300 m, tourner à droite au panneau « Fanore Cottage ». Suivre alors le chemin qui monte. Une première partie à travers les pâturages, puis traversée d'un paysage plus minéral. *Green road* à flanc de coteau, parsemé d'aubépines jusqu'à la pointe de Black Head. Vue sur les îles d'Aran, puis le Connemara, et enfin la baie de Galway. Possibilité de poursuivre jusqu'à Coolsiva, en redescendant sur la R 477, de l'autre côté de la pointe.

Vers le sud, sur la route de Lisdoonvarna, le ***Newton Castle,*** qui abrite le *Burren College of Art*. Se renseigner à l'accueil sur les expos *(☎ 70-772-00)*. Quelques kilomètres plus loin, ***Corkscrew Hill,*** un belvédère d'où l'on embrasse la baie de Galway, Aillwee et Cappanawala Mountains.

LES ÎLES D'ARAN (OILEÁIN ÁRANN)

IND. TÉL. : 099

Voici des îles qui sont sans doute le dernier refuge de la mythologie irlandaise. Rochers balayés par des vents violents et assommés par d'impitoyables vagues. Pendant des siècles, hommes et femmes d'Aran creusèrent des sillons dans la roche et le calcaire pour y mêler algues et sable. En pourrissant, elles fournirent l'humus où poussèrent ensuite pommes de terre et belle herbe grasse. On ne trouve nul endroit au monde ayant construit tant de murs. Il fallait bien mettre les pierres quelque part... De plus, ils protégeaient la mince et fragile couche de terre des vents assassins. Et de grises, tout doucement, les îles devinrent vertes !
Descendants des premiers Celtes arrivés en Irlande, ces paysans pêcheurs portent sur leurs visages l'âpreté de leur lutte contre les éléments, la fierté de maintenir intactes leurs traditions. Le grand auteur Synge notait : « Les vies y ont l'étrange qualité que l'on trouve dans les légendes. » Ici, on s'obstine encore à parler le gaélique et à construire des *curraghs,* ces bateaux en toile goudronnée si résistants dans les bourrasques.
Sur les îles, on peut acheter des choses qui ne sont pas encore fabriquées en Chine : les *pampooties* (chaussures sans talons en peau de mouton), ceintures tressées, pulls ou paniers de pêcheurs. À propos, une anecdote : chaque famille sur les îles possédait son propre point de tricot. Quand la mer mangeuse d'hommes rendait le corps souvent méconnaissable d'un pêcheur disparu, le pull permettait ainsi son identification...
Malheureusement, les îles sont un peu victimes de leur succès. Beaucoup de touristes en haute saison, et parfois quelques pratiques anticommerciales fort peu irlandaises ! En revanche, hors saison, pas grand-chose d'ouvert...
– Pour en savoir plus, deux ouvrages : *Pocket Guide to Árainn, Legends in the Lanscape,* de Dara Ó Maoildhia (traduction en français disponible à l'office de tourisme de Kilronan, sur Inishmore), et *The Book of Aran,* chez Tír Eolas (en anglais).

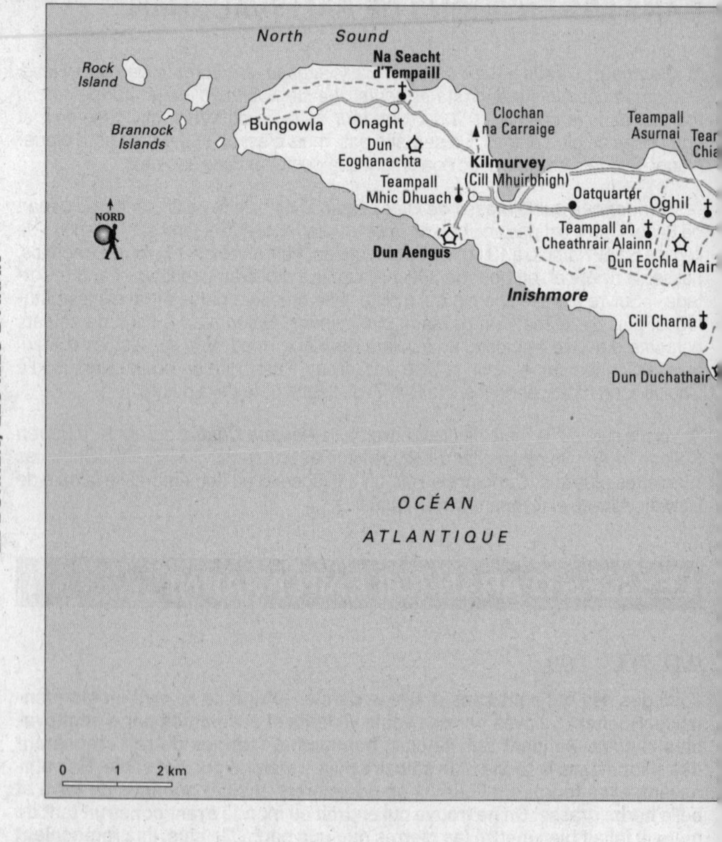

ARAN ET LES ÉCRIVAINS

Issu d'une riche famille protestante, *John Millington Synge* se sentit plus proche de la culture irlandaise et rompit rapidement avec son milieu. Yeats lui conseilla d'aller visiter les îles d'Aran. Le choc culturel dut être puissant, puisque Synge y retourna cinq fois et qu'un livre naquit de cette histoire d'amour : *Les Îles d'Aran.* Son théâtre devait également se nourrir de cette rencontre. *O'Flaherty,* auteur du célèbre roman *Le Mouchard,* naquit sur Inishmore. Enfin, l'autre *Flaherty, Robert,* très grand cinéaste américain, y tourna, en 1934, *The Man of Aran,* en ne faisant jouer que les gens de l'île. À Inishmore, le souvenir du tournage reste impérissable...

Comment y aller ?

Voici les fréquences depuis les différents ports d'accès. Pour relier les îles entre elles, il vous faudra jongler avec les bateaux de *Doolin Ferry* ou éventuellement avec ceux d'*Island Ferries.* Se renseigner auprès de l'office de tourisme d'Inishmore, ou directement auprès des compagnies. Attention, les liaisons inter-îles ne fonctionnent qu'en

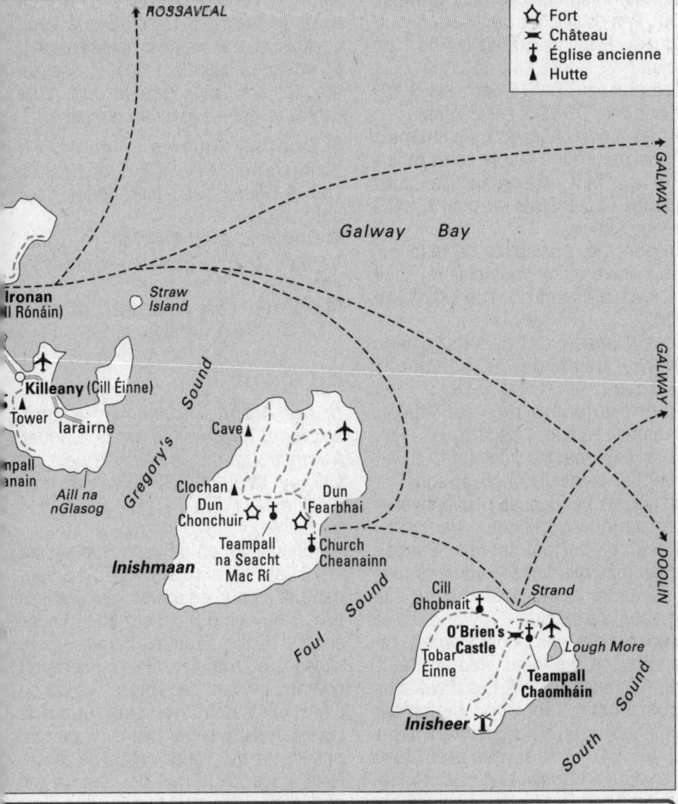

LES ÎLES D'ARAN

été. En avril, il vous faudra passer la nuit sur Inisheer, en venant d'Inishmore par exemple, et reprendre le ferry du lendemain. Enfin, on ne va pas dans les îles avec sa voiture, et c'est tant mieux !

En bateau

➢ ***De Rossaveal*** *(40 km à l'ouest de Galway)* **:** la compagnie *Aran Island Ferries* dessert les 3 îles.

– *Pour Inishmore :* compter env 25 € l'A/R par adulte ; réduc enfants, famille et étudiants. Trajet : 45 mn. Si vous êtes véhiculé, parkings à Rossaveal (payants).

■ ***Aran Island Ferries :*** *infos et résas à Galway au bureau de Merchants Rd (face à* Kinlay House*). Infos :* ☎ *(091) 568-903 ou (091) 572-273 (après 18h).* • *aranislandferries.com* • *Tlj 8h30-18h.* Possède des ferries modernes et rapides, souvent bondés mai-sept. Si vous n'avez pas de voiture, un bus assure le plus souvent la liaison depuis Galway (départ 1h avt l'embarquement depuis Queens St, près du bureau de Merchants Rd). Pour *Inishmore,* 3 départs/j. avr-oct (rotations supplémentaires en été) et 2 départs le reste de l'année. Pour les petites îles *Inishmaan* et *Inisheer,* 2 départs/j., en principe tte l'année.

➢ ***De Doolin :*** 3 compagnies assurent les liaisons Doolin-Inisheer (la plus proche : 8 km ; 30 mn), Doolin-Inishmaan et Doolin-Inishmore (la plus grande ; 1h30). Pas de liaisons hors saison (oct-Pâques). Parking gratuit au port de Doolin.

– Compter env 20-30 € par adulte l'A/R à Inishmore ; 10-20 € l'aller simple (les tarifs les moins chers sont sur Internet). En principe, réduc étudiants et moins de 14 ans. Tarif « spécial famille » pour 2 adultes et 2 enfants ou pour un A/R dans la journée.

– En principe, possibilité de réserver, mais il arrive qu'on vous dise de venir slt 1h avt le départ pour acheter votre place.

– *Pour Inisheer :* 2-7 départs/j. selon période, demande et conditions climatiques.

– *Pour Inishmore :* juin-sept, 2 départs/j. ; sinon, 1 départ/j.

– *Pour Inishmaan :* juin-août, 2 liaisons/j. ; se renseigner hors saison.

Bien sûr, les fréquences peuvent varier selon période de l'année, demande, marées, et surtout météo. En cas de très mauvais temps, vous risquez de séjourner quelque temps sur l'île que vous aurez élue. Suivez donc la météo de près : les *Doolin Ferries,* par exemple, ne prennent plus la mer à partir d'un vent force 5. Les traversées depuis Doolin sont donc nettement moins fiables qu'au départ de Rossaveal. En fait, même si vous avez laissé votre voiture à Doolin et que le crochet en bateau par Rossaveal vous semble plus long et compliqué, c'est le trajet le plus sûr et le moins cher pour rejoindre les îles d'Aran (et en revenir), si vous avez un timing à tenir ou que vous voyagez en dehors de la haute saison... En effet, les bateaux reliant Rossaveal aux îles sont plus gros et donc plus fiables en cas de mauvais temps.

■ ***Doolin Ferries :*** *au port. ☎ (065) 70-744-55. • doolinferries.com • Mieux vaut téléphoner pour confirmation.*

■ ***Doolin 2 Aran Ferries :*** *au port. ☎ (065) 70-759-49. • aran-island-ferry.com •*

■ ***O'Brien Line :*** *au port. ☎ (065) 70-755-55. • obrienline.com •*

En avion

✈ ***Aer Arann :*** *Connemara Airport, à Inverin, village situé après Spiddal, à une trentaine de km à l'ouest de Galway. ☎ (091) 593-034. • aeraranislands.ie • Tte l'année. Résa très conseillée.*

➢ En saison, en principe 6 vols/j. sur les 3 îles (hors saison, 4 pour Inishmore et 2 pour les autres îles). Dans le prix, 1 nuit en *B & B* peut être incluse si on le désire. D'autres formules possibles avec transfert Galway-aéroport compris. Avions de 9 places et vol de 6 mn ! C'est un moyen plus sûr que le bateau (même si les avions ne partent pas en cas de grand vent ou de brouillard), ça évite le mal de mer, ça fait gagner beaucoup de temps et ce n'est pas tellement plus cher que le bateau (compter 45 € l'A/R)...

L'ÎLE D'INISHMORE (INIS MÓR)

C'est l'île la plus grande (13 km de long) et aussi la plus touristique. Environ 825 habitants (beaucoup de jeunes sont partis). Si vous ne devez faire qu'une seule île, on vous conseille plutôt de visiter celle-ci, malgré la forte fréquentation touristique. Inishmore offre en effet beaucoup plus de balades, de centres d'intérêt, ainsi que des hébergements plus nombreux.

Entre le premier et le dernier bateau, quasiment impossible de tout visiter dans la journée (ou alors 5 mn par site en pédalant dur !). Cela dit, on peut se contenter des deux ou trois principaux sites. La découverte de tous ces vestiges d'églises, chapelles et forts est le prétexte à d'agréables balades à vélo, pour lesquelles la météo fait toute la différence. À ce propos, pensez à emprunter la route côtière pour atteindre l'ouest de l'île, et revenir par la route centrale, c'est beaucoup plus facile.

Passez au moins une nuit sur l'île. En effet, on est là pour prendre son temps...
– Arrivée au port de ***Kilronan.*** Très conseillé de louer un vélo en débarquant. L'île est grande, on vous le rappelle ! Pas besoin de se précipiter, plusieurs loueurs sur le port et beaucoup de vélos. Également de nombreux minibus à l'arrivée qui font office de taxis et proposent aussi un tour de l'île.
– Carte des îles utile pour bien repérer les chemins, éditée par *Ordnance Survey of Ireland,* en vente à l'office de tourisme de Kilronan. Les petits budgets se contenteront du plan, simplifié mais gratuit, offert par l'un des loueurs de vélos à l'arrivée ou de celui donné par la compagnie *Arann Island Ferries* (disponible à l'office de tourisme notamment).

Adresses et infos utiles

■ ***Office de tourisme :*** *à* **Kilronan,** *sur le port.* ☎ *612-63.* ● *aran@failteireland.ie* ● *Tte l'année, tlj 11h-17h (10h-18h45 l'été).* Excellent accueil et personnel compétent. Infos sur les liaisons en ferries, mais pas de vente de tickets (à prendre directement sur les bateaux). Boutique et librairie habituelles, avec tous les bouquins et les cartes sur Aran. Consigne pour les bagages à prix modique.
– ATTENTION : UN SEUL DISTRIBUTEUR DE BILLETS SUR L'ÎLE ! Il se trouve à l'intérieur du petit supermarché près du port et ne peut pas toujours satisfaire tout le monde en haute saison. Pour nos amis suisses et canadiens, possibilité de change à la poste *(tlj sf sam ap-m et dim)* ou à la *Bank of Ireland (sortie nord du village, sur la gauche ; mais ouv slt mer – et jeu juin-sept – 10h-15h, avec parfois une pause déj !).* Le mieux est bien sûr de venir avec une réserve suffisante de liquide.
■ ***Location de vélos :*** il y a 3 loueurs principaux, dont ***Aran Bike Hire,*** *qui vous attend de pied ferme à l'arrivée et distribue un plan gratuit de l'île. Compter env 10 €/j. (un peu plus pour 24h de location), plus la caution.* Vélos classiques avec porte-bagages. ***Burke Bicycle Hire,*** *au niveau de la boutique d'artisanat mauve et jaune. Mêmes tarifs.* Il loue des vélos avec des suspensions plus modernes, sans porte-bagages mais avec garde-boue (pratique en cas de pluie !).
■ ***Supérette :*** ***Spar,*** *dans le haut du village, face à* Dormer House. *L'été, lun-sam 9h-20h, dim 10h-17h ; en hiver, lun-sam 9h-18h, dim 10h-17h.* Dépanne les étourdis qui ne se sont pas approvisionnés avant de venir, mais c'est cher !
✉ ***Poste :*** *dans le haut du village, près de la banque et du supermarché. Tlj sf sam ap-m et dim.*
■ ***Taxi : Noel Mahon,*** 📱 *087-778-27-75. Peut dépanner le soir, si vous êtes loin de Kilronan.* Mais il y en a d'autres (demander à l'office de tourisme).

Où dormir ? Où manger ? Où boire un verre ? Où écouter de la musique ?

À Kilronan

⛺ ***Camping :*** ☎ *611-85. À 20 mn à pied en direction de Kilmurvey. Du pub* Ti Joe Watty, *prendre à droite la route qui longe la côte en contrebas : c'est ensuite sur la gauche. Repérable à sa bicoque blanche aux fenêtres vertes, qui fait office de sanitaires. Ouv l'été. Env 15 € pour 2 avec tente.* Cadre magnifique, isolé face à la mer, mais infrastructures (et sanitaires) très rudimentaires. Tenu par un paysan qui passe chaque soir récupérer les sous des nuitées. Parfois, en été, ambiance musicale.
🏠 ***Kilronan Hostel :*** ☎ *612-55.* ● *kilronanhostel.com* ● *Ouv tte l'année. Horaires de réception calés sur les ferries. Attention, particulièrement surchargé en saison, résa conseillée. Compter env 18-25 €/pers, petit déj compris, selon saison et type de chambre.* 📶 AJ privée d'une quarantaine de

lits, qui surplombe le port et partage ses locaux avec le *Ti Joe MacBar.* L'inconvénient, c'est qu'on dort dans le village principal et non en pleine nature. L'avantage : un accueil excellent et une AJ vraiment agréable. Dortoirs de 4 à 6 lits, plus ou moins spacieux mais très coquets, avec leur salle de bains particulière. Cuisine très bien équipée, laverie, petite bibliothèque, et salle commune (TV) dans le bâtiment voisin. Terrasse plutôt plaisante, avec barbecue à disposition. Location de vélos.

Artist's Hostel : *à la sortie du village, route de Kilmurvey. 087-207-93-83. • artistshostel.com • Face au* pub Ti Joe Watty, *petite route qui descend vers le camping ; c'est tt de suite à droite dans le virage (pas de panneau). Ouv tte l'année en principe. Env 22 €/pers, petit déj compris.* Toute petite *hostel* mi-baba, mi-artiste. En fait, on dort quasiment chez l'habitant. Seulement 2 chambres-dortoirs de 4 lits et 1 chambre double ; salle de bains commune, *of course !* Cuisine accessible gratuitement. Salon TV avec cheminée. Laverie et sèche-linge. C'est très simple, pas hyper propre, mais il y règne un état d'esprit très routard.

Seacrest B & B (Geraldine Faherty) **:** *au centre du village. ☎ 612-92. • seacrestaran@gmail.com • Suivre la route à gauche en sortant du port, et longer un peu la baie : c'est sur la droite (panneau). Ouv tte l'année. Résa conseillée. Doubles 60-76 € selon saison. CB refusées.* Dans une maison récente aux tons jaunes, avec une pelouse devant. Dispose de 6 chambres pas très grandes (dont la moitié peut accueillir 3 personnes), à la déco très classique et toutes avec salle de bains et TV-DVD.

Pier House : *pile-poil en arrivant, au débarcadère. ☎ 614-17. • pierhousearan.com • Ouv de mi-mars à fin oct. Resto tlj midi et soir (jusqu'à 21h). Doubles 80-110 € selon saison, avec petit déj. Côté resto, sandwich, soupe, salade env 10 € et plats 12-21 € au déj ; le soir, plat env 23 €.* L'une des rares adresses un peu chic du village. Grande maison récente qui conviendra à ceux qui recherchent le confort avant tout. Très près des arrivées néanmoins. Une douzaine de chambres, qui ont toutes douche, w-c, sèche-cheveux, TV, téléphone et plus ou moins une jolie vue sur la mer. Location de vélos. Propose également 4 appartements à côté (aux mêmes tarifs que l'hôtel, mais avec cuisine et 2 ou 3 chambres ; moins cher pour un séjour plus long). Fait aussi resto, à la cuisine très réputée. Bon accueil.

Ostan Arann-Aran Islands Hotel : *au sud de Kilronan, à moins de 10 mn à pied du port, sur la droite en direction de Killeany. ☎ 611-04. • aranislandshotel.com • Hôtel et pub tte l'année, resto en été slt. Doubles 78-118-138 € selon saison. Côté cuisine, env 12 € pour 1 plat le midi au pub et 25 € le soir au resto.* Le seul véritable hôtel de l'île. Et il ne démérite pas côté confort, avec ses 3 étoiles : une vingtaine de chambres chaleureuses, assez grandes et chic, certaines pour 4 ou 5 personnes et d'autres avec vue sur la baie. *Bar food* au pub *Paitin Jack,* le midi et le soir (jusqu'à 21h30) : *seafood chowder,* poisson du jour, steak... Également des salades et des sandwichs, ainsi qu'un *all day breakfast.* Salle moderne et colorée, donnant sur la baie, et une cuisine qui tient la route. Musique toute l'année le vendredi et le week-end, et même tous les jours en été.

Aran Fisherman : *juste avt la plage, par la route sur la gauche en venant du port, dans une petite maison sur la droite. 087-615-99-24. Mars-fin sept, tlj jusqu'à 17h. Sandwichs 5-8 €, plats chauds ou salades 7-14 €.* Dans une grande salle claire et assez agréable, ou en terrasse, on se restaure d'une cuisine simple, sans prétentions mais correcte. Pas mal de choix : *seafood chowder, Irish stew,* pommes de terre garnies, bonne variété de sandwichs et excellents desserts maison.

O'Malley's-Bay View : *sur le port. ☎ 610-41. Tlj midi et soir jusqu'à 21h (voire 22h30 en été). Congés : 2de quinzaine de janv. Plats 13-23 €.* Pour s'éloigner le temps d'un repas de la cuisine traditionnelle irlandaise : à la carte, *fajitas,* hamburgers, pâtes, bonnes pizzas, salades, etc. Le cadre aussi change des pubs : déco sobre, moderne et branchée, mobilier design, musique *lounge*, etc.

Histoire de manger sur le pouce, signalons aussi le petit *coffee house* **Lios Aengus** *(tlj 9h30-17h)*, à côté de la supérette *Spar* : petit déj, sandwichs et soupes *(5-8 €)* ; peu de choix, mais des spécialités, indiennes notamment, qui changent. Et pour boire un verre, le ***Ti Joe MacBar*** *(tlj ; soupes et sandwichs jusqu'à 17h slt)*, près de *Kilronan Hostel*, avec sa terrasse dominant le port, n'est pas mal non plus.

Pub Ti Joe Watty : *à la sortie du village, route de Kilmurvey, sur la gauche. ☎ 208-92. Tte l'année, tlj midi et soir. Le midi, sandwichs 4-5 € et plat 13 € ; le soir, plat 17 €.* Tables dehors aux beaux jours pour déguster un bon sandwich et descendre une *Smithwick's* entre 2 séances de pédalage. Déco coquette et cosy, avec cheminée chaleureuse. *Pub grub* également. Musique traditionnelle tous les soirs en été (sinon, le week-end seulement). C'est le pub le plus sympa !

Dans le reste de l'île

Mainistir House Hostel : ***Mainistir.*** *☎ 611-69. • mainistirhousearan.com • À 20 mn à pied de Kilronan, sur la route de Kilmurvey. Accès par minibus du port ou louer un vélo. Ouv tte l'année. Résa conseillée en saison. Compter env 18 €/pers en dortoir et 50 € la chambre double, petit déj compris. Cuisine à dispo ou possibilité de commander des* evening meals *(repas du soir, 15 €).* C'est une AJ d'une cinquantaine de lits, en bord de route (mais, fort heureusement, pas trop de passage et en pleine nature). Bon accueil. Dortoirs (4 à 10 lits) et chambres gaies et lumineuses, doubles ou familiales, avec salles de bains communes. Pas de laverie ni de salle TV. Bien sûr, beaucoup de monde en saison, c'est donc un peu l'usine, et la propreté s'en ressent.

Radharc na Céibhe B & B : *à 1 km au sud de Kilronan. ☎ 612-97. • stayaranislands.com • Du village, prendre la petite route qui part vers Killeany : c'est de l'autre côté de la baie, face au port, après la plage, sur la gauche. Ouv avr-sept. Doubles 70-80 € selon saison. CB refusées.* Petite adresse toute simple, à l'écart de Kilronan. Maison couleur saumon, à l'intérieur peut-être un poil kitsch mais confortable. Propose 5 chambres très spacieuses (toutes *en suite*) avec TV et vue sur la mer. Bon accueil et bon *Irish breakfast*.

Ard Einne Guesthouse : Killeany, *à 2 km au sud de Kilronan. ☎ 611-26. • ardeinne.com • À la sortie de Killeany, sur une petite colline après l'aérodrome, qui domine la plage d'Árd Einne (bien indiqué). Ouv fév-fin oct. Double 120 € en saison, avec petit déj. Dîner pour les résidents, sur résa, 27 €.* En tout, 8 chambres confortables et chaleureuses (certaines en lambris). 4 d'entre elles profitent de la vue sur la plage. *B & B* loin de tout, mais niché dans un coin paisible et pittoresque. Cuisine maison très goûteuse. Accueil très attentionné et agréable salon avec TV.

B & B Man of Aran Cottage : *juste à côté de* ***Kilmurvey.*** *☎ 613-01. • manofarancottage.com • Fléché sur la droite avt Dun Aengus ; c'est juste après la belle plage de Kilmurvey. Ouv mars-oct. Doubles 80-90 € env selon standing. Repas pour les résidents, sur résa, env 30 € (entrée, plat et dessert). CB refusées.* Comment ne pas craquer pour ce charmant petit cottage construit pour le film *The Man of Aran* en 1934 ? Dans l'agréable coin salon avec cheminée, vous pourrez lire les articles racontant l'histoire du tournage. Également une petite terrasse (très venteuse !) avec vue sur la mer. 3 chambres à l'ancienne, charmantes, et 2 chambres plus récentes dans l'annexe, sans charme. Bref, tout cela a quand même du caractère.

Kilmurvey House : *à* ***Kilmurvey,*** *juste avt le fort de Dun Aengus, sur la droite. ☎ 612-18. • kilmurveyhouse.com • Ouv avr-oct. Doubles 90-110 € ;* family room *pour 5 pers 130 €. Dîner sur résa pour les hôtes env 30 €.* Dans une authentique maison irlandaise en pierre grise, rénovée et avec un grand jardin devant. Environnement très calme hors saison, mais pas mal de monde dans le coin pour visiter Dun Aengus en été. Intérieur cosy avec 2 agréables petits salons. Une douzaine de chambres avec douche ou bains et w-c, certaines à l'ancienne, d'autres plus récentes. « Tapis, moquette et vieilles armoires », tel pourrait être finalement l'intitulé de cette charmante adresse un peu plus chic ! Bon accueil.

Tigh Nan Phaidi's Restaurant : *Kilmurvey.* ☎ *209-75. Dans le hameau, sur la droite au croisement pour le fort de Dun Aengus. Tte l'année, tlj jusqu'à 17h (18h en été). Plat du jour env 10 €.* Belles salades et bons produits maison. Un excellent *chocolate Guinness cake.* Cadre agréable. On apprécie le feu de tourbe et la soupe par une médiocre journée de pluie, où il faut pédaler dur !

– Autre lieu pour se restaurer ou boire un verre à proximité : ***An Sunda Cáoch,*** à l'entrée du site de Dun Aengus.

À voir

Dun Aengus *(Dun Aonghasa) : à 8 km à l'ouest de Kilronan ; tourner à gauche au hameau de Kilmurvey.* Visitor's Centre *tlj 9h45-18h avr-oct ; tlj 9h30-16h en mars, nov et déc ; janv-fév mer-dim 9h30-16h.* ☎ *610-08. Parking à vélos, car on y va à pied depuis le* Visitor's Centre *(15 mn de marche). Entrée : 3 € ; réduc.* Heritage site.

ATTENTION ! Si le chemin est bien balisé et ne présente aucune difficulté, il débouche sur une falaise de 87 m de haut sans AUCUNE BARRIÈRE DE PROTECTION NI PARAPET ! Sachez qu'il y a souvent des vents violents et que des accidents mortels ont déjà été déplorés. Prenez vraiment toutes les précautions, notamment si vous venez avec des enfants ! On vous conseille de vous y rendre à l'ouverture, ou vraiment en fin de journée, pour avoir une chance d'être seul au monde... Au *Visitor's Centre,* lecture rapide des rares panneaux explicatifs (dont un en français). Également une brochure explicative en français, gratuite.

Après 15 mn de marche, vous débouchez donc sur cette belle falaise. Elle est sans doute plus spectaculaire vue de la mer (voir la superbe photo au *Visitor's Centre*), mais elle reste encore très impressionnante pour ceux qui sont sujets au vertige (à l'image du lieu, soyez fort !). Sérieusement, voici sans doute l'un des forts préhistoriques les mieux conservés d'Europe. Étonnamment, il est de forme semi-circulaire. Les archéologues supposent que l'autre moitié a pu s'effondrer avec la falaise. Mais la thèse la plus probable est que, certains de ne pas être attaqués côté mer, les constructeurs se seraient contentés d'un demi-cercle. Son origine remonterait à 1100 av. J.-C. Le fort, le plus grand des sept forts que comptent les trois îles d'Aran, comprend trois enceintes concentriques présentant un bel appareillage en pierres sèches. Au nord, remarquable ligne de défense de roches effilées, dressées en l'air comme des chevaux de frise. L'absence de puits ou de source sur place indique que les défenseurs ne s'attendaient jamais à être longuement assiégés. Panorama unique sur l'ensemble de l'île, notamment sur la ligne de falaises vers l'ouest.

Plus loin vers le sud, sur la côte, aller voir le *Wormhole* ou *Poll na bléist* (« trou de ver »), vaste ouverture rectangulaire dans le sol comme si une dalle gigantesque s'était effondrée. Depuis la route entre Oatquarter et Kilmurvey, prendre à gauche (en venant d'Oatquarter) un petit sentier en direction de *Gort na Glapall.* On rejoint ensuite la côte par la falaise jusqu'à cette piscine extraordinaire (en tout, 30 mn de marche). Attention, à marée haute elle n'est pas visible !

On trouve l'équivalent en plus petit dans le sud de l'île. Là, on les appelle *Puffin's holes* (« trou de macareux »).

Clochan na Carraige : *après avoir quitté Dun Aengus et traversé le village de Kilmurvey, prendre au croisement le sentier sur la droite (5 mn de marche ; bien indiqué).* On parvient à la hutte en pierres sèches *(clochan)* la mieux préservée de l'île. Construite entre les Ve et Xe s, la hutte dut abriter quelques ermites. Noter la disposition judicieuse des pierres, qui permettait de faire glisser l'eau de pluie.

Dun Eoghanachta : *un autre fort, à gauche de la route, vers Bungowla. On prend d'abord un chemin de pierre praticable à VTT, puis, quand ça monte dur, on suit à pied le panneau indiquant un petit sentier sur la droite entre les murets : il reste à monter encore pdt 5 mn.* Bien préservé lui aussi. Double enceinte et vestiges de *clochan* à l'intérieur. Beau point de vue sur le nord de l'île, et même sur le Connemara par temps dégagé.

Na Seacht d'Teampaill *(les sept églises)* **:** *au nord-ouest, dans le village d'**Onaght** (Eoghanacht), par une petite route en pente sur la droite à l'entrée du bourg (indiqué).* Sept édifices en ruine, vestiges d'une cité monastique, dont deux véritables églises (une érigée entre les VIIIe et Xe s, et l'autre au XVe s). La plus importante s'appelle ***Teampall Breacáin.*** On trouve aussi, au fond du cimetière, côte à côte, trois intéressantes pierres gravées (des VIIIe et IXe s, mais les croix sculptées dessus sont très effacées) et quelques lits de pénitence (pierres tombales plates sur lesquelles, dans les temps médiévaux, les fidèles passaient la nuit pour voir exaucer leur vœu).

Si vous êtes vraiment en jambes, après une grosse colline à gravir, vous pouvez poursuivre jusqu'à ***Bungowla,*** où se dévoilent quelques très vieux cottages. Au bout de la route, au loin, ***Rock Island*** et son phare.

En revenant vers Kilronan, possibilité de visiter encore une église du XVe s, ***Teampall an Cheathrair Alainn*** (à l'abri d'une enceinte, quatre tombes de saints). Près du village de ***Mainistir,*** on trouve ***Teampall Chiaráin*** (VIIIe et XIIe s) avec une pierre sculptée fort intéressante. Enfin, près d'***Oghil*** se dresse le petit fort préhistorique de *Dun Eochla* (suivre le chemin menant au phare, puis c'est sur la gauche).

Balade à pied sympa pour découvrir, au sud-est de l'île, l'impressionnant ***Dun Duchathair*** (le « fort noir »). Gardé là aussi par des chevaux de frise. Du port, partir sur la route de gauche qui longe la baie, puis c'est la deuxième à droite après l'hôtel *Ostan Arann* : au sommet de la colline, prendre à droite et laisser les vélos. Poursuivre à pied pendant 45 mn (bien indiqué).

Enfin, en poursuivant la route le long de la baie vers le sud, en arrivant à Killeany, prendre la route à droite dans un virage, avant la jetée, puis un chemin à droite (fléché) pour atteindre, en montant 10 mn à pied, ***Teampall Bheanain,*** fondé au Ve s. C'est un petit lieu de culte (3 m x 2 m), bel exemple d'architecture irlandaise préromane. En chemin, vestiges d'une tour ronde.
En redescendant jusqu'au village de Killeany, à côté de la jetée, on trouve, au bord de la route sur la gauche, les petites ruines du ***château d'Arkin,*** construit au XVIe s avec les pierres de nombreuses églises de l'île.

Fêtes

Parmi les fêtes les plus sympas, fin juin, feux de la Saint-Jean dans chaque village avec danses, musique et barbecues. Courses de *curraghs* le dernier week-end de juin. Le premier samedi d'août, on bénit les anciens et les nouveaux bateaux. Plein d'autres fêtes, toute l'année ; infos à l'office de tourisme.

L'ÎLE D'INISHMAAN (INIS MEÁIN)

L'« île du milieu », avec ses 150 habitants, est la moins fréquentée des trois îles mais pas la moins authentique. Seulement, il faut aimer la solitude. D'autant que la mer, parfois mauvaise, empêche de repartir ! L'île offre un fort pittoresque : ***Dun Chonchuir,*** en pierres sèches et de forme ovale. L'église de Templemurry date du XVe s. L'île inspira beaucoup Synge. Il y passa le plus clair de son temps entre 1898 et 1902. Elle servit de cadre pour sa pièce *La Chevauchée vers la mer* et aussi pour *The Playboy of the Western World* (*Le Baladin du monde occidental,* en v.f.). On peut d'ailleurs voir le cottage où l'écrivain résidait (se visite en juillet et août). Partout, les cottages aux toits de chaume, mieux conservés que sur les autres îles, transportent le voyageur à la fin du XIXe s.

➢ On y accède en 45 mn de bateau depuis Inishmore et 15 mn d'Inisheer. Certains ferries s'y rendent depuis Rossaveal ou Doolin (voir plus haut « Les îles d'Aran. Comment y aller ? »).

Quelques rares logements sur place. Signalons notamment ***An Dún Country House*** : *non loin du quai.* ☎ *730-47.* ● *inismeainaccommodation.com* ● *Ouv mars-fin nov. Doubles 80-100 €, avec petit déj.* Resto midi et soir.

■ ***Aran Islands Dive Centre :*** ☎ *(099) 731-34.* ● *arandiving@eircom.net* ● *Des plongées en mer tlj de mi-juin à mi-sept ; le w-e avr-mai.*

L'ÎLE D'INISHEER (INIS OÍRR)

C'est la plus petite (3 km²) et la plus proche de Doolin. Environ 250 habitants. Bien qu'elle ait longtemps été la plus sauvage des trois îles, elle est un peu plus fréquentée qu'Inishmaan... Mais, comparée à Inishmore, elle reste encore bien sauvage, et c'est tant mieux ! Conviendra aux romantiques ou aux solitaires, même si les gens du coin socialisent très facilement... Quelques balades à faire. On trouve deux pubs, un magasin d'alimentation, ainsi que quelques logements. On y a découvert une jeune chanteuse, dont on a adoré la musique envoûtante : Lasairfhíona Ní Chonaola, originaire de cette île. Ici, ou à Inishmore, demandez que l'on vous initie (CD en vente à l'épicerie d'Inisheer)...

➢ Accès direct en ferry depuis Doolin ou Rossaveal (voir plus haut « Les îles d'Aran. Comment y aller ? »).

Adresses et infos utiles

■ ***Location de vélos : Rothaí Inis Oírr,*** *à droite juste à côté du débarcadère.* ☎ *750-49 ou 33. Pâques-fin sept, tlj 9h-18h ; le reste de l'année, téléphoner. Compter 10 €/j. (vélos pour enfants disponibles).* On vous donnera une petite carte de l'île avec ses balades. Cela dit, l'île est petite et si vous avez 1 journée devant vous, tout peut se faire à pied.

■ ***Épicerie :*** *derrière l'*Inisheer Hotel, *à gauche du port, puis, au niveau de la plage, par une route à droite. Tte l'année, tlj en principe 9h-20h (18h en hiver et horaires parfois restreints dim).*

@ Connexion dans le ***coffee shop*** d'Áras Éanna, par wifi seulement *(lire « À voir. À faire »).*

– Attention, pas de distributeur de billets.

Où dormir ?
Où manger ?
Où boire un verre ?

Bru Radharc Na Mara Hostel : *dans le village, à droite en sortant du débarcadère. ☎ 750-24. ● bruhostelaran.com ● Ouv de mi-mars à fin oct. Autour de 18 €/pers en dortoir et 50 € la chambre double ; petit déj en sus.* Une bonne trentaine de lits dans cette AJ privée assez récente. Quelques chambres doubles ou dortoirs de 4 à 6 lits. Cuisine et lave-linge (payant) à disposition. Salon et cheminée avec feu de tourbe, TV et vidéos pour les jours de pluie...

Radharc an Chlair B & B (Brid Poil) **:** *à 15 mn à pied du débarcadère. ☎ 750-19. ● bridpoil@eircom.net ● En débarquant, partir à gauche dans le village, tourner à gauche au niveau du terrain de sport et dépasser le cimetière en montant par la petite route à droite. Puis, face au cimetière, prendre la route sur la droite. Vous trouverez ensuite une allée sur la gauche, à 150 m, avec un panneau « Brid Poil » : c'est la 2e maison au bout de l'allée, sur la droite, en hauteur. Ouv début mars-fin oct. Double env 70 €. Dîner 25 € (pas de service sam soir). CB refusées.* Sans doute le meilleur *B & B* d'Inisheer. Maison moderne dans un bel environnement, avec vue sur les murets de pierre à l'infini. Propose 4 chambres avec salle de bains privée. Confort impeccable et déco classique, sans charme particulier. Agréable petite véranda avec vue sur les falaises de Moher au loin, par beau temps. Petit déj *Irish* très copieux avec *scones* et porridge.

Tigh Searraigh B & B : *juste en face de l'AJ (même propriétaire). ☎ 750-24. ● radharcnamara@hotmail.com ● Ouv de mi-mars à fin oct. Double 70 €.* 4 à 6 chambres très simples et propres, avec salle de bains et chauffage central (pas toujours très efficace...). Grande salle pour le petit déj, assez sombre, mais pas de salon. Une adresse tout de même un peu spartiate pour le prix !

Tigh Ruairí (Strand House) **:** *derrière l'*Inisheer Hotel, *par la route de gauche depuis le port, puis à droite au niveau de la plage. ☎ 750-02. ● tighruairi.com ● Ouv avr-sept pour le* B & B *et tte l'année pour le pub (en hiver, slt le soir). Doubles 70-80 € selon saison. Au pub, plats chauds 10-14 €.* Une vingtaine de chambres *en suite* et avec TV, récentes, confortables mais sans grand charme (certaines ont vue sur la mer). Agréable living-room à l'étage avec panorama sur le port. Au pub, en bas, carte habituelle. Bien aussi pour boire un verre.

Fisherman's Cottage : *☎ 750-73. C'est la dernière maison au bout du village, à droite en quittant le débarcadère. Mai-sept, tlj 12h-15h, 18h30-21h. Résa conseillée. Le midi, soupe ou sandwich env 5 € et plat env 10 € ; le soir, plats 18-22 €.* Excellente cuisine avec des touches originales, élaborée à partir de produits très frais et d'origine locale : poisson parfois pêché par le patron, *Thaï style bean cassoulet*, agneau aux épices... Salle agréable dans les tons bleus, terrasse. C'est le seul vrai « resto » du coin, avec une agréable véranda à l'arrière ou la terrasse devant.

À voir. À faire

Dans l'est de l'île

À gauche du port, *an trà*, la **plage.** Une des plus sûres de la région. Des pêcheurs s'y élancent toujours avec leur *curragh* pour taquiner le maquereau.

Cnoc Raithníghe : *sur la route de gauche, près du débarcadère et d'*Inisheer Hotel, *juste avt le terrain de sport.* Tumulus (restauré) de l'âge du bronze (environ 1500 av. J.-C.). Révélé par un violent coup de vent en 1885 ! Les urnes et les ossements exhumés sont exposés au Musée national de Dublin.

Sur une colline de sable, face à la mer, à gauche en venant du port, un petit *cimetière.* Longtemps ensevelie sous la dune, au milieu des tombes, se trouve la ***Teampall Chaomháin*** (l'église du saint patron de l'île). Il ne reste que les ruines de cet édifice du XIe s. Même plan que l'église de la Trinité de Glendalough. Son autel offre une petite gravure naïve du Christ sur la Croix (art roman irlandais).

Ruines du ***château O'Brien,*** avec son donjon du XVe s. De là, jolie vue sur Inishmaan et le port.

The Plassy : l'épave d'un cargo échoué à l'est de l'île en 1960. Calé sur les rochers, il est encore droit et fier... Paysage insolite. Juste avant, vous contournerez *An Loch Mór.*

à l'autre bout de l'île, le ***phare,*** à environ 45 mn de marche du port.

Dans l'ouest de l'île

Ruines de ***Cill Ghobnait,*** une toute petite église du XIe s portant le nom de la seule femme qui ait été autorisée à séjourner sur ces îles. Pour la trouver, prendre à droite au débarcadère, en direction d'*Áras Éanna.* C'est sur la droite, juste avant la maison de pierre aux fenêtres rouges.

Áras Éanna : *à l'ouest de l'île, indiqué depuis le débarcadère (sur la droite, à env 10 mn à pied).* ☎ *751-50.* • *araseanna.ie* • Une ancienne fabrique de vannerie transformée en centre culturel, galerie, cinéma, salle de concerts. Plusieurs ateliers artisanaux, mais le centre est surtout actif en été (voir le programme sur le site internet).
@ Un petit *coffee shop (ouv slt juin-août, tlj 11h-16h).*

Tobar Éinne : *à env 1,5 km d'Áras Éanna (au total, à 30 mn à pied du port). Après le centre culturel, faire 1 km, puis prendre à droite au croisement (un chemin en terre part sur la gauche) : c'est à 100 m sur la droite.* La fontaine sacrée de Saint-Enda est repérable à une grosse pierre posée sur un muret. On dit que si l'on y voit une anguille, c'est un bon présage !

LE BURREN, LES ÎLES D'ARAN

LE SUD DU COMTÉ DE GALWAY

Cette minirégion, comprise entre Galway et Gort, est l'occasion d'une étape sur votre route entre le Connemara et le Burren. Son principal intérêt ? Marcher sur les traces du poète William Butler Yeats et le long de la côte, face à la jolie baie de Galway... Sans oublier les huîtres, dont la région s'est fait une spécialité !

LES FANTÔMES DE YEATS ET DE JOHN HUSTON

Voici une région importante pour la culture irlandaise. Outre le grand poète Yeats, qui s'y installa (voir plus loin « Dans les environs de Kinvara »), John Huston, d'origine irlandaise, y vécut aussi pendant 18 ans dans les années 1950-1960. Le réalisateur d'*African Queen,* de *La Nuit de l'iguane,* des *Misfits* et de bien d'autres chefs-d'œuvre s'exila volontairement en Irlande, effrayé par le climat de chasse aux sorcières qui pourrissait l'atmosphère d'Hollywood. Il trouva donc refuge dans l'ouest de l'île, au manoir Saint-Clerans, près de Craughwell. Et dire que ce petit château gris a vu défiler quelques monstres sacrés du cinéma et de la littérature ! Parmi eux, Orson Welles. Jean-Paul Sartre y passa 2 semaines à élaborer un projet de film sur la vie de Freud. Ray Bradbury, le scénariste du film *Moby Dick,* Marlon Brando et Elizabeth Taylor y vinrent également... Le manoir est aujourd'hui un hôtel de luxe hors de prix. Malheureusement, on ne peut qu'y jeter un œil, et encore, ce n'est pas toujours ouvert !
Pour les curieux et les cinéphiles qui veulent quand même faire un détour : de Craughwell, direction Loughrea (N 6) ; après 3 km, un panneau indique une petite route sur la gauche ; continuer encore 4 km, en pleine campagne.

KINVARA (CINN MHARA) 950 hab. IND. TÉL. : 091

À la frontière des comtés de Clare et de Galway, charmant village de pêcheurs dans une petite baie aux contours plutôt doux et verdoyants. Au bord des flots, un vieux château fort bien conservé, *Dun Guaire,* du XVIe s. Il se visite mais c'est cher pour ce qu'il y a à voir... Si vous débarquez en plein *Cuckoo Festival* (festival du Coucou, début mai), vous goûterez la douce effervescence dans les rues de la bourgade, dans ses pubs et sur ses pelouses.

Adresses utiles

Burrenbeo Trust : *Main St.* ☎ *638-096.* ● *burrenbeo.com* ● *Ouv en saison slt.* Donne quelques infos touristiques.

■ **Banque et distributeurs : Credit Union,** *dans la rue principale.* Change mais pas de distributeur. En revanche, il y a un distributeur dans le supermarché, en plein centre, dans la rue principale vers le resto *Keogh's,* et un autre dans la station-service, à la sortie sud du bourg.

✉ **Poste :** *dans la rue signalant la direction de Gort, perpendiculaire à la rue principale, à l'entrée nord de Kinvara.*

■ **Laverie :** *dans la rue qui mène au port et qui est perpendiculaire à la rue principale, face au resto* Keogh's. *Lun-ven 9h-18h ; sam 10h-17h.*

Où dormir ?

Le lieu n'inspire pas vraiment au séjour, une petite adresse au cas où.

Cois Cuain : *port de Kinvara.* ☎ *637-119. Juste à côté du resto* Pier Head. *Ouv de mi-mars à fin oct. Compter 80-90 € pour 2 selon saison. CB refusées.* Un *B & B* bien placé, juste en face du port, au cœur du bourg, avec un petit jardin fleuri en guise d'accueil. Les 3 chambres possèdent une salle de bains privée et 2 donnent sur la jolie petite baie, les bateaux amarrés et le château au loin. Elles sont simples, pas très grandes, confortables mais un peu chères.

Où manger ?

Pier Head : *port de Kinvara.* ☎ *638-188. Repas tlj 12h-21h30 (resto ouv en saison slt). Plats 10-13 € le midi ; 15-28 € le soir.* Ce resto à la façade jaune canari et vert offre une belle vue sur le port. Au rez-de-chaussée, ambiance pub, informelle et chaleureuse. À l'étage, salle plus chic. Déco marine dans les deux cas, avec vieilles cartes maritimes, cordes et poulies. Cuisine dans le même esprit : moules, poissons... Rien de bien extatique dans l'assiette mais l'endroit est très agréable.

Keogh's Bar : *The Square, sur la rue principale.* ☎ *637-145. Tlj midi et soir (jusqu'à 22h). Plats env 12-21 €.* Un bar-resto souvent bondé le midi. La cuisine (traditionnelle) se tient.

Où manger sur la route de Galway ?

Moran's Oyster Cottage : *lieu-dit The Weir,* **Kilcolgan,** *à env 10 km au nord-est de Kinvara.* ☎ *796-113. En venant de Kinvara, par la route Galway-Limerick, tourner à gauche à la sortie de Kilcolgan (panneau) : c'est env 2 km après, sur la droite. Tlj midi et soir (12h-22h). Fermé Vendredi saint et 3 j. autour de Noël. Résa conseillée le w-e en été. Plats 13-25 €.* Dans un coin calme et romantique, au bord de l'eau, cette maison au toit de chaume, construite en 1797, appartient à la même famille depuis 7 générations. Adorable intérieur en bois, filets de pêche aux murs... C'est une véritable petite institution, spécialisée dans les fruits de mer, et en particulier les huîtres. L'établissement a longtemps détenu le record du monde d'ouverture d'une trentaine d'huîtres en 1 mn et 31 s ! Bon, les mauvaises langues diront que tout va décidément trop vite ici, y compris le service, et qu'on croise pas mal de groupes de touristes, mais le cadre, l'ambiance et les fruits de mer valent vraiment le détour.

Paddy Burkes : *à* **Clarenbridge,** *à 13 km au nord de Kinvara, par la N 67 puis la N 18.* ☎ *796-226. Sur la route principale, dans le village. Tlj 10h30 (12h dim)-22h. Résa conseillée. Le midi, snacks et plats 6-17 € ; le soir, menu complet 33,50 € ou plats 10-25 €.* Décor assez chic et chaleureux pour l'une des plus célèbres *oyster inns* d'Irlande. La liste des célébrités venues y déguster des huîtres est vraiment longue ! Accueil agréable. On y savoure, entre autres, une excellente soupe de poisson, des *baked oysters* (des huîtres farcies, c'est le moment d'essayer !), des moules fraîches, ou encore un bon et copieux plateau du pêcheur. Grande terrasse sur l'arrière.

Où boire un verre ? Où écouter de la musique ?

Le village ne manque pas de pubs, où la musique est reine, en particulier lors du *Cuckoo Festival.* Voici l'un d'entre eux, qui sort de l'ordinaire, tenu par une jeune musicienne sympathique.

Tully's : *sur la rue principale de Kinvara. Tlj en été ; l'hiver, mer-dim à partir de 17h.* Un bar chaleureux avec, au fond, quelques tables dans la cour (pour les fumeurs). Déco hétéroclite et originale, avec de vieux objets chinés, des lustres design et des éléments plus insolites pour un pub (bouddhas et cadres rococo dorés). Musique traditionnelle le jeudi soir en été. Bonne étape sur la route de Galway.

DANS LES ENVIRONS DE KINVARA

Thoor Ballylee *(demeure-musée de Yeats) :* *à env 15 km au sud-est de Kinvara. ☎ 631-436. Aller jusqu'à Gort, puis prendre la N 66 en direction de Loughrea.* Cet énorme donjon fut le domaine du grand poète Yeats pendant une douzaine d'années. Il s'en inspira pour l'une de ses œuvres *(The Tower).* Peut-être était-ce révélateur de sa propension à se réfugier dans sa tour d'ivoire ? Quoi qu'il en soit, elle a été transformée en un petit musée intéressant qui rassemble aujourd'hui de nombreux souvenirs. Projection d'un petit film (il existe une version française) sur la vie du poète, ses années ici et l'histoire de la tour normande. Librairie sur place.

Coole Park : *à env 20 km de Kinvara. ☎ 631-804. • coolepark.ie • 2 km avt Gort, sur la N 18, tourner à droite au panneau. Parc ouv tte l'année tlj jusqu'à 19h30 (18h en hiver). Entrée gratuite, ainsi que celle du* Visitor's Center *(de fin avr à mi-sept, tlj 10h-17h ; juin-août, 10h-18h).* Heritage site. C'est dans ce parc de 450 ha que s'élevait la maison de lady Gregory, qui fut la mécène de Yeats et cofondatrice avec lui de l'Abbey Theatre de Dublin. Elle-même écrivit près de 40 pièces de théâtre jouées par la compagnie. Promenade très agréable vers l'*arbre aux autographes* où Yeats, George Bernard Shaw ou encore Sean O'Casey gravèrent leurs initiales. Quelques sentiers de marche bien indiqués. Deux balades à faire (2 km et 4,5 km) en écoutant le chant des oiseaux. Aire de pique-nique. Au *Visitor's Centre,* petites expos et audiovisuels sur la vie à « Coole » au début du siècle dernier et sur lady Gregory. On y trouve un éventail gribouillé de tous les autographes qu'elle récolta au cours de ses sorties mondaines.

Tearoom également : *tlj en saison 10h30-17h.*

Athenry : *à 24 km à l'est de Galway (et à 36 km de Kinvara). Entrée : 3 €. Tlj Pâques-sept 10h-18h (oct 10h-17h).* Heritage site. Cette petite bourgade est célèbre pour sa remarquable homogénéité architecturale. Elle détient surtout le record de bâtiments historiques encore debout. Un petit circuit est disponible à l'église *(tlj en saison 10h-16h).* On peut donc voir une porte médiévale, des pans de remparts, les vestiges d'un prieuré dominicain, un très joli calvaire du XVe s et un château fort (qui se visite de Pâques à septembre).

Beaucoup plus à l'est

Ceux voyageant en voiture qui disposent de temps ne regretteront pas le détour par deux sites exceptionnels, au sud d'Athlone.

Clonfert Cathedral : *à env 70 km de Kinvara, mais toujours dans le comté de Galway. Pour y aller, de Kinvara, rejoindre la N 6 en direction de Dublin, sortir au niveau de Ballisnasloe et suivre la direction de Portumna jusqu'aux 1res indications* *(mal fléché ensuite, malheureusement).* En route, vous apercevrez les ruines de l'abbaye de Clontuskert. Construite au XIIe s, elle offre un portail roman considéré comme le plus beau d'Irlande.

Clonmacnoise : *situé dans le comté d'Offaly, à env 30 km de Clonfert, via Banagher, Cloghan et Shannon Bridge (et à env 80 km de Kinvara, via Ballisnasloe puis la R 357 et la R 444).* ☎ *(090) 96-741-95. De juin à août, tlj 9h-19h ; de mars à fin mai et sept-oct, tlj 10h-18h ; de nov à mars, 10h-17h. Dernière admission 45 mn avt fermeture. Entrée : 6 € ; réduc.* Heritage site. Il s'agit de l'un des principaux sites religieux irlandais, autrefois lieu d'un important pèlerinage. Aujourd'hui, il ne reste que des vestiges de la plus grande cité monastique de l'Irlande médiévale. Le monastère, fondé au VIe s par saint Ciarán, domine majestueusement le fleuve Shannon, dégageant une grande sérénité. Bien que Vikings et Normands l'aient pillé sans cesse et que les Anglais aient achevé de le démolir, ce qu'il en reste est assez fascinant. Pas moins de huit églises en ruine, dont une cathédrale et la petite *Tempeall Kiaran,* du nom du fondateur, un saint que l'on suppose enterré ici même. Au milieu de ces ruines romantiques, deux tours ou beffrois se dressent encore fièrement. Les plus grandes et plus belles croix originales sont exposées, entières ou tronquées, dans le *Visitor's Centre (*des copies ont été replacées *in situ),* ainsi qu'une infime partie des 700 pierres tombales sculptées retrouvées sur le site. Sur ces pierres sont notamment inscrites des prières destinées à des personnes importantes en relation avec le monastère. Audiovisuel (version française disponible) sur les origines du monastère et les étapes clés de son histoire. Également une brochure explicative en français.

Manifestations dans la région

– ***Fleadh na gCuach :*** *fin avr-début mai, à* ***Kinvara.*** ● *kinvara.com/cuckoo* ● Musique traditionnelle dans les pubs. C'est le *Cuckoo Festival,* puisque, à cette période de l'année, on entend le coucou chanter...
– ***Cruinniú na Mbád :*** *à* ***Kinvara,*** *1 w-e mi-août.* ● *kinvara.com/cruinniu* ● Ce terme signifie le « rassemblement des bateaux ». Et, en effet, de vieux esquifs jettent l'ancre ici, alors que sont aussi organisées des courses de *curraghs.* Beaucoup de musique également.
– ***Festival des Huîtres de Clarenbridge :*** *en principe, 2e w-e de sept. Infos à l'office de tourisme de Galway ou directement auprès des organisateurs :* ☎ *796-766.* ● *clarenbridge.com* ● Guinness a repris le flambeau, détrônant Murphy, le concurrent de toujours, sans doute à cause du rayonnement national de ce festival. À chacun son stout ! Belle atmosphère... depuis 1954 !
– ***Foire aux chevaux et au bétail de Ballinasloe :*** *début oct.* ● *ballinasloeoctoberfair.com* ● *À env 60 km à l'est de Kinvara, sur la route d'Athlone.* C'est la plus importante du pays, mais aussi l'une des plus célèbres d'Europe. On dit même que Napoléon y aurait acheté un cheval. La foire dure une grosse semaine : animation garantie. Le premier dimanche, plus de 1 000 équidés cherchent preneur dans un immense champ. Petit détail : éviter de serrer la main d'un éleveur, sous peine de repartir avec une monture ! En effet, le vendeur et le futur acheteur parlementent longuement et se donnent une poignée de main une fois l'affaire conclue.

LE CONNEMARA

Près de 80 % des terres y sont incultivables, c'est probablement pour cette raison que la région échappa plus que les autres aux spoliations. Le Connemara rassemble toute la mythologie irlandaise, et on y trouve la culture et les coutumes gaéliques les mieux préservées. Partout, les saignées de la tourbe et la tête des moutons ont la couleur de la *Guinness* ; les landes, quant à elles, ont celle de la *Smithwick's,* la grande bière rousse...
Quand Cromwell eut achevé sa conquête et soumis l'Irlande par le feu et le sang, il offrit comme seule option aux paysans catholiques qui avaient été expropriés de s'installer à l'ouest du Shannon. D'où la fameuse phrase qu'il prononça : « En Connaught ou en enfer ! » La région, malgré son aridité, fut très peuplée. Et pourtant, grâce à une économie semi-autarcique et à beaucoup de sacrifices, la population arrivait à survivre, à perpétuer sa langue et à affirmer son identité. La Grande Famine de 1845 brisa cette société, et l'immense hémorragie de l'émigration acheva de la désorganiser.

GALWAY (GAILLIMH)

80 000 hab. IND. TÉL. : 091

▸ Pour le plan de Galway, se reporter au cahier couleur.

Porte d'entrée du Connemara, Galway reçoit chaque année un gros paquet de visiteurs. Et ils ont raison. Il faut vraiment passer par ici, car la ville sait être tout à fait accueillante. Et puis, elle a bien changé depuis quelque temps : réorganisation des rues du centre (dont certaines sont devenues piétonnes), ouverture de nombreux restos et pubs... Bref, une ville qui bouge. Un signe qui ne trompe pas, Galway est jumelée avec Lorient mais ici c'est le festival Interceltique à longueur d'année !
Port créé par les Anglo-Normands en 1124 à l'embouchure de la rivière Corrib (Gaillimh en gaélique), Galway

LE CHIEN DE GALWAY

Christophe Colomb, avant de filer vers les Amériques, aurait fait halte à Galway. De là, il fit embarquer avec lui un certain William qui vint avec son chien. Après plusieurs semaines de voyage, voyant poindre les contours de l'Amérique, le chien fut tellement excité qu'il sauta à l'eau et nagea jusqu'à la terre ferme. Ainsi, on aime à dire à Galway que le premier Européen qui foula le sol du Nouveau Continent fut un chien de la ville. Belle légende, mais Christophe Colomb aurait en fait visité Galway en... 1477 !

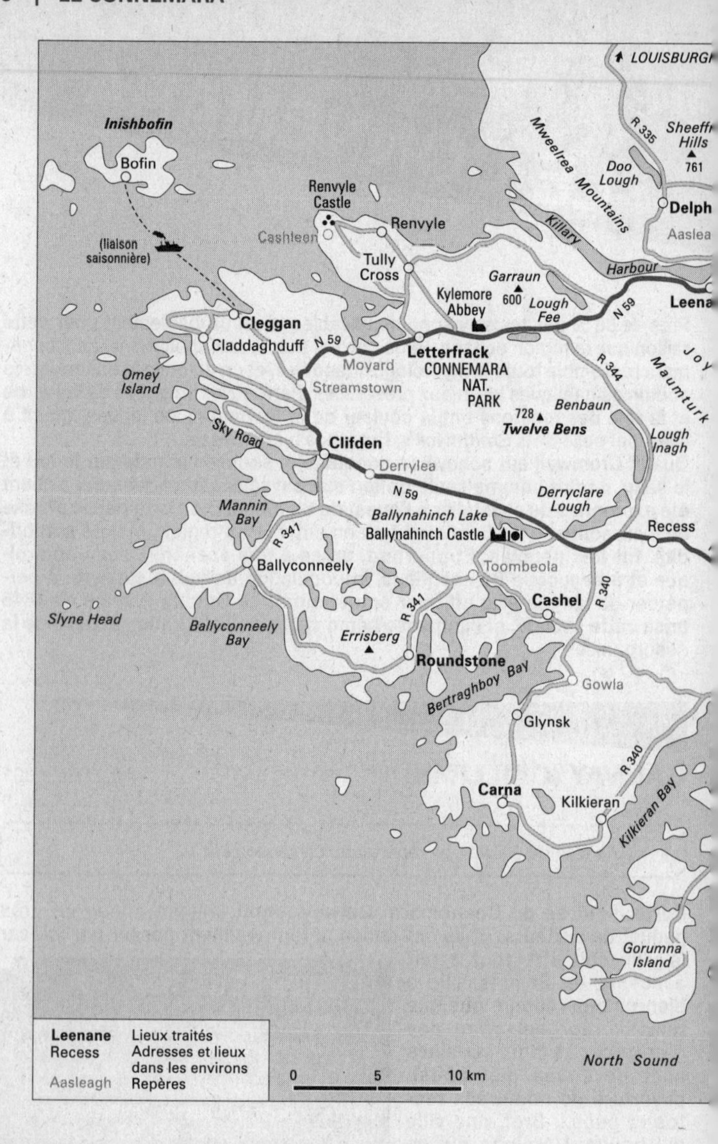

connut des jours fastes, grâce à ses liens commerciaux avec l'Espagne et la France. Quatorze « tribus », des familles de marchands d'origine anglo-normande, y ont longtemps dominé la vie locale. En fait, tout commença avec la naissance du village de Claddagh. À l'époque, on construisait sans trop réfléchir autour des maisons précédentes. Les Irlandais vivant alors en dehors des villages, seuls les Anglais résidaient à l'intérieur des enceintes.

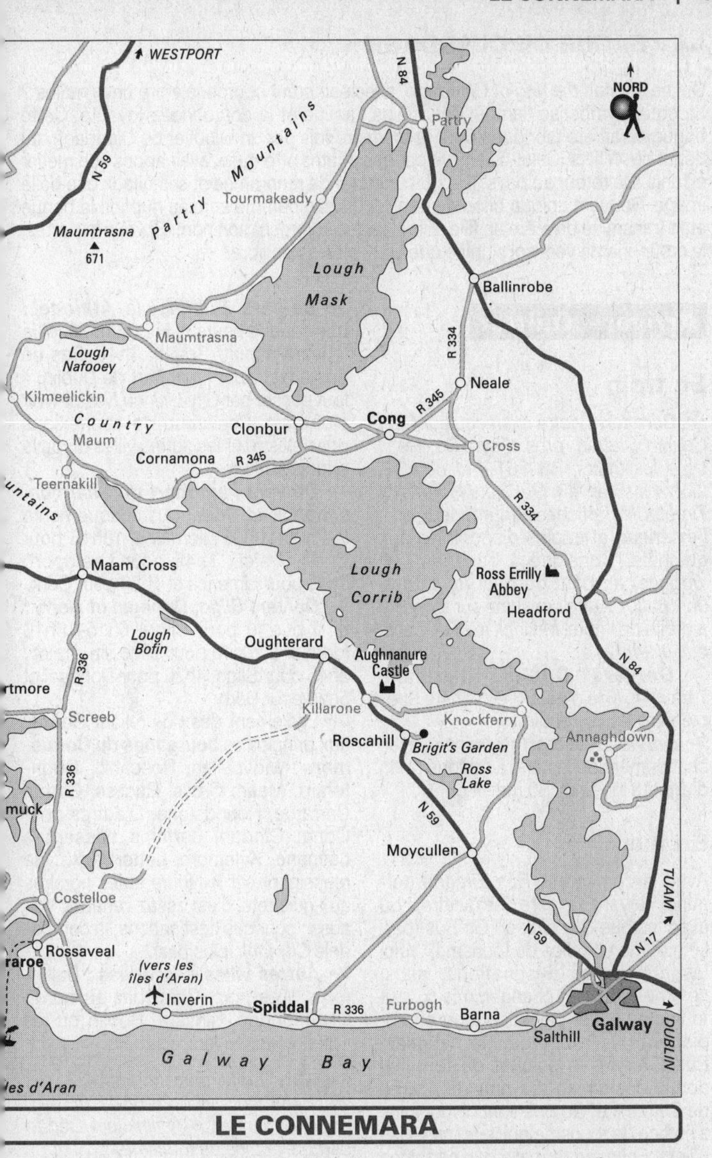

LE CONNEMARA

Les habitants de Claddagh étaient avant tout des pêcheurs. De leur commerce et rapports privilégiés avec la France et l'Espagne, il subsiste pas mal d'éléments dans l'architecture de certaines maisons bourgeoises. Le quartier autour du port, longtemps léthargique suite au déclin commercial de la ville, s'est bien réveillé lui aussi. Quay Street se peuple de petits restos sympas et de pubs animés, et y a gagné le surnom de *Latin Quarter of Ireland.* Nombre d'entrepôts se sont reconvertis en hôtels ou commerces.

LA « BAGUE DE CLADDAGH »

Qui ne connaît *the ring of Claddagh,* avec son cœur couronné entre deux mains ? Le cœur symbolise l'amour, les mains l'amitié et la couronne la loyauté. Cette bague aurait été fabriquée pour la première fois par un bijoutier de Claddagh, au début du XVIIIe s. Celui-ci, enlevé par des pirates ottomans, avait appris son métier à Tunis. De retour au pays, il acquit une grande renommée et ses bijoux une belle image. Souvent unique bijou de famille, utilisée comme anneau nuptial, la bague était transmise de mère en fille. Elle y gagna sûrement son nom. Si vous la portez, le cœur orienté vers soi signifie que vous n'êtes pas libre.

Arriver – Quitter

En train

Gare ferroviaire *(plan couleur C2) : Ceannt Station, près d'Eyre Sq. Rens pour les trains : ☎ 561-444 ou 564-222. • irishrail.ie • Guichets tlj 9h-18h.* *Timetables* affichés (à l'intérieur et à l'extérieur) et copies disponibles aux guichets. Consigne à bagages *(left luggage)* au bout du quai *(tlj sf w-e, 9h-18h30).* Autre consigne sur Eyre Sq, à droite de l'hôtel *Meyrick (*CARA Cabs, *ouv tlj 24h/24).*

➢ ***De/vers Dublin :*** lun-sam, 7 trains/j., (6 le dim). Durée : 2h40. Supplément les ven et dim.

➢ ***De/vers Westport :*** 3 trains/j., avec changement obligatoire à Athlone (2-3h d'attente lun-sam, 30 mn slt dim).

En bus

Avec la compagnie *Bus Eireann* (terminal devant la gare ferroviaire), ou avec les bus *City Link* ou *Go Bus* (parking derrière l'office de tourisme). Voici les principales destinations, mais, comme cela peut changer, mieux vaut toujours vérifier par téléphone ou sur place. Pour la compagnie nationale *Bus Eireann,* le guichet du terminal donne des *timetables* gratuits. Celles de *City Link* et *Go Bus* sont disponibles à l'office de tourisme qui vend aussi les billets. Enfin, on rappelle que certaines destinations ne sont pas desservies hors saison.

Bus Eireann *(plan couleur C2,* **1**) : *départs du terminal devant la gare ferroviaire, en retrait d'Eyre Sq. ☎ 562-000. • buseireann.ie • Guichets tlj 8h35-17h30 (18h15 ven et dim).*

➢ ***De/vers Dublin*** *(via* ***Athlone*)** **:** bus chaque heure tlj 6h30-20h30 (plus 1 bus à minuit). Trajet : 3h40. Pas de bus direct pour l'aéroport de Dublin, il faut passer par *City Link* ou *Nestor* (voir plus bas). Beaucoup de connexions possibles pour les autres villes du pays depuis Athlone.

➢ ***De/vers l'aéroport de Shannon, Limerick et Cork :*** bus chaque heure tlj 7h05-20h05 (dernier à 18h15 pour Cork). Trajet : 1h45 pour l'aéroport, 2h15 pour Limerick et 4h20 pour Cork.

➢ ***De/vers Sligo, Donegal et Derry :*** tlj, 7 bus (9 pour Sligo) 6h15-18h10 (dernier à 20h10 pour Sligo slt). Trajet : 2h45 pour Sligo, 4h20 pour Donegal et 5h20 pour Derry.

➢ Également des bus reliant Galway aux principales ***bourgades du Connemara*** : Moycullen, Roscahill, Oughterard, Maam Cross, Recess, Carna, Carraroe, Roundstone. D'autres pour Cong, Clifden, certains passant à Leenane, Kylemore, Letterfrack... Se renseigner sur les jours et les horaires aux guichets, c'est assez variable. Voir aussi, pour ces destinations, la compagnie *City Link* (plus bas).

➢ ***Autres villes desservies :*** Ballinrobe, Westport, Castlebar au nord ; Clarenbridge, Kinvara, Doolin ou les Cliffs of Moher vers le sud.

City Link *(plan couleur D2,* **2**) **:** *☎ 564-164 ou 1890-28-08-08 (n° Vert, appel d'Irlande). • citylink.ie • Départ derrière l'office de tourisme.*

➢ ***De/vers Dublin*** *(et l'aéroport de Dublin)* **:** 14 bus/j. (plus certains de nuit). Passent par le centre de Dublin avt de continuer vers l'aéroport. Compter respectivement 2h45 et 3h de trajet. Prix du billet : 10,50 € jusqu'à Dublin et 16 € jusqu'à l'aéroport. Surveiller les promos sur Internet

➢ ***De/vers l'aéroport de Shannon :*** 6 bus/j. Compter 1h15 de trajet et 16 €.
➢ ***De/vers Limerick et Cork :*** bus chaque heure tlj 7h30-19h30. Compter 2h de trajet et 13 € pour Limerick ; 3h50 et 18 € pour Cork.
➢ ***De/vers Clifden et le Connemara :*** tte l'année, 2 bus/j. lun-sam à 12h et 17h30 (bus supplémentaire ven à 21h30), 3 bus dim à 12h, 17h et 21h30. Tous passent par Maam Cross, Recess et Canal Bridge. Compter 1h30. Certains jours, ils vont jusqu'à Cleggan via Letterfrack. De Cleggan, correspondance possible avec le ferry pour Inishbofin.

Go Bus *(plan couleur D2,* ***2****) :* *☎ 564-600. • gobus.ie • Départ derrière l'office de tourisme.*
➢ ***De/vers Dublin*** *(et l'aéroport)* ***:*** 7 bus/j. 1h45-18h30, via ***Athlone.*** Trajet : 3h. Compter 10 € pour Dublin et 15 € pour l'aéroport.

Vers les îles d'Aran

– Les liaisons maritimes se font, d'avril à octobre, au départ de Rossaveal (à 40 km à l'ouest de Galway, 1h de bus) ou au départ de Doolin (comté de Clare). Pour le détail des liaisons depuis ces 2 villes, voir la fin du chapitre « Le comté de Clare », aux îles d'Aran et à la rubrique « Comment y aller ? ».
– Les liaisons aériennes se font au départ d'Inverin (à 30 km à l'ouest de Galway, 45 mn de bus) par la compagnie *Aer Arann Islands* : *☎ 593-034. • aerarannislands.ie •* Voir le chapitre sur les îles d'Aran.
– *Faherty Tours* propose des excursions à la journée au départ de Galway (ou de Dublin) comprenant la traversée, le bus et le guide. Départ à 9h30 et retour à 18h. *Infos et billets à l'office de tourisme. Ou auprès de la compagnie : ☎ 442-913. • fahertytours.com •*

Circulation automobile

Vraiment pas fluide. Les gens tournent désespérément autour d'Eyre Square pour essayer de se garer. Laissez votre véhicule à l'entrée de la ville (où le stationnement est généralement gratuit) ou dans un des grands parkings en bordure du centre, et faire le reste à pied ; cela vous évitera bien des tracas. Attention, si vous trouvez une place dans une rue du centre, veillez bien à prendre un ticket à l'horodateur, car, ici, le sabot est vite posé, et c'est 80 € pour se le faire retirer !

Adresses utiles

Office de tourisme *(plan couleur C2)* ***:*** *Forster St. ☎ 537-700. • discoverireland.ie/west • Tlj 9h-17h45 ; fermé dim ap-m hors saison.* Personnel accueillant parlant parfois le français (surtout en été). Assure les résas de *B & B* et d'AJ moyennant une commission et un acompte à la réservation. Petit plan de la ville gratuit, librairie bien fournie et souvenirs à la pelle. Demandez le *West of Ireland Pocket Guide,* bien fait, avec visite commentée de Galway et quelques itinéraires à pied ou à vélo. Vend aussi le *Galway Magazine* (qui couvre tout le comté). Propose des excursions dans le Connemara (Cong, Kylemore Abbey, Maam Valley), vers les îles d'Aran, vers les Cliffs of Moher ou dans le Burren, ainsi que des visites guidées de la ville (payantes aussi) de 1h30 en bus. Vous y trouverez également un guichet de la compagnie de ferries desservant les îles d'Aran et des compagnies de bus *City Link* et *Go Bus.*
Bureau de tourisme : à ***Salthill*** *(banlieue sud-ouest de Galway), sur la promenade, à côté de l'aquarium. ☎ 520-500. Juin-sept slt, tlj 9h-16h45.* Même type de services.
Poste *(plan couleur B2)* ***:*** *Eglinton St. Lun-sam 9h-17h30.* Service de change et guichet *Western Union.*
Internet : pas mal de centres un peu partout en ville, où il est également possible de téléphoner. Ils sont pour la plupart ouverts tous les jours jusqu'à une heure avancée de la soirée. Une adresse quand même, au cas où :
– ***Net@access :*** *Olde Malte Arcade (plan couleur B2), dans un petit*

passage discret reliant High St et Middle St, à droite du pub King's Head. *Réduc sur présentation de la carte d'étudiant.*

La plupart des cafés et restos de la ville proposent la wifi gratuite à leurs clients. Wifi publique sur Eyre Sq.

■ ***Change et distributeurs :*** *à la* ***National Irish Bank*** *(plan couleur C2,* ***3****), Eyre Sq. Lun-ven 10h-16h. Également à l'****Allied Irish Bank*** *(*AIB *; plan couleur B2,* ***4****), Lynch's Castle, Shop St. Mêmes horaires que la précédente.*

■ ***Usit*** *(plan couleur B2)* ***:*** *16, Mary St.* ☎ *565-177. ● usitnow.ie ● Lun-ven 9h30-17h30 ; sam 10h-16h.* Agence de voyages vendant la carte d'étudiant (ISIC).

Santé

■ ***Pharmacies : Boots,*** *Shop St (plan couleur B2,* ***5****). Lun-mer et sam 9h-19h ; jeu-ven 9h-21h ; dim 11h30-18h.* ***Matt O'Flaherty Pharmacy,*** *Eyre Sq (plan couleur C2,* ***5****). Lun-sam jusqu'à 18h (21h jeu-ven).* Une autre un peu plus loin : *William St (plan couleur C2,* ***5****), presque à l'angle avec Eglinton St. Mêmes horaires, plus dim ap-m en été.*

Transports en ville

Bus pour Salthill *(plan couleur C2)* ***:*** bus n° 1 depuis Eyre Sq, ttes les 20-30 mn jusqu'à 23h30 env.

■ ***Taxis :*** *Eyre Sq (plan couleur C2).* ☎ *585-858 ou 561-111.* La plupart des taxis stationnent là ou à la sortie de la gare routière et ferroviaire (en retrait de la place). D'autres au début de Dominick St Upper *(plan couleur B3),* face au pub *Monroe's Tavern.* Une autre compagnie, *CARA Cabs,* qui fonctionne 24h/24, selon un système de forfait (la somme est convenue à l'avance ce qui évite toute mauvaise surprise) : également sur Eyre Sq *(☎ 563-939).*

Location de vélos

■ ***West Ireland Cycling*** *(plan couleur B1,* ***6****)* ***:*** *Earls Island.* ☎ *588-830. ● westirelandcycling.com ● En face du pub* Róisín Dúbh. *En été, tlj 9h-18h ; fermé dim hors saison. Loc à la journée (15-18 € selon vélo) ou à la sem. Caution à laisser au départ ; réduc pour les groupes à partir de 10 pers.* Location de VTT et de vélos de ville ; également quelques vélos pour enfants. On peut aussi vous louer des sacoches, vous prêter des outils, une pompe et un antivol, et vous donner des photocopies de cartes routières. Possibilité également de louer le vélo dans une ville et de le rendre ailleurs moyennant un supplément.

■ ***On Yer Bike*** *(plan couleur C1,* ***7****)* ***:*** *42, Prospect Hill. 087-942-54-79 ou* ☎ *563-393. ● onyourbikecycles.com ● Lun-ven 10h-19h ; sam 10h-18h ; dim 12h-18h.*

Culture

■ ***Presse internationale :*** *à la librairie* ***Eason*** *(plan couleur B2), dans Shop St, la rue piétonne. Lun-mer 9h-18h ; jeu-ven 9h-20h ; sam 9h-18h ; dim 14h-17h45.*

Divers

■ ***Laveries : Prospect Laundress,*** *juste à côté de* On Yer Bike *(plan couleur C1,* ***7****). Lun-ven 8h-19h ; sam 8h-18h ; dim 9h-18h. Olde Malte Arcade, juste à côté de* Net@access *(voir plus haut). Lun-sam 8h30-18h.*

■ ***George Comboy Electrical*** *(plan couleur B1)* ***:*** *Eyre St.* ☎ *526-202. En face du* McSwiggan's. *Tlj sf dim 9h30-18h.* Un des rares endroits où vous pourrez vous procurer un adaptateur électrique pour vos prises françaises. Précieux en cas d'oubli !

Où dormir dans le centre ?

Avec Cork, Galway est la ville d'Irlande offrant le plus de possibilités de logements pas trop chers. On y trouve plusieurs *hostels* privées.

AUBERGES DE JEUNESSE

Barnacles Quay Street House *(plan couleur B3,* ***12****)* ***:*** *10, Quay St.* ☎ *568-644. ● barnacles.ie ● Ouv*

24h/24. Compter 12-30,50 €/pers en dortoir selon saison, nombre de lits et j. de la sem, petit déj (léger) compris ; en chambre privée, 25-38 €/pers. Une bonne centaine de lits en dortoirs de 4 à 12 lits (avec sanitaires privés) ou en chambres doubles (toutes *en suite*). Salon TV agréable, *laundry service,* consigne et coffre (gratuits) à la réception, change, cuisine à disposition, local pour vélos. Le tout, dispersé sur plusieurs étages, accessible par une multitude de portes coupe-feu, est absolument impeccable. Prix corrects et fort bien situé, au cœur du « quartier latin ». Les belles chambres sur l'avant donnent sur les pubs, mais, malgré le double vitrage, préférez celles de derrière si vous désirez dormir avant 2h du matin. Tableau du programme musical quotidien des pubs dans le hall. Organisation d'excursions. Accueil efficace. Une adresse bien gérée.

Snoozles Hostel *(plan couleur C-D1-2,* ***13****) : Forster St. ☎ 530-064. • snoozleshostelgalway.ie • Ouv tte l'année, sf 24-26 déc, 24h/24. Juin-sept, compter 15-30 €/pers selon période, j. de la sem et taille du dortoir, petit déj compris. Le reste de l'année, 9,50-25 €. Doubles à partir de 45 €. Promos sur Internet.* Une AJ flambant neuve, en plein centre ; autant dire une aubaine ! Dortoirs et chambres nickel mais sans fioritures question déco. À signaler quelques lits doubles dans certains dortoirs, sympa pour les couples qui ont du mal à se décoller. À l'inverse, un dortoir entier est réservé aux filles. Excellent équipement pour un séjour convivial et international : salon TV (avec DVD), billard, juke-box, bibliothèque, barbecue, terrasse, cuisine à disposition, coffre-fort...

Kinlay House *(plan couleur C2,* ***10****) : Merchants Rd, Eyre Sq. ☎ 565-244. • kinlaygalway.ie • Très central. Réception à l'étage. Ouv tte l'année, 24h/24. Compter 10-27 €/pers en dortoir selon confort et saison ou j. de la sem, petit déj inclus ; 25-35 €/pers en chambre privée.* Vaste bâtiment, refait à neuf récemment, sur plusieurs étages (voir les fresques amusantes aux murs). Beaucoup de lits donc (212 en tout). C'est propre et fonctionnel. Personnel jeune et plutôt sympa. Dortoirs de 4 à 8 lits et chambres doubles ou single, avec ou sans salle de bains. Grande cuisine équipée, vaste salle à manger lumineuse, petit coin détente agréable avec fauteuils en cuir. Possibilité de faire laver son linge. Consigne à bagages et coffre gratuits, garage à vélos, change, excursions et tarifs préférentiels pour le stationnement. Une adresse confortable. Seul bémol, un petit côté usine en saison.

Sleepzone *(plan couleur C1,* ***17****) : Bothar na Mban (Woodquay). ☎ 566-999. • sleepzone.com • Ouv tte l'année 24h/24. Fermé autour de Noël. Compter 20-32 €/pers en dortoir selon nombre de lits, j. de la sem et saison. Doubles 30-39 €/pers.* Là encore, grosse auberge assez récente, d'environ 200 lits. Beaucoup de passage et pas mal de groupes. Dortoirs de 3 à 10 lits et chambres doubles (avec salle de bains), le tout très bien tenu. Grande cuisine commune. Billard et terrasse extérieure. Casiers de sécurité (payants), local à bagages. Situé dans une rue sans charme mais proche des restos et pubs du centre. Un bus propose le transfert pour Cong et Kilmore Abbey dans le Connemara, pour finir au *Sleepzone* de Killary, tout aussi agréable. Une 3e adresse dans le Burren. Hautement recommandable, donc.

Salmon Weir Hostel *(plan couleur B1,* ***11****) : angle Saint Vincent Ave et Wood Quay. ☎ 561-133. • salmonweirhostel.com • Dans le centre. Ouv tte l'année. Selon saison, compter 8-19 €/pers en dortoir et 15-25 €/pers en chambre privée, café ou thé inclus.* Auberge très accueillante mais à la propreté relative. Une trentaine de lits en tout, en dortoirs de 4 à 6 lits ou en chambres doubles. Sanitaires communs. Il y a aussi un dortoir de 12 places, moins cher, mais il est souvent complet, occupé par des jeunes qui y vivent à l'année ! Salon avec vieux canapés défoncés, 2 cuisines, possibilité de laver son linge. Cour pour les vélos. Consigne et coffre gratuits, ce qui est bien pratique quand on part quelques jours. Une adresse que l'on aime bien, plus pour son ambiance *Auberge espagnole* (beaucoup de Français, ici) que pour son confort. Couvre-feu à 3h.

BED & BREAKFAST

En été ou lors des vacances irlandaises, il peut être difficile de trouver une chambre sans réserver. Les *guesthouses* et *B & B* pas trop chers se situent pour la plupart à Claddagh, au sud de la rivière, et à Salthill, à l'ouest (voir un peu plus loin). Bus, taxi ou à pied pour les plus proches d'entre eux. Pour ceux qui ne veulent pas se casser la tête et qui ont des sous (car ils sont plus chers !), beaucoup de *B & B* aussi dans College Road, la rue qui part de l'office de tourisme. Alignés en rang d'oignons, avec leur parking devant, ça fait un peu motel, mais bon, il y a du choix... Attention ! ces *B & B* ont aussi tendance à augmenter leur tarif le week-end et les jours fériés...

De prix moyens à un peu plus chic

Linderhof B & B *(plan couleur A3,* ***19****) : 25, Munster Ave. ☎ 588-518. • linderhofbandb.com • À 5 mn à pied du centre, dans la prolongation de Dominick St et à 15 mn de la plage. Ouv tte l'année. Compter 70-80 € pour 2. CB refusées. Parking privé gratuit.* Bienvenue chez Brid, l'adorable propriétaire de ce *B & B* vraiment chaleureux et très soigné. Elle propose des chambres avec salle de bains et matelas chauffant ! Boissons chaudes sur le palier. Holly, son mari, lui donne souvent un coup de main pour préparer le petit déj et, vous verrez, il sait y faire lui aussi. Les enfants de moins de 2 ans ne sont pas acceptés. Un super rapport qualité-prix et sans conteste l'une de nos meilleures adresses.

Griffin Lodge (plan couleur A3, **16**) : *3, Father Griffin Pl. ☎ 589-440. • griffinlodge@gmail.com • À env 5 mn à pied du centre, au bout de Dominick St Upper, prendre à gauche et remonter Munster Ave, 1re rue à gauche, la maison fait l'angle. Fermé mi-déc à début fév. Compter 50-80 € pour 2 selon saison ; 75-105 € pour 3. CB refusées.* L'un des *B & B* les plus près du centre, bien pratique quand on sait qu'il est situé du côté de la rivière où les pubs ferment le plus tard ! Les chambres, réparties sur 2 étages, toutes pareilles, couleur crème et lit moelleux, sont irréprochables, toutes *en suite.* Mais ce que l'on préfère ici, c'est Ann, la chaleureuse propriétaire qui vous accueille en amie. Quelques places de parking si vous êtes fort en créneaux à l'irlandaise. L'un des meilleurs rapports qualité-prix.

Almara Guesthouse *(hors plan couleur par D1,* ***29****) : 2, Merlin Gate, Merlin Park. ☎ 755-345. • almarahouse.com • À env 3 km à l'est du centre, par la route de Dublin, le* B & B *est après le rond-point (Skerritt Roundabout), sur la droite. Fermé 20-31 déc. Compter 70-90 € pour 2.* Là encore, une maison d'hôtes plutôt chic. Façade pimpante et intérieur charmant, où tout respire le souci du détail. Les chambres sont à l'image du reste, décorées avec goût et très confortables. Petit déj très soigné, pris dans une agréable pièce. Rien à redire !

Asgard Guesthouse *(plan couleur D1,* ***30****) : 21, College Rd. ☎ 566-855. 📱 087-067-71-79. • galwaycityguesthouse.com • Compter 70-90 € pour 2 selon saison.* L'un des *B & B* les moins chers de College Road (de là à dire qu'il est bon marché... à noter que le tarif le plus élevé n'est pratiqué qu'à l'occasion de la *Race Week,* début août). Dans une maison blanche à colombages et bow-windows, chambres aux couleurs gaies, plutôt bien arrangées et très bien tenues, *en suite,* TV. Salle de petit déj très soignée elle aussi, sous une élégante verrière. Excellent accueil.

HÔTEL

The House Hotel *(plan couleur B3,* ***20****) : Lower Merchants Rd. ☎ 538-900. • thehousehotel.ie • Doubles 99-169 €, petit déj compris ; promos très intéressantes sur Internet.* Dans un ancien entrepôt magnifiquement réhabilité, un très bel hôtel contemporain. 40 chambres dont 21 « standard » très attractives en période de promos. Déco actuelle, mêlant allègrement les couleurs et les styles pop, rock et baroque. Confort optimum. Au rez-de-chaussée, des salons (avec cheminée), un bar, un resto... En plein *Latin Quarter,* vous êtes au cœur de la ville, au cœur de l'action.

Où dormir dans les environs ?

CAMPINGS

Il y a trois campings dans l'agglomération de Galway : deux à Salthill et un à l'est du centre-ville. Équipement minimum et situation pas extraordinaire, on ne les conseille qu'à ceux qui ne dorment que sous la tente ou qui voyagent en camping-car.

⛺ ***Bayview Caravan Park :*** *à* ***Salthill,*** *après le* Golf Club *(en venant de Galway).* ☎ *523-316.* 📱 *086-874-74-22.* • *camping-irelandwest.com* • *Ouv avr-sept. Selon saison, 15-20 € pour 2 avec tente et voiture. Loc de mobile homes tte l'année 350 €/sem.* Petit mais très bien tenu. Situé en hauteur de la route, il ne bénéficie pas de la vue sur la mer. Notre préféré des 3 campings dans les environs de Galway pour son excellent accueil. Bus toutes les 30 mn jusqu'à 23h30.

⛺ ***Salthill Caravan Park :*** *à* ***Salthill*** *toujours, presque en face du précédent.* ☎ *523-972.* 📱 *086-817-55-51.* • *salthillcaravanpark.com* • *Ouv avr-sept. Compter 20 € pour 2 avec tente et voiture. CB refusées.* Beaucoup de bungalows et peu de place pour les tentes. A l'avantage d'être en bord de mer.

⛺ ***Ballyloughane Caravan & Camping Park : Ballyloughane Beach,*** *à 4 km à l'est du centre par la Dublin Rd (c'est fléché).* ☎ *755-338 ou 752-029.* • *galwcamp@iol.ie* • *Ouv juin-sept. Compter 24 € pour 2 avec tente. Douches payantes.* Camping bien situé, en bord de mer, à l'écart de la ville, mais le bus passe à proximité toutes les 30 mn. Terrain de taille moyenne, assez banal, sans arbres ni recoins... pour l'intimité, il y a mieux. Sanitaires pas toujours suffisants. Cuisine, laverie et salle TV. Piscine au club *Kingfisher,* supérette et pub accessibles à pied. Belles balades à faire sur la jolie côte environnante. Accueil loin d'être ce qu'il devrait être (et c'est un euphémisme...).

BED & BREAKFAST ET GUESTHOUSES

On vous conseille plutôt le quartier de Salthill, assez proche du centre-ville ; plusieurs bonnes adresses. Et sinon, pas mal de *B & B* sur la route de Barna. Pas nos adresses préférées, car elles sont en bord de route, mais cela conviendra si vous voulez éviter le centre de Galway ou si tout est complet en ville.

De prix moyens à plus chic

🏠 ***The Connaught*** *(Mrs C. Keaveney) : Barna Rd.* ☎ *525-865.* 📱 *087-675-26-80.* • *connaughtbandb.com* • *À moins de 5 km du centre de Galway, sur la droite avt Barna. Ouv de mi-mars à mi-nov. Compter 60-70 € pour 2 selon saison. CB refusées.* 📶 Particularité du lieu : le proprio est « professeur de pâtisserie » ; le pain, les croissants et les compotes de fruits du petit déj vous permettront donc d'apprécier sa compétence ! Paradoxe ou ironie du sort, la maison ressemble aussi à une grosse pâtisserie rose ! La déco des chambres est aussi tape-à-l'œil mais amusante. Demandez une chambre sur l'arrière si possible, ça vous évitera le bruit de la route. Excellent accueil.

🏠 ***Lawndale B & B*** *(hors plan couleur par A4,* ***24****) : 5, Beach Court,* ***Salthill.*** ☎ *586-676.* • *lawndale09@eircom.net* • *En bord de mer, accessible par Grattan Rd (compter 20 mn à pied depuis le centre). Ouv tte l'année. Compter 65 € pour 2. CB refusées.* Séparé de la route côtière par un espace vert. Voici une jolie façade avec briquettes rouges et colonnades blanches, dans le même style que ses voisines. Maison agréable. Chambres tout confort aux couleurs différentes, toutes *en suite,* certaines donnant sur le large. Bon accueil.

🏠 ***Roncalli House*** *(Mrs Carmel O'Halloran ; hors plan couleur par A4,* ***27****) : 24, Whitestrand Ave,* ***Lower Salthill.*** ☎ *584-159.* • *roncallihouse.com* • *À l'angle de Whitestrand Ave et Rd,* *presque face à la plage, à 15 mn à pied du centre. Ouv tte l'année. Compter 65 € pour 2.* Jolie maison blanche avec grande baie vitrée à petits carreaux. Certaines des chambres joliment décorées, avec salle de bains privée, ont vue sur la mer. Très bon breakfast à la carte (essayez les *pancakes* au véritable sirop d'érable !). Accueil chaleureux.

Glencree *(Mrs Maureen Nolan ; hors plan couleur par A4,* ***25****) : 20, Whitestrand Ave,* **Lower Salthill.** *☎ 581-061. • glencreebandb.com • Un peu après* Roncalli House, *à 15 mn à pied du centre. Ouv mars-nov. Compter 60-65 € pour 2. CB refusées.* Chambres plutôt confortables, avec salle de bains et TV. Thé et café à disposition. Déco sobre et de bon ton ; bon accueil et bon breakfast. Une bonne petite adresse.

The Swallow B & B *(plan couleur A4,* ***18****) : 98, Father Griffin Rd,* **Lower Salthill.** *☎ 589-073. • theswallowgalway.com • À moins de 10 mn à pied du centre. Ouv tte l'année. Compter 60-70 € pour 2. Parking privé.* Imposante maison jaune à parement rouge dans une rue où les *B & B* abondent. Chambres doubles ou simples bien agréables malgré leur petitesse et des dessus-de-lit un peu kitsch. Bon accueil d'un passionné de courses hippiques (voir la collection de tableaux dans la cosy *dining room*). Bien placé et pas trop cher.

Devondell *(Mrs Berna Kelly ; hors plan couleur par A4,* ***26****) : 47, Devon Park,* **Lower Salthill.** *☎ 528-306. • devondell.com • Depuis le centre, suivre la Father Griffin Rd, tourner à droite à la station-service, puis à gauche dans Salthill Rd Lower puis à droite dans Devon Park ; c'est la 2e ruelle à gauche. Fermé nov-mars. Compter 90 € pour 2. CB refusées.* Voici la petite adresse de charme comme on les aime. Certes, il faudra y mettre le prix, mais dans ce quartier résidentiel très calme se cache une petite maison de très bonne tenue, avec une jolie courette et une adorable façade aux menuiseries noires et couverte de lierre. La salle du petit déj et le salon avec sa vieille cheminée donnent sur un agréable jardin. Chambres à l'étage, doubles et *single*, très coquettes et d'un goût très sûr : lits métalliques à l'ancienne, dessus-de-lit raffinés et salle de bains privée. On se croirait vraiment chez grand-mère tant Berna est charmante et attentionnée ! L'une de nos adresses préférées.

Grattan Lodge *(hors plan couleur par A4,* ***23****) : 12, Grattan Park,* **Salthill.** *☎ 589-068. 085-113-13-36. • grattanlodge.net • Au bout de Father Burke Rd, sur la droite, à env 15 mn à pied du centre. Fermé autour de Noël. Compter 70 € pour 2.* Face à la mer, un chouette *B & B* qui abrite des chambres agréables, avec TV, salle de bains et mobilier en pin. Certaines d'entre elles ont la vue sur le large. Petit déj au salon, avec œufs au saumon. Connie, l'aimable proprio, est peintre et vous fera profiter de ses œuvres exposées aux quatre coins de la maison.

Bohola House : *1, Westbrook, Barna Rd. ☎ 591-349. 086-820-79-76. • boholahouse.com • À env 5 km de Galway, dans la même allée privée que* Knockmoy House. *Compter 70-120 € pour 2.* Grande maison un peu crâneuse, avec auvent à colonnades. 5 chambres classiques, cossues, assez spacieuses et très confortables. Peut-être un peu cher, mais l'accueil de la maîtresse de maison est souriant et l'on dispose de boissons chaudes sur le palier ainsi que d'une sympathique terrasse commune, parfaite à l'heure du thé.

Inishmore Guesthouse *(hors plan couleur par A4,* ***31****) : 109, Father Griffin Rd. ☎ 582-639. • galwaybaygolfholidays.com • À 10 mn de la plage et du centre, au bout de Father Griffin Rd, c'est le dernier* B & B *de la rue. Compter 70-95 € pour 2.* Pour ceux qui chercheraient à se loger pas trop loin du centre, voici une bien agréable maison de 1934 admirablement rénovée. Chambres sur 3 niveaux, cultivant un style cosy-kitsch, toutes différentes, avec salle de bains, TV et téléphone. Accueil assez convivial de la maîtresse de maison. Si vous jouez au golf, Peter, son mari, gère un des terrains des environs.

Où manger ?

Bon marché

La plupart des pubs proposent une petite restauration (au pire, des sandwichs) entre 12h et 17h, parfois même jusqu'en début de soirée.

I●I ***Couch Potatas*** *(plan couleur B2,* ***46****) : 40, Upper Abbeygate St.* ☎ *561-664. Tlj 12h-22h. Lunch 5 € ; plats 9-10 €.* Bienvenue au royaume de la patate ! Une bonne idée, saine et très économique : la pomme de terre sert de base à des plats (copieux !) tels que chili, poulet, etc., le tout accompagné d'une salade. Une bonne demi-douzaine de plats végétariens, toujours sur une patate. Jeter aussi un œil sur les *specials* inscrits au tableau. L'un des meilleurs rapports qualité-prix de la ville pour les routards. Et ça ne désemplit pas !

I●I ***McDonagh's*** *(plan couleur B3,* ***41****) : 22, Quay St.* ☎ *565-001. En bas de la rue piétonne, près du pont sur la rivière Corrib. Partie fast-food d'un côté (12h-minuit) et resto de l'autre (17h-22h). Resto fermé dim (fast-food ouv 14h-19h).* On vous l'indique surtout pour sa partie fast-food, un comptoir où l'on commande un *fish & chips* pour environ 9 €, que l'on va ensuite dévorer à la hâte à une des tables en bois. Ne pas s'attendre au fin du fin, mais, pour le prix, il n'y a pas de quoi faire la fine bouche non plus ! Le resto, lui, est plus onéreux (de 12,50 à 35 €), mais il est réputé pour ses produits frais de la mer. Au choix, moules, coquilles Saint-Jacques et plateau de fruits de mer. Gros bémol, ça sent vraiment la friture des *fish & chips* du snack.

I●I ***Home Plate*** *(plan couleur B2,* ***48****) : 13, Mary St.* ☎ *561-475. Tlj 12h-18h (17h dim). Plats 7-9 €. Réduc de 10 % pour les étudiants.* Une petite adresse de quartier très animée sur le coup de 12h. Il faut dire qu'elle offre l'insigne avantage de servir une excellente cuisine « organique » (bio, quoi). À la carte, grosses omelettes, sandwichs, *burgers* et plats variés, venus de tous les horizons (essayez la *Thai chicken salad* !). On en sort l'estomac bien calé et le porte-monnaie à peine allégé... Que vouloir d'autre ?

I●I ***Goyas*** *(plan couleur B3,* ***47****) : 2-3, Kirwan's Lane.* ☎ *567-010. Derrière le* McDonagh's, *dans la petite ruelle qui relie Quay St à Cross St. Tlj sf dim 9h30-18h. Compter 10 € pour manger.* Pour un petit plat le midi ou un gâteau dans la journée, ne pas hésiter à franchir la porte de ce *coffee shop.* Mobilier vaguement design et joyeux brouhaha. À la carte, *homemade creamed soup,* quiches, *pies,* qui connaissent un franc succès. Sans oublier tous ces bons gâteaux maison qui font saliver en vitrine. Le *coffee shop* moderne par excellence ! Terrasse calme aux beaux jours.

De bon marché à prix moyens

I●I ***Fat Freddy's*** *(plan couleur B3,* ***44****) : Quay St.* ☎ *567-279. Plats 4-7 € le midi ; 10-15 € le soir. Réduc étudiants 12h-19h.* Cette adresse de la rue piétonne ne désemplit pas midi et soir. Il faut dire que l'on s'attable bien volontiers autour de jolies nappes à carreaux Vichy pour y avaler de bonnes pizzas, faites d'une pâte croustillante et recouvertes d'un bon choix de *toppings.* Sinon, il y a aussi des *chili con carne,* lasagnes, *baked potatoes,* etc. Vin au verre et vrai café. Quelques tables dans la rue aux beaux jours.

I●I ***McSwiggan's*** *(plan couleur B2,* ***49****) : 3, Eyre St.* ☎ *568-917. Tlj, tte la journée jusqu'à 22h30 (23h jeu-sam). Résa conseillée le soir tant ce pub a du succès ! Le midi, snack et plats env 3-10 € ; le soir plats 16-26 €. Menu* early bird *20 €,* set menu *(lun-ven) 27 €.* C'est une petite institution à Galway, et on y revient souvent, ne serait-ce que pour y prendre un verre. On aime son décor vieillot, tous ses recoins. Restaurant en étage avec des mezzanines. Murs de brique, grosse charpente. Bonne cuisine internationale : *barbecue spare ribs, tandoori monkfish, chicken fajitas, sirloin steaks,* salades diverses. Voir également « Où boire un verre ? Où écouter de la musique ? ».

I●I ***Finnegan's*** *(plan couleur B2,* ***51****) : 2, Market St.* ☎ *564-764. Petite rue calme parallèle à Shop St. Tlj, tte la journée jusqu'à 22h30. Plats 6-18 €.* Dans un vieux bâtiment en pierre, une adresse qu'affectionnent les étudiants fauchés. Cuisine 100 % irlandaise, genre grosse tambouille pour routards affamés : pizzas, *stew...* Les gros mangeurs seront calés pour pas cher ; les gourmets passeront leur chemin. Beaux portraits de Yeats, Beckett et Joyce pour vous accompagner dans ce « festin ».

IOI ***Thai Garden Restaurant*** *(plan couleur B3,* ***52****) : Spanish Parade. ☎ 567-865. Tlj à partir de 17h30 (16h le dim). Plats 14-20 € ; menu* early bird *17,50 € servi jusqu'à 19h (sf sam).* Dans un grand bâtiment jaune facilement repérable, excellent resto au décor luxueux, moquette épaisse, fauteuils confortables, multiples petits recoins pour la tranquillité des convives et vue sur la Spanish Arch et la rivière Corrib. Très prisé par les locaux, on le comprend en goûtant à la soupe *Tom yam ta lay* et au *Ped yarng fai dang* flambé au brandy, sauce noix de coco, l'une des 12 variétés de canard désossé. Lassé des poissons frits, *Irish stew* et patates ? Ici, vous faites un voyage gastronomique plein de finesse et de subtilité. Un délice !

IOI ***Cactus Jacks*** *(plan couleur B3,* ***42****) : Court House Lane, donnant sur Quay St. ☎ 563-838. Tlj 18h (14h dim)-22h (23h le w-e). Lunch env 10 €. Plats env 13-26 € ; menu* early bird *20 € servi 17h30-19h et tte la journée le dim.* Serait-ce l'idée d'un hold-up au bureau des impôts d'en face qui attire autant d'*Irish cowboys* et *cowgirls* en fin de semaine ? Ou est-ce pour se montrer en compagnie de son cavalier (sa cavalière) que l'on vient massivement au *Cactus Jacks* ? Quoi qu'il en soit, on y sert une cuisine tex-mex qui, si elle ne surprend pas vraiment, change un peu des adresses du coin. Rien de bien nouveau sous le soleil donc, on vient ici surtout pour engloutir un *burger* ou quelques *fajitas* dans une ambiance quelquefois rugissante. Pas donné quand même le soir ! Service parfois un peu cavalier également...

De prix moyens à plus chic

IOI ***Ard Bia at Nimmo's*** *(plan couleur B3,* ***55****) : Long Walk, Spanish Arch. ☎ 561-114. À côté de la Spanish Arch donc, au pied du musée. Resto ouv 18h-22h. Café ouv tlj 9h-15h30 ; dim 10h-17h. Le midi, plats 5-13 € ; le soir 17-23 €. Menus* early bird *(18h-19h, sf sam) 23-27 €.* Dans un bâtiment en vieilles pierres qui a servi de fumoir (pour le poisson), puis d'écurie, puis de fabrique de saucisses, bref, dans une maison qui a un passé ! L'intérieur ne manque pas de caractère, avec son parquet, ses vieilleries aux murs, son atmosphère tamisée, éclairée à la bougie, et sa vue sur la rivière Corrib... idéal pour une soirée intime ! Cuisine du marché, créative et métissée, privilégiant les produits locaux, bio et issus du commerce équitable. Une adresse délicieusement bobo, informelle et raffinée, adhérant au mouvement *Slow Food*. Fait aussi bar à vins : grand choix à la carte de nombreux pays producteurs. Dans la journée, c'est beaucoup plus simple (plus abordable aussi) : brunch, petit déj et petite restauration le midi.

IOI ***8, Bar and Restaurant*** *(plan couleur C3,* ***43****) : 8, Dock Rd. ☎ 565-111. Lunch lun-ven 12h-14h ; brunch 11h-14h ;* dinner *tlj à partir de 18h. Le midi, snacks et plats 4,50-12,50 € ; le soir, plats 16-22,50 €.* Une belle adresse sur le port, avec vue sur les cargos depuis les grandes baies vitrées. Déco contemporaine dans un esprit brocante et une ambiance gentiment branchée. Bref, une adresse et une cuisine dans l'Eire du temps... À la carte, des produits fermiers, bio ou issus du commerce équitable et une cuisine irlandaise revisitant ses classiques, matinée de quelques influences méditerranéennes. Lunch très attractif avec *fish chowder,* assiettes de fromages, *fish & chips* (le vendredi). Le soir carte courte et de saison. La plupart des plats sont accompagnés de *bobo's chips,* la spécialité maison. C'est simple, même les frites sont à tomber !

IOI ***The Malt House*** *(plan couleur B2,* ***54****) : Old Malt Mall, High St. ☎ 567-866. Le midi, plats 10-18 € ; le soir, plats 20-30 € ; menu 29 € (formule 24 €).* C'est le resto du pub *King's Head* avec lequel il communique. Si le décor historique a été préservé côté pub, la resto a opté pour des lignes pures, résolument contemporaines. Dans l'assiette, l'Irlande est à l'honneur avec une cuisine traditionnelle, revisitée et modernisée : bœuf irlandais, *fish & chips,* salades biologiques, saumon fumé... Service souriant. Petite terrasse dans la cour.

Où manger dans les environs ?

I●I ***The Galleon Restaurant*** *(hors plan couleur par B4,* ***50****)* **:** *210, Upper Salthill, à* ***Salthill.*** ☎ *522-963. En plein centre de Salthill, entre la digue et l'église. Tlj 12h-22h (23h le w-e). Snacks et plats 6-10 € le midi et plats 12-22 € le soir. Menus 16,50-21 € (un peu moins cher le midi).* L'intérieur, cosy et lumineux, en bois clair, est dédié à la voile. Snack honorable le midi avec un plat du jour. Le soir, plats très corrects et variés de poisson et de viande joliment présentés.

I●I ***White Gables :*** *au centre de* ***Moycullen*** *(10 km au nord-ouest de Galway), côté gauche de la route principale.* ☎ *555-744. Ouv ts les soirs sf lun-mar à partir de 19h ainsi que dim midi. Attention, les soirs d'affluence en été, il y a en principe 2 services, à 19h et 21h30. Congés : de Noël à mi-fév. Résa conseillée. Menu 4 plats 38,50 € (2 plats à 30 €) ;* sunday lunch *27,50 € ; carte env 50 €.* Un décor rougeâtre soigné, avec un petit salon chaleureux à l'entrée pour patienter, voici une étape bien bourgeoise et gastronomique. Homards et bons poissons notamment, chèvre chaud au miel ou salade de crabe en entrées. Cuisine raffinée, donc. Bon accueil.

Où grignoter ? Où boire un bon café ou un bon thé ?

I●I ☕ ***Goyas*** *(plan couleur B3,* ***47****)* **:** *2-3, Kirwan's Lane.* ☎ *567-010. Presque à côté du* Cobble Stone, *à l'angle au fond de la ruelle. Tlj sf dim 9h30-18h. Compter 5-10 € pour 1 thé et 1 gâteau.* Ce *coffee shop* moderne (voir « Où manger ? ») fait aussi salon de thé.

Où boire un verre ? Où écouter de la musique ?

Galway compte un nombre assez impressionnant de pubs animés et chaleureux proposant de la bonne musique traditionnelle. En haute saison, d'autres pubs, moins connus et à la clientèle plus locale, offrent également quelques excellentes *music sessions.* Le programme musical est souvent affiché en vitrine et commence généralement vers 21h30 ou 22h, voire 17-18h pour certains. Bref, ouvrez grand vos yeux avant de tendre l'oreille. La vie nocturne se déroule surtout autour des rues piétonnes Cross Street, Quay Street et High Street, mais tend à se déplacer vers Dominick Street, de l'autre côté du pont de la rivière Corrib. Nombre de jeunes (et moins jeunes) musiciens viennent y tenter leur chance. Pléthore de bars et restos qui apparaissent et disparaissent au gré des modes. Les vieux pubs, quant à eux, restent en général fidèles au poste. Fermeture à 23h30 en semaine et environ 1h plus tard le week-end. Mais bon, dans la réalité, c'est parfois un peu différent...

– Pour connaître la programmation musicale des lieux de sortie, procurez-vous le *Galway Advertiser,* disponible gratuitement le jeudi dans les bureaux de tabac.

À Galway centre

🍷 ♪ ***Tig Coili*** *(plan couleur B2,* ***65****)* **:** *Mainguard St.* ☎ *561-294.* Ce n'est pas le plus beau pub de Galway, loin de là... mais on n'a pas trouvé mieux pour plonger à deux pieds dans la vie irlandaise. C'est une institution depuis 1905. Vous aurez tôt fait de repérer l'attroupement devant la façade ! À l'intérieur, murs chargés de vieux cadres. Musique traditionnelle tous les soirs à 18h et 21h. À fréquenter sans modération, surtout en fin d'après-midi. Excellents groupes.

🍸 ♩ ***Tigh Neachtain*** *(plan couleur B3,* ***64****) : 17, Cross St. ☎ 568-820. À l'angle de Quay St et Cross St. Musique certains soirs, notamment dim.* Le pub date de 1894, avec sa façade bleu pétant, c'est un de nos préférés à Galway. Le soir, atmosphère très chaleureuse, comme on les aime. Des petits compartiments en bois pour siroter tranquillement, 2 bars de poche et autant de cheminées. Arriver avant 20h pour avoir de la place. Terrasse sur la rue, même quand il pleut !

🍸 ♩ ***The Quays*** *(plan couleur B3,* ***68****) : Quay St. ☎ 568-347. Presque en face du* Tigh Neachtain. Ancien pub à matelots aujourd'hui superbement redécoré dans sa partie supérieure grâce à un véritable intérieur d'église rapporté d'Écosse ! Entrez-y, ne serait-ce que pour le coup d'œil. Vaste, avec plusieurs mezzanines et bars, ce qui permet de profiter d'atmosphères variées. Resto au sous-sol (bons petits plats classiques). Le soir, parfois beaucoup de monde : tant mieux pour l'ambiance. Concerts (rock, pop...) tous les soirs, dans la salle du haut ou dans la salle du bas (parfois les deux) à partir de 22h30-23h et jusqu'à 2h du matin ! DJ le samedi et musique traditionnelle le dimanche à 18h.

🍸 ***The Front Door*** *(Tomas O'Riada ; plan couleur B2,* ***69****) : High St. ☎ 563-757.* Derrière une élégante façade à l'ancienne, un pub immense, avec une imbrication de salles de toutes tailles sur différents niveaux. 4 bars en tout, et une capacité de 900 personnes, rien que ça. Plein de coins et de recoins pour être tranquille. Petite *pub grub* bonne et pas chère servie toute la journée, sandwichs, sans oublier la *home-made soup*.

🍸 ♩ ***Taaffe's*** *(plan couleur B2,* ***54****) : Shop St. Presque en face du* Tig Coili. Décor chaleureux avec vieilles photos. Fréquenté par les habitués pour ses concerts de musique traditionnelle tous les jours à 17h30 et 21h30 ; il y a même une *session* supplémentaire le dimanche à 12h en été. Observez les clients, trognes patinées, visages bon enfant ou têtes chenues, venus se gorger de bonnes ondes... et de *Guinness* ! Super ambiance. Une adresse qu'on aime beaucoup.

🍸 ♩ ***King's Head*** *(plan couleur B2,* ***54****) : 15, High St. ☎ 566-630. Ouv jusqu'à 2h le w-e.* Le nom du pub vient du souvenir de l'exécution du roi Charles Ier en 1649, à laquelle participa un soldat de Galway. L'été, c'est plein de Ricains à la recherche de leurs racines, le tout fusionnant avec la clientèle locale. Pas un soir qui se ressemble. Rock tous les jours vers 22h, musique traditionnelle le samedi à partir de 17h ou 18h et DJ le week-end jusqu'à 2h.

🍸 ♩ ***An Púcán*** *(plan couleur C2,* ***63****) : 11, Forster St. Rue donnant sur Eyre Sq (côté gare routière).* Murs rouges et photos de bateaux. Toutes sortes de groupes chaque soir. Cela dit, le public n'est pas toujours « respectueux » et les musiciens ont parfois du mal à se faire entendre. Ambiance festive néanmoins.

🍸 ♩ ***McSwiggan's*** *(plan couleur B2,* ***49****) : 3, Eyre St. ☎ 568-917. À l'angle de Wood Quay.* Pub au décor patiné, avec plusieurs salles en enfilade et plein de recoins. Bonne atmosphère. Clientèle un peu plus âgée qu'ailleurs. Possibilité aussi d'y manger une cuisine soignée (voir « Où manger ? »). Musique live le vendredi. Une petite institution.

🍸 ***Hole in the Wall*** *(plan couleur B1,* ***67****) : Eyre St. ☎ 565-593.* Derrière une façade discrète coiffée d'un petit toit de chaume se cache le pub le plus chaud de la ville. Une clientèle survoltée de 20 à 30 ans, en majorité étudiante, vient ici tous les soirs danser sur les tables et pousser les flirts jusque dans la grande cour aménagée en *beer garden*. La qualité de la musique est discutable, mais le *craic,* lui, est toujours de la partie.

🍸 ♩ ***Sally Long's*** *(plan couleur B2,* ***66****) : 33, Upper Abbeygate St. ☎ 565-756.* Clientèle étudiante et atmosphère rock'n roll. D'ailleurs, en général, de bons groupes rock y passent le dimanche. Le samedi, c'est un DJ ! L'un des rares pubs où l'on peut également jouer au billard.

🍸 ***Ard Bia at Nimmo's*** *(plan couleur B3,* ***55****) : Long Walk, Spanish Arch. ☎ 561-114. Bar à vins jeu-sam 18h-23h.* Ce resto historique (voir « Où

GALWAY

manger ? ») est aussi un des meilleurs bars à vins de Galway. Idéal, donc, pour changer un peu d'atmosphère... et de breuvage.

De l'autre côté du fleuve

C'est un coin moins fréquenté par les touristes et où de nombreux pubs locaux n'ont presque pas bougé d'un poil. D'autres ont été réinvestis par les jeunes. Tout se passe autour de Dominick et William Streets. Très chouette et, en un sens, plus authentique.

🍸 ♪ ***The Crane Bar*** *(plan couleur A3,* ***73****)* **:** *2, Sea Rd et Small Crane. ☎ 587-419. Entrée payante certains soirs quand des musiciens plus connus viennent jouer ; mais quoi qu'il arrive, au moins un concert gratuit par soir.* Un des premiers *music pubs* de Galway, quelque peu institutionnalisé depuis, mais resté authentique. 10 *sessions* chaque semaine, c'est vous dire si on connaît la musique ! Parfois, à l'étage, l'un des deux patrons se met à jouer de son *tin whistle* ; à d'autres moments, c'est un client, ou une cliente, qui entonne un chant, pour tous ceux qui sont là. Pas de doute, on est bien en Irlande ! Bar extérieur pour les fumeurs.

🍸 ♪ ***Monroe's Tavern*** *(plan couleur B3,* ***71****)* **:** *Dominick St Upper. ☎ 583-397. Musique ts les soirs vers 22h.* Pub immense. Le week-end, plein à craquer. Musique traditionnelle et ballades uniquement. Le mardi cependant, place aux danses. Superbe programme et ambiance assurée !

🍸 ♪ ***Róisín Dúbh*** *(plan couleur A-B3,* ***72****)* **:** *8, Dominick St Upper. ☎ 586-540.* Dans une salle tout en recoins, vieille cheminée, des livres qui couvrent les murs, de la pierre, de la bière et de la musique tous les soirs ou presque à partir de 21h. Concerts dans l'arrière-salle, parfois payants si le groupe est connu. Andy White, Whalers Fall et John Martyn sont passés par ici et reviennent de temps à autre.

🍸 ♪ ***The Blue Note*** *(plan couleur A3,* ***70****)* **:** *William St West. ☎ 589-116. Un peu avt* The Crane Bar. Lumière rougeâtre et photos de jazzmen aux murs. Soirées DJ les mardi, jeudi, vendredi, samedi et dimanche. Le reste du temps, musique jazzy mais pas seulement. On ne danse pas, car, en général, c'est plein et il n'y a pas moyen de bouger ! Terrasse extérieure pour les fumeurs.

🍸 ♪ Et puis, toujours dans la même rue, avant *The Crane Bar,* il y a encore le ***Massimo*** *(☎ 588-239),* un bar certes moins typique, mais qui n'a rien à envier à d'autres pubs pour ce qui est de l'ambiance. Soirées salsa le mercredi.

À Salthill

🍸 ♪ ***O'Connors*** *(hors plan couleur par B4,* ***75****)* **:** *Upper Salthill. ☎ 523-468. Un peu avt le resto* The Galleon *en venant de Galway. Tlj, à partir de 19h30.* Tenu par la même famille depuis plus de 100 ans. Un endroit au décor saisissant : des centaines de lampes au plafond, des tonneaux, une généreuse cheminée, des gravures, des objets d'autrefois bien mis en valeur... bref, un incroyable bric-à-brac, le pub des Deschiens irlandais ! Difficile de faire plus chaleureux. C'est aussi l'un des tout premiers pubs du pays à avoir accueilli des petits groupes de musiciens. Concerts tous les soirs en été : traditionnel du dimanche au mercredi, plus varié le reste de la semaine. Un incontournable.

Achats

🧺 ***Thomas Dillon's*** *(plan couleur B3)* **:** *1, Quay St, à l'angle de Cross St Upper, face au pub* Tigh Neachtain. *☎ 566-365. • claddaghring.ie • Lun-sam 10h-17h ; dim 12h-16h.* C'est le plus ancien fabricant de la fameuse bague de Claddagh, un atelier d'orfèvre qui existe depuis 1750. Un joli petit musée, gratuit, vous racontera toute l'histoire de ce bijou de famille.

🧺 ***Paul Doyle Musical Instruments*** *(plan couleur B3)* **:** *38 A, Dominick St. ☎ 566-948. Accès par un passage perpendiculaire à Dominick St. Lun-sam 10h30-20h.* Ici, on fabrique des instruments de musique un à un, avec patience, d'une telle qualité que c'est ici que venaient se fournir U2, Van Mor-

GALWAY

risson et même les Stones... Bien sûr, plus pour le coup d'œil que pour acheter, c'est cher...

Powell's & Son *(plan couleur C2) : Abbey Gate St Lower. ☎ 562-295. Lun-sam 9h-18h ; plus dim en été 13h30-17h30. Perpendiculaire à Shop St, face à la banque* AIB. Petit magasin qui vend une multitude d'instruments de musique à prix abordables.

Judy Greene *(plan couleur B3) : dans la petite Kirwan's Lane, face au* Goyas. *☎ 561-753. • judygreenepottery.com • Lun-sam 9h30-18h ; plus dim en été 13h-17h.* Sur 3 niveaux, mobilier design, bijoux, objets domestiques, céramiques... fabriqués en Irlande... ou ailleurs (le monde n'est décidément plus ce qu'il était !).

O Maille's *(plan couleur B2) : 16, High St. ☎ 562-696. • omaille.com • À côté du* King's Head. *Lun-sam 9h-18h.* Magasin à la vitrine emplie de laine, de pulls, de tissus, de tweeds. Pas mal de choix. Tout ici est fabriqué en Irlande ; rien de bien excitant malgré tout.

Galway Woollen Market *(plan couleur B2) : 21, High St. ☎ 552-122. Juste à côté de* Kenny's Gallery. *Tlj 9h30-19h (18h dim).* Moins cher que le précédent, mais qualité plus aléatoire. Bien regarder les prix toutefois, parfois de réelles affaires. Pulls d'Aran, chapeaux... entre autres.

Faller's *(plan couleur C2) : Williamsgate St, en remontant Shop St avt Eyre Sq. ☎ 561-226. • fallers.com • Lun-sam 9h-18h.* De nouveau pour la fameuse *ring of Claddagh,* qu'on fabrique ici depuis 1879. Moins cher que nombre de contrefaçons vendues dans les boutiques à touristes du pays.

GALWAY

À voir. À faire

Eyre Square ou Kennedy Park *(plan couleur C2) :* vaste espace vert partiellement piéton, très animé et dédié au président J. F. Kennedy (qui fit ici un triomphe en 1963). Au centre, une sculpture symbolisant les voiles d'un *hooker.* Contrairement aux apparences, elle n'est pas rouillée, c'est tout simplement la couleur du métal utilisé ! Vestige de la Browne Doorway aussi, une porte du XVIIe s, et statue d'un célèbre enfant du pays, Liam Mellows (l'un des dirigeants antitraité en 1921).

Lynch's Castle *(plan couleur B2) : à l'angle de Shop St et Upper Abbeygate St.* Considérée comme la plus belle *townhouse* d'Irlande, c'est une riche demeure du XVIe s occupée aujourd'hui par la banque *AIB.* L'extérieur a été entièrement rénové mais reste intéressant à observer. Sur la façade subsistent quelques gargouilles et les blasons des Fitzgerald, du roi Henry VII et de la famille Lynch. Entrer dans la banque pour voir les cheminées, assez étonnantes.

➢ Agréable promenade dans les ***rues du centre,*** notamment dans Quay Street, Cross Street et celles tout autour. Vos pas vous mèneront certainement aussi dans la petite ***Kirwan's Lane,*** une ruelle rénovée qui relie Cross Street et Quay Street. Jolies façades. En haut de Shop Street, une statue d'Oscar Wilde rappelle que le célèbre écrivain et dandy londonien était en réalité tout ce qu'il y a de plus irlandais.

Saint Nicholas Church *(plan couleur B2) : Market St (à ne pas confondre avec la cathédrale !). Tlj. Entrée gratuite mais donation bienvenue... de min 3 € (sic !). Prendre, à l'entrée, un petit dépliant en français pour repérer les détails architecturaux.* C'est la plus grande *parrish church* de la région, commencée en 1320, moult fois transformée au cours des siècles, notamment par l'ajout des nefs latérales par des familles normandes et par la famille Lynch. Les forces anglaises de Cromwell l'utilisèrent comme écurie après le siège de 1652... Pas un chef-d'œuvre, mais on notera le chœur du XVe s et, dans le bras droit du transept, la pierre tombale d'un croisé gaélique et une fenêtre aveugle gothique flamboyant. Petite visite agréable.

The Hall of the Red Earl *(plan couleur B3,* ***80****)* **:** *Druid Lane.* ☎ *564-946.* ● *galwaycivictrust.ie* ● *Lun-ven 9h30-16h30. Entrée gratuite.* En dehors des heures d'ouverture, il est possible de voir les vestiges mis au jour de ce que l'on considère comme la plus vieille maison de Galway. À l'époque, Claddagh n'est qu'un modeste village de pêcheurs, de l'autre côté de la rivière mais la famille de Burgo, alors au pouvoir, se fait construire un château sur la rive est (1232). Trois générations plus tard, Lord Richard de Burgo (dit le « Comte rouge » en raison de sa couleur de cheveux !), fait agrandir le château de style normand et le dote d'un nouveau bâtiment à vocation essentiellement commerciale et juridique. Le *Burgo Hall* sera utilisé jusqu'aux XVe et XVIe s et servira de cour de Justice. Avant de tomber peu à peu en ruine... Un plan de Galway de 1651 montre très clairement les murs d'enceinte de la ville et la halle toujours debout mais à ciel ouvert. Les fouilles ont montré que l'on y fondait et battait le fer. La halle disparut peu à peu, recouverte par de nouvelles couches architectoniques et ne fut exhumée qu'en 1977 à l'occasion de travaux dans l'immeuble voisin. Le site est désormais ouvert au public.

BIDONNAGE POUR TOURISTES

Derrière l'église Saint-Nicolas, sur Market Street, vous découvrirez sûrement un petit bout de mur où le fils de James Lynch aurait été pendu sur ordre de son père en 1493, pour avoir tué un invité de la famille qui avait fait un peu trop de gringue à sa petite amie. En réalité, rien ne s'est jamais passé ici même, et personne ne sait vraiment où la tragédie s'est réellement déroulée. Mais devant l'insistance des touristes à se mettre un lieu sous la dent, le pasteur Peter Daly monta en 1854 un faux mur, l'équipa de portes « médiévales », d'une fenêtre et d'une tête de mort. Et le tour était joué !

Galway City Museum *(plan couleur B3)* **:** *Spanish Parade (à côté de Spanish Arch).* ☎ *532-460.* ● *galwaycitymuseum.ie* ● *Le musée est accolé à l'ancien mur d'enceinte de la ville. Juin-sept, tlj 10h-17h ; en basse saison, slt mar-sam aux mêmes horaires. Entrée gratuite.*
À l'étroit dans son ancienne version, ce musée consacré à l'histoire de la ville a pris ses aises dans ce beau bâtiment à l'architecture résolument contemporaine. Visite sur fond de musique irlandaise !
Au rez-de-chaussée, on est accueilli par la statue de *Padraig O'Conaire* assis, fameux poète gaélique du début du XXe s (1882-1928) et une icône pour Galway. Spécialiste du gaélique, celui-ci écrivit de nombreuses *short stories* (nouvelles). Flottant entre les étages, un magnifique *hooker* de Galway, le traditionnel et magnifique bateau de pêche. Autre trésor, une belle carte commandée par le duc de Lorraine en 1651. Le duc avait carrément le projet d'acheter Galway aux Anglais pour l'équivalent de 25 000 € ! Il voulait savoir ce qu'il obtiendrait pour ce prix et fit donc établir cette carte. Intéressante collection de photos de Claddagh au temps passé. Et sinon, un reliquaire, des vases, des armes, une expo sur les guerres d'Empire et des salles vouées aux expos temporaires.
Vue panoramique depuis le 2e étage. Face au musée, de l'autre côté du fleuve, jolie vue de temps à autre sur quelques *hookers*.

Spanish Arch *(plan couleur B3)* **:** *à côté du musée.* Vestiges de l'ancienne porte de la ville. Appelée ainsi, car les échanges commerciaux étaient importants avec les Espagnols (avant l'Invincible Armada). Les bateaux débarquaient ici. Adossée à la porte, une jolie maison qui abritait il y a peu encore le *City Museum.* Une certaine Claire Sheridan y vécut dans les années 1940. Cette artiste, peintre et sculptrice, cousine de sir Winston Churchill, fut un temps la petite amie de Charlie Chaplin.

Face à la Spanish Arch sur Ballyknow Quay, pittoresque ***point de vue*** sur le port et la ville. Un banc pour rêver au ballet des mouettes lors du coucher du soleil.

Ici venait se reposer le docteur Joe McHale, « *the kindest man in town* » (1901-1977), réputé pour sa grande bonté et son abnégation (le banc lui est dédié !).

Bridge Mill *(plan couleur B3) : Bridge St.* Il y eut à cet endroit un moulin à partir de 1558. Puis le moulin s'arrêta, et l'édifice menaça de tomber en ruine. Les bâtiments actuels datent de la fin du XVIIIe s. Bel appareillage de pierres. Restauré, il abrite aujourd'hui des boutiques et divers organismes tels que l'Alliance française.

Nora Barnacle Museum *(plan couleur B2) : 8, Bowling Green.* ☎ *564-743. Dans une petite rue donnant sur Lombard et Market St, derrière l'église Saint-Nicolas. En principe de juin à mi-sept, mar-sam 10h-13h, 14h-17h. Entrée : 2,50 €.* Assez confidentiel donc, mais, pour les fans de James Joyce, sachez que c'est la maison où habita Nora, sa femme. Il y vint aussi deux fois. Cela lui inspira d'ailleurs quelques poèmes. Vous y apprendrez d'intéressantes anecdotes littéraires, par exemple que Nora eut, avant Joyce, un flirt appelé Michael Bodkin (qui mourut de tuberculose). Joyce réintroduisit le personnage dans la nouvelle *The Dead* sous le nom de Michael Furey, l'ancien amoureux de Greta Conroy (l'héroïne de la nouvelle).

La cathédrale de Notre-Dame-de-l'Assomption et de Saint-Nicolas *(plan couleur B1-2) : dans le West Side, face au pont Salmon Weir, au croisement de Goal Rd et University Rd.* ☎ *563-577.* • *galwaycathedral.org* • Une des plus grandes et des plus impressionnantes constructions de la ville. Récente (1965), la cathédrale fut édifiée à l'emplacement de l'ancienne prison du comté, célèbre pour sa rigueur envers les prisonniers. L'apparence extérieure n'est pas du goût de tout le monde, mais l'intérieur, avec ses arches hautes et courbes et son dôme central, possède une élégance simple. Le dôme et les piliers reflètent un style Renaissance. Les autres éléments comprennent une rosace et des mosaïques, qui dressent un tableau composite de la tradition de l'art chrétien. Le dôme de la cathédrale, d'une hauteur de 44 m, est un des points de repère dans l'horizon de la ville.

➢ **Balade en bus dans Galway :** *The Old Galway Tour* et *Galway Sightseeing Tours* proposent chacun jusqu'à cinq départs par jour en haute saison de 10h30 à 16h pour faire le tour des monuments de la ville à bord d'un bus impérial à ciel ouvert. *Départs de l'office de tourisme. Coût : 10 € ; réduc. Compter 1h30.*

➢ **Balade à pied le long de la Corrib :** *se garer sur Distillery Rd (hors plan couleur par A1) puis remonter la rivière sur env 1,5 km.*

Salmon Weir *(plan couleur B1) : non loin de la cathédrale, sur le pont Salmon Weir Bridge.* En juin et en juillet, alors qu'ils remontent de la mer vers les lacs, on peut voir les saumons se frayer un chemin dans cet étroit passage.

Salthill *(hors plan couleur par A-B4) : quartier situé au sud-ouest de la ville, face à la mer. Compter 20 mn à pied depuis le centre. Sinon, bus no 1 depuis Eyre Sq ttes les 20-30 mn.* On y vient pour sa plage, mais, en réalité, rien de bien excitant, et le soir l'ambiance est assez glauque. Super pub en revanche, *O'Connors,* qui tranche nettement avec le reste. On y trouve aussi un aquarium (voir ci-dessous).

National Aquarium of Ireland *(Atlantaquaria) : Toft Park, sur la promenade avt le kiosque touristique.* ☎ *585-100.* • *nationalaquarium.ie* • *Tte l'année, 10h-17h (w-e 18h). Fermé certains mar et jeu nov-fév pour entretien des bassins. Entrée : 10,25 € ; réduc ; gratuit moins de 3 ans.* Chérot, car sans espèces particulièrement remarquables. On notera toutefois un bel effort de présentation et d'éclairage sur les bassins de carrelets, turbots, maquereaux, raies, anguilles, hippocampes, araignées, langoustes et superbes pieuvres. Un petit « Nautilus » pour les enfants qui verront les poissons de ses hublots. Belle reconstitution de milieux naturels et artificiels (rivière, écluse...). Voir notamment le « bassin à tempête », qui lâche des trombes d'eau chaque minute ou presque ! Également un bassin à vagues et un squelette de baleine. Mais bon, on a vu des aquariums plus excitants et des poissons plus colorés. Animation en anglais chaque jour en été pour les enfants, où ils pourront nourrir les poissons et même les toucher.

➢ ***Croisière sur le lac Corrib*** *(hors plan couleur par B1)* **:** *départ de Wood Quay, sur le* Corrib Princess, *un bateau-croisière de 157 places avec commentaires en anglais (un bateau-mouche, quoi !).* ☎ *592-447.* ● *corribprincess.ie* ● *Résas à l'office de tourisme ou sur le bateau. Départs mai-sept à 14h30 et 16h30 (départ supplémentaire à 12h30 juil-août) ; ne fonctionne pas le reste de l'année. Coût : 15 €. Durée : 1h30.*

Manifestations

– ***Cúirt Poetry and Literature Festival*** **:** *pdt 1 sem fin avr (dates variables). Rens :* ☎ *565-886.* Prestigieux festival de Littérature et Poésie. Tous les talents de l'Irlande et quelques invités étrangers de marque (des pointures comme William Trevor, Roddy Doyle, Derek Walcott, Prix Nobel de littérature en 1998, Franck McCourt, qui écrivit *Angela's Ashes* notamment...). Lecture de textes, de poésies et conférences. Possibilité de se procurer le programme avec tous les lieux où se déroulent les manifestations à l'office de tourisme.
– ***Galway Early Music Festival*** **:** *pdt la 2de quinzaine de mai, pdt 4 j. Rens :* 📱 *087-930-55-06.* ● *galwayearlymusic.com* ● Concerts, musique et danses médiévales dans les rues du vieux Galway.
– ***Galway Film Fleadh*** **:** *pdt 5 j. en juil. Rens :* ☎ *751-655.* ● *galwayfilmfleadh.com* ● Le plus important festival de Cinéma d'Irlande. On y projette des productions irlandaises autant qu'internationales. Films de fiction, documentaires, animation, conférences, ateliers, le festival, qui existe depuis plus de 20 ans, ratisse large et déplace chaque année de grands réalisateurs internationaux.
– ***Galway Arts Festival*** **:** *pdt la 2de quinzaine de juil. Infos :* ☎ *509-700.* ● *galwayartsfestival.com* ● Programmation théâtrale et musicale de qualité. Un festival qui déménage. Pièces européennes et gaéliques. Jazz, variétés, animations de rue. Pendant cette période, la ville est prise d'assaut, alors, pour résoudre les problèmes de logement, tout le monde campe n'importe où ! Pensez à réserver...
– ***Galway Races*** **:** *en principe, pdt 1 sem fin juil, début août, puis fin août et fin oct. Rens :* ☎ *753-870.* ● *galwayraces.com* ● *Entrée : 20-30 € l'été, 15 € l'automne.* Courses de chevaux très populaires. Atmosphère assez démente en ville, dans les pubs et bien sûr sur les champs de courses. Ça se passe surtout à Ballybrit, à 3 km à l'est. Même si vous ne jouez pas, vous serez forcément pris par l'ambiance.
– ***Festival des Huîtres de Galway*** *(Oyster Festival)* **:** *pdt 4 j. fin sept. Rens :* ☎ *575-875.* ● *galwayoysterfest.com* ● Profitez-en pour vous gaver des premières huîtres de la saison, copieusement arrosées de *Guinness* ; le mélange vous surprendra et, très probablement, vous ravira. Le festival a lieu sur Nimmos Pier au bout de Claddagh Quay, de l'autre côté du fleuve, et la célèbre marque de bière organise en même temps le championnat du monde de vitesse d'ouverture d'huîtres !
– ***Courses de lévriers*** *(Greyhound Races ; plan couleur D1)* **:** *dans College Rd, après l'enfilade de* B & B. ☎ *562-273.* ● *igb.ie* ● *Jeu-sam 19h55-22h30. Compter 10 €/pers.* Pour être sûr des horaires, on peut passer devant le *Greyhound,* c'est affiché. Spectacle toujours pittoresque, d'autant que le lieu est à taille humaine (ou plutôt canine !). Possibilité de se restaurer.

Culture

– ***Galway Arts Centre*** *(plan couleur B3)* **:** *47, Dominick St.* ☎ *565-886.* ● *galwayartscentre.ie* ● *Lun-sam 10h-18h.* C'est le grand centre d'exposition de

GALWAY

Galway. Symbole de la richesse culturelle de la ville, ce beau centre artistique présentant de très intéressantes expos de peinture, sculpture et photos organise également, chaque année, le *Cúirt Poetry and Literature Festival.* À visiter.

– ***Druid Theatre Company*** *(plan couleur B3) : Flood St.* ☎ *568-660.* • *druid theatre.com* • *Résa conseillée.* L'une des plus importantes compagnies théâtrales d'Irlande. Une création annuelle qui tourne ensuite dans toute l'Irlande. Certaines semaines en été, la troupe joue à Galway (infos à l'office de tourisme).

– ***Taibhdhearc na Gaillimhe Theatre*** (prononcer « Thaïvark na Galiver » ; *plan B2*) *: Middle St.* ☎ *563-600.* C'est le théâtre en gaélique, fondé en 1928. En juin, juillet et août, spectacles *Siamsá* (qui veut dire « danser ») presque tous les soirs. Au même programme, également de vieilles ballades, mélodies et sketchs sur la vie paysanne d'autrefois. La plupart des dialogues sont en gaélique ou en anglais, mais ce n'est pas gênant tant les acteurs savent exprimer la vie dans le spectacle. Beaux costumes traditionnels et, surtout, ces instruments merveilleux : harpe, *bodhran, concertina, box,* flûte, *whistle, fiddle,* etc. Attention, les spectacles ont lieu au *Claddagh Hall,* sur Nimmos Pier (Long Walk ; *plan couleur B3*).

DE GALWAY À CLIFDEN PAR LA CÔTE

Allons à la découverte du Connemara tel qu'il est souvent décrit et « postcardisé ». Terres rocailleuses et dépouillées, alternant avec les tourbières et les petits lopins de terre arrachés à la montagne. Il était encore plus dur de survivre ici que dans le Burren, au moment des épreuves qui frappèrent l'Irlande. Région plus surprenante encore que bien d'autres, par ses brusques changements d'aspect. Pas grand-chose de commun en effet entre les collines pelées et monotones autour de Costelloe et de Cashel, le paysage riant de Clifden et les vastes vallées autour des Twelve Bens et des Maumturk Mountains de Maam Cross et de Recess. Qui sait, pourtant, que partout ici les gens furent contraints, pour 10 pence par jour, d'élever ces petits murs de pierres pour ne pas crever de faim ? Cette terrible beauté cache bien des souffrances muettes...

Pour le pouce (le stop), c'est pas le pied... On longe la mer. On peut se tromper lorsque la pluie du Connemara (qui ne se fait jamais attendre très longtemps) se met à tomber. C'est alors que l'on doit demander son chemin dans des pubs où les gens parlent une curieuse langue !

ℹ Jusqu'à Clifden, le seul office de tourisme digne de ce nom se situe à Oughterard (voir plus loin), mais comme cela fait un détour, mieux vaut faire le plein d'infos et de doc à ***l'office de Galway.***

SPIDDAL (AN SPIDÉAL) 1 360 hab. IND. TÉL. : 091

C'est un peu la station balnéaire de Galway. D'un urbanisme plus que discutable, son charme n'est pas absolument inoubliable, pas plus que ses *B & B* le long de la route. Mais ce peut être une étape sur votre trajet ou une alternative à Galway. Pour une véritable halte, continuez plutôt vers Roundstone ou Clifden, où il y a plus à voir...

Grand choix d'achats possibles : par exemple, pulls et vêtements en laine chez *Máirtin Standún* (le grand magasin à l'entrée du village) ou au *Craft Centre* local,

Ceardlann, où vous trouverez toutes sortes d'artisanat. Bonne musique irlandaise à gogo dans les trois pubs de la ville, rassemblés autour du carrefour principal, tous les soirs en été. Le *Tigh Hughes,* au début de la route qui mène au camping, est très sympa.

Où dormir ?
Où manger ?

Cloch na Scith : *1,5 km avt Spiddal, sur la gauche. ☎ 553-364. • thatch cottage.com • Résa impérative en juil-août. Compter 68-70 € pour 2 (loc du cottage voisin 290-500 €/sem). CB refusées.* Gros cottage blanc coiffé d'un toit de chaume. Une adresse de charme, où tout respire le souci du détail ! À l'intérieur, 3 chambres très soignées et un salon coquet et chaleureux. L'hôtesse vous fera sans doute, le matin, une démonstration de fabrication de pain à l'ancienne, cuit dans un chaudron en fonte sur le feu de tourbe. Possibilité de se faire son repas du soir. Propose aussi un cottage superbement équipé avec cheminée et 2 belles chambres, doté de murs de 50 cm d'épaisseur ! Un bien bon *B & B,* donc.

Boluísce : *dans le village même, près du carrefour principal et de l'église. ☎ 553-286. Tlj 12h30-21h30. Plats 11-24 € ; menu* early bird *19,50 €.* Cadre sympathique, un brin chic, reconnaissable à son enseigne représentant un poisson, en hommage aux spécialités de la maison. Bonne cuisine réputée, mais prix parfois un peu élevés. Arrêt déjeuner des bus en excursion le midi certains jours.

An Crúiscín Lán : *en face du Boluísce. ☎ 553-148. Tlj. Cuisine jusqu'à 21h. Plats 10-18 € ; le midi, également des snacks 4-9 €.* C'est le pub-resto de l'hôtel du même nom. Longue salle tout en bois se terminant par une terrasse qui donne sur le large. Agréable. Rien à redire sur la qualité des plats, c'est bon et copieux. Service rapide et sympathique.

CARRAROE (AN CHEATRÚ RUA)

630 hab. IND. TÉL. : 091

Plusieurs bus par jour depuis Galway. *Carraroe* signifie en gaélique « coin, zone rouge » ; ce nom est dû à la teinte de la bruyère qui colore la région. Les premières plages sauvages protégées où l'eau n'est pas trop froide. Sur place, des tas de petites routes mènent aux criques. Possibilité d'y voir encore de vieux *curraghs* (ou *Galway hookers*), les embarcations traditionnelles recouvertes de toile goudronnée.
Pour les amateurs de hors-piste, *Gorumna Island* et *Lettermore.* Paysages âpres, sans touristes, population accueillante. Sublime !

Où manger ?
Où boire un verre ?

Royal Villa & Tigh'n Tailliura Bar : *Main Rd, au centre du village. ☎ 869-884. Tlj sf mar jusqu'à 22h30 (23h30 sam). Plats env 12-20 € (moins cher à emporter).* Grand bâtiment rouge groseille avec colonnades jaunes d'un côté et bleu électrique de l'autre (plutôt voyant donc !). En fait, c'est le mariage d'un pub irlandais et d'un restaurant chinois ! Belle carte avec beaucoup de choix. Plats fins et savoureux. Côté pub, c'est plus sombre, avec des fenêtres opaques. Atmosphère très villageoise. Au cas où, voir aussi le grand pub **An Cistin,** une centaine de mètres plus loin dans le village. Ambiance assez joyeuse certains soirs !

À voir dans le coin

Pearse's Cottage : Inbhear, *près de Rosmuc et de Gortmore, à l'extrémité d'une petite route tranquille, un peu un retrait de la R 340 ; c'est fléché. ☎ (091) 574-292. Ouv le w-e de Pâques (jeu-lun) 10h-17h ; fin mai-fin août, tlj 10h-18h ainsi que les 2e ou 3e w-e de sept. Entrée : 3 €. Visite guidée (en théorie).* Heritage site. C'est là, dans ce modeste et adorable cottage, que Padraig Pearse, l'un des dirigeants de l'insurrection de Pâques 1916, venait se reposer et écrire. Ardent défenseur du gaélique, il utilisait également le cottage comme *summer school* pour ses élèves. Poète, écrivain, principal rédacteur de la Déclaration d'indépendance, président du gouvernement provisoire ; c'est celui qu'on voit toujours de profil sur les photos. La sobriété de la maison, son toit de chaume, la vue sur la baie, le calme et la beauté du site en général devaient de toute évidence favoriser l'inspiration.

CARNA

1 000 hab. IND. TÉL. : 095

Village où furent construits pendant des lustres les *Galway hookers* (gréements à trois voiles). Autrefois, ces bateaux transportaient la tourbe dans le comté de Clare et ramenaient les céréales vers le Connemara. Les 15, 16 et 17 juillet, c'est la fête, le *Faile MacDara,* sur l'île McDara, autour d'un oratoire du Xe s. Grande messe qui attire les gens du coin, suivie d'un pique-nique et de régates.

Où dormir ? Où manger dans le coin ?

Hillside House B & B : *Kylesalia,* **Kilkieran,** *12 km env avt Carna. ☎ 334-20. • hillsidehouseconnemara.ie • Sur la route côtière R 340, avt Carna, à 3 km au nord de Kilkieran. Ouv mars-oct. Compter 60-65 € pour 2. CB refusées.* Un *B & B* à l'architecture récente et banale mais qui nous a beaucoup plu. D'abord pour sa situation, sur un promontoire avec une vue imprenable sur la baie de Kilkieran. Superbe panorama. Ensuite pour la qualité de ses chambres, toutes très confortables et *en suite,* impeccables et ravissantes. Bouilloire pour thé et café dans chaque chambre. Agréables salon TV et *dining room.* Enfin, accueil chaleureux de Barbara qui propose un petit déj à la carte, donc pas mal de choix. Petite restauration (soupe, sandwich) sur demande si vous arrivez tard. Un coup de cœur.

Tigh Chadhain : Kilkieran *(Cill Chiarain). ☎ 334-09. Sur la R 340, la route de Cashel.* Bar food *tte l'année (5-13 €), resto juin-sept (plats 9-13 €).* Restaurant le plus proche du précédent *B & B. Fish & chips,* poulet, tagliatelles, steak, quelques poissons, rien de bien original, mais il n'y a pas le choix dans le secteur, ou alors il faut aller jusqu'à Glynsk, à 13 km de là (voir ci-après). Accueil un peu bourru, mais c'est bon.

CASHEL (AN CAISEAL)

IND. TÉL. : 095

Petit port sans grande activité, entre la mer et les collines. Ça commence à être vraiment très beau. À propos, on signale qu'il est possible, quelques

kilomètres après Gortmore, de rejoindre Cashel par une petite route qui part (sur la droite) de la R 340, juste après avoir enjambé le petit pont de Abbainn (sur l'Invermore river). Très peu fréquentée, celle-ci coupe à travers landes et offre une vue superbe sur la bruyère sauvage avec, en toile de fond, les hautes montagnes du centre du Connemara !

Où dormir ? Où manger ?

Prix moyens

■ ***Shoreside Air B & B*** *(Madeleine Joyce)* **:** *Lehenagh. ☎ 311-41. • shoresideair@gmail.com • À l'entrée de Cashel en venant de Carna ou de Recess. Arrivé à hauteur de l'hôtel* Zetlan, *tourner à gauche ; puis prendre le 1er chemin sur la droite ; c'est indiqué. Un bus venant de Galway ou de Clifden vous dépose tlj à 5 mn de la maison. Ouv mai-sept. Compter 60-65 € pour 2. CB refusées.* Tranquillité garantie et vue imprenable sur la baie de Cashel ! On aime bien cette adresse, pas seulement pour la vue (et ses nains de jardin rigolos !), mais aussi pour l'accueil franchement nature et souriant de la maîtresse de maison, sans parler du breakfast... L'hôtesse propose des chambres *en suite* au style assez simple, presque kitschounet mais sympa. Certaines ont même la vue sur le bras de mer pour un beau coucher de soleil, demandez-en une.

■ |●| ***Rossroe Lodge* :** *Rossroe. ☎ 095-31-928. • rossroelodge@live.ie • Tte l'année. Compter 56-80 € pour 2, selon saison. Dîner (sur résa) 24 €/pers.* Un *B & B* récent, juste en bord de mer. 4 chambres confortables, dont 1 triple. Une seule avec vue sur mer. Grand salon pour les hôtes avec TV, lecteur DVD et une grande cheminée avec son feu de tourbe pour les fraîches soirées. Le propriétaire français, Sylvain, marié avec Mary, irlandaise, est cuisinier de formation : excellents petit déjeuner et *dinner.*

|●| ***Glynsk House* :** *Glynsk, Cashel Bay. ☎ 322-79. À 5 km après Carna et 7 km avt Cashel sur la R 340.* Bar food *tlj 12h-21h ; resto slt mai-sept.* Bar food *6-21 €, plats 12-21 €.* Grosse bâtisse jaune et toit d'ardoises, tellement isolée, qu'il est impossible de la rater ! C'est un peu l'étape obligatoire des touristes en excursion le midi, avec son magasin de souvenirs, son bar moderne et sa grande salle de restaurant attenante. Le soir (ou hors saison), l'ambiance est tout autre, cosy, relax, on s'y sent bien pour apprécier les bons plats copieux servis avec un sourire amical. Pas mal de poisson qui s'accompagne très bien d'une bonne *Guinness,* mais aussi canard rôti au miel et *chicken curry.* L'été, plateau de fruits de mer (un peu plus cher). On préfère sans hésiter la partie bar, donnant sur la lande, à la salle de resto, moderne et un peu ronflante (avec une petite vue mer). Ici, on peut rester tard en conversant avec les sympathiques gens du coin.

Très chic

■ |●| ***Cashel House Hotel* :** *☎ 310-01. • cashel-house-hotel.com • Bien indiqué en arrivant dans le village. Congés : 20-31 déc. Doubles 170-315 € selon saison en chambre standard, petit déj compris (encore heureux !). Dîner env 60 €, et encore, sans le service... Lunch et* Afternoon tea, *beaucoup plus abordables.* En fait, on vous l'indique plutôt pour le plaisir, celui de flâner dans une superbe demeure entourée par 17 ha de jardins (demandez le plan). Le général de Gaulle vint y passer 15 jours en 1969 après sa démission. Salons pleins de cachet, avec cheminées, et restaurant dans une vaste véranda fleurie. On pourra profiter de ce joli décor à l'heure du thé, sans trop casser sa tirelire. Petit port et plage privée... Atmosphère décontractée, absolument pas guindée (voir la collection de bottes en caoutchouc à l'entrée !).

ROUNDSTONE (CLOCH NA RON)

425 hab. IND. TÉL. : 095

Petit port typique et adorable avec des rues pentues et des maisons colorées donnant sur le littoral tourmenté. Recommandé pour l'étape du jour, d'autant que le village compte quelques bons restos et des adresses de charme. Ateliers artisanaux de *bodhran* (tambours) et de poterie. En juillet et août, pas mal de monde !

Adresse utile

Roundstone Information Centre : *face au* Roundstone House Hotel, *en contrebas, au Communauty Hall.* ☎ *350-44.* • *roundstone-connemara.com* • *Ouv Pâques-oct, fermé les w-e et j. fériés hors juil-août (s'adresser alors à* Errisbeg Lodge, *à 3 km sur la R 341 vers Clifden).* Infos touristiques, galerie d'art et organisation de la semaine *Arts Week* (voir plus bas « Manifestations et festivals »).

Où dormir ?

Campings

Gurteen Bay Caravan & Camping : *à 3 km à l'ouest du village, sur la R 341.* ☎ *358-82.* • *gurteenbay.com* • *Ouv mai-oct. Compter 20 € pour 2 avec tente ou caravane (électricité incluse). Douches payantes.* Au bord de la très belle plage de Gurteen Bay, propice à de jolies balades. Quelques espaces réservés aux tentes parmi plus d'une centaine de bungalows privés. Accueil correct. Cuisine, laverie et petite boutique.

Dog's Bay : *un peu plus loin que le précédent, sur la même route côtière.* ☎ *358-95. Ouv avr-oct. Env 12 € pour 2.* Moins équipé que le précédent, mais face à une autre superbe baie avec du sable blanc et de l'eau turquoise. Moins de bungalows aussi, l'emplacement des tentes est plus intégré à la nature. Accueil assez particulier quand même ! Un conseil, visitez les 2 campings avant de vous décider.

Prix moyens

Saint Joseph's B & B : *rue principale, à côté de l'*Eldon's Hotel. ☎ *358-65.* • *roundstonebandb.com* • *Fermé 21-28 déc. Compter 60-74 € pour 2 selon saison.* Une vraie petite maison de village, proposant des chambres simples, claires et nickel ; toutes avec salle de bains et TV écran plat. Certaines, lambrissées, donnent sur le petit port. Mignonne petite salle avec bow-window pour prendre le petit déj. Excellent accueil de Christina.

Wits End : *en plein centre.* ☎ *358-13.* • *roundstoneaccommodation.com* • *Ouv tte l'année sf autour de Noël. Compter 55 € pour 2 selon confort. CB refusées.* Dans une petite maison rose comme le plaisir, quelques chambres *en suite,* pas très grandes mais décorées avec goût et sobriété. Excellente tenue. Eileen, la charmante hôtesse, vous réserve un accueil on ne peut plus chaleureux, comme si vous retrouviez une amie de longue date. Son *Irish breakfast* est ééénorme, avec du saumon fumé. Expo de tableaux, et même vente de pulls en hiver pour les frileux !

Islandview : *au bourg.* ☎ *357-01.* • *islandview.ie* • *Compter 55-65 € pour 2. Parking à vélos.* Dans le centre de Roundstone, une pimpante maison de village (idéal au retour du pub !) entièrement rénovée. 6 jolies chambres décorées au goût du jour, avec ou sans vue ; on aime beaucoup la petite avec sa vue en angle. Accueil jeune et souriant.

Ivy Rock House : *Letterdyfe.*

LE CONNEMARA

☎ *358-72.* ● *ivyrockhouse.com* ● *Env 2 km avt d'arriver dans le village, sur la droite. Ouv de mi-mars au 30 oct. Compter 60 € pour 2. CB refusées.* Surplombant la route, grande maison moderne assez bourgeoise, toute jaune, avec une pelouse devant. Propose des chambres confortables, avec une vue extra sur la baie. Même au petit déj, on a la vue, et Dieu sait que c'est agréable ! Le tout est très moderne et impeccable. Bon accueil et prix raisonnables.

Rush Lake House : *à la sortie du village, vers Gurteen Beach.* ☎ *359-15.* ● *rushlakehouse.com* ● *Ouv Pâques-nov. Compter 68-75 € pour 2. CB refusées.* Une bonne adresse un peu à l'écart du centre. Une grande maison moderne mais coquette et accueillante avec terrasse dans un grand jardin bien entretenu. Les chambres sont bien agréables, équipées de lits douillets et de sanitaires nickel. Certaines donnent sur la côte. Gentille hôtesse et bon petit déj, servi dans une salle face à la mer.

Plus chic

Errisbeg Lodge : *face à Gurteen Bay, à 3 km vers l'ouest.* ☎ *358-07.* ● *errisbeglodge.com* ● *Ouv mars-oct. Compter 80-100 € pour 2. CB refusées.* *Enfants acceptés à partir de 8 ans.* Maison moderne, vaste et imposante, au pied d'une haute colline. Abrite 5 chambres *en suite*, 3 côté mer (mais pas de vue plongeante) et 2 face à la montagne couverte de lande où broutent les moutons. Déco sobre et agréable, très bon niveau de confort : parquet, lits *king size*, salon cosy et belle salle à manger où l'on engloutit un riche petit déjeuner (avec option végétarienne). Certes, c'est un peu plus cher que d'autres *B & B* du coin, mais c'est une adresse de standing et qui reste quand même moins onéreuse que les hôtels du village tout en étant plus sympa. De plus, bon accueil de Shirley et de son mari qui se feront un plaisir de vous prodiguer de bons plans balades (randos guidées proposées). Cours d'anglais pour adultes (sauf juillet-août).

Où manger ? Où boire un verre ?

Roundstone Café : *rue principale. Pâques-nov, tlj 10h-18h (22h en été). Compter 5-14 €.* Petit *coffee shop* sympa pour prendre le petit déj (*Irish* ou continental) ou pour grignoter une pizza, un snack ou prendre un café le midi si l'on n'a pas le budget resto. 2 plats différents par jour.

O'Dowd's Restaurant & Bar : *dans le centre.* ☎ *358-09. Pub et bar* food *ouv tte l'année ;* bar food *tlj 12h-21h30 (plats 9-21 €), resto ouv avr-sept tlj 18h-21h30 (plats 13-22 €).* Value menu *(12h-19h) 19,50 €.* Un vieux pub sympa avec une si chouette atmosphère qu'il a reçu un *James Joyce Award*. Le midi, on peut y manger pour pas cher ou se contenter de sandwichs. Très conseillé de prendre l'apéro côté pub et de réserver son couvert. Au resto, le *smoked salmon starter* est un peu chiche, mais les plats sont copieux à défaut d'être toujours très fins. Essayer par exemple les *ocean rolls* ou la *seafood* au gratin. Service charmant.

Vaughan's Restaurant & Bar : *dans le centre, à côté de* Wits End. ☎ *358-64.* Bar food *12h-19h, snacks et plats 5-21 € ; resto 19h30-21h, plats 23,50-27 €.* Au rez-de-chaussée de l'hôtel *Roundstone House*, bar sympathique en lambris proposant *Irish stew*, lasagnes et sandwichs pas chers. Belle salle de restaurant à côté, mur ocre rouge, tableaux d'inspiration marine, moquette épaisse et nappe blanche. Dans une catégorie chic, excellents poissons frais du jour (turbot, saumon, carrelet), mais aussi canard et steak. Bon accueil. Une valeur sûre.

Achats

Roundstone Music Crafts and Fashion at IDA Centre : *The Monastery.* ☎ *358-08.* ● *bodhran.com* ● *Au bout du village, au fond d'une impasse qui part de la rue principale, après la belle porte crénelée en pierre d'un ancien monastère. Mai-oct, tlj 10h-18h ; hors saison, tlj sf dim. Entrée* *gratuite.* Pour ceux qui veulent acheter les vrais *bodhran* en peau de chèvre (les tambours traditionnels), on peut observer leur fabrication dans l'atelier mitoyen et les tester dans la « chambre d'essai » ! Vous y trouverez également une brochure intéressante en français (payante) sur l'histoire et la fabrication du *bodhran,* ainsi qu'un livre de leçons pour commencer à en jouer, rédigée par Sean D. Halpenny (un des meilleurs joueurs d'Irlande) et Malachy Kearns (c'est lui qui les fabrique). Également toutes sortes d'instruments à cordes, partitions, recueils de chansons, CD, etc.

Et les inévitables boutiques de souvenirs avec leur *coffee shop* !

Manifestations et festivals

– ***Petit festival d'Art et de Musique*** *(Arts Week) : fin juin, début juil, pdt 2 sem. Rens : 📱 086-821-51-53.*
– ***Pony, Dog, Sheep and Domestic Arts Show :*** *début juil. 📱 087-901-82-90.* • *roundstoneponyshow.ie* • Rassemble beaucoup de monde et l'ambiance est à la mesure de la Guinness qui y coule à flots.
– ***Courses de bateaux :*** *avt-dernier dim de juil.* • *roundstoneregatta.com* •
– ***Summer Festival :*** *mi-août, pdt 4 j.* • *roundstonesummerfest.com* • Spectacles variés, musique dans les pubs et activités pour les enfants.

DANS LES ENVIRONS DE ROUNDSTONE

Gurteen Bay *(Port na Feadoige) : à 3 km à l'ouest de Roundstone. À côté du camping de Gurteen et du cimetière.* Admirable plage de sable bien protégée.

Dog's Bay Strand : *un peu après Gurteen Bay.* Une des plus belles plages du Connaught, nichée dans une baie immense et protégée, aux eaux un peu moins froides. Là aussi, possibilité de camper (voir plus haut « Où dormir ? »)...

BALLYCONNEELY

Voilà un autre chouette coin pour bucoliques impénitents. Au village de Ballyconneely, prendre la route de gauche en venant de Roundstone, vers le *Connemara Golf Club.* En chemin, admirer les belles ruines, presque fantomatiques, de Bunowen Castle. Au bout de celle-ci, superbe plage d'*Aillebrack.* Sympathique petit port de pêche.

➢ Nombreuses balades possibles dans le coin, notamment à la pointe ouest, vers *Slyne Head.*

Où dormir ? Où manger ? Où boire un verre ?

Conamara House : *Golf Links Rd.* ☎ *(095) 235-30.* • *conamarahouse.com* • *À 3 km de la R 341, sur la route du golf et du centre équestre, juste après la fourche (c'est fléché). Ouv avr-oct. Compter 60 € pour 2. CB refusées.* Si, comme nous, vous avez un coup de cœur pour cette presqu'île de Ballyconneely, pourquoi ne pas y passer une nuit ? Cette magnifique maison blanche dans la lande désertique est une adresse hautement recommandable. Les chambres, impeccables, spacieuses et lumineuses, sont d'un confort équivalent à celles d'un bon hôtel pour un tarif de *B & B.* Mobilier de goût, moquette épaisse, lit douillet et grande salle de bains, jusqu'à l'accueil de Marian, petite mamie adorable, tout est absolument parfait. Lieu idéal tant pour les golfeurs et cavaliers qui pourront pratiquer leur passion à proximité que pour les amoureux de la nature, des plaines ventées et des plages de rêve aux eaux transparentes. Un véritable paradis écologique !

Keoghs Restaurant & Bar : *☎ 235-22. Sur la R 341 à l'entrée de la presqu'île. Ouv tte l'année, tlj 10h30-21h.* Seul lieu pour se sustenter ou boire un coup dans les environs. Mais la carte se limite à de simples en-cas et sandwichs, à déguster au coin d'une petite cheminée avec son feu de tourbe. Grand bâtiment jaune et noir en bordure de route avec terrasse entourée de palmiers ! Intérieur chaleureux, 2 salles séparées par un grand bar, décorées de photos de musiciens, de chevaux de course et de trophées de golf. Musique le samedi soir.

Où acheter du (très bon) saumon fumé ?

Connemara Smokehouse : *sur le port. ☎ (095) 237-39. • smokehouse.ie • Lun-ven 9h-13h, 14h-17h. Fermé w-e et j. fériés.* Possibilité d'y acheter du saumon fumé bio ou sauvage, mais aussi du thon, des maquereaux, des *kippers*... Chaque année, cette fumerie est primée pour son saumon fumé biologique, considéré par beaucoup comme le meilleur d'Irlande. Prix très raisonnables (et expédition possible vers la France). Visite de la structure assurée en français par Nicolas, un « expat », passionné par son métier et fier de son produit, élaboré dans les règles de l'art.

Balades à cheval

■ ***The Point Pony Trekking & Horse Riding Centre : Keeraunmore.*** *☎ (095) 236-85. 📱 087-246-82-94. • thepointponytrekkingcentre.com • En direction de Clifden, tourner à gauche à Ballyconneely, puis à droite à la fourche suivante et continuer sur env 6 km en longeant le golf (c'est fléché). Fermé les 2 premières sem de sept (nov-mars, sur résa slt). Promenade 30 €/h, 60 € pour 2h. CB refusées.* Excellent accueil d'Anne, Belge francophone. Jolies balades, de 1h à la demi-journée, pour tous niveaux (petits et grands), notamment le long de belles plages de sable blanc aux eaux transparentes. Les paysages sauvages et ventés des environs sont vraiment de toute beauté ! C'est d'ailleurs d'ici que vient le double poney du Connemara.

➢ Le paysage se transforme à partir de maintenant. La nature se radoucit, les rocs cèdent le pas aux prairies pentues, aux arbres et annoncent Clifden, l'oasis de verdure de l'ouest du Connemara.

DE GALWAY À CLIFDEN PAR LES TWELVE BENS

Le chemin le plus court : belle route, surtout après Maam Cross, lorsqu'on commence à longer les montagnes du centre du Connemara (les Maumturk Mountains et les Twelve Bens), jusqu'à Clifden. On passe successivement par *Moycullen, Oughterard, Maam Cross* et *Recess.* Paysage de plaines verdoyantes d'abord, plus accidenté, sauvage et désolé ensuite, le tout parsemé de nombreux lacs. En sortant d'Oughterard, sur les rives des premiers lacs à gauche, les lough Agraffard et lough Bofin, furent tournées les scènes les plus passionnées de *L'Homme tranquille.*

Adresse utile

Office de tourisme : *Main St,* ***Oughterard.*** *☎ (091) 552-808.* • *connemarabegins.com* • *Lun-ven 9h-30-17h30 ; plus sam mai-août et dim juil-août.* Avec Galway, c'est le plus documenté des offices de tourisme ; un des rares ouverts toute l'année. Excellent accueil. Vous y trouverez des infos sur tout le Connemara dont Oughterard est LA porte d'entrée (hébergement, sentiers de randonnées dont la *Western Way,* les activités sportives : équitation, pêche, vélo-cross, etc.).

Où dormir ? Où manger en chemin ?

De bon marché à prix moyens

Holiday Hostel Angling Center : *Station Rd, à* ***Oughterard.*** *☎ (091) 552-388.* • *oughterardhostel.com* • *À la sortie nord du village, tourner à gauche face à l'église et faire env 1 km. Ouv fév-oct. Compter 17-19 €/pers en dortoir et 20-23 € en chambre double ou familiale ; tarifs dégressifs.* AJ privée, dans un bâtiment neuf et sans charme mais au calme, devant un grand espace vert. Cuisine bien équipée. Service de laverie. Minidortoirs de 4 à 12 lits superposés ; 1 chambre double et 3 chambres familiales mansardées, avec salle de bains chacune, le tout très récent et très propre. Alcool interdit. Pêche possible. Pas mal d'activités proposées. Bon accueil.

The Fisherman's Pub : *au Ballynahinch Castle, à* ***Recess.*** *☎ (095) 310-06. Tlj 12h30-15h. Plats 4-21 €.* Il y a certes la table renommée très chère, mais le château dispose de son propre pub, idéal pour un petit en-cas. Au menu, soupes, sandwichs, salades assiettes de fromages ou poisson du jour. L'endroit s'avère tout à fait abordable pour se détendre dans ce lieu remarquable, on ne peut plus accueillant avec ses tommettes, ses cheminées et ses boiseries anciennes.

De prix moyens à plus chic

The Western Way : *Camp St, dans le centre d'****Oughterard.*** *☎ (091) 552-475.* • *westernwaybb.com* • *En venant de Galway, prendre à droite dans le village. Ouv mars-oct. Compter 70 € pour 2 selon confort et saison ; réduc à partir de 2 nuits.* Joli petit *B & B* avec des chambres mignonnes et soignées, avec ou sans salle de bains, aménagées chacune dans des tons différents. Petit salon avec cheminée en pierre pour les hôtes tout aussi joli. Bon accueil.

Corrib Wave Guesthouse : *Portcarron,* ***Oughterard.*** *☎ (091) 552-147.* • *corribwave.com* • *À 1,5 km avt Oughterard, petite route sur la droite et encore 1,5 km jusqu'à la guesthouse. Fermé nov-jan. Compter 70 € pour 2. Dîner 22 €. Prix dégressifs et forfaits. Loc de bateau à moteur.* On vous l'indique surtout pour sa situation au bord du lac, agréable pour une étape. Cependant, déco standard et ça fait un peu motel, vu le nombre de chambres et l'organisation ronronnante (dîner à 19h pile !). Location de bateaux pour pêcher.

Très chic

Currarevagh House : Oughterard. *☎ (091) 552-312.* • *currarevagh.com* • *Depuis Oughterard, en venant de Galway, prendre à droite dans le village sur env 6 km. Ouv mars-oct. Resto accessible aux non-résidents mais résa obligatoire. Double env 155 € (petit déj et « goûter » compris). Dîner complet 45 € (sans le vin ni le service).* Ici, tout respire le calme, le luxe, mais aussi le bon goût et la décontraction. Très belle demeure aristocratique datant de 1846, au milieu d'un bois et non loin du lac Corrib. Belle décoration avec de vieux meubles chaleureux. La peau de tigre dans l'escalier vient d'une partie de chasse du grand-père du propriétaire. Chouette cheminée où brûle toujours la tourbe. Chambres tout confort et délicieusement désuètes (de taille variable). Au programme, *tea time,* tennis et canotage. Et, bien sûr, promenades bucoliques à pied dans une nature vierge, avec possibilité de pêcher sur le lac. Une authentique adresse de charme.

À voir en chemin

Après Galway, en se dirigeant vers Oughterard, vous longerez **Corrib Lake,** le deuxième plus vaste lac d'Irlande (après le lough Neagh), très renommé pour la pêche au brochet, à la truite et au saumon. Possibilité de louer une petite embarcation pour explorer les îles (dans les *angling centres* ; demander la liste à l'office de tourisme d'Oughterard).

The Quiet Man Bridge : *à 3 km d'Oughterard ; fléché depuis la N 59 (puis à quelques centaines de mètres).* Le pont immortalisé par John Ford au tout début de son film est la première étape d'un circuit disponible à l'office de tourisme. Rien n'a changé depuis que John Wayne, de retour au pays, s'arrête, ému, devant ce paysage grandiose. 7 autres étapes permettront aux fans de retrouver les lieux qui servirent de décor au film qui fait ici l'objet d'un véritable culte... Mais après tout, Orson Welles estimait qu'il s'agissait du plus beau film de l'histoire du cinéma !

Brigit's Garden : *Pollagh,* ***Roscahill.*** ☎ *(091) 550-905.* • *brigitsgarden.ie* • *À 6 km avt Oughterard. Sur la N 59 à 10 km de Moycullen en venant de Galway, prendre une route à droite et continuer sur 3 km (c'est fléché). Fév-oct, tlj 10h-17h30. Compter, selon saison, 5,50-7,50 €/pers ; réduc.* Drôle de jardin que celui de la déesse Brigit ! Si vous vous attendez à voir un beau parc floral, vous allez être déçu. C'est une plongée dans un univers vraiment particulier où ceux qui n'ont pas d'intérêt pour la mythologie celtique feraient mieux de passer leur chemin. Il faut dire que l'on ne comprend pas grand-chose à ces petits jardins thématiques tout vides, avec çà et là un dolmen, des branches d'arbres morts aux formes bizarroïdes en guise de sculpture ou un calendrier solaire donnant même le mois, mais seulement pendant les éclaircies ! Les autres y verront un lieu de méditation en parcourant le jardin des quatre saisons celtiques, la forêt de menhirs, ou en étudiant l'histoire de chaque espèce d'arbre ponctuée de réflexions philosophiques. Si vous n'avez pas tout compris, allez voir Nicolas, pas le jardinier mais le cuisinier français spécialisé dans la préparation de plats végétariens bio faits avec les produits du *jardin de Brigit.*

Aughnanure Castle : ☎ *(091) 552-214. À 1,5 km au sud d'Oughterard, au niveau du golf. Petite route sur la droite (en venant de Galway) sur env 2 km. Ouv de fin avr à fin oct, tlj 9h30-18h ; fermeture du guichet à 17h15. Entrée : 3 € ; réduc.* Heritage site. Construit par les O'Flaherty, vers 1500. Superbe tour de quatre étages.

Ballynahinch Castle : *à* ***Recess.*** ☎ *(095) 310-06.* • *ballynahinch-castle.com* • *Sur la R 59, à 5 km de Recess en venant de Galway, prendre à gauche la R 341 direction Roundstone sur 4 km (c'est fléché). Ouv tte l'année.* Dans une forêt de pins vallonnée, le château se trouve au bord d'une rivière sinueuse. L'accès n'en est pas payant. De cette prestigieuse demeure du XVIIIe s, vous pouvez faire cinq magnifiques balades à pied d'une durée de 20 mn à 3h (plan gratuit à la réception), en longeant la rivière et le lac Ballynahinch. Le château lui-même n'est pas visitable, c'est un hôtel de luxe. On fera néanmoins un stop au pub (voir plus haut).

➢ Si vous voulez embrasser ce paysage d'un seul coup d'œil, faites l'ascension du **Ben Lettery** (le plus au sud des Twelve Bens, ou *Pins*), à 600 m d'altitude. Cartes *Discovery Series* nos 44 et 37. Pour y aller, laisser à gauche l'embranchement pour Roundstone et continuer sur 2 miles jusqu'à un grand bâtiment blanc. Se garer sur le parking, la grimpette commence derrière. 2 petites heures de montée et 1h seulement pour la descente. Pas vraiment de sentier jusqu'au sommet, mais il est facile de s'orienter. Attention, il est très facile aussi de glisser. Si, après ça, il vous reste du courage, faites le tour du cirque en ralliant les sommets un à un. Là aussi, gare aux risques réels de chute. D'en haut, la vue est époustouflante sur tout le Connemara par temps dégagé.

➢ Une randonnée mythique, la ***Western Way*** : depuis Galway, via Oughterard, les *Maumturk Mountains,* Leenane, jusqu'à la côte nord du Mayo et le comté de Sligo (soit un total de 250 km). Six sections qui permettent de parcourir à pied le Connemara sauvage (66 km). Renseignements et topoguides disponibles à l'office de tourisme.

CLIFDEN (AN CLOCHÁN)

1 900 hab. IND. TÉL. : 095

Petite ville charmante au bout de la route venant de Galway, mais beaucoup, beaucoup de monde en été, et parfois, ça devient un peu énervant. Heureusement, la région autour invite à de nombreuses balades. On a envie de se perdre dans tous ces petits chemins qui parcourent la bruyère et qui longent les rivières. Ce ne sont pas des promenades qui nécessitent des kilomètres de marche, car ici tout se trouve à proximité. Après 5 mn à pied, vous êtes déjà dans une lande magnifique. La mer est toute proche elle aussi. Ne manquer sous aucun prétexte la balade sur la *Sky Road* (*Upper* et *Lower*), à emprunter à différentes heures de la journée pour découvrir de nouvelles lumières incroyables.

GLOIRE AUX HÉROS DE LA VOLTIGE

En 1919, 8 ans avant Lindbergh (!), les aviateurs Alcock et Brown furent les premiers à traverser l'Atlantique. Le vol a, à plusieurs reprises, été proche du désastre (problèmes de moteur, brouillard, gasoil). Il a été sauvé par les sorties répétées de Brown sur les ailes pour enlever la glace et par les prouesses de pilote d'Alcock. De Terre-Neuve, ils parcoururent 3 500 km en 16h, à une vitesse moyenne de 190 km/h. L'Histoire n'a pas retenu leur nom. Il faut dire qu'il y avait moins de monde à Clifden où ils se sont posés en catastrophe qu'au Bourget où a atterri Lindbergh.

LE *PONY SHOW*

Le troisième jeudi d'août se tient l'une des plus belles foires aux poneys qu'il soit donné de voir dans le pays. Ici, dans le Connemara, hommes et chevaux vivent dans une harmonie et une complicité totales. Le poney, robuste et très bien proportionné, s'acclimata à la dureté du relief et y gagna en solidité et en endurance. Il descendrait des chevaux rescapés de l'Invincible Armada, lorsqu'elle fut jetée sur les côtes par la tempête. Les Espagnols qui occupèrent un temps Galway durent introduire aussi un peu de sang d'étalon andalou.

Le *Pony Show* est donc une grande fête du cheval à laquelle assistent des milliers de spectateurs. Plus précisément, il s'agit d'un concours à l'issue duquel certains poneys se voient décerner un prix pour être les plus remarquables de leur « catégorie » (sexe, tranche d'âge...). Le lendemain, on procède à la vente aux enchères des équidés qui ont pris part à la compétition. Atmosphère de kermesse bon enfant dans toute la ville, où les fûts de *Guinness* ne se comptent plus...

Arriver – Quitter

En bus

Billets vendus sur Internet ou dans le bus.

🚌 ***Arrêt des Bus Eireann*** *(plan B2)* **:** *Market St, dans le centre. Infos :* ☎ *(091) 562-000.* ● *buseireann.ie* ●

➢ ***De/vers Galway :*** lun-sam, 5-6 bus/j. en été et 3 le reste de l'année ; dim, 1-2 départs slt selon saison. La plupart des bus prennent

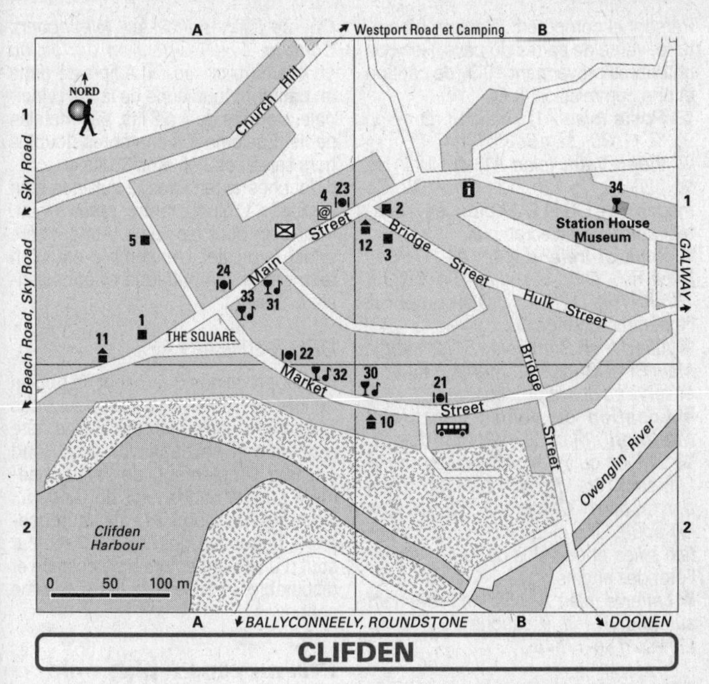

CLIFDEN

Adresses utiles

- Arrêt des Bus Eireann et City Link
- Office de tourisme
- 1 Bank of Ireland
- 2 Allied Irish Bank
- 3 John Mannion (location de vélos)
- @ 4 Video Vault
- 5 Laverie

Où dormir ?

- 10 Clifden Town Hostel
- 11 Sea Mist House
- 12 Ben View House

Où manger ?

- 21 Cullen's
- 22 Mitchell's
- 23 Off the Square
- 24 Marconi Restaurant

Où boire une bonne *Guinness* ? Où écouter de la musique ?

- 30 Mannion's
- 31 Hotel Central
- 32 Lowry's Pub
- 33 E.J. King's
- 34 Station House Bar

la N 59 (trajet : 1h30), mais quelques-uns suivent la côte, via ***Ballyconneely*** et ***Roundstone*** (30 mn de plus). Tous, cela dit, passent par ***Recess, Maam Cross, Oughterard*** et ***Moycullen.***

➢ ***De/vers Westport :*** 1 bus/j. en été lun-sam, via ***Leenane*** ; aucun le dim. Trajet : 1h30.

Arrêt des bus City Link *(plan B2) : Market St.* ☎ *1890-28-08-08. • citylink.ie •*

➢ ***De/vers Galway :*** bus 5 fois/j. tte l'année, via ***Recess*** et ***Maam Cross.***

➢ ***De/vers Letterfrack et Cleggan :*** même fréquence que pour Galway, c'est le même bus mais dans l'autre sens.

Adresses utiles

Office de tourisme *(plan B1) : Galway Rd.* ☎ *211-63. • discoverireland.ie/west • Ouv de la Saint-Patrick à mi-oct : juil-août, tlj 10h-18h ; le reste du temps, lun-sam 10h-16h45.*

Personnel compétent. Comme d'habitude, vente de cartes du pays. Résa de chambres moyennant 10 % de caution et une commission (5 €).

✉ **Poste** *(plan A1) : Main St. Lun-ven 9h30-17h30 ; sam 9h30-13h.*

@ **Video Vault** *(plan A1, **4**) : Main St. ☎ 220-33. Tlj 11h (12h dim)-23h.* Ce magasin de CD et DVD propose 8 postes rapides avec écran plat.

■ ***Bank of Ireland*** *(plan A1, **1**) : Sea View Rd. Ouv lun-ven 10h-12h30, 13h30-16h (17h lun).* Distributeur à l'extérieur. Change.

■ ***Allied Irish Bank*** *(plan B1, **2**) : angle Main St et Bridge St. Mêmes horaires et services que la précédente.*

■ **Location de vélos :** *chez* **John Mannion** *(plan B1, **3**), Bridge St. ☎ 211-60 ou 55. • clifdenbikes.com • Lun-sam 10h-18h ; dim 10h-12h (fermé dim en hiver). Compter 15 €/j. (18 € en juil-août).* Une cinquantaine de *mountain bikes* et de vélos de route. Vérifier l'état des engins.

■ ***Laverie*** *(plan A1, **5**) : en remontant sur Church Hill, à gauche du Square. Lun-sam 9h-17h45.*

LE CONNEMARA

Où dormir ?

CAMPING

⛺ ***Shanaheever Caravan & Camping Park*** *(hors plan par A1) : ☎ 221-50. • clifdencamping.com • À 2 km de Clifden env, par la route de Westport (N 59). Petite route qui part à droite ; à 500 m. Ouv de mi-mars à sept. Résa impérative en été pour les groupes. Pour 2, compter 18-22 € avec tente et voiture. CB refusées. Douches chaudes gratuites.* Bien situé en pleine nature. Derrière, les collines à perte de vue. Correct et calme. Camping traditionnel, sans chalets, ni mobile homes (un vrai camping, quoi !) ; environ 70 emplacements. Bon accueil. On y parle le français. Service de laverie, salle de jeux avec billard.

AUBERGE DE JEUNESSE

⌂ ***Clifden Town Hostel*** *(plan B2, **10**) : Market St. ☎ 210-76. • clifdentown hostel.com • Dans le centre du village. Ouv tte l'année (nov-fév, téléphoner). Compter 17-21 €/pers en dortoir ou en chambre privée.* 📶 AJ privée dans un bâtiment tout jaune de la rue principale. Dortoirs de 4 à 8 lits, aux matelas neufs. Également 4 chambres doubles hors saison et 2 en été ; 36 lits en tout ; 6 douches extérieures. 2 cuisines bien équipées. Clé pour rentrer après minuit. Petit coin pour les vélos. Atmosphère quasi familiale. L'ensemble est bien tenu par le sympathique et consciencieux Sean.

BED & BREAKFAST

La plupart de nos *B & B* sont un peu en dehors du centre-ville. Pas pour vous faire courir, mais bien pour vous faire profiter des paysages de Sky Road ou, tout simplement, de l'environnement naturel enchanteur de Clifden... Comme trop souvent, malheureusement, beaucoup des *B & B* du secteur sont d'une architecture disgracieuse et discutable... Les adresses de charme sont rares !

Prix moyens à plus chic

⌂ ***Winnowing Hill*** *(Mrs Kelly ; hors plan par A2) : Ballyconneely Rd. ☎ 212-81. • winnowinghill.com • À 1 km de Clifden, sur la route de Ballyconneely-Roundstone ; c'est indiqué à droite en venant de Clifden. Ouv avr-fin oct. Compter 65-70 € pour 2. CB refusées.* 📶 Sur une petite butte dominant la campagne dans un grand jardin avec terrasse. Chambres toutes un peu différentes dont 1 avec une très belle vue sur le village ; toutes possèdent une salle de bains. Les 2 du haut, de belle taille, sont mansardées. Jolie salle TV avec Chesterfield confortable. Accueil familial et chaleureux. Les *scones* préparés la veille au soir avec amour sont excellents. Pas cher, vu la qualité.

⌂ ***Heather Lodge*** *(hors plan par B1) : sur la route de Westport, à env 1,5 km de Clifden, à gauche. ☎ 213-31. • heatherlodge.ie • Ouv mars-oct. Compter 65-76 € pour 2 selon saison.* 💻 📶 Gros *B & B* jaune dans un grand jardin fleuri au bord du lac Breonna Bainne. Chambres personnalisées et très soignées, certaines donnant sur le lac. Jane, l'hôtesse, est très accueillante. Le matin, très bon petit déj servi dans une salle avec vue sur les Twelve Bens, sur fond de musique traditionnelle irlandaise. Même vue depuis le confortable salon. En prime, un billard et un piano. Bonne adresse malgré la proximité de la route.

Rockmount House *(hors plan par A2)* **:** *Lower Sky Rd. ☎ 217-63. 087-649-40-73. • rockmounthouse.com • À 5 km de Clifden. Ouv avr-fin sept. Compter 66-76 € pour 2. CB refusées.* Belle situation à deux pas des flots, idéal pour une balade sur la plus belle partie de Sky Road. L'intérieur est particulièrement réussi ! Toutes les chambres ont TV et salle de bains. Petit déj mémorable face à la baie de Clifden où vous verrez peut-être passer des dauphins. Petite *sitting room* impeccable avec TV écran plasma. Vraiment sympa !

Sharamore House *(hors plan par A1)* **:** *Streamstown, route de Westport. ☎ 210-73. 086-345-83-13. • sharamore.com • À 3 km de Clifden, sur la route de Westport, prendre la petite route de Cleggan-Claddaghduff sur la gauche, c'est la 2e maison sur la droite à 100 m de l'embranchement. Fermé 15 j. en fév. Compter 60-80 € pour 2.* Une grande maison jaune toute simple avec 4 grandes chambres confortables dont 3 ont vue sur le bras de mer. John, le proprio, organise des journées de pêche au gros (requins bleus, thons). Les murs de la maison sont couverts des photos de ses plus belles prises. Pour les passionnés, c'est là qu'il faut aller. Le petit déj est servi par Sue, sa femme, autour de la grande table familiale, propice aux discussions avec d'autres routards et pêcheurs. Et pourquoi pas une sortie en mer en se joignant à un groupe ? Novices acceptés.

Mallmore House *(hors plan par A2)* **:** *Ballyconneely Rd. ☎ 214-60. • mallmorecountryhouse.com • À 1,5 km de Clifden, sur la route de Ballyconneely-Roundstone ; c'est indiqué à droite en venant de Clifden. Ouv mars-fin oct. En été, résa hautement conseillée. Compter 60-80 € pour 2 selon saison. CB refusées.* Un rapport qualité-prix assez exceptionnel. Au milieu d'un parc superbe, après une entrée majestueuse gardée par 2 aigles en pierre, grande maison à colonnades aux généreuses proportions et mobilier ancien. Édifiée en 1789 par un certain John d'Arcy, nom d'origine française, le fondateur de Clifden. En fait, un vrai lieu de charme, et le couple de proprios, joyeux et très sympa, a lui aussi de la classe, ce qui ne gâche rien. Chambres spacieuses et confortables, avec salle de bains et, pour certaines, un très agréable bow-window (coin salon dans une minirotonde) donnant sur le jardin et Sky Road au loin. Tranquillité totale. Petit déj à la carte, ayant remporté plusieurs prix. Une adresse qui fait la différence avec beaucoup d'autres, sans être vraiment plus chère, ce qui vaut la peine d'être souligné.

Sea Mist House *(plan A1-2,* ***11****)* **:** *Seaview. ☎ 214-41. • seamisthouse.com • Fermé nov-mars. Compter 80-100 € pour 2 selon confort et saison.* La plus jolie maison du centre-ville de Clifden date de 1820. Elle fut construite pour John d'Arcy, le fondateur de la ville, et depuis est devenue une *guesthouse* de charme. Accueil souriant et chaleureux, à l'image de cette demeure douillette et raffinée. Petits déj gourmands et variés.

Connemara Country Lodge *(hors plan par B1)* **:** *Wesport Rd. ☎ 211-22. • connemaracountrylodge.com • À 2 mn du centre-ville. Compter 80 € pour 2.* Bienvenue chez Mary Corbett ! Une gloire locale de la musique irlandaise qui vous reçoit avec sourire, chaleur et gentillesse (et en français !). La façade georgienne est un peu austère et les chambres simples mais accueillantes. Au petit déjeuner, Mary entonne des *Irish songs and ballads,* pour le plus grand bonheur de ses hôtes. Une adresse conviviale et originale.

Hillside Lodge *(hors plan par A2)* **:** *Sky Rd. ☎ 214-63. • hillside-lodge.com • Ouv fév-nov. Selon saison et confort, compter 70-90 € pour 2. Enfants acceptés à partir de 12 ans.* Une imposante maison blanche sur la baie dans la 1re partie de Sky Road (mais sans vue particulière). Ruth vient de la déco, Stuart a tourné avec des grands groupes comme U2 ou Sinead O'Connor, et dans les chambres, ça se voit ! Elles sont belles et confortables, avec salle de bains, et associent luxe et déco branchée (voir celle consacrée aux Beatles). Le couloir est recouvert d'affiches de concert, d'autographes, et on voit même une guitare électrique design. Une belle ambiance bobo chic et un accueil chaleureux (avec peut-être un petit bœuf à la guitare le soir dans les gros fauteuils bien moelleux du salon). Une de nos adresses préférées.

Faul House Farmhouse *(hors plan par A2)* **:** *Ballyconneely Rd.* ☎ *212-39.* • *faulhouse.com* • *À 2 km de Clifden, sur la route de Ballyconneely-Roundstone ; c'est indiqué à droite en venant de Clifden. Ouv de mi-mars à fin oct. Compter 70-80 € selon saison. CB refusées.* Une grande maison neuve, entourée de champs où paissent moutons et poneys. 6 chambres absolument impeccables vont de grandes à immenses avec lit *king size* et mobilier de choix. Kathleen sait accueillir avec classe ses hôtes, pour qui elle est pleine d'attentions. Chaleureux petit salon avec cheminée et excellent petit déj traditionnel ou saumoné dans une vaste et lumineuse *dining room.* Beaucoup reviennent, et on les comprend.

Ben View House *(plan B1,* ***12****)* **:** *Bridge St.* ☎ *212-56.* • *benview house.com* • *Ouv tte l'année. Compter 70-90 € selon saison.* Contrairement à son nom, pas de vue puisque l'on est en pleine ville. Mais voici le plus vieux *B & B* de Clifden (1926), tenu avec passion par la petite-fille de la 1re propriétaire. Une dizaine de petites chambres assez semblables par leur style charmant et ancien, dans un dédale de couloirs étroits. Adorable salle de petit déj, à la déco à la fois chargée de bibelots à profusion et touchante. Petit salon. La patronne, adorable elle aussi, se fera un plaisir de vous parler de l'histoire de son *B & B* dont elle est (très) fière !

Chic

The Quay House *(hors plan par A2)* **:** *Beach Rd.* ☎ *213-69.* • *the quayhouse.com* • *Du centre, passer devant la* Bank of Ireland *et, à la fourche, prendre la petite route de gauche (celle de droite étant Sky Rd) ; c'est en face du « port ». Ouv de fin mars à fin oct. Compter 130-180 € pour 2.* Cette élégante demeure (un ancien couvent) a bien fière allure avec sa tourelle. Mais elle cache bien son jeu puisque en passant la porte, c'est un véritable « cabinet de curiosités », comme on disait jadis, que l'on découvre avec étonnement et émerveillement. Salon plein de peaux de tigres, couloirs et chambres remplis de portraits anciens, de poissons naturalisés, de cornes de gazelles et autres objets loufoques. La quinzaine de chambres ne déçoit pas : portrait de l'Empereur dans la chambre « Napoléon », absolument délicieuse, ou exotisme garanti dans la « chambre africaine » avec sa peau de zèbre au mur, sa baignoire anachronique et son chouette balcon donnant sur le port. On prend le petit déj (gargantuesque !) dans un superbe jardin d'hiver, quasiment une serre tropicale. Accueil excellent. Une douce folie pour amateurs de « luxe » et d'excentricité...

Dolphin Beach Country House *(hors plan par A2)* **:** *Lower Sky Rd.* ☎ *212-04.* • *dolphinbeachhouse.com* • *À moins de 5 km du centre. Ouv de mi-mars à fin oct. Compter 100-150 € pour 2 selon saison, taille, vue et confort. Dîner sur demande (à faire au moment de la résa), en été 37 €. Enfants acceptés à partir de 12 ans.* Sur cette bucolique Sky Road, voici une somptueuse bâtisse ocre aux accents méditerranéens. Ce n'est certes pas donné, mais la qualité du lieu justifie amplement les prix. Terrasse et *dining room* avec vue sur la mer et les verts pâturages tout autour. 9 chambres, superbes et spacieuses, garnies de mobilier choisi (on vous laisse la surprise des lits !), avec parquet, salle de bains pimpante (certaines avec jacuzzi) et grande porte vitrée coulissante. La plupart profitent d'une vue magnifique, et on se perd pour retrouver la sienne dans un labyrinthe de couloirs et d'escaliers élégants. Parfait pour mêler luxe, calme et volupté, et, qui sait, s'il fait beau, piquer une petite tête avec les dauphins ! Bon accueil.

Où dormir dans les environs ?

CAMPING

⛺ ***Acton's Beachside Caravan and Camping Eco-Park : Claddaghduff.*** *☎ 440-36. • actonsbeachsidecamping.com • À 3 km env du centre de Clifden, en direction de Wesport, tourner à gauche vers Claddaghduff ; continuer encore 6 km. Compter 20 € pour 2 avec tente et voiture.* Sur les dunes, face à la baie, ce camping ravira les amateurs de camping sauvage, à l'ancienne, à « la dure ». Car il faut admettre que le confort est réduit au minimum (électricité, douches chaudes, machine à laver, séchoir...). En attendant, décor spectaculaire et accueil adorable de la part du jeune patron. On adore !

BED AND BREAKFAST

🏠 ***Ker Mor B & B :*** *☎ (095) 446-98. 📱 087-762-91-80. • kermor.ie • À 9 km à l'ouest de Clifden, sur la petite route de Cleggan, env 3 km avt d'arriver à Claddaghduff, sur la gauche, face à la mer. Ouv tte l'année. Compter 68-76 €. CB refusées.* C'est une maison bleue quasiment au bord de l'eau, tenue par Odile, une Bretonne passionnée de décoration. Propose des chambres charmantes, avec de belles boiseries, dont 4 ont vue sur la mer. Chouettes affiches de bateaux et déco générale de très bon goût, associant souvenirs de Bretagne au style irlandais. Agréable salle commune avec cheminée et musique. Une mention spéciale pour le petit déj où l'on pourra vous servir des œufs au saumon fumé bio. À noter également, la possibilité de déguster des huîtres sur demande (Jean, le compagnon d'Odile, est ostréiculteur) et d'utiliser la cuisine. Bon accueil en français, ce qui soulagera les plus cancres de nos lecteurs... mais pas qu'eux ! Et infos sur les balades dans la région (l'île d'Omey est à 10 mn à pied... à marée basse).

Où manger ?

Clifden est une destination très touristique (euphémisme). Du coup, on y trouve pas mal de restos de toutes sortes, dont beaucoup se révèlent de bonne, voire d'excellente qualité. Un conseil : en été, tâchez de réserver votre table.

Bon marché

|●| ***Cullen's*** *(plan B2,* ***21****) : Market St. ☎ 219-83. Ouv Pâques-oct. Petite restauration le midi 8-15 € jusqu'à 17h ; plus cher le soir (10-20 €).* Petite salle sympa qui balance entre le *coffee shop* et le resto. Belles assiettes de saumon fumé, excellents *open sandwiches* au crabe « local », poulet du Connemara, saumon, *stews...* Le soir, ce sont en gros les mêmes plats que le midi mais en plus élaboré. Desserts maison délicieux eux aussi.

De prix moyens à plus chic

|●| ***Mitchell's*** *(plan A1,* ***22****) : Market St. ☎ 218-67. Ouv mars-oct, tlj 12h-22h. Plats env 17-27 € ; menu 25 €. Moins cher le midi.* Cadre de bois clair, raffiné et très plaisant. À l'étage, statues d'église dans leur niche, qui offrent une jolie touche d'originalité. C'est surtout un restaurant de poisson et fruits de mer (cabillaud, barbue, haddock, bar, moules, coquilles Saint-Jacques, *seafood tagliatelle*), mais on trouve aussi quelques plats de viande, comme le *Irish stew,* avec l'agneau du Connemara, et des options végétariennes. Repas du soir à la bougie pour une clientèle à la fois chic et cool. Bon accueil.

|●| ***Off the Square*** *(plan A1,* ***23****) : Main St. ☎ 222-81. Ouv tte l'année, tlj 9h-15h, 18h-21h30 ; service continu le w-e et en été. Plats env 18,50-25 € ; menus 22,50-25 €. Moins cher le midi (plats env 7-11 €).* Façade saumon, intérieur saumon et excellent *Organic Clare Island salmon* dans l'assiette. Cadre banal mais chaleureux, lumière tamisée, tableaux originaux en laine, beau parquet et vivier de homards et d'huîtres pour un service impeccable. Un bel effort de présentation et des plats variés : mouton du Connemara, canard rôti aux pommes et brandy,

nombreux poissons de Cleggan... Une bonne table que confirme son succès.

I●I ***Marconi Restaurant*** *(plan A1, **24**) : Main St. ☎ 218-01. Ouv mars-déc, tlj 18h-21h15. Plats env 15-22 € ; menu* early bird *25 € jusqu'à 18h45.* Élégante façade blanche de cet autre resto à belle allure pour un dîner aux chandelles. Déco originale mélangeant la maquette de l'avion d'Alcock et Brown au-dessus du bar, une pompe à essence des années 1950 et un montage de photos de cinéma de la même époque. Belle carte de viandes locales et grand choix de poissons frais du jour.

Où boire une bonne *Guinness* ? Où écouter de la musique ?

🍷 ♩ ***Mannion's*** *(plan B2, **30**) : Market St. ☎ 217-80. Concerts à partir de 22h, ts les soirs juin-sept, slt sam le reste de l'année.* Le décor n'est malheureusement pas aussi traditionnel que la musique, mais on vient juste pour celle-ci et pour l'excellente atmosphère qui y règne les soirs de concert. Beaucoup de locaux. En principe, John G. Walsh, champion d'accordéon du Connaught, y joue 3 fois par semaine, souvent accompagné de sa fille au violon... Les autres soirs, leurs élèves prennent la relève.

🍷 ♩ ***Lowry's Pub*** *(plan A2, **32**) : Market St. ☎ 213-47. En été, musique ts les soirs sf dim ; le reste de l'année, slt mar, jeu, ven et sam.* Pub familial avec moquette et banquettes rouges. Ici encore, possibilité d'écouter John G. Walsh et sa fille. Le mardi, place aux *sessions* où, parfois, il finit par y avoir plus de chanteurs que de clients !

🍷 ♩ ***Hotel Central*** *(plan A1, **31**) : Main St. ☎ 214-30. Fermé nov. Concerts 4 fois/sem en été ; slt le w-e hors saison.* Bar classique mais, musique traditionnelle ou ballades, ça dépend. Kevin Barry et son frère Eugen, superbes à l'accordéon et à la guitare, y jouent parfois en saison, accompagnés d'autres bons.

🍷 ♩ ***E.J. King's*** *(plan A1, **33**) : The Square. ☎ 213-30. Musique traditionnelle ou country ts les soirs en saison, vers 22h.* Ne pas confondre avec le *King's Bar* juste à côté (sympa mais sans musique). Grande salle. Bonne ambiance. Cela dit, pas mal de Dublinois et de touristes en été... On peut aussi y manger (cuisine assez réputée, notamment son *Irish stew*).

🍷 ***Station House Bar*** *(plan B1, **34**) : juste en face de la Station House Museum (voir plus loin) ; l'ancienne voie ferrée avec son poteau de signalisation borde ce bon café-resto (env 8-12 €).* Déco amusante (une vieille gare en briquette rouge avec salle aménagée dans le hall d'attente entouré de guichets grillagés – de vieilles valises trônent encore dans le décor), sympa pour boire un verre.

À voir. À faire

★★★ On vous le répète, la ***balade sur Sky Road*** *(hors plan par A2),* la route à l'ouest de Clifden, est de toute beauté, surtout si la lumière est de la partie... Il y a en fait deux routes ; la *Sky Road* et, un peu plus bas, la *Lower Sky Road,* que l'on peut effectuer en boucle car elles se rejoignent. Un panorama à couper le souffle !

En chemin, en venant du centre, repérer aussi sur la gauche l'accès au *John d'Arcy Monument,* du nom du fondateur de la ville (1785-1839). S'il n'y a pas de vaches (ou de boue !) pour vous barrer le passage, très beau point de vue sur la ville depuis le sommet de la colline.

Les randonneurs à la recherche d'un guide peuvent, quant à eux, contacter Michael Gibbons *(☎ 213-79, à Clifden ; ● walkingireland.com ●),* un archéologue et conteur de talent. Il organise des balades archéologiques et des treks dans le parc national du Connemara (notamment les Twelve Bens) et sur l'île d'Inishbofin (voir les textes qui leur sont consacrés plus loin), mais aussi dans le coin de Roundstone, à Omey Island, etc. Rando à partir de 30 € par personne environ.

Station House Museum *(plan B1) : face à l'office de tourisme. ☎ 214-94. Mai-oct, lun-sam 10h-17h, dim 12h-18h. Entrée : 2 € ; réduc.* Sur le site de l'ancienne gare ferroviaire de Clifden où trône un vieux wagon, dans un complexe rénové composé d'une résidence hôtelière, d'un bar-resto (voir ci-dessus), d'un théâtre et de boutiques. Le musée, pas bien grand, se trouve dans le local où l'on réparait les locomotives. C'est un petit musée sur le poney du Connemara (selles, carrioles, documents...), sur l'histoire de Clifden et sur celle des aviateurs Alcock et Brown (en mezzanine).

Balade à cheval

■ ***Errislannan Riding Centre :*** *à* ***Errislannan Manor,*** *sur la route de Roundstone, 1,5 km après l'Alcock and Brown Memorial. ☎ 211-34. ● errislannanmanor.com ● Fermé dim.* Balades le matin, cours collectifs ou privés, montés sur de véritables poneys du Connemara. Aire de jeu, activités et *farm* pour les enfants. Très sympa.

Festivals

– ***Clifden Traditional Music Festival :*** *un w-e mi-avr.* Organisé à l'instigation de George Walsh, et de sa fille Marie, les deux stars locales de la musique traditionnelle (qu'elle enseigne avec passion à toute une jeune génération de musiciens).
– ***Clifden Arts Week :*** *3e sem de sept. ☎ 212-95. ● clifdenartsweek.ie ●* Lectures de poésies, musique, concerts, expos et théâtre.

DANS LES ENVIRONS DE CLIFDEN

Omey Island : *face à Claddaghduff, à 9 km de Clifden sur la route de Cleggan.* Belle île accessible à pied à marée basse en partant de l'église de Claddaghduff. On peut y admirer des vestiges de foyers sur les petites falaises, datant du Moyen Âge. Les habitants y viennent encore solliciter l'aide de saint Fechin, déposant des offrandes autour du puits sacré. Vérifier l'horaire des marées pour ne pas y rester bloqué 6h !

DE CLIFDEN À LEENANE

CLEGGAN (AN CLOIGEANN)

300 hab. IND. TÉL. : 095

Petit port d'embarquement pour l'île d'Inishbofin, calme et assez mignon, à 11 km de Clifden. Cleggan vécut le 28 octobre 1927 une tragédie : une épouvantable tempête provoqua la mort de 27 marins.
Le coin n'a pas encore été trop urbanisé. Au début du XXe s, port actif d'où *púcans, Galway hookers* et *curraghs* déchargeaient le poisson pour les grandes villes. Jolie petite plage au fond de la baie.

Adresses utiles

✉ ℹ ***Service postal :*** *au magasin* Coynes, *dans le centre du village. Tlj 8h30-19h (19h30 mer, ven et sam) ; dim 9h-18h30.* Fait aussi épicerie, bureau de tabac et donne, dans la mesure du possible, quelques infos touristiques *(lun-sam 9h-19h).*

■ ***Ferries pour Inishbofin :*** *vente des billets au* ticket office *de la compagnie* Inishbofin Island Discovery, *situé dans la rue principale. Fin avr-fin sept, tlj 9h-18h30. Le reste de l'année, vente des billets à bord du bateau.* Voir à Inishbofin pour le détail des liaisons.

Où dormir à Cleggan et dans les environs ?

Harbour House B & B : *dans le village, un peu avt le port.* ☎ *447-02.* • *harbour-house.net* • *Ouv avr-oct. Compter 60-66 € pour 2. CB refusées. Parking.* Les chambres sont coquettes et très soignées, décorées de toiles de Jouy pour deux d'entre elles ; toutes disposent de leur salle de bains privée. Certaines ont vue sur le port. Ensemble cosy et confortable.

Oliver's B & B : *au resto du même nom, dominant le port.* ☎ *446-40.* • *oliversbar.com* • *Ouv tte l'année. Compter 60 € pour 2.* Propose des chambres pour 1 à 4 personnes, pas très grandes mais toutes *en suite* (avec sèche-cheveux, TV) et vraiment nickel. Sympa, « bien que » situé au-dessus d'un pub-resto (voir ci-dessous). Très bon accueil du patron.

Ocean Wave : Sellerna. ☎ *447-75.* • *oceanwave-bedandbreakfast.com* • *En venant de Clifden, c'est à env 1,5 km avt Cleggan ; au bout d'une petite route sur la gauche. Ouv mai-fin sept. Compter 70 € pour 2.* Petite adresse assez confidentielle, qui vaut surtout pour son bel environnement : la mer juste en face (mais plutôt cachée) et la baie de Sellerna avec sa chouette plage à quelques pas. Décoration plutôt kitsch mais les chambres (triples) s'avèrent plus sobres et joliment arrangées. Accueil de Marian un poil rustique mais tout ce qu'il y a de plus authentique. Elle pourra vous indiquer quelques balades. Carte et infos à disposition. Repas possible le soir quand on y fait étape.

Où manger ? Où boire un verre ? Où écouter de la musique ?

Oliver's : *au centre du village.* ☎ *446-40. Lunch, tlj tte l'année au bar (12h-15h) ; dîner slt de Pâques à sept (slt le w-e en mai) au bar ou au resto. Plats 15-23,50 € (moins cher 18h-19h) ;* bar food *servie tte la journée, nettement moins chère.* Sympathique troquet dans un décor très marin, cartes, maquettes de bateaux, articles de journaux retraçant les régates... et les naufrages ! Plats assez travaillés, avec des spécialités de *seafood* comme le turbot, la sole ou le saumon au miel et à la moutarde ancienne. Quelques viandes et volailles aussi pour les carnivores. Pour les petites faims, des soupes et de délicieux sandwichs au saumon. Musique en général le samedi (et le mercredi en été). Billard et fléchettes pour ceux qui attendent un bateau et puis, en principe, poker le dimanche soir en hiver !

Joyce's : *à la sortie du village en venant de Clifden.* ☎ *446-66.* Pub assez populaire. Musique tous les vendredis (chouette *Irish night* !), ainsi que le dimanche en été. Bon *Irish coffee* préparé avec amour par la sympathique et attachante patronne...

Newman's : *presque en face du précédent.* C'est un vieux pub refait à neuf, avec l'habituelle cheminée. *Session* de musique folk ou traditionnelle les samedi et dimanche soir. Il arrive que le proprio (guitariste et banjoïste) se lance dans la partie.

Où acheter de beaux pulls irlandais ?

Cottage Handcrafts : Moyard Connemara. ☎ *410-29.* • *cottage* *handcrafts.ie* ● *Ouv tte l'année sf janv. Tlj 10h-18h. À quelques km de Cleggan ou de Clifden, sur la route du parc naturel.* Dans un petit cottage isolé, un très beau magasin spécialisé dans les pulls et lainages irlandais, 100 % lambswool. Tricotés (main ou machine) dans le Donegal ou les îles d'Aran pour la plupart. Plutôt plus de choix qu'ailleurs, plutôt plus beau, plutôt moins cher.

À faire

➢ Nombreuses et adorables petites ***randonnées*** à pied.

– ***Équitation : Cleggan Beach Riding Centre,*** *à la sortie du village de Cleggan.* ☎ *447-46.* ● *clegganridingcentre.com* ● *Assez cher.* Bonne réputation. Balades de 1h30, 2h30 ou 3h, sur différentes plages du coin. Débutants acceptés.

– Baie populaire pour la ***planche à voile.*** Petites plages sympas.

INISHBOFIN (INIS BO FINNE)

200 hab. IND. TÉL. : 095

L'excursion du coin à ne pas manquer. Son nom signifie « île de la vache blanche ». Les O'Flaherty et les O'Malley se la disputèrent, ainsi que la fameuse femme pirate, Grainne Ni Mhaille, au XVIe s. En 1652, l'île fut occupée par Cromwell, qui y installa une garnison et ouvrit une sorte de camp d'internement pour les prêtres et les moines. Vestiges de forts et d'une caserne cromwellienne (1656). L'arrivée est très belle dans cette espèce de crique, avec ses petits phares, ses ruines et sa côte déchiquetée. Superbes falaises, plages désertes, parfois quelques phoques. Soyez prévoyant : pas de distributeur de billets sur l'île.

– Sur l'île, possibilité de louer des vélos chez ***Inishbofin Cycle Hire,*** juste avant l'AJ (ou au port en été, à l'arrivée du bateau). Quelques minibus également. Cela dit, c'est une île vraiment sympa pour marcher ! On peut en faire le tour par la côte en 6h environ ou se balader à l'aveuglette le long de ses charmantes petites routes...

Arriver – Quitter

➢ ***Liaisons maritimes*** assurées par la compagnie *Inishbofin Island Discovery* (voir ci-dessous). On achète les billets au *ticket office* (ou au *Post Office)* à Cleggan ou, hors saison, à bord du bateau. Trajet : env 30 mn. On peut traverser avec son vélo (5 €).

➢ Pour se rendre à Cleggan depuis Clifden, ***bus*** de la compagnie *City Link* 5 fois/j. tte l'année (voir « Arriver – Quitter » à Clifden). Service supplémentaire en fonction des départs et arrivées du bateau pour Inishbofin.

■ ***Inishbofin Island Discovery :*** *bureau dans la rue principale de Cleggan, face au* Joyce's. *Infos et résas :* ☎ *458-19 ou 94.* ● *inishbofinislanddiscovery.com* ● Avr-fin oct, départs tlj à 11h30, 14h (juin-août ; slt ven-lun mai) et 18h45 (19h30 mar et ven) ; le reste de l'année, slt à 11h30 et 16h45 (19h30 mar et ven). Retours à 9h (8h15 mar, ven et sam et 10h dim), 13h (juin-août ; slt ven-lun mai) et 17h (16h en hiver). Attention ! si vous prenez le bateau l'après-midi, pas de retour possible le jour même (donc nuit sur place obligatoire et retour sur Cleggan le lendemain mat). Tarif A/R : 20 € pour les adultes ; réduc.

Adresse utile

🛈 ***Inishbofin Community Centre :*** ☎ *458-95.* • *inishbofin.com* • Accueil touristique et *Internet Café.* On y trouve des cartes, des plans et toutes les infos utiles pour visiter et séjourner sur l'île.

Où dormir ?
Où manger ?

La majorité des adresses se trouvent vers la droite, côté village, en sortant du bateau. Le camping sauvage est possible à condition de demander l'autorisation au propriétaire du terrain et d'éviter les plages et alentour. Sinon, camper à l'*Inishbofin Island Hostel.* Pour les petits budgets, mieux vaut apporter ses provisions, il n'y a qu'une minuscule épicerie (qui fait aussi office de poste) face à la nouvelle jetée. Pensez aussi à prendre suffisamment d'argent : pas de distributeur sur l'île et les cartes de paiement sont généralement refusées. Attention, de novembre à mars, seul le *Lapwing B & B* est ouvert, mais aucun restaurant.

Bon marché

⛺ 🏠 ***Inishbofin Island Hostel :*** ☎ *458-55.* • *inishbofin-hostel.ie* • *En sortant du bateau, prendre à droite et traverser le village ; compter 10 mn de marche. Ouv début avr-fin sept. Résa fortement conseillée en été. Compter 15-18 €/pers en dortoir ; doubles 40-50 €. Possibilité de camper dans la partie abritée du grand jardin (env 10 €/pers, accès inclus aux douches, à la cuisine et au barbecue).* AJ privée récente d'une quarantaine de lits. Dortoirs de 6 à 8 lits tout beaux tout propres. Sanitaires communs nickel, sauf quand c'est l'affluence, bien sûr. 2 chambres doubles ou familiales, 4 autres dans un bâtiment à part avec 1 seule salle de bains commune. Grande cuisine aménagée. Plusieurs petits coins sympas pour s'attabler, dont un salon avec cheminée. Excellent entretien et super accueil. Laverie.

Prix moyens

🏠 🍽 ***The Galley B & B and Coffee Shop :*** *East End.* ☎ *458-94. Prendre la route de droite en arrivant et marcher env 15 mn après le village, sur la route principale. Ouv juin-oct. Resto 12h30-17h ; dîner slt pour les groupes. Compter 60-80 € pour 2. Plats 7-13 €.* Notre adresse préférée sur l'île. Charmante petite maison avec une décoration toute bleue et une agréable touche marine à deux pas d'une magnifique plage aux eaux turquoise. Chambres très coquettes, avec parquet, salle de bains. Salon petit mais cosy. Côté *coffee shop,* nourriture saine et pas chère. Soupe maison, excellente soupe de poisson *(Galley seafood),* sandwichs ou assiettes de maquereau fumé, *coleslaw,* etc. Mignonne petite salle et tables dehors aux beaux jours. Tenu par un couple jeune et sympa qui peut vous donner des idées de balades.

🏠 🍽 ***Lapwing B & B :*** ☎ *459-96.* • *lapwinghouse@gmail.com* • *En sortant du bateau, longer le Community Centre à gauche et prendre la 1re à droite, monter sur la colline, tourner à gauche, la maison de Mary Day Lavelle est blanc et bleu sur le chemin qui traverse l'île d'est en ouest. Seul logement ouv tte l'année (sf 19 déc-10 janv, téléphoner tt de même avt en hiver pour réserver). Compter 70 € pour 2 pers.* 2 chambres confortables, refaites récemment, avec salle de bains. Bon accueil de la maîtresse de maison qui participe activement à la vie sociale de l'île. Elle propose aussi 7 petits déj différents ! Repas sur demande en hiver, à prix raisonnable.

Plus chic

🏠 🍽 ***The Dolphin Hotel & Restaurant :*** ☎ *459-91.* • *dolphinhotel.ie* • *Juste à côté de l'AJ. Ouv Pâques-Halloween. Double 80 €. Formule 2 nuits + 1 repas 218-258 € selon saison.* Vous ne pourrez pas le louper, il est tout jaune avec un dauphin bleu dessiné sur son flanc. Ce petit complexe hôtelier mariant le bois et la pierre propose des chambres d'excellente qualité (préférez celles du bas avec terrasse privée exposée plein sud). Murs crème, lits *king size*, salles de bains nickel, certaines avec jacuzzi, chauffage solaire, tout est neuf ! Bonne cuisine, bien qu'un poil chère, dans 2 salles de resto de couleurs et d'ambiances différentes. Bien aussi pour boire un verre au grand bar central. Concert de musique locale certains soirs en été. Pat, le sympathique patron, a vu les choses en grand et n'a rechigné sur rien pour faire de son hôtel un lieu de plaisir et de détente.

À faire

➢ ***Promenade archéologique :*** *un bon truc, l'*Heritage Tour, *une promenade archéologique sur l'île avec Michael Gibbons ou l'un de ses collègues. Rens :* ☎ *213-79.* ● *walkingireland.com* ● *En été : ts les 2 j. env selon nombre d'inscrits et météo. Pour 5 pers min.*

➢ ***Balades en bus ou en bateau de pêche :*** tout autour de l'île ou pour voir la colonie de phoques.

Manifestations

– ***Arts Festival :*** *ts les ans, en principe, vers mi-mai sur un gros w-e. Rens à Clifden ou au* ☎ *458-61.* Petit festival sympa organisé par les habitants de l'île, dont la convivialité n'est plus à démontrer. Musique au *Community Centre* et petites expos.
– ***Festival de Randonnées :*** *fin mai.*
– Sachez aussi que chaque année, à la fin du mois d'août, a lieu l'***Inishbofin Killary Fjord Charity Challenge,*** pendant lequel des volontaires relient Cleggan à Inishbofin... à la nage ! Les dons vont aux enfants des hôpitaux.

LE CONNEMARA ET LE MAYO DES RANDONNEURS

Après la côte, vous pénétrez dans le légendaire Connemara sauvage. Randonneurs, retenez votre souffle. Le Connemara évoque un perpétuel matin de « petite bruine ». D'où cette léthargie qui paraît parfois avoir frappé toute forme de vie. Ne soyez pas impatient. Prenez le temps de déguster le traditionnel breakfast, et prenez-le copieux, vous en aurez besoin.
Les nuées irlandaises s'alanguissent souvent, agrippées aux tourbières. Ne soyez donc pas surpris de ne commencer votre randonnée que vers 10h ou 11h. Car il y a, de plus, la longueur et la lenteur des trajets, des routes bombées, étriquées, encombrées de niches à moutons et captivantes. À la tombée du jour, après 6 ou 7h de marche, vous serez heureux d'avoir pu paresser devant le feu de tourbe matinal... D'ailleurs, les *pins* et autres *croaghs* ne sourient qu'à la lumière du soleil couchant.
Le sol du Connemara est une éponge ; une superbe, sublime, étrange éponge, mais une éponge. Ou, plus précisément, un gruyère dont chaque trou constitue un piège. Alors, il faut choisir : les trous ou entre les trous.

Bog et crag

Deux termes à connaître pour comprendre les topoguides, « *bog* » et « *crag* ».
– ***Bog :*** « marécage ». Mais ce marécage-là, vous ne le voyez jamais. Vous le devinez quand il vous a assez englué, agrippé, embourbé. Succession de bosses plus ou moins uniformes, souples et dodues, qui tapissent toutes les vallées, toutes les

plaines, et parfois les plateaux terminaux des collines. Il s'agit de sauter de bosse en bosse sans glisser, sans râler, sans faiblir, car entre les bosses commence l'univers imprécis et pervers des eaux glauques, rouillées, bourbeuses... Mais si vous apprenez vite cette marche déhanchée et épuisante, vous aurez alors l'impression de déambuler sur un tapis de mousse incomparablement moelleux.

– ***Crag :*** « rochers à pic ». Ils agrémentent les dévers souvent abrupts de la plupart des collines et servent de repères dans un paysage sans traces et sans balisage. Il est parfois utile de les avoir mémorisés avant de pénétrer dans une nappe de brouillard ; nuages-brouillard perfides et tout à fait impromptus.

Arriver – Quitter – Circuler

Bus et navettes

■ La navette ***« Galways tour Cie »*** quitte le *Sleepzone* de Galway tous les matins à 9h45 et fait différentes étapes dans le Connemara, à la demande ou presque : Clifden, Kylemore, Letterfrack, le *Sleepzone* de Killary, Cong... Moins cher que le bus public puisque la navette coûte 20 € l'A/R (au lieu de 13 € le trajet avec les bus réguliers). Plusieurs avantages : sa fréquence quotidienne et la possibilité de faire des étapes en prenant le bus du lendemain (pour le même prix). *Rens auprès des deux AJ* Sleepzone *ou de la compagnie : ☎ (091) 566-566. • galwaytourcompany.com •*

■ Et sinon, liaison assurée par la compagnie ***Eireann*** depuis Galway : 2 bus/j. en été, 1 seul mai-sept. *Infos : ☎ (091) 562-000. • buseireann.ie •*

Conseils aux randonneurs

– En gros, les sentiers de randonnée n'existent pas au Connemara ni au Mayo. Seules quelques rares anciennes routes empierrées, ou parfois superficiellement bitumées, serpentent vers nulle part, mais peuvent conduire d'ici à là, pour éviter un marécage. Donc, votre itinéraire de randonnée sera celui que vous aurez plus dépisté que choisi, et envisagé en tenant compte de ces réflexions pratiques.

– Inutile de vous préciser : gourde impérative (les eaux de rencontre sont indéfinissables ; la présence de moutons innombrables rend possible la douve du foie...), boussole, imperméable conséquent, chaussures à l'épreuve de l'eau et de la boue, vêtements chauds et chaussettes de rechange. Crèmes de soin pour les pieds et bandes Velpeau en cas d'entorses toujours possibles.

– En saison, gare aux *midges* ! Qui dit marécages et eaux stagnantes, dit forcément moustiques. Et ceux-là sont particulièrement voraces, particulièrement urticants, particulièrement énervants ! Prévoyez les crèmes et répulsifs adéquats.

– Autre détail qui peut avoir son importance : ne comptez pas trop sur votre téléphone portable ; vous êtes ici au cœur de l'Irlande sauvage !

Cartes et guides de randonnées

– *Discovery Series* (1/50 000) nos 22 à 24, 30, 31, 37, 38, 44 et 45. On ne fait pas mieux. Vous les trouverez dans la plupart des offices de tourisme.

– *Hill Walkers, Atlantic Ireland,* par David Herman : 34 balades dans l'Ouest irlandais.

– *Walking in Connemara,* par Connemara Tourism Association : petites randonnées pour découvrir le Connemara. Pas cher du tout.

– *The Western Way South,* publié par Ordnance Survey (qui édite aussi les *Discovery Series*). Pour ceux qui veulent faire le chemin de grande randonnée qui relie Galway et Westport.

■ ***Connemara Adventure Tours :*** *☎ (095) 422-72. • connemaraadventuretours.com •* Organisateur de séjours en Irlande, affilié au *Killary Adventure Co* (voir plus loin, dans les environs de Leenane), avec plus de 25 ans d'expérience. Séjours à vélo, randonnées pédestres ou équestres guidées ou non. On s'occupe de tout, vous n'avez plus qu'à pédaler (marcher ou chevaucher). Tout est géré par eux : la résa de vos hébergements (en AJ, *B & B,* hôtels, selon vos goûts et votre budget), le transfert quotidien des bagages, voire le transfert de votre personne quand vous fatiguez ou lorsque la route est moins belle !

LETTERFRACK (LEITIR FRAIC) ET LA PRESQU'ÎLE DE RENVYLE (RINN MHAOIL)

IND. TÉL. : 095

Minuscule village paisible, à peine un hameau à un carrefour, sans charme particulier car sans véritable centre et aux maisons assez dispersées. Le coin est rempli de fuchsias, et on est à l'entrée du parc national du Connemara. De Letterfrack, on fait surtout le tour de la presqu'île de Renvyle. Belles échappées sur la baie. Tout au bout, ruines d'un château. Petites plages désertes de sable blanc. Ascension possible du mont Tully aussi. Par un chemin formalisé, mais assez dur de se frayer un passage. Belle vue panoramique du sommet.

Où dormir ? Où manger à Letterfrack et dans les environs ?

Bon marché

The Old Monastery Hostel : *087-234-95-43. • oldmonasteryhostel.com • Dans le village, c'est au bout de la ruelle qui démarre pile poil en face de la route de Renvyle. Ouv tte l'année. Compter 15 €/pers en dortoir ou 20-25 €/pers selon chambre double (même prix tte l'année), petit déj inclus. Camping env 10 €/pers, avec accès aux sanitaires et petit déj. Le soir, buffet végétarien 10 €.* Autant prévenir d'emblée, AJ d'un autre temps. En plein village, elle occupe un ancien couvent sur une hauteur, en retrait dans la végétation. Ce n'est donc pas une AJ ultramoderne, mais plutôt une comme on n'en fait plus beaucoup... Ici, c'est une ambiance, un état d'esprit, une sorte de caverne d'Ali Baba cool, truffée d'objets hétéroclites, de terrasses recouvertes de coussins et de lapins, mascottes de ce grand bazar. Le lieu tient beaucoup à Stephen qui, on peut le dire, a « la foi ». Une cinquantaine de lits répartis en dortoirs et chambres privées à l'ancienne. Côté propreté, il faut bien dire que ce n'est pas le souci premier de la maison... Les campeurs, eux, pourront planter leur tente dans le jardinet derrière. Superbe *common room,* pleine de patine et de cachet, et bar-salle à manger rustique en sous-sol ouvert sur le ciel étoilé, où l'on trouve presque tous les soirs un buffet végétarien servi vers 19h. Petit déj simple mais très soigné, avec du pain bio maison. Possibilité de louer des vélos et de faire laver son linge. Enfin, Steve organise aussi des excursions à Inishbofin et à Inishturk. Il peut même vous emmener sur une île déserte et venir vous rechercher le lendemain !

Letterfrack Lodge : *dans le centre, à 200 m de la N 59 en allant vers Renvyle. 087-222-85-38. • letterfracklodge.com • Ouv 15 mai-15 sept. Compter 15-18 €/pers en dortoir 4 lits et 40-60 € en chambre double avec sdb. CB refusées.* Dans une grande maison de pierre, une AJ récente et très propre. Les chambres sont spacieuses, modulables en double, triple ou familiale. Mobilier en pin, parquet et quelques-unes avec salle de bains intégrée. 3 cuisines bien équipées et autant de salles à manger avec bow-window. Salon TV avec gros Chesterfield rouge. Laverie. Location de vélos. Une bien belle AJ pour ceux que la démesure de l'*Old Monastery* à côté dérange. Michael, le sympathique propriétaire, donne toutes les infos nécessaires pour les randos à faire dans le coin.

I●I **Veldon's :** *dans le centre.* ☎ *410-46.* Bar food *servie jusqu'à 21h30 (19h slt hors saison). Compter 5-16 €.* Très bons *open sandwiches* au crabe, mais aussi pizza, poulet, saumon fumé, haddock mais aussi *Irish stew,* saucisses grillées, saumon... Bonne cuisine dans une ambiance de pub.

Prix moyens

Kylemore House : ☎ *411-43.* ● *kylemorehouse.net* ● *Surplombe le lac de Kylemore, à une bonne dizaine de km à l'est de Letterfrack, env 5 km après avoir passé la célèbre abbaye. Ouv avr-fin oct. Résa quasi obligatoire en juil-août. Compter 65-80 € pour 2 selon saison ;* family room *100 €.* Belle demeure de lord rénovée, datant de la fin du XVIIIe s. Les chambres, meublées de bric et de broc, ont une grande salle de bains, certaines avec baignoire, et tout le confort moderne. 6 profitent d'une splendide vue sur le romantique lac Noir. Élégant salon très aristo avec cheminée et toiles de maître. À peine plus cher qu'un *B & B* normal. Rapport qualité-prix très intéressant, et, surtout, belle situation au bord du fameux lac Kylemore. Très bon accueil.

LE CONNEMARA

Où dormir ? Où manger dans la presqu'île de Renvyle ?

Pour les amateurs de nature intacte et de longues marches alternant entre pluie et soleil ! Mais il y a aussi une superbe plage, celle de Glassillaun. Sinon, paysages de lande désolée, moutons et pâturages... Tranquillité totale garantie !

Connemara Caravan & Camping Park : Lettergesh, *près de Gowlaun, à 5 km de Tully Cross (prendre la route à droite en venant de Letterfrack).* ☎ *434-06.* ● *connemaracaravans.com* ● *Ouv mai-fin sept. Env 18 € pour 2. Douches gratuites.* Belle situation, notamment si l'on plante sa tente sur le promontoire qui domine la superbe plage au bout du bras de mer. Vue très chouette sur les montagnes de l'autre côté. Petite boutique pour le minimum vital (souvent fermée), mais c'est meilleur marché à la supérette un peu plus loin sur la route.

Renvyle Beach Caravan & Camping Site : *à la sortie de* **Tully,** *à 1 km de Tully Cross, sur la droite.* ☎ *434-62.* *086-235-00-24.* ● *renvylebeachcaravanpark.com* ● *Ouv avr-fin sept. Compter 18 € pour 2. Douches payantes. CB refusées.* Confort rudimentaire mais site grandiose, face à la mer. Vaste étendue herbeuse (et sableuse aussi...) pour planter sa tente (mais gare au vent !). Accueil extrêmement moyen. Dommage !

I●I **The Olde Castle House :** *à* **Curragh.** ☎ *434-60.* ● *theoldecastle.com* ● *À 5 km de Tully Cross (suivre le fléchage ; c'est tt au bout). Ouv mars-début nov. Compter 60 € pour 2. Dîner sur résa env 25 €. CB refusées.* Facilement repérable puisque ce *B & B* est quasiment adossé à la tour d'un ancien château en ruine. Très beau, mais pourvu qu'elle ne tombe jamais... Sérieusement, remettez-vous en tête *Un taxi mauve* d'après le bouquin de Michel Déon. C'est la maison du film tourné ici en 1975. La proprio, très gentille, tient son gîte avec beaucoup de cœur. Elle propose des chambres simples mais confortables, toutes *en suite* sauf une. Agréable *dining room* avec vue sur la mer. D'ailleurs, c'est un coin intéressant pour faire de bucoliques balades le long de la côte. Le soir, avant ou après le repas, on se réchauffe au coin du feu, là où Philippe Noiret et Fred Astaire prirent place lors du tournage du film.

Sunnymeade B & B : *à* **Tully** *(1 km après Tully Cross).* ☎ *434-91.* ● *sunnymeade.net* ● *À la sortie du village, sur la droite. Fermé autour de Noël. Compter 56-75 € pour 2. CB refusées.* Maison banale avec une belle vue sur la baie de Killary Harbour. Propose des chambres propres, coquettes et de bon confort. L'une d'elles est en réalité un petit studio en annexe (pour 3 personnes) avec cuisine, TV et lecteur CD design, donnant idéalement sur la mer et les Mweelrea Mountains. Le matin, petit déj à la carte, à déguster face à la baie. Excellent accueil et vraiment calme. Deux autres locations au village, bien équipées.

Où boire un verre ? Où écouter de la musique à Letterfrack et dans les environs ?

🍸 ♩ ***Paddy Coynes :*** *dans le village de* ***Tully Cross.*** *☎ 434-99.* Pub très chaleureux avec plusieurs petites salles, une cheminée et 2 bars. Musique traditionnelle les mercredi et dimanche en été. Également des *Irish nights* (pièces de théâtre suivies de musique). Très bonne atmosphère. Ça tombe bien, pas grand-chose d'autre à se mettre dans le gosier vers Renvyle !

🍸 ♩ ***Molly's :*** *dans le centre, face au* Bard's Den *(mais pas d'enseigne).* C'est le pub le plus fréquenté par les locaux et les anciens, et notre préféré avec *Paddy Coynes,* car plus authentique. Cheminée, grand écran et billard. Bonnes *sessions* de musique traditionnelle, du vendredi au dimanche en été (les vendredi et samedi le reste de l'année).

🍸 ♩ ***The Bard's Den :*** *dans le centre, ☎ 410-42. Restauration midi et soir, du simple sandwich au plat à 20 € (fruits de mer et* fish & chips *réputés !).* Pub rénové avec écran géant pour les matchs. Chanteurs-guitaristes le samedi en saison et musique traditionnelle le dimanche ! Le reste du temps, c'est le repaire des jeunes du coin qui jouent au billard en écoutant à fond le juke-box...

À voir. À faire

🏃🏃🏃 👨‍👧 ***Connemara National Park :*** *un peu avt Letterfrack (venant de Clifden). ☎ 410-54 ou 06.* Visitor's Centre : *☎ 413-23. • connemaranationalpark.ie • Mars-oct tlj 9h-17h30. Parc ouv tte l'année. Entrée gratuite.*
Que vous décidiez ou non d'emprunter l'un des sentiers du parc, on vous conseille de passer au pavillon d'accueil. On y trouve toutes sortes de brochures (traduites ; certaines gratuites, d'autres payantes) et quelques documents à consulter. Mais surtout une petite expo, fort bien faite (avec des dioramas) qui fournit quantité d'infos sur le milieu que constitue le Connemara, la tourbière (et sa disparition galopante), la vie dans le *bog,* la faune et la flore. Indispensable pour décrypter ce paysage hors du commun. Traduction en français des explications disponible à l'accueil. Également un film de 20 mn sur le parc, en français sur demande.
🍽 🍸 *Tearoom* sur place. Et une aire de pique-nique.
➢ Le parc a mis en place 3 ***sentiers balisés,*** assez courts (au départ du *Visitor's Centre),* permettant chacun d'appréhender un aspect de la région : le *Bog Road* (la tourbière), le *Sruffaunboy* (faune et flore) et l'*Ellis Wood* (partie boisée). Le plus long des trois (6,7 km aller-retour, 2h-2h30) passe par le ***Diamond Hill,*** une colline de 445 m de haut. L'ascension est assez facile et la vue à 360° sur la presqu'île de Renvyle, le lac Kylemore, les Maumturk Mountains et les Twelve Bens est exceptionnelle. Prévoir de bonnes chaussures et un bon équipement, quelle que soit la rando. Sympathique, mais cela ne remplace évidemment pas les vraies randonnées, plus longues, que l'on peut faire hors des sentiers battus.
➢ Il existe cependant des ***guided walks*** en juillet et août, c'est-à-dire des promenades guidées (en anglais) par des animateurs, les mercredi et vendredi. Elles durent 2h30. À noter aussi, pour ceux qui voyagent en famille, des *nature mornings* les mardi et jeudi, en été toujours, sortes d'initiations pédagogiques (en anglais là encore) organisées pour les enfants.

➢ Si vous voulez faire des balades plus approfondies dans le parc, contactez ***Michael Gibbons*** *(☎ 213-79 ; lire à Clifden « À voir. À faire »),* qui peut vous arranger plusieurs randos, notamment l'ascension des *Twelve Bens.*

Kylemore Abbey and Gardens : *à 4 km de Letterfrack, sur la N 59 en direction de Leenane. ☎ 520-01. • kylemoreabbeytourism.ie • Bien indiqué. Attention, en arrivant, ne pas confondre la boutique avec l'accueil, qui se trouve un peu plus loin vers l'abbaye. Mars-oct tlj 9h30-18h (19h juil-août) ; nov-fév 10h-16h30. Fermé la sem de Noël. Entrée : 12,50 € ; réduc ; gratuit moins de 10 ans (forfaits famille). Brochure détaillée en français donnée à l'entrée. Visites guidées des intérieurs (en anglais ; parfois en français) ttes les heures 10h-16h. Bonne vidéo en français ttes les heures moins le quart sur l'historique de l'édifice. Des concerts sont donnés dans l'église ; programme sur • kylemoreabbeytourism.ie/church-events •*

Le site est admirable ! Imaginez, un ancien château reconverti en une superbe abbaye, environnée de lacs et de cascades. Malheureusement, la visite est quand même bien chère... D'autant plus que l'on peut admirer la vue des cartes postales sans avoir à payer l'entrée. Cela n'en reste pas moins le site le plus prestigieux du Connemara.

Le château de Kylemore (« grand bois » en gaélique) date du XIXe s. Il fut édifié par un négociant drapier anglais, Mitchell Henry, pour sa femme irlandaise. Le château fut racheté au début du XXe s par des bénédictines de l'abbaye d'Ypres. Celles-ci avaient fui, des siècles plus tôt, l'Irlande où la religion catholique était proscrite et avaient rejoint cette communauté en Belgique. Ypres ayant été entièrement bombardée en 1918, les religieuses d'origine irlandaise, décidèrent de revenir au pays, enfin apaisé.

Le choix de Kylemore est donc le fruit de cette recherche d'un lieu sûr sur une terre d'adoption. Jusqu'en 2010, l'abbaye fut un très respectable collège privé de jeunes filles *(International Benedictine School).* Aujourd'hui, les sœurs gèrent l'institution et la développent à travers la confection de produits artisanaux (pain, confitures...) et l'exploitation touristique. Croyez-le ou non, l'abbaye est carrément l'un des principaux employeurs du Connemara ! En plus des 13 sœurs, 150 personnes y travaillent.

Quelques pièces visitables, avec des panneaux explicatifs en anglais. Très joli mobilier et beau tabernacle. Possibilité d'assister aux offices sur demande. Un peu après l'abbaye, en longeant le lac, une petite église néogothique et le mausolée construit à la mémoire de Margaret Henry, par son mari éploré. Romantique en diable !

Ne pas manquer d'aller faire un tour dans le magnifique *Victorian Walled Garden,* à 1,2 km de l'abbaye *(ouv tte l'année).* Navette gratuite toutes les 10 mn. Il fut créé en 1867 par le proprio du château mais a été restauré depuis. Jardin clos, potager, fleurs, jardin botanique, serres d'origine et reconstitution d'habitat des jardiniers. Les amateurs de jardins se régaleront.

Resto ouvert toute l'année ; excellent salon de thé avec pâtisseries maison. Boutique de souvenirs et d'artisanat.

Connemara Ocean and Country Museum : *fléché à gauche entre Letterfrack et Tully Cross. ☎ 434-73. Fév-nov, tlj 10h-18h. Entrée : 5 € ; réduc.* Pour ceux qui ont du temps, petit musée sur la vie traditionnelle dans le Connemara. Vieux objets et outillage agricole d'autrefois. Au rang des curiosités : une mâchoire de baleine échouée à Roundstone et une ancre de l'Invincible Armada. Petite expo sur les milieux marin et terrestre (coquillages de la région, animaux empaillés, squelette de tête de dauphin et reconstitution d'une cabane de pêcheur). Un peu cher pour ce qu'on y voit, mais une boisson chaude est incluse ! Le proprio organise également des sorties de 1h en mer pour observer les fonds marins de son bateau à cale vitrée *(départs à 11h, 12h30, 14h30 et 16h en été, sur demande en hiver ; 20 €/pers).*

Manifestations

– ***Connemara Mussel Festival :*** *à* ***Tully Cross,*** *en mai (pdt les Bank Holidays).* *087-233-29-38.* • *connemaramusselfestival.com* • Grande fête où sont célébrés les meilleurs produits locaux, à commencer par le saumon fumé et la moule ! Le tout accompagné bien sûr de musique et de bière...
– ***Connemara Bog Week :*** *à* ***Letterfrack*** *; dans la sem juste avt le 1er lun de juin.* Fête de village avec d'excellentes *sessions* de musique traditionnelle. Se passe surtout dans les pubs, où il n'est pas rare de voir 10, ou même 15 musiciens, en particulier durant le week-end !

LEENANE (AN LIONAN)

50 hab. IND. TÉL. : 095

Charmant village carrefour au fond du fjord de Killary. On tente d'y implanter la mytiliculture (la culture des moules, quoi !). Lieu de passage entre le Connemara et le Joyce Country. La Devil's Mother, qui culmine à 700 m au-dessus, veillera sur vos rêves si vous passez la nuit ici. De Leenane, chouette balade vers Lettergesh et Glassillaun, deux magnifiques plages de sable blanc, et, de là, possibilité de rayonner sur la presqu'île de Renvyle.
Leenane et sa région ont servi de décor au film *The Field* de Jim Sheridan. D'ailleurs, ledit champ est situé sur la route de Westport, à 10 km de Leenane, sur la droite en face d'une maison peinte en blanc. Une touche de vert sertie entre des murets de pierre sèche à l'orée d'un surprenant bois de chênes...

Où dormir ?

Bon marché

Connemara Hostel *(Sleepzone) : à env 6 km de Leenane par la route de Clifden.* ☎ *429-29.* • *sleepzone.ie* • *Accès par un chemin qui part de la N 59, presque en face du* Killary Adventure Co *(lire plus loin « À voir. À faire »). Fermé nov-fév ou mars. Compter selon saison 16-25 € en dortoir 3-10 pers et 20-35 €/pers en chambre privée ; tarifs intéressants pour les familles avec enfants ; réduc avec la carte* Hostelling International. *Possibilité également de planter sa tente : 17 € pour 2 (sdb, cuisine et service de l'AJ à dispo).* Très belle situation face au fjord de Killary, dans un coin de nature sauvage. Tenu par le même proprio que l'AJ *Sleepzone* de Galway. D'ailleurs, il y a un petit bus qui fait la navette entre les 2 (voir les « Bus et navettes » en début de chapitre). 3 petits bâtiments rénovés et repeints dans des tons estivaux. En tout, 110 lits, en dortoir ou chambre double, ainsi que des *family rooms* avec salle de bains et bons matelas bien fermes. Délicieux accueil de Farida, une Française passionnée et fière de gérer ce bien bel établissement. Pas de petit déj, mais cuisine, salle à manger et salon chaleureux avec cheminée, TV et plein de DVD ! Billard et baby-foot pour patienter pendant les averses, et terrain de tennis pour les éclaircies.

Prix moyens

The Convent Guesthouse : *après le pont sur la route de Westport, faire 200 m, c'est sur la droite.* ☎ *422-40.* • *theconvent.ie* • *Ouv avr-sept. Compter env 60 € pour 2.* Comme son nom l'indique, c'est effectivement un ancien couvent... mais il est récent. Cela dit, l'intérieur est vraiment cosy. Que diriez-vous de prendre votre petit déj dans une chapelle avec de beaux vitraux ? Original, non ? Salon sympa avec un bon feu de tourbe. Propose 5 chambres *en suite* agréables, certaines avec vue sur le fjord. Bon accueil, un peu guindé.

Tir Na Nog B & B : ***Glanagimla,*** *à env 3 km de Leenane en allant vers Wesport.* ☎ *422-87.* ● *tirnanog bandb@gmail.com* ● *Avt le* Carraig Bar, *prendre le chemin sur la droite, c'est à 1 km. Ouv 1er mai-1er oct. Compter 70-80 € pour 2.* Très agréable *farmhouse* dans un environnement de collines et de verts pâturages. Comme d'habitude, on cherche la ferme, la vraie, mais comme d'habitude il suffit de posséder des moutons pour être classé *farmhouse* ! Qu'importe, la maison est fraîche et pimpante, tout comme les chambres, coquettes et colorées, avec literie moderne en bois de pin. Propose 4 chambres avec sanitaires attenants ou privés. Jolis jardin d'hiver et salle de petit déj avec vue. Sympathiques balades à faire dans le coin.

The Fjord House : *à la sortie du village, sur la route de Westport, à moins de 2 km du village, au fond du fjord, 1re maison à gauche.* ☎ *423-25.* *087-314-31-04.* ● *lefjordhouse@yahoo.com* ● *Ouv mai-sept. Compter 60-65 € pour 2 (réduc dès 2 nuits).* Fort bien situé et accueil sympa de Margaret Coyne. Quelques chambres *en suite,* dont certaines donnant sur le fjord. Vélos à louer.

De prix moyens à plus chic

The Leenane Hotel : ☎ *422-49.* ● *leenanehotel.com* ● *Doubles 70-118 € selon saison et promos, petit déj compris. Lunch 12h-18h,* dinner *19h-21h30. Plats 6-30 €.* Vue sur la baie de Killary et ses impressionnantes montagnes. L'auberge date de 1785 (le plus vieil hôtel de l'Ouest irlandais !) mais a été bien agrandie depuis. 66 chambres en tout. Celles de la partie moderne offrent un excellent confort (la plupart avec vue). Les chambres originelles sont plus petites et d'une déco un peu plus classique. C'est aussi une des meilleures tables du secteur. Préférez le bar et sa cheminée à la salle de resto, classique et guindée. La cuisine y est moins onéreuse mais tout aussi savoureuse. Mention spéciale pour les moules de Killary, servies au kilo (!), et arrosées d'une merveilleuse sauce aux accents exotiques ou pour le carré d'agneau du Connemara, en croûte de chapelure, d'ail et d'herbes. Sauna et spa.

Où manger ? Où boire un verre ?

Blackberry Café : *dans le village.* ☎ *422-40. Ouv avr-sept, tlj sf mar. Plats env 12 € 10h-17h, et 14-24 € 18h-21h.* Formule resto-*coffee shop* dans un petit décor très élégant aux tons noir et bordeaux, presque bistrot. Cuisine très honnête à prix encore raisonnables. Le midi, choix de snacks et de petits plats sympas. Le soir, *evening specials.* Copieux saladier de moules, *homemade fish cake,* loup (de mer), haddock, poulet, ou encore burgers et sandwichs. Bons desserts maison. Petite carte des vins. Même proprio que *The Convent Guesthouse.*

Gaynor's The Field Bar : *dans le village.* ☎ *422-61. Tlj 10h30-23h (plus tard le w-e).* Beau pub qui a servi de décor à de nombreuses séquences du film *The Field* avec Richard Harris. Vieux bois vert foncé, décoré de photos et d'articles sur le film ; magnifique cheminée de tourbe. Sympa pour boire un verre. Bon accueil de la patronne et des locaux. Billard. Autre pub juste à côté, le ***Hamilton's Bar.***

À voir. À faire

Sheep and Wool Centre (Leenane Cultural Centre) **:** *dans le centre, de l'autre côté du pont, face au Gaynor's.* ☎ *423-23.* ● *sheepandwoolcentre.com* ● *Mi-mars à oct, tlj 10h-18h. Entrée : 4 ou 5 € selon visite guidée ou non (et si démonstration de tonte ou non) ; réduc. Vidéo sur l'histoire locale disponible en français.* Petit musée-boutique sur la laine et les moutons. Explications sur les différents types de moutons et les procédés de transformation de la laine : cardage, filage, teinture, tissage (quelques vieux métiers) et tricotage... Fait aussi *coffee shop* (bon *carrot cake*) et vend les tickets pour la croisière dans le fjord. Bon accueil (fait d'ailleurs plus ou moins office de Point Infos).

➢ ***Croisière dans le fjord :*** *avec* **Killary Cruises.** *☎ (091) 566-736 ou 1-800-41-51-51 (nº Vert). • killarycruises.com • Départ de Nancy's Point, à 2 km sur la route de Clifden. Juin-août, 4 départs/j. 10h30-16h30, option repas « croisière barbecue » ven-sam à 19h et dim à 14h30 juil-août (14 € supplémentaires/pers) ; avr, juin et sept, 3 départs/j. et 2 en oct. Soirée avec DJ sam soir. Compter 21 € ; réduc (gratuit pour les enfants le w-e). Bar et snack à bord.* Croisière tranquille de 2h dans ce qui est considéré comme le seul fjord irlandais, le Killary. On peut voir depuis le bateau des fermes d'élevage de saumons et de moules en longeant Mweelrea Mountain. Remboursement garanti si vous avez le mal de mer !

➢ Plusieurs belles ***randonnées*** à faire dans le coin : de 6 à 8h de marche. Comme par exemple, *Leenane-Killary Harbour-Kylemore (*carte *Discovery Series* nº 37), ou *Maum-Leenane par la vallée de Failmore* (carte *Discovery Series* nº 37) ou encore *Derryclare-Bencorr,* au sud des Twelve Bens (cartes *Discovery Series* nºs 37 et 44).

➢ En voiture, on peut aussi emprunter la superbe R 344, entre Kylemore et Recess, entre lacs et rivières, landes, montagnes et tourbières à perte de vue.

Killary Adventure Co : *sur la N 59, à env 6 km de Leenane vers Letterfrack. ☎ (095) 434-11. • killaryadventure.com • Ouv tte l'année (sur résa l'hiver). Activités de 3h à partir de 46 € ; réduc enfants. Package 87 €/j. pour cumuler plusieurs activités.* Dans un bâtiment circulaire, centre d'activités sportives pour jeunes et adultes : planche à voile, kayak, bateau, randonnées dans les environs, escalade, tir à l'arc, saut à l'élastique, accrobranche, ski nautique, etc. Ça a un petit côté « lieu de remotivation des cadres », mais c'est assez pro. En général, on y vient pour 1 semaine en pension complète, mais il y a des formules à la nuitée.

En hte saison, compter 22-26 €/pers en dortoir (sans petit déj) et 70 € la double en B & B. *Dîner 20 € et* coffee shop. *Internet.* Une centaine de lits en dortoir de 4 à 6 personnes ou chambres doubles et familiales, salle de bains *en suite.* Propre mais manque un peu de déco et, du coup, de chaleur (sportif, quoi !). Billard.

CONG (CUNGA)

750 hab. IND. TÉL. : 094

Administrativement parlant, on est déjà dans le Mayo County. Une région si belle, un village si pittoresque que John Ford les a choisis pour tourner *L'Homme tranquille (The Quiet Man),* avec John Wayne et Maureen O'Hara. Le visiteur reconnaîtra sans peine le petit bourg immortalisé à l'écran sous le nom d'*Inisfree* car il a finalement peu changé depuis. Il est d'ailleurs devenu un véritable lieu de pèlerinage. 60 ans après, le souvenir est toujours aussi vivace !
Résultat, Cong est devenu éminemment touristique. Et ça se comprend, entre le château d'Ashford, les ruines de son ancienne abbaye et le charme délicieux de sa campagne alentour, Cong ne manque pas d'attraits. Bon, pas toujours facile d'y être un homme tranquille en été !
À quelques kilomètres, *Clonbur,* « capitale » du Joyce Country, au nord du lough Corrib, s'avère ces jours-là un excellent refuge, loin de la foule...

L'HISTOIRE DU BOYCOTT

En 1880, Charles Parnell, leader du Home Rule Party, s'allia à Michael Davitt pour mener le combat pour la réforme agraire. Né en pleine famine, Davitt avait connu l'expulsion de ses parents de leurs terres. En 1880, la crise économique et les mauvaises récoltes ayant ruiné les paysans de l'Ouest, Davitt créa la *Land League* (« ligue de la terre ») pour s'opposer aux expulsions et obtenir des réformes. Il en confia la présidence à Parnell. Complémentaire, le duo fonctionna à merveille : Davitt, d'origine populaire et grand agitateur, apportait au politicien Parnell son sens aigu des réalités sur le terrain. Ensemble, ils créèrent une forme de lutte géniale : le boycott, du nom de Charles Boycott, le premier contre qui ce « blocus » s'exerça. Tous les régisseurs des propriétaires anglais, ceux qui acceptaient de collaborer avec eux et ceux qui acceptaient des terres d'expulsés, furent mis en quarantaine totale. Plus une livraison de quoi que ce soit, plus un contact, plus un mot échangé !

Arriver – Quitter

Arrêt des Bus Eireann : *Main St, dans le centre, devant le* Ryan's Hotel. *Infos : ☎ (091) 562-000. • buseireann.ie •*

➢ ***De/vers Galway :*** la compagnie *Eireann* propose 1 bus/j. lun-ven ; 2 bus les mar et jeu. Et sinon, on vous rappelle l'existence du bus de la *Galways Tour Cie* qui dessert quotidiennement l'abbaye de Kylemore et Cong depuis Galway (voir en début de chapitre sur « Le Connemara et le Mayo des randonneurs »).

➢ ***De/vers Westport :*** tte l'année, 1 bus/j. (1 supplémentaire les mar et jeu) qui s'arrête à Ashford Gates, à 1,5 km de Cong. Pas de service le dim.

➢ La ligne ***Galway-Westport*** passe à Ballinrobe (à 10 km de Cong), plus de trafic (4-5 bus lun-sam, 2-3 le dim).

Adresses utiles

Office de tourisme : *Abbey St, en face de... l'abbaye. ☎ 95-465-42. • congtourism.com • Mars-fin sept, tlj sf dim 10h-17h45 (ouv le dim en juil-août).* Services habituels et réservation d'hébergement moyennant commission,

✉ ***Poste :*** *Circular Rd. Lun-ven 9h-13h, 14h-17h30 ; sam 9h-13h.*

■ ***Pharmacie :*** *juste à côté de l'office de tourisme. Lun-ven 10h-18h ; sam 10h-13h.*

■ ***Location de vélos et de barques :*** *au* ***Cong Caravan & Camping Park & Hostel,*** *en juil-août. Compter 15 €/j. pour un vélo et 20 €/j. pour une barque. Ou chez* **David O'Loughlin Sports,** *Main St. ☎ 95-450-50.* Grand choix de vélos.

@ ***Hungry Monk Café :*** *après l'office de tourisme. ☎ 95-458-42. Avr-oct, tlj sf mar 10h-19h. Également un poste à pièces au* ***Crowe's Nest Pub,*** *☎ 95-462-43. Tte l'année, tlj 10h-minuit.*

Où dormir à Cong et dans les environs ?

Auberge de jeunesse et camping

Cong Caravan & Camping Park & Hostel : **Lisloughrey,** *Quay Rd. ☎ 95-460-89. • conghostel@gmail.com • À 1,5 km de Cong, sur la route de Galway. Ouv tte l'année. Compter 15-17 €/pers en dortoir ou 22-25 € en chambre privée ; 20 € pour 2 avec tente. Douches payantes. Réduc de 10 % sur présentation de ce guide.* AJ située dans une grande maison moderne (capacité de 70 lits), entourée de verdure. Pas le choix, car c'est la seule du coin. Dortoirs de 4 à 8 lits ou chambres pour couples (réservez en été) et familles. Certaines d'entre elles possèdent leur propre salle de bains. Grande cuisine, possibilité de faire sa lessive. Aire de camping correcte juste à côté, qui possède ses propres douches et w-c. Location de vélos et de barques au bord du lac. Sur demande, on vous passera *The Quiet Man* au minicíné de l'*hostel* ; c'est compris dans le prix !

Prix moyens

■ ***The Quiet Man Cottages :*** *s'adresser au musée ou au* Michaeleen's Manor B & B. ☎ *95-460-89.* ● *quietman-cong.com* ● *2 cottages tt équipés à louer au centre du village, un peu après l'office de tourisme. Résa conseillée. Compter 50 €/j. ou 300 €/sem pour 4 pers.* Ça peut être une formule intéressante pour loger en famille et faire sa popote.

■ ***Ballykine House :*** *sur la route de Clonbur (R 345), à 5 km à l'ouest de Cong.* ☎ *95-461-50.* ● *ballykinehouse-clonbur-cong.com* ● *Bien fléché sur la droite en venant de Cong, puis c'est au bout de l'allée verdoyante. Ouv avr-oct. Résa conseillée. Compter 70 € pour 2.* Belle et grosse maison de pierre grise, cossue, au centre d'un parc de 900 ha, en lisière d'une forêt et offrant une poignée de chambres personnalisées avec salle de bains. Situation extrêmement agréable. Accueil délicieux. Petite bibliothèque, salon avec piano, véranda avec billard et doc sur la région pour les *guests*. C'est aussi un point de départ de balades vers un lac et une forêt. Bon breakfast. L'une de nos adresses préférées dans le coin.

■ ***Hill View Farm : Drumshiel,*** *à env 1,5 km au nord de Cong ; suivre le fléchage à droite juste après le pont à la sortie du village.* ☎ *95-465-00.* ● *hillviewcong@hotmail.com* ● *Ouv fév-15 déc. Compter 60 € pour 2.* Face à un superbe panorama. Maison moderne à côté d'une exploitation agricole. Chambres *en suite* avec TV et matelas « haut de gamme », précise Mrs Bridie O'Toole, la sympathique proprio qui donne aussi d'excellents conseils sur les balades à faire dans les environs. Bon petit déj maison. Couchers de soleil divins sur la campagne.

■ ***Dolmen House : Drumshiel*** *(même direction que la* Hill View Farm*).* ☎ *95-464-66.* ● *dolmenhouse-cong.com* ● *Ouv mars-fin sept. Compter 60 € pour 2.* Facilement repérable avec son dolmen à l'entrée, une grande maison « saumon trop fumé » avec des chambres très colorées. Un style kitsch chic confortable pour un accueil des plus sympathique d'un jeune couple. L'une des chambres donne sur la rivière qui va plus loin encercler Cong. Beau salon avec cheminée en pierre. Sauna à disposition.

■ ***Ashfield House : Caherduff,*** *à 3 km au nord-est de Cong.* ☎ *95-467-59.* 📱 *087-277-05-99.* ● *congaccommodation.com* ● *Prendre la route de Galway et, face à Ashford Castle, tourner à gauche vers Ballinrobe. Fermé en déc. Compter 58 € pour 2. CB refusées.* En bordure de route, grande maison toute jaune proposant des chambres fleuries, mansardées, toutes mignonnes et de couleurs différentes, avec TV et sanitaires nickel. Bon accueil. Le petit déj, varié et très soigné, se prend dans une salle agréable, baignée de lumière. Excellent accueil de Christina.

■ ***Hazel Grove B & B : Drumshiel,*** *à 2 km au nord de Cong.* ☎ *95-460-60.* ● *hazelgrove.net* ● *Ouv fév-fin nov. Compter 58 € pour 2 selon saison.* Chambres convenables et très propres (sanitaires étincelants). Celle du 1er étage, la plus grande, donne sur la belle campagne environnante et sur le château Aughalard en ruine. Les autres, au rez-de-chaussée, sont de qualité et confort égaux, toutes avec salle de bains. Accueil courtois.

Où manger ? Où boire un verre ? Où prendre le thé ? Où écouter de la musique ?

🍴🍷 ***Hungry Monk Café :*** *Abbey St.* ☎ *95-468-66. À 50 m de l'office de tourisme. Avr-oct, tlj sf mar 10h-19h (17h30 hors saison). Petite restauration env 10-12 €.* Petit *coffee shop* et café Internet à la déco sympa proposant une bonne petite cuisine (sandwichs, salades) bon marché. On y vient aussi pour ses desserts faits maison *(apple* *crumble, pear and ginger cakes...)* affichés au tableau. Bref, de quoi nourrir son homme, pardon son « moine affamé », puisque tel est le nom de ce café situé tout près de l'abbaye...

Cullen's at the Cottage : *devant Ashford Castle. ☎ 95-453-32. Situé devant le pont du château. Ouv début juin-déc, tlj 11h-18h, plus ven-dim 20h30-22h30 en été. Plats env 15-19 €.* Snack food *6-14 €.* Cette mignonne chaumière appartenant au groupe Ashford Castle s'avère être un petit resto-bistrot fort sympa. Un cadre tout simple, filet de pêche suspendu sous le toit de chaume, table en bois foncé, fauteuil rouge confortable et bar en pin au milieu d'une salle toute ronde. Vaste choix, de l'assiette de saumon au *fish & chips* en passant par les sandwichs, les gnocchis et du mouton, bien sûr. Tout y est très bon et l'atmosphère bien plus relax qu'au château !

Ashford Castle : *dans la* Drawing Room. *☎ 95-460-03.* Tea time *15-17h. Compter 12 € pour un thé et une pâtisserie ; 23 € pour la totale.* L'ambiance est relax, vous pouvez entrer sans complexes ! Le *full afternoon tea* est un vrai bon plan et permet de vivre la vie de château sans trop casser sa tirelire. Une pyramide de sandwichs, de pâtisseries et de scones vous sera servie au salon, dans une débauche de velours et de taffetas (et des canapés qui vous avalent tout cru). L'occasion de jeter un œil à ce décor fabuleux...

The Crowe's Nest Pub *(Ryan's Hotel)* **:** *Main St, au centre du village. ☎ 95-462-43. Tte l'année, tlj 10h-minuit.* Bar food *env 10-25 € jusqu'à 22h.* Dans un beau bâtiment en pierre sombre, grand bar très sympa où se mélangent des photos de John Wayne (encore) et des fanions d'équipes de foot. Vieux piano dans un coin. Une TV est allumée quand il n'y a pas de *session* de musique traditionnelle (le week-end), à moins qu'un bœuf ne s'improvise. Certains restent tard le soir.

Danagher's : *au bout de Main St, avt l'office de tourisme. ☎ 95-460-28. Cuisine tlj 12h-21h30. Plats env 10 €, quelques-uns plus chers.* À la fois un pub, un resto et un hôtel. On y mange bien pour pas trop cher. À la carte : *fresh salmon,* lasagnes, *roast chicken, boiled bacon and cabbage...* bref, du typiquement irlandais. C'est aussi un pub animé, où l'on vient tout autant siroter un whiskey (belle sélection !) que descendre un stout. Musique traditionnelle le jeudi, *acoustic* (chansons à la guitare) le dimanche. Accueil chaleureux. « *No place for a quiet man* », comme ils le disent eux-mêmes !

Où manger ? Où boire un verre ? Où écouter de la musique dans les environs ?

Burke's Bar and Restaurant : *à* **Clonbur** *(5 km à l'ouest de Cong), dans le centre. ☎ 95-461-75. Avr-sept, midi et soir ; le reste de l'année, slt le midi et pour dîner ven-sam. Résa conseillée.* Bar food *autour de 10 € 12h30-18h ; le soir, plats 14-27 € ; menu 25 €.* Excellente adresse, réputée dans la région. Pensez à réserver votre table le week-end pour dîner. Décor de pub authentique : bois, poutres, poissons du lac naturalisés au-dessus de la corniche et vieux standard téléphonique dans un coin. Salle de resto à l'atmosphère profondément provinciale, qui fait vraiment plaisir à voir. Fine cuisine traditionnelle (truite du coin et succulents carré d'agneau et canard rôti), souvent accompagnée de légumes bio de la région. Fait aussi *bar food,* moins chère bien sûr. Côté animation, en été, musique et danses traditionnelles le week-end à partir de 22h30. Un endroit plein de charme, où l'étranger ne le reste pas longtemps, vite conquis par l'ambiance. Billard dans une salle annexe et écran géant pour les soirées sportives (grosse ambiance les soirs de match de *football gaélique* ou *caid,* un mélange de rugby, de *soccer* et de football américain).

Mellottes Pub & Pyramid Restaurant : *à* **Neale,** *à env 5 km de Cong. ☎ 95-410-32. De Cong, route de*

Galway et prendre à gauche vers Ballinrobe face à Ashford Castle. Fermé mar. Bar food *tlj 13h-20h, plats 8-10 € ; resto mer-sam 17h-21h et dim 13h-20h, plats 16-24 €.* Pub au décor assez banal, mais qui s'enorgueillit encore d'avoir vu l'ancien patron, Joe Mellotte, faire la doublure de John Wayne dans le film *The Quiet Man* ! Des articles de journaux en attestent... Honnête *bar food.* Quant au restaurant, son nom est tiré d'un monument local pour le moins original (une véritable « pyramide » miniature, demandez où c'est !). Décor plus moderne et excellente cuisine très appréciée des gens du coin. Bon poisson notamment.

À voir

L'abbaye : *juste en face de l'office de tourisme (fascicule en vente). Accès libre.* Fondée au VIIᵉ s, elle fut détruite et reconstruite maintes et maintes fois jusqu'au XIIᵉ s. Pas mal de ruines, mais on peut encore observer de beaux détails d'architecture romane. Le cloître a été restauré au XIXᵉ s. Et l'ensemble a bien du charme. Nombreuses pierres tombales partout. En face, les restes de l'ancienne église. La nouvelle, elle, derrière l'abbaye, ressemble furieusement à un blockhaus. Ne pas hésiter à flâner dans le parc tout autour, superbe avec son romantique petit pont. Il y a même un *nature trail* à travers le domaine forestier attenant qui permet de rejoindre tranquillement le château d'Ashford... Quant à la célèbre croix de Cong, sauvée par les moines à la destruction du monastère, elle est exposée au Musée national de Dublin.

The Quiet Man Heritage Cottage : *Circular Rd. ☎ 95-460-89. • quietman-cong.com • Avr-oct tlj 10h-16h. Entrée 5 € ; réduc.* Le cottage original qui servit de nid douillet à Sean et Mary-Kate (John et Maureen si vous préférez) est malheureusement en ruine quelque part dans la campagne. Au grand dam des fans. Ceci est donc une reconstitution du White-O-Mornin, remplie essentiellement de répliques (beaucoup de scènes d'intérieur ayant été tournées à Hollywood, nombre de costumes et objets se trouvent là-bas). Vu le prix (cher pour ce qu'il y a à voir), la visite ne s'adresse qu'aux inconditionnels. À l'étage, une boutique.

Ashford Castle : *à 500 m du village. • ashford.ie • Accès gratuit hors saison et le soir en été.* Pour les amateurs de contes de fées. Il remonte à 1228 mais fut fort remanié au XIXᵉ s, dans un style néogothique. Résultat, il fait très Walter Scott avec ses grosses tours crénelées. Quoi qu'il en soit, il a grande allure ! Transformé aujourd'hui en hôtel de luxe inabordable, il a accueilli l'équipe du *Quiet Man,* lors du tournage. Il a aussi servi de décor à de nombreuses scènes du film. On retrouve aussi le château dans *Un taxi mauve*. C'est dire s'il est photogénique. Il ne se visite évidemment pas mais vous pourrez toujours profiter de ce décor de rêve à l'occasion d'un *tea time* inoubliable (voir plus haut). Attention, l'accès au parc est payant en saison, sauf si vous avez réservé pour le thé ou si vous déjeunez au *Cullen's at the Cottage.* Autre solution, venir avant 10h ou après 17h, lorsqu'il n'y a plus personne à l'entrée pour vous réclamer les 5 € de droit de passage...

➢ **Croisière sur le lac Corrib :** *départ d'Ashford Castle ou de Lisloughery, au bout de la route pour la* Cong Hostel, *à 1 km du centre. ☎ (091) 557-798. 📱 087-994-63-80. • corribcruises.com • Tte l'année, mais c'est selon la météo. Départs jusqu'à 5 fois/j. en saison. Si vous ne voulez pas payer l'entrée au parc d'Ashford Castle, allez prendre le bateau à Lisloughery. Adultes : 20 € ; réduc (arriver au moins 20 mn avt).* Croisière de 1h directe ou de 1h30-2h avec un arrêt de 30 mn sur Inchagoill Island, petite île tranquille avec des ruines du Vᵉ et du XIIᵉ s. En juillet-août, la croisière du soir se fait sur fond de musique traditionnelle. Pour traverser le lac, prenez un des bateaux qui vient d'Oughterard en fin de matinée et y retourne dans l'après-midi (pause sur Inchagoill Island incluse).

DANS LES ENVIRONS DE CONG

➢ ***Balade sur le mount Gable :*** de **Clonbur,** entre les lacs Mask et Corrib, se rendre au lough Coolin. Une vraie perle dans un écrin de verdure ! Cependant, pas facile à trouver. Demander le plan d'accès au *John J. Burke and Sons Pub,* qui vous la donnera gentiment. Si vous vous sentez des ailes, grimpez sur la montagne (environ 400 m de haut). Assez facile malgré quelques tourbières. Environ 1h30 pour monter et descendre depuis le parking, ou au moins 2h à partir du pub. De là-haut, vue unique sur les trois lacs. Vous pouvez aussi emprunter la *Old Road* qui longe le lac à l'écart des voitures (il s'agit de la route de 1837 qui surplombe légèrement l'actuelle). Là encore, se renseigner au pub. Le site ● *coillteoutdoors.com* ● propose quantité de circuits autour du *mount Gable* (ainsi que pour le reste de l'Irlande), pour petits et grands marcheurs de 45 mn à 4h...

➢ ***Cong-Leenane à vélo :*** pour ceux qui ont du temps, superbe balade. Au lieu d'emprunter la route sud (par Cornamona), prendre plutôt celle du nord (par Finny). Arrivé à Clonbur, route de droite donc (eh oui, tout est écrit en gaélique). On longera d'abord le lough Mask, battu par les vents, puis la rive droite de deux autres petits lacs, avant de grimper sur la montagne et de retrouver la route de Leenane.

Ross Errilly Abbey : pour les amoureux d'abbayes ou pour ceux qui redescendent sur Galway, ne pas manquer, à 2 km de Headford, l'abbaye franciscaine la mieux préservée d'Irlande. Les moines n'abandonnèrent le site qu'au XVIIIe s, reconstruisant patiemment après chaque destruction perpétrée par les armées de Cromwell. Et bien que ruinés, les bâtiments du XVe s, l'église, le cloître et les cuisines demeurent dans un bon état de conservation. On l'aperçoit dans *The Quiet Man*.

Où dormir sur les rives du lough Corrib ?

Lakeshore House B & B : *Ballard,* ***Clonbur.*** ☎ *(094) 954-83-11.* *087-761-14-81.* ● *lakeshoreconnemara.com* ● *À 7 km de Cong sur la R 345 en direction de Leenane et Maam Cross. Ouv tte l'année. Compter 70 € pour 2. CB refusées.* Belle et vaste maison blanc et bleu perchée sur un promontoire qui domine le lac Corrib. 6 chambres impeccables avec salle de bains, qui ont le mérite de toutes avoir l'admirable vue sur le lac. Cheminée dans le salon commun. Possibilité de louer une barque pour pêcher ou de partir en rando sur le Hillmont Gable, juste derrière. L'acteur Liam Neeson est même venu y passer quelques jours. De plus, Bernadette, la charmante propriétaire, est riche de conseils pour profiter à fond de ce coin assez exceptionnel.

LES COMTÉS DE MAYO ET DE SLIGO

Peu après Leenane, on quitte le Connemara pour le comté de Mayo (Contae Mhaigh Eo). La roche qui rendit la vie si difficile aux paysans reste omniprésente. Ici, comme dans le Connemara, les conditions de vie ont toujours été fort rudes : le comté, très étendu, ne compte que 124 000 habitants...

DE LEENANE À WESTPORT

À la jonction de la route directe pour Westport (N 59) et de celle qui passe par Louisburgh se pose un problème cornélien : laquelle prendre ? Finalement, on a pris celle qui musarde par Louisburgh. Et nous ne l'avons pas regretté.

D'abord, la route suit un peu le bord du fjord dans l'autre sens. Au passage, on jette un œil sur les ***cascades d'Aasleagh.*** Le site est intéressant, mais moins spectaculaire que la fameuse carte postale qui l'immortalise.

DELPHI

Après avoir longé le fjord Killary sur quelques kilomètres, la route tourne à droite et s'insinue entre des gorges plus serrées. Quelques baraques au milieu d'une forêt de rhododendrons et d'arbres immenses annoncent le village de Delphi. La mousse au sol compose une moquette de 10 cm. Quelques pêcheurs, eux, taquinent la truite dans le lough Finn. La route s'enfonce toujours plus dans la vallée qui s'évase entre les Mweelrea Mountains et les Sheeffry Hills, le long du Doo Lough, sur les berges duquel une borne rappelle l'une des tragédies les plus navrantes de la Grande Famine : en 1849, des populations quittèrent leurs villages à la suite d'une fausse rumeur de ravitaillement. Près de 400 hommes périrent ici de faim sur le chemin du retour. Enfin, la route débouche sur un plateau de landes sans plantes, sans arbres. Pas de doute, nous avons pénétré dans le comté de Mayo. Les paysages seront désormais plus doux, moins spectaculaires. Le Mayo reçoit un peu moins de touristes, c'est normal ; ici, on aborde une région moins saisissante. Quoique...

Autre itinéraire

Si l'on veut rallier plus vite Westport, après Delphi, une petite route part sur la droite, passant par Owenmore Bridge et rejoint la N 59 à Liscarney. Déconseillée aux auto-stoppeurs et aux cyclistes (pentes parfois à 15 %). Après avoir longé les flancs du Ben Creggan (à droite) et des Sheeffry Hills (à gauche), on grimpe pour, finalement, jouir d'une vue sur la plaine au sud de Westport et de Castlebar...

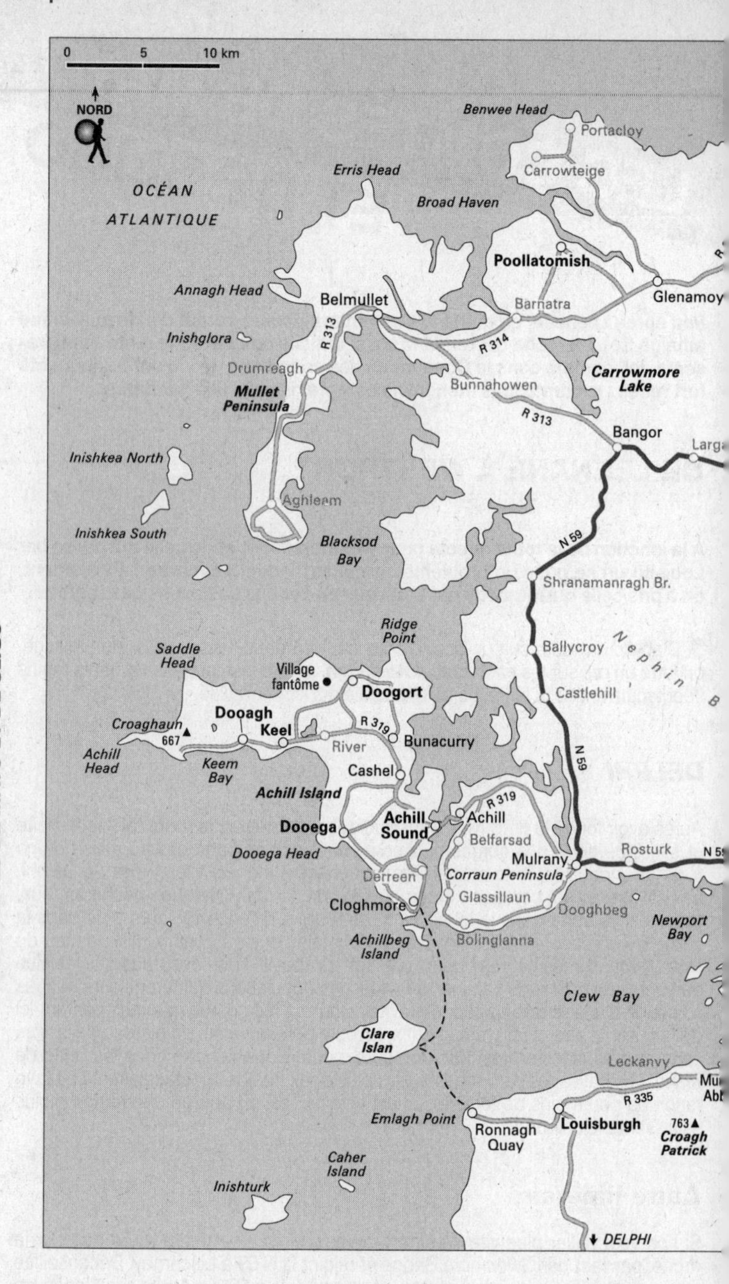
0
5
10 km
NORD
OCÉAN ATLANTIQUE
Benwee Head
Portacloy
Carrowteige
Erris Head
Broad Haven
Poollatomish
Glenamoy
Annagh Head
Belmullet
Barnatra
R 313
R 314
Inishglora
Drumreagh
Bunnahowen
Carrowmore Lake
Mullet Peninsula
R 313
Bangor
Larga
Inishkea North
Aghleam
N 59
Inishkea South
Blacksod Bay
Shranamanragh Br.
Ridge Point
Ballycroy
Nephin B
Saddle Head
Village fantôme
Doogort
Castlehill
Dooagh
Croaghaun
667
Keel
R 319
Bunacurry
Achill Head
Keem Bay
River
N 59
Cashel
Achill Island
R 319
Achill
Dooega
Achill Sound
Belfarsad
Rosturk
Dooega Head
Mulrany
N 59
Derreen
Corraun Peninsula
Cloghmore
Glassillaun
Dooghbeg
Newport Bay
Achillbeg Island
Bolinglanna
Clew Bay
Clare Islan
Leckanvy
R 335
Emlagh Point
Ronnagh Quay
Louisburgh
763
Croagh Patrick
Caher Island
Inishturk
DELPHI

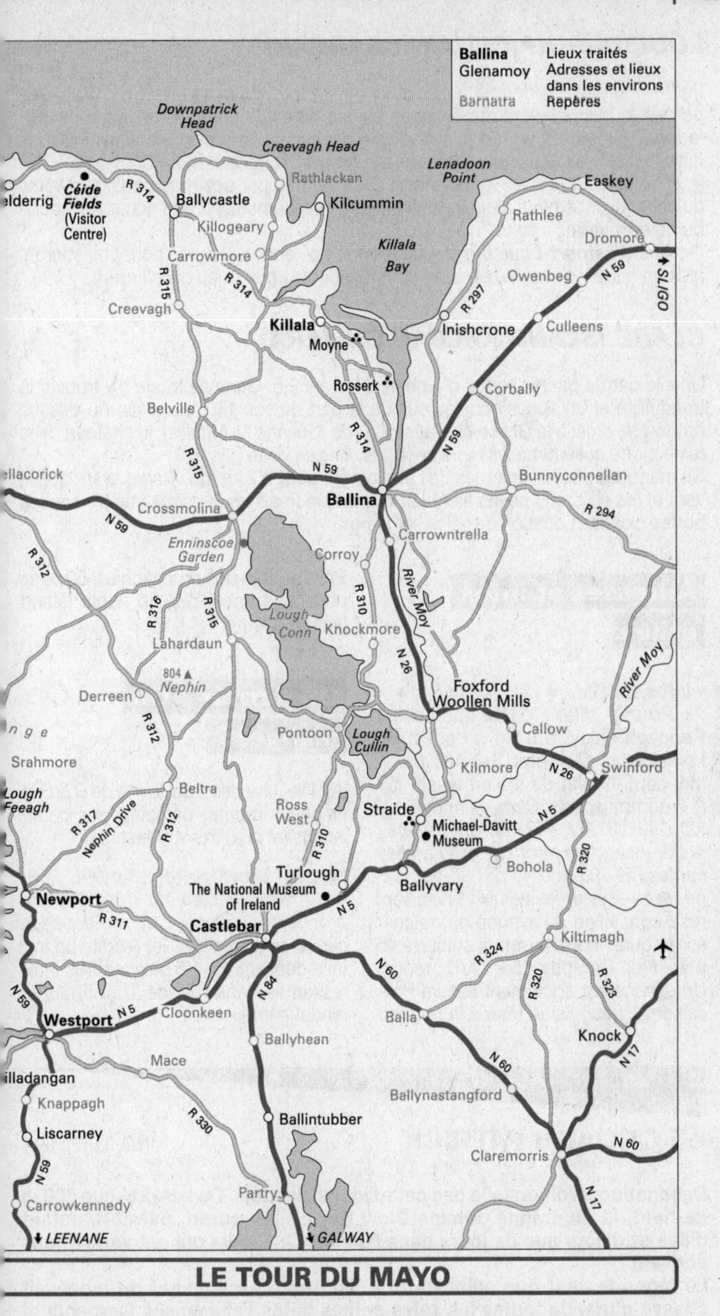

LES COMTÉS DE MAYO ET DE SLIGO

LE TOUR DU MAYO

LOUISBURGH (CLUAIN CEARBAN)

Petite bourgade endormie à quelques encablures du rivage de Clew Bay. Des petites routes la relient aux longues plages de sable pâle des environs de ***Killadoon,*** qui offrent un fort joli spectacle par ciel typiquement irlandais. Pour les fans, festival de Musique traditionnelle fin avril ou début mai *(☎ 098-662-76 ; 📱 087-241-25-11 ; • feilechoiscuain.com •),* animé par des musiciens originaires du coin qui ont émigré mais reviennent pour l'événement. À cette occasion, Louisburgh se réveille !

➢ ***Bus Westport-Louisburgh-Killadoon :*** tte l'année, 2 bus/j. pour Louisburgh, plus un autre les mar, jeu et sam ; pour Killadoon 1 bus le jeu dans l'ap-m.

CLARE ISLAND (OILÉAN CHLIARA)

Une île battue par les vents, d'à peine 8 km sur 2,5. Garantie totale d'y trouver la tranquillité et un accueil chaleureux de la part de ses 180 habitants. Au-dessus du port se dresse le ***Grace O'Malley Castle*** *(Grâinne Ni Mhaille),* le château de la reine pirate qui écuma les mers au XVIe s. Il ne se visite pas.

Ne manquez pas les fresques de l'abbaye en ruine, à 2 km du village, avant que le vent et les embruns ne les aient fait disparaître (mais vous risquez de trouver les portes closes). Location de vélos sur le port.

Adresses et infos utiles

– ***Infos sur l'île :*** • *clareisland.info* •

➢ ***Pour y aller :*** embarquement à Roonagh Quay, à 8 km à l'ouest de Louisburgh. Compter 3-8 A/R par j. mai-sept. 15 mn de traversée slt. Il y a 2 compagnies : *Clare Island Ferry (☎ 098-237-37 ; 📱 086-851-50-03 ; • clareislandferry.com •)* et *O'Malley Ferries (☎ 098-250-45 ; 📱 086-600-02-04 ; • omalleyferries.com •).* En saison, résa conseillée à l'avance au guichet sur le quai ; hors saison, il suffit de se présenter. Compter 15 € l'A/R ; réduc. Un service est également assuré hors saison, 2 fois/j., si le temps le permet. Rens auprès des compagnies. Départs possibles aussi depuis Achill Island (voir plus loin).

Où dormir ? Où manger ?

Sur l'île, une demi-douzaine de *B & B* et un petit terrain de camping, aux installations (et prix) très modestes.

🍽 ***Bay View Hotel :*** *☎ 098-263-07. À 5 mn à pied du débarcadère, proche de la plage. Ouv juin-sept.* Un des rares restos de l'île. A édité un fort utile dépliant avec 5 balades très intéressantes dans l'île (de 1h à 5h30 de randonnée).

LE CROAGH PATRICK

IND. TÉL. : 098

Destination traditionnelle des catholiques irlandais. De ses presque 800 m de haut, la montagne domine Clew Bay où il y aurait, paraît-il, autant d'îles et d'îlots que de jours dans l'année. Que ceux qui ont vérifié nous écrivent !

La légende veut que saint Patrick, en prière au sommet du mont, ait chassé d'Irlande toutes les sales petites bêtes venimeuses (serpents et autres). Pèlerinage tous les ans, le dernier dimanche de juillet. Il se faisait

autrefois de nuit, avec des torches et pieds nus ! Les accidents trop nombreux font que, depuis 1974, le pèlerinage s'effectue de jour. On a dénombré jusqu'à 60 000 personnes rassemblées à cette occasion. Cependant, le Croagh offre la possibilité d'une superbe balade toute l'année (sauf au cœur de l'hiver).

ℹ ***Information Centre et cafétéria :*** *dans le village de Murrisk, au pied du mont. ☎ 64-114. Ouv mars-oct 10h-17h.*

Où dormir ? Où manger ? Où boire un verre ? Où écouter de la musique ?

⌂ ***Bertra House :*** *Thonhill à* ***Murrisk.*** *☎ 648-33. 📱 086-066-72-33. • bertrahse.com • À env 3 km après le centre de Murrisk sur la R 335, direction Louisburgh, à droite (fléché « Bertra Strand »). Ouv mars-nov. Compter 70 € pour 2. CB refusées.* Dans un hameau coincé entre la mer et le Croagh Patrick, une maison neuve et sans charme, entourée de champs où paissent des moutons. Chambres confortables avec moquette épaisse, lit douillet et grosse couette colorée. Copieux petit déj pour prendre des forces avant d'aller affronter le « Reek » (surnom du Croagh Patrick) ou profiter d'une des plus belles plages de la côte, Bertra Beach, à deux pas.

The Tavern : ***Murrisk,*** *au centre du village sur la R 335. ☎ 640-60. Tte l'année, tlj 12h-23h. Plats 12-30 € ;* bar food *4-22 €.* Grande taverne rose *jelly* très réputée. Intérieur en boiserie sombre, menu sur le tableau au-dessus de la cheminée, resto élégant à l'étage proposant principalement des fruits de mer. Un must dans le coin et pourtant, la cuisine y est correcte sans plus. D'un autre côté, le choix est limité et l'ambiance excellente. C'est le rendez-vous des départs pour l'ascension du Croagh Patrick, mais aussi celui du retour pour une bonne *Guinness,* et une longue soirée musicale.

Balades au Croagh Patrick

➢ Un chemin bien tracé conduit jusqu'au sommet depuis l'*Information Centre* de Murrisk (parking). Compter 2h pour la montée, un peu moins pour la descente. Pas de difficultés particulières, si ce n'est que l'ascension finale est assez raide. De là-haut, vue superbe sur Clew Bay, Achill Island et toute la région.

➢ Il existe une alternative au sentier repris ci-dessus, mais ATTENTION ! bien se renseigner sur les conditions climatiques avant de partir et, surtout, se munir d'une carte détaillée du secteur (de type *Discovery Series*). Compter 5h aller-retour, via Aghamore Bridge, le sanctuaire-pèlerinage (très abrupt, et la fin se fait souvent dans le brouillard) et le Ben Goram. Du sommet de cette dernière colline, la descente directe vers la mer à travers les mousses et bruyères est féerique.

À voir aussi dans le coin

Murrisk Abbey, dans le village du même nom, datant du XVe s, sur le rivage de Clew Bay. Belles ruines mystérieuses au soleil couchant quand on s'engage dans les couloirs et escaliers secrets. Comme il était d'usage à l'époque, les alentours servaient de cimetière et on bute sur des tombes dans tous les coins.

National Famine Monument : *accès par le chemin de Murrisk Abbey.* Sculpture poignante (inaugurée en 1997) représentant un bateau où des corps décharnés semblent flotter autour des mâts. Belle évocation des *coffin ships* (« bateaux-cercueils »).

Et si vous en redemandez, poussez donc jusqu'à ***Knock,*** à une soixantaine de kilomètres plus à l'est (sur la N 17). Le développement de ce Lourdes irlandais fut porté à bout de bras par un évêque un peu mégalo. L'église peut accueillir 15 000 personnes. *Folk Museum.* C'est également à Knock que se situe l'aéroport régional.

WESTPORT (CATHAIR NA MART)

5 400 hab. IND. TÉL. : 098

À 261 km de Dublin et 80 km de Galway, jolie petite ville où les centres d'intérêt (restos et pubs) sont concentrés autour de la rue principale. Elle abrite aujourd'hui l'une des plus grandes fabriques de textile du pays. Très animé, Westport dut son essor au marquis de Sligo, grand propriétaire qui fit transformer le fleuve en canal, tracer des rues, bâtir des ponts et contribua ainsi au développement de la cité. L'architecte en fut James Wyatt, célèbre bâtisseur de la période georgienne qui eut l'idée du Mall, cette avenue agréable, ombragée d'arbres, qui borde le canal de part et d'autre. Beaucoup de monde le dernier dimanche de juillet en raison du pèlerinage annuel de la Saint-Patrick. C'est aussi un lieu de villégiature très prisé par les Irlandais, et ce toute l'année.

Arriver – Quitter

En bus

Tous les départs se font depuis l'arrêt des ***Bus Eireann*** *(plan B2),* dans Mill St. Billets et infos au *Ticket and Information Desk* de l'office de tourisme : ☎ *257-11.* ● *buseireann.ie* ● Changement à Castlebar, Swinford ou Claremorris pour certains bus.

➢ ***De/vers Louisburgh :*** 2 bus/j., 3 bus les mar, jeu et sam, aucun le dim.
➢ ***De/vers Sligo :*** 3 bus/j., 5 le ven, 2 le dim.
➢ ***De/vers Castlebar :*** une quinzaine de bus/j., 7 le dim.
➢ ***De/vers Achill Island :*** 1 bus/j. sf le dim.
➢ ***De/vers Newport :*** 1 bus/j.
➢ ***De/vers Clifden :*** slt en juil-août, 1 bus/j. sf dim.
➢ ***De/vers Galway :*** 4 bus/j.
➢ ***De/vers Limerick :*** 4 bus/j.
➢ ***De/vers Shannon :*** 4 bus/j.
➢ ***De/vers Cork :*** 4 bus/j.
➢ ***De/vers Dublin :*** 5 bus/j., 3 le dim.
➢ ***De/vers Belfast :*** 2 bus/j., 1 le dim. Compter 7h de trajet.

En train

Gare ferroviaire *(hors plan par B2) : à env 10 mn à pied à l'est du centre.* ☎ *252-53.* ● *irishrail.ie* ●
➢ ***De/vers Dublin :*** 4 liaisons/j., 3 le sam. Compter 3h30 de trajet. Arrêt à Castlebar et Athlone, entre autres.

Adresses utiles

Office de tourisme *(plan A2) : James St.* ☎ *257-11.* ● *discoverisland.ie* ● *Juil-août, tlj 9h (10h dim)-17h45 ; fermé dim le reste de l'année, ainsi que sam ap-m en hiver.* Vente de cartes, guides, etc. Résa de logement et fournit un plan détaillé de la ville. Beaucoup de doc et de topoguides destinés aux randonneurs.

Poste *(plan B2) : The North Mall, au bord du canal. Lun-ven 9h-17h30 ; sam 9h-13h.*

@ ***Gavin's Video & Internet*** *(plan A2,* ***6****) : Bridge St.* ☎ *264-61. Tlj 10h (12h w-e et j. fériés)-22h. Compter 1 € les 15 mn.* Une douzaine de postes. Également le ***Dunnings Cyber-Pub*** *(plan A2) : sur l'Octagon.* ☎ *272-03.*

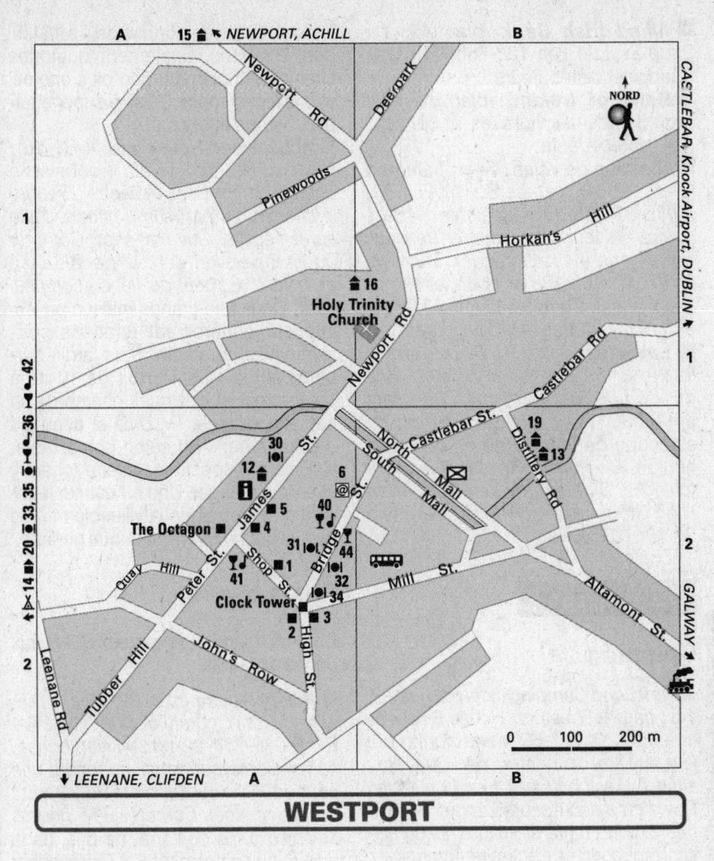

WESTPORT

Adresses utiles

- Office de tourisme
- 1 Allied Irish Bank
- 2 Bank of Ireland
- 3 Xpress Cleaners (laverie)
- 4 Sean Sammon (location de vélos)
- 5 Gill's Drycleaners (laverie)
- @ 6 Gavin's Video & Internet

Où dormir ?

- 12 The Old Mill Holiday Hostel
- 13 Killary House
- 14 Park Land Camping
- 15 Woodside Lodge
- 16 Abbeywood House
- 19 St. Anthony's Riverside
- 20 The Waterside B & B

Où manger ?

- 30 Madden's Bistro
- 31 McCormack's Gallery
- 32 John O'Malley's
- 33 The Creel
- 34 Mangos
- 35 The Quay Cottage
- 36 Cronin's Sheebeen

Où boire un verre ? Où écouter de la musique ?

- 36 Cronin's Sheebeen
- 40 Matt Molloy's
- 41 The Hoban's
- 42 The Helm
- 44 Moran's

■ ***Allied Irish Bank*** *(plan A2, **1**) : Shop St. Lun-ven 10h-16h (17h lun).* Change et distributeurs.

■ ***Bank of Ireland*** *(plan A2, **2**) : High St. Mêmes horaires et services que la précédente.*

■ **Location de vélos : *Sean Sammon*** *(plan A2, **4**), James St. ☎ 254-71. 📱 086-814-32-26. Quasiment face à l'office de tourisme ; repérer un vieux portail gris (rien d'indiqué). Lun-sam 9h30-19h (10h-18h en hiver), et dim en téléphonant. Compter 12 €/j., 20 € pour 2 j. ; réduc groupe et longue durée.*

■ **Laveries : *Gill's Drycleaners*** *(plan A2, **5**), James St, juste en face de l'office de tourisme. Lun-sam 9h-18h30.* Pour quelques euros, on s'occupe de votre linge en quelques heures. *De même, **Xpress Cleaners** (plan A2, **3**), à l'angle de Mill St et de High St, face à l'horloge. Lun-sam 9h-18h (18h30 ven).*

Où dormir ?

Camping

⛺ ***Park Land Camping*** *(hors plan par A2, **14**) : dans le* Westport House & Adventure Park. *☎ 277-66. • westporthouse.ie • À 3 km du centre, par Quay Rd ; arrivé à Westport Quay, tourner à droite. Ouv d'avr à début sept. Compter 24-26 € pour 2 avec tente et voiture, selon saison (douches et électricité comprises).* 📶 Au cœur du parc de *Westport House* et à proximité des attractions, sur un joli terrain vallonné et boisé, un peu bruyant quand c'est surpeuplé, et tarifs très élevés (presque le double de pas mal de campings !). Bar et café.

Bon marché

🏠 ***The Old Mill Holiday Hostel*** *(plan A2, **12**) : James St. ☎ 270-45. • oldmillhostel.com • Très central. Accès par un passage situé à côté de l'office de tourisme. Ouv mars-oct. Compter 18-20 €/pers en dortoir (supplément en juil-août). Café et toasts inclus.* 📶 AJ privée dans une ancienne brasserie datant de 1780, tout en pierre. Pas mal de caractère et de charme. Bon accueil (ici, on travaille en famille). En tout, 60 lits en dortoirs de 4 à 10 lits, dont 2 mixtes. Également quelques chambres triples, un peu plus chères, et une *family room.* Cuisine super équipée. Sympa et central.

🏠 ***Abbeywood House*** *(plan A-B1, **16**) : Newport Rd. ☎ 254-96. • abbeywoodhouse.com • Dans le centre. Prendre le chemin qui part sur la gauche juste après l'église. Ouv mai-sept. Compter 20-24 €/pers en dortoir, double 60 € et triple 70 € ; petit déj (léger) compris.* 💻 📶 Dans une grande maison privée, intérieur entièrement refait de couleurs vives, au centre d'un jardin surplombant la ville. Dortoir de 10 lits à prix correct et quelques chambres un peu surévaluées. TV, DVD et beau jeu d'échecs dans un salon confortable. Cuisine à disposition, laverie (chère !) et salle à manger. Une AJ calme, légèrement en retrait de la ville, bien tenue par une jeune et sympathique gérante.

Prix moyens

Comme toujours, nombreux *B & B* aux portes de la ville.

🏠 ***Killary House*** *(plan B2, **13**) : 4, Distillery Court, Distillery Rd. ☎ 274-57. 📱 086-834-22-08. • killaryhouse.com • Derrière le canal, au fond d'une cour donnant sur Distillery Rd. Ouv tte l'année sf Noël. Compter 60 € pour 2.* 📶 À proximité de l'arrêt de bus, de la gare et du centre, petit *B & B* proposant une poignée de chambres réparties sur deux petites maisons de ville au fond de la cour d'une ancienne distillerie de whiskey. Les chambres sont petites mais agréablement décorées, toutes *en suite.* Petit déj dans un salon coloré avec bow-window. Accueil sympathique d'un personnage étonnant que l'on verrait bien jouer le *tough guy* au cinéma.

🏠 ***The Waterside B & B*** *(hors plan par A2, **20**) : 1, The Harbour, The Quay. ☎ 296-03. • thewatersidebandb.com • Au bout du quai principal, après les restos, le* B & B *fait l'angle. Compter 70 € pour 2. CB refusées.* 📶 Si vous choisissez de résider sur le quai, nouvel endroit à la mode, ce *B & B* offre l'un des meilleurs rapports qualité-prix. Une maison de ville toute jaune sur

3 niveaux, face à la mer, entièrement refaite. Chambres calmes, lumineuses et meublées avec goût. Bon accueil, jeune et sympa.

Woodside Lodge *(hors plan par A1,* ***15****) : Golf Course Rd. ☎ 264-36. • woodsideireland.com • Avt la sortie de la ville par la N 59 direction Newport, prendre à gauche la route du golf et du centre équestre, c'est la 2e maison à gauche. Ouv tte l'année (sf pdt les fêtes de fin d'année). Compter 70-80 € pour 2 selon saison. CB acceptées.* Grande et belle maison blanche aux huisseries rouges dans un beau jardin fleuri. Intérieur spacieux très moderne, voir la superbe cuisine design. 6 belles chambres aux couleurs douces et salle de bains nickel. Patrice, un Français, et Helen, sa femme, vous accueillent chaleureusement et sont d'excellent conseil pour vous faire découvrir la région, son histoire et ses tables ! Ils organisent d'ailleurs des visites des environs. Bicyclettes à disposition. Une très bonne adresse, à laquelle *Failte Ireland* a décerné 4 étoiles.

St. Anthony's Riverside *(plan B2,* ***19****) : Distillery Rd. ☎ 288-87. 087-630-15-50. • st-anthonys.com • Dans une rue derrière le canal. Ouv tte l'année. Compter 70-90 € pour 2 selon confort. Parking.* Dans une jolie maison de 1824, chambres plaisantes et très confortables, avec TV, lits blancs, mobilier en gros bois et même, pour certaines, un jacuzzi. Quelques-unes sont idéalement conçues pour accueillir des familles. Un peu plus cher que les *B & B* classiques, mais un cran au-dessus. Grand jardin fleuri à l'arrière. Excellent accueil.

Où manger ?

Pour ceux qui font leurs courses, tous les jeudis, sur l'Octagon *(plan A2)*, **marché de rue** et **country market** dans le Town Hall de 9h à 13h30.

De bon marché à prix moyens

Madden's Bistro *(plan A2,* ***30****) : James St. ☎ 280-88. Tlj 12h30-15h, 18h-21h. Déj 7-22,50 €, dîner 10-23 € le plat.* Agréable bistrot à l'élégante simplicité au rez-de-chaussée du très contemporain *Clewbay Hotel*. Une bonne adresse qui ne désemplit pas le midi. Délicieuses salades de saumon, paninis, *quesadillas* du chef, le tout joliment présenté par un élève du cuisinier du resto de l'hôtel. Service souriant et rapide. Une bonne cantine pour le midi. Repas plus élaboré pour le dîner. Musique ou retransmission sportive sur grand écran certains soirs.

McCormack's Gallery *(plan A2,* ***31****) : Bridge St. ☎ 256-19. Tlj sf dim et mer 10h-17h.* Dans une petite salle au-dessus de la boucherie du même nom, des soupes, sandwichs, salades et petits plats très appétissants pour pas cher. Tout est fait maison. Bonne pâtisserie aussi, idéal pour le *four o'clock tea.*

The Creel *(hors plan par A2,* ***33****) : The Harbour, The Quay. ☎ 261-74. À côté du pub* The Helm. *Tlj sf lun (et mar hors saison) 10h-17h (12h dim). Compter 8-15 €.* Petit resto du midi tout orange sur le quai. Dans une ambiance détendue au décor marin, choisissez au tableau un petit en-cas préparé à la demande. Poisson frais, *seafood chowder,* salades, quiches, paninis et très beaux gâteaux sont servis avec bienveillance dans ce sympathique *coffee house*.

John O'Malley's *(plan A2,* ***32****) : Bridge St. ☎ 273-07. Slt le soir. Plats 14-26 €.* Pub au rez-de-chaussée et resto au décor très sympa (plein de boiseries sombres) à l'étage. Cuisine copieuse. Surtout, grand choix (trop ?) à la carte : pâtes, pizzas, *burgers,* poulet indien, à la Kiev, cordon-bleu, *seafood,* plats mexicains, *fajitas,* curry... De quoi changer un peu du *fried cod* et de l'*Irish stew* ! Mais la qualité n'est pas toujours au rendez-vous. *Music live* en fin de semaine.

De prix moyens à chic

The Quay Cottage *(hors plan par A2,* ***35****) : The Harbour. ☎ (098) 506-92. À l'entrée de la Westport House. Mar-sam 18h-22h ; ts les soirs en saison, fermé dim-lun hors saison.*

Congés : janv. Résa hautement recommandée. Plats 15-22 € ; menu early bird *25,90 € servi jusqu'à 19h30 (sf sam).* Un ravissant cottage, dans un joli recoin du port de Galway. À l'intérieur, déco marine, chaleureuse et pittoresque. Dans l'assiette, une cuisine irlandaise tout à fait réjouissante. Les produits locaux sont travaillés avec simplicité et savoir faire : moules de Killary, bœuf irlandais (longuement maturé et servi « bleu » à la demande ; les amateurs, pour une fois, ne seront pas déçus)... Si vous le pouvez, venez tôt pour profiter du menu, vraiment attractif ; une demi-heure plus tard, les prix s'envolent ! Accueil charmant et service efficace.

Mangos *(plan A2,* ***34****) : Bridge St. ☎ 249-99. En haut de Bridge St, presque face à l'horloge. Slt le soir, tlj sf dim. Résa hautement conseillée. Plats 17-25 €. Menu* early bird *env 25 € avt 19h.* Ce petit resto à la façade turquoise est l'un des meilleurs de la ville. Seulement quelques tables vite réservées. Une cuisine raffinée et réputée qui émoustille les papilles. Les coquilles Saint-Jacques à la sauce du jour sont aussi délicieuses que magnifiquement présentées. Service élégant mais sans chichis. Quelques plats du jour plus chers au tableau, on vous conseille l'*early bird menu.*

Cronin's Sheebeen *(hors plan par A2,* ***36****) : à 1 km, sur la route côtière de Louisburgh, dans la prolongation du quai. ☎ 265-28. Pub ouv ts les soirs ; repas tlj en saison mais slt ven-dim le reste de l'année. Plats env 12-25 € ; ainsi que des salades et des sandwichs le midi 6-13 €.* Magnifique cottage coiffé d'un gros toit de chaume sur la baie de Westport. Plus qu'un pub, c'est aussi un restaurant chic et réputé (fameux *lamb curry* préparé avec talent). Service dans la grande salle à l'étage, mais aussi dans l'une des petites pièces cosy autour du bar, plus conviviales. Très bon accueil.

Où boire un verre ? Où écouter de la musique ?

Matt Molloy's *(plan A2,* ***40****) : Bridge St. ☎ 266-55.* Dans ce pub datant de 1896 et réputé dans toute l'Irlande, décor sympa (photos et vieilles affiches aux murs), bien patiné. Excellente atmosphère, bien bruyante. Musique traditionnelle tous les soirs, toute l'année. On peut parfois y voir jusqu'à 20 musiciens ! Matt Molloy joue lui-même quelquefois ; c'est le flûtiste du groupe Chieftains.

The Hoban's *(plan A2,* ***41****) : The Octagon. ☎ 272-49.* Intérieur assez banal, mais très bonne musique traditionnelle le soir, à laquelle le public est invité à participer. En général, cela se passe en été les vendredi et samedi vers 22h, parfois aussi le mardi.

The Helm *(hors plan par A2,* ***42****) : The Harbour, The Quay. ☎ 261-94. Au début du quai. Tlj 10h-23h.* Le pub le plus animé du quai. Rendez-vous des Irlandais en vacances, des loups de mer et des jeunes en sortie. Dans un vaste décor de cale de bateau, il faut jouer des coudes pour atteindre le bar. Ambiance joyeuse tous les soirs et musique du jeudi au samedi soir. Fait aussi restaurant, *bar food* et *B & B.* Le patron organise régulièrement des sorties en mer pour traquer le turbot, le congre et la raie.

Cronin's Sheebeen *(hors plan par A2,* ***36****) : voir « Où manger ? ».* Musique le dimanche, en été, vers 17h, ainsi que les jeudi, vendredi et samedi vers 22h toute l'année. Sympa aussi pour boire un verre, tout simplement. Ambiance et décor plutôt chic...

Moran's *(plan A2,* ***44****) : Bridge St. ☎ 263-20.* Au fond d'une épicerie, un bar de poche comme on n'en voit quasiment plus et où se retrouvent les 40-50 ans. Différent et populaire.

À voir

Westport House & Adventure Park *(hors plan par A2) : à 3 km du centre, vers le Westport Harbour ; en arrivant à la route côtière, prendre le chemin sur la droite, c'est indiqué. ☎ 277-66. • westporthouse.ie • Ouv en mars et oct, le w-e ;*

avr-sept, tlj 10h-17h30. Entrée : 12 € pour la maison et le parc ; réduc. Également un ticket global (20 €), juin-août, qui donne accès au Pirate Adventure Park *(réduc de 10 % sur Internet). Demander la brochure en français à l'entrée (on la rend en sortant).*

Extérieurement, cette grosse maison classique et grise n'a rien de bouleversant, mais l'intérieur vaut vraiment la peine. Elle fut construite en 1730 pour le marquis de Sligo par Richard Cassels (1690-1751), l'architecte du parlement de Dublin, et agrandie par James Wyatt, celui qui dessina Westport. Elle est depuis restée dans la famille sans discontinuer. Car il s'avère que les Browne sont les descendants directs dudit marquis mais aussi de la célèbre Grace O'Malley, la reine des Pirates ! Celle-ci avait plusieurs châteaux dans l'ouest de l'Irlande et c'est sur les bases de l'un d'eux que la Westport House fut construite.

Malgré un prix d'entrée élevé, la Westport House mérite une visite, car cette demeure patricienne est l'archétype des maisons de *landlords* qui parsemaient l'Irlande aux XVIIe et XVIIIe s.

L'intérieur est meublé avec un grand raffinement. Les salles du rez-de-chaussée sont très décorées. Voir, dans le hall d'entrée, les bois énormes d'un élan préhistorique ! S'ensuit une enfilade de pièces chamarrées et impressionnantes : grand salon, bibliothèque extra, bureau austère... Beaux paysages d'O'Connor dans l'escalier. À l'étage, dans les couloirs : gravures intéressantes du XVIIIe s, salon chinois, chambres rococo, ainsi qu'une petite salle de bains... et une grande, où traîne une jolie collection de pots. Tables et portes en acajou importées des propriétés jamaïcaines de la famille, etc. Une salle rassemble les mannequins en cire d'artistes irlandais célèbres dont le poète W. B. Yeats ou encore le compositeur baroque O'Carolan. Un peu dommage qu'ils aient transformé les oubliettes en « chambre d'horreur », mais bon, les mômes, eux, apprécient. Il s'agit en réalité des vestiges du château de Grace O'Malley. Une petite expo lui est consacrée.

I●I 🍸 En saison, cafétéria aménagée dans les anciennes cuisines du château.

– Attractions autour du manoir, sur le thème des pirates : pêche, balade en petit train ou en barque (en forme de cygne), *pitch & putt,* petit parc animalier, etc.

🚶 En sortant de la Westport House, observez l'intéressante architecture des bâtiments qui composent ***Westport Quay,*** la superbe matière de la pierre et la manière dont elle est assemblée. Les entrepôts, tout d'un seul tenant sur une longue ligne, étaient pour la plupart à l'abandon. Ils ont été dans l'ensemble joliment restaurés. Hôtels, restos et pubs ouvrent dans ce secteur qui est devenu un pôle d'attraction en soi.

DANS LES ENVIRONS DE WESTPORT

➢ Chouette balade en voiture à faire au nord-ouest de Westport, dans la région de ***Kilmeena,*** jusqu'à ***Carraholly, Rosmoney.*** Compter une vingtaine de kilomètres aller-retour. Carte *Discovery Series* n° 31 (South Mayo).

– Possibilité de monter à ***cheval*** :

■ ***Drummindoo Stud and Equitation Centre :*** *à* ***Knockranny,*** *sur la route de Castlebar.* ☎ *256-16.* ● *drummindoo.com* ● *Ouv Pâques-sept, tlj sf dim. Compter 28 €/h.* Balades dans la campagne. Débutants acceptés.

■ ***Carrowholly Stables & Trekking Centre :*** ***Carrowholly,*** *Westport.* ☎ *270-57.* 📱 *087-939-36-34.* ● *carrowholly-stables.com* ● *Sur la route de Newport, à gauche à la sortie de la ville (suivre le panneau), puis c'est à 4 km. Ouv avr-oct, tlj. Compter 30 €/h.* Propose des balades sur la plage.

– Stages de ***voile*** également à ***Carrowholly.*** Infos à l'office de tourisme.

Ballintubber Abbey : *à 9 km au sud de Castlebar (par la N 84) et à une douzaine de km au sud-est de Westport (par la R 330, puis à gauche, sur une petite route de campagne). ☎ (094) 903-09-34. • ballintubberabbey.ie • Visites guidées mai-sept, tlj 10h-18h.* Élevée en 1216, elle est le seul lieu de culte d'Irlande où, malgré les vicissitudes de l'histoire, la messe a été célébrée sans interruption depuis sa fondation. Église romane d'une grande simplicité, fort bien restaurée. Beaux vestiges du cloître. Face à lui, vous noterez la porte gothique avec chapiteaux ornés de graphismes gaéliques.

NEWPORT (BAILE UÍ FHIACHÁIN)

1 650 hab. IND. TÉL. : 098

Petit port sympathique à une douzaine de kilomètres au nord de Westport, d'où est originaire la famille de Grace Kelly. Sur la route de Mallaranny, ne pas manquer l'abbaye de Burrishoole et le château de Rockfleet. Ne pas rater non plus la boucherie *Kelly's,* dont les boudins noirs et les blancs sont primés chaque année (on en trouve, vendus sous vide, dans la plupart des commerces des alentours). Un régal !

Arriver – Quitter

En bus

Tous les départs se font depuis l'arrêt des bus *Eireann,* dans le centre du village. Billets et infos à l'office de tourisme : ☎ *418-95.*

➢ ***De/vers Westport et Castlebar :*** 1 bus/j.

➢ ***De/vers Ballina :*** 2-3 bus/j., aucun le dim.

➢ ***De/vers Galway, Limerick :*** 1 bus/j.

➢ ***De/vers Dublin :*** 1 bus/j. (ou prendre le bus pour Westport puis le train).

➢ ***De/vers Sligo, Donnegal, Derry, Belfast :*** 1 bus/j., aucun le dim.

➢ ***De/vers Cork et Kerry :*** 1 bus/j., aucun le dim.

➢ ***De/vers Achill Island*** (via ***Mallaranny, Achill Sound, Keel*** et ***Dooagh***) **:** 1 bus/j.

Adresses utiles

Bureau de tourisme : *George St. ☎ 418-95. Tte l'année, lun-ven 10h-16h.* Donne 4 dépliants (gratuits) très bien faits proposant 3 balades chacun (de 3 à 16 km) passant par les sites intéressants de la région : *Burrihoole loop walks,* Newport, Derradda, Tiernaur et Mallaranny (ou Mulrany en « abrégé »). Infos aussi sur la *Great Western Greenway,* cette ancienne voie de chemin de fer, aujourd'hui réhabilitée en piste cyclable et chemin de randonnée et qui relie Westport, Newport, Mallaranny et Achill Island.

■ ***Distributeur :*** *dans la supérette* Centra, *à l'entrée du village. Tlj sf dim 9h-21h.*

Où dormir ?

Prix moyens

Anchor House B & B : *The Quay. ☎ 411-78. • anchorhouse.ie • Juste après le pont (en venant du sud), prendre à gauche le long de l'eau. C'est à 150 m. Fermé 16 déc-31 janv. Compter 80-90 € pour 2.* Grande maison blanche à parement noir dans un joli jardin face à la rivière. Chambres simples, confortables et bien tenues avec TV, certaines avec balcon et vue, toutes *en suite* (celle du bas a une belle baignoire d'angle). Salon avec Chesterfield moelleux, cheminée et baie vitrée pour regarder la rivière couler. Petit déj copieux. Une adresse agréable, au calme. Dans la maison voisine, d'autres chambres appartenant aux mêmes propriétaires. Les prestations sont un cran au-dessus ; les prix aussi.

B & B Reek View *(Mrs Kathleen Leneghan) : Mulrany Rd. ☎ 412-02. • reekviewbnb.com • À env 3 km après Newport, vers Mallaranny, sur la droite. Pile en face de la petite route qui va vers l'abbaye de Burrishoole (attention à la rampe d'accès un peu vicieuse ! quand on la voit, il est souvent trop tard...). Ouv tte l'année. Compter 60-70 € pour 2 selon saison. CB refusées.* Vue sur le Croagh Patrick, au loin, de la petite véranda (d'où le nom du *B & B*, « Reek » étant le surnom du mont). Adresse toute simple, avec 4 chambres impersonnelles mais convenables, toutes *en suite* et très au calme. Bon breakfast.

Où manger ? Où boire un verre ? Où écouter de la musique ?

De bon marché à prix moyens

Seven Arches Bar : *sur la place du village. ☎ 411-55. Tte l'année, tlj.* Bar food *9-15 €.* Pub de l'*Hotel Newport,* assez cossu, canapé et fauteuils en cuir, ambiance tamisée. Musique tous les samedis soir. Voir aussi à l'autre bout de la place son équivalent populaire, ***The Bridge Inn.***

Chic

Newport House : *dans le bas de la rue principale ; entrée imposante mais enseigne discrète. ☎ 412-22. Ouv du 19 mars (date importante, c'est celle de l'ouverture de la pêche !) à fin oct. Cuisine tlj 19h-21h30. Résa très conseillée. En principe, dîner 6 services env 68 €, mais possibilité de ne prendre que 1 ou 2 plats.* Un magnifique manoir georgien, couvert de lierre, dans un grand parc surplombant la rivière. C'est un hôtel (aux chambres surévaluées), mais on peut se contenter d'y manger une excellente cuisine. Même chef depuis plus de 20 ans ! Les légumes viennent toujours du jardin et la maison fume encore son propre saumon. Attention, clientèle chicos, pas du tout routarde. Bien sûr, cadre raffiné : stucs, moulures, tableaux, élégante cage d'escalier, etc. Organisation de parties de pêche.

Où dormir ? Où manger ? Où écouter de la musique dans les environs ?

Nevin's Newfield Inn : *sur la route de Mallaranny et d'Achill Island, à env 10 km de Newport. ☎ 369-59. • nevinsinn.com • Ouv tte l'année. Compter env 90 € pour 2.* Bar food *6-22 €, servie 9h-21h ; resto à l'étage, ouv jeu-sam 18h-21h.* Un grand pub récent mais accueillant avec sa façade à l'ancienne et son incontournable feu de cheminée. Cuisine correcte sans plus mais les adresses sont rares dans le coin. Propose aussi quelques chambres sobres et impeccables, avec salle de bains et TV. Musique et danse traditionnelles le jeudi toute l'année, et le week-end en été.

DANS LES ENVIRONS DE NEWPORT

Burrishoole Abbey : *à 1,5 km de Newport, sur la route de Mulrany, à gauche (bien fléché), puis faire encore 1 km.* Abbaye du XVe s. Situation romantique au bord de la baie. Belles ruines et paysage d'une sérénité totale. Vestiges du cloître et nombreuses anciennes dalles funéraires dans la nef.

***Carrigahowley Castle** (Rockfleet) : à 5 km env, sur la route de Mulrany. À gauche, par une route asphaltée. C'est fléché.* Une tour de quatre étages au bord de l'eau. On ne peut plus pittoresque ! Pour la photo, venir le matin, car en fin de journée, le château est à contre-jour. Grace O'Malley y vécut après la mort de son second mari.

ACHILL ISLAND (OLÉAN ACLA)

3 000 hab. IND. TÉL. : 098

La plus grande des îles irlandaises, reliée à la terre ferme par un pont. On y trouve les plus hautes falaises d'Europe ! Superbe côte déchiquetée, que l'on peut très facilement découvrir en voiture par la route qui surplombe la mer, notamment dans le Sud-Est (faire l'Atlantic Drive !) et à l'extrémité ouest de l'île. À pied, c'est encore mieux bien sûr, mais prévoir alors un peu plus de temps. L'intérieur, lui, offre des paysages de lande désolée et de collines dénudées aux tons fauves, jaunes ou roux, typiques de ce coin d'Irlande.
Ici encore plus qu'ailleurs, le ciel fait rarement dans le bleu intégral. Il préfère la compagnie de nuages fugaces qui, lorsque le soleil est d'humeur à se montrer, jouent à baigner les plages et les monts dans une luminosité sans égale. Les brusques changements du ciel, aussi subits qu'inattendus, émerveilleront les photographes. En 3h, on peut avoir droit aisément à 10 averses entrecoupées de violentes éclaircies. Incroyable !
Outre sa sauvage beauté, l'île est un véritable paradis pour les randonneurs, car le réseau routier y est peu développé et qu'il y a encore beaucoup de coins isolés et déserts. Attention aux passages difficiles sur les pentes escarpées.

– Deux excellentes cartes : la *Discovery Series* n° 30 (au 1/50 000), avec les sentiers et tout ; et la *Map and Guide of Achill Island,* un peu moins bonne que l'autre, mais qui contient toutes sortes d'infos en plus sur l'île (histoire, géographie, lieux particuliers, randonnées).
– Plusieurs topoguides disponibles gratuitement sur le site Internet de l'office de tourisme (payants sur place).

FESTIVALS ANNUELS DU *SCOIL ACLA* ET DU *HATA ACLA*

L'*Hata Acla* est un concours de chant, de musique et de danse qui s'insère dans le *Scoil Acla,* l'un des plus importants festivals culturels de l'Ouest. Né au début du XXe s à Dooagh, *Scoil Acla* fut à l'origine un mouvement de renouveau de la culture gaélique. Un genre d'école d'été pour l'enseignement de l'irlandais et la pratique des arts traditionnels. Plus tard, en 1985, pour enrayer le déclin du gaélique, un groupe de militants culturels décida de relancer cette *summer school* tombée dans l'oubli. Avec un ambitieux programme couvrant l'histoire de l'île, son archéologie et son développement social, on fit venir des musiciens, conférenciers, poètes... de renom pour

LE CHAPEAU D'ACHILL

L'Hata Acla est une coutume du passé. Autrefois, certaines familles étaient si pauvres que les hommes ne pouvaient même pas s'acheter de chapeau. Pourtant, aucun homme d'Achill ne serait allé à Newport ou à Westport sans chapeau. Aussi, à l'entrée de l'île, à Achill Sound, y avait-il un arbre avec quelques couvre-chefs « communautaires », que les plus démunis pouvaient emprunter le temps du voyage. Ces chapeaux étaient appelés Hata Acla (Achill Hat).

redonner vie à la culture. Le succès dépassa les espérances des organisateurs, si bien que d'anciens étudiants de *tin whistle* (flûte traditionnelle) sont devenus à leur tour professeurs, tandis que d'autres ont remporté de nombreux prix au *fleadhtha* (concours national) et dans d'autres festivals. Depuis, chaque année pendant la dernière semaine de juillet, le *Scoil Acla* couvre l'ensemble des arts avec des récitals de poésie, des ateliers d'écriture, des cours de musique et de danse irlandaises, des concerts, etc.

Arriver – Quitter

➢ ***De/vers Westport :*** 1 bus/j. lun-sam. S'arrête à Newport, Mallaranny, Achill Sound, Keel et, enfin, Dooagh. Idem pour ***Castlebar*** avec changement à Westport. Correspondance aléatoire et compliquée pour ***Ballina.***

➢ ***De/vers Galway :*** là encore, il faut changer à Westport.

➢ ***Liaisons maritimes avec Clare Island :*** *2 fois/sem en été, les jeu et dim. Avec la compagnie* ***O'Malley Ferries.*** ☎ *(098) 250-45.* • *omalleyferries.com* • L'île n'est qu'à 8 km ; compter 35 mn de traversée. Vélos autorisés à bord.

➢ Le dernier tronçon de la ***Great Western Greenway*** a été inauguré en 2011. Cette ancienne voie de chemin de fer réhabilitée permet aux cyclistes et aux randonneurs de venir de Westport sans jamais se mêler aux voitures. L'île compte 3 pistes cyclables, mais, autant vous prévenir, elle n'est pas plate, mais alors pas plate du tout !

Adresses utiles

ℹ ***Office de tourisme : Achill Sound.*** ☎ *207-05.* • *achilltourism.com* • *visitachill.com* • *(le 2nd en français). En plein centre (à côté de la Poste), à l'entrée de l'île. Ouv tte l'année, lun-ven 9h-17h, plus sam-dim 11h-16h mai-sept.* Résa d'hébergement, infos sur les nombreux festivals, activités sportives. Bon accueil, efficace. Une antenne est ouverte tous les jours en été au *Sandybanks Caravan & Camping Park* à Keel.

✉ ***Poste :*** *dans la supérette* Barretts Costcutter Express, *juste après le resto* Calvey's, *à* ***Keel.*** *Lun-ven 9h-14h, 15h-17h30 ; sam 9h-13h. Autre bureau à* ***Achill Sound,*** *dans la rue principale. Lun-ven 9h-13h, 14h-17h30 ; sam 9h-13h.*

@ ***Sweeney's :*** *à* ***Achill Island.*** ☎ *452-11. À l'entrée de l'île, à l'étage d'une caféteria-magasin de souvenirs. Lun-mar 9h-18h.* 4 PC.

@ ***Achill I. T. Centre*** *(Local Development Company) :* ***Keel.*** ☎ *432-92. Sur la route qui part derrière le pub* Mináun View *(c'est fléché). Lun-ven 9h30-16h30.*

■ ***Distributeur de billets :*** *sur le parking du supermarché* Supervalu Sweenay, *à l'entrée d'****Achill Sound.*** Attention, c'est le seul sur l'île !

■ ***Location de vélos***

– ***Barretts Costcutter Express :*** *supérette juste après le resto* Calvey's, *à* ***Keel.*** ☎ *434-44. Tte l'année, lun-sam 9h-19h (21h en juil-août). Compter 15 €/j. Caution de 100 € demandée.*

– ***Blackfield Surf Hire :*** *à* ***Keel.*** ☎ *435-90.* 📱 *087-249-51-75.* • *blackfield.com* • *1re maison à gauche à l'entrée de Keel. Avr-sept, tlj 10h30 (11h30 dim)-17h ; le reste de l'année, sur résa (portable). Compter 20 €/j. ; réduc à la ½ journée. Caution demandée.* Turquoise et fuchsia, difficile à rater ! Loue des surfs, fait magasin de vêtements et accessoires de sport. Excellent *coffee shop.* Le rendez-vous des sportifs.

■ ***Laverie : Teach Niochain,*** *à* ***Keel.*** ☎ *430-41. Entrée sur la gauche d'une grande maison blanche à la sortie du village (la* Achill Sheltered Housing, *juste après la « poissonnerie »). Lun-ven 9h30-18h.* Pour quelques euros, on s'occupe de votre linge en quelques heures.

■ ***Cours de musique :*** *donnés en été par* ***John McNamara*** (national teacher) *à la* Traditional Irish School. *Rens à l'office de tourisme.*

Festivités

– Le fameux ***Scoil Acla*** donc (voir plus haut), qui a lieu durant la dernière semaine de juillet. Les activités (poésie, danse, concerts, ateliers d'écriture...) se déroulent principalement à Dooagh, au *Wave Crest Hotel,* à la *Dooagh National School,* à l'église de Pollagh, à l'*Achill Head Hotel,* bref, là où les organisateurs trouvent de la place. Comprend aussi un concours de musique traditionnelle entre familles, le *Hata Acla.* Si vous êtes dans le coin, vous pourrez assister à quelques prestations dans certains pubs, notamment au *Ted Lavelle's,* à Cashel.
– ***Le festival des Yawls :*** *sur plusieurs w-e en juil-août.* Compétition de bateaux traditionnels.
– Une trentaine d'autres festivals musicaux et culturels ou compétitions sportives durant l'année ; voir le programme détaillé à l'office de tourisme.

ACHILL SOUND (GOB AN CHOIRE)

Porte d'entrée de l'île, en venant par la R 319. On y trouve les commerces ou services essentiels : office de tourisme, supérette, pharmacie, station-service, distributeur de billets *(AIB)* et bureau de poste. Pour être honnête, il n'y a aucun intérêt à résider dans ce lieu de passage.

Où dormir dans les environs ?

Railway Hostel : *juste avt le pont d'Achill Sound en venant de Newport, sur la droite.* ☎ *451-87. Ouv tte l'année. Autour de 15 €/pers en dortoir et 18 € en chambre double.* Cette ancienne gare, qui desservait autrefois Achill Island, propose 3 petits dortoirs. Sommaire et pas bien tenu, glauque même ; seulement pour ceux qui cherchent désespérément un lit bon marché. Machine à laver, petite cuisine et salle à manger. S'il n'y a personne, se rendre au magasin *Lavelle,* de l'autre côté du pont.

À faire

Ceux qui ont un véhicule doivent absolument faire l'***Atlantic Drive,*** de préférence à partir du sud. Prendre la route de gauche après Achill Sound. Au bout de quelques kilomètres, petit cimetière marin, le ***Kildownet Cemetery,*** autour d'une église en ruine. Beaucoup de victimes de la Grande Famine y sont enterrées. Environ 150 m plus loin s'élève la fière ***Carrickildavnet Tower,*** connue aussi comme la ruine du château de Grace O'Malley (mais combien en avait-elle ?). Un peu après commence la fameuse Atlantic Drive, une route qui dévoile un panorama saisissant sur toute la côte sud d'Achill Island. Falaises à pic battues par les flots, versants verdoyants où évoluent quelques moutons, c'est grandiose !

MACABRE PROPHÉTIE

En 1604, un certain Brian Rua O'Cearbhain prophétisa que des « charrettes sur des roues, émettant de la fumée et du feu, seraient cercueils à Achill à la fois sur sa route première et sa dernière ». Sinistre prophétie qui se réalisa 260 ans plus tard. Le premier train qui entra en gare d'Achill Sound ramena les corps de 32 îliens noyés dans la baie ; 43 ans après cette catastrophe, le dernier train ramenait les 10 victimes qui ont péri dans un incendie à Kirkintilloch, en Écosse. Ce que la prophétie n'avait pas prévu, ce sont les curieux engins à pédales et sur roues qui font aujourd'hui les beaux jours de la Great Western Greenway...

DOOEGA

Sur les collines dénudées, le long des falaises sauvages, la route descend ensuite en tournant jusqu'à Dooega. Au fond d'une baie, ce petit village étale ses maisons blanches de pêcheurs dans un paysage austère. Jolie plage. À vélo, quelques côtes à grimper, mais c'est réalisable et c'est si beau !

On vous conseille ensuite de rejoindre la route principale de l'île en empruntant non pas la première, mais la seconde route à droite en arrivant à Dooega. De cette manière, vous pourrez, en prenant au bout de quelques kilomètres une petite route sur la gauche, grimper jusqu'au sommet du ***Minaún,*** d'où la vue générale sur Achill viendra compléter à merveille la promenade sur l'Atlantic Drive... Un must !

Où dormir ?
Où manger ?

Lavelle's Seaside House : *dans la rue principale. ☎ 451-16. 085-233-00-26. • lavellesseasidehouse.com • Ouv avr-fin oct. Compter 70 € pour 2.* Maison blanche et basse, à l'intérieur plutôt vieillot. Accueil correct. Chambres classiques mais mieux vaut opter pour celles de l'annexe récente juste derrière, grandes, belles et modernes, toutes *en suite,* avec vue sur mer. Possibilité de manger de juin à août. Bonne cuisine familiale spécialisée dans les fruits de mer (de juin à août seulement). Le pub est décoré de dessins et peintures originaux de Fritz Agnet, artiste tombé amoureux (avec raison) de Dooega.

KEEL ET DOOAGH

Nombreuses possibilités de logements à Keel et à Dooagh, le bourg voisin, 1,5 km plus loin ou à *Pollagh,* entre les deux. Keel est le point de départ d'excursions intéressantes. De nombreux sports sont proposés : surf, planche à voile, bateau, tir à l'arc, etc. Sa plage, *Trawmore Strand,* étend son sable fin sur près de 4 km. Pour les auto-stoppeurs, route directe depuis Achill Sound.

Où dormir ?

Camping

Keel Sandybanks Caravan & Camping Park : *à* **Keel.** *☎ 432-11. • achillcamping.com • Ouv de mi-avr à mi-sept. Compter 16-19 € pour 2 avec tente et voiture ; électricité et douches en sus. Loc de mobile homes. CB refusées.* Au bord de la magnifique plage de Keel, camping classé 4 étoiles. Sanitaires propres, cuisine, salon TV, machine à laver. Très venteux, et ni abris ni arbres.

Prix moyens

West Coast House : *School Rd,* **Dooagh.** *☎ 433-17. • achillwestcoasthousebandb.com • À l'entrée de Dooagh, 1re route sur la droite. Ouv mars-nov. Compter 50-60 € pour 2.* Grande maison blanche sur un promontoire dominant la baie. Chambres simples, d'honnête confort mais d'une curieuse configuration si l'on considère que la porte battante pour accéder à la salle de bains empêche de profiter de la vue sur mer et la baie de Dooagh. Excellent accueil de Teresa, qui gère aussi l'hôtel-restaurant *Achill Cliff House,* qui est ouvert toute l'année sauf Noël et janvier. Petit déj (avec saumon) à la carte dans un salon panoramique. Bon rapport qualité-prix.

Atlantic Breeze : *à* **Pollagh,** *en face de l'église. ☎ 431-89. • atlanticbreeze01@hotmail.com • Fermé en fin d'année et à la Saint-Patrick. Compter 60-70 € pour 2.* Chambres avec ou sans vue, mais toutes coquettes et avec TV, réalisées chacune dans des tons différents. Notre préférée a sa salle de bains privée mais attenante ; la vue depuis l'oreiller y est époustouflante ! Véranda avec là encore une vue sur mer très plaisante, pour prendre le petit déj. Accueil très sympathique avec un petit en-cas et infos sur l'île.

West End House : *à* **Dooagh.** *☎ 432-04. • west-end-house.com • À la sortie du village, sur la gauche. Ouv mars-sept. Compter 60-70 € pour 2.* Maison moderne et confortable, entourée d'un petit parking et d'un peu de gazon. La véranda, où l'on prend le petit déj, est, là aussi, bien agréable. Bon accueil d'une gentille dame dont le mari fut l'un des derniers pêcheurs de requins pèlerins de l'île. La grande chambre offre une belle vue sur la mer. Déco un peu vieillotte, mais accueil très chaleureux.

Plus chic

Roskeel House : *à* **Keel.** *☎ 435-37. 087-934-04-29. • roskeelhouse.com • Ouv Pâques-nov. Compter 80-90 € pour 2.* Grosse bâtisse blanche, derrière le pub, un peu en retrait de la route principale. Il s'agit d'une grande *guesthouse* abritant 12 chambres impeccables et très spacieuses, avec moquette et meubles en bois, le tout dans des tons harmonieux. Intérieur sobre et classique. Jolie vue. Petit déj varié, salon pour les hôtes. Une bonne adresse.

De plus chic à chic

Bervie : *à* **Keel.** *☎ 431-14. • bervie-guesthouse-achill.com • Prendre la petite rue à gauche juste après le pub* The Annex Inn. *Ouv 1 sem avt Pâques jusqu'à mi-nov. Compter 100-130 € pour 2 selon chambre et période.* Evening dinner *env 45 € (boissons en sus).* Une ravissante longère bleu et blanc en bord de mer. *Guesthouse* à l'atmosphère accueillante, raffinée et familiale (la proprio est née dans une des chambres, la nº 11 !). L'ensemble s'ouvre sur une grande terrasse d'herbe grasse face aux flots. Choisir de préférence une des chambres de l'aile principale, plus chères mais très soignées et très chaleureuses, avec une petite alcôve où boire le thé en scrutant le large. Petite salle de jeux. On peut aussi prendre l'*afternoon tea,* agrémenté d'exquis *hot-buttered scones* maison. En saison, possibilité de dîner sur place ; délicieuse cuisine, soignée et à base de produits locaux et de légumes du jardin (pas donné quand même !). Les non-résidents peuvent y dîner sur réservation, mais la priorité est donnée aux hôtes. Accueil exceptionnel, plein de petites attentions.

Joyce's Marian Villa : *à* **Keel,** *à gauche après le pub* The Annex Inn. *☎ 431-34. • joycesachill.com • Ouv Pâques-oct. Compter 80-100 € pour 2 selon chambre et vue.* Belle bâtisse blanche un peu en retrait de la route principale. Depuis plus de 50 ans, cette famille bourgeoise propose ses chambres luxueuses avec un service plus hôtelier que *B & B*. Vaste hall avec grand escalier et salon richement décorés. Les chambres sont toutes impeccables, les moins chères sans vue et au mobilier moins raffiné sont un peu surévaluées. Les plus chères sont, elles, vraiment belles. Proche de la plage par un petit chemin. Bon accueil, un peu précieux.

Ferndale : *Crumpaun,* **Keel.** *☎ 439-08. • ferndale-achill.com • À droite avt le pub* The Annex Inn, *en haut de la colline derrière le* Roskeel House. *Ouv tte l'année (sur résa). Compter 78-130 € pour 2.* Un lieu hors normes, c'est le moins que l'on puisse dire ! Le tout, c'est d'entrer dans l'univers de Jon, un Suisse un peu fou qui a réalisé 6 chambres thématiques plus proches d'un décor de cinéma que d'un *B & B*. Il y a la médiévale, la maya, l'arabe et la « Rome antique ». Toutes ont été dessinées par ses soins et aménagées par un décorateur. Temple maya, colonnades et fauteuil romain, tapis du Pakistan, lit à baldaquin *king size*. Confort optimum avec TV plasma, lecteur DVD et salles de bains ultramodernes. Un lieu unique, exceptionnel, très (très) kitch aussi ; le tout caché dans une maison à l'aspect extérieur banal en haut d'une colline surplombant Keel. Fait aussi restaurant à la carte avec un décor tout aussi délirant (voir ci-dessous « Où manger à Keel ? »).

Où manger à Keel ?

Prix moyens

I●I ***The Beehive :*** *dans la rue principale, face à l'*Amethyst Hotel. *☎ 431-34. Ouv de la Saint-Patrick à nov, tlj 11h-18h. Petite restauration 8-13 €.* Un *coffee shop* couplé à un magasin d'artisanat et de vêtements dans un cadre agréable. Self-service avec, au choix, salades de crabe, de maquereaux, de saumon, de poulet ; soupes, paninis... le tout préparé à la maison, à la demande. Bon et soigné, idéal pour le midi.

I●I ***Calvey's Restaurant :*** *dans la rue principale. ☎ 431-58. Ouv Pâques-fin sept, tlj 12h30-16h30, 17h30-21h30. Plats env 10 € le midi, 15-20 € le soir. Menu* early bird *20 €,* set menu *50 €.* Petite salle agréable et claire, avec vue sur la baie. Bonne cuisine bien mijotée, où la viande est reine, car le patron appartient à une famille de bouchers. Il fait maintenant sa réputation avec ses poissons et crustacés. Séduisante carte des vins.

I●I ***The Chalet Seafood Restaurant :*** *toujours dans la rue principale, après les 2 précédents. ☎ 431-57. Tlj (slt w-e hors saison) 18h30-21h (22h en été). Plats 15-25 €.* Cadre coquet et sans prétentions. Musique d'ambiance. Bonne cuisine de la mer : saumon, pinces de crabe, huîtres, poisson pêché et fumé par les patrons eux-mêmes. Jolie vue sur les Minaun Cliffs.

Plus chic

I●I ***Achill Cliff House :*** *à l'entrée de* ***Keel.*** *☎ 434-00. Tlj 18h-21h, plus le dim midi. Résa obligatoire. Formule* early bird *16 € 18h-19h ; plats 20-26 € ; menu env 26 €.* Sunday lunch. *Résa obligatoire, surtout le w-e et hors saison.* C'est le resto de l'hôtel du même nom. Assez cher à la carte, mais il existe un menu plus abordable. Cuisine copieuse et bien préparée, avec en vedettes le poisson et les fruits de mer.

I●I ***Ferndale :*** *voir « Où dormir ? ». Tte l'année, slt le soir. Résa indispensable. Menus 35-39 €.* Passé la porte de cette maison ne payant pas de mine, vous entrez dans l'univers zen de Jon : un resto surplombant la baie de Keel, au décor surprenant avec tentures. La carte est étonnante : les produits, essentiellement locaux, sont revus « à la sauce » scandinave, du Pacifique sud, de la péninsule Arabique, Indienne, Mexicaine, des Caraïbes... Cuisiné par Jon lui-même, compter 30 mn d'attente entre chaque plat. C'est un voyage à travers le monde conduit par un perfectionniste fou et passionné, qui en outre a beaucoup d'humour et d'autodérision sur l'accomplissement de son « œuvre ». Une expérience unique.

Où boire un verre ? Où écouter de la musique ?

🍸 ♩ À ***Keel,*** la meilleure adresse est incontestablement ***The Annex Inn*** *(☎ 432-68).* Musique traditionnelle pratiquement tous les samedis ; tous les soirs en été. Sinon, il y a aussi le ***Mináun View Bar*** *(☎ 431-20),* face au camping, dans un décor hétéroclite à l'atmosphère prorépublicaine ! Musique tous les soirs en été.

🍸 ♩ À ***Dooagh,*** on conseille ***The Gielty's Clew Bay Pub*** *(☎ 431-19),* à la sortie du village, après la stèle qui commémore la traversée à la rame de l'Atlantique par un certain Don Allum, en 1987.

🍸 Le prix du pub le plus pittoresque revient à coup sûr au ***Lynotts Pub,*** à ***Cashel.*** Minuscule, sans téléphone, sans télé, sans rien à manger... juste un pub pour boire au coin du feu !

LES COMTÉS DE MAYO ET DE SLIGO

À voir. À faire dans les environs

🚶🚶🚶 Superbe balade à faire jusqu'à ***Keem Beach,*** presque à la pointe ouest de l'île. Un peu après Dooagh, la route grimpe le long de la falaise puis redescend en lacet jusqu'à la plage en question, belle et isolée, avec son sable blanc et son eau turquoise. L'une des plus belles d'Irlande ! Lieu de reproduction de nombreuses espèces d'oiseaux de mer, un petit paradis qu'on vous recommande de respecter.

➢ De là, possibilité de grimper jusqu'en haut du ***Croaghaun Mount.*** L'un des versants, donnant à pic dans la mer, n'est autre que la plus haute falaise d'Europe ! Pas facile, mais la vue est splendide. Par beau temps, on peut apercevoir la presqu'île de Mullet et le Croagh Patrick. Se méfier des sentiers se rapprochant trop de la mer et marcher avec prudence. Grimper sur les falaises et les longer jusqu'à la pointe nord-ouest. Revenir sur ses pas, traverser le val marécageux puis faire l'ascension du Croaghaun. Suivre ensuite la crête vers le nord jusqu'au ***Bunafreva West Lake*** qu'il faut contourner avant de redescendre vers la route, en laissant le cratère sur la droite. Rude donc, mais très beau. Durée : 6h.

➢ Pour des balades plus approfondies, contactez Tomas Mac Lochlainn *(☎ 450-85)*, un guide qualifié et expérimenté avec de sérieuses connaissances archéologiques, historiques et botaniques.

Le village fantôme de Slievemore : *à 2,5 km de Keel, par la route de Doogort. Suivre le panneau qui indique « Deserted Village » ; c'est à gauche du petit cimetière que vous apercevrez au loin. Parking sur place. Possibilité aussi de s'y rendre à pied de Dooagh. Prendre la petite route après le Wave Crest, au panneau « Atlantic Hotel ». Piste sur 2 km. Laisser à gauche la carrière. Le village commence à 200 m.* Rien de spectaculaire en soi. Une petite centaine de maisons en ligne, dont la plupart sont réduites aux fondations et à quelques pans de murs qui témoignent de l'activité et de la vie sur l'île avant la Grande Famine. Sur le même flanc de colline, une tombe mégalithique datée de 300 ans av. J.-C.

DOOGORT (DUGORT)

Sur la côte nord. À environ 6 km de Keel. Sauvage et peu fréquenté, mais là encore doucement grignoté par les lotissements. Belle plage où l'on peut louer des esquifs pour admirer les *Seal Caves* dans les falaises (à 3 km vers le nord-ouest). À ce propos, demander Patrick Gallagher, surnommé « Guinea », personnage vraiment atypique, qui propose des petits tours de 45 mn pour une poignée d'euros. Le 1er janvier, la plage de Doogort accueille les courageux venus célébrer la nouvelle année avec un bain de mer plutôt revigorant... Frisquet !

– À l'entrée de Doogort en venant de Keel, sur la droite, se trouve le ***Heinrich Böll Cottage*** *(• heinrichboellcottage.com •)*, un complexe de petites maisons blanches cachées en partie par des haies. L'écrivain allemand Heinrich Böll (prix Nobel de littérature) séjourna à Achill Island pendant les années 1950. Il écrivit le *Journal irlandais,* récit de voyage très personnel dans lequel il évoque Achill Island, et notamment Achill Head et le mont Croaghaun.

Où dormir ? Où manger ? Où boire un verre dans les environs ?

Camping

Lavelle's Golden Strand Caravan & Camping Park : Golden Strand, *à 2 km env à l'est de Doogort, juste après l'*Anchor Restaurant *(voir plus bas). 📱 087-616-58-40 ou 086-231-45-96. • lavellescaravanpark.com • Ouv Pâques-oct. Compter 14-16 € pour 2 avec voiture.* Site sans arbres et assez désolé, mais protégé du vent par une dune herbeuse dans un espace un peu confiné. Beaucoup de mobile homes malheureusement, et sanitaires moyens. Patron toutefois bien sympa, d'origine (lointaine) française, comme tous les *Lavelle* du coin.

Bon marché

The Valley House Holiday Hostel & Bar : *à un peu plus de 3 km à l'est de Doogort, prendre à gauche au carrefour (c'est indiqué) ; l'AJ se trouve à 600 m, au bout d'un chemin défoncé.* ☎ *472-04.* • *valley-house.com* • *Ouv tte l'année. Compter 16-21 €/pers en dortoir et 22-25 €/pers en chambre double. Possibilité de planter sa tente (env 15 € pour 2 pers).* Une AJ privée dans un beau coin de nature. Ancienne résidence de la *landlady* Agnes McDonnell, reconvertie en AJ par un couple sympathique. Dans la salle à manger, une cheminée de 1780 et 2 pianos. Dortoirs spacieux et simples, de 4 à 12 lits superposés en bois. Quelques chambres pour couples. Également une annexe plus récente abritant 14 lits. Le tout d'un entretien relatif mais d'un charme absolu ! L'AJ possède même son propre pub, avec billard et fléchettes, et organise de nombreuses soirées musicales en été. Nombreuses activités proposées, dont des cours de musique. Devant la maison, un petit golf *pitch & putt* et un grand lac où l'on pêche la truite. Excellent accueil. Une bonne adresse dans un décor historique.

Masterson's & The Anchor Restaurant : *à 2 km à l'est de Doogort, juste avt le camping* Lavelle. ☎ *472-16. Tte l'année, tte la journée.* Bar food *6-12 € tlj tte l'année ; plats 10-25 € au resto, en saison slt.* Un pub isolé face à une jolie plage que l'on aperçoit à travers les baies vitrées. Rendez-vous prisé des habitants de l'île, pour une partie de billard, un match de foot ou tout simplement un stout près de la belle cheminée. Musique tous les soirs en été, le samedi hors saison.

Prix moyens

Achill Lodge : ***Bunnacurry.*** ☎ *471-62.* *087-695-02-13.* • *achilllodge.ie* • *Après Cashel, sur la route de Keel, prendre à droite sur 700 m en direction de Doogort. Ouv tte l'année. Compter 75 € pour 2. Réduc à partir de la 2e nuit. CB refusées.* Grande maison moderne rouge flashy sur plusieurs étages avec une verrière. Chambres impeccables tout aussi modernes et colorées. La proprio est fière de vous montrer ses aménagements et équipements high-tech. Une adresse haute en couleur, un peu perdue dans la lande. Location de vélos.

À faire à Doogort et dans les environs

➢ Agréable ***randonnée*** facile le long des petites routes étriquées ou des rivages accessibles. De ***Bunacurry*** (village un peu après Cashel en allant vers Keel), prendre la route à droite vers Doogort, sur environ 4,5 km. Arrivé au carrefour, continuer tout droit, passer l'AJ citée plus haut et, au bout de 1,2 km, prendre un chemin de terre sur la gauche jusqu'à ***Ridge Point.*** Vous jouirez d'une belle vue sur les champs de tourbières avec, en toile de fond, le Slievemore.

➢ Également trois chemins pour faire de belles ***balades à vélo*** (plan à l'office de tourisme).

LE NORD DU MAYO

La route de Mallaranny à Bangor et Glenamoy traverse les paysages les plus désolés de l'Ouest. Pas un arbre, quelques maigres buissons rabougris et pliés par les rafales de vent. Les seules ruptures de tons sont provoquées par les exploitations industrielles de la tourbe, qui teintent la route et les champs de brun noir, ainsi que par les variations de lumière.

LA PRESQU'ÎLE DE MULLET (MHUIRTHID)

Pour ceux qui ont du temps, voici une balade intéressante. On est en plein *Gaeltacht.* Oh, bien sûr, pas de relief spectaculaire, mais paysages sauvages garantis et beaucoup d'espace. Les amoureux des oiseaux en verront pas mal (dont le grand phalarope, qu'on ne trouve qu'ici).

Voici quelques sites à voir : au nord-ouest de ***Belmullet, Scotch Port Rock*** et de pittoresques falaises s'étendant jusqu'à Erris Head. Dans ***Elly Bay,*** au milieu de la presqu'île, les amateurs de pêche à pied rempliront leurs seaux de grosses coques. De l'autre côté de l'isthme, grandes plages de sable de *Corraun Point* à *Tiraun Point.* Tout en bas, ***Fallmore*** et les ruines de l'*église Saint-Dervla* (période prénormande). Jolie porte romane sculptée. Nombreuses dunes jusqu'au phare de *Blacksod Point.* Au large, les *îles Inishkea.*

Où dormir ?

Brú Chlann Lir : *Main Blacksod Rd, Tirrane, Clogher,* **Belmullet.** ☎ *(097) 857-41.* • *bruchlannlir.com* • *À env 15 km au sud de Belmullet. Ouv 1er mai-30 sept. Compter 76 € pour 2 (70 € dès la 2e nuit).* Au milieu de la péninsule, bien placé pour les hardi(e)s petit(e)s qui se seront aventuré(e)s jusque-là. Il se trouve à 200 m de la route principale. Ce *B & B* récent abrite 5 chambres doubles avec salle de bains et vue sur les champs. Ne pas manquer de téléphoner avant pour savoir s'il y a de la place. Mrs Josephine Geraghty prodigue un bon accueil et organise d'intéressantes balades en bateau dans les îles Iniskea ou tout simplement pour pêcher. En septembre, beaucoup de pêcheurs logent dans cette maison.

POOLLATOMISH (PULLATHOMAS)

Là aussi, au nord du ***Carrowmore Lake,*** un village et sa région fort peu touristiques, au bord de la baie de Sruwaddacon. De Bangor, prenez la route longeant la rive ouest du lac et continuez tout droit, après avoir traversé l'axe Belmullet-Ballycastle.

Nombreuses balades à effectuer tout autour, notamment sur la montagne à côté. En juin, la rive ouest du lac de Carrowmore est abondamment fleurie.

De l'autre côté de la baie de Sruwaddacon, pour ceux qui disposent de temps, la péninsule de ***Benwee Head*** est résolument à découvrir. Falaises, criques, rochers énormes surgissant de l'eau se succèdent jusqu'à la pointe de Benwee Head. Près de Kilgalligan, petite baie avec belle plage de sable.

Où dormir ? Où manger ? Où boire un verre ?

Kilcommon Lodge : ☎ *(097) 846-21.* • *kilcommonlodge.ie* • *Pour s'y rendre, en principe bus privé depuis Ballina (se prend devant* Dunnes Stores*), vers 18h (sf dim). Bien signalé du bord de la route. Ouv tte l'année. Compter env 16 €/pers en dortoir 7 ou 9 lits et 20 € en chambre double. Réduc pour les groupes de randonneurs. Petit déj 6,50 € ; repas 15 €. CB refusées.* *Sur présentation de ce guide, pour un séjour de 3 nuits, la 3e est gratuite.* AJ privée. Vue imprenable sur la presqu'île de Benwee Head. Fritz et Betty ont adorablement arrangé et décoré leur maison nichée au fond d'un jardin, et Ciaran, leur fils, a pris leur succession. *B & B* aussi pour ceux qui veulent un peu plus de confort. Couloirs agrémentés de belles photos et peintures. Cuisine équipée. Salle commune à l'atmosphère reposante et cosy, avec vue sur la rivière et une cheminée où brûle un bon feu de tourbe. Biblio-

thèque bien fournie et jeux d'échecs à disposition. Conseils pour les randos et cours de surf. Bref, résolument une bonne adresse.
N'oubliez pas, le soir, de descendre au pub du village, à 500 m à gauche de l'AJ, ***chez MacGrath.***

Achats

Au village suivant, 2 km plus loin, fabrique de pulls à prix modérés et petit Musée ornithologique à ***Flanny Knitwear.*** *☎ (097) 846-07.*

ENTRE BELMULLET ET KILLALA

Céide Fields Visitor's Centre *(centre archéologique Céide Fields)* ***:*** *sur la R 314. ☎ (096) 433-25. • museumsofmayo.com/ceide.htm • À 2 km de Belderrig et 8 km de Ballycastle, au bord de l'océan ; un panneau l'indique sur la route principale. Ouv début avr-fin oct, tlj 10h-17h (18h juin-sept). Entrée : 4 € ; réduc.* Heritage site. Installé dans un paysage extraordinaire, au sommet de falaises escarpées tombant brutalement dans l'océan. Ce centre à l'architecture futuriste raconte au travers de mannequins en cire la vie des agriculteurs au IIIe millénaire av. J.-C., ainsi que l'histoire géologique de la région, la vie des plantes et des animaux dans le milieu de la tourbe. Présentation pédagogique, intéressante vidéo. Bon accueil. À l'extérieur, des fouilles... pour les motivés.

Downpatrick Head : *à env 5 km au nord de Ballycastle.* Visible du *Céide Fields.* Vertigineuses falaises, de couleur sombre comme des strates de chocolat. La balade jusqu'à la pointe vaut le coup.

➢ Une idée sympa : suivre la ***North Mayo Sculpture Trail,*** de Belmullet à Ballina, en passant par Ballycastle. 15 monuments construits par des artistes de tous horizons et disséminés dans le paysage. Suivre les pancartes marron « Tír Sáile », et le tour est joué. Les œuvres évoquent le peuple de Mayo à travers les âges : huttes, ponts, dolmens et autres bizarreries. Carte dans les offices de tourisme.

KILLALA (CILL ALA)

1 300 hab. IND. TÉL. : 096

Ce petit port de pêche, situé dans une jolie baie bien abritée à 12 km de Ballina et chargé d'histoire, mérite le détour. Toute la région est parsemée de sites et monuments intéressants.

UN PEU D'HISTOIRE

En août 1798, à quelques kilomètres au nord de Killala, le général Humbert débarqua avec 1 067 soldats français pour soutenir la rébellion irlandaise contre les oppresseurs anglais. Il reçut un accueil enthousiaste de la population. Il dut armer et organiser des bataillons de paysans qui ne parlaient que le gaélique ! Le souvenir de cette expédition est encore bien présent dans les chansons.

Adresse utile

Office de tourisme : *à l'entrée de la ville, à côté d'une clinique. ☎ 321-66. Mai-sept, lun-ven 10h-17h.*

Où dormir ?

Avondale House : *Quay Rd. ☎ 322-29. • bilbow@eircom.net • Sur le port même. Ouv tte l'année sf Noël. Double* *env 80 €. CB refusées.* B & B agréable, dans un joli jardin bénéficiant d'une très belle vue sur la baie. La maison est tenue par un couple fort sympathique. 5 chambres cosy, avec salle de bains. 2 d'entre elles ont vue sur la mer. Très bon petit déj. Le centre du village est à 2 mn à pied, de même que le port. Central donc, et très tranquille.

The Old Deanery Holiday Cottages : *sur le port. ☎ 322-21. • old deanerycottages.com • Cottages pour 6-7 pers 580-680 €/sem selon saison. En basse saison, possibilité de louer slt pour 2-3 j.* Cottages récents, à l'architecture s'intégrant au village, situés en contrebas de Killala et face à la baie. Certains disposent par conséquent d'une très belle vue (les autres sont en retrait). Mais ils sont tous très confortables, et joliment décorés dans un style contemporain dans l'air du temps. Cuisine super équipée, buanderie complète, DVD fournis. Cheminée avec feu de tourbe. La réception se trouve dans la vénérable maison presque au pied de la tour ronde. On y est accueilli par un couple sympa et disponible.

Où manger ? Où boire un verre ? Où écouter de la musique ?

Village Inn : *Church St. ☎ 326-13. Au carrefour central du village. Plats env 8-10 € le midi. Sert aussi le soir en été ; musique traditionnelle lun soir en saison.* Bonne cuisine maison, rustique et assez nourrissante pour satisfaire un appétit d'ogre. Un décor « chasse et pêche » et une odeur de vieux pub de campagne très authentique.

À voir

Cloigteach *(tour ronde) :* une des plus belles d'Irlande. Reconstruite en 1840. Elle mesure 26 m de haut et fut construite, comme beaucoup d'entre elles, pour servir de refuge à la population (la porte d'entrée à 4 m de hauteur le prouve).

La « cathédrale » de la Church of Ireland : édifiée au XVIIe s. Ses modestes dimensions la ramènent plutôt au titre d'église de campagne.

Dans le village et sur le quai, il reste de beaux exemples d'***entrepôts*** et ***magasins*** qui témoignent de la riche activité du port dans le passé. Voir aussi les traces de l'ancien port qui se devinent à marée basse.

DANS LES ENVIRONS DE KILLALA

On peut essayer de retrouver l'endroit précis où les frégates françaises accostèrent ***(Kilcummin Strand)***. De Killala, suivre la route de Ballycastle pendant environ 3 km jusqu'à un pont de pierre étroit. Le traverser, quitter aussitôt l'axe principal pour prendre la route à droite qui s'enfonce dans la campagne. Après quelques kilomètres, prendre à droite au panneau, puis tout droit. Stèle commémorant le débarquement, des maisons de pêcheurs, une jetée et une atmosphère de bout du monde pour vous récompenser de vos efforts.

Il reste également quelques ***vestiges préhistoriques*** à découvrir dans le même secteur. Comme souvent, rien de bien spectaculaire, mais d'excellents prétextes pour se balader dans la campagne. Pour les découvrir, suivre les mêmes indications que pour Kilcummin Strand (voir ci-dessus). Après la première série de virages, sur la gauche (au niveau de la ferme) à moins de 1,5 km du pont et de la route principale, on trouve le ***Carbad Mor,*** un cairn non visible de la route ; demander à la ferme.

En continuant un peu sur la route, dolmen et monastère dominicain du XIIIe s de ***Rathfran,*** bien signalés. Émouvant cimetière dans la nef. Noter la fenêtre ronde qui permettait aux lépreux de suivre l'office. Vestiges de tombes mégalithiques dans les champs (continuer le chemin et tourner à gauche peu avant le sommet de la colline). Enfin, de retour sur la R 314, après le croisement pour le monastère et dans un champ sur la gauche, à ***Breastagh,*** pierre oghamique de 2,50 m de haut.

Au sud-est de Killala, toujours par la R 314 mais dans l'autre direction, une autre abbaye, à mi-chemin entre Killala et Ballina, *Rosserk Abbey,* qui mérite le détour. Suivre la petite route côtière (très étroite) jusqu'à rencontrer le panneau pour le site. En chemin, on croise également les vestiges de la ***Moyne Abbey,*** une abbaye franciscaine dont la tour altière surplombe avec panache tous les environs. Plus loin, au bord de l'estuaire de la Moy River, la ***Rosserk Abbey*** est l'une des mieux préservées du pays. Elle possède encore une tour carrée, sa nef, une partie du cloître, une grande baie gothique, une « piscine » avec dessins sculptés et des bâtiments annexes. Site complètement isolé et romantique, mais un peu difficile d'accès, car le chemin est en mauvais état.

BALLINA (BÉAL AN ÁTHA)

10 000 hab. IND. TÉL. : 096

À 59 km à l'ouest de Sligo, dans le comté de Mayo. Petite ville sympathique sur l'estuaire de la Moy River.

LA VILLE DU SAUMON

Bienvenue à Salmon-City ! Dans la rivière Moy, la plus poissonneuse d'Irlande, les saumons affluent chaque année, d'avril à fin septembre, comme les pêcheurs. Un autre signe de l'importance de la pêche pour Ballina : le nombre de magasins d'articles de pêche. Il existe même un *pub-tackle shop* où les pintes de *Guinness* font face aux hameçons et à toute cette minutieuse quincaillerie. Dans les restaurants, le saumon est le roi de la carte. Et même si l'estuaire de la Moy et le littoral sont aussi peuplés de truites et de maquereaux, c'est bien le saumon qui reste le maître incontesté de Ballina.

LE *BALLINA STREET AND ARTS FESTIVAL*

L'ancien festival du Saumon, rebaptisé *Ballina Street and Arts Festival,* se déroule chaque année pendant 1 semaine en juillet. Les dates dépendent des marées *(consulter • ballinasalmonfestival.ie •).* du Grand moment de fête. En particulier, l'*Heritage Day,* quelques jours après le début des festivités. En centre-ville, tout le monde s'habille comme au XIXe s, et ne circulent que calèches et chariots. Petits métiers de la rue, marchands ambulants, troupes de théâtre assurent l'animation. Concerts et ateliers de toutes sortes. Pas besoin de décrire l'atmosphère !

Arriver – Quitter

– ***Informations :*** *Bus Eireann,* ☎ *718-00. • buseireann.ie •*

Gare routière : *sur Kevin Barry St, en direction de Castlebar.*

➢ ***De/vers Sligo :*** env 5 bus/j. (2 le dim).

➢ ***De/vers Galway :*** env 10 bus/j. (7 le dim).

➢ Départs fréquents pour ***Castlebar, Westport...***

Adresses utiles

Office de tourisme : *Cathedral Rd, au bord de la rivière. ☎ 708-48. Pâques-sept, tlj sf dim.* S'y procurer un plan de la ville.

✉ ***Poste :*** *en haut de Pearse St.*

@ ***Xtra-Vision :*** *Pearse St. Tlj 10h (12h dim)-22h (23h ven-sam).*

■ ***Distributeurs de billets :*** *Pearse St.*

■ ***North Western Regional Fisheries Board :*** *Ardnaree House, Abbey St. ☎ 227-88. • northwestfisheries.ie • Dans le prolongement de Upper Bridge.* Possibilité de prendre une licence à la journée.

Où dormir ?

Camping

Belleek Caravan Park : *sur la route de Killala (R 314). ☎ 715-33. • belleekpark.com • À 3 km de la ville. Ouv mars-fin oct. Env 19 € pour 2 avec tente et voiture. Douches payantes.* Accueil sympathique. Salle TV et de jeux, cuisine, laverie, barbecue, court de tennis, aire de jeux pour les enfants. En bref, un camping soigné et bien équipé, avec tout au fond un carré de pelouse pour planter sa tente, ainsi que des haies et des petits bosquets pour s'abriter du vent. Calme, car situé à bonne distance de la route.

Bon marché

Quignalegan House : *Sligo Rd, à env 3 km du centre, bien après la station-service. ☎ 716-44. • quignaleganhouse.com • Ouv avr-oct. Doubles 55-60 €. CB refusées.* Une grosse demeure parfaitement entretenue proposant 5 chambres confortables, claires et douillettes. Accueil super sympa et dynamique. Une excellente adresse malgré la proximité de la route (cela se calme vite dès la tombée de la nuit).

Prix moyens

Suncroft B & B *(Mrs Breda Walsh) : 3, Cathedral Close. ☎ 215-73. • suncroftballina.com • Derrière la cathédrale, en surplomb du parking. Fermé pdt les fêtes de fin d'année. Doubles 50-70 €.* À deux pas du centre-ville, mais calme car situé dans une impasse résidentielle. 5 chambres de taille modeste, confortables, à la déco fleurie, avec vue sur la cathédrale pour certaines. 1 familiale à 3 lits. Bon accueil.

Brigown B & B : *Quay Rd, Coast Rd. ☎ 226-09. 087-230-49-86. • marjorieskitchen.net • À 2 km au nord-est, sur la route de Quay et Enniscoe. Ouv tte l'année. Double 80 €.* Maison moderne, avec grand jardin en pente, qui donne sur la rivière Moy et les bois de Bellek. Accueil charmant. Chambres colorées (1 seule avec vue sur la rivière). Petit déj hors du commun (normal, Marjorie est une cuisinière réputée, elle a même publié 3 livres de recettes), avec 18 choix différents à la carte ! Pain maison, et le reste aussi. Cours de cuisine offert si l'on reste 3 nuits minimum.

Où manger ?

Bon marché

Cafolla's : *Tolan St. ☎ 210-29. Tlj 10h-22h (jusqu'à 23h30 et même 3h ven-sam pour le take-away). Plats simples 4-10 €.* Cadre banal d'une cafèt'. Pour manger à prix fort modérés. Grand choix de *burgers,* salades, pizzas, omelettes, etc. L'un des rares endroits où l'on puisse manger tard. Évitez les plats « élaborés » (*beefcurry,* grillades), et contentez-vous d'un snack. Service de plats à emporter.

Prix moyens

Crockets on the Quay : *The Quay, le petit port de Ballina (à 2 km au nord). ☎ 759-30. Lun-ven à partir* *de 16h ; w-e dès 12h30 mais ne sert pas à manger avt 16h. Plats principaux 13-25 €.* Vaste pub réputé pour la qualité de sa cuisine et ses animations certains soirs : DJ, tournois de poker, quiz... Également des chambres en *B & B.*

Dillon's : *Dillon Terrace.* ☎ *722-30. Dans une cour intérieure donnant sur la rue qui débouche sur le Lower Bridge. Tlj jusqu'à 21h. Plats env 13-24 €. Dillon's,* c'est d'abord un bel endroit : un ancien entrepôt joliment réhabilité donnant sur une cour intérieure paisible. C'est aussi un pub, cosy, chaleureux, avec son parquet, ses briques apparentes, et sa terrasse sympa où l'on sert une cuisine sans surprise, mais copieuse et bien faite. Très agréable. Concerts traditionnels mercredi, plutôt rock vendredi et samedi.

Murphy Bros : *Clare St.* ☎ *227-02. Au bord de la rivière Moy. Tlj 12h30-20h30 (21h30 pour le resto). Ferme à 21h dim. Plats env 10-20 €.* Vaste pub-resto à la déco traditionnelle soignée, installé dans une imposante demeure face à la rivière. Quelques tables sur un large balcon à l'étage, histoire de profiter de la vue quand il fait beau. Carte étendue qui conviendra à tous les goûts, de la pizza aux plats classiques, en passant par les indéboulonnables *burgers*. Simple et convenable. Au 1er étage, c'est la partie resto, toute de bois vêtue, où l'on vous servira quelques spécialités plus élaborées. Et pour griller des calories, direction le *Long Necks Nite Club*, la boîte de la maison (DJ du jeudi au dimanche).

Où boire un verre ? Où écouter de la musique ?

Dohertys Ridge Pool Bar : *Tolan St.* ☎ *211-50. Au pied de Upper Bridge.* Un pub qui fait aussi magasin d'articles de pêche *(fishing tackle).* Décor sympa avec les hameçons, appâts et moulinets d'un côté et les pintes de *Guinness* de l'autre. Photos de belles prises aux murs : le patron est un pêcheur émérite ! Un endroit pas kitsch du tout : le côté « musée de la Pêche » est tout à fait assumé !

Paddy Jordan's : *Station Rd.* ☎ *219-16. En sortant de la ville en direction de Castlebar.* Les amateurs de musique irlandaise connaissent bien ce joli pub, en raison de ses concerts de qualité programmés tous les vendredis (surtout des ballades) et samedis (du traditionnel pur jus).

Achats

Hotshot Records : *O'Rahilly St. Près de l'angle avec Tolan St.* Pour les amateurs de musique traditionnelle, une boutique bien approvisionnée où le patron est d'excellent conseil.

À voir

Humbert Monument : *au carrefour de Humbert St et Market Rd.* Inauguré par Maud McBride en 1898 et restauré par son fils Sean McBride, ce monument gris commémore le débarquement à Killala en 1798 de troupes françaises conduites par le général Humbert, venues libérer le peuple irlandais du joug anglais.

FOXFORD

Bourgade tranquille et fort charmante, traversée par la Moy, à 16 km au sud de Ballina. Deux célébrités à Foxford : l'usine de tweed et William Brown.

Foxford Woollen Mills : ☎ *(094) 92-561-04. • foxfordwoollenmills.ie • Lun-sam 10h-18h ; dim 12h-18h. Entrée gratuite (y compris l'audioguide en français). Départs ttes les 50 mn.* La scénographie bien ficelée de ce parcours ponctué de films d'archives, de maquettes animées, ou de mannequins parlants, permet de découvrir l'histoire peu commune de cette usine de tweed de la fin du XIXe s, toujours en activité. Une performance que l'on doit à une religieuse entreprenante, mère Agnès Morrogh Bernard. Cette philanthrope, plus pratique que mystique, devint capitaine d'industrie pour sauver de la misère les habitants du village. Une histoire exemplaire ! Très belle boutique.

Admiral Brown Centre : *à côté des Woollen Mills. Horaires aléatoires : en principe, lun-ven 10h-17h. Entrée gratuite.* Cette toute petite expo biographique présente une vidéo de 15 mn (en anglais) et quelques objets personnels. William Brown naquit à Foxford en 1777, puis émigra en Argentine en 1809. Il contribua, comme beaucoup d'Irlandais, à l'histoire de son pays d'adoption en participant à la guerre d'Indépendance contre l'Espagne. Son héroïsme le propulsa au grade d'amiral en chef de la flotte argentine.

STRAIDE (STRADE)

À 7 km de Foxford, sur la route de Castlebar (la N 58), une importante étape pour les amoureux de l'histoire irlandaise.

En effet, on y trouve le ***Michael Davitt National Memorial Museum :*** ☎ *(094) 90-310-22. • museumsofmayo.com/davitt.htm • Tlj 10h-18h. Entrée : 3,20 € ; réduc. Brochure en français.*
Il est consacré au célèbre dirigeant de la *Land League,* baptisé dans cette petite église. Le musée n'est pas bien grand, mais il contient nombre de précieux documents, photographies émouvantes sur les expulsions de fermiers, correspondance personnelle, affiches de la *Land League* et souvenirs de ses nombreux voyages. Également un petit film (en anglais).

À côté du musée, ruines évocatrices de ***Straide Abbey.*** Fondée au XIIIe s. Il en reste quelques belles fenêtres ajourées. Le chef-d'œuvre de l'abbaye est la *Founder's Tomb,* sculptée au XVe s et l'une des plus belles d'Irlande. On y voit, en particulier, une série de huit personnages finement ciselés. De gauche à droite, on distingue les Rois mages, le Christ montrant ses blessures, un homme à genoux enlevant son chapeau (devant l'évêque qui le suit). Pour finir, saint Pierre (avec sa clé) et saint Paul. Noter encore la belle *Pietà* à droite de la tombe.
– Dans le cimetière, sur le chemin de l'abbaye, tombe de Michael Davitt.

CASTLEBAR (CAISLEÁN AN BHARRAIGH)

11 900 hab. IND. TÉL. : 094

Rien de spécial dans cette petite ville de l'Ouest, industrielle et commerçante, si ce n'est le magnifique Musée national d'Irlande, consacré à la vie locale.

UN PEU D'HISTOIRE

Ici se déroula un épisode fort peu connu de nos compatriotes : la victoire de Castlebar, remportée par le général Humbert, en 1798, sur les troupes anglaises. Les 1 000 soldats français furent accueillis triomphalement par la population.
Peu après, les troupes françaises, manquant d'armes et de munitions, furent défaites à l'ultime bataille de Ballinamuck. Mais cette assistance française fit chaud au cœur des Irlandais. Un monument au centre de la ville commémore ce fait historique. Pour la petite histoire, Humbert poursuivra jusqu'à sa mort, en 1823, le rêve de repartir aider les républicains irlandais.

Arriver – Quitter

En bus

Tous les départs se font depuis l'arrêt des bus *Eireann* sur Market St. *☎ 90-212-07. • buseireann.ie • Billets et infos à l'office de tourisme.*

➢ ***De/vers Westport :*** une quinzaine de bus/j., 7 le dim. Trajet : 20 mn.

➢ ***De/vers Dublin** (via **Athlone**) :* 4 bus/j., 3 le dim. Trajet : 4h45 env.

➢ ***De/vers Galway, Shannon et Limerick :*** 5 bus/j., 3 le dim.

➢ ***De/vers Cork :*** 5 bus/j., 2 le dim. Trajet : env 7h20.

En train

***Gare ferroviaire :** à la sortie de la ville, sur la N 84. ☎ 90-212-22. • irish rail.ie •*

➢ ***De/vers Dublin :*** 3 liaisons/j., 4 le dim. Compter 3h15 de trajet. Arrêt à Ballina et Athlone, entre autres.

Adresses utiles

***Office de tourisme :** Linen Hall St. ☎ 90-212-07. • discoverireland.ie/west • Ouv juin-début sept.*

***Distributeurs de billets :** Main St.*

Où dormir ?

Campings

***Carrowkeel Camping & Caravan Park :** à **Ballyvary.** ☎ 90-312-64. • carrowkeelpark.ie • Emprunter la N 5 vers Dublin sur env 9 km ; dépasser Turlough, puis prendre une petite route sur la gauche sur encore 2 km. Ouv avr-début oct. Env 16,50-19 € pour 2 avec tente ou caravane. Douches gratuites.* Accueil très sympa d'Alex, le proprio. Beau terrain vallonné et boisé au bord d'une petite rivière poissonneuse. Cuisine et sanitaires impeccables. Petit magasin d'appoint. Bar agréable avec cheminée, canapé et TV. Restauration très honorable et pas chère. Concert de musique régulièrement en été. Grande salle de jeux avec billard et jeux vidéo. Location d'appartements également. Dans un lieu calme et isolé, un excellent camping, ce qui est plutôt rare en Irlande !

***Lough Lannagh Caravan Park :** ☎ 90-271-11. • loughlannagh.ie • De Ring Rd, direction Westport, puis c'est indiqué. Près du centre. Ouv avr-début sept. Compter 21-28 € selon saison pour 2 avec tente et voiture.* Situé dans un village-vacances où l'on trouve moult réjouissances (massages, centre de fitness, sauna, etc.). Bonne nouvelle : elles sont incluses dans le prix. Également des chambres sympas. Propose aussi des emplacements pour campeurs et marcheurs. Terrains de tennis et vélos à louer. Le tout au bord d'un lac. Cela dit, l'endroit est assez froid et pas très convivial hors saison.

Prix moyens

***Drumshinnagh House :** sur la route de Newport, à 3 km de Castlebar. ☎ 90-242-11. • drumshinnaghhouse.com • Ouv fin mars-fin sept. Compter 56 € pour 2 avec petit déj continental (supplément pour le* full Irish breakfast*). CB refusées.* Chambres très convenables avec TV et salle de bains dans une grosse maison en brique rouge dominant la campagne. Par beau temps, on peut apercevoir le Croagh Patrick. Petit déj soigné. La proprio, Bernie, qui tient son *B & B* avec fermeté, vous réservera un très bon accueil.

***Rocksberry :** sur la route de Westport, à 3 km de Castlebar. ☎ 90-272-54. • mayo-accommodation.com • Ouv fév-fin nov. Compter 60-70 € pour 2 et 90-110 € pour 4.* Grande maison blanche en briquette rouge dans un vaste jardin sur le bord de la nationale. Repérable avec sa barque rouge où est inscrit « boat hire » à l'entrée. Chambres bien tenues, confortables et bien équipées (bouilloire, bien sûr, mais avec table et fer à repasser !). Agréable salle de séjour aussi pour un petit déj à la carte. Malgré la proximité de la route, on n'entend pas la circulation. Le proprio, fort sympathique, vous proposera d'aller taquiner la truite ou le saumon dans l'un des deux lacs des environs. Maintes fois récompensé, c'est un pêcheur expérimenté et passionné.

Où manger ? Où boire un verre ? Où écouter de la musique ?

McCarthy's Restaurant : *Main St. ☎ 90-218-61. Tlj 9h-20h30.* Home-cooked lunches, *servis tte la journée, env 10 €. Sinon, à la carte, plats 8-24 €. CB refusées.* Déco fraîche, genre salon de thé. C'est simple mais bien réalisé. Le pain et les desserts sont aussi faits maison.

McCarthy's Bar : *Main St. À deux pas du resto du même nom.* Pub tout bleu réputé pour ses concerts en été.

DANS LES ENVIRONS DE CASTLEBAR

***The National Museum of Ireland – Country Life : Turlough Park,** Castlebar. ☎ 90-317-73 ou 55. • museum.ie • À 8 km au nord-est de Castlebar sur la route de Dublin (N 5). Mar-sam 10h-17h ; dim 14h-17h. Entrée gratuite. Visites guidées gratuites sur rdv. Petit fascicule de visite en français.* Ce musée est l'un des quatre sites constituant le « Musée national d'Irlande » (les trois autres sont à Dublin). Le bâtiment, ultramoderne s'intègre parfaitement au parc environnant, qui comprend aussi une demeure du XIXe s dont on peut visiter le rez-de-chaussée. Les collections, mises en valeur par une belle scénographie, sont réparties sur quatre étages et consacrées à la vie populaire, de la Grande Famine à 1950. À ne pas manquer. Retour sur les coutumes des îles d'Aran, les différents métiers, la tradition d'Halloween née en Irlande, la redistribution des terres aux paysans lors de l'indépendance, etc. Expos, films et bandes sonores interactives parfois émouvants. Voir, au rez-de-chaussée, les images qui confrontent la vision romantique de l'Irlande avec la réalité du pays ! Passionnant.

***Humbert Tower :** à **Turlough,** à côté du musée.* Tour cylindrique fortifiée, bâtie entre 900 et 1200. À côté, l'église date du XVIIIe s. Une très belle *Crucifixion* du XVIe s se trouve incrustée dans le mur de l'église.

DE BALLINA À SLIGO

Reprise de l'itinéraire pour ceux qui voyageaient dans le nord du Mayo. Route côtière agréable (R 297), recommandée aux surfeurs. *Inishcrone* et *Easkey,* qui au passage signifie « poisson » en gaélique, fournissent de quoi expérimenter « la vague parfaite ». Arrêt également recommandé à *Aughris Head,* sur la côte, 25 km avant Sligo.

Où dormir ? Où manger ? Où boire un verre ?

***Atlantic Caravan Park : Inishcrone.** ☎ (096) 361-32. • atlanticcaravanpark.com • À env 10 km au nord de Ballina. Ouv mars-fin oct. Env 15 € pour 2 avec tente. Douches payantes.* Un *caravan park* et paradis du mobile home où les tentes ont encore (un peu) leur mot à dire, au milieu des dunes. Accès direct à une magnifique plage de sable de 6 km de long. Tout confort, propre et battu par les vents.

***The Beach Bar & Aughris House :** à **Aughris Head.** ☎ (071) 91-764-65. • thebeachbarsligo.com • Indiqué depuis la N 59, au niveau de Templeboy. Cuisine ouv tlj 13h-20h l'été ; slt le w-e l'hiver. Doubles 60-75 €. Plats 10-20 €.* Pub à l'ancienne avec un toit de chaume et des petites salles rustiques côté bar. Bonne *pub food* servie toute la journée. Coin isolé, plage de galets peu fréquentée. Certains soirs très sympas, lors des *music sessions.* Fait aussi *B & B* : chambres *en suite* classiques et sans fioritures, dans une maison moderne voisine. Toutes ne bénéficient pas de la superbe vue sur mer.

À faire

– ***Surfer :*** deux vagues très réputées déferlent à ***Easkey,*** une gauche, près de la cale du port, et une droite, sur le récif un peu plus à l'est. L'*Easkey Surfing & Information Centre* vous donnera des adresses pour vous loger. Il loue aussi du matériel. Sinon, les accros des tubes qui campent à même la plage vous fileront les meilleurs tuyaux. Il paraît que c'est l'hiver qu'il faut venir ! Brrr... !

– ***Kilcullen's Hot Seaweed Baths :*** *à* ***Inishcrone.*** *☎ (096) 362-38. • kilcullenseaweedbaths.com • Tlj 10h-20h (12h-20h oct-mai) ; w-e 10h-20h. Env 25-45 € selon formule.* Les premiers du genre, bien avant ceux de Strandhill (voir plus loin « Dans les environs de Sligo, du sud au nord »). Idéal après une session de surf glaciale...

SLIGO (SLIGEACH) 18 000 hab. IND. TÉL. : 071

Petite ville carrefour, agréable et à taille humaine, dominée à l'ouest par le Knocknarea et au nord par le Ben Bulben, à la forme si caractéristique. Depuis ces hauteurs, les héros celtes et leurs légendes gardent la ville. Rues centrales animées et nombreux pubs sympas. C'est également la patrie de Yeats, poète quasi officiel de l'Irlande républicaine, mais néanmoins l'un des plus grands poètes de langue anglaise (Prix Nobel de littérature en 1923). Les fans de Yeats se retrouvent à Sligo en août pour de savants travaux. La région est également réputée pour la grande qualité de sa musique traditionnelle.

Arriver – Quitter

En train

Mac Diamarda Station *(plan A1-2) : ☎ 91-698-88. • irishrail.ie •*
➢ ***De/vers Dublin*** *(Connolly Station) :* 6-8 trains/j. Slt 3h de trajet.

En bus

Bus Eireann *(plan A2,* ***1****) : Lord Edward St. ☎ 91-600-66.*
➢ ***De/vers Dublin :*** 7 bus/j. Trajet : 4h.
➢ ***De/vers Galway :*** 7 bus/j.
➢ ***De/vers Donegal, Letterkenny et Derry :*** lun-sam, 7 bus/j. ; 5 max le dim.
➢ ***De/vers Ballina, Castleba et Westport :*** 4-5 bus/j., 2 le dim.
➢ ***De/vers Belfast :*** 4 bus/j. ; 2 le dim.
➢ Également des bus ***de/vers Boyle, Inishcrone, Carrick-on-Shannon...***

Feda O'Donnell *(plan B1,* ***2****) : • feda.ie •* Compagnie privée. Départs devant l'*Ulster Bank,* près du Hyde Bridge. Horaires disponibles à l'office de tourisme.
➢ ***De/vers Galway :*** 2 bus/j., 3 les ven et dim.
➢ ***De/vers Donegal et Letterkenny :*** 2 bus/j., 4 les ven et 2 les dim.

Adresses utiles

Office de tourisme *(plan A1-2) : O'Connell St. ☎ 91-612-01. • discovireland.ie/northwest • Juin-sept, tlj*

10h-18h ; sinon lun-ven 9h-17h, et en principe w-e 10h-16h (mais selon la disponibilité du personnel). Staff très sympathique et serviable.

✉ **Poste** *(plan A1)* **:** *Wine St.*

@ **Café Online** *(plan B1)* **:** *Stephen St.* ☎ *91-448-92. Tlj 10h-23h.*

■ **Location de voitures : Avis,** *à l'aéroport.* ☎ *91-682-80 ou 91-280-04.*

■ **Banques :** *plusieurs dans Stephen St.*

■ **Hôpital :** ☎ *91-711-11.*

Où dormir à Sligo et dans les proches environs ?

Bon marché

Sligo Hostel *(The White House ; plan B1,* **10***)* **:** *Markievicz Rd.* ☎ *91-451-60. • whitehousehostel@gmail.com • Fermé déc-avr. Réception fermée 14h-17h. Env 15-16 €/pers en dortoir selon saison ; 16-17 en* private room. *CB refusées.* Petite AJ privée avec vue sur la rivière. Basique et vieillotte, mais correctement tenue, très conviviale et bien située. Chauffage central, cuisine équipée, dortoirs à taille humaine (6 à 8 lits). En basse saison, c'est l'ancienne maison juste à côté qui est utilisée en appoint (convenable aussi).

Harbour House *(hors plan par A1,* **11***)* **:** *Finisklin Rd.* ☎ *91-715-47. • harbourhousehostel.com • De Union St, aller vers le port et prendre à gauche la Finisklin Rd. À 15 mn à pied du centre. Mars-oct. Env 20 €/pers en dortoir (4-8 lits) et 22-25 €/pers pour une double.* Chambres et dortoirs *en suite* ou non, certains avec TV. Dans une grande maison de 1860 ayant appartenu au capitaine du port de Sligo. C'est dommage que le quartier se soit depuis transformé en zone industrielle ! Mais la demeure est belle et soignée, et puis un peu de marche en rentrant du pub, ça dessoûle ! Cuisine à disposition, salon commun sympa. Bon accueil.

Railway Hostel *(plan A1,* **14***)* **:** *1, Union Place.* ☎ *91-445-30. • therailway.ie • Mars-oct. Env 16-18 €/pers en dortoir (4-5 lits) et 20 €/pers pour une double. CB refusées.* Tenue par un couple pas toujours très disponible, cette AJ a néanmoins de nombreux avantages : sa situation (centrale, à deux pas des gares), sa petite taille (atmosphère conviviale donc), et son rapport qualité-prix (chambres et dortoirs très convenables). Douches et w-c communs corrects, cuisine à dispo (enfin, il n'y a que des micro-ondes).

Prix moyens

Pearse Lodge *(hors plan par B2,* **15***)* **:** *Pearse Rd.* ☎ *91-610-90. • pearselodge.com • À 10 mn à pied du centre, à gauche. Ouv tte l'année. Doubles 70-76 €. Parking privé.* La meilleure adresse de la ville. Car les sympathiques Kearney n'ont pas fait les choses à moitié : chambres tout confort et très soignées (TV écran plat, sèche-cheveux... et le petit chocolat d'accueil sur l'oreiller !), salon cosy pour se ressourcer face au jardin, et un petit déj hors norme (une dizaine de menus différents à commander la veille, tous délicieux !). Bravo ! Quant à la *Pearse Road,* passante, elle ne pose pas problème car les chambres, sauf une, donnent sur l'arrière.

Tree Tops B & B *(hors plan par B2,* **13***)* **:** *Cleveragh Rd.* ☎ *91-623-01. • sligobandb.com • À 15 mn à pied du centre, dans une rue à gauche perpendiculaire à Pearse Rd. Tte l'année sf Noël. Double env 70 €.* Toutes les chambres, claires, coquettes et impeccablement tenues, disposent d'une salle de bains privée. Classique, de bon confort, et situé dans une rue calme : une bonne adresse. Excellent accueil.

Où dormir dans les environs ?

Campings

Strandhill Caravan & Camping Park : à **Strandhill** *(à 8 km, près de l'aéroport).* ☎ *91-681-11. • sligocaravanandcamping.ie • À l'ouest de Sligo. Ouv de mi-avr à fin sept. Env 20 €*

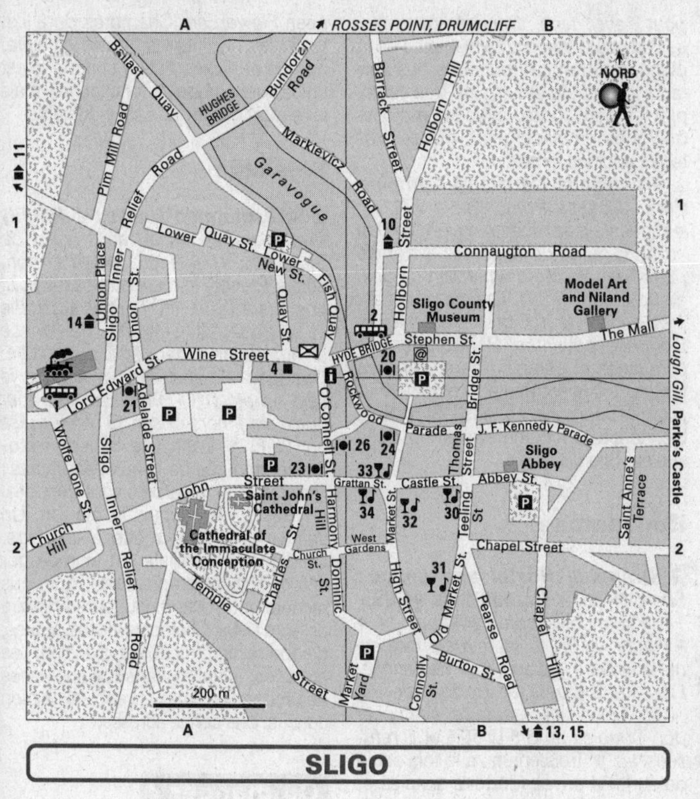

SLIGO

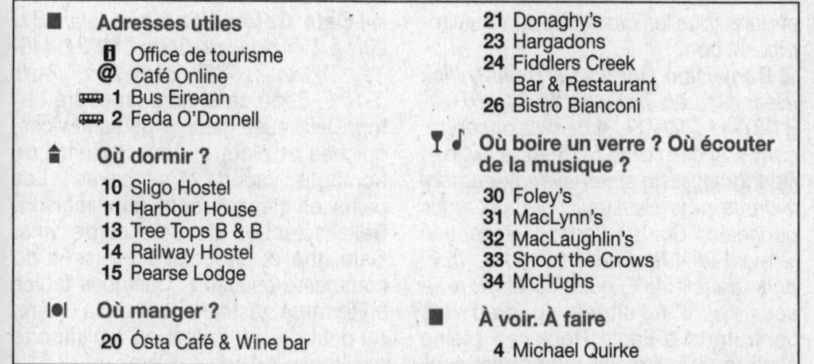

Adresses utiles

- Office de tourisme
- @ Café Online
- 1 Bus Eireann
- 2 Feda O'Donnell

Où dormir ?

- 10 Sligo Hostel
- 11 Harbour House
- 13 Tree Tops B & B
- 14 Railway Hostel
- 15 Pearse Lodge

Où manger ?

- 20 Ósta Café & Wine bar
- 21 Donaghy's
- 23 Hargadons
- 24 Fiddlers Creek Bar & Restaurant
- 26 Bistro Bianconi

Où boire un verre ? Où écouter de la musique ?

- 30 Foley's
- 31 MacLynn's
- 32 MacLaughlin's
- 33 Shoot the Crows
- 34 McHughs

À voir. À faire

- 4 Michael Quirke

pour 2 avec tente. Douches payantes. Bien situé en bord de mer, près de la plage de Strandhill, qui attire des surfeurs du monde entier. Site très vaste, plat et peu abrité, avec néanmoins quelques emplacements mieux protégés pour les tentes.

Greenlands Caravan & Camping Park : Rosses Point. *☎ 91-771-13. • sligocaravanandcamping.ie • À 8 km au nord-ouest de Sligo, à l'extrémité de la baie. À côté d'un terrain de golf, au bout de la R 291. Ouv de début avr à mi-sept. Env 20 € pour 2 avec tente. Douches payantes.* Plutôt pour les caravanes et camping-cars. Pour les tentes, le site est peu abrité du vent et promet des nuits agitées ! Sanitaires bien tenus, tout comme le terrain. Belle vue sur Sligo Bay.

Bon marché

Strandhill Hostel and Lodge : *Shore Head, à* ***Strandhill.*** *☎ 91-683-13. • strandhillaccommodation.com • À l'ouest de Sligo. Sur la rue principale qui conduit à la plage. Ouv tte l'année. Env 10-22 €/pers en dortoir (de 2 à 10 lits) selon saison et taille, avec petit déj. Doubles au* B & B *50 €. CB refusées.* Trois en un : à la fois école de surf, AJ privée (dortoirs simples et corrects, cuisine à dispo, salon cosy), et *B & B* (chambres classiques *en suite* ou non regroupées dans la maison voisine). Chacun y trouvera son compte, et dans tous les cas le rapport qualité-prix est bon.

Benwiskin Centre : *à* ***Ballintrillick*** *(Béal Átha an Trí Liag). ☎ 91-767-21. 087-414-91-89. • benwiskincentre.com • Accès par la N 15 entre Sligo et Bundoran : juste après Cliffony, prendre à droite pour Ballintrillick et suivre les panneaux. Ouv tte l'année. Réception lun-ven 9h-17h. En dortoir 8 lits, 15 €/pers, double 48 €,* quad *65 €. CB refusées.* AJ située au pied des contreforts d'Eagle Rock, en pleine cambrousse. Il s'agit d'un projet écologique : la preuve, c'est l'un des rares endroits dans le pays où vous échapperez à l'éternelle douche électrique ! Eau chauffée au solaire, jardin bio... ce qui a valu au *Benwiskin Centre* un label européen *FlowerEco.* Chambres de 8 lits, familiales ou doubles, toutes *en suite,* neuves et nickel. Aucun charme (c'est un bâtiment moderne fonctionnel), mais le rapport qualité-prix est indéniable.

Plus chic

Ardtarmon House : *à* ***Raghly Point,*** *env 20 km au nord-ouest de Sligo. ☎ 91-631-56. • ardtarmon.com • Prendre la route de Rosses puis, une fois à Drumcliff, tourner à gauche et suivre le fléchage. Ouv tte l'année sf autour de Noël. Double 80 €. Cottages 1-3 chambres à louer à la sem en été (180-500 €/sem) ou pour quelques j. hors saison. Dîner sur résa env 30 €.* Dans une bâtisse victorienne entourée de beaux panoramas : l'hiver, quand les arbres sont dénudés, on voit la mer depuis la maison. Un sentier de 500 m mène à la plage. La demeure familiale est animée par ses adorables propriétaires, qui vous raconteront par le menu toute l'histoire de leurs aïeux. Chambres vastes, sobres, de bon confort, meublées d'ancien. Les cottages, installés dans les anciennes dépendances, sont agréables et bien conçus. Une bonne adresse.

Où manger ?

Bon marché

Ósta Café & Wine bar *(plan B1,* ***20****) : à côté de Hyde Bridge. ☎ 91-446-39. Tlj 8h (10h30 dim)-20h. Plats 5-10 €.* Beau café dans un cadre tip-top. Délicieuse gamme de sandwichs, quiches et plats du jour, assiette de fromages, yaourts et *pancakes*... Les pains et gâteaux sont faits maison. Belle sélection de thés et de vins. Café, thé et chocolat sont issus du commerce équitable. Quelques tables en terrasse, juste au bord de la rivière. Au petit déj, au goûter ou à n'importe quel repas, on adore l'*Ósta* !

Donaghy's *(plan A2,* ***21****) : 1-2, Lord Edward St. ☎ 91-624-17. Tlj jusqu'à 21h. Plats 10-14 €.* Tout le monde connaît le Coach Lane, un resto chic proposant une cuisine internationale soignée et des spécialités de poisson de qualité (selon la pêche). Mais si l'humeur n'est pas aux dépenses fastueuses, le vrai bon plan consiste à s'attabler au *Donaghy's,* le pub de la maison... qui partage les mêmes cuisines ! Alors, certes, c'est bien plus simple et très classique, mais on patiente en grignotant un pain maison aux herbes, on se délecte d'un *fish & chips* joliment présenté ou d'un gratin de poisson très frais, et on y gagne de la musique traditionnelle (le dimanche). Super !

|●| ***Hargadons*** *(plan A2,* ***23****) : 4-5, O'Connell St. ☎ 91-537-09. Lun-sam 12h-15h30 ; lun-sam 16h-21h. Plat env 10 €.* Rénovée avec la manière, cette vieille boutique héritée du XIXe s exhibe à nouveau fièrement ses étagères sans âge garnies de pots patinés, son comptoir usé, ses grosses poutres séculaires et ses box en bois pour les amoureux. Pas mal d'atmosphère, donc, d'autant qu'il y a souvent foule. Quant à la cuisine, elle se réclame de l'esprit pub-gastro : simple, classique, mais avec un effort de présentation et quelques plats plus originaux pour rehausser le niveau général. Un pub de compétition !

De prix moyens à chic

|●| ***Fiddlers Creek Bar & Restaurant*** *(plan B2,* ***24****) : Rockwood Parade. ☎ 91-418-66. Lunch tlj sf dim 12h-16h.* Bar food *servie et resto 17h-21h ; plats 14-27 €.* Moderne et élégant, avec beaucoup de bois et des plats réalisés avec soin (*monkfish,* médaillons à la gaélique...). Très populaire, même si c'est un peu chérot. Un lieu où l'on se sent bien.

|●| ***Bistro Bianconi*** *(plan A-B2,* ***26****) : 44, O'Connell St. ☎ 91-417-44. Tlj 12h30-14h30, 17h30-23h. Pizzas 10-18 € ; plats 17-28 €.* Toute la ville connaît cette adresse. Le décor n'a pu éviter la tendance brancho-italianisante, mais le résultat est de fait plutôt réussi, à l'image de cette cuisine généreuse qui joue parfaitement les hymnes culinaires de la péninsule. Décontracté et intime à la fois. Quelques plats végétariens. Service pro, accueil parfait.

Où manger dans les environs ?

À Strandhill

|●| ***Bellavista Bar & Bistro :*** *à 100 m de la plage. ☎ 91-222-22. Cuisine tlj 10h-22h. Plats 10-20 €. Menu* early bird *(17h-19h) 15 €.* Sert de tout, du petit déj au méga steak. Mais la carte propose surtout des pizzas – en 2 tailles – et des pâtes. Large choix également pour les végétariens. Un pub-resto convivial, à l'accueil franc et chaleureux. On peut choisir de manger en bas dans un cadre de pub ou à l'étage dans une salle plus élégante.

|●| ***The Strand :*** *à 50 m de la plage. ☎ 91-681-40. Plats et en-cas 4-10 €.* Un pub solide avec plein de recoins sombres et un bon feu de tourbe. On y sert une cuisine du jour honnête et copieuse, ainsi que toutes sortes de salades et sandwichs. Musique pratiquement tous les soirs en saison. À l'étage, un resto asiatique.

À Rosses Point

|●| ***The Waterfront Bar & Restaurant :*** *☎ 91-771-22. Mar-mer 12h-16h, jeu-dim jusqu'à 20h (21h ven-sam). Plats env 15-26 €.* Restaurant au cadre contemporain élégant. Un peu cher, mais le menu, assez classique, évolue au gré des saisons et offre un bon rapport qualité-prix.

Où boire un verre ? Où écouter de la musique ?

🍷 ♪ ***MacLynn's*** *(plan B2,* ***31****) : Old Market St. ☎ 91-607-43. Tlj de 18h (16h sam) jusqu'à tard.* Un minuscule pub chaleureux en diable, avec un bon feu de tourbe et sa déco rustique. Musique assez souvent. Le patron prend sa guitare et chante fréquemment ses propres chansons ou celles des autres, en général plutôt le week-end.

🍷 ♪ ***MacLaughlin's*** *(plan B2,* ***32****) : 9, Market St. ☎ 91-442-09. Tlj à partir* *de 17h-18h.* Le mardi en principe, de la musique et une bonne ambiance. Ballades ou airs modernes, et le patron n'hésite pas à empoigner sa guitare.

Shoot the Crows *(plan B2, **33**) : Grattan St. Tlj à partir de 14h-15h.* Curieux nom : « Tirez sur les corbeaux ». En tout cas, personne ne vous tirera dessus dans ce pub confiné, tout en longueur, au charme évident. La journée, c'est calme, presque intime. Normal, il y fait aussi noir qu'au fond d'une mine ! Le soir, musique traditionnelle (en principe les mardi et mercredi). C'est le lieu de rassemblement des musiciens, même lorsqu'ils ne jouent pas. La grosse référence locale.

Foley's *(plan B2, **30**) : 18, Castle St. ☎ 91-423-81. À l'angle de Teeling St.* Un vieux pub bien rugueux, plus que patiné, où les nombreux habitués s'entassent le mercredi et le samedi pour les concerts de musique traditionnelle. Très sympa.

McHughs *(plan B2, **34**) : Grattan St. ☎ 91-420-30.* Vaste bar très fréquenté par la jeunesse de Sligo. Musique les mercredi, jeudi et dimanche : jazz, rock, électro, il y en a pour tous les goûts !

À voir. À faire

Sligo County Museum *(plan B1) : Stephen St. ☎ 91-416-23. À côté de la bibliothèque, dans l'ancienne église. Mai-sept, mar-sam 9h30-12h30, 14h-16h50 ; hors saison, mar-sam 9h30-12h30. Entrée gratuite.* Deux petites salles regroupant documents historiques et pièces archéologiques. Souvenirs liés à la vie de W. B. Yeats, comme la médaille et le diplôme récompensant son prix Nobel.

The Model *(plan B1) : The Mall. ☎ 91-414-05. • themodel.ie • Mer-sam 11h-17h30 ; dim 12h-17h (15h hors saison). Entrée gratuite.* La façade très classique d'architecture victorienne dissimule en réalité un vaste espace moderne, principalement consacré aux expos temporaires d'art contemporain. Une section est néanmoins réservée à la collection permanente du musée, présentée par roulement (œuvres d'artistes irlandais comme Jack B. Yeats).

Sligo Abbey *(plan B2) : Abbey St. ☎ 91-464-06. De Pâques à mi-oct, tlj 10h-18h ; de mi-oct à début nov ven-sam 9h30-16h30. Entrée : 3 € ; réduc.* Heritage site. Ruines d'une abbaye du milieu du XIIIe s, fondée par les dominicains. Dans la nef, hautes baies gothiques. Clocher carré avec fenêtres géminées. Lors de l'incendie de 1642, on dit que la cloche du XIVe s fut immergée dans le lough Gill. Dans le chœur, grande baie flamboyante et blasons sculptés. À droite de l'autel, une scène sculptée représentant sir Donagh O'Connor, seigneur de Sligo, et son épouse. L'autel sculpté du XVe s est le seul rescapé de son espèce en Irlande. Très beau cloître du XVe s, avec colonnes torsadées et petites colonnes géminées.

À l'angle de Markievicz Road et Hyde Bridge *(plan B1)*, bien belle ***statue en bronze de Yeats,*** élégante, moderne et signée Rowan Gillepsie, l'un des plus illustres sculpteurs irlandais. Le poète, dans cette posture, fait penser à un cobra sur lequel dansent des vers (des vers à 12 pieds, pas des vers de terre !).

– Rendre visite au sculpteur sur bois ***Michael Quirke*** *(plan A1, **4**) : Wine St. ☎ 91-426-24. Lun-sam 9h30-13h, 15h-18h.* Même si vous n'achetez rien, il est intarissable sur la mythologie celtique dont il s'inspire pour ses sculptures, réalisées en sycomore ou en chêne.

➢ ***Sligo Path Guided Tours :*** *infos et départs de l'office de tourisme.* Visite gratuite de 1h30/2h proposée en été (juin-août) à travers la ville, sur les traces des frères Yeats et du président Lincoln.

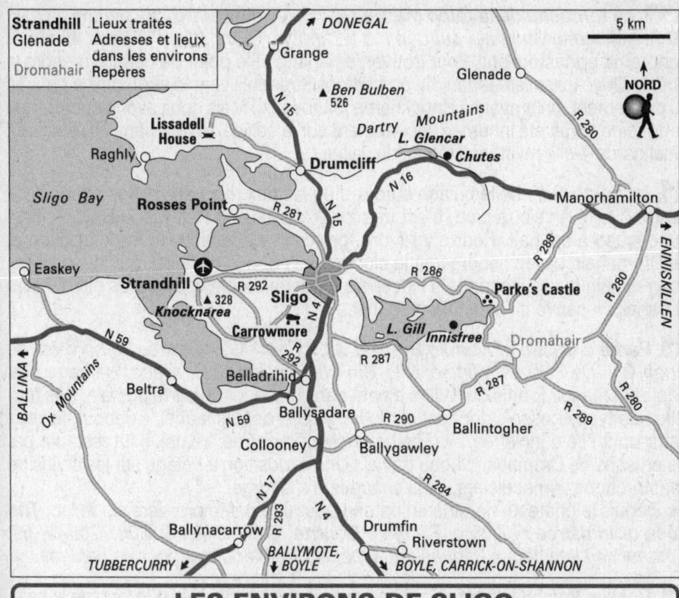

LES ENVIRONS DE SLIGO

DANS LES ENVIRONS DE SLIGO, DU SUD AU NORD

Les tombes mégalithiques de Carrowmore : *quelques km au sud de Sligo. ☎ 91-615-34. Du centre de Sligo, prendre Chuch Hill (plan A2) et suivre les panneaux.* Visitor's Centre *ouv de Pâques à mi-oct, tlj 10h-18h. Entrée : 3 € ; réduc.* Heritage site. La plus grande concentration de tombes mégalithiques d'Europe (une soixantaine, mais seulement une trentaine sont visibles), et, de surcroît, parmi les plus anciennes puisque certaines d'entre elles datent de 4500 à 4000 av. J.-C. Compter 1h de balade en plein champ, muni d'une plaquette explicative fournie par le musée.

Strandhill : *à l'ouest de Sligo.* Petite station balnéaire, avec ses *B & B*, ses pubs et son *surf shop*. Entre l'océan et la « Table Mountain » locale. À gauche, le terrain de golf et les dunes. À droite, dépasser l'aérodrome et aller jusqu'à l'église de Killaspugbrone en ruine, avec son petit cimetière en bord de mer. Une rue principale qui mène à la mer, quelques pubs... et la plage. Pour la baignade, préférer Rosses Point : la plage de Strandhill est fortement déconseillée aux nageurs.
– À Strandhill également, on vous conseille d'essayer au moins une fois dans votre vie le ***Voya Seaweed Baths.*** *Sur le parking, face à la plage. Attention, réserver au moins la veille : ☎ 91-686-86. • voyaseaweedbaths.com • Ouv tlj. Tarifs : 35 € pour 2 ; 25 € tt seul.* Une expérience originale de relaxation. On commence par une séance de vapeur à 40 °C, avant de se plonger dans une baignoire remplie d'algues. Un vrai bonheur, et les vertus de ces salades de mer n'en finiront pas de vous épater. Séance de 50 mn. Massages et réflexologie en extra. Pas d'inquiétude en sortant, on ne sent pas la marée.

★★★ ***Le tombeau de la reine Maeve :*** *à 4 km à l'ouest de Sligo, perché en haut de Knocknarea Mountain qui domine Strandhill.* Grimpette d'environ 45 mn et panorama époustouflant. Pour trouver le parking et le point de départ, prendre la Scenic Drive (première à gauche en quittant Strandhill vers le sud), puis à gauche au croisement, en arrivant à Knocknarea (panneaux). Mais nous avons ouï dire que cette reine aurait été inhumée secrètement sur la colline, et non dans ce tombeau. Ainsi garde-t-elle mystérieusement la vallée.

★★ ***Le lough Gill :*** belle balade autour d'un lac aux rives avenantes et adoré de Yeats. A faire à vélo (à pied, c'est très long). Au lieu-dit Half Moon Bay, sentiers bucoliques à souhait. Pour s'y rendre, prendre la direction du Park's Castle et de Dromahair. Le lac hébergerait la cloche de l'abbaye de Sligo, qui, pendant les guerres religieuses, échappa à l'incendie de cette dernière. Seuls les êtres « purs et parfaits » peuvent l'entendre résonner...

★★ ***Parke's Castle : Fivemile Bourne.*** ☎ *91-641-49. À l'extrémité nord-est du lough Gill. De Pâques à fin sept, tlj 10h-18h. Entrée : 3 € ; réduc.* Heritage site. Adorable manoir fortifié du XVIIe s planté dans un décor de carte postale. Ses tourelles de type écossais donnent sur le lough Gill, depuis lequel, « debout, je veux partir pour l'île d'Innisfree... » (*The Lake Isle of Innisfree,* Yeats). Il fut restauré par les artisans de Dromahair : beau travail ! Une exposition à l'étage sur les styles de constructions vernaculaires, de la chaumière à la forge.

➢ Depuis le château, départs en bateau pour une petite croisière sur le lac. ***The Rose of Innisfree :*** *Kilmore,* ***Fivemile Bourne.*** ☎ *91-642-66.* 📱 *087-259-88-69.* • *roseofinnisfree.com* • *Pâques-oct, 5 départs/j. Téléphoner pour les horaires.*

★★ ***Rosses Point :*** *au nord-ouest de Sligo.* Un village qui s'étire le long de la baie. En arrivant, sur la gauche, l'île d'Oyster. Quelques chevaux, quelques ruines, un phare. On aimerait tenter la traversée, mais c'est privé ! Après le village, un golf, une plage très appréciée des locaux l'été et des *windsurfers.* Faites quelques pas dans les dunes pour accéder à une seconde plage, plus calme. À l'ouest de Rosses Point, l'île de Coney, accessible celle-ci depuis Strandhill à marée basse.

★★ ***La tombe de Yeats :*** *à* ***Drumcliff.*** *À 13 km au nord de Sligo, en marge de la N 15. Dans le cimetière, à l'entrée de Drumcliff en venant de Sligo. Sa tombe se trouve à gauche lorsqu'on fait face à l'entrée de l'église.* Vaut le détour pour l'épitaphe désormais très célèbre, et aussi pour le panorama alentour, particulièrement romantique quand la lumière s'y prête. On comprend pourquoi Yeats, (mort en France à Roquebrune), a tenu à être enterré ici. Pas loin, belle croix sculptée du XIIe s, encastrée dans le mur du cimetière.

⛱ En continuant vers la côte, belle ***plage*** à l'abri du vent, face à la baie de Sligo. On peut aussi y accéder par la route côtière.

★ ***Raghly Point :*** *fléché depuis* ***Drumcliff.*** La petite route file jusqu'à la côte et termine sa course dans un port de poche, isolé sur une langue de terre pelée faisant face à la baie et la *Knocknarea Mountain*. Romantique et désertique, à l'exception des trois ou quatre bateaux qui sommeillent à l'abri de la jetée.

★★ À l'est de Drumcliff, ***Glencar Lake et ses chutes d'eau,*** entre deux falaises imposantes. Randonnée possible jusqu'au sommet dans la vallée bordant *Ben Bulben,* théâtre de bien des légendes celtiques, avec, en récompense, une vue fantastique sur la baie de Sligo. Ben Bulben offre des faces d'escalade comme celles de Tor Mor. Autre jolie route derrière le Ben Bulben : *Gleniff Horseshoe Drive.*

★★ ***Le cairn de Creevykeel :*** *à* ***Cliffony,*** *sur la route de Bundoran.* Une des plus vieilles tombes néolithiques du pays, 5 000 ans d'âge ! On parle ici de « Court Cairn », car l'entrée est très large. D'une longueur d'environ 50 m, bordée de hautes pierres, elle ressemble à une allée couverte.

➢ Côte agréable, sans plus, sur les 30 derniers kilomètres avant d'arriver à Donegal. On peut cependant faire un chouette détour par ***Mullaghmore Head.*** Belle côte découpée. Du port de Mullaghmore, point de vue peu habituel sur le Ben Bulben. À côté du port, une superbe plage.

Au large de Mullaghmore Head, l'***île d'Inishmurray*** abrite un superbe monastère entouré de son enclos de pierre. Le tout est très bien conservé. On y trouve les fameuses pierres à malédiction (on jette un sort à un autre en tournant la pierre).
➢ Pour s'y rendre, contacter l'office de tourisme de Sligo pour obtenir la liste des marins susceptibles de proposer la traversée.

LE SUD DE SLIGO

Région peu touristique que l'on traverse trop rapidement en regagnant Dublin par la N 4 ou Galway par la N 17. Ça vaut vraiment la peine de musarder dans la campagne de Ballymote, Tubbercurry et dans les Ox Mountains. En outre, nos lecteurs fans de musique traditionnelle y découvriront l'un des terroirs les plus féconds d'Irlande.

TUBBERCURRY (TOBAR AN CHOIRE)

2 000 hab. IND. TÉL. : 071

Petite ville à environ 30 km au sud-est de Sligo, sur la route de Galway (la N 17). Agréable, hospitalière, avec une vie locale chaleureuse et un pub-épicerie comme on les aime. Bref, une étape sympa !
Tubbercurry a donné naissance à de très grands violonistes, comme Michael Coleman et James Morrison. La musique du South Sligo est unanimement considérée comme l'une des plus riches d'Irlande. D'ailleurs, la *South Sligo Summer School* de Tubbercurry attire de plus en plus de monde depuis sa création.

Adresses utiles

✉ ***Poste :*** *Main St. À côté du pub* Natty Brennan.
■ ***Banque d'Irlande :*** *Main St.* Distributeur.

Où dormir ? Où manger ? Où boire un verre ? Où écouter de la musique à Tubbercurry et dans les environs ?

Rossli House : ***Doocastle.*** *☎ 91-850-99. • rossli@esatclear.ie • À 6,5 km de Tubbercurry sur la route de Ballymote, à 1 km de la route principale (R 294), proche du cimetière. Ouv tte l'année. Double 58 €. CB refusées.* Agréable *country home* moderne et de plain-pied. 4 chambres *en suite,* sobres et confortables. Noreen Donoghue dispense un chaleureux accueil.

Killoran's : *Main St. ☎ 91-856-79. Resto en saison slt (mai-sept). Plats env 10-15 €.* Sympathique pub-resto à la décoration originale, faite de bric et de broc. Excellent accueil. De juin à septembre, organise en principe chaque jeudi une *Irish night* extra. Au restaurant, plats traditionnels (en saison), et des petits déj (tte l'année).

Cawleys Guest House : *Emmet St. ☎ 91-850-25. • caw*

leyshotel.ie • Tlj sf lun soir. Doubles 60-79 €. Plats 10-15 € le midi ; 15-25 € le soir. Un très accueillant couple belgo-irlandais propose une cuisine soignée à base de produits locaux, le tout à des prix raisonnables. En salle (déco contemporaine), ou en terrasse, c'est une bonne petite table à découvrir. Chambres classiques et confortables.

Natty Brennan : *Main St. ☎ 91-851-16. Sur la façade, c'est écrit « T. Brennan ». Tlj dès le midi en saison.* Le patron est une légende à lui tout seul, et son pub-épicerie hors d'âge et très rudimentaire est le rendez-vous le plus sympa qu'on connaisse. *Stout* crémeux à souhait.

Voir aussi le pub ***Killenascully,*** place principale, et son voisin le ***May Queen.***

Teach Murray Pub : *à* ***Gorteen*** *(à 10 km de Tubbercurry, sur la route de Boyle). ☎ 91-820-69. Tlj 12h-15h30. Plats env 10-12 €.* Pub traditionnel sympathique (c'est un pléonasme) avec sa brochette d'habitués et sa cuisine rustique servie en format XXL.

Où dormir ? Où manger très chic dans les environs ?

Temple House : Ballymote. *☎ 91-833-29. • templehouse.ie • Depuis Sligo, prendre la N 17 jusqu'à Ballinacarrow. Peu après, tourner à gauche (panneau). Depuis Ballymote, suivre la direction de Tubbercurry. Ouv avr-oct. Doubles 150-180 €, selon période. Dîner sur résa env 45 € (sf dim).* Bienvenue chez les Perceval, un jeune couple sympathique dont la famille occupe le domaine depuis... 1665. Quand même ! Il s'agit donc d'un vaste manoir georgien, isolé dans un parc de plusieurs dizaines d'hectares et planté face à un lac et aux ruines d'un château du XIIIe s. Très romantique. Quant aux 6 chambres, immenses, elles sont évidemment meublées d'ancien et ont le cachet un peu désuet des (très) vieilles maisons de famille. Également un cottage pour 8 personnes.

À faire

– ***South Sligo Summer School :*** *1 sem en juil. ☎ 91-209-12. • sssschool.org •* Sur la place Wolfe Tone, il y a cette stèle en hommage aux 15 grands violonistes originaires du Sligo et cette sculpture originale de Cillian Rogers, représentant trois musiciens et trois filles dansant, intitulée *The Comely Maidens Dancing to the Sound of Irish Music at Every Cross Road, That was Dev's Dream.* Elle symbolise bien la riche vie musicale de la région.
Pendant 1 semaine, possibilité de suivre cours de musique (guitare, *fiddle,* banjo, *uilleann pipe, bodhran, tin whistle, set dancing,* etc.), ateliers, lectures, récitals, vidéo, *ceili,* concerts, etc. L'un des rendez-vous de musique et danse traditionnelles les plus prestigieux en Irlande.

DANS LES ENVIRONS DE TUBBERCURRY

Carrowkeel Cemetery : *au sud-est de Ballymote, à env 10 km. À Castlebaldwin, rouler encore 6 km et c'est fléché. Après le portail, prendre à gauche 200 m plus loin au panneau « cul-de-sac » ; le reste se fait sur un chemin défoncé et caillouteux (env 1 km). Attention : par temps de pluie, terrain difficilement praticable pour les voitures (faire le dernier km à pied).* Cimetière de l'âge du bronze. Superbe ensemble de tumulus dispersés au sommet des montagnes. On distingue bien les tertres et les chambres funéraires dans lesquelles ont été retrouvés ossements et objets. Il subsiste encore 14 tombes dans les montagnes de Bricklieve. Vue magnifique sur la vallée. Attention aux boucs récalcitrants...

Ox Mountains : belle chaîne de montagnes sauvages. En marge des circuits traditionnels, vraiment peu fréquentés. Rivières poissonneuses, tourbières et forêts alternent. Voici un bel itinéraire à effectuer : rejoignez d'abord la route Coolaney-Cloonacool. À Carrowneden, route forestière se dirigeant vers Skreen et longeant Ladies Brae (beau point de vue). Retour encore plus intéressant par Templeboy, Dromore West et ensuite plein sud vers Aclare et Tubbercurry. Elle s'immisce de façon superbe entre le flanc de la montagne et le lough Easky.

***Eagles Flying :** à **Portinch,** près de Ballymote. ☎ 91-893-10. ● eaglesflying.com ● Depuis Ballymote, suivre la direction de Tubbercurry, puis celle de Temple House et du centre. Avr-début nov, tlj 10h30-12h30, 14h30-16h30. Visite : 9 € ; réduc. Démonstrations de vol à 11h et 15h.* Un scientifique allemand passionné de nature, et plus spécialement de rapaces, a décidé d'ouvrir son centre de recherches au grand public. Dans sa ménagerie, une centaine d'oiseaux de proie : aigles de différentes sortes, vautours, hiboux, plus de 70 espèces au total. Sans compter les autres pensionnaires de ce centre de 27 ha, où travaillent une douzaine de personnes : lapins, cochons, furets... Une visite très enrichissante, où l'on apprend tout ce qu'on veut savoir sur ces admirables bestioles : anatomie, rôle dans la chaîne alimentaire, comportement. Un mini-amphi a été prévu dans le jardin pour que les spectateurs puissent assister au majestueux vol de l'aigle et du faucon (baissez la tête !).

BOYLE (MAINISTIR NA BÚILLZ)

2 000 hab. IND. TÉL. : 071

Petite ville sur la rivière du même nom. Au sud de Sligo, dans la province du Roscommon. Vaut le détour pour sa belle abbaye et sa *King House.*

– ***Festival d'Art :*** *en juil. ● boylearts.com ●*

Adresses utiles

ℹ ***Office de tourisme :*** *King House. ☎ 96-621-45. Ouv juin-oct.*

✉ ***Poste :*** *avt le parking de la King House.*

■ ***Banque d'Irlande :*** *face à la King House.*

Où dormir ? Où manger ?

Lough Key Caravan & Camping Park : Lough Key Forest Park. *☎ 96-622-12. ● loughkey.ie ● À 4 km de Boyle en direction de Dublin. Ouv de mi-avr à début sept. Env 12 € pour 2 ; ajouter le droit d'accès au parc. Douches payantes.* Un camping simple mais agréable de 5,5 ha dans une forêt, au calme et à proximité du lough Key et de ses attractions (lire plus bas « À voir. À faire »).

Abbey House : *à côté de l'abbaye. ☎ 96-623-85. ● abbeyhouse.net ● À 5 mn à pied du centre. Ouv mars-oct. Double 70 €.* Vénérable demeure située à l'ombre du chevet de l'abbaye et au bord de la rivière. Beaucoup de charme. Chambres de bonne taille, très calmes et correctement tenues. Petites maisons en pierre à l'arrière, à louer à la semaine.

Self de la King House : *tlj 9h-17h. Plats du jour 5-10 €.* Nourriture basique servie dans un cadre plaisant.

The Moving Stairs : *sur la grande place. ☎ 79-635-86. Mar-dim 17h-21h (en principe, car en réalité c'est en fonction de l'affluence). Menus 18-26 € ; plats 12-19 €.* Agréable pub-resto qui accueille fréquemment toutes sortes de concerts (musique celtique, jazz...). Cuisine classique de bonne tenue élaborée avec les produits de la région.

Où dormir ? Où manger dans les environs ?

À ***Carrick-on-Shannon*** *(Cora Droma Rúisc)*, à 15 km de Boyle. C'est le chef-lieu du Leitrim, le comté le moins peuplé avec à peine 25 000 habitants. Ce joli petit port de plaisance sur le Shannon s'organise le long d'une rue principale animée et colorée, avec en son centre une curiosité : la plus petite chapelle d'Europe. Les environs immédiats de la ville ont, en revanche, été en partie défigurés par des rangées de disgracieuses maisons de vacances.

B-Side Hostel : *The Bridge. 086-735-73-38. • b-sidehostel.com • Très central : sur le rond-point avt le pont, une petite porte entre 2 boutiques. Ouv tte l'année. Env 20-25 €/pers.* Petite AJ pimpante, rénovée en 2011 dans un style contemporain clair et agréable. Au total, 18 lits répartis en dortoirs de 4, 6 et 8 lits. Bon confort : sanitaires bien tenus, salle commune riquiqui mais sympa, et cuisine à dispo toute mignonne, façon maison de campagne. Une bonne étape, à l'image de l'accueil gentil et arrangeant.

Caldra House : ***Caldragh.*** *☎ 96-230-40. • caldrahouse.ie • De Carrick, prendre la R 280 vers Drumshanbo pdt 2 km, puis à gauche la L 7401 (route étroite indiquée par un tt petit panneau) : au bout, à droite. Ouv tte l'année. Doubles env 70-75 €.* Isolée en pleine campagne, cette grosse maison à l'ancienne mode destine aux hôtes un salon cosy et une poignée de chambres classiques et confortables. Impeccable pour une étape.

The Oarsman : *Bridge St. ☎ 96-217-33. Tlj sf dim-lun, 12h-21h. Au bar, plats 8-10 € le midi, 12-15 € le soir. Au resto, plats 15-26 €.* Value menus *(mar-ven 17h-21h) 18-22 €.* Le (très) bon gastro-pub de Carrick : déco traditionnelle soignée, atmosphère chaleureuse, et dans l'assiette, une cuisine de qualité, nettement plus élaborée que la moyenne (salades et sandwichs « gourmets », frites maison, plats de poisson ou de viande joliment réalisés). Resto plus contemporain à l'étage, mais cher.

The Courtyard Kitchen : *The Courtyard, Main St. ☎ 96-718-94. Dans une cour intérieure accessible depuis Main St. Tlj 12h-21h. Sandwichs 6-8 € le midi ; plats 12-24 € le soir.* Sandwichs originaux le midi, plats sans frontières le soir (*burgers* et *fish & chips* améliorés, mais aussi tapas, agneau de pays, ou *sheperd's pie*...), font le succès de ce petit restaurant accueillant aux allures de bistrot contemporain chic. Simple et agréable.

À voir. À faire

King House : *☎ 96-632-42. • kinghouse.ie • Avr-sept, mar-sam 11h-17h ; dernière visite à 16h. Fermé hors saison. Entrée gratuite. Brochure en français (gratuite) ou audioguide en anglais (1 €).* Grande bâtisse construite en 1730 par les descendants de John King, envoyé en 1603 par le roi d'Angleterre pour soumettre la région. Entre 1788 et 1922, le bâtiment servit de caserne pour les Connaught Rangers et la milice de Roscommon, avant d'être abandonné. Restauré avec soin, il abrite désormais d'intéressantes sections historiques (de l'époque épique des seigneurs irlandais McDermot à l'Indépendance... sans oublier bien sûr les King et les Connaught Rangers), le tout porté par une muséographie interactive très ludique (petites activités sympas du genre endosser un costume médiéval ou écrire à la manière des moines !). Ne pas manquer les cachots, brrr... c'est froid d'authenticité ! Également des expos temporaires.

Boyle Abbey : *☎ 96-626-04. Pâques-sept. Tlj 10h-18h ; dernière entrée à 17h15. Entrée gratuite pdt la durée des travaux (sinon, 3 €).* Heritage site. Une des abbayes les plus grandes et l'une des mieux préservées d'Irlande. D'origine cistercienne et fondée par l'abbaye de Mellifont en 1161 (voir le chapitre sur la vallée de la Boyne), elle fonctionnera jusqu'à la fin du XVIe s avant d'être attribuée à William Usher. Assiégée par Hugh O'Neill, elle fut ensuite occupée par les garnisons anglaises pendant deux siècles. De style roman, même si certains éléments amorcent le virage gothique, elle se distingue par ses chapiteau et les élégantes arches de la nef. Voir encore, à côté du réfectoire, les deux fours situés dans une niche et coiffés d'une superbe cheminée. C'est là que se tenait la cuisine. Les bâtiments tout autour datent du XVIIe s. Hélas, du cloître, il ne reste rien, preuve que les hordes de Cromwell ont pris leur boulot très à cœur. L'abbaye de Boyle a grandement souffert des modifications apportées par les soldats. Peu sensibles à la beauté, ils ont comblé les arches de la nef, fortifié à tout-va, flingué l'harmonie architecturale. D'où cet incroyable projet de rénovation : on a démonté une partie de la nef, numéroté les pierres et reconstruit le tout en collant le plus possible aux plans d'origine. Petite expo dans la tour de garde.

DANS LES ENVIRONS DE BOYLE

Lough Key Forest Park : *à 3,5 km sur la route de Dublin.* ☎ *96-731-22.* • *loughkey.ie* • *Activités tlj l'été ; horaires restreints l'hiver. Parking 4 € (gratuit si on dépense plus de 20 € en activités ou au resto).* Toutes sortes d'activités payantes autour de ce beau lac fréquenté par les familles : marche, canotage, location de vélos, mais également des attractions plus élaborées, comme le *Boda Borg* (un parcours aventure en intérieur) ou le *Lough Key Experience* (balade aménagée qui s'achève par un réseau de ponts suspendus dans les arbres). Également, des *trails nature* (gratuits !) pour découvrir les 350 ha du parc et les ruines d'un château et d'une église isolées sur des îlots. Pour avoir un aperçu du site, la *Arigna Scenic Drive* en fait le tour par les hauteurs.

Arigna Mining Experience : *à* **Arigna.** ☎ *96-464-66.* • *arignaminingexperience.ie* • *En saison, tlj 10h-17h. Entrée : 10 € ; réduc.* Pour les amateurs, une plongée dans l'univers oppressant de la mine de charbon d'Arigna, la dernière à avoir fermé ses portes en Irlande en 1990. L'intérêt, c'est que les visites sont assurées par d'anciens mineurs.

LE DONEGAL

Le Donegal a la réputation d'être « loin au nord », un coin paumé où l'on passera s'il reste un peu de temps en fin de voyage. On espère vraiment que vous saurez trouver ce temps précieux, car c'est indéniablement l'un des plus beaux comtés du pays ! Certes, le Donegal (*Dún na nGall,* ou « fort des étrangers » en gaélique !), l'un des trois comtés d'Ulster situés en dehors d'Irlande du Nord, ne s'offre pas comme ça, au premier venu. Sous des airs revêches de pays bourru au climat capricieux, sauvage et balayé par les vents, il se mérite. Mais quelle récompense ! Ici, plus que les paysages pourtant fascinants, ce sont les habitants qui nous ont le plus marqués. Les rapports humains sont très forts, peut-être à cause de l'isolement, du climat plus rude, des visiteurs plus rares, peut-être parce que c'est dans leur nature, tout simplement.

LE TWEED DU DONEGAL

Deux grandes régions au monde produisent le tweed : les Hébrides en Écosse et le Donegal en Irlande. Sa notoriété vint de l'engouement de l'aristocratie britannique au XIXe s pour cet étrange tissu qui habillait les gardes-chasses locaux de l'île Harris aux Hébrides : résistant, chatoyant, imperméable, reproduisant les couleurs de la nature environnante. La famille royale arbora notamment les célèbres *knickerbockers* (pantalons au genou).

Bien sûr, l'appui politique et économique de l'Angleterre favorise le tweed écossais. Celui du Donegal, au moins aussi ancien, ne démérite pourtant pas. Au contraire, on le préfère ! Dans le tweed du Donegal, la nature a inspiré les fabricants et les teintes ont été puisées dans l'extraordinaire palette des paysages. Autre particularité du tweed – qui tirerait son nom de *tweel* (« étoffe croisée » en gaélique écossais) ou de la Tweed, rivière marquant la frontière entre l'Écosse et l'Angleterre –, il embellit en vieillissant. Les revers s'assouplissent, les coudes s'arrondissent. Mais comme beaucoup de produits originaux, le tweed est abondamment imité. Achetez du vrai !. Vous nous avez compris, nous sommes des amoureux de ce tissu que portaient si bien les héroïnes des films d'Hitchcock...

TO TWEED OR NOT TO TWEED ?

*Dans le tweed d'Écosse, le motif le plus courant est l'*herringbones *(« arêtes de hareng », à chevrons, donc). Dans celui du Donegal, c'est plutôt le* salt and pepper *(« pied-de-poule »), parsemé de couleurs vives et contrastées. Le tissu semble ainsi constellé de confettis, tandis que l'écossais est, le plus souvent, ton sur ton.*

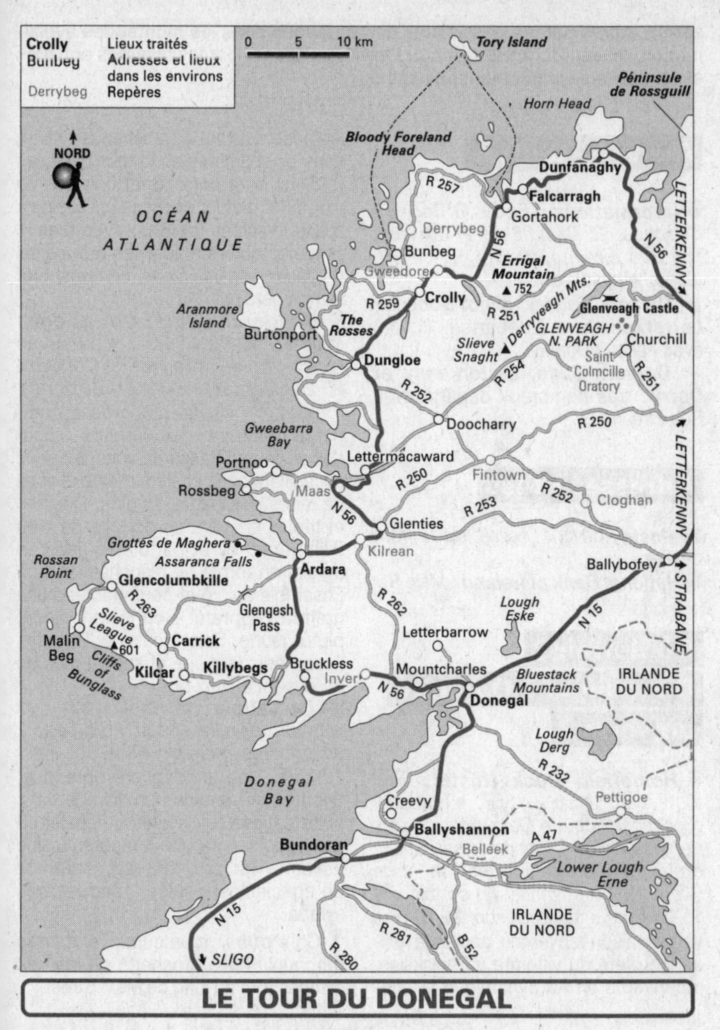

LE TOUR DU DONEGAL

BUNDORAN (BUN DOBHRÁIN)

1 850 hab. IND. TÉL. : 071

Station balnéaire appréciée des familles irlandaises, à mi-chemin entre Sligo et Donegal. C'est aussi le paradis des surfeurs, avec de très jolies vagues, à la renommée européenne. Très fréquenté en été. Atmosphère plus proche de Brighton que de l'Irlande traditionnelle : halls de machines à sous, maisons de vacances à gogo... Certains lecteurs éviteront soigneusement, d'autres

seront attirés par les possibilités de randonnée dans les montagnes avoisinantes, de canotage sur le lough Melvin, ou encore par les diverses activités et attractions typiquement balnéaires.

Arriver - Quitter

■ ***Informations : Feda O'Donnell Coaches,*** *☎ (074) 95-48-114. ● feda.ie* ● ***Bus Eireann,*** *☎ (074) 91-60-066 (Sligo). ● buseireann.ie ●*

➢ ***De/vers Galway, Sligo, Donegal, Letterkenny... :*** 2 départs/j. (1 ven) avec *Feda O'Donnell.*

➢ ***De/vers Sligo, Letterkenny et Derry :*** très nombreux départs avec *Bus Eireann.*

Adresses utiles

✉ ***Poste :*** *devant l'église, sur le front de mer.*

■ ***National Bank of Ireland :*** *Main St.*

Où dormir ? Où manger ? Où boire un verre ?

⌂ ***Homefield Rock Hostel :*** *Bay View Ave. ☎ 98-29-357. ● homefieldrockhostel.com ● Dans une rue perpendiculaire à l'axe principal, sur la droite juste avt l'église (en venant de Sligo). Ouv tte l'année. En dortoir, env 15-25 €/pers selon saison.* 💻 📶 Une vaste maison-labyrinthe, ancienne résidence d'été du vicomte d'Enniskillen, reconvertie en AJ dynamique et chaleureuse. Le tout a franchement vieilli, mais les chambres et dortoirs basiques (2-8 lits) sont corrects et décorés de vinyles et d'affiches (Rock !). Cuisine à dispo, 2 salons (dont un avec piano), et toutes sortes d'activités proposées par la *Homefield House,* centre sportif sympa géré par l'AJ.

⌂ ***Bundoran Surf Co Lodge :*** *Main St. ☎ 98-41-968. ● bundoransurfco.com ● Tte l'année, sf Noël. Env 20-25 €/pers selon chambre ou dortoir. Parking* 📶. *Hostel* moderne et pimpante tenue par des surfeurs... pour des surfeurs ! Rassurez-vous, on vous accueillera avec chaleur même si vous ne faites pas partie du clan. Doubles et triples *en suite* ou dortoirs de 4 ou 6 lits, avec TV et parfois équipés de miroirs en forme de planches de surf. Ensemble coloré et confortable, d'une grande propreté. Bonne ambiance, plutôt jeune. Salon, cuisine. Et enfin, l'essentiel : la plage et ses vagues de choix sont à deux pas !

🍽 ***La Sabbia :*** *☎ 98-42-253. Ouv juin-août tlj midi et soir, hors saison, en principe mer-dim 18h-21h. Plats 10-20 €.* Une atmosphère détendue, dépaysante, presque un voyage dans cette bâtisse aux allures de chalet où l'on vous servira une honnête cuisine italienne (pizzas, pâtes...) mâtinée de spécialités locales... Accueil très sympa.

🍷 Côté ***pubs,*** vous aurez l'embarras du choix : belle brochette de bistrots sympas tout au long de Main Street.

Balades à cheval

■ ***Donegal Equestrian Centre :*** *à la sortie de la ville, direction Ballyshannon. ☎ 98-41-977. ● donegalequestriancentre.com ●* Centre d'équitation situé dans une zone de dunes non loin du rivage, avec panorama sur les Dartry Mountains et le Slieve League.

Où surfer ? Où pêcher ?

■ ***Bundoran Surf Co :*** *Main St. ☎ 98-41-968. ● bundoransurfco.com ● Ouv tte l'année. Surf shop* bien approvisionnée. Organise des cours de surf (30 €) et de kitesurf sur la grande plage de Strand. Très compétents.

■ **Creevy :** *petit port à mi-chemin entre Ballyshannon et Rossnowlagh.* Point de départ idéal vers les zones de pêche et la découverte des baleines. L'*An Dúanaí Mara* peut vous y emmener *(rens : ☎ 98-52-896 ; • creevyexperience.com •).*

BALLYSHANNON (BÉAL AN MHUIRTHID)

2 700 hab. IND. TÉL. : 071

Petite ville un peu endormie entre Bundoran et Donegal, célèbre pour son Festival folk, le plus grand d'Irlande. Le rock n'est pas en reste, puisque Ballyshannon est la ville natale du grand guitariste Rory Gallagher, qui a lui aussi droit à son festival. C'est également l'une des plus vieilles villes d'Irlande.

Arriver – Quitter

Arrêt de bus Eireann : *juste à côté du pont, en plein centre.* Mêmes lignes que depuis Bundoran.

➢ ***De/vers Enniskillen*** (où l'on trouve les correspondances pour le réseau d'*Ulsterbus* vers tte l'Irlande du Nord) *:* 5 bus/j. (2 le dim) avec *Bus Eireann.*

Où dormir ? Où manger ?

Lakeside Caravan & Camping : *Belleek Rd. ☎ 98-52-822. • erneentreprise.com • À 1 km direction Enniskillen. Ouv de mi-mars à fin oct. Env 22 € pour 2 avec tente. Douches payantes.* Camping tranquille, au bord d'un lac artificiel. Sanitaires basiques mais propres. Location de kayaks et de vélos, belle aire de jeux pour les enfants, resto sur place. Seul bémol : pour obtenir un emplacement face au lac, il faut payer un extra !

Randwick *(John and Clare Hughes) : Bundoran Rd, à 1 km sur la R 267. ☎ 98-52-545. • randwick9@eircom.net • Ouv début mars-fin déc. Doubles 64-70 €. Dîner sur résa env 22 €.* Chambres *en suite* classiques et bien tenues, toutes sur l'arrière sauf une sur le côté. John a beaucoup voyagé et parle bien le français. Hôtes attentionnés et service impeccable. Belle vue sur la baie depuis le salon et, de l'autre côté de la route (très peu passante), des prés à vaches. Simple et agréable.

Cavangarden House *(Mrs Agnes McCaffrey) : Cavangarden. ☎ 98-51-365. • cavangardenhouse.com • À 4 km de Ballyshannon vers Donegal, indication à gauche. Ouv tte l'année. Doubles 70-75 €.* En pleine campagne, au bout d'un long chemin arboré, manoir georgien un peu fatigué mais agréable, idéalement entouré de champs. Excellent accueil. Chambres *en suite* à l'ancienne, confortables et dotées de beaux volumes. Plantureux breakfast. Un bon rapport qualité-prix.

Shannon's Corner : *tt en haut de la ville, au bout de Castle St. ☎ 98-51-180. Lun-sam 8h-16h30. Plats du jour 9-12 €.* Le rendez-vous préféré des gens du coin le midi. Cuisine familiale pas très compliquée, mais ô combien efficace et servie dans une petite salle accueillante.

Nirvana : *The Mall, dans une rue perpendiculaire à Castle St. ☎ 98-22-369. Tlj midi et soir. Plats et en-cas env 5-11 €.* Ce n'est sans doute pas le nirvana, mais ce café contemporain a le mérite de proposer une carte suffisamment étendue pour satisfaire toutes les envies (soupes, sandwichs, pizzas, pâtes, salades, et quelques plats plus élaborés et plus chers). Au final, c'est tout à fait convenable.

Festivals

– ***Rory Gallagher International Tribute Festival :*** *pdt 4 j. fin mai ou début juin.* *086-877-23-25.* • *goingtomyhometown.com* • De nombreux groupes, connus ou moins connus, reprennent les standards de l'homme à la Stratocaster, décédé en 1995. Attention, pendant cette période, c'est la croix et la bannière pour trouver un logement.

– ***Ballyshannon Folk and Traditional Music Festival :*** *chaque année depuis plus de 35 ans, fin juil ou début août, sur 3 j.* *086-252-74-00.* • *ballyshannonfolkfestival.com* • Festival s'ouvrant de plus en plus à d'autres genres (blues notamment). Ambiance inoubliable.

DONEGAL (DÚN AN NGALL)

3 000 hab. IND. TÉL. : 074

La ville de Donegal, véritable porte d'entrée de la région, est l'une des plus touristiques du pays. Elle a su conserver son petit cachet de cité provinciale, s'ordonnant sagement autour de sa grande place centrale, le Diamond. La restauration des quais a redonné un certain lustre au quartier du port.

Arriver – Quitter

■ ***Informations : Bus Eireann,*** ☎ *91-31-008,* • *buseireann.ie* • ***McGeehan Coaches,*** ☎ *95-46-150,* • *mcgeehancoaches.com* • ***Feda O'Donnell Coaches,*** ☎ *95-48-114,* • *feda.ie* • ***John McGinley,*** ☎ *91-35-201,* • *johnmcginley.com* • *Arrêt de bus face à l'*Abbey Hotel.

➢ ***De/vers Dublin :*** env 9 départs/j. (*Bus Eireann* et *McGeehan*).

➢ ***De/vers Galway :*** 4 départs/j. avec *Bus Eireann* et 2/j. avec *Feda O'Donnell.*

➢ ***De/vers Sligo :*** 7 départs/j. (5 le dim) avec *Bus Eireann* et 2/j. avec *Feda O'Donnell* (4 le ven).

➢ ***De/vers Letterkenny, Dunfanaghy et Crolly :*** 2 départs/j. avec *Feda O'Donnell.* Également des bus *John McGinley.*

➢ ***De/vers Letterkenny et Derry :*** 8-9 départs/j. (6-7 le dim) avec *Bus Eireann.*

➢ ***De/vers Enniskillen*** (où l'on trouve les correspondances pour le réseau d'*Ulsterbus* vers l'Irlande du Nord) *:* 9 départs/j. avec *Bus Eireann.*

➢ ***De/vers Killybegs, Ardara et Glenties :*** 3-7 départs/j. avec *Bus Eireann* et 2 bus/j. avec *McGeehan* (1 le dim).

Adresses utiles

ℹ ***Office de tourisme :*** *The Quay.* ☎ *97-21-148.* • *discoverireland.ie/northwest* • *Sur le port. Pâques-oct, lun-ven 9h-17h (18h juil-août), sam 9h-18h (juin-sept) et dim 12h-16h (juin-août) ; horaires restreints en hiver.* Courtois et efficace.

✉ ***Poste :*** *Tirconnell St. À 100 m après le château, sur la gauche. Lun-ven 9h-17h30.*

@ ***The Blueberry :*** *Castle St.* ☎ *97-22-933. Juste avt le château. Tlj 9h-19h50.* Au rez-de-chaussée, un *tea shop* (ferme à 19h) avec d'excellents sandwichs et gâteaux à prix attractifs. À l'étage, le cybercafé ; s'inscrire en bas au préalable. Bon accueil.

■ ***Banques avec distributeurs : Ulster Bank, AIB*** et ***Bank of Ireland,*** *ttes autour du Diamond ou sur Main St.*

■ ***Location de vélos : The Bike Shop,*** *Waterloo Pl.* ☎ *97-21-515. Sur les bords de la rivière, prendre à droite après le pont en allant vers Killybegs.*

Tlj sf dim-lun 9h-18h. Accueil adorable. Fournit un plan pour faire le tour du lough Eske au départ du magasin.

■ ***Taxis : Gallagher Cabs,*** ☎ *97-23-500,* 📱 *087-417-66-00. Et* **McGroary,** 📱 *087-253-66-77.* Certains taxis peuvent transporter les groupes (minibus). Pratique pour les liaisons mal ou pas couvertes par les bus.

Où dormir à Donegal et dans les environs proches ?

Bon marché

⛺ 🏠 ***Donegal Town Independent Hostel : Doonan.*** ☎ *97-22-805.* • *donegaltownhostel.com* • *À la lisière de la ville, sur Killybegs Rd (à 1 km du centre, après le rond-point). Panneau « Independent Hostel ». Ouv tte l'année. Env 16-23 €/pers selon dortoir ou chambre. Camping env 18 € pour 2.* 📶 AJ privée disposant d'une quarantaine de lits et de quelques doubles agréables et propres, la plupart avec salle de bains. Accueil super, atmosphère naturellement chaleureuse dans le salon commun (avec feu de tourbe). Cuisine à disposition des campeurs. Balade sympa vers le lough Eske.

Prix moyens

🏠 ***Ocean Breeze :*** *35, Old Golf Links Rd.* ☎ *97-23-827.* • *oceanbreeze35@eircom.net* • *À l'entrée sud de la ville, route de Ballyshannon, tourner à gauche au niveau de l'Abbey School et suivre les panneaux. Ouv fév-nov. Doubles 65-70 € selon saison. CB refusées.* 📶 Sur une sorte de presqu'île qui avance dans Donegal Bay. Une maison toute neuve tenue par Margaret, hôtesse adorable et souriante. Jolies chambres *en suite,* très calmes et pimpantes, décorées dans un style relativement sobre et de bon goût. Belle vue sur la mer depuis 2 chambres et depuis la salle de petit déj. Une adresse soignée bien comme il faut.

🏠 ***The Water's Edge : Glebe.*** ☎ *97-21-523.* • *thewatersedge.ws* • *À l'entrée sud de la ville, route de Ballyshannon, tourner à gauche au niveau de l'Abbey School et suivre le panneau. Ouv avr-nov. Double env 75 €. CB refusées.* 📶 Situation idéale : au bout d'un cul-de-sac, sur le rivage de la baie, et adossé aux vestiges de l'abbaye. Calme garanti ! Quant à la maison, moderne, elle comprend une poignée de chambres pas immenses mais impeccables, décorées avec soin et tout confort. Le tout à quelques centaines de mètres du centre.

🏠 ***Island View House :*** *Ballyshannon Rd.* ☎ *97-22-411.* • *eirbyte.com/islandview* • *À l'entrée de la ville, côté sud. Ouv tte l'année sf Noël. Double env 64 €. CB refusées.* En hauteur sur la gauche en arrivant en ville, une maison moderne abritant 4 chambres *en suite* avec parquet et murs colorés. En revanche, pour la vue sur l'île, seules 2 chambres en profitent. Simple et convenable.

Où dormir dans les environs ?

Bon marché

🏠 ***Finn Farm Hostel :*** *à Cappry,* ***Ballybofey,*** *env 20 km au nord-est de Donegal.* 📱 *086-030-99-00.* • *gallaghersequestriancentre.com* • *À env 3 km de Ballybofey, sur la route de Glenties. Ouv tte l'année. Env 15 €/pers. CB refusées.* 📶 AJ privée paumée en pleine cambrousse. Une vingtaine de lits en chambres doubles ou dortoirs (4-6 lits) répartis dans 2 maisons récentes, à l'aménagement sommaire mais convenable. Cuisine aménagée, laverie. Eddie a décidé de favoriser les rencontres entre musiciens et de promouvoir la musique traditionnelle, sans oublier l'équitation, qui est son autre dada (OK, celle-là était facile). Super accueil et atmosphère très conviviale. Manège couvert en cas de pluie.

🏠 ***The Bluestack Centre Hostel :*** *Drimarone,* ***Letterbarrow,*** *à 8 km de Donegal.* ☎ *97-35-564.* • *donegalbluestacks.com* • *Au nord de la ville. Au* *rond-point de Killybegs, prendre en face (indiqué) ; après env 6,5 km, tourner à droite au* T-junction *et suivre les flèches. Ouv mars-oct. Réception lun-ven 10h-22h ; sam 16h-22h. Env 17 €/pers. Chambre pour 4 pers 50 €. CB refusées.* AJ officielle, à laquelle on fera les mêmes reproches que d'habitude : froide et impersonnelle. Une trentaine de lits en dortoir de 4 à 12 lits, ou chambres. En revanche, c'est propre et la cuisine est spacieuse. Aucun commerce à proximité (sauf un super pub de poche tenu par un patron très sympa), et attention pour les vélos : ça monte et ça descend sans cesse depuis Donegal. Possibilité d'organiser des marches dans les montagnes, accompagné d'un guide (réserver à l'avance).

Autour du lough Eske

De prix moyens à plus chic

Ardeevin Guest Accommodation *(Mrs Mary McGinty)* **: Barnesmore,** *lough Eske. ☎ 97-21-790. • ardeevin.tripod.com • De la N 15, suivre le panneau « Lough Eske Drive ». Après 200 m, c'est fléché. Ouv de mi-mars à fin nov. Doubles env 70-80 €. CB refusées.* Un *B & B* très agréable, bénéficiant d'une vue incomparable sur le lough Eske et les environs. Chambres confortables (déco florale typique pour certaines) avec salle de bains. Les propriétaires ont aussi un beau magasin de laine et d'artisanat *(Wool'n Things)* dans Main Street.

The Arches Country House *(Mrs Noreen McGinty)* **: Barnesmore,** *lough Eske. ☎ 97-22-029. • archescountryhse.com • De la N 15, suivre le panneau « Lough Eske Drive », puis le fléchage. Ouv tte l'année. Double env 70 €.* Fort belle demeure avec de grandes lucarnes et un jardin soigné. Accueil affable et arrangeant. Chambres très confortables, spacieuses, toutes avec salle de bains et vue imprenable sur le lac. Et si vous vous sentez une âme de Lamartine, possibilité de louer un bateau pour un petit tour romantique.

Rhu Gorse *(Mrs McGettigan)* **:** *lough Eske. ☎ 97-21-685. • lougheske.com • De l'autre côté du lough ; suivre le fléchage « Harvey's Point » jusqu'au panneau indiquant la maison. Ouv mai-oct. Doubles 70-90 €.* Dans une maison isolée en pleine forêt. Depuis le salon des invités (avec TV et piano), vue imprenable sur le lac. Chambres agréables et confortables. Des chevaux vous accueillent sous les arbres à l'entrée.

Lakeland B & B : Birchill, *lough Eske, Ballibofey Rd. ☎ 97-22-481. • bedandbreakfastireland.net/Donegal_Lakeland.htm • Prendre la N 15 vers Ballibofey sur env 5 km puis, au niveau de la route qui mène au lac, suivre le chemin à droite. En haut d'une route cabossée. Ouv avr-nov. Doubles 65-70 €. CB refusées.* Maison moderne dominant le lac et tenue par un couple enthousiaste. Propose 4 belles chambres *en suite*, dont 2 avec vue imprenable depuis le lit même. Très bon petit déj, avec différentes options, préparé par Shona. Ah ! le *brown bread* du Donegal... Bref, une adresse où l'on savoure ses vacances dans le bonheur.

Où manger ?

Bon marché

The Weaver's Loft Restaurant : *The Diamond. ☎ 97-22-660. Lun-sam 10h-17h. Plats 6-10 €.* Cafétéria au 1er étage du grand magasin *Magee* : salades, sandwichs, plats du jour.

Linda's Krusty Kitchen : *Main St ; en retrait de la rue, dans le parking. Lun-sam 8h-19h. Petits déj, sandwichs, salades, etc. env 6 € et plats chauds 10-12 €.* Petite salle sans chichis pour un repas tout aussi simple et copieux.

Aroma : *au* Donegal Craft Village. *☎ 97-23-222. Lun-sam 9h30-17h30. Plat env 10 €.* Petit café qui mérite une halte pour ses gâteaux maison et ses plats du jour frais et savoureux.

Prix moyens

The Restaurant Harbour : *Quay St (face à l'office de tourisme). ☎ 97-21-702. Tlj 16h-22h. Env 11-15 € pâtes*

LE DONEGAL

et pizzas, 18-27 € pour une spécialité plus élaborée. Menus early bird *(17h-19h) 15-19 €.* Cadre rustique et chaleureux, service impeccable, et cuisine copieuse très convenable. Carte variée : *seafood,* steaks, plats mexicains *(fajitas, burritos)* et quelques spécialités pour végétariens. Très fréquenté, c'est une valeur sûre de la ville.

The Olde Castle Bar : *Tirconnell St. ☎ 97-21-262. Près du château. Tlj 12h30-20h pour la* bar food *; 18h-21h pour le resto. Plats env 8-15 € pour le lunch et 15-28 € pour le dîner ; menus* early bird *18-25 €.* Un pub plein de cachet qui fait aussi restaurant (à l'étage), et pas des plus mauvais ! Salle très agréable, dans une vieille maison aux poutres apparentes. Pierre et bois. Lumière tamisée. Du charme donc, idéal pour goûter une cuisine irlandaise bien maîtrisée.

Où dormir ? Où manger dans les environs ?

Smugglers Creek : Rossnowlagh. *☎ (071) 98-52-367. • smugglerscreekinn.com • Au sud de Donegal et à mi-chemin de Ballyshannon, 2 km avt Rossnowlagh, c'est indiqué. De Pâques à mi-sept, tlj 12h-14h30, 18h30-21h30 ; en hiver, ouv slt jeu-dim. Plats 14-25 €.* Sunday lunch *18-22 €. Doubles 70-90 € selon saison.* Ancienne taverne de pêcheurs sise dans une solide bâtisse en pierre surplombant la baie, joliment transformée en restaurant et *B & B.* Chambres confortables, classiques, certaines avec une vue formidable (attention toutefois aux soirées musicales organisées le week-end au pub). Verrière panoramique dans la salle à manger. Carte à base de viandes et poissons locaux, avec également quelques options végétariennes. Les activités de contrebande dans la région fournissent les rubriques « *Cast offs* », « *From the Creek* », « *Pirate Corner* ». Pour ceux qui souhaiteraient loger au calme et moins cher, l'auberge possède un *B & B* à deux pas, l'***Ardeelon Lodge,*** une grosse maison dotée de chambres cosy à la déco traditionnelle *(double env 70 €).*

Où boire un verre ? Où écouter de la musique ?

Reel Inn : *au pied du pont sur l'Eske. Musique tlj dès 21h30.* C'est le QG des locaux, en particulier des musiciens. C'est marqué à l'entrée : « *All musicians welcome !* ». N'importe qui peut empoigner son instrument et se mettre à jouer quand bon lui semble, à l'ancienne ! Vraiment une super ambiance le soir.

O Donnell's Bar : *The Diamond. ☎ 97-21-049.* Un pub populaire et sympathique. 2 bars distincts, dont 1 nettement plus cosy. Photos des équipes de football d'Irlande, trophées, casquettes, etc. Musique le week-end en saison.

Achats

Magee : *place principale. Lun-sam 10h-18h.* Grand magasin spécialisé dans le tweed en activité depuis 1866. Beaucoup de choix, mais cher.

Four Masters Bookshop : *The Diamond.* Bon choix de livres sur le Donegal, l'Irlande et ses légendes. Vous pourrez vous y procurer le guide de randonnée *The Bluestack Way.*

À voir. À faire

Le château : *à deux pas de la place principale. ☎ 97-22-405. De Pâques à mi-sept, tlj 10h-18h (dernière entrée à 17h15) ; hors saison, tlj sf mar-mer 9h30-16h30. Entrée : 4 € ; visites guidées d'env 30 mn.* Heritage site. Construit en 1474 par Hugh O'Donnell, partiellement détruit lors des guerres anglo-irlandaises. En 1651, un noble anglais, le marquis de Clanrickarde, le confisqua aux Irlandais et lui adjoignit une solide demeure de style Tudor.

Au 1er étage de la *Tower House,* une cheminée aux pierres sculptées très imposantes. Au 2e étage on a reconstitué l'histoire du château et des O'Donnell. Élégantes tourelles d'angle qui font la joie des choucas et des corneilles. En redescendant par l'escalier en colimaçon, ne manquez pas la « garderobe », qui servait à la fois de vestiaires et de toilettes ; les vapeurs d'urine étaient censées désinfecter les vêtements. Hmm !

Donegal Abbey : *au bout de la route à gauche du port (à partir du grand parking près de l'office de tourisme).* Il reste bien peu de l'importante abbaye franciscaine fondée en 1474. En raison de sa situation stratégique, elle fut utilisée comme forteresse et poudrière. Le site dégage un charme fou, avec son cimetière à la végétation anarchique et sa vue romantique sur la baie.

En été, les ***Waterbus*** quittent le port pour un tour dans la baie, et notamment à la rencontre des baleines *(infos : ☎ 97-23-666 ; • donegalbaywaterbus.com •).*

DANS LES ENVIRONS DE DONEGAL

Le lough Eske : en voiture ou à vélo, on prendra la *Scenic Road* autour du lough Eske. C'est un bien joli lac au pied des Bluestack Mountains. L'Irlande éternelle dans toute son humble majesté. Belles balades à pied au milieu de forêts et de torrents. La petite route part de Donegal et rejoint la N 15 qui va à Derry.

Bluestack Mountains : plusieurs balades très agréables dans ce paysage de toundra, âpre et minéral. Le *Bluestack Way,* quant à lui, couvre près de 142 km, depuis les montagnes jusqu'à Ardara, en passant par Glenties et la rivière Owenea. Bien plus accessible, une rando jusqu'au *lough Belshade* d'environ 2h30 aller-retour (voir le guide *The Bluestack Way*). En traversant la rivière Eanymore, ne pas manquer la cascade *Greg Mare's Tale.* Enfin, une balade d'environ 3 km aux alentours de *Disert,* de son cimetière et de son puits sacré datant de saint Colmcille. Infos sur • *northwestwalkingguides.com* •

Mountcharles : *petit port dominant la baie de Donegal. À 4 km de Donegal, sur la route de Killybegs.* Ce petit village connut Seams McManus, historien local, ainsi que son épouse Etna Carberry, poétesse de renom. Descendre vers la plage, où une grève et une longue route jusqu'à la cale incitent à savourer le crachin...

Donegal Craft Village : *à 1 km de la ville de Donegal, route de Ballyshannon.* • *donegalcraftvillage.com* • *Lun-sam 10h-17h.* Petit complexe artisanal haut de gamme, avec des productions originales et de bon goût : bijoux, poteries, porcelaine, sculpture sur bois ou sur pierre, etc. On peut observer les artisans au travail et leur poser toutes les questions que l'on souhaite.

KILLYBEGS (NA CEALLA BEAGA)

1 300 hab. IND. TÉL. : 074

Port de pêche enserré dans une belle baie naturelle, à 27 km à l'ouest de Donegal. L'un des premiers d'Irlande en tonnage de poisson. Pittoresque activité portuaire, du séchage des filets aux querelles éthyliques dans les pubs locaux.

Arriver – Quitter

■ ***Informations :*** *Bus Eireann,* ☎ *91-31-008,* • *buseireann.ie* • ***McGeehan Coaches,*** ☎ *95-46-150,* • *mcgeehancoaches.com* •

➢ ***De/vers Donegal, Ardara et Glenties :*** 3-7 départs/j. avec *Bus Eireann* et 2/j. avec *McGeehan* (1 le dim).

➢ ***De/vers Glencolumbkille :*** 1-2 départs/j. Dessert tte la péninsule (Kilcar, Ardara...).

Adresse utile

ℹ ***Office de tourisme :*** *Quay Rd.* ☎ *97-32-346.* • *killybegs.ie* • *Sur le port, dans un préfabriqué. Mai-sept lun-ven 9h-17h30 ; sam 11h-16h ; dim 12h-15h ; slt lun-ven hors saison.*

Où dormir à Killybegs et dans les environs ?

Bon marché

The Ritz Hostel : *Chapel Brae.* ☎ *97-31-309.* 📱 *087-205-14-52.* • *theritz-killybegs.com* • ♿ *Dans le centre. Ouv tte l'année. Selon saison env 15-20 €/pers en dortoir (4-6 lits), doubles 50-60 €, avec petit déj.* 💻 Une AJ haut de gamme : des chambres et dortoirs colorés et tout confort (tous avec TV et salles de bain privées), un salon commun cosy, et une vaste cuisine moderne organisée autour d'une table haute et de tabourets. Très convivial ! Excellent accueil.

Blue Moon Hostel & Camping : *Main St,* ***Dunkineely.*** ☎ *97-372-64.* 📱 *087-297-28-96.* • *bluemoonhostel@eircom.net* • *Peu avt Killybegs en venant de Donegal. Ouv tte l'année. Env 12 €/pers en dortoir, 15 € en chambre privée. Camping env 7 €/pers. CB refusées.* Petite AJ vétuste, au confort minimal (dortoirs et sanitaires basiques) et à l'entretien moyen. En dépannage, même si Dominic et Mary Deeny prodiguent un accueil chaleureux. Camping sur 2 carrés de gazon entourés d'arbres. 2 cuisines, une pour l'*hostel* et l'autre pour le camping. Lave-linge et sèche-linge.

Prix moyens

Tullycullion House : *à* ***Tullaghacullion.*** ☎ *97-31-842.* • *tullycullion.com* • *Avt d'arriver en ville, en venant de Donegal, c'est indiqué sur la gauche. Ouv Pâques-oct. Doubles 70-75 € selon saison.* 💻 Cette belle villa perchée sur une colline embrasse un magnifique panorama sur la baie de Killybegs. Propose 5 chambres *en suite* soignées et impeccablement tenues (certaines donnent sur l'arrière), dont 2 familiales. Super accueil et bonnes prestations. Également des locations *self catering (300-700 €/sem).*

De chic à très chic

Castle Murray Restaurant & Hotel : *Saint John's Point,* ***Dunkineely.*** ☎ *97-37-022.* • *castlemurray.com* • *À 1 km de la route principale (N 56). Congés : janv. Resto : tlj l'été, slt ven-dim hors saison. Doubles 110-130 €. Env 40-50 € pour dîner.* Sunday lunch *pantagruélique 32 €.* Isolés dans un secteur sauvage, les deux bâtiments, l'un pour l'hôtel, l'autre pour le restaurant, font face à la mer. Chambres chaleureuses, toutes différentes. Côté resto, superbe galerie avec mobilier en rotin pour admirer la mer en sirotant l'apéritif, et une salle panoramique pour goûter une excellente cuisine à base de poisson (livré par les pêcheurs locaux), d'inspiration française.

Où manger à Killybegs et dans les environs ?

Mrs B's : *Main St.* ☎ *97-32-656. Lun-sam 9h-17h. Plats et en-cas 4-8 €. Coffee house* cosy au cadre contemporain, qui remporte un franc succès en raison de ses petits plats *light* qui changent un peu des sempiternelles *mash.* À la carte, quiche du jour et sandwichs originaux accompagnés de salades, ou *pancakes* maison à l'heure du thé. Idéal pour une pause gourmande.

🍽 ***Kitty Kelly's :*** *à 4 km de Killybegs en direction de Kilcar, dans un virage.* ☎ *97-31-925. Pâques-sept, tlj. Plats 14,50-28 € (moins cher le midi).* Ravissantes petites salles pour une cuisine de qualité élaborée à partir de produits locaux : *seafood chowder, mackerel Seville* ou *Dijon...* Bon accueil. À 100 m, belvédère avec vue sur la Donegal Bay.

🍽 ***Blue Haven Restaurant :*** *à 5 km de Killybegs en direction de Kilcar.* ☎ *97-38-090. En été, tlj de 18h30-21h30 ; hors saison, slt le w-e. Résa conseillée. Plats 13-26 €.* Bon restaurant sis dans un vaste complexe en bord de route, mais, les jours d'affluence (le dimanche midi, par exemple), c'est l'usine et, sans réservation préalable, impossible de trouver une table. Aux beaux jours, large vue sur la baie. Pub à côté dans une salle panoramique (*bar food* moins chère).

Où boire un verre en écoutant de la musique traditionnelle ?

🍷 ♪ En principe, *Music session* chaque mercredi au ***McIntyre*** de Dunkineely (sur la route de Donegal) pour promouvoir les jeunes musiciens irlandais. Chaque « bleu » est pris par un musicien plus expérimenté sous son aile. Combinaisons émouvantes et ambiance garantie. Les « étrangers » ne le restent pas longtemps.

À voir

Maritime & Heritage Centre : *à la sortie de Killybegs, direction Kilcar.* ☎ *97-41-944.* • *visitkillybegs.com* • *Ouv tte l'année, lun-ven 10h-18h ; plus sam 13h-17h l'été. Entrée : 5 € ; réduc.* Killybegs a été aussi célèbre pour ses pêcheries que pour ses tapis, qui s'exportaient dans le monde entier avant qu'ils ne passent de mode. Courtes expos et vidéos (25 mn, en anglais) sur ces deux sujets, qu'on peut voir dans l'ancienne fabrique « Donegal Carpets ». Pas grand-chose à voir, à part un simulateur de navigation et le plus grand métier à tisser manuel du monde, toujours en service !

DANS LES ENVIRONS DE KILLYBEGS

Saint John's Point : *depuis Dunkineely, env 10 km sur un long promontoire.* À partir d'une petite plage, la route devient très étroite. L'émerveillement est à l'arrivée : panorama découvrant la baie de Donegal sur 360°. Sur les rochers, petite colonie de mouettes tridactyles *(kittiwakes)*. Lande constellée d'orchidées et de digitales selon la saison. Sur la route, une plage plus que déserte.

➢ Plusieurs marins proposent de vous accompagner en mer au cours d'une ***partie de pêche*** *(liste auprès de l'office de tourisme).* Une balade originale.

À 3 km en direction de Kilcar, ne pas manquer de jeter un œil à la ***plage de Finta*** (à défaut de s'y baigner). Petite route à pic pour y accéder et qui fait plonger dans un décor digne des îles (les autres... celles avec des cocotiers).

➢ ***La Coast Road de Shalwy à Kilcar :*** *commence à 5 km de Killybegs. Panneau sur la gauche.* Âpres collines déboulant vers la mer, côte rocheuse entrecoupée de petites plages de sable blond, lande constellée de moutons et sillonnée de murets de pierres, fermes isolées et bosquets de fuchsias sauvages. Et, au large, la côte du comté de Sligo. C'est beau, tout simplement. Ceux qui sont en voiture ratent quelque chose en empruntant la route directe. Les autres aussi, mais ils ont des excuses. En particulier, les stoppeurs auront du mal à trouver un véhicule sur cette portion. Pour les cyclistes, quelques côtes extrêmement raides. Pas mal de fermes font *B & B*. Idéal pour se ressourcer, loin de tout.

– De Kilcar à Carrick par la Coast Road, paysage moins enthousiasmant, mais on y trouve deux AJ (voir ci-dessous le chapitre « Kilcar »).

KILCAR (CILL CHARTAIGH) 1 400 hab. IND. TÉL. : 074

Sympathique village plus avant encore dans la péninsule, spécialisé dans le tissage du tweed. Possibilité de l'acheter au mètre directement à l'usine, à des prix intéressants.

Adresse utile

■ ***Centre culturel Aislann Chill Chartha :*** *à côté du* Studio Donégal. *Lun-ven 9h-22h ; sam 10h-18h.*

Où dormir ? Où manger à Kilcar et dans les environs ?

Bon marché

⛺ 🏠 ***Derrylahan Independent Hostel :*** *Coast Rd, lieu-dit* ***Derrylahan.*** ☎ *97-38-079.* ● *homepage.eircom.net/~derrylahan* ● *Sur la Coast Rd de Kilcar à Carrick, à 2,5 km de Carrick. Bien indiqué. Si vous êtes en bus, demandez à vous arrêter à « The Rock », à env 1,5 km. Ouv fév-oct. Juin-août, arrivez de très bonne heure ou téléphonez, car ts les guides en font l'éloge... Env 16-20 €/pers selon dortoir ou chambre double,* en suite *ou non. En camping, env 6-8 €/pers.* 📶 Merveilleusement située, dotée d'une très chaleureuse atmosphère, c'est l'une de nos AJ favorites dans la région, et Shaun, le *big boss*, y est pour beaucoup. Maison séparée pour les groupes et les individuels (respectivement une vingtaine et une trentaine de lits). Également des chambres doubles ou familiales avec salle de bains. Cuisine équipée, laverie. Le tout rustique et vieillissant mais propre. Location de vélos. Possibilité de planter la tente dans le pré d'à côté (ou d'installer son camping-car) et d'utiliser la cuisine prévue exprès pour les campeurs. Bon point de départ d'excursion pour les falaises de Slieve League. Et, cerise sur le gâteau, œufs de la ferme en vente pour mitonner son breakfast !

⛺ 🏠 ***Dún Ulún House :*** *Glencolumbkille Coast Rd,* ***Kilcar.*** ☎ *97-38-137.* ● *dunulunhouse@eircom.net* ● *Ouv tte l'année. Env 20-22 €/pers en chambre 4-5 lits et, en formule* B & B, *70 € la double avec sdb. Camping env 8 €.* Denis et Annmarie Lyons proposent des hébergements simples et classiques pour toutes les bourses, avec vue imprenable sur la côte. Pratique pour les familles, puisque les chambres peuvent accueillir jusqu'à 5 personnes. Meilleure vue depuis le 2ᵉ étage. Très propre. Cuisine équipée à disposition. Quant aux campeurs, ils se partagent 4 petits bouts de terrains en escalier, face à la mer. Excellent accueil et conseils pour les promenades (Denis est à l'origine de la Kilcar Way). Plein d'oiseaux à observer (des grues couronnées nichent tout près). Certains soirs, en principe le week-end, musique traditionnelle par les filles de la maison, exprès pour les hôtes !

🍴 Côté restos, pas grand-chose dans le coin, surtout hors saison. On peut néanmoins se restaurer l'été au ***Kilcar House*** *(pub au centre du village ; env 10 € pour un* pub grub*).*

Prix moyens

Ocean Spray B & B *(Géraldine et Gérard McHugh)* **: Muckross,** *Kilcar. ☎ 97-38-438. 087-690-16-03. • oceanspraybnb.com • Au cœur de Muckross Head, à 2 km au sud de Kilcar, par la Coast Rd. Ouv tte l'année. Doubles 60-70 €. CB refusées.* L'emplacement est remarquable, devant l'océan et à proximité de 2 plages, une pour la baignade et une pour le surf. Difficile de faire plus sauvage. Propose une poignée de chambres *en suite* agréables et impeccables, mais 1 seule avec vue. Géraldine connaît les bons coins pour pêcher ou se promener. Si elle a le temps, elle vous apprendra peut-être le tressage des croix de sainte Brigitte en roseau.

Où écouter de la musique ?

John Joe's Pub : *Main St. ☎ 97-38-493. Musique ts les soirs en saison (traditionnelle lun-mar et jeu) jusqu'à 1h.*

Achats

Studio Donegal : *dans Kilcar, près du pont. ☎ 97-38-194. • studiodonegal.ie • Lun-ven 9h-17h30 (plus sam 9h30-17h Pâques-oct).* Bon choix de casquettes, plaids, écharpes, à prix intéressants (souvent des promos). À l'étage, un atelier où les visiteurs sont les bienvenus pour observer le tissage et la préparation des pelotes (ne fonctionne pas le samedi).

Fête

– **Kilcar Fleadh** *(fête traditionnelle)* **:** *fin juil, début août, voire mi-août selon années. ☎ 97-38-424. • kilcaronline.com • Mar-ven dès la fin de l'ap-m, le w-e tte la journée.* Tient à la fois de la kermesse paroissiale, du banquet de mariage et du rallye entre amis, mais qu'est-ce qu'on rigole ! Musique dans tous les pubs, et même dans la rue.

Balades dans le coin

➢ **Kilcar Way :** carte *Discovery Series* nº 10. Deux randonnées sympas à partir de Kilcar :
– l'une à l'ouest passe par un petit sentier de montagne et effectue une belle boucle dans la campagne. Sur le chemin, le Fairy Fort et le Dún Ulún Ring Fort (âge du bronze), dont il ne reste que des miettes ;
– l'autre, vers Killybegs, musarde dans Muckross Head et en bord de mer. Petite extension dans la forêt de Kilcar.
Plan et informations au *Studio Donegal (☎ 97-38-194).*

CARRICK (CARRAIGH)

250 hab. IND. TÉL. : 074

Là aussi, village typique du Donegal. Réputé pour la bonne musique jouée dans ses pubs. Point de départ des excursions au Slieve League.

Où dormir ?

Cairnsmore B & B : *Glen Rd.* ☎ *97-39-137.* ● *cairnsmorebandb@eircom.net* ● *À la sortie nord du village. Ouv de mi-avr à oct. Env 65 €. CB refusées.* 3 chambres *en suite* d'une propreté impeccable dans une jolie petite maison en hauteur. Prix raisonnables pour une excellente qualité de service. Accueil très sympathique.

Où boire un verre ? Où écouter de la musique ?

Central Bar : *Main St.* ☎ *97-39-144.* Seisiún *le w-e en juil-août, sam en hiver, ainsi que certains mer.* Bar populaire parmi les habitants des alentours. Atmosphère super en fin de soirée.

Festival

– Petit ***festival de Musique irlandaise :*** *en général fin oct/début nov.*

Excursions au départ de Carrick

Teelin : *petit port très tranquille à 4 km de Carrick.* Une île en forme de baleine garde l'entrée du port. Certaines chaumières ont mis leur filet sur le toit : ce n'est pas pour la mise en plis, mais contre le vent dans le chaume. Ce tout petit village a donné naissance à une génération de joueurs de *fiddle* fameux dans tout le Donegal, et continue de plus belle. C'est aussi le point de départ de la balade vers les falaises (voir ci-dessous). Découverte également possible en bateau, d'avril à octobre, en appelant ***Nuala Star*** (*087-628-46-88 ;* ● *sliabhleagueboattrips.com* ●).

➢ ***Les falaises de Slieve League*** (Sliabh Liag) **:** *bien indiqué depuis Carrick, à env 7 km. Suivre la direction de Teelin, puis les panneaux « Slieve League Viewing Point ». Ils conduisent à un 1er parking de bonne taille, puis à un second aménagé en haut des falaises, après avoir suivi une route très étroite (ne pas oublier de refermer les barrières).* Ce sont des falaises de 600 m tombant à pic dans la mer : les deuxièmes plus hautes des îles britanniques après celles d'Achill Island. Le paysage est fantastique, et on n'exagère pas. De là, selon l'état du sentier (souvent hors d'usage), on peut en principe rejoindre le Slieve League par le chemin des crêtes, en empruntant le *one man's path* (rien que le nom fait frémir, pas fait pour les personnes sujettes au vertige). ATTENTION, les abords du parking sont bien protégés, mais si l'on s'éloigne, la balade peut être dangereuse dès qu'il y a du vent. En outre, prudence, ça glisse pas mal.
Une autre route part à droite du pub *Cul A'duin* et mène au Slieve League. Se garer au parking, puis prendre le chemin empierré. Un peu plus de 1h pour parvenir aux falaises. Là aussi, attention au vent !

GLENCOLUMBKILLE (GLEANN CHOLM CILLE)

700 hab. IND. TÉL. : 074

À l'extrémité ouest de la péninsule de Slieve League, village à l'habitat dispersé, couvrant une superficie étonnante. La nature environnante est fantastique et sauvage. De la tourbe, des falaises, un tas de belles balades pour amoureux du vent et des grands espaces.
C'était l'un des nombreux patelins irlandais de l'Ouest qui s'éteignaient doucement parce que tous leurs habitants s'en allaient. Dans les années 1950,

un curé, le père McDwyer, a fait un effort pour sauver celui-ci en instaurant un système communautaire idéal (et qui a fonctionné !) : tout appartenait à tout le monde. Petites industries et coopératives s'étaient implantées. Malheureusement, la crise économique a remis en cause cet espoir fragile et révélé les limites d'un développement uniquement local. Aujourd'hui, la principale source de revenus est assurée par la pêche industrielle à Killybegs.

Adresse et infos utiles

Office de tourisme : *face à l'église. ☎ 97-30-116. Ouv en été selon disponibilité des employés (sic !), en principe tlj.*

– Les ***distributeurs*** de billets les plus proches se trouvent à Ardara et Killybegs.

➢ Env 1-2 bus/j. vers ***Ardara*** et ***Killybegs.***

Où dormir ? Où manger ?

Nombreux *B & B* un peu partout.

Dooey Hostel : *☎ 97-30-130. Si vous arrivez en stop ou en bus, faites-vous déposer au* Folk Village Museum *et grimpez ensuite le petit chemin empierré pdt 5 mn. En voiture, direction Malin Beg depuis le centre, puis à gauche après l'église (panneau). Ouv tte l'année. Env 15 €/pers en dortoir ou en double ; camping env 17 € pour 2. CB refusées.* Une vraie curiosité ! Car cette AJ perchée à flanc de montagne, avec une vue géniale sur la baie, est littéralement adossée à la roche. Avec ses murs en gros moellons et son couloir en roche brute, on a l'impression de pénétrer dans un fort préhistorique ! Quant à l'accueil de Mary, c'est quelque chose : toujours disponible, souriante et pleine d'humour. En revanche, côté confort, il ne faut pas être trop regardant : quelques chambres à 2 lits, très petites, sous les toits, et des dortoirs avec cuisine et sanitaires, mais le tout est vétuste et entretenu de façon un peu aléatoire. Camping dans un carré d'herbe bien abrité du vent et de la pluie. Les campeurs sont considérés comme hôtes de l'*hostel* à part entière. Une adresse hors normes, comme il n'en existe plus guère !

Malinbeg Hostel : Malinbeg. *☎ 97-30-006. 087-767-71-16. • malinbeghostel.com • À 7 km de Glencolumbkille, vers la pointe. Ouv de mi-janv à fin nov. Env 14-20 €/pers en dortoir ou double.* Petits dortoirs de 4 et 6 lits, chambres *en suite* ou familiales. AJ sans aucune fantaisie dans la déco, mais moderne, confortable, hyper propre et bien située, à 5 mn à pied de la magnifique plage de Silver Strand. Cuisine, machines à laver. Infos à l'épicerie d'en face (pratique pour se faire la popote).

Teach Gleann Dobhar : Gannew ; *à la sortie de Glencolumbkille en direction d'Ardara. ☎ 97-30-363. • gleanndobhar@eircom.net • Tte l'année. Double 50 €.* Margaret fait bien les choses : elle soigne aussi bien ses chambres (impeccables, tout confort, et joliment décorées) que ses petits déj, préparés avec les œufs de ses poules et du pain maison. Les hôtes sont vraiment gâtés ! Le soir, plats sur résa.

Ionad Siúl Hillwalking Centre : *au centre, juste à côté de la mini-caserne de pompiers. ☎ 97-30-302. • ionadsiul.ie • Doubles 50-60 €, sans le petit déj. (payant).* À ce prix-là, c'est certainement l'hôtel le moins cher d'Irlande ! Super accueil de Mariann, tout sourire, dans cette bâtisse neuve, sans charme et à la déco très minimaliste. Chambres *en suite,* toutes identiques et fonctionnelles. Très propre. Cuisine au rez-de-chaussée pour se faire le petit déj ou le repas.

An Cistin : *près de la baie. ☎ 97-30-213. Mai-oct, tlj 9h-21h. Plats 5-10 € le midi, 10-20 € le soir.* Restaurant du centre de formation *Oideas Gael* (voir, plus loin, « Où prendre des cours de langue gaélique ? »). Le meilleur compromis qualité-prix. Breakfast, *lunch* et *dinner.*

Tea House du Folk Museum : *ouv en saison. Env 5 €.* Thé ou bon café.

Les *scones* sont faits maison et servis avec de la confiture et du beurre. Salades, soupes et sandwichs frais.

|●| ***The Village Café :*** *face à l'église.* *087-217-41-17. Plats 5-8 €.* Le seul endroit où l'on peut se restaurer hors saison. C'est pour ça qu'on vous en parle, car la cuisine y est tout à fait médiocre : autant vous prévenir !

À voir. À faire

Folk Village Museum : *à la sortie du village, direction Malin Beg.* ☎ *97-30-017.* ● *glenfolkvillage.com* ● *Pâques-sept, tlj 10h (12h dim)-18h. Entrée : env 3,50 €. Brochure en français.* Groupe de maisons du Donegal du XVIIIe au XXe s. Qu'il s'agisse des différentes chaumières, de l'école, ou du pub-épicerie typique, tous sont meublés de façon traditionnelle et souvent avec des objets d'époque. Expo sur l'histoire de la région, et films d'archives (notamment sur le père McDyer). Vente de produits locaux.

➢ Balade jusqu'à ***Malin Beg,*** un vrai bout du monde. Pousser jusqu'au grand parking. Superbe plage en contrebas, enserrée dans une crique de toute beauté, et accessible par un long escalier. Cris des *kittiwakes* et des goélands argentés. Torrent dévalant les flancs du Slieve League et cascadant dans la mer. Au large, l'île de Rathlin O'Birne et son phare. Les week-ends d'été, l'encombrement est à son maximum !

Vers le nord, une petite heure de marche vers ***Glen Head,*** où vous attend un panorama imprenable. Méfiez-vous, le brouillard tombe vite dans ces contrées.

Où prendre des cours de langue gaélique ?

■ ***Cours de langue et de culture irlandaises Oideas Gael :*** ☎ *97-30-248.* ● *oideas-gael.com* ● Cours de langue gaélique, archéologie et activités traditionnelles (peinture, danse, poterie ou musique). Hébergements à tous les prix pour les stagiaires.

LA ROUTE VERS ARDARA

➢ On vous conseille la ***route de Glencolumbkille à Ardara*** : paysage de collines tourbeuses absolument saisissant. Un grand moment lorsque l'on traverse la passe de Glengesh, panorama sauvage et unique sur la vallée : la pampa ! En descendant sur Ardara, admirez la vallée glaciaire en V aplati.

ARDARA (ARD AN RÁTHA) 2 000 hab. IND. TÉL. : 074

Ville carrefour sympa quoique très touristique, petite capitale du tweed et de la laine. Nombreux chemins balisés tout autour de la ville (d'ailleurs, se tient à Ardara un *Walking Festival* mi-mars). Mais Ardara est aussi reconnu pour sa musique, notamment grâce à son festival *The Cup of Tae* et sa contribution à la fierté nationale. Car plusieurs natives ont intégré la fameuse troupe River Dance, rien que ça !

Arriver – Quitter

➢ ***De/vers Donegal Town :*** avec *McGeehan* et *Bus Eireann*, 3-7 bus/j. Passe par Glencolumbkille, Carrick, Kilcar et Killybegs.

➢ ***De/vers Glenties, Dungloe :*** 2-3 bus/j. avec *Bus Eireann*.

Où dormir à Ardara et dans les environs proches ?

De bon marché à prix moyens

☗ ***Drumbaran Hostel et Drumbaran House :*** *The Diamond,* ***Ardara.*** ☎ *95-41-200.* ● *jfeeneyardara@eircom.net* ● *Sur la place centrale, dans 2 bâtiments se faisant face. Ouv tte l'année sf autour de Noël. Env 16-19 €/pers en dortoir ou en double à l'AJ, avec petit déj ; env 65 € la double au* B & B. *CB refusées.* AJ privée très agréable, tenue par l'adorable Jacintha dont les toiles agrémentent le salon commun. Belle cuisine bien équipée, et, dans les étages, une poignée de chambres et dortoirs (4-14 lits) impeccables. Tout confort et on ne peut plus près des pubs. Jacintha possède également le *B & B* juste en face, qui abrite 5 chambres *en suite* de petite taille mais douillettes et joliment décorées. Accueil attentionné (à l'image du thé et des scones offerts à l'arrivée au *B & B,* et des confitures maison servies au petit déj !).

☗ ***Rosewood House*** *(Mrs S. McConnell) :* ***Edergole.*** ☎ *95-41-168.* 📱 *087-784-78-62.* ● *jvincentmcconnell@gmail.com* ● *À env 1 km sur la route de Killybegs. Ouv avr-oct. Double 60 €.* Maison moderne avec une grande pelouse. Accueil et confort irréprochables. Chambres coquettes, dans un style gentiment désuet, avec une minisalle de bains. À l'arrivée, *scones,* et, au breakfast, délicieux cakes tout frais sortis du four et confitures maison.

☗ ***Gort Na Móna :*** *Donegal Rd,* ***Cronkeerin,*** *à 3 km d'Ardara sur la vieille route de Donegal (panneau depuis la place centrale).* ☎ *95-37-777.* 📱 *087-295-01-57.* ● *gortnamonabandb.com* ● *Ouv d'avr à fin oct. Double env 65 €.* Un *B & B* tout beau tout neuf en pleine campagne (jolie vue sur les environs). Chambres douillettes et spacieuses, très bien entretenues, réparties entre la maison principale et une annexe à l'arrière. Laurence et Fiona vous prodigueront un accueil chaleureux ainsi qu'un petit déj bien copieux.

De plus chic à chic

☗ ***An Gata Glás*** *(The Green Gate) :* *Ardvally,* ***Ardara.*** ☎ *95-41-546.* ● *thegreengate.eu* ● *Prendre direction Donegal (la vieille route) depuis la place centrale, comme pour aller à* Woodhill House. *Le chemin serpente dans la colline sur 2 km, jalonné de petits panneaux portant une barrière. Ouv tte l'année. Doubles env 90-110 €. CB refusées.* Peut-être le seul *B & B* dans un cottage traditionnel tenu par... un Français, Paul Chatenoud, au caractère si entier. Tombé sous le charme de cette colline voici plus de 20 ans, il prend un vrai plaisir à accueillir et partager avec ses hôtes. Consultez le site internet pour vous faire une idée de la philosophie de l'endroit. Car il faut adhérer au concept avant d'envisager de poser ses valises. Les petits cottages à toit de chaume ne manquent pas de cachet, mais sont vraiment très rustiques (salles de bains basses de plafond, eau tourbée...) et entretenus à minima. Ceux qui recherchent l'originalité, la personnalité de l'accueil et la quiétude seront satisfaits (pas de TV ni de téléphone, une vue sur la baie superbe depuis le jardin, un petit déjeuner servi à n'importe quelle heure), mais ceux qui recherchent un confort classique seront déçus. Surtout pour le prix.

☗ |●| ***Woodhill House :*** *à 500 m du centre, sur la vieille route de Donegal (fléché).* ☎ *95-411-12.* ● *woodhillhouse.com* ● *Ouv tte l'année. Doubles 88-110 € selon saison. Dîner tlj en saison 18h30-22h. Menu fixe (entrée-plat-dessert) env 38 € (service non compris).*

Un petit manoir qui respire l'histoire ! On loge au choix dans le bâtiment principal (quelques chambres *old fashion* bénéficiant d'une vue apaisante sur la vallée, certaines depuis de larges bow-windows), ou dans les dépendances. Les chambres y sont plus contemporaines et tout confort, avec un mobilier sobre et un balconnet ou une terrasse donnant sur le jardin. Après avoir pris l'apéro au bar ou au salon, direction une salle élégante où sera servie une cuisine assez raffinée, bien en accord avec le lieu. Excellent service, et accueil sympa et décontracté. Un *B & B* de campagne un tantinet désuet, mais plein d'atmosphère.

Où dormir dans les environs ?

Camping

⛺ ***Camping Tramore Beach* : Rossbeg.** *☎ 95-51-491. • tramorebeach-rosbeg.com • À 10 km au nord-ouest d'Ardara. Suivre la R 261 pdt env 6 km, puis à gauche la route pour Rossbeg pdt env 4 km. Entrée sur la gauche, en face d'un lac, en haut d'une petite route. Ouv Pâques-fin sept. Env 14-18 € par tente, selon taille.* Situé sur une très belle et grande plage bordant la baie de Loughross More, où les vagues sont au rendez-vous. Superbe paysage marin jusqu'aux falaises du Slieve Tooey. Le site est sauvage, balayé par le vent, mais les espaces réservés aux tentes occupent des cuvettes à peu près abritées par les dunes. Sanitaires convenables et bâtiment ouvert aux campeurs en cas d'intempérie. Chiens non tolérés.

Bon marché

***Campbell's Holiday Hostel* : Glenties.** *☎ 95-51-491. • campbella@eircom.net • À 10 km sur la route de Letterkenny. À l'entrée de la ville, en venant d'Ardara, dans une cour repérable à l'agence* Campbell's *située sur la rue. Pâques-oct. Env 15-20 €/pers selon dortoir (6 lits) ou chambre privée.* AJ privée moderne et sans fioritures, qui occupe un bâtiment caché au fond d'une cour intérieure. Calme, mais sans charme. Pas de couvre-feu. Bureau d'infos à l'agence de voyages à côté.

Où manger ? Où boire un verre ? Où écouter de la musique ?

***Nesbitt Arms Hotel* :** *Main St. ☎ 95-41-103. Tlj 12h-21h. Plats env 10 € le midi, 12-20 € le soir.* Cuisine variée servie dans une ambiance conviviale. Décor classique.

***Nancy's* :** *Front St. ☎ 95-41-187. Tlj 11h-21h (pour le resto). Plats env 7-13 €.* Un pub génial, avec un bon feu de tourbe, des petits recoins fort agréables, une cour intérieure, et un vrai salon décoré d'innombrables bibelots anciens (gravures, vaisselle...). L'endroit semble n'avoir pas changé depuis des siècles ! Quant à la cuisine, simple et familiale, elle fait l'unanimité pour sa fraîcheur et sa qualité (bons plats de poisson notamment). Accueil chaleureux.

Au ***Central Bar,*** sur Main St, bonne ambiance certains soirs.

***The Corner House* :** *☎ 95-41-736.* Les routards musiciens y seront chaleureusement accueillis, dans un fort beau cadre, par le propriétaire, multi-instrumentiste de son état. Musique tous les soirs en été ; le vendredi et le samedi en hiver. Des notes qui réchauffent autant que le feu de tourbe.

Achats

Beaucoup de magasins de tweed dans la région.

Bon choix et prix corrects chez ***John Molloy,*** à environ 1 km du centre sur la route de Killybegs. On peut aussi aller chez ***Eddie Doherty*** et ***John Campbell's,*** sur Front Street, ou ***Tríona Design,*** près de l'église. Large choix de vêtements, écharpes, casquettes de tweed... plus très à la mode mais éminemment local !

Festivals

– ***Ardara Walking Festival :*** *pdt 2 j. mi-mars. Rens : ☎ 95-41-518.* Musique traditionnelle et danse animent le village, tandis que les randonneurs s'en donnent à cœur joie sur les plus beaux sentiers des environs, et pourquoi pas avec un guide (payant).
– ***« Cup of Tae » Traditional Music Festival :*** *fin avr, début mai, pdt 3 j. 📱 087-242-45-90. • cupoftaefestival.com •* Établi autour d'un des fils du village, John « The Tae » Gallagher, qui remporta à deux reprises le concours national d'Oireachtás Fiddle. Les musiciens investissent les pubs, et des ateliers à l'école de musique d'été sont ouverts.
– D'autres festivals de moindre importance tout au long de l'année : consulter le site • *ardara.ie* •

DANS LES ENVIRONS D'ARDARA

➢ ***La route des grottes de Maghera :*** *route à droite à 1 km en allant vers Killybegs.* Elle longe une baie que la marée basse découvre. Toutes les couleurs de l'Irlande : le vert des prairies et des arbres, le blond du sable, le bleu profond de l'eau, le gris des montagnes à l'horizon. Quant au ciel, sa couleur est très, très variable...

Le long de la route, à 6 km, ne pas manquer les ***Assaranca Falls*** *(cascades d'Assaranca).* À peu près 1 km plus loin, au parking (payant : 3 €/voiture), il vous reste environ 20 mn de marche jusqu'aux grottes, soit dans le sable très humide (à marée basse), soit en escaladant les rochers. Elles servirent pour les messes clandestines au temps des lois pénales. Attention, si la marée est trop haute, les grottes ne sont plus visibles. Mais la balade vaut quand même le coup. La route continue sur 16 km à travers monts et vallées sauvages, avant de rejoindre la route de Glencolumbkille.

Portnoo : jolie plage à 10 km au nord. Rien que la route pour y aller apporte son lot d'émotions.

Ecotourism Centre *(appelé « The Dolmen ») :* à ***Killclooney,*** *un peu à l'ouest de Portnoo. ☎ 95-45-010. • dolmencentre.com • ♿ En été, lun-sam 9h-17h, 19h-22h ; en hiver, lun-ven 9h30-16h, 19h-22h.* Ouvert en 2000, ce centre fut le premier en Irlande. Alimenté par une éolienne et des panneaux solaires, utilisant le recyclage des déchets, il œuvre pour le développement durable de façon pédagogique. Une salle est également consacrée à la géologie et à l'archéologie du site. Car un dolmen assez impressionnant (4,20 m de longueur pour la pierre du dessus) se dresse derrière l'église proche du centre.

DUNGLOE (AN CLOCHÁN LIATH) ET THE ROSSES

1 000 hab. à Dungloe IND. TÉL. : 074

Venant du sud, on traverse une plaine de tourbières qui s'ouvre sur la baie de Trawenagh, magnifique à marée basse, l'eau piégée prenant des teintes violettes. Et, les jours de soleil, d'étonnants jeux de lumière se mêlent aussi sur les myriades de lacs. Prendre ensuite la route côtière de Lettermacaward à Dungloe (via Crohy Head), puis de Dungloe à Crolly (sur une péninsule appe-

lée The Rosses). Région sauvage vraiment curieuse : battue par les vents, elle est criblée de centaines de lacs et jonchée de rocailles. En fin d'après-midi, la lumière déclinante rend les couleurs sublimes.

Arriver – Quitter

■ ***Informations : McGeehan Coaches,*** *☎ 95-46-150, ● mcgeehancoaches.com ●* ***Feda O'Donnell Coaches,*** *☎ 95-48-114, ● feda.ie ●* ***Bus Eireann,*** *☎ 91-31-008, ● buseireann.ie ●*

➢ ***De/vers Ardara, Donegal, Enniskillen et Dublin :*** 1-2 bus/j. avec *Bus Eireann.*

➢ ***De/vers Ardara et Killybegs :*** le dim en début d'ap-m et lun mat avec *Feda O'Donnell Coaches.*

Adresse utile

ℹ ***Office de tourisme :*** *Quay Rd, à* ***Dungloe.*** *☎ 95-21-297. Prendre à gauche après* Doherty's Restaurant. *Juin-sept, lun-ven 10h-13h, 14h-17h (plus sam juil-août).*

Où dormir ?

⛺ ***Dungloe Touring Caravan & Camping Park :*** *Carnmore Rd. ☎ 95-21-021. 📱 087-931-93-90. ● dungloecaravanpark.com ● À 100 m du centre, sur la droite au rond-point pour l'aéroport. Ouv de début avr à mi-sept. Env 15-18 € pour 2.* Un terrain familial bien agréable, à deux pas de Main St et proche de la baie. Mais sa très bonne situation est aussi un défaut : on entend la route. *Laundry.* Bon accueil.

🏠 ***Radharc an Oileáin :*** *Quay Rd. ☎ 95-21-093. ● dungloebedandbreakfast.com ● Dans la rue qui longe la baie, perpendiculaire à Main St. Ouv mars-oct. Double 70 €. CB refusées.* 📶 La maison, située dans un secteur paisible, dispose de 4 chambres *en suite* très confortables (TV, sèche-cheveux), décorées avec beaucoup de soin. Deux profitent d'une jolie vue. Très bon accueil de Grace, attentionnée et serviable.

Où manger ?

🍽 ***Bayview Bar :*** *Main St. ☎ 95-61-682. Tlj midi et soir jusqu'à 21h. Sandwichs et petits plats 5-10 € le midi ; plats 14-25 € le soir.* Ce vaste pub cosy est de loin la bonne adresse de la ville. Cuisine classique de qualité dans l'esprit gastro-pub : bonne présentation et préparations soignées (plus simple le midi), avec à l'occasion quelques petites touches plus originales. Accueil très sympathique.

🍽 On peut se restaurer simple et pas cher au ***Doherty's*** *(sur Main St ; tlj 8h-20h30).* Une cafétéria claire et moderne qui propose la panoplie habituelle des salades, soupes, sandwichs et plats du jour.

Où boire un verre ? Où écouter de la musique ?

🍷 ♪ Au ***Beedy's,*** sur Main St : musique traditionnelle le mardi soir. Ou encore, en haut de Main St, le ***Patrick Johnny Sally's Bar*** vaut le détour avec sa salle chaleureuse profitant d'une vue dégagée sur la baie.

Manifestation

– ***Mary from Dungloe Festival :*** *1 sem fin juil début août ● maryfromdungloe.com ●* La Guinness coule à flots. Concerts gratuits de musiciens renommés.

LA CÔTE ENTRE THE ROSSES ET SHEEPHAVEN

IND. TÉL. : 074

Arriver – Quitter

En bus

■ ***Informations : John McGinley,*** *☎ 91-35-201, ● johnmcginley.com ●* ***Feda O'Donnell Coaches,*** *☎ 95-48-114, ● feda.ie ●* ***Lough Swilly,*** *☎ 95-21-380, ● loughswillybusco.com ●*

➢ ***De/vers Falcarragh, Dunfanaghy et Letterkenny :*** arrêts à Crolly et Bunbeg ; 3 départs/j. avec *John McGinley* et 3 bus/j. (2 le sam et aucun le dim) avec *Mangan Tours (☎ 91-28-410).*

➢ ***De/vers Galway, Sligo et Donegal :*** 2-4 départs/j. avec *Feda O'Donnell Coaches.*

➢ ***De/vers Letterkenny :*** 2-3 départs/j. avec *Feda O'Donnell* ; 3 départs/j.

En avion

✈ ***Aéroport du Donegal :*** *situé à* ***Crolly,*** *près de Dungloe. ☎ 95-48-284. ● donegalairport.ie ●*

➢ ***Pour Dublin :*** compagnie *Flybe (● flybe.com ●).* 2 vols/j.

CROLLY (CROITHLÍ)

Village sympa situé sur la poissonneuse rivière Gweedore. Jolie cascade dans les environs et gros rocher à l'entrée du village (côté Dungloe), appelé « le Renard bondissant ». Les bus s'arrêtent au niveau du pont, devant le pub *Paidí Oig.*

Où dormir dans les environs ?

⛺ ***Sleepy Hollows Campsite : Meenaleck.*** *☎ 95-48-272. ● sleepyhollows.ie ● De Crolly, suivre la direction de l'aéroport puis très vite à droite. Ouv mars-sept. Résa conseillée. Env 20 € pour 2.* Huts *30 € pour 2.* Adorable petit camping qui, une fois n'est pas coutume, privilégie les tentes et la tranquillité. Patron accueillant, sanitaires nickel, douches gratuites, et petite cuisine à dispo. Les campeurs jouissent d'une belle pelouse bien verte (étonnant, vu ce qu'il tombe !) et le panorama sur les collines vaut son pesant de cacahuètes.

Où manger ? Où boire un verre ? Où écouter de la musique dans les environs ?

🍽 🍷 ♪ ***Leo's Tavern (Tábhairne Leo) : Meenaleck.*** *☎ 95-48-143. Depuis Crolly (sur la N 56), prendre la direction de l'aéroport, après quoi la taverne est fléchée. Tlj 16h (12h w-e)-minuit/1h (cuisine jusqu'à 20h30). Plats env 10-20 €.* Tenu par le fils de Leo, célèbre musicien des années 1950 et 1960, dont les autres enfants ne sont rien de moins que les membres du fameux groupe Clannad. Autant dire que ce vaste pub est consacré à la musique : disques et souvenirs en déco, et des concerts super en principe le jeudi (traditionnel), le vendredi et le samedi. Venir avant 21h si l'on veut être sûr d'avoir une place ! Les autres jours, que ça chante ou pas, atmosphère sympa de toute façon. Très touristique. Cuisine classique très convenable. Sinon, dans un registre plus intime et plus local, le petit pub ***Tessie*** juste en face est une bonne option pour partager un moment avec les gens du coin.

BLOODY FORELAND HEAD

Cap sur la route de **Bunbeg** à Gortahork. Côte très sauvage livrant de magnifiques perspectives sur les landes rocailleuses allant mourir dans la mer. Couchers de soleil époustouflants.

Où dormir ? Où manger ?

Au minuscule port de Bunbeg, un mignon petit hôtel, ***Bunbeg House** : ☎ 95-31-305. • bunbeghouse.com • Ouv Pâques-oct. Doubles env 70-80 €.* Bar menus *env 10-15 € servi jusqu'à 21h.* Tranquillité totale dans ses 14 chambres spacieuses et confortables, parfaitement entretenues. Restaurant de bonne facture à la déco nautique, où l'on déguste sans surprise la pêche du jour fraîchement débarquée du quai. Pain complet maison, tout comme les pâtisseries. Juste devant l'hôtel, départ du bateau pour Tory Island. Une bonne adresse tenue par des gens charmants.

Où boire un verre ? Où écouter de la musique ?

À Bunbeg, bonne musique au pub ***Hudaí Beag*** *(☎ 95-31-016 ; facile à trouver, quasiment au croisement de la R 257 et de la route du port),* avec *session* de musique traditionnelle tous les lundis et vendredis soir.

LE DONEGAL

TORY ISLAND (L'ÎLE DE TORY – OILEÁN THORAIGH)

Ici, c'est vraiment le bout du monde, même à seulement 11 km de la côte irlandaise. Une poignée d'Irlandais s'accrochent à leur île et à leurs coutumes, refusant massivement de revenir sur la terre ferme. Mais ne les croyez pas passéistes : ils vous donneront toutes les infos pour organiser votre séjour par e-mail ! L'île est aussi connue pour son vivier de peintres dont l'émulation est redevable à Derek Hill, familier de Tory pendant 50 ans. On y trouve aussi les ruines d'un ancien monastère fondé par saint Colmcille (ou saint Columbkille), notamment une pierre en forme de T, la *Tau Cross,* datant du VIe s. Tory Island ne faisant que 4 km de long sur 1,5 km de large, c'est la balade à pied idéale.

PATSY Ier, LE ROI ACCORDÉONISTE

Autrefois régnait un roi sur l'île de Tory. La coutume ayant été réactivée, vous pourrez rencontrer Sa Majesté Patsy Dan Rodgers, roi sans sceptre ni couronne et élu par les habitants. Un personnage haut en couleur et un accordéoniste émérite !

Arriver – Quitter

➢ ***De Bunbeg ou Magheroarty :*** trajet en bateau avec les *Donegal Costal Cruises,* à Magheroarty *(☎ 95-31-320 ou 340 ; • toryislandferry.com •).* Depuis Bunbeg, 1 départ/j. à 8h45 tte l'année. Sinon, départs de Magheroarty (sur la R 257, à 5 km au nord-ouest de

Gortahork). Juil-août, 4 bateaux/j. ; le reste de l'année, 2 bateaux/j. Vous pouvez faire l'A/R dans la journée (départ à 11h30 et retour à 18h) ou bien séjourner sur l'île. Vous risquez aussi de ne pas avoir le choix si la mer devient mauvaise... Vélos transportés sans frais.

Info utile

– ***Pour toute info*** (y compris tous les types d'hébergement possibles : hôtel, AJ, *B & B*) *:* • *toryislandferry.com* • Musique traditionnelle à peu près tous les soirs.

FALCARRAGH (AN FALCARRACH)

Village-étape au bord de la Ballyness Bay, en continuant toujours sur la N 56. Plage magnifique (fléchée « An Trá » à la sortie vers Dungloe) que cette lagune de Gortahork. Le regard embrasse les îles Inishbofin et, à l'horizon, Tory Island.

Où dormir ?

Cuan Na Mara B & B : Ballyness. *☎ 91-35-327.* • *crisscannon@hotmail.com* • *Sur la route de la plage, à l'entrée ouest du village. Ouv mai-fin sept. Doubles env 56-60 €, avec ou sans sdb privée. CB refusées.* Maison neuve agréable dans un coin très calme. Christina Carron, l'hôtesse, est souriante et dynamique. Depuis le salon et certaines chambres (petites, mais impeccables), belle vue sur la baie.

DUNFANAGHY (DÚN FIONNACHAIDH)

Une autre étape possible en bordure de la baie de Sheephaven, avec sa côte accidentée entrecoupée de plages d'une stupéfiante largeur (peu de chances d'y rencontrer son voisin !). Sable fin et dunes très hautes avec coins protégés pour pique-niquer. C'est également un spot de surf méconnu mais de grande qualité.

Où dormir ? Où manger ?

Corcreggan Mill House : *☎ 91-36-409.* • *corcreggan.com* • *Env 2 km avt Dunfanaghy (venant de Falcarragh) sur la route côtière. Ouv de mi-mars à début nov. Doubles en suite ou non 40-55 €. Camping 9-10 €/pers. Env 15-18 €/pers en dortoir.* Une super AJ, très champêtre, installée dans les bâtiments restaurés d'un ancien moulin. Grande maison dotée de chambres confortables et colorées, de différents salons bien douillets et de cuisines (dont une pour les campeurs). Ces derniers logent dans un terrain fleuri, à côté d'un ruisseau et du jardin bio, et en contrebas d'une cabine de bateau utilisée comme tour d'observation. Un bien bel endroit ! Brendan Rohan, le boss, est une mine de renseignements. Il connaît toutes les balades à effectuer (on peut consulter sur son site le *Dunfanaghy Walk Guide* qu'il a rédigé, avec 8 randonnées). Propose aussi quelques plats (dont l'*Irish stew*).

Carrigan House : *à la sortie de Dunfanaghy en direction de Cresslough. ☎ 91-36-276.* • *carriganhouse.com* • *Ouv avr-oct. Double env 70 €.* À 5 mn à pied du centre, ce beau *B & B* en retrait de la rue est le point de chute idéal : chambres tout confort décorées avec goût (jolie vue sur la baie pour certaines), un salon très chaleureux à la disposition des hôtes, et un bon petit déj servi par la très sympathique propriétaire. Rien à redire.

Willows B & B : *Main St. ☎ 91-36-446.* • *thewillowsdunfanaghy.com* • *Tte l'année. Double 70 €. CB refusées.* Certes, la déco est du genre chargé (voire kitsch), et la rue passante en journée (très calme la nuit cela dit), mais la propreté des lieux et l'accueil charmant de l'hôtesse en font une halte sympathique. Autre avantage déterminant : c'est la seule à ouvrir toute l'année !

The Mill : Figart. *☎ 91-36-985. • themillrestaurant.com • À la sortie de Dunfanaghy en direction de Falcarragh. Ouv de mi-mars à déc. Resto ts les soirs sf lun. Double en* B & B *96 €. Menu env 41 €.* L'adresse de charme du village. Car cette belle demeure orientée face à la baie et entourée d'un jardin soigné, renferme une poignée de chambres douillettes décorées dans un style champêtre de très bon goût. Et si vous êtes d'humeur gourmande, la table de la maison propose une cuisine irlandaise moderne et inventive qui ne devrait pas vous décevoir. Excellent accueil.

Arnold's Hotel : *sur la Sheephaven Bay, dans le centre. ☎ 91-36-208. • arnoldshotel.com • Ouv avr-oct. Doubles 100-120 € selon w-e ou sem.* Bar food *12h-21h ; resto 17h-21h. Plats env 9-20 € au* Garden Bistro, *18-25 € au resto* (Seascapes). Un hôtel classique régi par la famille Arnold depuis plusieurs générations. Chambres sans histoire, propres et confortables, certaines avec vue. Bar avec cheminée en pierre où l'on sert une bonne cuisine locale. Accueil très sympa.

Starfish Café : *Main St. ☎ 91-00-676. Tlj 9h30-17h (plus tard l'été). Petits plats env 4-8 €.* Le café-salon de thé du village, au personnel féminin avenant et à la déco balnéaire colorée. Dans l'assiette, de belles salades composées, des sandwichs, et le plat du jour, le tout frais et bon.

À voir. À faire à Dunfanaghy et dans les environs

Horn Head Scenic Route : *à la sortie de Main St vers Falcarragh, prendre la rue à droite et suivre les indications.* La route panoramique fait une boucle avant de revenir vers le village. Vues étendues sur l'île de Tory et l'enfilade de caps à l'est (Melmore Head, Fanad Head, Malin Head), puis sur la Sheephaven Bay et sa plage immense qui s'étend à marée basse jusqu'à Port na Blagh. À partir du parking que l'on rencontre à mi-parcours, balades pour les marcheurs expérimentés (le terrain est très humide). On peut cela dit rejoindre facilement (c'est à 100 m) l'ancien poste d'observation des gardes-côtes, une guérite en béton de la Seconde Guerre mondiale perchée au sommet de la colline. Colonie d'oiseaux sur les hautes falaises de la pointe (*kittiwakes,* pétrels fulmars, macareux...).

Dunfanaghy Workhouse (hospice de Dunfanaghy) **:** *à la sortie de Dunfanaghy, côté Falcarragh. ☎ 91-36-540. • dunfanaghyworkhouse.ie • Lun-ven : 10h-16h ; sam 10-17h30. Fermé dim. Entrée : 4,50 € ; réduc.* Dans un bâtiment terminé en 1845, destiné à accueillir les démunis pendant la Grande Famine. Au plus fort de la crise, l'hospice accueillit plus de 600 individus dans des conditions lamentables. Son histoire est racontée à travers l'une de ses pensionnaires, Hannah, à l'aide de scénettes jouées par des mannequins parlants. Quelques infos sur la faune et la flore locale pour finir. Décevant.

Boutique, *coffee shop* et vaste aire de jeux pour les enfants.

Doe Castle : *au nord-est de Creeslough, au fond de la baie de Sheephaven, dans un site remarquable. À 3 km de la R 245 en direction de Carrigart (bien signalé). Entrée libre.* Construit au début du XVIe s, ce pittoresque donjon ceint de puissants remparts fut assiégé, bien sûr, maintes et maintes fois. En 1588, de nombreux marins espagnols rescapés de l'Invincible Armada s'y réfugièrent. Au XIXe s, un général anglais qui avait du goût le restaura habilement.

– Pour la pratique de la ***pêche,*** on s'adressera à *l'Arnold's Hotel.*

➢ ***Ards Forest Park :*** *entre Portnablaghy et Creeslough, le long de la N 56. Tlj 10h-21h (16h30 en hiver). Entrée : 4 € par voiture en saison ; gratuit en hiver.* Une belle forêt où l'on peut faire des balades nature guidées ou pique-niquer. Bordée de jolies plages. Une rando de 13 km environ, au départ du parking, fait un grand tour de la forêt.

➢ ***Balades à cheval avec les Dunfanaghy Stables :*** *☎ 91-00-980.* • *dunfanaghystables.com* • *Ouv avr-oct.* Différentes balades de 4 à 6h. Compter 30 €/h. Discounts pour les clients de l'*Arnold's Hotel* (même maison).

Festivals

– ***Seafood Festival :*** *un w-e fin mai. ☎ 91-36-548.* Musique, théâtre de rue, *seafood* dans les pubs, barbecues, concours de cuisine, démonstration de sports de glisse et sculptures de sable : ode à Neptune !
– ***Jazz and Blues Festival :*** *pdt 3 j. mi-sept. 📱 086-173-51-09.* • *dunfanaghyjazzandblues.com* •

MOUNT ERRIGAL ET GLENVEAGH NATIONAL PARK

IND. TÉL. : 074

***Fed up* de rouler ? Séduit par le côté sauvage de l'intérieur du Donegal ? Volonté de humer l'air frais et de crapahuter dans ces collines sauvages ? Voici une halte pour vous : les beautés du parc national du Glenveagh (Glenveagh National Park) et le spectaculaire mont Errigal. Celui-ci pourra vous apporter le repos ou une légère oppression, ça dépend de votre tempérament. En tout cas, on ne reste jamais insensible au caractère grandiose et austère de ses parois ravagées par les cônes d'éboulis.**

Où dormir ?

Bon marché

🏠 ***Errigal Hostel :*** *Gweedore,* ***Dunlewey.*** *☎ 95-31-180. Suivre la R 255 ou la R 251 (selon qu'on arrive de l'est ou de l'ouest) en direction du parc national. Au pied du mont Errigal, facile à trouver. Ouv mars-oct (le reste de l'année, groupes slt). En dortoir, 18-20 €/pers, doubles 42-52 € ; avec petit déj ; réduc moins de 18 ans.* 💻 AJ officielle. Dans un bâtiment aseptisé mais vraiment bien conçu et super confortable (ascenseur, 2 salons dont un très grand, un espace de jeux pour les enfants, une cuisine, une laverie...), dortoirs de 4 à 6 lits, chambres doubles, triples et quadruples, avec sanitaires en commun. Les plus grands dortoirs sont équipés d'une mezzanine : parfait pour les familles. Excellent accueil.

🏠 ***Radharc an Ghleanna*** *(Mrs Nuala O'Donnell) :* *Moneymore,* ***Dunlewey.*** *☎ 95-31-835.* • *radharcang@hotmail.com* • *Suivre la R 255 ou la R 251 (si l'on arrive de l'est ou de l'ouest) en direction du parc national de Glenveagh, puis, au niveau du mont Errigal, prendre la route pour le lac et Poisoned Glen. Ouv Pâques-oct. Résa conseillée. Doubles 60-64 € avec ou sans sdb privée. CB refusées.* 📶 Au pied du mont Errigal, au bord du lac, un *B & B* familial tenu par une hôtesse charmante. Chambres typiques simples et impeccables, avec vue magnifique (sauf une qui donne sur l'arrière). Deux se partagent une salle de bains. Très bonne ambiance, authentique et chaleureuse.

Prix moyens

Bridgeburn House *(Mrs Sophia Boyle)* **: Trentagh.** ☎ *91-37-167.* 📱 *087-205-42-98.* ● *bridgeburnhouse.com* ● *À la sortie de Churchill, prendre direction Letterkenny. Après quelques km, prendre à gauche au panneau indiquant « Kilmacrennan ». Fermé pdt les fêtes de fin d'année. Doubles 65-70 €.* En pleine nature, on ne peut plus calme, et excellent accueil. Chambres *en suite* très claires, de bon goût, et d'une propreté immaculée. Le confort total à prix doux.

Mountain View : *Drimacanoo,* **Churchill.** ☎ *91-37-060.* ● *mountainviewdonegal.com* ● *À 3,5 km de Churchill, sur la route de Letterkenny. Après le* Byrne's Bar, *sur la gauche. Ouv tte l'année. Double env 60 €. CB refusées.* Décidément, l'accueil est de qualité dans cette région. Susan Alexander est aux petits soins, pour un *fáilte (welcome)* très familial. Salon cosy pour les hôtes, et chambres rénovées, de bonne taille et tout confort (salles de bains impeccables). Belle nature alentour.

Où manger ?

Wilkin's Bar & Lounge : Churchill. ☎ *91-37-019. Dans le village. Tlj 18h-21h. Plats et snacks env 4-10 €.* Pub proposant chaque soir des plats et snacks typiques de *bar food.* Joli *beer garden* face à la vallée.

Self du Visitor's Centre du Glenveagh National Park : *lire « À voir. À faire ».* ☎ *91-37-186. Ouv slt le midi Pâques-fin sept. Plat env 10 €.* Plutôt bon pour ce genre d'endroit. On peut également s'offrir un sandwich ou un *whole tea* au ***Tea Room*** du château, installé dans les dépendances (terrasse très agréable dans la cour).

The Lagoon Bar & Restaurant : Termon. ☎ *91-39-088. Situé sur la N 56, à la sortie de Termon, indiqué. Ouv 11h-21h. Plats 10-20 €.* Fort peu d'adresses pour se restaurer dans le coin et, par chance, ici c'est bon et à prix raisonnables. Bon choix de plats traditionnels copieux.

À voir. À faire

➢ ***L'ascension du mount Errigal :*** au départ de Dunlewey. Sortant de l'AJ, prendre à gauche et marcher jusqu'au deuxième pont, près du parking. Il culmine à 752 m. Ça grimpe, c'est fatigant, mais on est récompensé : on domine tout, le parc national du Glenveagh, la côte de Dungloe à Dunfanaghy, l'océan Atlantique et ses îles, les routes et les villages, tout là-bas, si loin. On n'a vraiment pas envie de redescendre, mais on finit par craquer à cause du vent qui ne laisse pas un instant de répit ! Même s'il fait chaud en bas, prévoir un lainage et un coupe-vent.

Glenveagh National Park : *un parc dans le parc (même nom), sur la route de Gweedore à Letterkenny (R 251).* ☎ *91-37-090.* ● *glenveaghnationalpark.ie* ● *Fermé 2 sem pour Noël.* Visitor's Centre *tlj 9h30-18h (9h-17h nov-fév). Château tlj 9h-17h (16h30 l'hiver). Parking et* Visitor's Centre *gratuits. La barrière ferme à 19h. Env 3 €/adulte pour se rendre au château en bus et 5 € pour le visiter ; réduc. Dernier départ à 17h.* Heritage site.

Au cœur de ce parc naturel de près de 16 000 ha de caillasse, de lande et de marais, le choc d'un immense parc boisé peuplé d'une horde de cerfs avec, en toile de fond, les montagnes quasi désertiques de Derryveagh. À l'origine, le rêve un peu mégalo de John George Adair, qui n'hésita pas à se faire une réputation d'infâme dans tout le Donegal, en expropriant 46 familles (soit 244 personnes !) de ses terres fraîchement acquises. C'était en plein mois d'avril 1861, glacial et pluvieux. 10 ans plus tard, il avait fait ériger un très hollywoodien château au bord du lough Veagh (prononcer « Vèyh »). Rien n'y manque : situation sur un promontoire au-dessus de l'eau, remparts crénelés, tours et tourelles. Pins et rhododendrons abritent du vent de superbes jardins exotiques. On y trouve statues balinaises, palmiers, lys et... agapanthes ! Un chemin permet d'aller jusqu'au bout du lough

Veagh (compter quatre bons kilomètres). Pour la visite, deux formules.
– *Pour les fauchés :* au *Visitor's Centre,* accès gratuit à un film (en français) et à une expo sur le domaine et l'écologie de la région (climat et zoologie en particulier), puis promenade à pied de 4 km jusqu'au château.
– *Pour les autres :* du *Visitor's Centre,* transport en minibus jusqu'au château. Là, visite libre (avec brochure) ou guidée (avec supplément) d'une série de salles meublées d'époque (salon de musique, bureau, chambres...). Et puis encore (pour les horaires précis, renseignez-vous par téléphone ou via le site internet) :
– les mois d'été, balade gratuite accompagnée dans les montagnes (apporter son pique-nique, un imper et de bonnes chaussures) ;
– en juillet-août, visites guidées payantes des jardins et du sentier nature au départ du *Visitor's Centre* ;
– tout au long de la saison, différentes journées à thème : ateliers d'artisanat, dégustation de vins, vols de rapaces, concerts...

– ***Ionad Cois Locha Centre :*** *Dunlewey Lake. ☎ 95-31-699. • dunleweycentre.com • Pâques-oct, 10h30 (11h dim)-18h.* Base de loisirs située au pied du mont Errigal, au bord du Dunlewey Lake. Bateaux, poneys, musique, visite de maisons traditionnelles... Ça plaît beaucoup aux familles du coin, et, quand il fait beau, l'endroit est vite saturé.

➢ Pour conclure en apothéose, faire le ***tour des Derryveagh Mountains*** par le mont Errigal, Dungloe et Doochary. De ce village, remonter la R 254 vers Glendowan et Churchill. La route grimpe vers le nord-est, dans un vallon verdoyant qui cède vite la place à un paysage désolé de landes, entre les hauteurs pelées du Slieve Snaght à gauche et des monts Glendowan à droite. Au col, elle vire soudain vers le sud-est et vous restez bouche bée devant l'hallucinante trouée qui découvre le lough Veagh et le château de Glenveagh au cœur des monts Derryveagh. Puis on redescend doucement sur Churchill à travers les tourbières.

★★★ ***Glebe House and Gallery :*** *à 4 km au sud du parc. ☎ 91-37-071. Accès par le village de Churchill. De Letterkenny, par la R 251. Ouv pour Pâques et de fin mai à début oct, tlj sf ven 11h-18h30 (tlj en juil-août). Visite (guidée, obligatoire) de la maison : 3 € ; réduc. Entrée du musée gratuite.* Heritage site. Au bord du lough Gartan, un beau presbytère Régence de 1828 avec une collection d'art léguée par le peintre Derek Hill, propriétaire pendant près de 30 ans de cette demeure. Décoration intérieure à base de tapisseries et de tissus créés par William Morris. Salle d'art japonais. Plusieurs centaines de peintures et dessins (de beaux Kokoschka, Modigliani, Picasso...), céramiques, tissus, etc.
Boutique et *coffee shop (ouv 11h-17h).*

★ Les alentours de ***Churchill*** regorgent de souvenirs de saint Columbkille (*Colmcille* en gaélique), évangélisateur de l'Écosse (où on le connaît sous le nom de saint Colomba !) : son lieu de naissance (vers 521), les ruines d'une abbaye et, à quelques kilomètres de là, un *Heritage Centre (ouv du 1er dim de mai au dernier dim de sept, lun-sam 10h30-17h, dim 13h30-17h ; entrée : 3 €, réduc).*

LA PÉNINSULE DE ROSSGUILL

IND. TÉL. : 074

La péninsule de Rossguill, il y a encore peu de temps, était un des coins les plus paumés d'Irlande. Malheureusement, mobile homes et maisons de vacances ont en partie défiguré ce site splendide.

LE NORD DU DONEGAL

Depuis Carrigart, emprunter l'Atlantic Drive. La route passe par *Downings*, où les bourgeois de Belfast et de Derry ont fait construire à profusion. La ville possède une fabrique de tweed et un magasin d'exposition-vente *(McNutts)*. Après la traversée du village, lorsque l'immense plage déserte de *Tra na Rossan* surgit au détour de la montagne, les constructions s'arrêtent et le spectacle commence : des côtes déchiquetées à perte de vue, la mer éblouissante...

Où dormir ? Où manger ? Où boire un verre ?

Trá na Rossan Youth Hostel : *☎ 91-55-374. • anoige.ie • À env 6 km au nord-est de Carrigart. En voiture, prendre l'Atlantic Dr par l'est et suivre la côte. De Letterkenny, tlj à 18h10, le bus Gallagher's (à prendre en face de l'arrêt des autres bus) vous conduit à Downings. Puis c'est taxi, stop ou à pied jusqu'au terminus, Melmore Head. Ouv du 26 mai à fin août. Réception fermée 10h-17h. Env 16 €/pers.* AJ officielle dans une maison ancienne (un pavillon de chasse de 1890) à flanc de colline. L'une des premières AJ d'Irlande (1937). Semble toute petite. Mais, construite par un architecte fameux, sir Edwin Lutyens, elle fait montre de ressources insoupçonnées (environ 25 lits). Locaux basiques mais convenables, 4 dortoirs, grande cuisine, salon sympa. On aimerait pouvoir y rester 8 jours, prendre un bon bain de solitude au milieu des moutons, somnoler devant le feu de tourbe. Attention, éviter de se baigner dans Mulroy Bay et Boyeeghter Bay, qui sont extrêmement dangereuses. Quant à Tranarossan, ça va, sauf que... gla-gla !

🏠 ***Fishermans Village Lodge :*** ***Dooey.*** ☎ *91-55-080.* ● *rosguill.com* ● *À env 5 km au nord de Downings, par l'Atlantic Dr. Ouv tte l'année. Double env 74 €. CB refusées.* 💻 📶 Environné de champs (et de moutons !), avec la mer en toile de fond, ce *B & B* chaleureux est l'étape idéale pour qui recherche la tranquillité : les chambres (très champêtres et fort confortables), occupent différents cottages pour préserver l'intimité des hôtes. Mais tout le monde se retrouve avec plaisir lors du petit déj ou autour de la cheminée du salon commun, orné de cannes à pêche et d'instruments de marine. D'ailleurs, si une sortie en mer vous tente, le proprio organise toutes sortes de balades.

🍴 ***Downings Bay Hotel : Downings.*** ☎ *91-55-586. À 50 m de la jolie plage prise d'assaut par les mobile homes. Tlj 13h-21h30 (21h hors saison). Plats 9-20 €.* La salle est chaleureuse malgré ses écrans TV. Parfois bruyant : hors saison, c'est le seul endroit où l'on trouve une bonne cuisine, classique et copieuse.

🍷 Toujours à Downings, pour se rincer le gosier, le ***Harbour Bar,*** sur la droite en allant vers le port. Tout y est : le plafond bas, la cheminée, le comptoir patiné, et les habitués. Terrasse sympa pour profiter de la vue.

Où plonger ?

■ ***Mevagh Dive Centre :*** *Milford Rd,* ***Carrigart.*** ☎ *91-54-708.* ● *mevagh diving.com* ● Centre 5 étoiles PADI. Tous niveaux. Plongées dans la Sheephaven Bay et autour de la péninsule de Rossguill (la meilleure saison : de mai à septembre).

LA ROUTE VERS LETTERKENNY

➢ À ceux qui redescendent vers Ramelton ou Letterkenny et qui sont saturés de bords de mer, nous recommandons vivement une ***superbe route*** intérieure ***de montagne.*** Peu après la sortie de Carrigart, prendre à gauche en direction de Glen (où l'on prendra une pinte dans le pub ô combien pittoresque *Old Glen Bar,* minuscule et sombre à souhait), puis de Lake Salt. Beau panorama sur la baie de Sheephaven. La route, par moments vraiment étroite, rejoint ensuite la N 76 à la hauteur de Kilmacrennan.

FANAD HEAD (FÁNAID)

IND. TÉL. : 074

Si le relief de cette péninsule est moins spectaculaire que celui de Rossguill, la Fanad Drive constitue néanmoins une balade très agréable. Tout au nord, le regard balaie la côte, de Malin Head qu'on aperçoit au loin jusqu'au phare de Dunree Head qui domine le lough Swilly. En redescendant vers Ramelton, la route prend de la hauteur (petit détour par *Doag Beg,* de grandes falaises formant une arche naturelle : suivre l'indication « An Airse Mhór Pollaid »), puis longe une grande plage quasi déserte, la Ballymastocker Bay, au sud de Portsalon. Après quoi l'itinéraire s'envole de nouveau, avec de beaux points de vue sur le lough Swilly et la péninsule d'Inishowen.

RATHMULLAN (RÁTH MAOLÁIN)

520 hab. IND. TÉL. : 074

Petit port de pêche tranquille mais célèbre, puisque c'est d'ici qu'embarquèrent, en 1607, les comtes irlandais vaincus par les Anglais à Kinsale en 1601. Ce tragique épisode, connu sous le nom de « fuite des comtes » *(Flight of the Earls)*, sonna le glas de l'indépendance de l'Irlande. Des implantations de colons écossais furent décidées par Londres, génératrices de nouvelles révoltes. La fin était proche : déjà Cromwell affûtait son épée et ses mots historiques...

– ***Heritage Centre :*** *ouv Pâques-sept, tlj 10h (12h dim)-17h. Entrée : 5 € ; réduc.* Installé dans un pittoresque fort du XIXe s surplombant le port (remarquez au sol les emplacements destinés à accueillir les batteries de canons). Ce lieu est consacré à l'épisode du *Flight of the Earls.*

– Pour ceux qui souhaitent traverser le lough Swilly sans passer par Letterkenny, un bac relie l'été Rathmullan à Buncrana. ***Lough Foyle Ferry :*** *☎ 93-81-901. Pâques-sept, env 9h-20h. Env 15 € par voiture l'aller simple.*

Où dormir ? Où manger ?

🏠 |●| ***Water's Edge :*** *en bord de mer, route de Ramelton. ☎ 91-58-182. ● thewatersedge.ie ● Ouv de mi-avr à oct. Double env 120 €. Tlj 12h-21h30. Plats 10-18 € le midi ; env 40 € le soir.* Un établissement moderne chic, dont la salle à manger panoramique ouvre sur le lough Swilly. Cuisine irlandaise de qualité. Chambres dans le même esprit, tout confort, et face à la baie.

🏠 |●| ***Rathmullan House :*** *☎ 91-58-188. ● rathmullanhouse.com ● À l'entrée de Rathmullan, en venant de Portsalon. Fermé à Noël et en janv. Résa obligatoire. Doubles 180-210 €. Dîner au* Weeping Elm *: menus 40-50 € (ajouter 10 % de service charge) ; plats 12-25 € au* Cellar Bar. Splendide manoir au bord de l'eau et au milieu d'un grand parc aux riches essences. Depuis les salons richement meublés, vue inoubliable sur le parc et le lac. Piscine couverte et sauna. Mais si vous n'êtes pas frileux, il y a un accès direct à la plage ! Une trentaine de chambres luxueuses, dans un style très classique (les plus chères bénéficient de balcons ou de terrasses). Accueil délicat. Après ça, votre prochain *B & B* vous paraîtra bien fade !

|●| ***Belle's Kitchen Café*** *(Salt'n Batter)* ***:*** *Pier Rd. ☎ 91-58-800. Dans la rue donnant sur le port. Mer-dim 10h-21h. En-cas 4-10 € ; plats 10-14 €.* Banquettes de moleskine rouge, parquet clair et mobilier contemporain habillent ce petit café pimpant, aussi agréable pour son accueil souriant (le chef est bilingue en français !) que pour sa carte variée. Sandwichs, salades, plats du jour, et même des crêpes, tout est frais, tout est bon. Pour les pressés, la maison possède également le *fish & chips* attenant (vente à emporter seulement).

LE DONEGAL

À voir. À faire

Voir au bord du *lough,* dans le cimetière, les ruines suggestives d'un ***prieuré*** du XVIe s, avec d'élégantes tourelles. Tombes plates très anciennes.

– Rathmullan est aussi un paradis pour pêcheurs. Possibilité d'aller ***pêcher*** la *taupe* (un petit requin). Matériel fourni, ainsi que le bateau. *Rens à l'office de tourisme de Letterkenny ou, mieux, à* ***Rathmullan Charters,*** *Pier Rd, à Rathmullan. 📱 087-248-01-32.*

RAMELTON (RÁTH MEALTÁIN)

1 100 hab. IND. TÉL. : 074

Petite ville paisible (dont le nom s'orthographie aussi « Rathmelton »), qui s'étire nonchalamment le long de la rivière Lennon. Elle présente un ensemble de maisons, entrepôts et greniers à grain anciens, formant des alignements homogènes d'une grande qualité architecturale.

– Chaque année, ***fête locale*** vers le 15 ou 20 juillet. Musique dans les pubs et course de radeaux. Attention, à cette époque, les *B & B* sont bondés.

Où dormir ? Où manger ?

■ ***Donegal Shore : Aughnagaddy.*** *☎ 91-52-006. • donegalshore.com • À moins de 2 km avt Ramelton, sur la route de Letterkenny. Ouv tte l'année sf pour les fêtes de fin d'année. Double env 64 € (dégressif dès la 2e nuit). CB refusées.* B & B de 5 chambres géré avec beaucoup de sérieux. Dans une villa blanche, chambres de bon confort, *en suite,* parfaitement tenues.

■ ***Ardeen Country Home*** *(Mrs Anne Campbell) : ☎ 91-51-243. • ardeenhouse.com • En venant de Rathmullan, traverser le pont, longer le quai puis, au niveau de* Ramelton Story, *monter, tourner à gauche et peu après, prendre à droite. Ouv Pâques-oct. Doubles env 80-90 €. Cottage pour 6 pers env 350-500 €/sem.* Grande demeure bourgeoise datant de 1845, au fond d'un jardin. Ameublement cossu, 5 chambres élégantes dont 2 jouissent de la vue sur le lough Swilly. Cottage dans une ancienne dépendance, rénovée avec soin et joliment meublé : 3 chambres, salon avec cheminée et TV, cuisine, véranda... Agréable accueil d'Anne Campbell.

|●| ***The Silver Tassie Hotel :*** *sur la route de Letterkenny, env 5 km avt la ville. ☎ 91-25-619. Tlj 18h-22h. Plats et sandwichs 4-18 €.* Cadre classique, mais pour une étape, la *bar food* de ce grand hôtel représente un très bon rapport qualité-prix.

À voir

Ramelton Story : *Donegal Ancestry Centre, The Quay. ☎ 91-51-266. • donegalancestry.com • Lun-ven 9h30-17h (plus w-e juil-août), parfois fermé sans préavis. Entrée : env 4,50 € ; réduc.* Ce musée retrace l'histoire de la ville depuis la « fuite des comtes » et célèbre ses illustres habitants, dont Catherine Black, l'infirmière attitrée du roi George V. Pas bien grand, mais beaucoup à lire et film intéressant.

LETTERKENNY (LEITIR CEANAINN)

15 000 hab. IND. TÉL. : 074

Ville industrielle et commerçante, la plus active du Donegal, au carrefour des routes du comté. Aucun charme, mais une excellente base pour visiter l'est et le nord du Donegal. Et puis, après toutes ces falaises constellées d'oiseaux et ces âpres paysages peuplés de moutons, ça fait du bien de revoir des gens !

Arriver – Quitter

Bus Station : *Derry Rd, à côté du centre commercial. Infos :* **Feda O'Donnell Coaches,** *☎ 95-48-114,* • *feda.ie* • **McGinley,** *☎ 91-35-201,* • *johnmcginley.com* • **Bus Eireann,** *☎ 91-21-309.* **North-West Busways,** *☎ (077) 91-82-619.* **Lough Swilly,** *☎ 91-22-863.* • *loughswillybusco.com* •

➢ **De/vers Dublin :** env 10 bus/j. avec *Eireann* et 3 bus/j. (5 le ven) avec *McGinley.* Ligne directe pour l'aéroport, très pratique.

➢ **De/vers Derry :** 8 bus/j. avec *Eireann.*

➢ **De/vers Donegal :** 8-9 bus/j.

➢ **De/vers Sligo et Galway :** 5-7 bus/j. avec *Eireann* et 2-3 bus/j. avec *Feda O'Donnell.*

➢ **De/vers Dunfanaghy et Dungloe :** 2-3 bus/j. avec *Feda O'Donnell.*

➢ **De/vers la péninsule d'Inishowen :** 4 bus/j. (1 le sam et aucun le dim) avec *North-West Busways.*

Adresses utiles

Office de tourisme : *Neil T. Blarney Rd. ☎ 91-21-160. À 1 km du centre, au grand rond-point de Port Bridge. Juin-août, lun-sam 9h15-17h, dim (sf juin) 10h-16h ; sept-mai, lun-ven 9h15-13h, 14h-17h.* Sourire, grande compétence et brochures sur toute la région.

Poste et banques : *Upper Main St.*

Où dormir à Letterkenny et dans les proches environs ?

Prix moyens

Glencairn House *(Mrs Maureen McCleary) : Ramelton Rd. ☎ 91-24-393 ou 91-25-242.* • *glencairnhousebb.com* • *Env 2 km à droite à la sortie de la ville. Ouv tte l'année sf 20 déc-6 janv. Doubles standard ou en suite 60-70 €.* Calme, coquet et confortable. L'hôtesse, d'une rare bienveillance, sait concilier sollicitude et discrétion, prévenant le moindre de vos désirs sans se montrer envahissante. Chambres classiques impeccables. En prime, vue sur la vallée depuis la salle à manger et agréable terrasse pour les beaux jours.

Town-View *(Mrs May Herrity) : Leck Rd. ☎ 91-21-570.* • *townviewhouse.com* • *Traverser le pont en face des magasins* Dunnes Stores *situés en bas de Main St (pas ceux du Shopping Centre) ; ensuite, tourner 2 fois à gauche puis c'est indiqué. Ouv tte l'année. Double 70 €.* Cachée au bout d'une impasse, une adresse bien tranquille aux chambres tout confort (ménage tous les matins, avec changement des serviettes de toilette). Une maîtresse de maison qui chante tout le temps, adore plaisanter et prépare des petits déj somptueux (saumon fumé, fromages...). Un des *B & B* les plus sympas de la région. Pour la vue, choisir plutôt le côté campagne (côté ville, les centres commerciaux au loin gâchent un peu le plaisir).

Killererin House : **Ballaghderg,** *Mountain Top. ☎ 91-24-563.* • *killererinhouse.com* • *Laissez l'hôpital sur votre gauche en sortant de la ville par la N 56, passez le croisement avec le garage* Renault *à 3 km puis continuez tt droit au rond-point. Ce sera à 200 m sur la gauche. Ouv févnov. Double 70 €.* Dans une belle maison de caractère, 3 chambres *en suite* avec mobilier rustique et 2 standard, toutes très bien tenues. Excellent petit déj. Situation idéale pour ceux qui souhaitent visiter le parc sans y résider. Accueil sans égal.

Où dormir dans les environs ?

The Longvale House *(Mervyn and Jean MacKean) : Porthall,* **Lifford.** *☎ 91-41-318. 074-914 1318.* • *thehallgreen.co.uk* • *À 5 km de Lifford, au sud-est de Letterkenny sur la N 14, proche de l'Irlande du Nord. Prendre la R 265 vers Saint Johnstown, 2 km avt Lifford.*

Double 70 €. Belle ferme meublée d'ancien. Accueil chaleureux. Chambres agréables au décor de grand-mère. Plein d'animaux dans les parages : veaux, bœufs... on vit au cœur de la ferme. Lac à proximité pour la pêche.

Mount Royd Country Home *(Mrs J. Martin) : à* **Carrigans.** *☎ 91-40-163.* ● *mountroyd.com* ● *À 22 km à l'est. Prendre la N 13 vers Derry, à droite la N 14 vers Lifford, puis à gauche la R 236 vers Saint Johnstown et Derry. Ouv fév-oct. Double 70 € (prix dégressif).* Pas loin de la « frontière », dans un environnement verdoyant. Chambres meublées de façon très soignée, dans un style à l'ancienne avec lits à baldaquin, moult bibelots et poupées, sans toutefois tomber dans le kitsch absolu. Ce vrai retour dans le temps est seulement troublé par les écrans LCD accrochés aux murs... pour le moins anachronique ! Excellent accueil de Joséphine, qui ne tarit pas de conseils touristiques.

Où manger ?

Bon marché

The Quiet Moment : *94-96, Upper Main St. ☎ 91-28-382. Lun-sam 8h-18h. Plats du jour ou sandwichs 4-10 €.* Café tout simple proposant une grande variété de petits déj et de snacks.

The Bagel Bar : *22, Lower Main St. ☎ 91-26-777. Lun-sam 9h-18h ; dim 10h-18h.* Bagel *env 5-6 € ; formules env 7 €.* Grand choix de bagels, ces beignets ronds fourrés à... des tas de choses ! Et aussi des glaces, *apple crumble, pies...* Comment résister ?

De prix moyens à plus chic

The Yellow Pepper : *36, Lower Main St. ☎ 91-24-133. Tlj 12h-22h. Plats 12-24 € ;* Value menus *(14h-19h, sam 14h-18h30) 16,50 et 20 €.* L'adresse préférée des gens du coin, installée dans l'ancienne usine de chemises *McIntyre,* datant de 1896 (parquets et murs de brique sont d'origine : cachet garanti !). Menu mêlant de bonnes spécialités locales à des délices du monde entier, le tout accompagné de petits légumes provenant (si possible) du jardin de la maison. Très bon accueil.

The Lemon Tree : *39, Lower Main St. ☎ 91-25-788. Lun-sam 17h-21h30 ; dim 13h-14h30, 17h-21h30 (ven-sam 22h). Plats env 15-25 €.* Salle contemporaine bien compartimentée pour préserver l'intimité des hôtes, et carte variée proposant une cuisine moderne irlandaise raffinée. La table chic de la ville.

Où boire un verre ? Où écouter de la musique ?

The Cottage : *39, Upper Main St. ☎ 91-21-338.* Pub pittoresque avec plafond bas et collection pléthorique de chopes, très fréquenté par les jeunes et moins jeunes. Qu'il fait bon s'y retrouver entre amis !

Mc Ginley's : *Lower Main St.* Musique presque tous les soirs dans ce pub cosy en diable, avec son escalier sculpté et ses poutrelles patinées.

Voodoo : *21, Lower Main St. ☎ 91-09-815.* Déco tendance pour ce disco-club *lounge* à la façade noire. Animations tous les soirs : DJ (quelques pointures le week-end), karaoké, quiz, etc. Ceux qui ont encore soif pourront tester le pub classique **Brewery** *(Market Square),* pour sa bonne ambiance et sa musique traditionnelle certains soirs, ou, dans un autre registre, le bar **The Cavern** *(Lower Main Street),* animé par des DJ et destiné aux étudiants.

À voir

Donegal County Museum : *High Rd. ☎ 91-24-613. Dans une rue qui monte vers l'hôpital depuis Upper Main St. Lun-ven 10h-12h30, 13h-16h30 ; sam 13h-16h30. Entrée gratuite.* Collection archéologique et ethnographique comprenant le *gruel cauldron,* marmite géante utilisée par les quakers durant la Grande Famine et dans laquelle les habitants de la région rêvaient de tomber. Fonds permanent assez limité. Intéressantes expos temporaires.

Festival

– ***Earagail Arts Festival :*** *en juil.* • *eaf.ie* • Expositions et musiques pour une célébration de l'art contemporain.

LA PÉNINSULE D'INISHOWEN (INIS EOGHAIN)

IND. TÉL. : 074

Une péninsule à figure de Janus. Les plages touristiques de Moville et de Buncrana côtoient des paysages rugueux et déserts. Malin Head, point le plus septentrional de l'Irlande, mais aussi l'un des plus ensoleillés du pays, fait toujours fantasmer ! Les habitants ont depuis longtemps pris conscience du potentiel touristique de leur région, et pourtant il s'agit d'une des dernières zones épargnées par les promoteurs. Amis routards, osez Inishowen !

– Pour les motorisés, un fléchage « Inis Eoghain 100 » a été installé, balisant 100 miles (160 km) représentant le tour complet de la presqu'île. Prévoir 1 journée entière. Si possible arrêtez-vous donc quelques jours, les activités ne manquent pas : balades à pied, à cheval ou en bateau, golf, pêche, observation d'oiseaux, jeux de plage (et baignade... pour les Bretons). Capacités d'hébergement limitées, et c'est tant mieux.

Arriver – Quitter

En bus

➢ ***De/vers Derry*** *(Foyle St)* ***et Letterkenny :*** *avec* ***North-West Busways,*** *☎ 93-82-619,* • *foylecoaches.com* • *;* ***Lough Swilly,*** *☎ 91-22-863,* • *loughswillybusco.com* • *et* ***McGinley,*** *☎ 91-35-201,* • *johnmcginley.com* •. Liaisons tlj sf dim ; tlj avec *Lough Swilly* et *McGinley* (sf pour Letterkenny).

En bateau

➢ Traversée en ferry du lough Swilly, entre Rathmullan et Buncrana, proposée en été par la compagnie ***Lough Foyle Ferry*** *(☎ 93-81-901 ;* • *loughfoyleferry.com* •*).* Pâques-sept, env 9h-20h. Env 15 €/voiture l'aller simple. 1 autre ferry relie Greencastle, à côté de Moville, à Magilligan Point (Irlande du Nord). Avr-août, 9h-19h (20h juil-août). Env 15 €/véhicule.

Où dormir ? Où manger ? Où écouter de la musique ?

Tullyarvan Mill Hostel : Buncrana. *☎ 93-61-613.* • *tullyarvanmill.com* • *À la sortie de Buncrana, prendre à gauche vers Fort Dunree. Ouv tte l'année. Env 15 €/pers en dortoir et 20-25 €/pers en chambre. CB refusées.* AJ moderne située dans d'anciens bâtiments rénovés de façon fonctionnelle. On perd en charme, mais on gagne en confort : chambres doubles, familiales ou dortoirs (jusqu'à 12 lits) impeccables, tous *en suite,* et grande cuisine à dispo.

Dun Cinn Trá : *Drumcarbit,* ***Malin.*** *☎ 93-70-063. 📱 086-830-18-70.* • *mydonegalhome.com* • *À 1 km de Malin, sur la R 243 (route de Culdaff). Ouv tte l'année. Doubles env 60-66 €. CB refusées.* Cet adorable *B & B* propose 2 chambres à la déco fraîche et moderne, avec salle de bains et beau mobilier en bois massif. Le plancher ancien a été récupéré dans un vieil hôtel anglais. Liam vous offrira un accueil on ne peut plus chaleureux et un bon petit déj (pain maison en général !).

Bistrot et resto du Malin Hotel : *à* **Malin.** *☎ 93-70-606. Tlj 12h30 (18h pour le resto)-21h30 ; horaires restreints en hiver. Sandwichs 4-5 €, plats 10-20 €.* Un bon endroit pour manger à prix raisonnables. Nourriture de bonne facture, que ce soit au bistrot ou au restaurant. Musique traditionnelle certains soirs en été.

The Beach House : *The Pier, Swilly Rd,* **Buncrana.** *☎ 93-61-050. Mer-ven 17h-21h ; w-e 12h-21h (tlj l'été). Sandwichs et plats 5-14 € le midi ; plats 16-25 € le soir.* Early bird menus *18-22 € servi de lun-ven 17h à 18h45 (18h30 sam) ;* set menu *30 €.* Situation on ne peut plus stratégique pour ce café-resto élégant en surplomb de la jetée et de la plage : de la terrasse, c'est tout simplement superbe ! Quant à la cuisine, soignée, elle fait le grand écart entre des sandwichs, des burgers et des soupes (de qualité) le midi et des plats (notamment de poissons) plus élaborés le soir.

Mc Grory's Pub & Restaurant : *à* **Culdaff.** *Tlj sf lun-mar 12h30-21h pour la cuisine.* Pub grub *à prix habituels et resto (plats 10-20 €).* Bonne *bar food* et musique fréquente.

À voir

Grianán Ailigh : *à la base de la péninsule, près de la N 13 de Letterkenny à Derry (fléché depuis le carrefour pour Buncrana, route à l'opposé montant sur 3 km). Tlj 10h-18h. Accès gratuit.* L'un des plus impressionnants forts préhistoriques du pays. Érigé à l'emplacement d'un tumulus du Néolithique, sa date de construction ne fut jamais exactement établie, variant de l'an 1000 av. J.-C. aux premiers temps de l'ère chrétienne. La légende dit qu'il serait l'œuvre de Dagda, roi des Tuatha de Danann. Les murs du fort sont épais de plus de 4,5 m. Il fut un temps la résidence des O'Neill, les rois d'Ulster. Édifié pour des raisons stratégiques en haut de la montagne Greenan, il offre depuis le chemin de ronde l'une des plus belles perspectives du Donegal, commandant la vue sur la rivière Swilly séparée du *lough* du même nom par Inch Island, la rivière Foyle, le lough Foyle et une partie de Derry, ainsi que toute la campagne environnante.

La croix celtique de Fahan : *sur la route de Buncrana, 50 m avt l'église de Fahan, dans un virage, sur la droite.* Le vieux cimetière protestant de Fahan propose l'une des plus anciennes croix sculptées d'Irlande. Datant du VIIe s, la croix, seul vestige d'un monastère érigé par saint Colmcille et dont saint Mura fut le premier abbé, présente les traditionnels entrelacs gaéliques, presque effacés par le temps.

Buncrana : vivante et colorée, elle est l'une des stations balnéaires préférées des Derriens. C'est aussi à Buncrana que tenta de débarquer Wolfe Tone, chef des United Irishmen, pour rejoindre les troupes du général Humbert. Capturé, il fut emmené à Dublin, jugé et condamné à la pendaison. Il demanda en vain à être fusillé et, refusant d'être exécuté comme un vulgaire criminel, se trancha la gorge et mit 8 jours à mourir.

Près de Buncrana, dans un beau parc légué à la ville par un riche aristocrate, voir le donjon du **château des O'Doherty** *(O'Doherty's Keep),* datant du XVe s. À côté, très ancien et pittoresque pont de pierre sur la rivière Crana.

Fort Dunree Military Museum : *à* **Dunree Head,** *indiqué. ☎ 93-61-817. • dunree.pro.ie • Juin-sept, lun-sam 10h30-18h, dim à partir de 13h ; oct-mai, lun-ven 10h30-16h30, le w-e 13h-18h. Entrée : 6 € ; réduc.* Un fort posé au bout d'une pointe stratégique sur lough Swilly, face à Portsalon, avec ses immenses projecteurs et ses canons toujours pointés sur le large. Le petit musée propose une exposition sur la vie du fort et son rôle dans la défense de la côte au XIXe s et pendant les guerres mondiales. Vidéo, quelques armes et uniformes, et, dans les différentes casemates, du matériel. À flanc de colline, on peut jeter un œil sur les baraquements militaires délabrés (attention au verre cassé et à la tôle coupée). On peut se contenter de la balade autour du fort, avec ses beaux points de vue sur le *lough* et l'océan.

*** ***Doagh Famine Village :*** *entre Ballyfin et Carndonagh, sur* ***Doagh Isle.*** *☎ 93-78-078. • doaghfaminevillage.com • À 2 km après Ballyfin, indiqué. Ouv de mi-mars à fin oct, tlj 10h-17h30. Entrée : 7 € (comprend 1 boisson chaude à la sortie) ; réduc. Tour guidé ttes les 45 mn ou livret en français.* Un surprenant musée installé dans les chaumières pittoresques d'un village habité jusqu'au début des années 1980, notamment par Patrick, qui vous guide à travers des reconstitutions grandeur nature agrémentées d'une foultitude d'objets d'époque, pour évoquer la survie des habitants de la région à l'époque de la Grande Famine, leurs différents types d'habitation, leurs us et coutumes, entre autres. Car ce lieu décidément très complet et atypique s'efforce de passer en revue toutes les principales étapes de l'histoire irlandaise jusqu'à nos jours. Les mises en scène ne sont pas laissées au hasard, des funérailles jusqu'à la messe secrète, en passant par les évictions de paysans par les lords et la maison républicaine clandestine (une série de portes dérobées – à vous de les trouver ! – conduisent le visiteur de salle en salle, toutes consacrées à la lutte pour l'indépendance).

** À ***Carndonagh,*** on découvre la ***Donagh Cross,*** croix sculptée la plus ancienne d'Irlande (VIIe s). Dans la partie supérieure, les célèbres entrelacs et, en dessous, un personnage bras ouverts. Elle est entourée de deux autres stèles, plus petites. Les croix furent déplacées et réinstallées devant l'église il y a quelques années, contexte évidemment beaucoup moins poétique que la lande d'origine.

* ***Malin :*** un village mignon, avec ses murs passés à la chaux et son Diamond (place principale) propret. Situation enviable au fond de la Trawbreaga Bay, dans un paysage de collines basses et arrondies couvertes de bocage. À l'horizon, le Raghlin More et ses croupes rocailleuses.

*** ***Trawbreaga Bay :*** à partir de Malin, le fléchage « Inis Eoghain 100 » vous fait prendre de petites routes insoupçonnables qui augmentent sérieusement la distance parcourue. Pour qui n'est pas pressé, ça devient le pied intégral ! La route grimpe sérieusement jusqu'au parking de Knockamany Bens, d'où la vue est à couper le souffle : dans un paysage de dunes, la Trawbreaga Bay et les vagues qui viennent battre les étendues de sable du Five Fingers Strand avec, de l'autre côté, le Raghlin More où vous distinguez très bien le Mamore Gap et la route qui en descend, l'enfilade de caps jusqu'à Fanad Head, Tory Island à l'horizon et Sa Majesté Errigal qui domine tout ce petit monde de roches et d'eau.

MALIN HEAD

IND. TÉL. : 074

Le point le plus septentrional d'Irlande vaut bien qu'on s'y attarde un peu. Amateurs de bouts du monde, bienvenue, vous êtes ici chez vous. En prime, ce « Finistère », croyez-le ou non, est l'une des zones les plus ensoleillées d'Irlande ! Et c'est aussi un excellent lieu d'observation des aurores boréales.

Où dormir ?

Sandrock Holiday Hostel : *Port Ronan Pier.* ☎ *93-70-289.* ● *sandrockhostel.com* ● *Ouv tte l'année. Env 12 € en dortoir ; draps 1,50 €. CB refusées.* AJ privée. À l'écart de tout, sauf du minuscule quai où les pêcheurs vendent poissons, homards et crabes à des prix défiant toute concurrence ! Maison conviviale et très confortable : beau salon avec vue inoubliable sur la baie et les montagnes jusqu'au mont Errigal, cuisine charmante (visez la cuisinière à l'ancienne !), 2 dortoirs de 10 lits, au mobilier robuste et élégant (chacun avec 2 douches), et un lave-linge. L'un peut être converti en chambre familiale sur réservation. Accueil adorable de Margaret et de Rodney, qui viennent vous chercher à l'arrivée du bus (1 km) et ont toujours plein d'histoires à raconter. Cartes de la région, activités possibles, instruments de musique à disposition... Location de vélos.

Où manger ?

Le pub le plus au nord, eh oui ! c'est une marque déposée, se nomme ***The Farren's Bar.*** Cosy et familial, c'est un pub de quartier à l'atmosphère décontractée. Tout proche, ***The Seaview Tavern*** *(restauration à partir de 17h30, 12h mer-dim)* est l'autre option du coin. On y trouve un bar minuscule, rustique, et une salle de resto de bonne taille *(plats classiques env 10-20 €).* Terrasse profitant d'une fort belle vue.

À voir. À faire

Bamba's Crown : du nom d'une des trois déesses (appelée aussi Macha) qui composent la Morrigan (avec Morrigu et Badb). L'*Ireland's Most Northernly Point* est couronné d'un édifice bâti en 1805 sur ordre de l'Amirauté, pour identifier les bateaux pratiquant cette route maritime. Par temps favorable, on aperçoit l'île écossaise d'Islay.

➢ ***Le rivage de Raised Beach à Ineuran Bay :*** les quelques centaines de mètres qui entourent Bamba's Crown se prêtent à la promenade et à la découverte. Caverne *(Hell's Hole),* pilier *(Skildern),* arche *(The Devil's Bridge),* phoques, corvidés et plein d'oiseaux de mer. En été, dauphins, marsouins et requins pèlerins sillonnent la côte.

VERS L'IRLANDE DU NORD

Guère de changement d'un côté à l'autre de la « frontière », qui, soit dit en passant, n'est matérialisée par aucun panneau. Les routes sont plus larges, la signalisation au sol plus complète, Et en plus, vous allez devoir compter en miles, acres, onces et autres *inches...*

– Si les *sterling pounds* sont bien acceptées dans les zones frontalières, les euros ne le sont pas partout dans le Nord.

L'IRLANDE DU NORD (ULSTER)

ABC DE L'IRLANDE DU NORD *(ULSTER)*

- *Superficie :* 13 843 km^2.
- *Population :* environ 1,79 million d'habitants.
- *Capitale :* Belfast (ville seule : 277 400 habitants ; avec l'agglomération : 580 000 habitants).
- *Langue officielle :* l'anglais.
- *Monnaie :* la livre sterling ***(pound)***, symbole usuel « £ », sigle normalisé « GBP ».
- *Régime :* monarchie parlementaire. Une assemblée locale de 108 députés, élue le 7 mars 2007, donne à l'Irlande du Nord une sorte de semi-autonomie dans certains domaines. Un gouvernement biconfessionnel a été mis en place sous la direction conjointe du loyaliste Peter Robinson et du républicain Martin McGuinness.
- *Chef de l'État :* Elizabeth II d'Angleterre, depuis février 1952.
- *Divisions administratives :* 6 comtés.
- *Religions :* 53,1 % de protestants et 43,8 % de catholiques environ.

Au moment des *« Troubles »*, la plupart des touristes visitant l'Eire évitaient de monter dans le Nord. Et puis, le cessez-le-feu est devenu définitif en 1998. Après 30 ans de guerre et de tensions, la population a goûté à la paix. Les hommes d'affaires sont revenus, de grands projets d'urbanisme se sont épanouis à Belfast et des écoles interconfessionnelles ont vu le jour. La vie nocturne a repris ses droits : dans les quartiers mixtes, jeunes catholiques et protestants envahissent à nouveau les boîtes et salles de concert.

C'est une Irlande du Nord ouverte, disponible, hospitalière que vous allez découvrir. La province a tant à proposer : des villes chargées d'histoire – Derry, Belfast, Armagh – ; de superbes paysages – la Chaussée des Géants, bien sûr, mais aussi de pittoresques montagnes, les Mourne et les Sperrin, des plages immenses et désertes, des côtes déchiquetées par les falaises, entaillées de vallées merveilleuses (les Glens of Antrim), les paisibles lacs du Fermanagh...

Pour découvrir toutes ces beautés, nous suivons un itinéraire en boucle : de Derry à Belfast par la côte d'Antrim, puis retour par le sud d'est en ouest en

traversant les comtés de Down, d'Armagh et de Fermanagh. De n'importe quel point du parcours, le comté de Tyrone et les rives du lough Neagh, au centre, sont accessibles.

UN PEU D'HISTOIRE

Au début de l'ère chrétienne, l'Ulster est le plus puissant des cinq royaumes qui se partagent l'Irlande. Il passe sous la domination de la famille O'Neill jusqu'à la conquête normande. Comme dans toute l'Irlande, la souveraineté normande puis anglaise se fait de plus en plus molle jusqu'en 1603, quand l'implantation de colons anglais et écossais crée une puissante minorité protestante dans cette partie de l'île. Depuis 1795, organisée au sein de l'ordre d'Orange, elle s'oppose frontalement aux mouvements nationalistes du Sud. En 1922, elle obtient que la province, amputée de trois de ses comtés les plus catholiques, le Cavan, le Donegal et le Monaghan, demeure sous domination britannique.

Une cage sociale et politique

Dès 1922, des lois répressives spéciales sont édictées pour maintenir la minorité catholique en état de soumission. On institue le *gerrymandering,* découpage électoral subtil visant à la sous-représenter, même là où elle est majoritaire. Le système de vote censitaire accroît encore les inégalités.
Discriminations dans le logement et le travail complètent le tableau. Enfin, les forces de police, les RUC *(Royal Ulster Constabulory)*, recrutent essentiellement parmi les unionistes les plus vindicatifs.
L'une des conséquences de cette organisation est d'accentuer encore la division entre catholiques et protestants.

Le déchaînement des faucons

Après la Seconde Guerre mondiale, le mouvement républicain se reconstitue autour de deux branches : l'une militaire, l'IRA ; l'autre politique, le Sinn Féin.
À partir de 1966, un mouvement défendant les droits civiques des catholiques lance les mots d'ordre « *One man, one vote* » et « Égalité dans le travail et pour le logement ». En représailles, il subit la brutalité des *B-Specials,* milices policières de composition similaire aux RUC. À Derry, une manifestation pacifique est sauvagement réprimée en octobre 1968, puis une autre marche arrivant de Belfast est violemment attaquée en janvier 1969.
En août 1969, la traditionnelle marche orangiste des *Apprentice boys* se déroule sur les remparts de Derry. Seulement, cette année-là, la colère rentrée des *Bogsiders* explose immédiatement. Des pierres partent d'en bas, beaucoup de pierres. L'intervention brutale des RUC décuple bien sûr l'ardeur des manifestants. La population entière se soulève pendant 3 jours. C'est alors, de façon ironique (en référence au « Berlin libre »), qu'est écrite sur un mur, à l'orée du quartier, la célèbre phrase : « *You are now entering free Derry* » !

1969-1994... la guerre !

Les attaques loyalistes sur les ghettos catholiques réactivent la vieille IRA. La mouvance éclate en deux factions : l'IRA *officielle,* d'obédience marxiste, et l'IRA *provisoire,* plus spécifiquement engagée dans le conflit nationaliste. Le Sinn Féin se divise lui aussi.
Certaines revendications, tel le *one man, one vote,* sont satisfaites et les *B-Specials* tant exécrés dissous, mais trop tardivement. La pseudo-neutralité de l'armée anglaise ne résiste pas aux réalités politiques. Le 30 janvier 1972, le

Bloody Sunday voit les parachutistes britanniques ouvrir le feu, à Derry, sur une manifestation pacifique de 20 000 personnes venues réclamer la libération des internés. Le bilan de ce « dimanche sanglant » est de 14 morts. En « représailles », 22 bombes de l'IRA explosent à Belfast le 21 juillet.
De 1972 à 1974 se succèdent trêves, cessez-le-feu, reprises des combats, scissions, trahisons et attentats républicains. Un accord de partage du pouvoir entre protestants et catholiques, négocié fin 1973, est mis à mal par une grève générale de la population protestante, encadrée par les milices loyalistes.
En 1976, le gouvernement supprime le statut de prisonnier politique aux militants républicains, qui refusent l'uniforme des prisonniers de droit commun, préférant rester nus sous une couverture. S'ensuit bientôt une grève de l'hygiène, au grand retentissement international. 5 ans de lutte vont se poursuivre pour regagner le statut de prisonnier politique, sans résultat face à l'intransigeance de Mrs Thatcher, le Premier ministre anglais. En 1978, la Grande-Bretagne est condamnée par la Cour européenne des Droits de l'homme pour traitement inhumain et dégradant.

La grève de la faim, ultime recours !

En mars 1981, Bobby Sands, commandant en chef de l'IRA au sinistre H Block de la prison de Long Kesh, entame une grève de la faim pour l'obtention du statut de prisonnier politique, imité chaque semaine par un autre de ses camarades.
En avril, il est élu député au Parlement britannique lors d'une élection partielle ! Sur son formulaire de candidature, à la rubrique « profession », il a inscrit : « prisonnier politique ». Mrs Thatcher réagit en faisant amender la loi, de sorte à interdire d'élection les prisonniers... La mort de Bobby Sands, début mai, puis de neuf de ses camarades, provoque dans l'opinion publique un choc terrible. L'émotion suscitée dans le monde entier est énorme.
Tout en continuant la lutte armée, le mouvement républicain décide de rompre avec sa traditionnelle politique abstentionniste. En 1983, Gerry Adams est élu député de West Belfast, mais il refuse de siéger à la Chambre des communes et donc, de reconnaître les institutions britanniques. En octobre 1984, un attentat de l'IRA au *Grand Hôtel* de Brighton fait 2 morts, dont le ministre britannique de l'Industrie. La Dame de fer y échappe de peu.

L'indécision de la colombe

La situation évolue positivement en 1993 : des discussions en profondeur se tiennent entre John Hume, leader du SDLP (Social Democratic and Labour Party), le principal parti nationaliste d'Irlande du Nord, modéré, et Gerry Adams, président du Sinn Féin. Londres a enfin compris qu'il n'est pas possible de gagner, ni militairement contre l'IRA, ni politiquement contre un mouvement républicain soutenu par la population catholique.
En août 1994, nouveau coup de tonnerre : l'IRA décrète un premier cessez-le-feu, résultat de plusieurs mois de tractations. Le mouvement est imité, 1 mois plus tard, par les organisations loyalistes. L'interdiction de séjourner en Angleterre de Gerry Adams est levée. D'autres mesures accompagnent le cessez-le-feu : suppression de l'article 31 qui interdisait de parole le Sinn Féin dans les médias du Sud, début de rapatriement de prisonniers politiques de l'IRA d'Angleterre en Irlande du Nord.
Tous ces éléments indiquent une volonté réelle de part et d'autre d'arriver à de véritables négociations. Mais le cessez-le-feu est rompu en février 1996, puis relancé en 1997... Dans le même temps, le nouveau Premier ministre, le travailliste Tony Blair, propose un plan de désarmement des milices et essuie un refus des organisations extrémistes loyalistes.
En septembre 1997, unionistes et républicains se réunissent autour d'une table pour débattre de l'avenir de l'Irlande du Nord. Puis, en décembre, au 10, Downing Street, Tony Blair reçoit Gerry Adams et une délégation du Sinn Féin...

1998 : vers une paix durable

Il semble alors qu'on peut enfin tirer un trait sur la comptabilité macabre de ce conflit. Après 3 600 morts, des dizaines de milliers de blessés et beaucoup de larmes et de sang, la paix s'installe.
Tony Blair et Gerry Adams ont compris que la paix se fait nécessairement avec l'ennemi. Tony Blair convainc les membres de l'UUP (Ulster Unionist Party) et les anciens de l'IRA d'entamer des pourparlers. Un accord doit intervenir avec Pâques comme date butoir. Tony Blair use de toute son autorité et du soutien américain du médiateur George Mitchell.
Durant le week-end de Pâques, la tension est à son comble, le suspense et l'angoisse montent. Le 10 avril, l'accord du « Vendredi saint » est finalement conclu. Tony Blair a brillamment réussi son numéro d'équilibriste politique : un accord sans signature, mais sur lequel tout repose.

L'accord inespéré : trois nouvelles institutions pour la paix

Premier grand volet : la province est désormais gouvernée par une assemblée locale de 108 membres, ayant des pouvoirs législatifs et exécutifs. Ainsi Londres cède-t-il de fait une partie de ses prérogatives à cette nouvelle Chambre, dirigée par un Premier ministre et une petite dizaine de ministres issus de tous les partis de l'île et élus à la proportionnelle.
Deuxième grande institution : un conseil Nord-Sud relie politiquement la république d'Irlande à l'Irlande du Nord en mettant en commun la gestion de certains domaines comme l'agriculture, le tourisme, l'éducation, les transports (mais en excluant la défense, la police, les impôts...). Pour la première fois, Dublin a son mot à dire sur des choix politiques concernant le Nord. De leur côté, les protestants sont satisfaits puisque l'Ulster reste dans le giron du Royaume-Uni, à moins d'un vote contraire à la majorité absolue.
Troisième point fort, la création d'un Conseil irlando-britannique réunissant les différentes régions autonomes du Royaume-Uni (pays de Galles, Écosse et Ulster).
Le 22 mai, les électeurs d'Irlande du Nord votent à une large majorité pour l'accord de paix de Stormont. Ceux de la république d'Irlande font de même, en validant le projet d'amendement constitutionnel relatif à cet accord. L'élément le plus opposé à la paix, le révérend Ian Paisley, violemment anticatholique, se retrouve isolé. De leur côté, l'unioniste (protestant) David Trimble et le nationaliste (catholique) John Hume ramassent la mise.

L'élection de l'assemblée

Le 25 juin 1998, l'élection des députés de l'assemblée locale voit la modeste victoire du camp protestant modéré. Son chef, David Trimble (UUP), est nommé Premier ministre de l'exécutif. Arrive ensuite le Social Democratic and Labour Party (SDLP) de John Hume. Le troisième acteur important est le Democratic Unionist Party (DUP), le parti radical protestant, adepte de la ligne dure et du « non » intransigeant. Gerry Adams et le Sinn Féin, quant à eux, en choisissant de travailler à la paix, tiennent une belle place. La nouvelle voie est bel et bien ouverte, malgré les manifestations orangistes de l'été 1998 à Portadown où 3 enfants périssent dans un incendie criminel et, surtout, le terrible attentat du 15 août à Omagh, qui fait 28 victimes. Coup de pouce sur la voie de la réconciliation : Trimble et Hume reçoivent conjointement le prix Nobel de la paix 1998.
L'accord conclu en avril 1998 entre en vigueur début décembre 1999.

Tâtonnements

Les élections générales britanniques de juin 2001 provoquent un véritable tremblement de terre : dans les deux camps, les extrémistes devancent les modérés.

Le dépit du camp loyaliste devant l'avancée du Sinn Féin n'est par ailleurs pas long à s'exprimer. À North Belfast, des gangs loyalistes attaquent écoles et logements catholiques. En octobre, l'IRA annonce qu'elle commence le démantèlement de ses stocks d'armes. Trimble, qui a démissionné durant l'été, revient aux affaires. Pour les extrémistes loyalistes, c'est une frustration énorme. S'ensuivent attaques contre les enclaves catholiques et contre... les RUC, tandis que les tensions montent entre factions loyalistes. La partie de bras de fer continue, mais dans de meilleures conditions. La marche vers la paix aussi, c'est devenu irréversible !

Dernier round ?

En octobre 2002, l'Assemblée semi-autonome d'Irlande du Nord est suspendue. À nouveau, Londres administre la province... Les élections provinciales de novembre 2003 se soldent par la victoire du DUP de Paisley – devant l'UUP de Trimble et le Sinn Féin, lui aussi en progression. Les élections de mai 2005 confirment la tendance au durcissement des positions : David Trimble perd sa place à Westminster, et son parti abandonne quatre de ses cinq sièges, le forçant à la démission.
Juillet 2005, Seanna Walsh, qui fut compagnon de cellule de Bobby Sands, annonce le renoncement unilatéral et définitif à la lutte armée de l'IRA ; 2 mois plus tard, toutes les armes sont rendues. Malheureusement, certains activistes dérivent vers le gangstérisme, et Ian Paisley refuse toujours de siéger aux côtés de Gerry Adams... Au fil des mois, devenus années, la patience des Anglais et des Irlandais s'émousse. La torture et l'assassinat de Denis Donaldstone, un ex-dirigeant de l'IRA, taupe des Britanniques, début 2006, n'arrangent rien... Peu après, un ultimatum commun est lancé : soit les élus nord-irlandais s'entendent pour former un gouvernement avant la fin de l'année, soit les élections de début 2007 seront annulées et la province administrée directement, et conjointement, par Londres et Dublin.

L'assemblée, enfin

En janvier 2007, ultime concession, le Sinn Féin reconnaît à une écrasante majorité l'autorité des tribunaux et de la police d'Irlande du Nord. Les élections, en mars, accordent à nouveau une majorité à l'UDP de Ian Paisley et au Sinn Féin, devant les modérés de l'UUP et du SDLP. « Dr No » (Ian Paisley) met de l'eau dans sa bière et la milice de l'UVF renonce à son tour à la violence. Il gouverne dès lors avec pour vice-Premier ministre le numéro 2 du Sinn Féin, Martin McGuinness. Si l'on en croit les sondages, seul un Nord-Irlandais sur quatre pense que le duo résistera à l'épreuve du temps. Il est vrai qu'en dehors de l'économie les points d'entente entre les deux partis majoritaires sont très rares.
Un an après la formation de ce gouvernement, Ian Paisley annonce qu'il passe la main : à 82 ans, il démissionne du poste de président du DUP et de celui de Premier ministre. En juin 2008, Peter Robinson, jusqu'alors ministre des Finances, lui succède. Le DUP, jugé trop conciliant par les tenants d'une ligne dure, est alors menacé par un nouveau parti radical protestant (Traditional Unionist Voice). Pourtant, la dernière étape du processus de paix est bien validée en mars 2010, avec le transfert des pouvoirs de police et de justice de Londres à Belfast.

ATHÉES, PASSEZ VOTRE CHEMIN

Si l'on en croit le dernier recensement en date, effectué en 2001, parmi les 1 685 267 Irlandais du Nord, environ 40,3 % sont catholiques et 45,6 % protestants – le reste se divisant en autres religions. Les statistiques font état, en tout et pour tout, de 106 athées et mentionnent également 12 satanistes !

Élections de 2010 et 2011

Les deux dernières élections ont eu des résultats cohérents et révélateurs de l'état du processus de paix. À celles de la Chambre des communes, en mai 2010, le Sinn Féin devance le DUP et devient ainsi le premier parti d'Irlande du Nord. En revanche, défaite du Premier ministre Peter Robinson, englué dans des scandales. Lors des élections régionales de 2011, on pouvait légitimement craindre de graves tensions après le meurtre du policier catholique Ronan Kerr par une fraction dissidente de l'IRA. Finalement, DUP et Sinn Féin progressent parallèlement tandis que l'extrême droite est laminée et que le petit parti centriste *Alliance,* réunissant catholiques et protestants, fait élire à Belfast une candidate d'origine asiatique, preuve d'une certaine ouverture de l'électorat ! Une étude des votes dans certains quartiers protestants révèle que de petits glissements de voix se sont effectués du DUP vers le Sinn Féin, comme pour montrer une forme de soutien à la politique du parti nationaliste par rapport à ses dissidents.
Si la lumière semble poindre au bout du tunnel, l'Irlande du Nord reste une société profondément divisée et ce, dès l'école : pas moins de 90 % des petits catholiques et protestants sont encore scolarisés dans des établissements confessionnels séparés...

QUAND VISITER L'IRLANDE DU NORD ?

Si l'heure est à l'apaisement, les escarmouches ne sont pas impossibles. C'est surtout vrai à l'approche du *King Billy Day,* le 12 juillet, jour des parades orangistes commémorant la victoire protestante de la bataille de la Boyne (1690). La majorité silencieuse des bonnes gens migre d'ailleurs en masse vers le Donegal, où il est bien difficile de trouver une chambre libre ! La journée est fériée dans toute la province, et tout, absolument TOUT, est fermé. Ce jour-là, les rues s'illuminent de gigantesques feux de joie dont certains dépassent les toits des immeubles. On y brûle le drapeau vert-blanc-orange (même l'orange !), voire un portrait du pape, tandis que la foule entonne le *God Save the Queen...* Un autre célèbre cri de ralliement, ramenant au Grand Siège de Derry en 1689, fuse par moments : « *No Surrender !* » Les protestants de la ville célèbrent d'ailleurs sa levée chaque 12 août, lors de festivités similaires. En résumé, le routard impressionnable, même s'il risque surtout des problèmes de circulation aux abords des défilés (routes barrées, interruption des transports publics), évitera la première quinzaine de juillet.

LE ROUTARD EN VOITURE EN ULSTER

Tout ce que nous avons dit dans le chapitre « Irlande utile » en début de guide reste valable. Attention à la signalisation au sol, beaucoup plus développée qu'en Eire. En particulier, une double rangée de pointillés en travers de la route signale que vous n'avez pas la priorité.
À noter, deux numéros d'assistance 24h/24 (numéros Verts, appel gratuit) réservés aux membres d'une association automobile ayant des accords de réciprocité avec :
*– Le **RAC** (Royal Automobile Club) : ☎ 0800-82-82-82 (depuis la scène de l'accident). • rac.co.uk •*
*– L'**AA** (Automobile Association) : ☎ 08457-88-77-66 (d'un portable). • theaa.com •*

LE ROUTARD À PIED EN ULSTER

Infos sur toutes les randos régionales : • *walkni.com* •

– ***Ulster Way*** **:** long de 900 km environ ce parcours pédestre traverse les cinq comtés d'Irlande du Nord.
– Pour préparer l'affaire et se mettre en appétit, lire *The Complete Ulster Way Walks,* de Paddy Dillon, éd. O'Brien Press (1999) ou *Walking the Ulster Way,* de A. Warner, éd. Appletree Press (2000). Consulter également la rubrique « Randonnée » dans « Irlande utile » en début de guide. Sur chacune des 5 sections géographiques de l'*Ulster Way,* le randonneur trouvera des circuits balisés abordables. Newcastle, sur la côte sud-est, constitue par exemple une base bien équipée pour les départs de randonnées à la journée, notamment dans les montagnes des Mourne. Ailleurs, pierres celtiques, lacs poissonneux, landes à bruyères vous attendent et, bien entendu, la fameuse côte de la Chaussée des Géants *(Giant's Causeway Coast)* sur le littoral nord. Le balisage, représenté par le petit bonhomme jaune comme en Eire, est bon sur l'essentiel du parcours, les *Quality Sections,* et plus flou sur les *Link Sections,* correspondant souvent à des routes où l'on encourage d'ailleurs les randonneurs à emprunter les transports publics... L'*Ulster Way* compte également une *Donegal Section* en Eire, rattachée à la boucle à Pettigo, au nord du Lower Lough Erne (Fermanagh).
– ***Waymarked Ways*** **:** longs de 32 à 64 km (1 à 3 j. de marche), 9 sentiers spécifiques ont été balisés en Irlande du Nord. Brochures disponibles dans les offices de tourisme.

LE *NATIONAL TRUST*

Organisme indépendant fondé en 1895 et financé exclusivement par dons et droits d'entrée, le *National Trust* gère quelque 500 sites du patrimoine britannique dont, en Irlande du Nord, 18 édifices historiques et une trentaine de sites naturels.
Les lieux sont fermés en hiver (parcs exceptés) et ouverts seulement le week-end de mi-mars à mai ou juin, ainsi qu'en octobre. L'été, c'est ouvert tous les jours, et des animations sont régulièrement organisées. Le prix d'entrée oscille entre 3 et 5,50 £, et les euros sont acceptés partout.
– ***The National Trust*** **:** ☎ *028-9751-0721.* • *ntni.org.uk* • De mai à juillet, des jardins privés sont en outre ouverts à la visite sur rendez-vous, sous l'égide du *National Trust.* Infos sur • *ulstergardensscheme.org.uk* •
– ***The National Trust Holiday Cottages*** **:** ☎ *0844-800-20-70.* • *nationaltrustcottages.co.uk* • ***Attention !*** *résa svt obligatoire ; conditions variables (j. de début de séjour, durée du séjour, etc.).* Cerise sur le gâteau, le *National Trust* a converti les dépendances de plusieurs bâtiments historiques d'Irlande du Nord (Crom, Florence Court, Dundrum, Castle Ward, Portbraddan, etc.) en apparts à louer d'une capacité de 2 à 7 personnes. Une manière géniale de s'installer dans des lieux grandioses à prix encore abordables.

DERRY (DOIRE)

85 000 hab. IND. TÉL. : 028

Sur les cartes britanniques, vous lirez « Londonderry » : ce « London » a été ajouté en 1613 après le parrainage de la ville par les corporations de Londres, pour humilier les Irlandais. Par égard pour eux, dites Derry !

La ville se présente comme un port planté dans la campagne et surmonté d'une vieille cité fortifiée. Son visage, son atmosphère ont considérablement changé depuis les années de guerre, ne serait-ce que par le retrait des soldats britanniques de la ville en 1994. Quartiers bien délimités : à l'ouest, au pied des remparts, le quartier catholique historique du *Bogside* (« côté de la tourbière »), siège du désormais célèbre *Free Derry,* en révolte contre les autorités dans les années 1969-1972. Au-dessus, sur la colline, construit dans les années 1950-1960, celui de *Creggan.* Au sud, le quartier également prolo-catho de *Brandywell.* Au nord, le quartier résidentiel de *Rosemount.* À l'est, entre vieille ville et River Foyle, l'historique quartier protestant de *Fountain Street,* réduit à peau de chagrin. Le reste de la communauté protestante réside sur la rive droite de la Foyle, dans le *Waterside,* encore que ce quartier comprenne bien 50 % de catholiques aussi ! À la fin des années 1990, de nombreux commerces de prestige, de nouveaux restos de luxe ou branchés et un nouveau musée ont vu le jour. La vie culturelle est devenue riche. Depuis, les marches protestantes occasionnent de moins en moins de tensions, et, signe du renouveau de Derry, la ville a été choisie pour être en 2013 la première Cité de la culture au Royaume-Uni. C'est assurément un grand honneur, mais c'est surtout une véritable chance. Car c'est l'occasion pour Derry de restaurer ses monuments, de réhabiliter d'anciens entrepôts destinés à accueillir des espaces culturels, et de mener à bien de nombreux projets (comme la construction d'un pont piéton sur la Foyle).

Avec le temps, Derry s'est donc métamorphosé en une jolie cité, très agréable à visiter. Il fait désormais bon flâner sur ses remparts chargés d'histoire. À ce sujet, juste une anecdote : le *Derry City Football Club* joue en coupe avec les clubs d'Eire, car les autres clubs du Nord refusent de se déplacer à Derry, et c'est la seule ville du monde où la police n'est pas présente lors des matchs du fait de l'attitude vindicative de la population ! En tout cas, s'il y a bien un moment où les tensions disparaissent, c'est dans la vie nocturne. Derry, ville jeune et étudiante, se devait d'en posséder une à la hauteur.

UN PEU D'HISTOIRE

La ville s'est développée autour d'une abbaye fondée en 546 par saint Columbkille (appelé ici « saint Columb »). De 1613 à 1619, des remparts sont construits pour protéger les colons anglais, installés sous l'égide d'une douzaine de guildes, au grand dam des Irlandais fermement invités à leur laisser la place... En 1689, les murailles permettent à la ville de résister pendant 105 jours aux assauts du catholique Jacques II, en lutte contre le protestant Guillaume d'Orange. Plusieurs milliers d'habitants meurent de faim pendant ces événements.

Le retrait des troupes jacobites fait de Derry le symbole de la domination des loyalistes en Irlande du Nord. Dès lors, ils vont œuvrer par tous les moyens pour conserver le pouvoir dans la ville. Si, pendant la Grande Famine, 12 % de la population émigre, ce sont surtout des nationalistes que les autorités convainquent d'aller se faire pendre ailleurs.

Derry est le théâtre de nombreuses émeutes, et même d'une insurrection en bonne et due forme. Début janvier 1969, les policiers des RUC *(Royal Ulster Constabulatory)* laissent les unionistes s'en prendre à une marche pour les droits civiques catholiques. Des troubles éclatent et les maisons du Bogside sont fouillées sans ménagement. Barricades et patrouilles armées se mettent en place dans le quartier. L'été suivant, dans le sillage d'une marche orangiste, a lieu la désormais fameuse bataille du Bogside. Pour venir au bout de la situation, Londres ordonnera finalement une attaque de type militaire, fin juillet 1972, avec 5 000 soldats appuyés de chars de combat !

Entre-temps, les larmes et le sang du *Bloody Sunday* ont coulé. Le 30 janvier 1972, les paras anglais ont ouvert le feu sur une foule pacifique de 20 000 personnes manifestant pour l'obtention de leurs droits civiques, faisant 14 morts. Le souvenir reste présent à chaque coin de rue. En 1998, une nouvelle enquête sur les causes de la tuerie a été ouverte : elle a pris fin en 2004. Et, en juin 2010, les conclusions sont tombées : aucune action armée de l'IRA, comportement totalement pacifique de la manif, responsabilité totale de l'armée britannique ! Amertume des dirigeants des droits civiques et des leaders républicains qui ont déclaré : « Nous l'avions affirmé le soir même de ces assassinats et il a fallu 38 ans et tant d'argent pour que le gouvernement britannique le reconnaisse et présente officiellement ses excuses à la Chambre des communes ! »...
Aujourd'hui, le chômage frappe encore les catholiques plus que les protestants. Néanmoins, Derry est dirigé par un conseil majoritairement catholique et, dans l'exercice du pouvoir, des relations de travail positives s'instaurent durablement entre républicains et loyalistes. Eh oui, on n'arrête pas l'histoire !

Arriver – Quitter

En avion

✈ ***Aéroport*** *(hors plan I par D1)* ***:*** *à Eglinton, env 6 km au nord-ouest de Derry. ☎ 71-81-07-84. • cityofderry airport.com •* Sur place : location de voitures, distributeur de billets et stand de brochures de l'office de tourisme. Les bus n°s 143 et 234 mènent au centre-ville, mais les passages sont peu fréquents. En taxi, env 12 £.

➢ ***De/vers Londres (Stansted ou Luton), Glasgow et Liverpool :*** avec *Ryanair, • ryanair.com •*

En train

🚂 ***Waterside Railway Station*** *(plan I, C3)* ***:*** *quartier de Waterside, de l'autre côté de la Foyle. ☎ 71-34-22-28. • translink.co.uk • Ouv 7h30-17h (10h-17h dim).*

➢ ***De/vers Belfast*** *(via* ***Coleraine, Ballymena****)* ***:*** 9 trains/j., 5 le dim. Superbe trajet de 2h le long de la côte nord. Arrêts possibles à Coleraine, Ballymoney, Ballymena et Antrim notamment.

En bus

🚌 ***Station de bus de Foyle Street*** *(plan II, B2,* ***53****)* regroupe les départs des compagnies *Ulsterbus, Bus Eireann* et *Lough Swilly.* Consignes. Pour l'Eire, payer en euros : les livres sont acceptées, mais à un taux de change défavorable.

– ***Ulsterbus,*** *☎ 71-26-22-61, • trans link.co.uk •* ***Bus Eireann,*** *☎ (00-353-74) 91-21-309 à Letterkenny, en Eire. • buseireann.ie •* ***Lough Swilly*** *à Derry : ☎ 71-26-20-17. • loughswilly busco.com •*

➢ ***De/vers Belfast :*** avec *Ulsterbus.* Ttes les 15-30 mn en sem 5h20-17h, puis ttes les heures jusqu'à 21h ; ttes les 30-60 mn le sam 7h-21h ; ttes les 60-90 mn le dim 8h-19h. Dans l'autre sens, en sem, départs 6h30-23h.

➢ ***De/vers la Chaussée des Géants :*** pas de trajet direct ; prendre le bus *(Ulsterbus)* pour Coleraine (6-7 bus/j. lun-ven, aucun sam, mais 1-2 bus le dim) et correspondance pour le site.

➢ ***De/vers le Sud :*** ttes les 30-60 mn pour Strabane et Omagh avec *Ulsterbus,* 7h10-21h15 ; un peu moins le sam et slt 5 le dim.

➢ ***De/vers Letterkenny, Donegal Town, Bundoran, Sligo et Galway :*** avec la compagnie *Bus Eireann,* 5-6 départs/j. jusqu'à Sligo, 3 bus pour Galway. Pour Letterkenny, env 8 départs lun-ven et 4 sam avec *Lough Swilly.*

➢ ***De/vers Buncrana et Inishowen :*** départs avec *Lough Swilly* ou *North West Busways (• foyle coaches.com •).* Attention, le dim, rien ne circule sf *Lough Swilly* et *Ulsterbus* pour Buncrana (4 et 2 bus respectivement).

➢ ***Pour Dublin*** *(via* ***Monaghan****)* ***:*** le *Goldline Express 274* d'*Ulsterbus* et *Bus Eireann* circule ttes les 2h, tlj 4h30-2h, via l'aéroport de Dublin ;

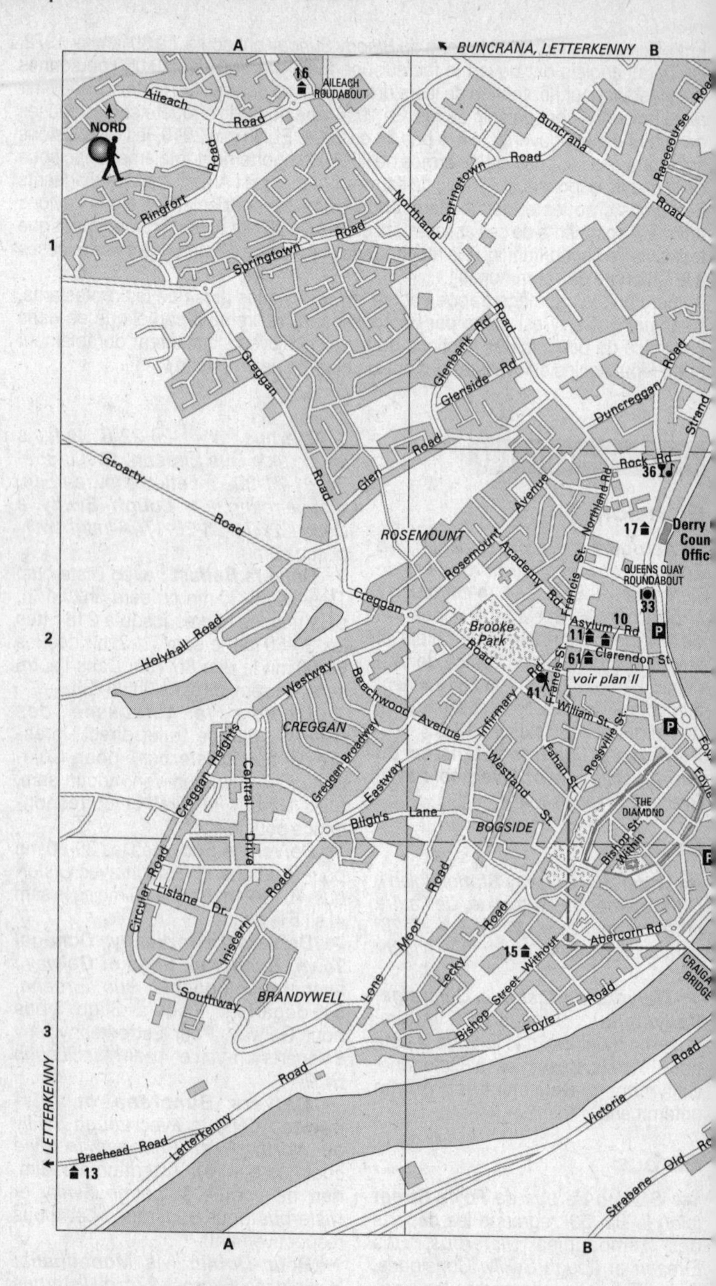
A
BUNCRANA, LETTERKENNY
B
16
AILEACH ROUDABOUT
Aileach
Road
NORD
Road
Ringfort
Buncrana
Road
Springtown
Racecourse
Road
Northland
Road
Springtown
1
Road
Glenbank Rd
Glenside Rd
Gregan
Duncreggan
Road
Strand
Groarty
Road
Road
Glen
Road
Rock Rd
36
Avenue
Northland Rd
17
Derry
Coun
Offic
ROSEMOUNT
Rosemount
Academy Rd
Francis St.
QUEENS QUAY ROUNDABOUT
33
Creggan
10
Asylum Rd
Brooke Park
11
Road
61
Clarendon St.
Holyhall Road
2
Westway
Rd
voir plan II
41
Francis St.
Beechwood
Avenue
William St.
Rossville St.
Infirmary
CREGGAN
Creggan Heights
Central
Creggan Broadway
Eastway
Westland
Fahan St.
THE DIAMOND
Bligh's Lane
St.
Bishop St. Within
BOGSIDE
Circular Road
Drive
Lislane Dr.
Road
Road
Road
Moor
Abercorn Rd
Iniscarn
15
Lecky
Without
Lone
Street
CRAIGA BRIDGE
Southway
BRANDYWELL
Bishop
Road
Foyle
3
Road
Road
Letterkenny
Victoria
LETTERKENNY
Braehead Road
13
Strabane Old
A
B

DERRY

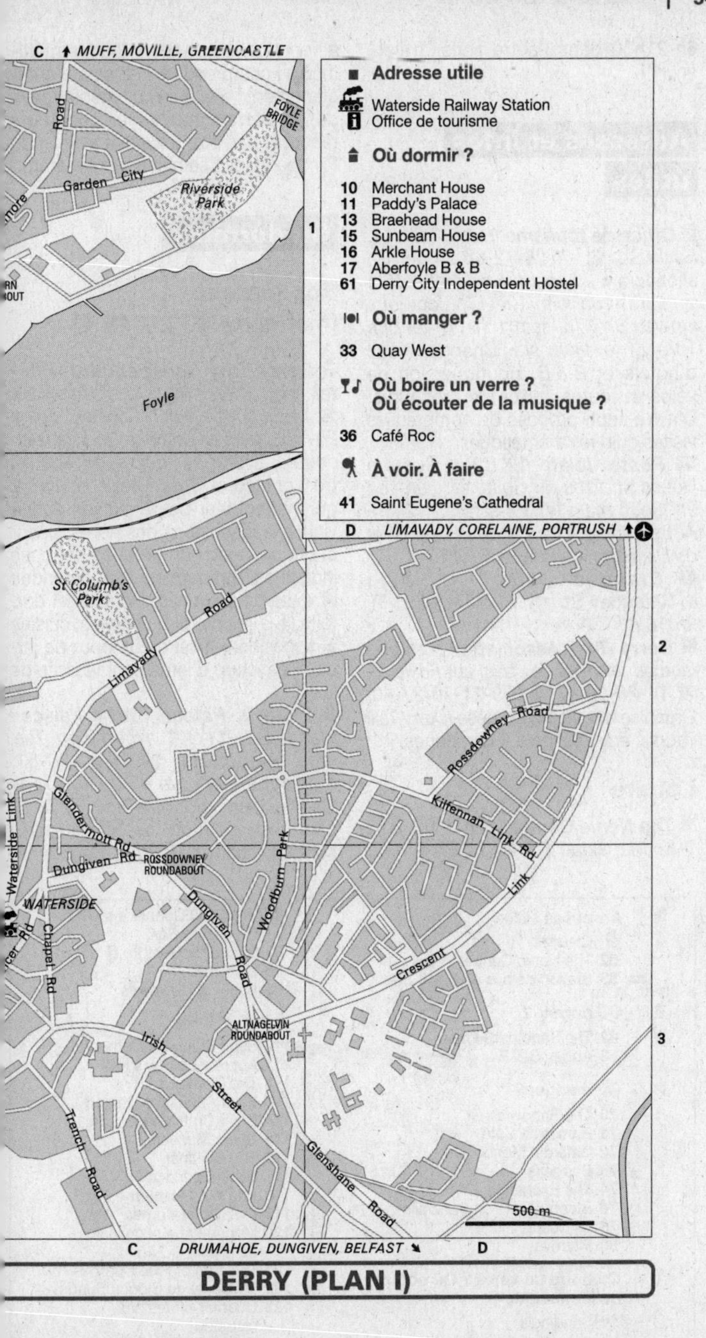
C ↑ MUFF, MOVILLE, GREENCASTLE
Adresse utile
Waterside Railway Station
Office de tourisme
Où dormir ?
10 Merchant House
11 Paddy's Palace
13 Braehead House
15 Sunbeam House
16 Arkle House
17 Aberfoyle B & B
61 Derry City Independent Hostel
Où manger ?
33 Quay West
Où boire un verre ?
Où écouter de la musique ?
36 Café Roc
À voir. À faire
41 Saint Eugene's Cathedral
D LIMAVADY, CORELAINE, PORTRUSH
FOYLE BRIDGE
Riverside Park
Garden City
Road
Foyle
St Columb's Park
Limavady Road
Rossdowney Road
Kilfennan Link Rd
Link
Crescent
Glendermott Rd
Dungiven Rd
ROSSDOWNEY ROUNDABOUT
Waterside Link
WATERSIDE
Chapel Rd
Dungiven Road
Woodburn Park
ALTNAGELVIN ROUNDABOUT
Irish Street
Trench Road
Glenshane Road
500 m
C DRUMAHOE, DUNGIVEN, BELFAST D
1
2
3

DERRY (PLAN I)

6h-21h30 dans l'autre sens. Trajet : env 4h.

Adresses et infos utiles

Office de tourisme *(plan I, B3) : 44, Foyle St. ☎ 71-26-72-84. • derryvisitor.com • Juil-sept, lun-ven 9h-19h, sam 10h-18h, dim 10h-17h ; oct-juin, lun-ven 9h-17h, sam 10h-17h (et dim 10h-16h avr-juin slt).* Change, résas d'hôtels et *B & B*, boutique, loc de vélos et toutes sortes de brochures. D'avr à sept, propose de nombreuses visites guidées thématiques.

✉ **Poste** *(plan II, B2) : Custom House St. Près du Guildhall. Lun-ven 9h (9h30 mar)-17h30, sam 9h-12h30. Autre bureau à l'angle de Bishop St et du Diamond (dans la vieille ville).*

@ **Claudes** *(plan II, B2) : 4, Shipquay St. ☎ 71-27-93-79. Tlj 9h-18h.*

■ **Derry Taxi Association :** *station face au terminal des bus, sur Foyle St. ☎ 71-26-02-47. 079-21-70-27-40.* Organise des visites guidées *(Derry Taxi Tours)* : env 25 £ pour 4 personnes.

Loisirs

■ **The Nerve Centre** *(plan II, B2, **52**) : 7-8, Magazine St. ☎ 71-26-05-62. • nerve-centre.org.uk •* Centre multimédia : comprend des studios d'enregistrement, ateliers multimédia, salle de concerts (groupes et chanteurs réputés), bar, etc. Excellent festival du Film pendant 1 semaine fin novembre.

Où dormir ?

Bon marché (moins de 40 £ / 48 €)

Derry City Independent Hostel *(plan I, B2, **61**) : 12, Princes St. ☎ 71-28-05-42. • derry-hostel.co.uk • Env 13 £/pers en dortoir et 16 £/pers en double, avec petit déj.* Accueil très chaleureux de Steve et Kylie, qui mettent leur petite maison conviviale à la disposition des hôtes. Décor exotique, aux nombreuses touches indiennes, atmosphère très détendue et routarde à souhait. Doubles et dortoirs (4-6 lits) plutôt bien tenus, cuisine à disposition, ainsi qu'un bout de jardin. Beaucoup d'infos pour la visite de la ville.

Paddy's Palace *(Derry Palace ; plan I, B2, **11**) : 1, Woodleigh Terrace, Asylum Rd. ☎ 71-30-90-51. • derrypalace.com • Dortoir env 11-16 £/pers, doubles env 30-36 £/pers, avec petit déj.* Le représentant local de *Paddy's Palace* est

■ Adresses utiles
- @ Claudes
- 52 The Nerve Centre
- 53 Station de bus de Foyle Street

Où dormir ?
- 62 The Saddler's House
- 63 Abbey B & B

Où manger ?
- 70 The Sandwich C°
- 71 Ramsey's Café
- 72 Café del Mondo
- 73 Badger's
- 74 The Exchange
- 76 Blooms Cafe on the Walls
- 78 La Sosta
- 80 Fitzroys

Où boire un verre ? Où écouter de la musique ?
- 91 Sandino's
- 92 Peadar O'Donnell's et The Gweedore Bar
- 93 Bound for Boston
- 95 Beckett's
- 96 Sugar at Downey's

À voir. À faire
- 110 Saint Columb's Cathedral
- 111 Apprentice Boy's Hall
- 112 The Diamond
- 113 Saint Augustine Church
- 114 Derry Craft Village
- 115 Tower Museum
- 116 The Guildhall
- 117 Waterloo Place
- 118 Harbour Museum
- 119 Free Derry Corner
- 120 Monument aux grévistes de la faim
- 121 Museum of Free Derry
- 122 Mémorial du Bloody Sunday
- 123 Quartier protestant historique

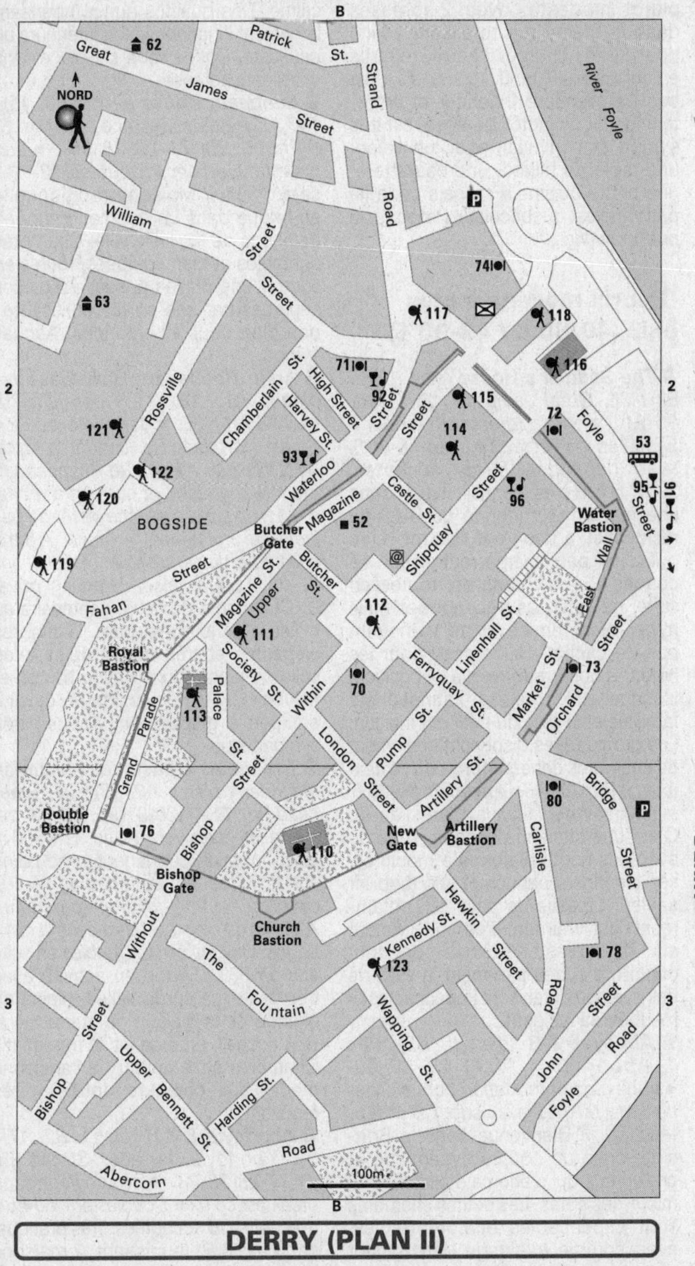

DERRY (PLAN II)

plutôt modeste, avec 2 adresses dans la même rue totalisant 28 lits pour l'une, 15 pour l'autre, répartis en dortoirs de 4 ou 6. Le lieu, s'il n'est pas de première fraîcheur et entretenu de façon plutôt aléatoire, est très sympa et convivial, avec un salon, une table de billard, une courette et une petite cuisine. Français parlé (la patronne est québécoise). Propose du *pub-crawling*.

De prix moyens à plus chic (40-80 £ / 48-96 €)

The Saddler's House *(plan II, B2, **62**) : 36, Great James St. ☎ 71-26-96-91. • thesaddlershouse.com • Fermé en janv et fév. Doubles 55-60 £, avec petit déj. Euros acceptés.* *B & B* très central, situé dans une maison victorienne du Bogside résidentiel, à deux pas des meilleurs pubs (on peut même rentrer sur les coudes !). Les chambres, toutes *en suite*, ne sont pas très grandes mais hyper bien tenues et ne manquent pas de cachet. Salon cosy pour les hôtes, et nombreux livres à disposition. L'accueil est excellent, l'atmosphère familiale et le pain du petit déj maison. Les propriétaires disposent également de chambres dans la ***Merchant House*** *(plan I, B2, **10** ; 16, Queen St ; 55-60 £, avec petit déj,)*, à 2 rues de là. C'est une ancienne banque, superbe avec ses hauts plafonds à moulures, ses planchers patinés et son mobilier ancien. La salle de petit déj, notamment, est vraiment très chic ! Quant aux chambres, certaines sont tout confort, d'autres partagent la salle de bains, mais toutes sont impeccables et meublées avec goût.

Abbey B & B *(plan II, B2, **63**) : 4, Abbey St. ☎ 71-27-90-00. • abbeyaccommodation.com • Doubles env 60-70 £ avec sdb. CB acceptées.* Bienvenue dans le Bogside, chez un couple dynamique et chaleureux qui s'efforce d'accueillir au mieux ses hôtes. Les petites chambres sont impeccables et confortables, avec comme avantage déterminant d'occuper une maison aux portes de la vieille ville... mais dans une rue calme. Des qualités qui compensent largement l'insonorisation intérieure un peu juste. *Coffee shop* sur place. Une excellente adresse.

Sunbeam House *(plan I, B3, **15**) : 147, Sunbeam Terrace, Bishop St Without. ☎ 71-26-36-06. • sunbeamhouse.com • Doubles 52-60 £ selon taille.* Maison traditionnelle en brique dans un quartier sympa, à deux pas de la vieille ville. Chambres agréables et bien équipées, toutes *en suite*. L'une d'elles possède 2 pièces séparées par une porte coulissante : bon plan pour 4 personnes. Accueil sympa.

Arkle House *(Mrs Sally Cassidy ; plan I, A1, **16**) : 2, Coshquin Rd. ☎ 71-27-11-56. • derryhotel.co.uk • Suivre Northland Rd jusqu'à la sortie de la ville ; au Aileach Rd Roundabout, prendre à gauche et aussitôt à droite, c'est tt de suite à gauche. Arrêt de bus juste au croisement en face. À 5 mn en voiture du centre-ville. Doubles env 55-65 £ selon saison. Parking privé.* Charmante demeure centenaire au milieu d'un joli petit parc. Chambres élégantes et très confortables avec salle de bains, dont 1 avec balcon et 2 avec bow-windows. Petite cuisine équipée à disposition. Accueil très sympathique.

Braehead House *(Mrs Maureen MacKean ; plan I, A3, **13**) : 22, Braehead Rd. ☎ 71-26-31-95. Du centre, suivre les quais vers le sud. Env 500 m après un mini-*roundabout *(rond-point) sur la route de Letterkenny (A 40), prendre la 1re à droite (panneau). À 10 mn du centre, et déjà dans la campagne. Ouv mars-oct. Doubles* en suite *env 55-60 £.* Ferme en activité avec très belle vue sur la vallée, pleine du charme de la maison de grand-mère. Bon accueil, arrangeant et très gentil. Chambres style country à l'ancienne mode, aux couleurs douces. Très reposant.

Aberfoyle B & B *(plan I, B2, **17**) : 33, Aberfoyle Terrace, Strand Rd. ☎ 71-28-33-33. • aberfoylebedandbreakfast.co.uk • Doubles env 60-65 £ avec sdb. CB acceptées.* Très pratique, car ce *B & B* réunissant 2 maisons contiguës est proche du centre (10 mn à pied) et offre une bonne capacité :

plus de 15 chambres pas trop grandes, simples, mais bien tenues. Cuisine à disposition. Copieux breakfast. Un inconvénient tout de même : l'avenue est très passante (demander à loger sur l'arrière).

Où manger ?

Bon marché (moins de 10 £ / 12 €)

I●I ***Café del Mondo*** *(plan II, B2,* ***72****)* **:** *2, Shipquay Pl. ☎ 71-37-09-89. Tlj 9h (10h dim)-18h. Env 4-6 £.* C'est le café bohème de Derry, évidemment multiculturel et privilégiant les produits issus du commerce équitable. Au final, c'est convivial, très cosy (pas mal de fauteuils pour palabrer), et on se régale de soupes, pizzas et salades vraiment bonnes. Tout est maison, même le pain !

I●I ***The Sandwich C°*** *(plan II, B2,* ***70****)* **:** *27, The Diamond. ☎ 71-37-25-00. Lun-sam 8h30-17h ; dim 11h-17h. Env 3-4 £.* Croissant ou pâtisserie au petit déj, bagel ou sandwich à composer soi-même le midi (énorme choix), la halte n'est pas très originale, mais c'est pratique et bon marché. Le cadre, tout en bois, est lumineux et agréable. Les mêmes ingrédients se déclinent aussi pour partie en *wraps* et paninis.

I●I ***Blooms Cafe on the Walls*** *(plan II, B3,* ***76****)* **:** *Bishop St, Verbal Arts Centre. ☎ 71-26-69-46. Lun-ven 9h-17h ; w-e 10h-15h.* Le centre d'art, accolé aux remparts, fait une halte toute désignée pour un rafraîchissement ou un en-cas au cours de la balade. On y accède directement depuis le Double Bastion. Le choix est limité à quelques sandwichs et une soupe du jour, mais on peut se contenter d'un gâteau et d'un café en terrasse, sur le chemin de ronde.

I●I ***Ramsey's Café*** *(Café Grianan, plan II, B2,* ***71****)* **:** *8, William St. Tlj 9h-1h45. Env 4-8 £. Specials as long as they last,* comme dit la serveuse... Ce fast-food à la déco fatiguée est la providence des petits budgets. Populaire en diable, copieux et large choix : petit déj servi toute la journée, *burgers, fish & chips*, omelettes, poulet à toutes les sauces, salades, etc. Basique mais roboratif.

De prix moyens à plus chic (10-30 £ / 12-36 €)

I●I ***Badger's*** *(plan II, B2,* ***73****)* **:** *16-18, Orchard St. ☎ 71-36-07-63. Lun-jeu 12h-19h ; ven-sam 12h-21h ; dim 12h-16h. Plats env 8-13 £.* Ce pub-brasserie très fréquenté sert des plats copieux, des sandwichs, et des *burgers* appétissants. Ne venez pas trop tard ou vous ne vous entendrez même plus mâcher, tant la foule est compacte et la bière généreuse.

I●I ***Fitzroys*** *(plan II, B3,* ***80****)* **:** *2-4, Bridge St. ☎ 71-26-62-11. Lun-sam 12h-21h30 (22h sam) ; dim 13h-21h. Le midi, plats env 6-10 £, et 10-20 £ le soir.* Un bistrot éclectique, un peu chic, *trendy* et relax à la fois. La cuisine, toute fraîche, est pleine de vitalité, avec de copieux sandwichs, du poulet à toutes les sauces, des notes méditerranéennes variées et de bons desserts.

I●I ***La Sosta*** *(plan II, B3,* ***78****)* **:** *45 A, Carlisle Rd. ☎ 71-37-48-17. Au fond d'une impasse. Mar-sam 18h-22h. Plats 10-20 £.* Cadre classique. Un restaurant italien réputé, à juste titre : pâtes, *saltimbocca* de veau, *risotto verde,* le tout de bonne tenue.

I●I ***The Exchange*** *(plan II, B2,* ***74****)* **:** *Exchange House, Queens Quay. ☎ 71-27-39-90. Lun-sam 12h-14h30, 17h30-22h ; dim 16h-21h30. Plats 12-20 £ (moins chers 17h30-19h).* Ce resto très couru, dont la salle, moderne et sobre, se déploie autour d'un bar tout en rondeur, attire une clientèle éclectique plutôt aisée. Viandes et bon choix de poissons présentés sans fioritures et gorgés de sauce... On apprécie la simplicité. Penser à commander au bar.

I●I ***Quay West*** *(plan I, B2,* ***33****)* **:** *28, Boating Club Lane. ☎ 71-37-09-77. Tlj 12h-22h (21h dim). Plats 12-22 £.* Viandes, poissons, quelques plats végétariens, bar à vins... L'ambiance est épurée et moderne, un tantinet branchée, avec 2 salles, dont 1 très lumineuse en mezzanine : les habitants de Derry apprécient. Bonne cuisine, mais service parfois distrait et cadre bruyant.

Où dormir ? Où manger dans les environs ?

Très chic

Beech Hill Country House Hotel : *32, Ardmore Rd.* ☎ *71-34-92-79.* • *beech-hill.com* • *À l'est de Derry, sur la route de Belfast (A 6). Indiqué juste avt Faughan Bridge, panneau à droite direction Ardmore, puis 1,5 km jusqu'à l'Ardmore Chapel et l'hôtel. Doubles à partir de 120 £, mais promos fréquentes sur Internet. Menu midi en sem ou* early evening *20-22 £ ; plus cher à la carte : plats 20-28 £ ; sinon* bar food *env 10-19 £.* Cette grande demeure de 1729, superbement meublée, s'étend au milieu d'un beau parc de 32 acres (oups, pardon : 12,9504 ha...) avec le bassin et la petite cascade de rigueur. À la réception, des photos immortalisent des hôtes prestigieux, tels que Kennedy et Clinton... Vastes chambres, un peu plus modernes dans la nouvelle aile, mais toutes pleines de charme et différentes (lit à baldaquin dans la suite nuptiale, salle de bains ouverte dans une autre !). Cuisine fort raffinée.

DERRY

Où boire un verre ? Où écouter de la musique ?

Il se passe toujours quelque chose dans Waterloo Street et dans les rues adjacentes. Atmosphère bien plus calme pendant les vacances universitaires.

Peadar O'Donnell's *(plan II, B2,* ***92****) : 59, Waterloo St.* ☎ *71-37-23-18. Tlj 11h30-1h (0h30 dim). Peadar O'Donnell's* est l'un des pubs les plus chaleureux, un vrai petit musée. Bric-à-brac insensé, on se croirait dans une épicerie de campagne. Sur les poutres, des trophées de guerre : écharpes et tambours orangistes... Excellente musique traditionnelle tous les soirs, toute l'année, avec une ambiance du tonnerre. C'est le seul dans Derry. Bon mélange de clientèle locale et de visiteurs.

The Gweedore Bar *(plan II, B2,* ***92****) : juste à côté. Tlj 16h30-1h30 (0h30 dim).* Décor nu, peu de sièges, quelques tonneaux pour poser les verres. Clientèle essentiellement étudiante. Bon tremplin pour les jeunes groupes de rock, sinon, ce sont les DJ's qui réchauffent l'ambiance dans le club à l'étage (tendance disco).

Sandino's *(hors plan II par B2,* ***91****) : Water St.* ☎ *71-30-92-97. Tlj 11h30-1h (minuit dim).* Un de nos bistrots favoris. Clientèle margeo, artiste et gauche radicale. À voir la déco *roots* et les nombreux portraits de Sandino, Zapata et du Che, on s'en serait douté ! Belle atmosphère conviviale. Concerts « garantis » les vendredis, plus irrégulièrement le week-end (ou DJ's). Groupes basques, australiens, bluesmen américains, rockers de tous horizons, il en tombe de partout !

Beckett's *(plan II, B2,* ***95****) : 44, Foyle St.* ☎ *71-36-00-66.* Un pub classique très apprécié par les locaux. Souvent animé, avec différents styles de musique du mercredi au samedi (salsa le jeudi).

Café Roc *(plan I, B2,* ***36****) : Strand Rd.* ☎ *71-36-05-56. Dans le quartier de l'université.* Immense pub étudiant. Plein à craquer le week-end et soirées d'enfer. À l'étage, la discothèque *Earth*.

Bound for Boston *(plan II, B2,* ***93****) : 27-31, Waterloo St.* ☎ *71-27-13-15. Tlj 12h-1h.* Le *B4B* (pour les intimes) attire beaucoup d'étudiants grâce à son billard, ses retransmissions de matchs et ses concerts mettant en scène des groupes locaux qui montent. Petit plus : un *beer garden* à l'arrière.

Sugar at Downey's *(plan II, B2,* ***96****) : 31, Shipquay St.* ☎ *71-26-60-17. Mer-dim 22h-2h. Downey's,* c'est un genre de complexe : il regroupe un pub, un *sports bar,* et surtout un *night club* qui marche fort (le *Sugar*) auprès des étudiants.

À voir. À faire

Se garer dans la vieille ville est difficile. Mais quelques parkings (chers) à proximité en rendent l'accès plus facile (voir plans).

La vieille ville et les remparts : construits de 1613 à 1618. Le seul exemple d'enceinte fortifiée complète en Irlande (1,5 km). Les murailles, percées de sept portes et entrecoupées d'imposants bastions, furent occupées jusqu'en 1994 par les soldats britanniques. Elles livrent tout du long d'intéressants aspects de la ville. Si on y accède par Butcher's Gate, aller vers la gauche pour le panorama sur le Bogside. À la hauteur de la Saint Augustine Church (voir ci-dessous), le rempart s'élargit jusqu'à 12 m. Lieu de promenade favori de la bourgeoisie et endroit traditionnel pour les parades militaires *(Grand Parade)*. Tiens, un gros socle tout vide juché sur un minibastion... Il supportait une immense colonne avec la statue du gouverneur Walker qui dirigea la défense de la ville lors du siège de 1689. Dominant le catholique et rebelle *Bogside,* ce symbole quelque peu provocateur de la domination britannique fut rectifié par l'IRA en 1973 (l'exploit fut d'ailleurs salué par tous quand on songe que l'armée anglaise occupait tous les remparts à l'époque !).

***Saint Augustine Church** (plan II, B2, **113**) : ouv juin-août 10h-16h.* Cette mignonne petite église est entourée d'un vénérable et intime cimetière. Elle a été édifiée en 1872 à l'emplacement d'un monastère remontant au VIe s.

***Saint Columb's Cathedral** (plan II, B3, **110**) : London St. ☎ 71-26-73-13. Lun-sam 9h-17h (16h nov-mars). Entrée pour la Chapter House : 1 £.* Édifiée en 1633 dans un style gothique tardif (le chœur et la flèche sont du XIXe s), Saint Columb's est la première cathédrale protestante construite en Irlande. Le lien étroit établi par les loyalistes avec Londres est symbolisé par le texte inscrit sur une pierre du porche : « *If stones could speak...* ». Sous ce porche également, un boulet de canon de 120 kg... Souvenir du 10 juillet 1689 envoyé par l'armée catholique assiégeante de Jacques II ; il contenait les conditions de la capitulation de la ville et vint s'écraser dans le cimetière. La réponse ne se fit pas attendre : « *No surrender* », et cette déclaration fut reprise maintes fois depuis.
La *Chapter House* renferme quelques témoignages de cette époque, dont les cadenas et les clés des quatre portes de la ville. Dans le chœur, les beaux vitraux voisinent avec deux drapeaux des Bourbons, pris aux Français durant le siège (ils prêtaient main-forte à Jacques II). Attardez-vous également sur les 169 différents motifs sculptés à chaque extrémité des bancs, et le siège de l'évêque Harvey, qui aurait coûté une petite fortune. Voilà un évêque qui n'avait pas froid aux yeux : en 1790, dit-on, il fit construire un pont en bois à la hauteur de l'actuel Craigavon Bridge afin de rendre visite plus vite à sa maîtresse...
Tout autour s'étend un cimetière aux tombes très anciennes. Curieusement, beaucoup de pierres sont à plat dans l'herbe : c'est le déluge de boulets qui les coucha, lors du siège de 1689, et elles ne furent jamais relevées.

***Apprentice Boy's Hall** (plan II, B2, **111**) : 13, Society St. Juin-sept, lun-ven 10h-17h. Entrée : 2 £.* L'édifice renferme les salles de réunions des ordres loyalistes ainsi qu'un petit musée qui honore la mémoire des 13 apprentis qui fermèrent les portes de la ville à l'arrivée de l'armée de Jacques II le 7 décembre 1688. L'événement y est commémoré chaque 12 août. Juste à côté, dans Magazine Street, la *First Derry Presbyterian Church* date du XVIIIe s, avec une grandiloquente façade de 1903 à piliers avec chapiteaux et pilastres corinthiens.

***The Diamond** (plan II, B2, **112**) :* le centre de la vieille ville, avec son pompeux *War Memorial.* De Bishop's Gate au Diamond, on passe d'abord sous l'*arc de triomphe* élevé en 1790. Puis on longe la *Court House* (1830), très néoclassique. En face, le *Bishop's Palace.* De la place descend Shipquay Street (appelée en hiver

« Slipquay Street », quand elle se transforme en patinoire) jusqu'à la Shipquay Gate.

Derry Craft Village *(plan II, B2,* ***114****) : entrée par Shipquay St ou Magazine St.* Ce petit centre commercial et artisanal occupe un ensemble de maisons ouvrières joliment rénovées. Une chaumière du Donegal a même été remontée. On y boit, on y mange (bons sandwichs et soupes du jour au *Boston Tea Party*), et, l'été, les bancs de la petite place centrale sont pris d'assaut.

Tower Museum *(plan II, B2,* ***115****) : dans la tour O'Doherty, Union Hall Pl, en bas de Magazine St. ☎ 71-37-24-11. Juil-août, lun-sam 10h-17h, dim 11h-15h ; le reste de l'année, mar-sam 10h-17h. Entrée : 4,20 £.*
Ce beau musée, consacré à l'histoire de Derry de la préhistoire à nos jours, met en scène chaque période en mêlant expositions d'objets traditionnels, vidéos et reconstitutions de scènes historiques. Vous commencerez par les vestiges néolithiques, dont un bateau creusé dans un tronc. Un film sur la construction des remparts précède la partie concernant le siège de la ville en 1689, où l'on peut voir une copie d'un mannequin de Robert Lundy. Ce gouverneur prônait la reddition devant les catholiques de Jacques II. Considéré comme un ignoble traître, sa caricature est brûlée chaque année par les loyalistes, le 12 août.
Les sections suivantes se consacrent à l'édification de la ville georgienne après le siège, la Grande Famine et l'émigration vers l'Amérique, l'industrialisation du port et ses activités (chantiers navals, manufactures de chemises et draps). La douloureuse naissance de l'Irlande indépendante est explorée en détail, notamment toutes les occasions manquées. Après la projection d'un film sur le conflit en Irlande du Nord, la visite se termine sur une note optimiste, avec une présentation du Derry d'aujourd'hui, ses réalisations et ses espoirs.
Une section séparée est consacrée à *La Trinidad Valencera,* un grand vaisseau espagnol qui a sombré dans la baie de Kinnagoe en 1588, alors que l'Invincible Armada (qui ne l'était pas tant que ça) tentait de regagner la mère patrie en contournant l'Irlande... Les objets remontés, dont un grand canon de bronze, sont joliment exposés sur quatre des étages de la tour.

The Guildhall *(plan II, B2,* ***116****) : face à la Shipquay Gate. ☎ 71-37-73-35. Lun-ven 9h-17h. Visites guidées gratuites en été (sur demande).* Un curieux monument de style gothique, mais qui date de... 1887. Presque immédiatement parti en fumée lors d'un incendie, il rouvrit en 1912. Il abrite toujours le siège du conseil municipal. Vitraux superbes. Le bâtiment a été pris pour cible par l'IRA à deux reprises. La dernière bombe a été posée par un activiste condamné pour cet acte... et plus tard élu conseiller ! De 2000 à 2004, le Guildhall a accueilli l'enquête officielle sur le *Bloody Sunday.* Une tribune était réservée au public pour qu'il puisse suivre les débats.

Harbour Museum *(plan II, B2,* ***118****) : Harbour Sq. ☎ 71-37-73-31. Lun-ven 10h-13h, 14h-17h. Entrée gratuite.* Ce tout petit musée, au rez-de-chaussée du bâtiment des autorités portuaires, se résume à une unique salle fourre-tout où s'entassent de vieilles choses façon cabinet de curiosités : barque du XVe s, maquettes, œufs peints ou gravés d'Australie, cailloux et fossiles divers... La pièce centrale est constituée par le plus grand *curragh* jamais construit (en 1963), pour commémorer le voyage en 563 de saint Colomba à l'île de Iona (Écosse).

Waterloo Place *(plan II, B2,* ***117****) : en bas de Waterloo St.* Pendant la Grande Famine, elle était appelée *Sorrow Square* (place de la Peine), car ils étaient des centaines de milliers à dire adieu à leur famille pour rejoindre les quais de la Foyle, d'où ils embarquaient pour l'Amérique dans les *coffin boats* (bateaux-cercueils).

➢ La visite de la vieille ville achevée, offrez-vous une incursion dans les quartiers périphériques – et surtout dans le ***Bogside,*** où naquit le Free Derry. En sortant par la Butcher's Gate, Fahan Street descend rapidement vers le cœur du quartier catholique. En arrivant en bas de la route, côté gauche, une stèle rend hommage à Sean Keenan (1914-1993), figure emblématique du *Bogside*. Volontaire de l'IRA, emprisonné 15 ans sans jugement, il fut aussi un grand défenseur du gaélique.

Free Derry Corner *(plan II, B2, **119**)* **:** *33, Lecky Rd.* Le pan de mur en demi-lune porte encore fièrement l'inscription : « *You are now entering Free Derry.* » Les soldats de Sa Majesté y jetaient autrefois des seaux de peinture lors de leurs patrouilles, mais c'est désormais un véritable monument public, que les Anglais n'osent plus toucher. Face à vous, les murs se font l'expression de la colère républicaine ; les fresques sont l'œuvre de trois peintres du quartier, baptisés *Bogside Artists.* Leitmotivs immuables : une scène montre Bernadette Devlin au mégaphone, la pasionaria du Bogside, élue au parlement de Stormont à 21 ans avant de rejoindre les barricades du Free Derry... Et, dans la rue qui part derrière, un peu pour faire plaisir aux touristes, un similipanneau routier montrant un homme portant une mitraillette ! De l'autre côté, voilà une peinture du *Bloody Sunday,* l'une des préférées des gens du quartier, dit-on, montrant un gamin au masque à gaz, cocktail Molotov à la main. Plus loin vers le nord, sur Rossville Street, d'autres fresques, d'autres manifestes *(« Kill all of them »)* se dessinent – et, au milieu, note d'espoir, une grande colombe multicolore.

■ ***Bogside Artists Tours :*** The People's Gallery, *46, William St.* ☎ *71-37-38-42.* ● *bogsideartists.com* ● *Sur résa tte l'année ; durée env 1h30. Prix : 5 £.* Pour ceux qui veulent en savoir plus sur les fresques : ces visites sont carrément organisées par les artistes !

Le monument aux grévistes de la faim *(plan II, B2, **120**)* **:** *Free Derry Corner.* Au centre de la place, ce grand H de granit, référence au H Block, où moururent les 10 grévistes de la faim républicains de 1981, a été inauguré en 2001. Aux noms de Bobby Sands et de ses camarades sont associés ceux des autres grands grévistes de la faim de l'histoire irlandaise, dont Terence McSwiney, maire de Cork mort au bout de 72 jours, en 1920, dans une prison londonienne. Belle phrase de Bobby Sands à méditer : « *Let our revenge be the laughter of our children* » (« Les rires de nos enfants seront notre vengeance »).

Le mémorial du Bloody Sunday *(plan II, B2, **122**)* **:** *30 m plus au nord, sur Rossville St.* Dédié aux 14 manifestants assassinés par les paras anglais le 30 janvier 1972. Derrière se dressait la caserne des RUC, avec son mirador et son pylône hérissé d'antennes et de caméras pointées sur les maisons et l'école voisines.

Museum of Free Derry *(plan II, B2, **121**)* **:** *55, Glenfada Park.* ☎ *71-36-08-80.* ● *museumoffreederry.org* ● *Ouv lun-ven 9h30-16h30, sam 13h-16h (avr-sept), dim 13h-16h (juil-sept) ; en hiver, slt le w-e. Entrée : 3 £. Brochure en français.* Ce musée émouvant retrace l'histoire de la lutte pour les droits civiques de la communauté catholique. La naissance du quartier, les marches pacifiques, la bataille du Bogside, le *Bloody Sunday,* chaque étape importante est mise en lumière à travers textes, photos, images et bandes-son d'archives – à consulter librement sur ordinateur. Plus loin sont exposées les croix aux noms des 14 victimes du *Bloody Sunday,* portées par leurs proches lors des commémorations annuelles. Les vitrines voisines exposent les vêtements maculés de sang ou troués par les balles... ainsi que l'ancien et le nouveau rapport publiés à l'issue des enquêtes sur les événements. Des questions ? N'hésitez pas : les gardiens du temple ont pour la plupart une histoire personnelle à raconter.

■ ***Free Derry Tour :*** *128, Lecky Rd.* 📱 *077-93-28-59-72.* ● *freederry.net* ● *Sur résa tte l'année, à 10h et 14h ; durée env 1h30. Prix : 5 £.* Joint ticket *6 £, musée et tour.* Nés d'une initiative communautaire du Bogside, ces *walking tours* sont un bon complément aux visites de l'office de tourisme. Accompagné d'un guide qui a grandi dans le quartier, vous prendrez conscience du terreau sur lequel a germé la révolte et s'est construit le « Free Derry ».

Saint Eugene's Cathedral *(plan I, B2, **41**) : entrée sur Saint Francis St. En été, tlj 7h-21h ; hors saison, tlj 9h-20h30.* Éloignée de la vieille ville, car toute église catholique était interdite à l'intérieur des remparts ! Tous les soirs à 21h, *The Curfew Bell* rappelle qu'au temps des lois pénales les catholiques étaient soumis au couvre-feu à partir de cette heure-là.

Le quartier protestant historique *(plan II, B3, **123**)* **:** appelé **The Fountain**. De la ville close, accès par New Gate. Au passage, par London Street, on croise les *Cathedral National Schools,* élégant édifice de 1891 en brique rouge de style gothico-roman. Passé la New Gate, on note de suite que l'on pénètre dans un bastion loyaliste grâce aux bordures de trottoir peintes en bleu, blanc, rouge (les couleurs de l'Union Jack). À gauche se dresse l'*Old Fire Brigade,* la première caserne de pompiers à Derry. Prenez la deuxième à droite, Fountain Street. À l'angle de Wapping Street, côté gauche, sur un pignon de maison, une fresque représente le président américain Theodore Roosevelt, originaire d'Ulster. La plupart des célèbres fresques loyalistes ont cependant disparu.

Fêtes et manifestations

– ***Festival de Jazz de Derry :*** *fin avr, début mai pdt 4 j.* ☎ *71-37-65-45.* ● *cityofderryjazzfestival.com* ● Investit les théâtres, hôtels, restos et bars de la ville.
– Chaque année, le 12 août, la ***levée du Grand Siège*** est commémorée par les « apprentis » (nouveaux adhérents) de l'ordre d'Orange (violemment anticatholique). La commémoration a souvent lieu le samedi précédant (ou suivant) le 12.
– Fin octobre a lieu la plus grande fête d'***Halloween*** en Irlande.

LE NORD-EST : CÔTES ET *GLENS* (VALLÉES)

GIANT'S CAUSEWAY (LA CHAUSSÉE DES GÉANTS) ET LA CÔTE NORD

IND. TÉL. : 028

D'origine volcanique et vieille de plusieurs dizaines de millions d'années, la Chaussée des Géants est une impressionnante curiosité naturelle inscrite au Patrimoine mondial de l'Unesco depuis 1987. C'est au refroidissement rapide de coulées de laves basaltiques qu'on doit la formation de ces quelque 40 000 colonnes. De formes polygonales et principalement hexagonales, elles s'agglutinent en blocs compacts, forment des escaliers et même un amphithéâtre à gradins. Exactement ajustées, elles ne laissent entre elles aucun interstice. La régularité de leur disposition est par endroits si parfaite qu'elle semble avoir été artificiellement provoquée... Voilà pourquoi, on a longtemps attribué à ce paysage une origine surnaturelle.
Dépendant du comté de Derry puis de celui d'Antrim à partir de Portrush, la côte septentrionale d'Irlande du Nord ne se limite toutefois pas à une seule merveille de la nature. De Magilligan Point à Carrick-a-Rede, points de vue impressionnants, châteaux en équilibre précaire sur les falaises, plages immenses et souvent sauvages composent un tableau vivant dont l'image risque de se fixer longtemps sur votre rétine. En plus, les possibilités d'hébergement sont multiples et très variées.

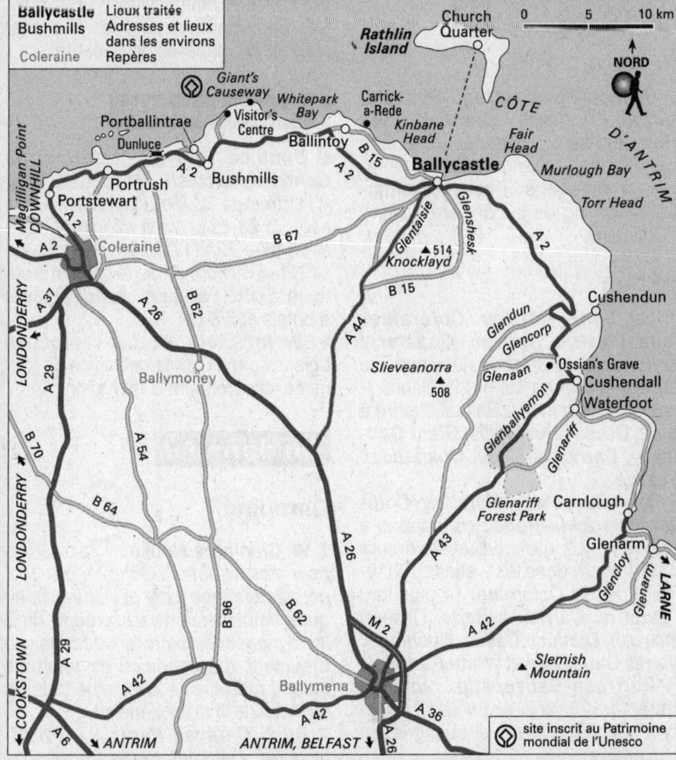

GIANT'S CAUSEWAY ET LA CÔTE D'ANTRIM

UN PEU DE LÉGENDE ET D'HISTOIRE

La légende attribue la construction de la Chaussée à Finn McCool, un géant irlandais qui voulait passer en Écosse à pied sec pour défier son homologue local. Mais quand Finn vit la stature de son rival, il opta pour une tactique moins directe... Il construisit un berceau à sa taille et se fit vêtir de langes par son épouse, qui présenta le « bébé » à l'Écossais comme étant le fils de Finn. Imaginant ce que pouvait être la taille du père, l'Écossais ne demanda pas son reste... mais prit la précaution de détruire la Chaussée en partant. Des scientifiques dénués de poésie ont bien une autre explication, mais cela ne gâche en rien la beauté du plus célèbre site d'Irlande du Nord ni de la spectaculaire côte qui l'entoure...

Plus grand bâtiment de l'Invincible Armada dépêchée par Philippe II d'Espagne contre l'Angleterre, la *Girona* fait route vers l'Écosse en octobre 1588. Alourdie par les quelque 800 rescapés de deux naufrages précédents, elle sombre à son tour au large de la Chaussée des Géants. Seuls 9 passagers sur 1 300 survivront... Une partie des découvertes faites en 1968 sur l'épave est exposée à l'Ulster Museum de Belfast.

Arriver – Quitter

En train

➢ ***Belfast (Great Victoria Street et Central) - Portrush - Derry*** *via* ***Coleraine :*** lun-sam 7-8 trains/j., 5 le dim. Pour Portrush, changement systématique à Coleraine. Paysage remarquable le long de la côte entre Derry et Coleraine.

En bus

➢ ***La ligne côtière Coleraine-Belfast/Larne (Antrim Coaster) :*** service 252 d'*Ulsterbus.* Lun-sam tte l'année, et dim en été slt, 2 liaisons/j., l'une avec terminus à Belfast, l'autre à Larne. Dessert ***Bushmills, Giant Causeway, Carrick-a-Rede, Cushendall*** et ***Larne.***

➢ ***The Causeway Rambler/Coleraine-Carrick-a-Rede :*** correspond à la ligne n° 402 d'*Ulsterbus.* Juin-sept slt, tlj 1 bus/h dans les 2 sens ; 10h10-17h10 depuis ***Coleraine,*** 1h plus tard à partir de ***Carrick-a-Rede.*** Dessert ***Portrush, Dunluce Castle, Bushmills, Giant's Causeway*** et ***White Park Bay.***

➢ **Portrush-Ballycastle :** lun-ven 1 direct/j., 2/j. le w-e. En sem, 5 liaisons supplémentaires si changement à Coleraine.

En ferry

➢ ***Magilligan Point-Greencastle (Inishowen, comté de Donegal) :*** *☎ (+353) 74-93-81-901. ● loughfoyleferry.com ●* Avr-août, 9h-19h env, 1 départ/h dans les 2 sens ; printemps et automne, le w-e slt. Tarif aller simple : piéton 2,50 £, voiture 10 £ (chauffeurs et passagers non compris). Trajet : 10 mn. Économise presque 80 km de route si on ne repasse pas par Derry. Voir aussi « La péninsule d'Inishowen ».

Se repérer

60 km séparent Magilligan Point de Ballycastle. Nos adresses et sites à voir se répartissent sur l'ensemble de la côte, tout en se concentrant sur les principales agglomérations : station balnéaire de Portrush, gros village de Bushmills et petit village de Ballintoy. Ces deux derniers sont les plus proches de la Chaussée des Géants.

Adresses utiles

ℹ ***Dunluce Portrush Information Centre : Portrush.*** *☎ 70-82-33-33. À l'entrée de la ville. Ouv de mi-juin à août, tlj 9h-19h. Avr à mi-juin et sept, tlj 9h (w-e 12h)-17h. Mars et oct, w-e slt 12h-17h. Fermé nov-fév.* Informe sur toute la côte. Fait aussi change et résas d'hôtels et *B & B.*

– ***Site Internet :*** *● causewaycoastandglens.com ●* Ce site de l'office de tourisme, couvre toute cette région.

Où dormir ?

Camping

⛺ 🍽 ***Glenmore House :*** *voir plus bas pour plus de détails. Compter env 14 £ pour 2 pers avec tente et voiture.* Quelques emplacements seulement, mais les dynamiques patrons de la maison prévoient d'agrandir. Bloc sanitaire récent, machines à laver, plus tous les services de la maison mère !

⛺ ***Bush Caravan Park :*** *97, Priestland Rd. Dans les terres, proche de l'intersection des B 62 et B 17, à 5 km au sud-ouest de Bushmills. ☎ 20-73-16-78. ● bushcaravanpark.com ● Arrêt de bus juste en face. Ouv avr-sept. Compter 20 £ pour 2 avec tente et voiture.* Petit camping familial et doté de l'essentiel : gazon pour planter, sanitaires corrects, douches chaudes gratuites et machines à laver. Fréquenté principalement par des camping-cars et caravanes, c'est néanmoins le seul, à part *Glenmore House,* qui accepte encore les tentes dans le coin. Pourvu que ça dure !

Bon marché à prix moyens (moins de 50 £ / 60 €)

🏠 ***Downhill Hostel :*** *12, Mussenden Rd,* ***Downhill.*** *☎ 70-84-90-77. ● downhillhostel.com ● ♿ Sur la route côtière Coleraine-Limavady (A 2). Bus n° 134 (arrêt à 100 m), sf dim. Train,* *arrêt à Castlerock. Tt près également de l'Ulster Way. Ouv tte l'année. Résa conseillée, même en hiver. En dortoir, compter 15 £/pers ; double 45 £ (10 £/ pers supplémentaire, max 4 pers). Petit déj non compris.* Jouissant d'une vue fantastique sur la mer, pile en face, voici un *hostel* de charme, peut-être le meilleur d'Irlande du Nord ! La grande demeure victorienne modernisée abrite 2 dortoirs de 7 lits à l'étage et 4 chambres sous les toits, pouvant loger confortablement 3 adultes ou une famille avec 2 enfants (prévenir alors à l'avance). Salle de bains à partager. Cuisine équipée, salle à manger et un salon avec cheminée qu'il est bien difficile de quitter attendent leurs hôtes. Quant aux activités, tout le monde trouvera son compte : peinture sur poterie, balades extra de Mussenden ou Binevenagh, cours de surf ou de char à voile... Accueil absolument charmant.

Whitepark Bay Hostel : *157, Whitepark Rd,* **Ballintoy.** ☎ *20-73-17-45.* • *hini.org.uk* • *13 km à l'ouest de Ballycastle, sur le trajet des bus nos 172 et 252 – arrêt sur demande. Ouv avr-sept slt. Réception fermée 11h-17h (14h juil-août) et à partir de 21h30. En dortoir, compter 18 £/pers ; double avec sdb 42 £. Petit déj non compris (proposé en sus en hte saison).* Superbement située en surplomb de la plage de sable blanc de *Whitepark Bay* et sur le chemin du *North Antrim Cliff Path* (rubrique « À voir »), il s'agit d'une AJ officielle, moderne et impeccable. 4 doubles (TV, bouilloire, thé et café, etc.) et une dizaine de dortoirs colorés de 4 ou 6 lits. Grande cuisine (prévoir son ravitaillement, pas d'épicerie dans le coin), salon commun avec cheminée, machines à laver. Suggestion : flâner le long de l'océan jusqu'à Port Ballintoy (à 2 km à l'est), un petit port de carte postale. À vos jumelles : on peut voir des macareux !

Sheep Island View : *42 A, Main St,* **Ballintoy.** ☎ *20-76-93-91.* • *sheepislandview.com* • *Ouv tte l'année. Selon saison, dortoir (3-6 lits) 15-20 £/ pers ; doubles avec sdb, 35-50 £. Petit déj non compris.* Repéré par une amusante « routarde », cette AJ privée est assez pimpante. Possibilité d'arranger les chambres en familiales. Vaste cuisine commune et machines à laver à disposition. Si nécessaire, service gratuit de pick-up de Ballycastle à Bushmills. Bonus : le sourire des proprios, Josie et Seamus.

Bushmills Hostel : *49, Main St,* **Bushmills.** ☎ *20-73-12-22.* • *hini.org.uk* • *Arrêt de bus à 50 m. Entrée par un portail. Mars-oct ouv tlj ; le reste de l'année w-e slt ; fermé 23 déc-3 janv. Réception fermée 11h-17h (14h juil-août). Compter 17,50-20,50 £/pers selon type d'hébergement, sdb à l'intérieur dans ts les cas. payant.* AJ moderne, bien organisée et très propre, elle compte 80 lits répartis en chambres et dortoirs de 6 lits maximum. Nombre d'options sont arrangées en mezzanine, comme les familiales avec 1 lit double en bas et 2 simples en haut. Avis aux amateurs quand même : il n'y a qu'une double et c'est une *twin.* Cuisine bien équipée, jardin avec espace barbecue, machines à laver et cybercafé.

Prix moyens (40-60 £ / 48-72 €)

Valley View Country House Accommodation : *6 A, Ballyclough Rd ; à env 8 km au sud de Bushmills.* ☎ *20-74-16-08.* • *valleyviewbushmills.com* • *Sur la B 17 en direction de Coleraine, bifurquer sur la gauche 500 m après la station-service* Maxol, *c'est à 5 km. Fermé à Noël et au Nouvel An. Double avec sdb 60 £.* Belle maison au calme, construite spécifiquement, avec 7 chambres superbes, très grandes et très bien équipées ; certaines peuvent accueillir des familles avec plusieurs enfants. Accueil très chaleureux de Valerie McFall. Petit déj copieux.

The Tramway : *4, Tramway Drive,* **Bushmills.** ☎ *20-73-23-35.* • *tramwayretreatuk@gmail.com* • *Sur la gauche de la grande route (A 2), à l'entrée de Bushmills en venant de Portrush). Dans un quartier résidentiel, proche du départ du « Tram » (voir « La Chaussée des Géants »). Double avec sdb et* full Irish breakfeast *env 60 £. CB refusées.* Géré par un couple très sympathique, le *Tramway* dispose juste de 2 petites chambres agréables, très bien tenues et équipées, dans un genre très *homestyle*. Petits déj pantagruéliques. Passionné de courses d'attelages, Clyde, le mari, peut vous offrir une petite balade en charrette si le cœur vous en dit.

Ballintoy House *(Mrs Rita McFall) : 9, Main St,* **Ballintoy.** *☎ et fax : 20-76-23-17. Ouv tte l'année. Double avec sdb env 50 £ ; petit déj compris.* Vieille maison de 1737, modernisée il y a quelques années. Ses 5 chambres comptent parmi les moins chères de la côte. Très bon accueil de la part de Rita and Tony. Agréable jardin.

Lismar B & B : *26, Castlecat Rd,* **Bushmills.** *☎ 20-73-21-37. • lismarbandb.com • À env 300 m de la distillerie. Double avec sdb 60 £.* Derrière sa façade de pierre grise, ce pavillon moderne cache un intérieur tout en bois clair et dégradés de blancs. Les chambres avec fauteuil, bureau ou coiffeuse, bouilloire et TV sont lumineuses et douillettes. Hugh et Margaret Graham réservent à leurs hôtes un excellent accueil et de bons tuyaux pour explorer la région. Une adresse impeccable.

Brown's Country House : *174, Ballybogey Rd (B 62). ☎ 20-73-27-77 ou 20-73-16-27. • brownscountryhouse.co.uk • Dans les terres, à équidistance (env 4 km) de Portrush et Bushmills. Résa conseillée. Double avec sdb 60 £, petit déj compris. Fermé nov-fév.* Chambres coquettes aux coordonnés de couleurs soignés. Toutes de taille généreuse à une exception près, certaines sont équipées de douche et baignoire. Vaste salon vitré sur l'arrière. Accueil aux petits oignons de la proprio.

De chic à très chic (plus de 60 £ / 72 €)

Glenmore House : *94, Whitepark Rd,* **Ballintoy.** *☎ 20-76-35-84. • glenmore.biz • À 2 km de Ballintoy, sur la route de Ballycastle (B 15). Ouv tte l'année. Double avec sdb et petit déj env 65 £. Plats 5-20 £. CB acceptées (majoration de 3 %).* Un véritable « tout en un », produit d'une petite entreprise dynamique ! À savoir 11 chambres bien meublées et équipées, sans énorme cachet mais « claires et nettes » ainsi que spacieuses pour la plupart, un camping adjacent (voir plus haut), un resto, un bar où les filles de la famille donnent des concerts de musique traditionnelle et même un étang de pêche, d'où proviennent les truites du menu... Monsieur et Madame, de vrais régionaux, n'ont pas eu à faire plus de 1 km pour se rencontrer et s'installer ici. On s'amusera des règlements, rappelant avec insistance les interdictions de fumer et de boire, là où c'est de mise, pour constater que cette *house* est véritablement familiale, bien tenue et calme quand il le faut.

Whitepark House : *150, Whitepark Rd,* **Ballintoy.** *☎ 20-73-14-82. • whiteparkhouse.com • Au niveau de Whitepark Bay, sur l'A 2. Résa conseillée en été. Double avec sdb et petit déj 110 £. CB acceptées (majoration de 5 %).* La demeure, bâtie en 1734, possède un charme que peuvent lui envier tous les autres *B & B* du coin. À peine arrivé, vous voilà assis devant la cheminée, une tasse de thé à la main. Bob, le propriétaire absolument charmant, collectionne les prix bien mérités et pourra vous indiquer des coins méconnus à explorer. Superbes chambres confortables côté mer ou jardin et déco raffinée, mêlant style *Countryside British* et touches exotiques. Pas d'option familiale. Petit déj mémorable dans le jardin d'hiver.

Adelphi Guest House : *67-71, Main St,* **Portrush.** *☎ 70-82-55-44. • adelphiportrush.com • Selon saison et type, compter 65-105 £ pour une double et 145-175 £ pour une familiale. Petit déj compris.* Plus hôtel que maison d'hôtes, l'*Adelphi* regroupe une trentaine de chambres dans une demeure victorienne entièrement remodelée, avec ascenseur. Les doubles 1er prix sont plus petites et sans vue mais déjà très confortables et aussi grandes que dans bien des *B & B*. Salles de bains luxueuses, TV à écran plat et même la clim, mais est-ce bien utile ? Le spa maison (multiples traitements, massages, etc.) est ouvert aux non-résidents. Accueil pro et soigné.

Où manger ?
Où boire un verre ?

Prix moyens (10-20 £ / 12-24 €)

Ramore : *The Harbour,* ***Portrush.*** *☎ 70-82-43-13.* Wine Bar *ouv tlj ;* Ramore Oriental *ouv tlj sf lun-mar ;* Coast *ouv tlj sf lun-mar en basse saison ;* Harbour Bar *et* Harbour Bistro *ouv tlj à partir de 12h,* live music *ven et sam.* Sous ce nom, nous regroupons la flottille d'enseignes appartenant au même armateur qui bourgeonne sur la pointe animée du port. Malgré son nom, pas d'atmosphère feutrée au ***Wine Bar*** qui voguerait plutôt dans l'extraterritorialité, quelque part entre cafèt' et *modern cocktail bar...* Commande et règlement immédiat au comptoir, self service pour les couverts et on emporte soi-même ses boissons à table ! Si c'est plein, vous attendrez qu'on appelle votre numéro au micro. La cuisine s'avère plutôt correcte et bien servie, que vous soyez *seafood thermidor* (assortiment de fruits de mer et poisson) ou *barbecue pork ribs.* Rien de gastro, on s'est compris, mais disons que tout ça se conjugue bien avec l'animation bon enfant et le design de la vaste salle. Dans le même genre mais plus *cheap* et orienté pizzas, il y a le **Coast** *(plats 4-9 £),* tandis que l'***Oriental*** file effectivement vers l'Orient et que les **Harbour Bar** et ***Bistro*** célèbrent les repas liquides à la *Guinness.*

Sweeney's Public House & Wine Bar : *6 B, Seaport Ave,* ***Port Ballintrae.*** *☎ 20-73-24-05. Tlj 12h-15h, 17h-21h. Le midi, menu 2 plats à partir de 10 £. Le soir, plats 12-20 £.* La partie originale de *Sweeney's*, un ancien relais de diligence, conserve de l'atmosphère avec son bar et sa cheminée où se consument des briques de tourbe. On aime moins l'extension vitrée moderne façon jardin d'hiver. La cuisine un peu passe-partout conviendra pour se sustenter simplement à midi, ou de manière quand même plus recherchée le soir. D'autres y boivent seulement un verre.

À voir. À faire

La Chaussée des Géants

Entièrement réorganisées à l'été 2012, les modalités de visite du site, dorénavant d'accès payant, auront peut-être encore évolué à votre passage.

Visitor's Centre : *à l'entrée de la* Giant's Causeway. *☎ 20-73-15-82. • nationaltrust.org.uk • Ouv tlj 9h30-19h (juin et sept 18h ; mars-mai et oct 17h ; jan-fév et nov-déc 16h).* Installé dans un tout nouveau bâtiment inspiré par la géométrie particulière de la Chaussée. Incorpore un centre d'interprétation du site (panneaux, vidéo), une grande cafétéria avec terrasse, des services de change, de résa d'hébergements et, *of course !* une boutique regorgeant de souvenirs labellisés « Giant's Causeway ».

Accès au site

– ***Park'n ride :*** *système de navette de bus entre un grand parking dédié de Bushmills et le site. Tarif : env 2 £ l'A/R ; réduc.* Mêmes horaires de service que le *Visitor's Centre.*

– ***The Tram :*** *train touristique à voie étroite reliant Bushmills et la Chaussée. ☎ 20-73-28-44. • freewebs.com/giantscausewayrailway • Compter 7,50 £ l'A/R ; réduc.* Juil-août (ainsi que pdt les vac de Pâques et à la Saint-Patrick), tlj 10h30-17h30 env, 7 navettes/j. ; mai-juin et sept-oct, w-e slt. 3 km de trajet qui raviront les petits, entre autres.

– ***En voiture :*** accès très bien indiqué. Le tarif d'entrée inclut le parking (bien !). Choix entre le nº 1 (entrée principale) ou le nº 2, proche de l'accès du *Sheperd's Path*.
– ***En bus :*** nº 252, « Antrim Coaster ». Voir « Arriver – Quitter » plus haut.

Tarifs

– ***Entrée sur le site :*** *8,50 £, parking compris ; réduc.*
– ***Descente jusqu'à la Chaussée :*** *navette optionnelle, ttes les 15 mn env, 1 £/ trajet. À pied, compter 15 mn.*

Visite

➢ Le chemin goudronné descend vers les célèbres promontoires de la *Chaise porte-bonheur* et de la *Clé de voûte.* Le lieu est splendide et beaucoup plus serein tôt le matin ou après le départ des dernières navettes. N'hésitez pas à y attendre le coucher du soleil : l'*Orgue* se teintera peut-être d'or, c'est un moment magique.

➢ ***Petite balade en boucle :*** *env 3 km en tt.* ***Attention !*** *la réorganisation des sentiers ou d'occasionnels effondrements peuvent modifier cet itinéraire. Des panneaux et barrières avec des instructions précises sont apposés.* Depuis les célèbres promontoires, marcher vers l'est le long des hautes falaises verdoyantes de la baie de Port Noffer jusqu'à l'étonnante vue en contre-plongée sur l'*Orgue.* Ses tuyaux hauts de 12 m composent le plus bel exemple de colonne basaltique. Au-delà, vous pourrez peut-être pousser jusqu'au point de vue de ***Port Reostan.*** Si vous avez les jambes, la promenade se termine par les marches du *Shepherd's Steps* qui rejoint le *Sheperd's Path,* sentier qui suit le haut des falaises jusqu'au parking nº 2, peu éloigné de l'entrée principale.

Randonnées aux alentours de la Chaussée des Géants

Ici aussi, les sentiers peuvent être barrés au gré des effondrements, des réparations nécessaires ou des conditions atmosphériques. Tout ceci est géré avec sérieux. Si nécessaire, des alternatives sont proposées et bien fléchées.

➢ ***De la Chaussée des Géants à Carrick-a-Rede :*** *env 17 km en tt, compter 1 j. ; possibilité de se limiter à des sections ou de faire étape. Pour une meilleure vision d'ensemble : consulter* ● *walkni.com* ●*, se procurer une carte au 1/25 000 ou 1/50 000 de l'*Ordnance Survey *ou, à défaut, une brochure des Walking Tours éditée par les OT.* Longeant le sommet des falaises, également connue sous le nom de ***North Antrim Cliff Path,*** c'est l'une des plus belles randos d'Irlande. Elle procure une vue plongeante sur de nombreux sites, à commencer par l'anse de ***Port na Spaniagh*** (en gaélique : le « port de l'Espagnol »), où la *Girona,* de l'Invincible Armada, se fracassa en 1588. Les curiosités géologiques s'enchaînent ensuite : la *Harpe,* les cheminées, au pied desquelles se succèdent des trous appelés *Yeux de géant, Benbane Head,* dont on distingue bien les diverses strates des coulées et enfin le *Fer à cheval,* une petite arche sur la mer. Remarquez, en cours de route, les anciens fours à goémon.
Arrivé aux ruines du ***château de Dunseverick,*** détruit par Cromwell, deux options s'offrent à vous : la route B 146 ramène au *Visitor's Centre* de la Chaussée des Géants, situé à 4,5 km de là (service de bus si nécessaire) ou, si vous avez encore de l'énergie, rejoindre le port croquignolet de Dunseverick pour continuer la rando. Dans ce dernier cas, vous rencontrerez, bientôt un autre microport, Portbraddan, où se trouve la plus petite église d'Irlande (3,60 m sur 2 m). La ruine en haut de la falaise serait encore plus petite ! Quelques kilomètres plus loin, voici ***Whitepark***

Bay et son AJ si opportunément placée (rubrique « Où dormir ? »), d'où Port Ballintoy, encastré entre les rochers, n'est pas si éloigné (autre AJ en cas d'escale), tout comme le fameux pont suspendu de Carrick-a-Rede (encore 3 km, courage !).

➢ ***Runkerry Circuit :*** *depuis la Chaussée, cette rando suit également le sommet des falaises, mais vers l'ouest cette fois-ci : compter 6 km jusqu'à Dunluce, autant pour revenir en passant par les terres. Rens et précisions : voir sous la balade précédente.* En chemin, passage par la *Runkerry House* et Portballintrae. Au-delà des splendides ruines du ***château de Dunluce*** (voir plus loin), jolies vues sur Portrush et les montagnes du Donegal à l'arrière-plan. Au retour, possibilité d'embarquer en « *Tram* » depuis Bushmills (voir plus haut). Sinon, obliquer vers les terres au niveau de la voie.

DANS LES ENVIRONS DE LA CHAUSSÉE DES GÉANTS (D'OUEST EN EST)

Magilligan Point : *quitter l'A 2, pour filer vers cette pointe.* Ici, depuis l'une des commissures de l'étroite bouche du Lough Foyle, les badauds regardent un *South* qui est pourtant plus au nord... D'ailleurs, un ferry rejoint Greencastle, en république d'Irlande (rubrique « Arriver – Quitter »). Un café-resto cultive l'aubaine, une vaste plage accueille les promeneurs. Tout près aussi, une de ces tours Martello, du nom d'une consœur corse dont la résistance eut le don d'exaspérer la marine anglaise en 1794. Du coup les *British* la copièrent et en construisirent près de 200. Les quelques survivantes veillent encore, du Québec à l'Australie.

Downhill Demesne, Hezlett House et Mussenden Temple : ***Downhill,*** *sur la ligne de bus n° 134 Coleraine-Derry. ☎ 70-84-87-28. Downhill Demesne, ouv tte l'année de l'aube au crépuscule ;* ***Hezlett House,*** *avr-sept tlj 10h-17h ;* ***Mussenden Temple,*** *sur rdv et... pour les mariages. Entrée libre, sf jardins et Hezlett House, 4,50 £. Parking payant si l'on se gare à Lion's Gate, mais normalement gratuit à Bishop's Gate, 300 m plus loin.*

Le domaine de Downhill fut construit à la fin du XVIIIe s par l'évêque protestant de Derry (voir encadré), réputé pour son excentricité. Également humaniste, il fit planter 300 000 arbres, détourner deux rivières et aménager des cascades pour donner du travail à ses paroissiens qui en manquaient cruellement. Le ***palais,*** largement détruit par un incendie en 1851, fut réquisitionné par la RAF pendant la Seconde Guerre mondiale et abandonné depuis. Impressionnante, la vue depuis ces ruines trace une perspective qui aboutit à ***Mussenden Temple.*** Rotonde imitée d'un temple romain, elle renfermait la bibliothèque de l'évêque et se rapproche inéluctablement du bord de la falaise à cause de l'érosion. D'ici, on peut rejoindre le sentier côtier pour accomplir une petite boucle ramenant vers le palais. À voir encore, deux jardins, l'un clos, contre Lion's Gate (porte d'accès au temple), l'autre superbe et foisonnant, atteint par Bishop's Gate. Un grand moment. Environ 500 m plus loin, en direction de Coleraine, se dresse *Hezlett House,* une des plus anciennes chaumières d'Irlande du Nord (fin XVIIe s).

ROULÉS DANS LA FARINE

Mort en Italie en 1803, Frederick Augustus Hervey, évêque protestant de Derry et fondateur du domaine de Downhill, avait exigé que son corps soit rapatrié dans un tonneau de sherry... Mais il n'avait pas attendu le crépuscule de sa vie pour faire preuve d'excentricité. Amateur de fiestas libertines, il répandait de la farine dans les couloirs afin de pister ceux qui naviguaient de chambre en chambre, aux petites heures des fêtes orgiaques qu'il organisait.

La plage de Downhill : généreuse et photogénique, commandant un très beau point de vue sur Mussenden, c'est aussi un petit « Daytona Beach » où il est autorisé de rouler en voiture ! Les autochtones ne s'en privent pas, garés le nez pointé vers l'océan.

Bishops Road et point de vue de Gortmore : *bifurcation depuis l'A 2 à hauteur de Downhill Beach ou avt d'arriver à Magilligan Point en venant de Derry.* Tracée suivant les intentions de notre bon évêque de *Downhill Demesne,* cette route traverse le plateau de Binevenagh. Boursouflé d'étonnantes parois rocheuses, il s'étend sur plus de 6 miles et grimpe jusqu'à presque 400 m d'altitude pour offrir un panorama bluffant sur la côte et toute la péninsule de Magilligan.

Portrush : principale station balnéaire à l'ouest de la côte d'Antrim, elle est bourrée de monde en été. Plein de familles irlandaises avec un tas de gamins, dans une ambiance typique, festive et tenant un tantinet de la fête foraine du bon vieux temps, ici et là.

Dunluce Castle : *4,5 km à l'est de Portrush.* ☎ *20-73-19-38.* • *doeni.gov.uk/niea* • *Tlj 10h-18h (nov-fév 17h) ; dernière entrée 30 mn avt fermeture. Entrée : 5 £ ; réduc. Audioguide en anglais slt. Brochure en français.* Ruiné, ce château n'en est pas moins superbe, véritable sentinelle postée sur son promontoire, 30 m au-dessus de la mer. Le site était réputé imprenable jusqu'à l'apparition de l'artillerie. Une légende tenace raconte qu'une partie de la falaise s'effondra un soir de tempête en 1639, emmenant avec elle cuisines et cuistots. Pourtant, les historiens ont établi que ce n'est qu'au XIXe s qu'un morceau du château se fit la malle par l'océan. Dunluce fut en tout cas abandonné dès 1659, conséquence probable de la grande rébellion de 1641, durant laquelle son domaine incorporant une ville et de vastes terres fut entièrement détruit. Avant la visite, jeter un œil à la petite expo arrangée dans le *Visitor's Centre* et, dans une salle à l'opposé, au court film consacré aux fouilles engagées depuis 2008 pour exhumer les vestiges de la cité disparue.
Dans le château, panneaux et commentaires de l'audioguide permettent de se faire une bonne idée de l'organisation des lieux : cour extérieure, pont menant au *Manor House* où étaient logés et divertis les invités prestigieux et *Inner Castle,* partie la plus ancienne où logeaient les proprios. Nombre d'ouvertures rappellent au visiteur à quel point le site est précaire et la mer proche ! En contrebas, des escaliers conduisent vers un passage souterrain naturel où des barques étaient cachées afin de fuir vers l'île de Rathlin en cas de besoin. Jolie photo à faire en fin de journée depuis le belvédère de Magheracross, 1 km à l'ouest.

Old Bushmills Distillery : *2, Distillery Rd,* **Bushmills.** ☎ *20-73-32-19.* • *bushmills.com* • *Mars-oct tlj 9h15 (w-e 12h)-17h ; nov-fév, tlj 10h (w-e 12h30)-16h15. Dernier tour 1h avt fermeture. En été, visite ttes les 10 mn env, sinon ttes les 30 mn. Entrée : 7 £ ; réduc. Plaquette en français, vidéo en anglais.* ***Attention !*** *mi-juin à début juil env, visite moins intéressante car l'usine tourne au ralenti ; se renseigner.*
En activité depuis 1608, la plus ancienne distillerie de whiskey du monde produit l'un des breuvages les plus appréciés qui soient, le fameux *Blackbush* ! Plusieurs spécificités expliquent le succès d'Old Bushmills auprès des amateurs : contrairement au whisky écossais, l'orge n'est pas fumé mais séché, ce qui fait mieux ressortir l'arôme du malt ; trois distillations sont menées contrairement aux deux du whisky et enfin l'eau est tirée d'une rivière privée, la Rill of Saint Columb, réputée pour sa pureté.
La visite de l'usine, d'une belle architecture « révolution industrielle britannique », débute par une vidéo racontant l'histoire du whiskey et de l'entreprise. Suivent les caves de fermentation, la salle de distillation, où l'on peut voir le whiskey à 85 % s'écouler à gros bouillons de plusieurs « robinets », puis les hangars. Pas moins de 165 000 tonneaux sont dédiés au vieillissement ! On finit par l'embouteillage et, bien sûr, la dégustation (incluse), toutefois tempérée de nos jours ! Snack-bar,

Visitor's Centre et boutique sur le chemin de la sortie. Attention, les 21 ans d'âge atteignent facilement les 120 £ la bouteille...

Whitepark Bay : long croissant de sable peu fréquenté et s'étalant paresseusement dans un paysage très doux, vue portant jusqu'à l'Écosse par temps clair, peut-être un des plus beaux sites d'Irlande... Au crépuscule, en particulier, la vue est une pure merveille. Superbe balade jusqu'au petit port de Ballintoy, à l'est, ou vers celui de Portbradden, à l'ouest.

Port Ballintoy : le quai, s'avançant au milieu d'une débauche de rochers sur lesquels les vagues s'écrasent puissamment, offre une vue exceptionnelle sur le littoral souligné de falaises et d'îlots rocheux.

Carrick-a-Rede : *juste après Ballintoy, bifurcation sur une petite route. ☎ 20-76-98-39 • nationaltrust.org.uk • Ouv tte l'année tlj (sf j. de vent fort) : 10h-19h (mars-mai et sept-oct 18h ; nov-fév 15h30). Entrée libre pour la promenade d'env 1 km jusqu'au pont ; franchissement (à payer au guichet du parking), 5,10 £ ; réduc. Dernier billet 45 mn avt fermeture.* L'îlot de Carrick-a-Rede (« le rocher sur la route » des saumons), c'est d'abord le célèbre et quasi initiatique pont de corde qui le relie précairement à la terre ferme, 24 m au-dessus des flots ! Construit par les pêcheurs de saumon (renommé par ici) qui l'empruntent depuis 350 ans pour rejoindre leur base, l'ouvrage n'a longtemps compté qu'une seule main courante... Le préposé à la guitoune de départ, là où les jambes flageolent un peu, veille à ce qu'il n'y ait pas plus de 8 personnes à la fois, ce qui peut générer de l'attente en été. Moment de gamberge peut-être ? Certains se contenteront de contempler la scène, captivante et gratuite. Un petit truc pour les volontaires : s'engager sur le pont en fixant son extrémité opposée. Le matin, la lumière est magnifique et vous partagerez la sérénité des lieux avec mouettes et pingouins. Du sommet de l'îlot, splendide vue sur les falaises de l'Antrim Coast.

BALLYCASTLE (BAILE AN CHAISIL)

5 100 hab. IND. TÉL. : 028

Station de villégiature agréable, doublée d'un bourg commerçant, Ballycastle se situe à une vingtaine de kilomètres à l'est de la Chaussée des Géants. Porte d'entrée des célèbres Glens of Antrim, elle constitue une base très acceptable pour rayonner dans la région. De mère irlandaise, Marconi y expérimenta pour la première fois, en 1898, la télégraphie sans fil avec l'île de Rathlin.

Arriver – Quitter

En bus

➢ ***Par la ligne côtière Coleraine-Belfast :*** avec *Ulsterbus* (voir les infos dans le chapitre consacré à la Chaussée des Géants).

En ferry

➢ ***De/vers Rathlin Island :*** voir le chapitre consacré à cette île.

Adresses et infos utiles

Office de tourisme *(plan B2) :* *Sheskburn House, 7, Mary St. ☎ 20-76-20-24. • moyle-council.org/tourism • Après le port, à la sortie, vers Cushendall. Ouv juil-août lun-ven 9h-19h, w-e 10h (dim 12h)-18h. Le reste de l'année, lun-ven 9h-17h.* L'un des meilleurs de la région, très documenté sur l'ensemble de la côte d'Antrim. Change et résa d'hébergement.

@ **Ballycastle Library** *(hors plan par A2,* ***1****) : 5, Leyland Rd. ☎ 20-76-25-66. Lun, mer et ven-sam 9h30-17h, mar et jeu 13h-20h.* Alternativement, **SMC Computer** *(plan B2 ; 20, Ann St ; ☎ 20-76-89-99).* Plusieurs cafés et restos proposent le wifi gratuitement, moyennant conso.

– ***Site internet :*** *● causewaycoastandglens.com ●*

Où dormir ?

Camping

Maguires Strand Caravan & Camping Park *(hors plan par B2,* ***10****) : 32, Carrickmore Rd. ☎ 20-76-32-94. Fax : 20-76-24-66. Belle situation face à la mer, à moins de 2 km de Ballycastle (route de Cushendall, puis à gauche vers Corymeela). Compter env 15 £ pour 2 avec tente.* (Tout) petit espace gazonné, en retrait d'une côte essentiellement rocheuse. Proche de Fair Head (rubrique « À voir »)

Bon marché (moins de 40 £ / 48 €)

Ballycastle Backpackers *(plan B1,* ***12****) : 4, North St. ☎ 20-76-36-12. ● ballycastlebackpackers.net ● Ouv tte l'année. Résa conseillée. Selon confort (sans ou avec sdb), env 15-20 £/pers. Petit déj non compris.* Bien situé face à la baie, avec vue sur Fair Head, dans une vieille maison XIXe s. Côté *hostel,* 4 petites doubles et 2 chambres plus grandes avec 4 et 5 lits (plutôt familiales que dortoirs), toutes avec sanitaires communs. Salon au 1er, cuisine et machine à laver pour les hôtes. Ensemble correct sans être transcendant, mais des travaux d'amélioration sont prévus. À l'arrière, un cottage entièrement équipé (min 2 nuits) peut accueillir 4 personnes. Accueil dynamique.

De prix moyens à plus chic (40-80 £ / 48-96 €)

Fragrens *(plan A-B1-2,* ***13****) : 34, Quay Rd. ☎ 20-76-21-68. ● members.aol.com/Jgreene710 ● Dans la grande rue qui file à angle droit vers le port. Fermé 2de quinzaine de déc. Selon saison, doubles avec sdb 55-60 £. Petit déj compris. Parking gratuit.* Les 6 chambres moquettées bien cosy, aux grandes salles de bains et literies moelleuses, sont réparties entre la maison principale et le pavillon adjacent. Excellent petit déj à la carte, servi dans une grande véranda vitrée. Accueil très chaleureux. Une adresse comme on les aime.

Colliers Hall Farm House B & B *(hors plan par B2,* ***15****) : 50, Cushendall Rd. ☎ 20-76-25-31. ● collierhall.com ● À moins de 2 km de la ville, sur la route de Cushendall (A 2). Ouv mars-oct. Doubles avec sdb 50-60 £, selon formule petit déj choisie.* La ferme dispose de 3 chambres dans le bâtiment principal et de 6 autres dans l'ancienne grange en pierre qu'elle cache, plus petites mais plus pimpantes. Bon petit déj copieux ou grande cuisine à disposition si l'on choisit la formule *self-catered.*

Kenmara House *(Mr Ernie Shannon ; plan A1,* ***14****) : 45, North St. ☎ 20-76-26-00. Ouv mai-oct. Double env 80 £.* Ernie est un personnage à découvrir, il adore les bons vins et... les fromages qui puent, à commencer par le livarot ! Sur la hotte de la cuisine, en français : « Pour bien manger, il faut savoir attendre ». C'est de cette maison en hauteur, dans un joli jardin avec vue imprenable sur la baie, que Marconi établit la première liaison radio en 1898 (avec l'île de Rathlin). Chambres vraiment confortables, même si une seule dispose de sa propre salle de bains (elle est d'ailleurs au même prix que les autres). Breakfast mitonné avec amour et raffinement. Un must, tout simplement.

Où manger ? Où écouter de la musique ?

Bon marché (moins de 10 £ / 12 €)

Margo's *(plan A2,* ***20****) : 22, Ann St. Tlj 7h30-14h30. Burgers, Irish stew,* incontournables *chicken goujons.* Cer-

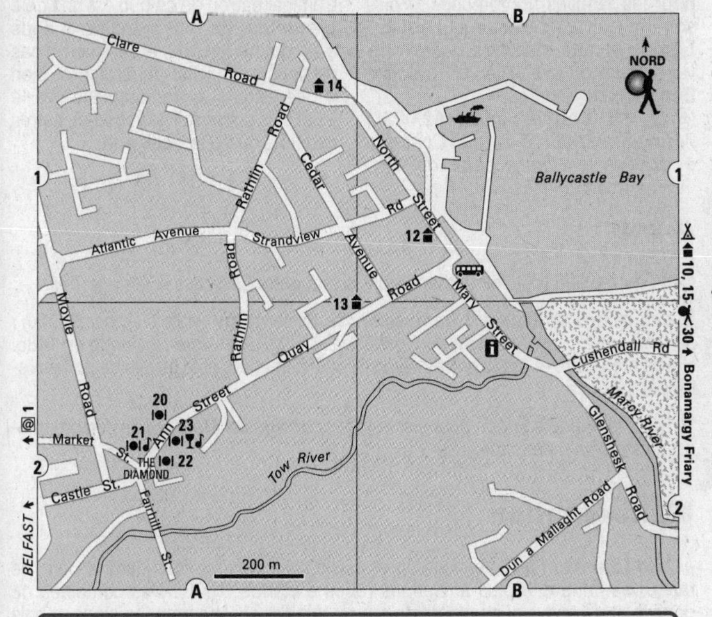

BALLYCASTLE

■ **Adresses et infos utiles**

- Office de tourisme
- Ferry pour Rathlin Island
- @ 1 Ballycastle Library

Où dormir ?

- **10** Maguires Strand Caravan & Camping Park
- **12** Ballycastle Backpackers
- **13** Fragrens
- **14** Kenmara House
- **15** Colliers Hall Farm House B & B

Où manger ? Où écouter de la musique ?

- **20** Margo's
- **21** Central Wine Bar
- **22** The Cellar Restaurant
- **23** O'Connors

À voir

- **30** Ruines du couvent franciscain de Bonamargy

tes, ce n'est pas gastronomique, mais l'intérieur, en bois, est plus avenant qu'une cafèt' et les sandwichs frais (du lundi au samedi) tirent leur épingle du jeu.

Prix moyens (10-20 £ / 12-24 €)

Central Wine Bar *(plan A2,* ***21****) : 12, Ann St. ☎ 20-76-38-77. Tlj 12h-21h.* Early bird, *lun-ven 17h-19h, 2 plats 10 £ ; plats à la carte 6-20 £.* Musique live au pub du rez-de-chaussée, irlandaise le mercredi et plus variée les fins de semaine, quand elle met le feu à la boutique. À l'étage, la déco moderne et épurée du resto, tout en longueur, incite à taper dans le haut de la carte, petit verre de vin en option...

The Cellar Restaurant *(plan A2,* ***22****) : 11 B, The Diamond. ☎ 20-76-30-37. Tlj 12h-23h (22h hors saison) ; en pratique, il vaut mieux venir avt 20h30.* Early bird *(2 plats + 1 verre de vin), lun-ven 17h-19h, 10 £ ; plats à la carte env 10-18 £.* L'aménagement de ce resto, lové dans une cave voûtée avec des box ornés de vitraux, n'est pas faite pour les familles nombreuses ! Poissons et viandes se partagent équitablement la carte, mais on suggère l'arrivage marin du jour, listé sur l'ardoise. Bon choix de vins.

🍽 🍸 ♪ ***O'Connors*** *(plan A2,* ***23****) : 7, Ann St.* ☎ *20-76-21-23. Concerts et soirées jeu-dim à partir de 22h.* L'amical patron de ce pub est un fidèle supporteur du foot irlandais. Il nous a pardonné la mimine de Thierry, pas de soucis ! Cuisine honorable et bien servie. Musique traditionnelle *live* le jeudi soir, soirée folk le vendredi, autres concerts ou DJ le week-end.

À voir

Ceux qui veulent tout voir demanderont la plaquette *Ballycastle Heritage Trail.*

Les ruines du couvent franciscain de Bonamargy *(hors plan par B2,* ***30****) : à moins de 1 km sur la route de Cushendall (A 2). Accès libre tlj.* Fondé en 1485. Herbe bien verte et petits arbres, avec le vieux cimetière et le terrain de golf enveloppant tout ça.

Dans le même coin, on peut visiter le joli ***cottage de Marconi,*** le célèbre télégraphiste déjà mentionné.

Manifestation

– ***Ould Lammas Fair :*** *derniers lun et mar d'août.* Si vous êtes dans le coin, ne ratez pas l'une des plus anciennes foires d'Irlande (1606). Des centaines de poneys et de chevaux changent de mains, la bière coule à flots, musique et bals dans les rues, etc.

RATHLIN ISLAND

100 hab. IND. TÉL. : 028

Les 600 habitants de l'île furent massacrés en 1575 par le comte d'Essex, émissaire d'Elizabeth Ire. Aujourd'hui, une centaine de personnes vivent sur ses 14 km² battus par les vents. Sauvage et sans arbres, Rathlin Island est ceinturée de hautes falaises blanches abritant la plus grande colonie d'oiseaux d'Irlande du Nord et parsemée de nombreux murets et de fermes en ruine. Si Marconi y transmit son premier message radio en 1898, la première automobile n'y débarqua qu'en 1955 et, pendant longtemps, l'électricité fut fournie par un générateur.
Important : **l'île ne tente pas de séduire les touristes pour le moment. Il faut la prendre comme elle est, brute de forme, avec ses carcasses de voitures et son goémon. Vous y découvrirez l'âpreté de la vie insulaire et le plaisir de balades à pied dans le vent vif et tonique.**

Arriver – Quitter

➢ ***Rathlin Island Ferry :*** *relie Ballycastle à l'île.* ☎ *20-76-92-99.* • *rathlinballycastleferry.com* • Avr-sept, env 8 départs/j., 8h (10h le w-e)-18h30 depuis Ballycastle, 7h30 (8h30 le w-e)-17h30 de Rathlin. En hiver, 4-5 départs/j. Compter env 12 £ l'A/R, réduc. Traversée : 25 mn avec l'*Express* (assure la majorité des traversées), 45 min avec *MV Canna* (2-3 liaisons/j.) Résa conseillée. L'accès en voiture, réservé aux handicapés et séjours min de 6 nuits sur l'île, nécessite une

demande d'autorisation auprès de l'office de tourisme.
– **Location de vélos :** possible auprès des hébergements indiqués, c'est le moyen de déplacement idéal sur l'île.

Où dormir ? Où manger ?

Camping : *possible à chaque extrémité de la Church Bay (où accoste le ferry) moyennant l'autorisation du proprio du* McCuaig's Bar.

Soerneog View Hostel : *☎ et fax, 20-76-39-54. À 10 mn à pied du ferry (on peut venir chercher vos sacs si vous prévenez). Ouv avr-sept. À partir de 12,50 £/pers. CB refusées.* La maison dispose de 3 chambres seulement : 1 double avec grand lit et 2 avec lits superposés.

McCuaig's Bar & Restaurant *(Manor House) : tt près du port, dans une magnifique demeure georgienne. ☎ 20-76-39-74. Tlj 9h-21h.* Sandwichs, petits en-cas ou plats plus copieux.

À voir. À faire

Boathouse : *au port, sur le versant opposé au quai d'arrivée du ferry. Ouv mai-août, tlj 9h30-17h. Entrée libre.* Vieilles photos, outils, objets tirés d'épaves échouées le long des côtes de l'île dessinent l'histoire et le quotidien de Rathlin. En continuant la balade vers le sud, direction Mill Bay, vous rencontrerez une colonie de phoques peu farouches.

Church Quarter *(quartier des églises)* **:** on commence par *Saint-Thomas,* l'église anglicane, tout près du port, vers l'ouest. Adorable petit cimetière marin. Puis l'église catholique de *Sainte-Marie* en haut de la pente. De la colline au-dessus, très belle vue sur la Church Bay et les falaises d'Irlande du Nord.

Bruce's Cave *(grotte de Bruce)* **et East Lighthouse** *(phare de l'Est)* **:** *2 petits km vers le nord-est.* Quelques grottes se visitent, par très beau temps seulement. La plus connue est *Bruce's Cave,* du nom de Robert Ier, *the Bruce,* roi écossais qui y trouva refuge en 1306, après une défaite contre les Anglais. La légende dit que c'est l'observation des efforts acharnés d'une araignée pour tisser une toile dans cette grotte qui lui donna l'énergie de repartir au combat. Il remporta la décisive bataille de Bannockburn (en 1314), qui permit à l'Écosse de recouvrer son indépendance pour quelques siècles.

Bull Point et West Lighthouse *(phare de l'Ouest)* **:** *belle balade de 13 km aller-retour.* Les falaises aux alentours du *Seabird viewpoint* (**Rathlin Seabird Centre,** *ouv avr-aout 10h-16h ; • rspb.org.uk/reserves/guide/r/rathlin •*) fourmillent de près de 40 000 guillemots, 10 000 petits pingouins, 3 000 macareux, 6 000 *kittiwakes* (mouettes tridactyles) et d'un bon millier de couples de pétrels... Impressionnant concert de cris et agitation incessante garantie ! Pressés et flemmards pourront s'y rendre par le *Puffin Bus (☎ 20-76-34-51).*

LES GLENS OF ANTRIM

IND. TÉL. : 028

De Ballycastle à Larne se déroule l'une des plus pittoresques côtes d'Irlande : les Glens of Antrim, neuf vallées verdoyantes livrant de jolis panoramas, de charmants villages et de superbes plages. Empruntez l'*Antrim Coast Road.* En avant pour Glentaisie, Glenshesk, Glendun, Glencorp, Glenaan, Glenballyemon, Glenariff, Glencloy et Glenarm...

Arriver – Quitter

➢ ***Ligne côtière Coleraine-Belfast/ Larne (Antrim Coaster) :*** voir les infos dans le chapitre consacré à la Chaussée des Géants. Arrêts notamment à **Cushendun, Cushendall, Waterfoot, Carnlough** et **Glenarm.**

➢ ***Ulsterbus n° 150 :*** liaisons entre ***Ballymena*** et ***Cushendun,*** tlj sf dim. Dans les 2 sens, 5 bus/j., 3 slt le sam.

➢ ***Ulsterbus n° 162 :*** liaisons entre ***Cushendall*** et ***Larne,*** lun-ven 2 départs/j.

Adresses utiles

🛈 ***Points d'information touristique :*** *voir aussi sous Ballycastle. À* ***Cushendall*** *: à l'entrée de la rue principale. Mar-sam 10h-13h.* ☎ *21-77-11-80. À* ***Larne*** *: lun-ven 9h-17h et sam, avr-sept slt, 10h-16h.* ☎ *28-26-00-88. • causewaycoastandglens.com •*

■ ***Location de VTT : Ardclinis Outdoor Adventure,*** *High St,* ***Cushendall.*** ☎ *21-77-13-40.* Pour profiter des très nombreuses balades dans les Glens.

@ ***Cushendall Public Library :*** *26, Mill St,* ***Cushendall.*** ☎ *21-77-12-97.*

Où dormir ?

Campings

⛺ ***Glenariff Forest Park :*** *depuis Waterfoot, remonter l'A 43 pdt 6 km ou, depuis Cushendall, la route B 14 jusqu'au panneau.* ☎ *29-55-60-00. • nidirect.gov.uk • Arrêt de bus à 500 m. Ouv Pâques-fin sept. Emplacement env 13 £ en hte saison.* Immense espace gazonné en pleine forêt, mais paradoxalement peu ombragé ! Pour amateurs de calme, en tout cas. En arrivant, on s'installe et on paiera au *ranger* quand il passera. Équipement minimum (sanitaires, douches, éviers).

– Le paiement du camping donne droit à la gratuité du parc forestier (à 1 km de là, rubrique « À voir »), où l'on trouve un resto-*tearoom* et une petite épicerie *(ouv en principe tlj Pâques-oct ; en pratique, tant que le client ne se fait pas trop attendre – sic !).*

⛺ ***Watertop Open Farm :*** *188, Cushendall Rd.* ☎ *20-76-25-76. • watertopfarm.co.uk • À 9 km de Ballycastle, sur la route de Cushendall (A 2) ; bien indiqué. Ouv Pâques-Halloween. Résa conseillée en hte saison. Compter 5 £/pers. CB refusées.* Petit camping faisant partie du complexe *Watertop Open Farm* (lire plus loin dans les Glens of Antrim « À voir. À faire »). Après les heures de visite, les campeurs ont accès à la ferme-musée, où ils pourront se blottir devant un feu de tourbe dans une ambiance du passé. Les gosses seront ravis d'avoir tant d'animaux tout autour. Les 2 zones de camping (dont l'une réservée aux tentes, avec un abri en cas de pluie) sont parfois pleines en été, mais on vous trouvera un bout de champ pour vous installer.

Bon marché (moins de 40 £ / 48 €)

⌂ ***Ballyeamon Barn :*** *127, Ballyeamon Rd, à env 8 km de Cushendall.* ☎ *21-75-84-51. • ballyeamonbarn.com • Sur la B 14, à l'orée de la forêt de Glenariff. Proche du parc du même nom, 1 km avt la jonction avec l'A 43. Ouv tte l'année. Compter 12 £/pers dans la grange, 15 £/pers dans le cottage. Petit déj non compris. CB refusées.* 💻 📶 En bordure d'une route un peu perdue, voilà une super adresse, comme on aimerait en trouver plus souvent ! La « grange » réaménagée abrite un dortoir de 14 places, bien agréable malgré sa taille. Dans l'annexe plus récente mais parfaitement intégrée, le cottage est doté d'un lit double et d'un sofa convertible. Grande cuisine équipée et lave-linge à la dispo. La proprio, Liz Weir, habite les lieux quand, conteuse émérite, elle ne voyage pas dans le monde entier pour partager sa passion de la musique et du folklore irlandais. Organisation régulière de soirées musicales ou narratives.

Prix moyens (40-60 £ / 48-72 €)

🏠 ***The Villa Farmhouse*** *(Mrs Scally)* **:** *185, Torr Rd,* ***Cushendun,*** *au début de la route panoramique. ☎ 21-76-12-52. • thevillafarmhouse.com • ♿ Ouv mars-fin oct. Double avec sdb env 60 £. Petit déj compris selon formule. CB refusées.* Sur les hauteurs de ce petit port adorable (rubrique « À voir »), dans un coin calme doté d'un sacré panorama : à droite, la baie et les *glens,* à gauche l'Écosse ! De style Tudor, la maison centenaire dispose de 3 chambres très correctes, dans des tonalités de rose. Également un cottage avec 2 chambres en formule *self-catering.*

🏠 ***Dieskirt Farm B & B*** *(James et Ann McHenry)* **:** *104, Glen Rd,* ***Waterfoot.*** *☎ 21-77-13-08. • dieskirtfarm.co.uk • À 4,5 km env dans les terres, en remontant la vallée depuis le village côtier. Ouv avr-déc. Compter 55-60 £ pour 2 ; réduc à partir de 2 nuits. CB refusées.* 📶 La ferme, située dans un coin bucolique, abrite 3 chambres *en suite* de bon confort. Tout autour, moutons, chevaux, poules, et même deux ânes, Trixie et Nicky ! Sans oublier des chiens en pagaille, un peu agités à notre goût... Excellent accueil. Bicyclettes à dispo.

🏠 ***The Meadows :*** *79-81, Coast Rd,* ***Cushendall.*** *☎ 21-77-20-20. • themeadowscushendall.com • ♿ Double avec sdb env 50 £. Petit déj compris.* 📶 Dans la grande maison accolée à sa demeure, Anne accueille efficacement et gentiment ses hôtes. 6 chambres, la plupart avec vue sur la mer. Le manque d'originalité décorative est largement rattrapé par l'ameublement correct, l'espace disponible et les tarifs.

🏠 🍷 ***The Village :*** *Mill St,* ***Cushendall.*** *☎ 21-77-23-66. • thevillagebandb.com • En plein centre du village. Double avec sdb 60 £. Petit déj compris.* 📶 Les 8 chambres, au haut plafond et de taille généreuse, se répartissent sur les 2 étages supérieurs tandis qu'un *tearoom* et un *lounge* égayent le rez-de-chaussée. Aménagement récent et chaleureux à la fois.

De chic à plus chic (plus de 70 £ / 84 €)

🏠 🍽 ***Londonderry Arms Hotel :*** *20, Harbour Rd,* ***Carnlough.*** *☎ 28-88-52-55. • glensofantrim.com • Fermé à Noël. Doubles avec sdb 70-100 £ selon saison et confort. Formules en ½ pens.* Des hôtels comme ça, on n'en fait plus. L'ambiance et la déco n'ont pas bougé depuis sa construction en 1848. Feu dans tous les *lounges* (et il y en a !). Demeure georgienne, elle fut un temps la propriété de Churchill. Chambres somptueuses et restaurant réputé *(compter 20-25 £ le repas).* Hmm... la crème brûlée aux framboises... *Music sessions* le samedi soir, 1 ou 2 fois par mois.

Où manger ? Où boire un verre ? Où écouter de la musique à Cushendall et dans les environs ?

🍽 ***Arthur's Café :*** *4, Shore St (dans le prolongement de Mill St),* ***Cushendall.*** *☎ 21-77-16-27. Tlj 9h-16h ou 17h.* Plats du jour, *bagels,* sandwichs, petit déj servi jusqu'à 14h, soupes, voilà tout ce qu'il faut pour se caler un creux sans en faire un dans le budget. On a bien aimé la *pavlova,* un dessert meringué aux fruits dont Kiwis et Australiens se disputent la paternité. Commander au comptoir, on viendra vous servir. Cadre pimpant.

🍽 🍷 ***Harry's :*** *10, Mill St,* ***Cushendall.*** *☎ 21-77-20-22. Côté droit de la rue en arrivant de Ballycastle. Ouv tte l'année, tlj 12h-21h. Sélection de plat du jour : déj 10 £, dîner 14 £. Carte env 9-17 £.* Tapisserie à ramage, tons taupe et acajou composent un cadre plaisant pour déguster une bonne cuisine de qualité régulière. C'est bien servi, mais si vous avez encore de la place, jetez donc un œil aux amusants desserts, disponibles en assortiment à partager... Le dimanche, *sunday lunch* avec toutes sortes de *roasts*. Bien pour boire un verre aussi.

***J. Mc Collams** et **Upstairs at Joe's :** 23, Mill St, **Cushendall.** ☎ 21-77-19-92 et 21-77-26-30. Hors saison, n'ouvre que jeu-dim, l'ap-m. Pub au rdc, resto à l'étage. Music* sessions en principe le vendredi et le week-end. Aux murs, embrouillaminis de billets du monde entier et de photos de clients, dont... un âne ! Ambiance locale assurée.

***Mary Mc Brides :** 2, Main St, **Cushendun.** ☎ 21-76-15-11. Repas jusqu'à 18h30 slt !* Petit mais incontournable par son rôle communautaire. Les 3 types de pressions syndicales, des plats simples à base de produits locaux, retransmission d'événements sportifs, musique live le week-end, soirées quiz, tout le village y trouve son compte... Si ça ne vous convient pas, traverser la rue jusqu'au ***Therese's Tea Room** (plats 6-11 £),* équipé d'une petite cantine à l'entresol.

À voir. À faire

De Ballycastle à Cushendun par Torr Road

Pour s'engager sur Torr Road, quitter l'A 2 à Ballyvoy, au niveau du Hunter's Bar. Vallons, falaises, points de vue, haies de genêts, vaches, voici un beau brin de parcours, à prendre à la vitesse escargot tant ça tournicote et joue à saute-mouton. Nous indiquons les sites par ordre d'apparition. À Cushendun, retour sur l'A 2.

***Fair Head :** env 800 m après le début de Torr Rd, au-delà de bungalows ruinés, prendre la route étroite sur la gauche (panneau discret).* Arrivé au hameau de Coolanlough, minuscule parking. Demander l'autorisation de passer la barrière (panneau « Private Road »), puis traverser la clôture par l'échalier à droite. Monter le long du muret jusqu'à la brèche visible à 1,5 km (Grey Man's Path) en suivant les gros points jaunes (si vous les trouvez...). À gauche, le lough na Cranagh avec son îlot artificiel *(crannog)* dont le mur défensif est encore visible. Prudence : à la fin de la montée, en arrivant près de la falaise, le sol soudain se dérobe sous vos pieds !
Si l'on longe l'abîme vers l'est, on atteint rapidement un joli point de vue sur Murlough Bay (voir ci-dessous). De là, deux options : continuer le long des falaises avant de descendre vers Murlough Bay (45 mn) ou retourner vers Coolanlough par le large chemin qui se dessine sur la droite (15 mn).

***Murlough Bay :** bifurcation bien indiquée depuis Torr Rd.* Après un paysage de landes à l'herbe rase, la route plonge vers une vallée perdue. Autour, des falaises marquent la limite entre la lande et les *glens* verdoyants courant jusqu'à la mer. Paysage d'une grande sérénité, à peine troublé par le chant des pipits, le bêlement des agneaux et le clapotis des vagues.

***Torr Head :** un panneau pas très visible indique l'embranchement depuis Torr Rd.* La route s'arrête en contrebas d'un poste d'observation abandonné (5 mn de grimpette), près des ruines d'une vieille station de garde-côtes. Belle vue sur Rathlin Island et le Mull of Kintyre, en Écosse, à moins de 10 milles marins.

Cushendall et ses environs

***Cushendall :** sur l'A 2, à env 25 km au sud de Ballycastle.* Petit port, il est à juste titre un lieu populaire de villégiature sur la route des Glens, grâce à ses nom-

breux *B & B*, ses restos et son petit pub (voir « Où dormir ? » et « Où manger ? »). Colorées et pimpantes, les maisons s'agglutinent à l'approche du carrefour central. La *Curfew Tower* a été bâtie vers 1809 pour y boucler des émeutiers, sur des instructions précises et quelque peu excentriques du *landlord* : noter les fenêtres agencées de telle sorte qu'il soit possible de jeter du plomb fondu sur un attaquant éventuel ! Au-dessus du village, par la rue qui mène au parc « The Cottage », la colline de Tievera rameuterait toutes les sorcières des *glens*... Entre Cushendall et Glenarm, la route se fraye un passage le long de l'océan.
– ***Festival Heart of the Glens :*** *dernier w-e d'août.* Le vendredi soir, tout le monde se costume sur un thème particulier. Le dimanche soir, les danses traditionnelles des *Waves of Tory* mettent en scène jusqu'à 6 000 personnes.

Cushendun : adorable bourgade qui fut longtemps le principal port des ferries vers l'Écosse. Au centre, de blancs cottages aux toits d'ardoises de style cornouaillais et les ruines d'un château. Jolie plage et miniport croquignolet.

Watertop Open Farm : *188, Cushendall Rd (A 2). ☎ 20-76-25-76. • watertopfarm.co.uk • Voir également la rubrique « Campings » plus haut. Juil-août, tlj 11h-17h30 ; également quelques w-e fériés au printemps. Entrée : 3 £ ; réduc. Balades à dos de poney 9-15 £.* Le couple McBride a eu la bonne idée d'ouvrir sa ferme aux visiteurs. Les enfants peuvent caresser les animaux, assister à la tonte des moutons, se faire promener en *padiwaggon* (camion 4x4) à travers le domaine, faire du poney et de la barque, du tir à l'arc et du kart à pédales. Balade de 20 mn jusqu'à une cascade. Accueil familial, très bien organisé.

➢ ***Scenic Drive :*** *à 1 km au sud, à travers Ballypatrick Forest. ☎ 29-55-60-00. En principe, tlj en juil-août, ainsi que les w-e de juin et sept. Mais l'accès peut varier en fonction de l'exploitation forestière... Entrée : 3 £/voiture.*

Ossian's Grave (tombe d'Ossian) **:** *à 1 km au nord de Cushendall, prendre Gleenan Rd à gauche, puis se garer peu après le long de la route, à la hauteur du* McCloeys Cottage *– et pas dans la cour de la ferme. On grimpe à pied (assez fatigant).* La sépulture néolithique d'Ossian, héros légendaire, grand guerrier, poète et fils mythique de Finn McCool (mais oui, le géant de la Chaussée...) se trouverait ici, au pied du mont Tievebulliagh, dans un environnement sauvage et romantique. En réalité, ces alignements sont au moins 2 000 ans plus vieux que le barde guerrier, mais... chut ! Juste à côté, cairn marquant la tombe du poète John Hewitt. Cela dit, le site n'est pas forcément à la hauteur de l'histoire.

Waterfoot : bourgade au débouché du Glenariff. D'ailleurs, on l'appelle également de ce nom-là. Grande et belle plage. Fin juin, début juillet s'y déroule le *Feis na nGleann,* festival culturel gaélique, avec sports traditionnels, danse et musique.

Vers Ballymena et plus au sud

Glenariff Forest Park : *voir également plus haut, sous « Camping ». ☎ 29-55-60-00. Tlj de 8h au coucher du soleil. Compter 4,50 £/voiture et 1,50 £ pour les piétons.* Entrée payante, mais la forêt en vaut la peine, avec ses nombreuses chutes d'eau et son sous-bois qui aide à croire aux elfes. Quatre itinéraires de balades bien balisés (de 1 à 9 km), dont le *Waterfall Trail,* qui permet justement de se repaître des eaux vives de la rivière Glenariff à l'endroit où elles ont tracé une gorge. *Visitor's Centre* (belles bébêtes empaillées et explications sur l'exploitation de la forêt).

Glenarm : au débouché du « Last of the Nine Glens », cet ancien village achève cette magnifique balade. Château des comtes d'Antrim, du XVIIe s, avec un magnifique pan de remparts et plusieurs tours du côté de la rivière (est).

LARNE (LATHARNA)

18 200 hab. IND. TÉL. : 028

Ville industrielle sans charme, c'est le principal port d'embarquement d'Irlande du Nord pour l'Écosse.

Arriver – Quitter

En train

– *Rens :* ☎ *90-66-66-30.* ● *translink.co.uk* ●

➢ ***Belfast :*** jusqu'à Central Station. Ttes les 30-60 mn en sem, ttes les heures le sam et ttes les 90 mn le dim. Prévoir 40 mn-1h de trajet.

En bus

➢ ***Belfast (Laganside Bus Centre) :*** *Ulsterbus* Service 156. 3-5 bus/j. sf dim.

➢ ***Belfast (Europa Buscentre) :*** avec *Goldline* Service 256. Env 1 bus/h. en sem, 6 bus le sam, 2 le dim.

➢ ***Glens d'Antrim et Chaussée des Géants :*** *voir la même rubrique sous ces destinations.*

En bateau

➢ ***Ferry pour l'Écosse :*** *avec* ***P & O.*** *À Larne :* ☎ *087-16-64-20-20 ; tlj 8h-20h30.* ● *poirishsea.com* ● Nombreux départs/j. tte l'année. Compter à partir de 100 £/trajet pour une voiture et 4 pers. Traversée : 1h pour Cairnryan, 2h pour Troon. Généralement moins cher en milieu de semaine et si on réserve bien à l'avance.

Adresse utile

ℹ ***Office de tourisme :*** *Narrow Gauge Rd.* ☎ *28-26-00-88.* ● *larne.gov.uk* ● *En plein centre. Ouv tte l'année lun-ven 9h-17h, plus le sam de mi-mai à fin sept slt.* Vous pourrez y réserver hôtel ou passage en ferry.

Où dormir ?

⛺ ***Curran Court Caravan & Camping Site :*** *131, Curran Rd.* ☎ *28-27-37-97. À 500 m du port. Bien fléché à partir du ferry. Ouv de mi-mars à oct. Autour de 10-15 £ pour 2.* Pratique quand on arrive tard. Un des campings les moins chers d'Irlande, pourtant tout confort. Même les emplacements pour caravanes sont gazonnés. À côté, parc pour se promener.

🏠 ***Derrin Guesthouse :*** *2, Prince's Gardens.* ☎ *28-27-32-69.* ● *derrinhouse.co.uk* ● *Près du centre-ville, dans un quartier résidentiel. De Curran Rd (route du port), tourner à droite vers la Coast Rd (A 2) ; Prince's Gardens est immédiatement à gauche. Ouv tte l'année. Double avec sdb 57 £.* 💻 📶 On aurait presque envie de dire : dommage qu'il soit à Larne... Ce *B & B*, superbement tenu par un Hollandais et sa femme écossaise, est l'un de nos préférés en Irlande du Nord. Chambres (dont 1 familiale) plaisantes, avec TV, bouilloire, thé ou café, double vitrage, etc. Grand choix de petit déj (dont 1 végétarien).

Où manger ?

🍽 ***The Kiln :*** *168, Old Glenarm Rd.* ☎ *28-26-09-24. À 1 km au nord du centre, dans le prolongement d'Agnew St. Ne pas confondre avec Glenarm Rd ! Tlj midi-minuit. Plats à partir de 10 £.* Un resto-pub bien connu des locaux et des touristes de passage. Plus que pour la cuisine, on vient ici pour l'animation : *groove* le vendredi, groupes locaux le samedi, musique sur demande le dimanche, etc.

BELFAST ET SES ENVIRONS

BELFAST (BÉAL FEIRSTE) 277 400 hab. IND. TÉL. : 028

« Capitale » d'Irlande du Nord, Belfast regroupe à elle seule le sixième de la population régionale, et même le tiers en comptant l'agglomération. Sa vocation industrielle et commerciale pourrait vous pousser à passer votre chemin, mais ce serait dommage. Car si Belfast n'est pas une « belle » ville, elle affiche un caractère bien trempé et sa détermination à rattraper les années assombries par les *Troubles.* Ses beaux musées, sa vie universitaire, sa scène culturelle, les *murals,* l'animation de son centre et de ses pubs pittoresques sauront vous retenir quelques jours, agrémentés de balades dans les environs.

UN PEU D'HISTOIRE

Béal Feirste signifie en gaélique « l'embouchure sur le rivage sablonneux ». La ville moderne ne s'est développée qu'à partir du XVIIe s, sur l'emplacement d'une ancienne place forte détruite en 1316, le long de la rivière Farset, affluent de la Lagan. Très vite, elle centralisa le commerce du lin, spécialité de l'Ulster. Puis, le gouvernement anglais y développa systématiquement les manufactures et les industries, le reste de l'Irlande étant considéré comme un réservoir agricole. La Farset, qui permettait aux voiliers de pénétrer sur ce qui est aujourd'hui High Street, fut définitivement couverte à l'aube du XIXe s quand naquit le nouveau port, rendu nécessaire par la Révolution industrielle et le commerce colonial. L'architecture victorienne des grands bâtiments civils, aux alentours de Donegall Square, témoigne de la prospérité que Belfast connut alors.
La ville fut longtemps symbolisée par son fleuron, les célèbres chantiers navals *Harland & Wolff* – d'où sortit, entre autres, le *Titanic.* La ville a profité du 100e anniversaire de son lancement pour entériner sa reconquête des anciennes rives industrielles de la Lagan, en inaugurant... « Titanic Belfast ». Souhaitons à cet espace consacré au paquebot mythique, scintillante icône *high tech* plus que simple musée, une longue traversée sans naufrage !

QUELQUES PERSONNAGES

Beaucoup de gens célèbres sont liés à Belfast, qu'ils y soient nés ou qu'ils y aient accompli une grande partie de leur carrière. On citera Mary McAleese, première citoyenne d'Irlande du Nord élue présidente de la république du Sud. Des acteurs : Kenneth Branagh, Liam Neeson, Stephen Rea... Des chanteurs et musiciens : Van Morrison (et son inoubliable *Gloria*), Brian Kennedy, le guitariste de blues Ronnie Greer, James Galway, l'un des plus grands flûtistes du monde... Sans oublier des sportifs comme George Best, l'as du ballon rond décédé en 2005...

TOPOGRAPHIE DE LA VILLE

Il y a d'abord le centre-ville, aux abords de Donegall Square et de la cathédrale *(zoom, B1),* avec ses monuments néoclassiques, ses administrations, les grands magasins, etc. C'est là que l'on fera son shopping : cristal, poterie, linge de maison, tweed et mohair, whiskeys, etc. Sans oublier l'artisanat celtique et ses motifs

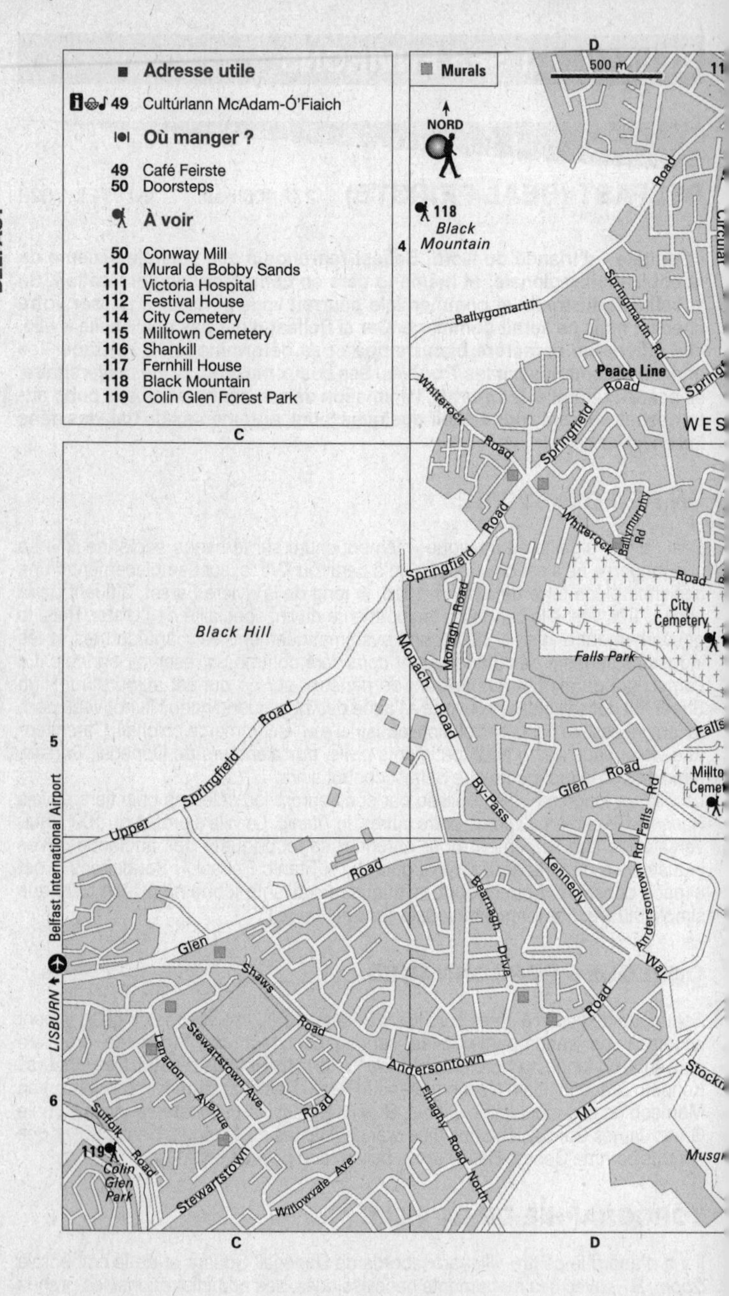

■ Adresse utile
49 Cultúrlann McAdam-Ó'Fiaich
Où manger ?
49 Café Feirste
50 Doorsteps
À voir
50 Conway Mill
110 Mural de Bobby Sands
111 Victoria Hospital
112 Festival House
114 City Cemetery
115 Milltown Cemetery
116 Shankill
117 Fernhill House
118 Black Mountain
119 Colin Glen Forest Park
Murals
500 m
NORD
118 Black Mountain
Ballygomartin
Springmartin Rd
Peace Line
Whiterock Road
Springfield Road
Whiterock Road
Ballymurphy Rd
City Cemetery
Falls Park
Black Hill
Monagh Road
Monach Road
By-Pass
Upper Springfield Road
Glen Road
Kennedy Way
Falls Rd
Andersontown Rd
Milltown Cemetery
Belfast International Airport
LISBURN
Shaws Road
Stewartstown Ave.
Lenadon Avenue
Bearnagh Drive
Andersontown Road
Finaghy Road North
Suffolk Road
Stewartstown Road
Willowvale Ave.
M1
119 Colin Glen Park
C
D
4
5
6

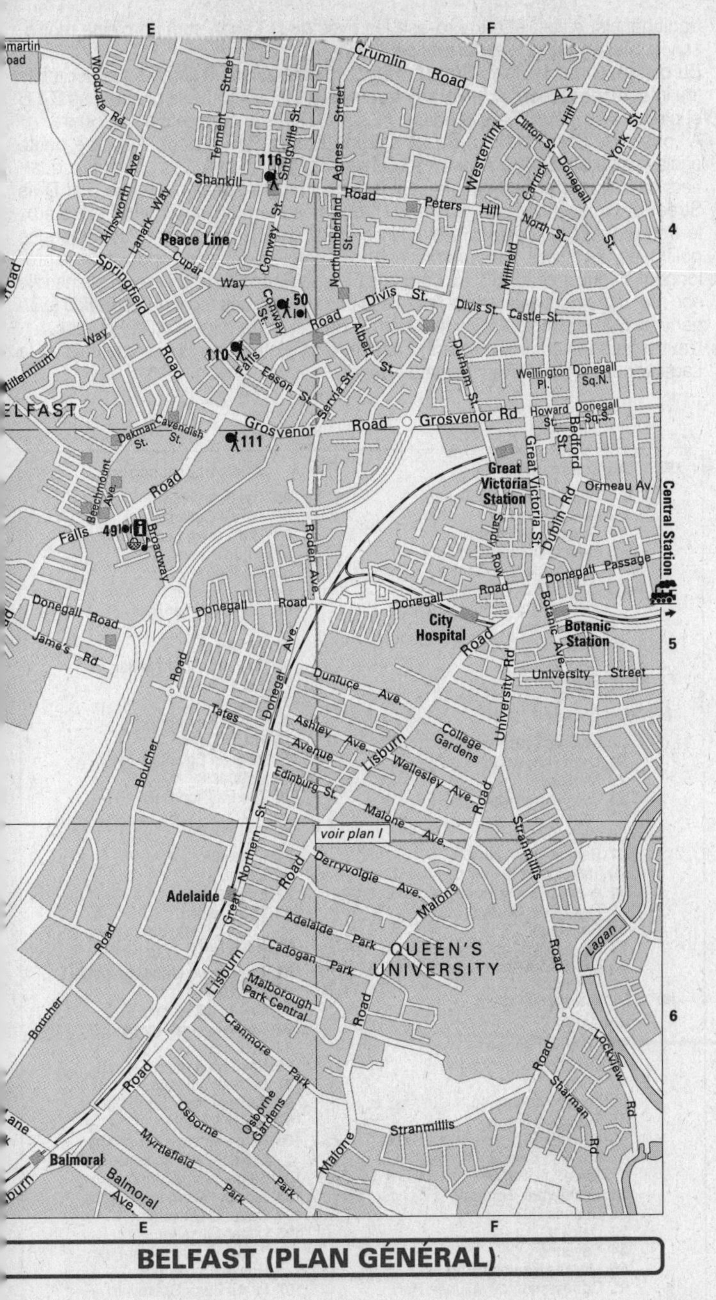

BELFAST (PLAN GÉNÉRAL)

traditionnels. À l'est et au nord-est, les rives de la Lagan sont en pleine renaissance, mais manquent encore un peu de vie.
Du centre, ***Great Victoria Street*** *(zoom, A2)* mène vers le sud au quartier mixte (ou intégré) de ***Queen's University*** *(zoom, A3)*, où l'on trouve la plupart des *B & B* et pléthore de restos, bars et boîtes, plus populaires et étudiants qu'au centre.
À l'ouest de Great Victoria Street s'étend ***Sandy Row*** *(zoom, A2)*, une petite enclave loyaliste affichant haut les couleurs de l'Union Jack. Les principaux quartiers catholiques et protestants sont toutefois plus éloignés du centre. Par Divis Street et Grosvenor Road *(zoom, A1)*, on atteint le plus important d'entre eux, le très républicain ***Lower Falls*** *(plan général, E4-5)*, réputé pour ses fresques politiques, les *murals*. Ballymurphy et Andersontown, de même obédience, le prolongent à l'ouest et au sud. Au nord des Falls, la ***Peace Line*** dresse en pleine ville son mur tristement célèbre qui fait que la plupart des rues menant à ***Shankill*** *(plan général, E4)*, le principal foyer loyaliste de Belfast, se terminent en cul-de-sac.
L'autre grand quartier protestant, ***East Belfast,*** s'étend sur la rive orientale de la Lagan, tout autour de Newtownards Road.

■ Adresses utiles

- **1** Belfast Welcome Centre
- **2** Avis Rent a Car
- **4** Budget Car Rental
- **5** Belfast Central Station
- **7** Laganside Bus Centre
- **8** Europa Bus Centre et Great Victoria Street Station
- @ **9** Revelations
- **10** McConvey Cycles
- @ **11** Ark Internet
- @ **12** Esquires

Où dormir ?

- **20** Marine Guesthouse
- **21** Days Hotel
- **22** Madisons
- **23** Ash-Rowan Townhouse
- **25** Vagabonds
- **26** Global Village
- **27** Belfast Youth Hostel
- **29** Travelodge Belfast Central
- **31** Avenue Guest House
- **32** Pearl Court Guesthouse
- **33** Benedicts
- **34** Ravenhill Guest House
- **35** Cordia Serviced Apartments

Où manger ?

- **40** Conor
- **41** The Kitchen Bar
- **42** Deanes
- **43** Bishops
- **44** Nick's Warehouse
- **45** The John Hewitt
- **46** Made in Belfast – Talbot Street
- **47** Made in Belfast – Wellington Street
- **51** Restaurant Victoria
- **52** Deanes Deli
- **53** Darcy's
- **54** Cayenne
- **55** Mourne Seafood Bar
- **91** Coffee-shop de la Linen Hall Library

Pubs intéressants

- **45** The John Hewitt
- **55** Kelly's Cellars
- **61** The Crown Liquor Saloon
- **62** White's Tavern
- **63** Madden's
- **64** Morning Star
- **65** The Cloth Ear Bar
- **66** Katy Daly's
- **67** Bar Bacca
- **68** The Grill Room & Bar
- **70** Pat's Bar
- **71** Robinson's
- **72** The Duke of York
- **73** The Voodoo
- **74** Ye Olde Eglantine Inn
- **75** Botanic Inn
- **76** The Pavilion Bar

Où sortir ?

- **66** Limelight
- **80** Lavery's
- **81** Empire
- **82** The Kremlin

À voir. À faire

- **61** The Crown Liquor Saloon
- **90** City Hall
- **91** Linen Hall Library
- **92** Grand Opera House
- **93** Ulster Hall
- **95** Saint Malachy's Church
- **97** Belfast Exposed
- **98** Saint Anne's Cathedral
- **99** Lagan Weir
- **100** Whowhatwherewhenwhy-Odyssey et Titanic Belfast
- **101** Saint George Market
- **103** Sinclair Seamen's Church
- **104** Queen's University
- **105** Ulster Museum
- **106** Jardin botanique et Palm House
- **107** Friars Bush Graveyard
- **108** Sandy Row

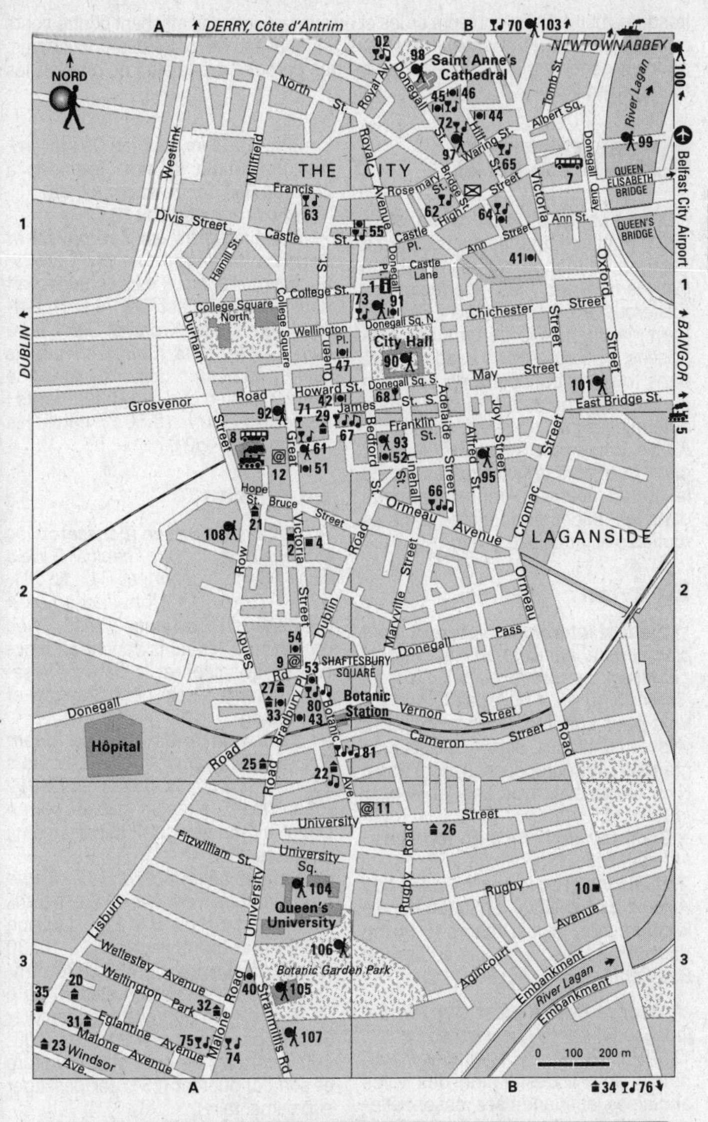

BELFAST (ZOOM)

Depuis la signature du Good Friday Agreement en mai 1998, les stigmates de la guerre que portaient les alentours du centre se sont en partie estompés, notamment grâce à d'importants crédits débloqués par les autorités britanniques pour reconstruire des logements. Cette fois-ci, les quartiers catholiques ont bien reçu leur part, des centaines de maisons ont ainsi poussé dans les Lower Falls. Si les fresques murales aux couleurs crues et au symbolisme naïf affichent contre vents et marées les luttes passées mais aussi les nouveaux espoirs des populations, ce n'est généralement qu'à l'approche des parades orangistes qu'on sent les tensions renaître.

Arriver – Quitter

– La compagnie *Translink* (● *translink.co.uk* ●) chapeaute les transports en commun d'Irlande du Nord : trains *(Northern Ireland Rail)*, bus régionaux *(Ulsterbus)* et urbains (*Metro* à Belfast). Parmi la ribambelle de formules proposées, la carte *iLink* à usage illimité dans tous les transports en commun pendant une période et sur une zone déterminées peut s'avérer intéressante. À titre d'exemple, compter 48,50 £ pour 1 semaine de validité dans toute la région. Vente et renseignements dans les offices de tourisme et gares routières et ferroviaires.

En avion

✈ ***Belfast International Airport*** *(hors plan général par C6)* **:** *28 km à l'ouest de Belfast, à proximité du lough Neagh.* ☎ *94-48-48-48.* ● *belfastairport.com* ● Vols pour Londres et les principales villes britanniques, ainsi que quelques grandes cités européennes, dont Paris, Nice et Genève, avec *Easyjet* (● *easyjet.com* ●).

– ***Comptoir de l'office du tourisme :*** *lun-sam 7h30-19h, dim 8h-17h.*

➢ ***Liaisons avec le centre-ville : bus Airport Express 300.*** 5h30 (5h depuis le centre-ville)-minuit, ttes les 15-30 mn dans les 2 sens. Terminus à l'*Europa Bus Centre (zoom, A2,* ***8****).*

✈ ***George Best Belfast City Airport*** *(hors zoom par B1)* **:** *à 3 km du centre.* ☎ *90-93-90-93.* ● *belfastcityairport.com* ● Vols à destination des villes anglaises et irlandaises essentiellement, ainsi qu'une liaison avec Paris assurée par *Flybe* (● *flybe.com* ●). Comptoir de l'office du tourisme *(lun-sam 8h-19h, dim 10h-17h),* bureau de change, distributeurs de billets et principales compagnies de location de voitures.

➢ ***Liaisons avec le centre-ville***

– ***En bus :*** *avec l'**Airport Express 600.*** 6h-22h, lun-sam ttes les 20 mn env, ttes les 40 mn le dim. Terminus à l'*Europa Bus Centre (zoom A2,* ***8****).*

– ***En taxi :*** compter env 10 £.

➢ ***Liaisons entre les 2 aéroports et Derry :*** *avec l'**Airporter.*** ☎ *71-26-99-96.* ● *airporter.co.uk* ● La ligne dessert dans l'ordre Belfast City Airport, Belfast International Airport et Derry. Lun-sam, 5h45-21h45 (3h30-18h depuis Derry), 10 bus/j. ; dim, 7 liaisons (de Derry, dernier bus à 14h30). Tarifs : aéroports-Derry 18,50 £, entre les 2 aéroports : 8,50 £.

En bateau

➢ ***Belfast-Cairnryan (Écosse) :*** *avec la **Stena Line,** Victoria Terminal 4, West Bank Rd (hors zoom par B1).* ☎ *084-47-70-70-70.* ● *stenaline.co.uk* ● 5-6 départs/j. Traversée : 2h15. Avec un véhicule, les tarifs varient en fonction de la saison et la date de résa. Combo ferry + train pour Glasgow et Édimbourg.

➢ ***Belfast-île de Man :*** *avec la **Steam Packet Company,** Albert Quay (hors zoom par B1).* ☎ *087-22-992-992 (n° surtaxé).* ● *steam-packet.com* ● Début avr-fin sept, 1-2 départs/sem ; traversée 2h45-4h45.

➢ ***Belfast-Liverpool :*** *avec la **Stena Line,** Victoria Terminal 4, West Bank Rd (hors zoom par B1).* Lun, 1 liaison à 22h, mar-dim 2 départs/j. à 10h30 (18h30 de Liverpool) et 22h30. Traversée : 8h. Prix : selon saison, date de résa et type de traversée, compter 30-60 £ par piéton, env 80-110 £ (100-160 £ en ferry de nuit) pour 1 voiture et son conducteur (25 £ par passager supplémentaire).

En train

– ***Informations horaires :*** *pour l'Irlande du Nord,* ☎ *90-66-66-30.* ● *translink.co.uk* ● *Pour les liaisons avec la république d'Irlande :* ☎ *1-83-66-222.* ● *irishrail.ie* ●

Attention ! pas de consigne dans les

gares ferroviaires et routières ! S'arranger avec son hébergement ou avec Le *Welcome Tourist Centre* (voir la rubrique « Adresses utiles »).

La majorité des trains dessert les 2 principales gares de Belfast soit :

Belfast Central Station *(hors zoom par B1,* ***5****)* **:** *East Bridge St. Rens : ☎ 90-89-94-00 (lun-ven 9h-17h).* Pour rejoindre le centre-ville, bus urbains gratuits sur présentation du billet de train. Ils se prennent à 50 m à gauche en sortant de la gare.

Great Victoria Street Station *(zoom A2,* ***8****)* **:** *Glengall St. Attenant à l'*Europa Bus Centre *et plus centrale que la précédente.*

Certains trains s'arrêtent également dans des gares secondaires, comme **Botanic Station** *(zoom A2)*, pratique si l'on réside dans le quartier de l'Université.

➢ **Dublin par Lisburn, Portadown et Newry :** lun-sam 8 trains/j., 5 le dim. Trajet d'env 2h.

➢ **Larne :** lun-sam 20 départs/j., dim 8 trains. Env 45 mn de trajet.

➢ **Derry, via Coleraine :** lun-sam 8 trains/j., dim 5 trains. Trajet total : env 2h.

➢ **Portrush :** lun-sam 2 trains/j., 1 le dim. Trajet : env 1h45.

En bus

Europa Bus Centre *(zoom A2,* ***8****)* **:** *Glengall St. ☎ 90-66-66-30.* Centralise la plupart des bus longue distance et ceux pour les aéroports. Guichet d'info *(lun-sam 9h30-17h)*, cafés, supérette et distributeur. On y trouve aussi l'**Ulsterbus Travel Centre.** *☎ 90-33-70-02 ou 03. Tlj sf dim 9h-17h (sam 12h30).* Informations horaires et proposition de circuits.

➢ **Derry : Goldline Express,** *Service 212.* Lun-ven, 6h30-23h depuis Belfast (5h30-21h dans l'autre sens), bus ttes les 15-30 mn. Le sam, ttes les 30 mn à 1h, dim ttes les 1h-1h30. Trajet : 1h45.

➢ **Omagh : Goldline Express,** *Service 273.* Lun-sam 8h35-21h (6h25-19h55 depuis Omagh), env 1 départ/h ; dim 4 bus. Env 1h45 de trajet.

➢ **Enniskillen : Goldline Express,** *Service 261.* Lun von, 8h-20h env (7h30-17h30 depuis Enniskillen), 1 bus direct/h ; w-e 5-7 liaisons/j. Trajet : 2h10.

➢ **La ligne côtière Coleraine-Belfast via Bushmills, Giant Causeway, Carrick-a-rede, Cushendall et Larne :** *avec* **Antrim Coaster,** *Service 252.* Lun-sam, 2 fois/j. (1 terminus à Larne, l'autre à Belfast), dim en été slt, 1 liaison/j.

➢ **Dublin via Newry : Goldline Express,** *Service 200.* 6h-23h (5h-21h depuis Dublin), 1 bus/h, puis ttes les 2h. Tous desservent aussi l'aéroport de Dublin. Durée totale : 2h25.

➢ **Vers l'Angleterre et l'Écosse :** *avec* **Ulsterbus Cross Channel,** *Express Service. ☎ 90-33-70-02 ou 03.* 3 liaisons/j. avec l'Écosse, 1 avec l'Angleterre. Plus on achète tôt, moins c'est cher.

Laganside Bus Centre *(zoom B1,* ***7****)* **:** *Queen's Sq.* Liaisons avec le Down (Portaferry, Newtownards...) et l'Antrim, sf le dim (gare fermée, utiliser l'*Europa Bus Centre*). Se reporter aux villes concernées pour plus de détails.

Location de voitures

■ **Avis Rent a Car** *(zoom A2,* ***2****)* **:** *69-71, Great Victoria St. ☎ 90-24-04-04.* ● avis.co.uk ● Également présent dans les 2 aéroports.

■ **Budget Car Rental** *(zoom A2,* ***4****)* **:** *96-102, Great Victoria St. ☎ 90-23-07-00. ● budget.ie ● Lun-ven 9h-17h30. Également à l'aéroport international (☎ 94-42-33-32) et au City Airport (☎ 90-45-11-11), tlj 5h30-22h.*

■ **Hertz Car Rental :** ● hertz.co.uk ● *À l'aéroport international, ☎ 90-42-25-33, tlj 7h-minuit. À Belfast Airport, ☎ 90-73-24-51, tlj 7h-21h30.*

Se déplacer dans Belfast

Location de vélos

■ **McConvey Cycles** *(zoom B3,* ***10****)* **:** *183, Ormeau Rd. ☎ 90-33-03-22. ● rentabikebelfast.com ● Tlj sf dim*

9h-18h (jeu 20h, sam 17h). À un peu moins de 2 km du centre. Compter 20 £/j. le vélo. Garantie par carte bancaire obligatoire.

Stationnement

Dans le centre, parkings payants chers car privés. Pour une course ou une visite rapide, préférer les horodateurs. Le stationnement est gratuit le long de certains trottoirs, mais assurez-vous que c'est bien autorisé... Le plan fourni par l'office du tourisme indique les parkings « *Park and ride* » reliés au centre-ville par des bus. À consulter également pour trouver le meilleur emplacement et comparer les prix • *en.parkopedia.co.uk* •

Bus urbains

■ ***Metro*** *(Citybus) :* ☎ *90-66-66-30.* • *translink.co.uk* • *À partir de 1,60 £/trajet. Ticket valable 1 j. sur tt le réseau, 3,50 £.* Carte Smartlink, *en vente au* Metro Kiosk *(Donegall Sq West, zoom B1), 5,50-11 £ (+ 1,50 £ au 1er achat), pour respectivement 5 et 10 trajets. Plan détaillé des lignes dispo à l'office du tourisme.* Malgré son nom, ce réseau très dense est exclusivement desservi par des bus. Service de nuit *(Nightlink)* à destination des villes proches.

Taxis

■ ***Value Cabs :*** ☎ *90-80-90-80. 24h/24.*

Adresses utiles

🅸 ***Belfast Welcome Centre*** *(zoom B1, **1**) : 47, Donegall Pl.* ☎ *90-24-66-09.* • *gotobelfast.com* • *Lun-sam 9h-19h (17h30 oct-mai) ; dim 11h-16h.* Spacieux, bourré d'infos sur toute l'Irlande et animé par une équipe hyper pro, ça c'est de l'office du tourisme ! Proposition de balades guidées comme le célèbre *Historical Pub Tour* (voir « Pubs intéressants » et « À voir. À faire ») et l'*Historic Belfast Tour.* Vente du *Belfast Visitor Pass (6,50 £/j., 10,50 £ les 2 j. ; réduc)* incluant l'accès illimité aux transports en commun et des réducs sur les visites et tours guidés. Service de change, vente de billets pour les spectacles, consigne *(4,50 £ par sac/j.)*, espace internet *(lun-sam 9h-17h30, 1 £ pour 30 mn)*, etc.

✉ ***Poste*** *(zoom B1) : 12-16 Bridge St. Lun-sam 9h-17h30.* Beaucoup d'autres petits bureaux à travers la ville.

@ ***Revelations*** *(zoom A2, **9**) : 27, Shaftesbury Sq.* ☎ *90-32-03-37. Lun-ven 8h-22h ; sam 10h-18h ; dim 11h-19h.* Impressions, vente de *Sim card* et autres cartes téléphoniques.

@ ***Esquires*** *(zoom A2, **12**) : Great Northern Mall, Great Victoria St.* ☎ *90-24-15-47. Lun-sam 7h-20h ; dim 10h-19h.* Parfait pour prendre votre petit noir matinal en pianotant sur Internet.

@ ***Ark Internet*** *(zoom B3, **11**) : 44, University St.* ☎ *90-32-96-26. Tlj 9h-22h.*

■ ***Agent consulaire français :*** *Mrs Régine McCullough, FLEX, University of Ulster, Shore Rd, Jordanstown, Newtownabbey.* ☎ *93-37-34-75.*

Où dormir ?

La plupart des *B & B* se situent dans le quartier mixte et agréable de Queen's University *(zoom A3)*, entre University Road et Lisburn Road. Ces rues sont très bien desservies par les bus et ne sont, à leur début, qu'à 1 km de l'hypercentre.

Camping

⛺ ***Jordanstown Loughshore Park :*** *Shore Rd, Newtownabbey, à env 9 km au nord, sur la route côtière A 2.* ☎ *90-34-01-37.* • *newtownabbey.gov.uk* • *Ouv tte l'année. 12 £ par tente ; 19-21 £ pour un camping-car.* 📶 Géré par la municipalité de Newtownabbey, le camping, tout petit, est situé juste en retrait du Belfast Lough, près de la route. Abrité par des arbres, il est néanmoins assez calme. Il compte en tout et pour tout 13 places pour caravanes et camping-cars, et 3 pour tentes ! Autant dire qu'il vaut mieux réserver. Les bus pour le centre s'arrêtent à 50 m.

Bon marché (moins de 40 £ / 48 €)

Noter que les tarifs des doubles flirtent ou dépassent légèrement cette fourchette.

Vagabonds *(zoom A2, **25**)* **:** *9, University Rd. ☎ 90-23-30-17. • vagabondsbelfast.com • Dortoir de 4-12 lits, à partir de 15 £/pers. Doubles sans sdb à partir de 40 £. Petit déj inclus. Loc de vélos.* Idéalement située entre le centre-ville et le quartier de l'Université, cette maison de brique blottie entre deux voisines quasi jumelles permet de jouir de tous les attraits de Belfast. Chambres et dortoirs sont bien un peu exigus mais l'ensemble est coloré et chaleureux. Cuisine à dispo, cour avec barbecue, machines à laver et enfin staff serviable et amical. Bref, on y trouve tous les ingrédients d'un bon *hostel*.

Global Village *(zoom B3, **26**)* **:** *87, University St. ☎ 90-31-35-33. • globalvillagebelfast.com • En dortoir de 4-8 lits, à partir de 13 £/pers. Double sans sdb 40 £. Petit déj inclus.* À deux pas de l'animation de Queens, cette AJ donne un sacré coup de pep's à une rue aux façades toutes semblables et bien comme il faut ! Les chambres et dortoirs sont clairs et nets. Chouette fresque murale dans la salle commune où rois du fourneau et cracks du baby-foot pourront s'adonner à leur passion. Accueil plaisant assuré par une équipe cosmopolite. Un autre bon point de chute dans cette catégorie.

Belfast Youth Hostel *(zoom A2, **27**)* **:** *22-32, Donegall Rd. ☎ 90-31-54-35. • hini.org.uk • Ouv 24h/24. Selon confort (sans ou avec sdb), j. de la sem (ven-sam plus cher) et taille : grandes chambres multi-lits et dortoir, compter 12-16 £/pers ; doubles env 30-42 £. Parking gratuit. (payant après 15 mn).* L'AJ officielle de Belfast est peut-être un peu « clinique » mais elle est grande, moderne et soignée, ainsi qu'idéalement située entre le centre-ville et le quartier étudiant. Grand dortoir de 19 lits, nombreuses doubles et chambres multiples (4-6 lits) y sont déclinés avec ou sans salle de bains à l'intérieur. Self-service maison, le *Causeway Cafe* prépare notamment un large choix de petits déj à prix très raisonnables. Cuisine commune, lave-linge, vélos à louer et petite agence de voyages complètent la gamme des services.

De prix moyens à plus chic (moins de 80 £ / 96 €)

Marine Guesthouse *(zoom A3, **20**)* **:** *30, Eglantine Ave. ☎ 90-66-28-28. • marineguesthouse3star.com • Fermé à Noël. Double 60 £. Petit déj compris.* Cette belle maison en brique accolée à un petit jardin dispose de 8 chambres fort bien tenues, la plupart très spacieuses et avec moulures au plafond. De nombreux profs de fac en visite et conférenciers y ont leurs habitudes. Bon accueil.

Travelodge Belfast Central *(zoom A2, **29**)* **:** *15, Brunswick St. ☎ 0871-984-6188. • travelodge.co.uk • Doubles avec sdb, env 40-110 £ selon date de résa et période. Petit déj possible en sus, 7 £/pers. Parking possible (compter env 8 £/24h). payant.* Antenne locale d'une chaîne d'hôtels budget, bien située dans un grand immeuble de brique de 7 étages. En fonction du taux d'occupation, les prix peuvent grimper vers des tarifs « chic » qui ne correspondent plus à cette adresse mais aussi plonger vers du dernière minute imbattable... Chambres standard, bien tenues et dotées de baignoire, bureau, bouilloire, etc. À étudier si le charme de l'hébergement ne constitue pas le critère principal de son séjour.

Avenue Guest House *(zoom A3, **31**)* **:** *23, Eglantine Ave. ☎ 90-66-59-04. • avenueguesthouse.com • Double avec sdb 70 £, petit déj inclus. CB refusées, mais euros acceptés.* Maison particulièrement cosy, avec un petit jardin fleuri à l'arrière et, en prime, un accueil délicieux. Les 4 chambres spacieuses, (dont 2 avec bow-window) sont impeccablement tenues. Elles ont toutes TV satellite, téléphone direct et bouilloire. Une de nos meilleures adresses.

Days Hotel *(zoom A2, **21**)* **:** *40,*

Hope St. ☎ *90-24-24-94.* ● *dayshotelbelfast.co.uk* ● *Doubles à partir de 60 £, petit déj compris (option sans possible). Parking gratuit.* Cousin amélioré des *Days Inn* américains, cet hôtel de chaîne, le plus grand du centre-ville (250 chambres !), offre un très bon rapport qualité-prix. Les chambres sont standardisées mais confortables, et l'hôtel est très bien situé.

Pearl Court Guesthouse *(zoom A3,* ***32****) : 11, Malone Rd.* ☎ *90-66-61-45.* ● *pearlcourt.com* ● *Double 60 £ avec petit déj. Apparts à partir de 80 £ pour 2 pers.* Cette maison victorienne en brique, précédée d'un jardinet fleuri d'hortensias et de fuchsias, abrite 10 chambres très confortables, avec TV et bouilloire. Celles avec bow-window, très lumineuses, sont les plus agréables, même si elles donnent sur la rue. Les proprios louent aussi 3 appartements avec cuisine et salle de bains pouvant accueillir jusqu'à 6 personnes.

Madisons *(zoom A2-3,* ***22****) : 59-63, Botanic Ave.* ☎ *90-50-98-00.* ● *madisonshotel.com* ● *Doubles à partir de 58 £, petit déj compris.* Hôtel-resto-bar-boîte... c'est le tout en un : pratique pour rentrer se coucher après une soirée animée ! Parmi les 35 chambres, toujours assez modernes, mention spéciale aux *executive rooms* dont les bow-windows bien isolés donnent sur l'avenue. Plein d'offres spéciales sur le site, parfois avec entrée gratuite pour la discothèque...

Ravenhill Guest House *(hors zoom par B3,* ***34****) : 690, Ravenhill Rd.* ☎ *90-20-74-44.* ● *ravenhillhouse.com* ● *Arrêt (Ormeau Rd) de la ligne de bus n° 7 à deux pas. Doubles 75-80 £, petit déj compris.* Charmants, Roger et Olive vous accueillent dans leur maison victorienne équipée de 6 chambres (dont une simple). Ensemble impec, très confortable et généreusement meublé ; les chambres du 2e sont mansardées et dotées de baignoire. Petit déj soigné avec plat chaud à la carte, *soda bread* et fruits au sirop maison. *Lounge* et salle de petit déj au rez-de-chaussée. Paraît excentré mais le coin est bien desservi par les bus, tandis que les marcheurs ne dédaigneront pas la balade vers le centre, par Ormeau Road, bordée de plusieurs pubs et cafés, puis à travers Botanic Garden.

De plus chic à beaucoup plus chic (plus de 80 £ / 96 €)

Ash-Rowan Townhouse *(zoom A3,* ***23****) : 12, Windsor Ave.* ☎ *90-66-17-58.* ● *ashrowan@hotmail.com* ● *Résa très conseillée. Doubles à partir de 96 £, petit déj inclus.* Située dans une rue calme, cette *townhouse* victorienne, ancienne demeure de Thomas Andrews, l'architecte du *Titanic,* est l'une des plus agréables *guesthouses* de Belfast. Déco soignée, atmosphère cossue et intime à la fois. Très agréable véranda pour se relaxer. Parmi les chambres confortables, bien qu'un peu petites parfois, on a un faible pour la n° 7, au 2e étage, avec son très grand lit. Copieux petit déj et grand choix de menus (ah, le *Kedgeree,* son haddock fumé et sa crème au cumin !).

Benedicts *(zoom A2,* ***33****) : 7-21, Bradbury Pl, Shaftesbury Sq.* ☎ *90-59-19-99.* ● *benedictshotel.co.uk* ● *Doubles 80-90 £ ; petit déj compris. Resto : menu « Beat the Clock » à partir de 5,50 £ ; le soir, menu 3 plats 22 £ ; à la carte, compter 10-18 £.* Dans un genre similaire au *Madison's* (voir plus haut), le *Benedicts* dispose de chambres confortables et bien équipées. Il y a même un bain à remous dans les plus chères ! Gros petit déj, buffet + plat chaud à la commande dont un choix « santé ». Original, entre 17h30 et 19h, les tarifs du resto sont fonction de l'heure. Le même plat coûtera donc 5,50 £ à 17h30 et 7 £ à 19h !

Cordia Serviced Apartments *(zoom A3,* ***35****) : 355-367, Lisburn Rd.* ☎ *90-38-09-00.* ● *cordiaapartments.com* ● *Entrée par une petite porte à gauche du supermarché* Tesco. *Apparts 75-110 £ pour 2 pers, selon j. et période. Parking souterrain gratuit.* Tous les appartements sont aménagés dans un style contemporain, fonctionnel et confortable. On peut leur reprocher de manquer de cachet mais pas d'équipements ! Dans tous les cas, cuisine complète ouverte sur un salon-salle à manger avec balcon.

2 chambres et salles de bains dans les plus grands.

Où manger ?

Bon marché (moins de 10 £ / 12 €)

– Quasiment tous nos **pubs** (indiqués plus loin) offrent à midi un excellent *pub grub* à prix très abordables (entre autres, *Kelly's Cellars* et *Pat's Bar*).

I●I **Conor** *(zoom A3,* ***40****) : 11 A, Stranmillis Rd.* ☎ *90-66-32-66. Café-bar tlj 9h-17h, resto de 12h jusqu'à... l'heure d'aller se coucher. Lun-mer 17h-19h, formule plat + boisson env 10 £. Carte 9-12 £.* Ancien atelier d'un peintre dont le portrait voisine avec de grandes toiles contemporaines sous une verrière, ce café-resto propose une bonne cuisine à base de produits frais : salades, sandwichs, curry thaï, lasagnes, *fish & chips*. Sans oublier de très bons *scones* pour combler un petit creux.

I●I ***The Kitchen Bar*** *(zoom B1,* ***41****) : Victoria Sq.* ☎ *90-24-52-68. Tlj. Plats 7-10 £.* Datant de 1859, le pub originel a été détruit en 2004 lors de la restructuration du quartier. Rouvert à deux pas, à l'entrée du centre commercial de Victoria Square, il a perdu en patine mais pas en ambiance ! Employés du coin, hommes d'affaires et *shopping addicts* se retrouvent autour d'une pinte ou d'un *pub grub*. D'ailleurs, vue l'allure de la pizza, autant s'en tenir aux spécialités locales comme le traditionnel *sausage, bacon, champ and gravy*. Pour toper le tout, offrez-vous un café *allongé*, comme diraient nos amis antillais – l'*Irish coffee* au *Bushmills*, c'est du sérieux ! Concert de musique traditionnelle le jeudi soir, de blues le vendredi et *DJ set* le samedi.

I●I ***The John Hewitt*** *(zoom B1,* ***45****) : 51, Donegall St.* ☎ *90-23-37-68. Lun-sam 12h-15h. Plat env 8 £.* Décor « néo-ancien bistrot » assez réussi : cheminée, comptoir en bois, expos d'artistes locaux, etc. Lunch très correct, soupes onctueuses, poisson cuit parfaitement, etc. Réputé pour sa musique live le soir et le samedi après-midi (voir « Pubs intéressants »). Tenu par une ONG d'aide à la réinsertion.

I●I ***Bishops*** *(zoom A2,* ***43****) : 32-34, Bradbury Pl.* ☎ *90-43-90-70. Lun-mer 10h-2h ; jeu-sam 10h-3h ; dim 10h-1h.* Un des meilleurs *fish & chips* de la ville, ce qui ne l'empêche pas de proposer des burgers. C'est un peu le *McDo* local, mais avec des *booths* et une cheminée qui crépite ! Atmosphère chaleureuse et détendue.

I●I ***Coffee-shop de la Linen Hall Library*** *(zoom B1,* ***91****) : 17, Donegall Sq North.* ☎ *90-32-17-07. Lun-ven 10h-16h ; sam 10h-12h30.* Atmosphère calme et studieuse de la prestigieuse bibliothèque pour grignoter sandwichs, *scones*, gâteaux, etc. On peut même y prendre son petit déj.

À West Belfast

I●I ***Café Feirste*** *(plan général E5,* ***49****) : 216, Falls Rd.* ☎ *90-96-41-84. Lun-ven 9h30-17h30, sam 10h-17h.* C'est la cafèt' du centre culturel gaélique (*Cultúrlann McAdam-Ó'Fiaich,* rubrique « À voir »). Cadre agréable et aéré pour une bonne nourriture traditionnelle. Des peintures égaient les murs. Tables en bois blanc et chaises cannées. Librairie pour les nourritures spirituelles. Une sympathique halte sur le trekking des *murals*.

I●I ***Doorsteps*** *(plan général E4,* ***50****) : 5-7, Conway St.* ☎ *90-23-71-71. Lun-sam 9h-17h. Au rdc du* Conway Mill *(consulter la rubrique « À voir »). Sandwichs et plats 3-7 £.* Grande salle profitant des volumes de cette ancienne usine. Sandwichs et petits plats sont listés sur l'ardoise derrière le comptoir. De *roast-beef* en curry thaï, d'émincé de bœuf en tomates séchées, tout ce qu'il faut pour se requinquer après la balade des *murals*.

De prix moyens à plus chic (10-30 £ / 12-36 €)

I●I ***Made in Belfast*** *(zoom B1,* ***46****) : 23, Talbot St.* ☎ *90-24-41-07. Ouv 11h-21h (jeu-sam 23h, dim 18h). Carte : le midi env 10 £ ; le soir, compter 15 £ pour être rassasié.* On préfère cette nouvelle branche à l'adresse originale située sur Wellington Street *(zoom A1,* ***47****)* pour le grand volume de sa salle, généreusement vitrée. Pour le reste, même principe : déco dépareillée au possible, avec des notes rigolotes comme les théières et chapeaux melons convertis en luminaires, et cuisine urbaine élaborée principalement à l'aide de bons produits locaux (parfait de foie de poulet, saumon bio, moules du Strangford Lough, etc.). Intéressante carte de vins. Service à la fois attentif et décontracté, bande son soignée.

I●I ***Mourne Seafood Bar*** *(zoom A-B1,* ***55****) : 34-36, Bank St.* ☎ *90-24-85-44. Ouv mar-sam 12h-21h30 ; dim et lun midi stl. Résa conseillée le soir. Plats 7-20 £.* Resto à l'entrée derrière la poissonnerie maison, *Oyster Bar (ts les midis sf dim, et le soir jeu-sam)* au-dessus, le *Mourne* fait le buzz pour la qualité de sa cuisine marine qui devrait l'inscrire dans la durée. Sur fond de musique rock, les convives dégustent les poissons entiers ou en filets, parfois servis sur des salades chaudes, ou la fameuse casserole de fruits de mer. Brique et bois sombre s'associent pour donner à la longue salle un petit côté *trendy* sans geler l'atmosphère, plutôt cool.

I●I ***Restaurant Victoria*** *(zoom A2,* ***51****) : 60, Great Victoria St.* ☎ *90-33-21-21. Tlj 12h-14h30 (sf dim), 17h-22h. Résa conseillée le w-e. Formule* pre theatre *17h-19h (sf dim) 13 £ ; menu 25 £, avec vin 50 £ pour 2 pers.* On pourrait qualifier ce cadre de kitsch victorien, revisité dans un genre chic décontracté... Il s'avère en tout cas chaleureux, surtout au rez-de-chaussée, avec la cuisine ouverte au fond. Les burgers sont appréciés de tous les viandards et les plats de *fusion* par les plus entreprenants. Beaucoup, beaucoup de monde le week-end, surtout pour profiter des 2 *theatre menus,* de 17h à 18h45. Copieux. Le service est courtois, efficace et rapide. Un bonheur !

I●I ***Deanes Deli*** *(zoom B2,* ***52****) : 42-44, Bedford St.* ☎ *90-24-88-00. Tlj sf dim 12h-15h, 17h30-22h. Le midi, plats 7-11 £, le soir 10-18 £.* Deux en un, c'est plus malin ! À gauche le chaleureux bar à vins exhibe ses bouteilles (c'est bon pour elles, ça ?) et une grande ardoise avec les plats du jour. À droite le bistrot, à la déco similaire, où la cuisine se fait fusionnelle : des influences du monde entier y titillent les papilles... Risotto, *fish hotpot,* curry vert thaïlandais... Ça change tout le temps. Michael Deane, le proprio, qui est l'un des deux chefs les plus cotés de Belfast, possède aussi un resto amiral (le *Deanes*) décrit plus loin.

I●I ***Darcy's*** *(zoom A2,* ***53****) : 10, Bradbury Pl, contre Shaftesbury Sq.* ☎ *90-32-40-40. Lun-jeu et sam 17h-22h ; ven et dim 13h-22h. Plat env 12 £.* Steak dinner *18-21 £. Tlj sf sam, avt 19h, sélection de plats à 7 £.* Derrière la façade rose bonbon, la petite salle voûtée, chaleureuse, et les bougies sur les tables plairont aux amoureux. La carte, qui fait une part égale aux poissons, fruits de mer et viandes, préparés à partir de produits frais locaux, satisfera tout le monde.

De chic à plus chic (plus de 20 £ / 24 €)

I●I ***Nick's Warehouse*** *(zoom B1,* ***44****) : 35-39, Hill St.* ☎ *90-43-96-90. Ouv tlj sf dim 12h-15h, 17h-22h. Résa nécessaire le soir. Mar-jeu 17h-22h et ven 17h-18h, menu 2/3 plats, compter 18-22 £. À la carte, plats 8-14 £ le midi et 12-22 £ le soir.* Le resto occupe un ancien entrepôt de whiskey Bushmills en brique rouge : la poutre métallique servant de palan de façade est encore utilisée. Au rez-de-chaussée, populaire *wine bar* : sandwichs, salades chaudes et quelques plats originaux. À la cave, une cinquantaine de crus provenant de toute la planète. Belle sélection de bières aussi. Au resto à l'étage, c'est 2 fois plus cher ! Cadre plus formel et produits frais venus des quatre coins d'Irlande. Le menu, qui change tous les jours, a valu à la maison de multiples récompenses.

I●I ***Cayenne*** *(zoom A2,* ***54****) : 7, Ascot House, Shaftesbury Sq.* ☎ *90-33-15-32. Ouv mer soir et jeu-dim (midi et soir). Menus : le midi 3 plats 17-20 £ ; le soir (mer-ven slt), 24 £. Carte env 30 £.* Le lieu, aux lignes épurées et au mobilier original d'une élégante sobriété, est couru pour les sorties chic en couple. On aime beaucoup le mur « lettriste » et sa longue banquette. Cuisine *fusion* particulièrement réputée, alliant de nombreuses influences exotiques. Goûter absolument au saumon et aux plats de viande. Belle sélection de vins. Service impeccable.

|●| **Deanes** *(zoom A1,* ***42****) : 36-40, Howard St.* ☎ *90-33-11-34. Tlj sf dim.* Restaurant et Seafood bar. *Résa fortement conseillée. Brasserie, compter 15-25 £ ; resto, env 40 £.* Un restaurant réputé pour la finesse de sa cuisine et de son décor. Le chef, Michael Deane, possède un palmarès de grand sportif et collectionne les *awards* et *golden medals*... Il s'est fait connaître comme champion de la cuisine *fusion*, et ses années passées en Thaïlande ont une évidente résonance sur la carte. Deux ambiances : ouverte sur la rue par de grandes baies vitrées au rez-de-chaussée, style brasserie élégante, et au 1er étage, restaurant au cadre hyper cossu et confortable.

Où dormir ? Où manger très chic dans les environs ?

⌂ |●| ***The Old Inn :*** *15, Main St,* ***Crawfordsburn.*** ☎ *(028) 91-85-32-55.* • *theoldinn.com* • *À 16 km de Belfast, vers Bangor. Prendre l'A 2, puis la B 20 à gauche (c'est indiqué). Ouv tte l'année. Doubles à partir de 120 £. Menu 2 plats, bouteille de vin incluse, 49,50 £ pour 2 pers. À la carte, compter min 20 £.* L'une des plus anciennes auberges d'Irlande (1614) se trouve dans ce charmant village cerné par la campagne. Cadre chaleureux, avec cheminées et très beau mobilier. Les chambres sont très confortables, la plupart avec lit à baldaquin. La cuisine maison, servie au *Lewis Restaurant*, est, à juste titre, fort réputée.

Pubs intéressants

Penser à l'***Historical Pub Tour*** (consulter la rubrique « À voir. À faire »).

Nichés dans des blocs de maisons, certains pubs *(O'Neill, White's, The Morning Star)* ne sont accessibles que par d'étroites ruelles appelées *entries*, vestiges de petits chemins qui traversaient autrefois des jardins.

Dans le centre

🍷 ♩ **Kelly's Cellars** *(zoom B1,* ***55****) : 30, Bank St.* ☎ *90-32-48-35.* Lieu de rendez-vous sympa, sur une placette envahie par les tables aux beaux jours. Construit en 1720, le pub a connu une tripotée d'éminents habitués comme l'état-major des United Irishmen. Au mur, quelques souvenirs authentiques de cette glorieuse époque. Ne manquez pas l'écriteau *« Hands off the barmaid »* – « Ne touchez pas à la serveuse » ! Bien qu'un peu rénové, *Kelly's* conserve l'authenticité de son atmosphère. *Irish music sessions* tous les jours à 18h (17h le dimanche). Plats chauds traditionnels *(lun-mer 12h-18h, jeu-sam 12h-19h, dim 12h-17h)* et sans doute les huîtres les moins chères de la ville.

🍷 ♩ ***The Crown Liquor Saloon*** *(zoom A2,* ***61****) : 46, Great Victoria St.* ☎ *90-24-94-76. Tlj sf dim 12h-21h.* Considéré comme patrimoine national depuis son rachat et sa rénovation par le *National Trust* en 1978 (consulter la rubrique « À voir »), ce superbe pub n'a pas pour autant perdu sa vocation première. Visite conseillée et n'hésitez pas à investir un *snug* si possible. Bon *pub grub (plats 9-14 £)*, huîtres par 6 ou même à l'unité. Également un étage.

🍷 ♩ **Robinson's** *(zoom A2,* ***71****) : 38-40, Great Victoria St, juste à côté du précédent.* ☎ *90-24-74-47. Lun-sam 11h30-1h ; dim 12h30-minuit.* Inauguré en 1895, ce pub compte aujourd'hui 5 salles. La tradition prévaut au rez-de-chaussée où se produisent quotidiennement d'excellents groupes d'*Irish music* à partir de 21h30 (le samedi à partir de 15h). Tout autre ambiance au *Roxy nightclub* (le samedi à partir de 21h) et au *lounge BT1* (les vendredi et samedi de 21h à 1h) qui combine cadre *trendy* et *karaoke*.

🍷 ♩ **White's Tavern** *(zoom B1,* ***62****) : 1-4, Winecellar Entry.* ☎ *90-24-30-80. Accès au 20, Lombard St ou au niveau du 14, High St (panneau). Dim-mer 12h-23h ; jeu-sam 12h-1h.* La plus ancienne taverne de Belfast

(1630) devenue entrepôt de spiritueux jusqu'à 1950 ! Atmosphère feutrée à l'ancienne, avec d'énormes poutres au plafond. Même en plein midi, lumière intimiste. On y sert de bons snacks en journée. Prix modérés. Musique traditionnelle les fins de semaine en début de soirée, suivie, les vendredi et samedi, de soirées DJ à partir de 22h *(entrée : 5 £)*.

Madden's *(zoom A1,* ***63****) : 74, Berry St. ☎ 90-24-41-14. Dans une rue longeant Castle Court, dans le quartier de Smithfield. Fermé dim.* Pub traditionnel à la clientèle populaire. Ne tirez pas la porte, ça ne sert à rien, pressez plutôt la sonnette. Rien de spécial la journée, mais *music sessions* à partir de 21h30 ou 22h30 les lundi, vendredi et samedi. La meilleure adresse pour la musique traditionnelle. *Pub grub* et snacks en semaine de 12h à 14h.

Morning Star *(zoom B1,* ***64****) : 17-19, Pottinger's Entry. ☎ 90-23-59-86. Accès par Ann St ou High St. Lun-jeu 11h30-21h, ven-sam 11h30-22h. Buffet le midi.* Ce pub, relais de poste jusqu'au début du XXe s, se trouve dans le plus ancien quartier de Belfast, proche de *Pottinger's Entry*, un étroit passage percé au XVIe s. Belle façade de style georgien en bois vert et rouge, dominée par un lion de Saint-Marc doré, comptoir en acajou et traditionnelles séparations *snug* dans la salle du fond. Très fréquenté à l'heure du déjeuner pour son excellent buffet, tandis que le resto est connu pour ses steaks, l'« Étoile du Matin » est souvent très calme en journée, quand les vieux de la vieille papotent au comptoir.

The Duke of York *(zoom B1,* ***72****) : 7-11, Commercial Court. ☎ 90-24-10-62. Dans une ruelle piétonne accessible depuis Donegall ou Hill St (au niveau de* Nick's Warehouse*). Tlj 11h30 (dim 15h)-23h30 (ven-sam 1h-2h, dim 22h).* Bancs rouges, enseignes et fleurs égayent ce passage investi par ce célèbre pub. Aujourd'hui fréquenté principalement par des quadras bien sur eux, il brassait autrefois plus large en âges et conditions. Pour autant, il demeure un bel et propice endroit pour boire une pinte ou consommer assiette copieuse et sandwichs *(tlj 12h-14h30)*. Les jeudi et dimanche, musique traditionnelle à 22h. Également des concerts le vendredi.

The John Hewitt *(zoom B1,* ***45****) : 51, Donegall St. ☎ 90-23-37-68. • thejohnhewitt.com •* On parle déjà de cette adresse dans la rubrique « Où manger ? » mais le grand choix de bières (dont de la *Real Ale*) et spiritueux, les concerts de musique traditionnelle (jeudi à 21h et samedi à 18h) et, surtout, les *jazz sessions* du vendredi à 20h30, lui valent bien d'être citée une seconde fois !

Dans le centre aussi, mais modernes

Katy Daly's *(zoom B2,* ***66****) : 17, Ormeau Ave. ☎ 90-32-59-42.* L'un de nos bars préférés. Personne ne se prend la tête et tout le monde a la banane dans cette atmosphère décontractée où vous rencontrerez plus de tatoués et de nez percés que de cols montés et de faux-cils. Intérieur tout en bois. Ça déborde de partout sur le trottoir en fin de semaine. Les amateurs y trouveront 35 variétés de whiskey. Soirée DJ le mardi, en association avec *Limelight* (voir « Où sortir ? »), reggae le mercredi et *open mike* le jeudi, à partir de 21h30.

Bar Bacca *(zoom A-B2,* ***67****) : 48, Franklin St. ☎ 90-23-02-00.* L'antithèse du précédent ! Ici, mieux vaut se saper pour entrer et on se zyeute à tout-va, sous le regard impassible d'un bouddha. Déco épurée aux notes asiatiques, avec cheminée moderne accolée au bar. Les cocktails sont excellents et les barmen sympas. DJs les jeudi, vendredi et samedi à partir de 21h. À l'étage, club *La Lea* (les vendredi et samedi à partir de 21h) pour se trémousser sur des rythmes disco funk.

The Grill Room & Bar *(zoom B1,* ***68****) : 1, Linenhall St. ☎ 90-24-10-01.* N'y allez pas pour manger ! Mais le bar est l'un des plus animés de la ville les soirs de fin de semaine. Les messieurs (sur leur trente et un) et leurs conquêtes (sur leur trente-deux) y sirotent cocktails et bières dans un brouhaha que les TV ne font rien pour apaiser. Heureusement, il y a la terrasse donnant sur le City Hall pour prendre l'air et se montrer. Profitez-en : les plus belles filloc de Belfast s'y donnent rendez-vous.

🍸 ♩ ***The Cloth Ear Bar*** *(zoom B1,* ***65****) : The Merchant Hotel, 35-39, Waring St.* ☎ *90-23-48-88.* Si vous passez dans le coin, jetez un coup d'œil au superbe *Merchant Hotel* et offrez-vous une pinte au bar. Et n'ayez pas de regret si le *Trader Vic's Mai Tai* n'est plus à la carte. Cocktail le plus cher du monde, concocté à partir d'un rhum dont il n'existait plus qu'une poignée de bouteilles, le dernier *shot* a été servi à un toubib américain début 2011 ! À 1 300 € le verre, si ça c'est pas du snobisme... Cadre naviguant entre *lodge* de chasse et bar smart. Musique live certains soirs.

🍸 ♩ ***The Voodoo*** *(zoom B1,* ***73****) : 9-11, Fountain St.* ☎ *90-27-82-90. Tlj (sf dim midi), ferme vers 1h du mat.* Live music *à l'*Altar Bar, *au-dessus.* Rouge dominant, tout en long avec tables basses, chaises classiques et bar au fond, le *Voodoo* peut accueillir des *Child* que ne désavouerait pas Jimi Hendrix. Mais en fait, il brasse pas mal et attire tous ceux qui aiment l'ambiance rock'n'roll et le service décontracté, ce dès la fin d'après-midi. Régulièrement des DJs et des concerts.

Dans le quartier des docks

🍸 ♩ ***Pat's Bar*** *(hors zoom par B1,* ***70****) : 19-22, Prince's Dock St.* ☎ *90-74-45-24.* Un célèbre pub des docks, fondé en 1863. Tout un fatras de vieilles pétoires, sabres et autres étrangetés sont empilés au-dessus du bar. Clientèle d'habitués, dont beaucoup viennent pour le bon *pub grub (tlj 12h-15h).* Formé par 2 anciens bars, ce qui explique sa disposition. *Music sessions* les vendredi et samedi soir vers 21h30.

Dans le quartier de l'université et sur Ormeau Rd

🍸 ♩ ***Ye Olde Eglantine Inn*** *(zoom A3,* ***74****) : 32-40, Malone Rd.* ☎ *90-38-19-94. Lunch et petite restauration bon marché tlj 12h-21h. 2 repas pour le prix d'un lun-sam 15h-21h.* Ancien relais de poste, c'est l'un des principaux points de chute des étudiants. Grande salle modernisée sans charme, pleine à craquer lors des matchs : il y a tant d'écrans, de toutes les tailles, qu'on se croirait chez *Darty* ! Comptoir pour goûter les nombreux vins. *Live music* tous les dimanches et lundis de 21h à minuit. DJ le mardi.

🍸 ♩ ***Botanic Inn*** *(zoom A3,* ***75****) : 23-27, Malone Rd.* ☎ *90-50-97-40. Juste en face du précédent.* Ancien *coach house,* lui aussi devenu *sports bar,* avec des trophées en tout genre fièrement exhibés. Décor lambris en bois sombre et vieille cheminée dans la 1re salle. Pour contenir tous les étudiants, une 2e salle, avec un long bar qui louvoie, a été ouverte derrière. Ambiance boîte de sardines lors des matchs ; les nanas se sentiront un peu seules... Très animé aussi au moment du lunch, servi à un prix très compétitif tout comme le *pub grub (4-12 £)* et les bières, clientèle oblige. Profitez-en pour essayer la *Belfast Ale, Real Ale* de la ville. Au 1er étage, *live music* et disco.

🍸 ♩ ***The Pavilion Bar*** *(hors zoom par B3,* ***76****) : 296, Ormeau Rd.* ☎ *90-28-32-83.* • *pavilionbelfast.com* • *Au sud de la rivière Lagan, non loin de* Ravenhill Guesthouse. *Tlj 11h-23h (jeu-sam jusqu'à 1h env). Cuisine tlj jusqu'à 21h.* Un très bon exemple de *community pub* : tout le quartier, du « notable » au jeune alternatif, fréquente la grande et belle salle classique (cheminée, miroirs, plafond à caisson, TV...) du *public bar.* En parallèle, les *boutique bar* et *Loft* rassemblent les amateurs de musique en fin de semaine (bons groupes locaux ou soirées club) et même de comiques le lundi.

Où sortir ?

En fin de semaine, la vie nocturne de Belfast est dense (euphémisme !) et... bruyante. En plus des pubs précédents, souvent lieux de sortie à part entière, voici quelques autres adresses pour boire des coups, écouter tout type de musique et danser.

🍸 ♩ ♫ ***Limelight*** *(zoom B2,* ***66****) : 17, Ormeau Ave.* ☎ *90-32-70-07.* • *limelightbelfast.com* • *Entrée : 3-5 £.* S'acoquinant chaque mardi soir avec son sympathique voisin *Katy Daly's* pour une soirée DJ, ce club, élu meilleur d'Irlande du Nord en 2011, tourne au disco le vendredi et bascule dans le rock et l'*indie* le samedi. Rien qu'à voir la foule sur le trottoir, on pressent l'ambiance ! Une belle programmation de concerts complète ces rendez-vous réguliers.

Lavery's (*zoom A2*, **80**) : *14, Bradbury Pl. ☎ 90-87-11-06. • laverysbelfast.com • Tlj 11h30-1h.* Un des pubs les plus anciens et le premier à avoir adjoint un *lounge* pour que les femmes puissent consommer. De nos jours, il attire des foules de jeunes, notamment en fin de semaine. Plusieurs espaces pour différentes atmosphères : façon pub au *Public Bar* avec musique traditionnelle les lundi et mardi à 22h, relax au *Back bar* où on joue souvent reggae, ska, rock et soul et maxi branchitude électro au *Mister Tom* (*DJ sets* presque tous les jours). Le samedi, la *Contrast Party* (5 £) se déploie sur 2 étages.

Empire (*zoom A2*, **81**) : *42, Botanic Ave. ☎ 90-24-92-76. • thebelfastempire.com •* Installé dans une ancienne église. Énorme volume agencé façon théâtre et belle déco. Public plutôt dans la tranche 25-35 ans, sélection à l'entrée pas trop féroce. Animations tous les soirs au *Basement* qui bénéficie d'une bonne programmation de concerts rock, parfois pop. Fameux *comedy club* (8 £) le mardi à 20h, soirée *Glamarama* le vendredi pour replonger dans les 70's (6 £). Une de nos boîtes préférées pour son atmosphère.

The Kremlin (*zoom B1*, **82**) : *96, Donegall St. ☎ 90-31-60-60. Tlj sf lun 21h30-3h. Entrée : 3-9 £ (gratuit avt 22h).* Impossible à manquer : une statue de Lénine, en façade, vous tend les bras. *Come in Comrade...* À l'intérieur, banquettes en imprimés cyrilliques et, sur les murs, faucilles et marteaux. Le *Kremlin* est l'une des discothèques les plus « chaudes » avec ses célèbres *drag queens*, fréquentée aussi bien par une clientèle hétéro que gay et lesbienne. Le tout dans la plus parfaite bonne humeur.

À voir. À faire

Dans le centre

City Hall (*zoom B1*, **90**) : *Donegall Sq North. ☎ 90-27-04-56. Visite gratuite d'env 1h, tlj sf dim et j. fériés, à 11h (sf sam), 14h et 15h.* Surnommé le « Titanic de pierre », ce bâtiment achevé en 1906 fut le siège du premier parlement d'Irlande du Nord en 1921. Chef-d'œuvre pour les uns, produit des amours crapuleuses du Vittoriano de Rome et du Capitole de Washington pour les autres, son architecte fut anobli mais dut quand même poursuivre en justice les autorités de la ville pour être payé ! À l'intérieur, voir le grand hall en marbre, sa coupole (haute de 53 m), le grand escalier d'honneur, la charte accordée par Jacques Ier à la Ville en 1613 ainsi qu'un remarquable *mural* racontant l'histoire industrielle de Belfast.

Linen Hall Library (*zoom B1*, **91**) : *17, Donegall Sq North. ☎ 90-32-17-07. • linenhall.com • Tlj sf dim 9h30-17h30 (sam 13h). Fermé sem du 12 juil. Visite gratuite. Fiche en français à demander à l'accueil.* Fondée en 1788, c'est la plus ancienne bibliothèque de Belfast. Son premier directeur, Thomas Russell, fut exécuté par les Anglais pour ses activités politiques républicaines. Une « biba » comme on les aime, avec un côté vieillot et chaleureux ! Une des plus riches collections d'ouvrages, revues et journaux sur les événements d'Irlande du Nord. Petite *cafétéria* (voir, plus haut, « Où manger ? »).

Grand Opera House (*zoom A1-2*, **92**) : *Great Victoria St. ☎ 90-24-19-19. • goh.co.uk • Visites guidées mer-sam à 11h. Prix : 5 £.* Un bel exemple d'architecture belfastoise (1895), mariant allègrement brique rouge et riche décoration kitsch. Le blackout qui frappa la vie nocturne de Belfast pendant les *Troubles* faillit lui coûter la vie. Sauvé in extremis de la destruction en 1974, il fut du coup le premier bâtiment classé en Irlande du Nord.

The Crown Liquor Saloon *(zoom A2, **61**) : voir également « Pubs intéressants ».* Fondé en 1826, le *Crown* revêtit sa splendeur actuelle à la fin du XIXe s, sous la houlette d'un architecte qui mêla style victorien et influences italiennes. Richement carrelée, la façade aux deux colonnes présage du voyage dans le temps qui vous attend à l'intérieur, où le comptoir est toujours éclairé par des lampes à gaz. Les *snugs,* ces compartiments qui permettaient à la haute de boire à l'abri des regards, sont ici au nombre de 10 et enrichis de cloisons particulièrement ouvragées. À apprécier encore et toujours, en dégustant sa mousse ou un plat : vitraux, mosaïques, plafonds aux riches moulures et débauche de cuivre. Noter que le *Crown* servit de cadre à l'une des scènes clés de *Odd Man Out (Huit heures de sursis),* le superbe film de Carol Reed. Pendant les *Troubles,* il souffrit beaucoup de son voisinage avec l'hôtel *Europa,* cible d'une trentaine d'attentats de l'IRA.

Ulster Hall *(zoom B2, **93**) : Bedford St. ☎ 90-32-39-00. • ulsterhall.co.uk •* Inauguré en 1862, le théâtre possède toujours son grand orgue d'origine, offert par un ancien maire, et s'orne de 13 scènes du peintre local J. W. Carey illustrant l'histoire de Belfast. Sous ces dehors classiques, il affiche un bel éclectisme, en accueillant aussi bien des concerts de musique de chambre que du *trash metal.* Pour la petite histoire, c'est ici que Led Zeppelin interpréta pour la première fois *Stairway to Heaven* en 1971.

Saint Malachy's Church *(zoom B2, **95**) : Alfred St.* Église catholique de style élisabéthain-gothique aux faux airs de château fort (1844). Plafond original (genre décor de gâteau de mariage par un artiste de la crème fouettée), inspiré de celui de la chapelle d'Henri VII à l'abbaye de Westminster. La structure de l'ensemble n'est pas banale non plus, avec ses quatre autels établis sur plusieurs niveaux et dans différentes directions.

Belfast Exposed *(zoom B1, **97**) : 23, Donegall St. ☎ 90-23-09-65. • belfasexposed.org • Mar-sam 11h-16h. Entrée gratuite.* Fondé en 1983 par un collectif de photographes belfastois, ce lieu met en scène un peu de l'âme du Belfast secret au fil d'expositions temporaires de photos contemporaines. Les images prises à l'époque des *Troubles* ne sont malheureusement pas visibles sur place, mais une petite partie du fonds, constitué de quelque 100 000 images, est consultable sur Internet.

Saint Anne's Cathedral *(zoom B1, **98**) : Donegall St. Tlj 9h-17h.* Construite en style roman entre 1899 et 1904, autour d'une l'église préexistante, elle a connu depuis beaucoup d'ajouts. Le dernier en date, la flèche d'acier baptisée the *Spire of Hope* est aussi spectaculaire, de l'intérieur que de l'extérieur... Ne manquez pas, en entrant à gauche, la chapelle du Saint-Esprit et sa voûte en mosaïque composée de plus de 150 000 pièces, représentant la gloire divine. Une autre, sur sa façade, commémore le 1 500e anniversaire de l'arrivée de saint Patrick en Irlande. Si lord Edward Carson de Duncairn, célèbre opposant à l'autonomie de l'Irlande en 1912, est inhumé ici, la cathédrale abrite également une chapelle de l'Unité ouverte à tous les chrétiens, comme pour tourner définitivement la page des affrontements.

Historical Pub Tour : *organisé par l'office de tourisme, voir rubriques « Adresses utiles » et « Pubs Intéressants ». ☎ 92-68-36-65. • belfastpubtours.com • Mai-oct, départs jeu à 19h et sam à 16h, depuis le 1er étage du* Crown Liquor Saloon. *Prix : 6 £. Durée : 2h.* Au programme : 6 établissements qui fourmillent d'anecdotes, sont chargés d'atmosphère et sentent bon le houblon.

Sur les quais de la Lagan

La ville s'est fixé l'objectif ambitieux de faire de ces quais un second centre pour le IIIe millénaire. Dorénavant, *Titanic Belfast* sert de figure de proue à ce projet qui s'étire au sud jusqu'au niveau du Waterfront Hall. Encore ponctué de quelques lieux déserts et marqué par les ponts autoroutiers, ce secteur compte beaucoup de bâtiments d'affaires et d'appartements.

Titanic Belfast *(hors zoom par B1,* ***100****)* **:** *Titanic quarter.* ☎ *90-76-63-39.* • *titanicbelfast.com* • *À 20 mn de marche du centre. Desservi par de nombreuses lignes de bus. Avr-sept lun-sam 9h-19h, dim 10h-17h ; oct-mars tlj 10h-17h ; entrée par tranches de 20 mn. Résa recommandée à l'avance par tél ou auprès du* Welcome Centre *(voir « Adresses utiles »). Tarif : 13,50 £ ; réduc. Audioguide en français. Dernière entrée 1h40 avt fermeture. Compter 2h de visite.*
Habillée de 3 000 plaques d'aluminium étincelant jusqu'à l'aveuglement, la façade anguleuse du « Titanic Belfast » est censée évoquer la proue du légendaire paquebot. Inauguré pour le 100e anniversaire du lancement du *Titanic,* construit et mis à l'eau à quelques pas de là, ce gigantesque espace n'est pas un musée au sens classique du terme puisqu'on n'y trouve aucune pièce authentique, à l'exception de photos et films d'époque. Ludique et interactif, il a pour ambition de raconter toute l'histoire du navire et de la mettre en perspective avec le contexte socio-économique de l'époque. Les 9 galeries permettent de revivre autant d'étapes, allant de l'effervescent chantier à la découverte de l'épave en 1985. Des technologies dernier cri sont mobilisées pour donner à cette expérience un caractère sensoriel. Effet garanti lors du tour du chantier en nacelle *(shipyard ride)* ou dans le vertigineux ascenseur virtuel dont les parois-vidéo hissent le visiteur sur toute la hauteur de ce vaisseau hors norme. Avec la même efficacité, les reconstitutions des différentes classes de cabines sont occupées par des passagers en hologrammes, la pénombre et le froid annoncent l'instant funeste de la collision avec la glace et, dans la salle dédiée à l'épave, on aura l'illusion d'être à l'intérieur du sous-marin d'exploration.
Avec cet espace impressionnant et plein de surprises, la ville tire définitivement un trait sur la relation douloureuse qui l'unit longtemps avec le *Titanic,* nourrie par la peur d'avoir failli lors de la construction. Il est amusant de constater que les Belfastois ont donné à cette icône architecturale le surnom d'Iceberg ! Peut-être en hommage à ce compagnon de destinée sans lequel, après tout, le *Titanic* aurait probablement rejoint d'autres paquebots dans l'anonymat poussiéreux des annales maritimes. S'ils sont moqueurs, les Belfastois ne semblent pas superstitieux : la reconstitution de la salle de bal (non incluse dans la visite classique) est louée pour des mariages... Un drôle de symbole pour des liens supposés éternels !
– Cafétéria, bistro et, évidemment, un magasin entièrement dévoué à la marque « Titanic ».

Titanic Interactive Trail : *info et loc au* Belfast Welcome Centre, ☎ *90-24-06-09. À partir de 5 £.* La municipalité a mis au point cet audioguide nouvelle génération (genre GPS), pour vous guider en 1h30 environ sur tous les sites liés à l'histoire du grand navire.

Lagan Weir *(zoom B1,* ***99****)* **:** *sur la rivière Lagan.* Cette digue est la clé du dispositif permettant d'empêcher la marée de remonter le cours de la rivière. Accessible à pied, elle comporte 4 plates-formes d'observation. La nuit, belle mise en valeur par un éclairage bleuté.

Whowhatwherewhenwhy-Odyssey *(W5 ; hors zoom par B1,* ***100****)* **:** *Queen's Quay.* ☎ *90-46-77-00.* • *w5online.co.uk* • *Dans l'énorme complexe* Odyssey *qui intègre également l'*Arena, *plus grande salle de sport et de spectacle d'Irlande. Lun-ven 10h-17h, w-e 10h (dim 12h)-18h. Dernière admission 1h avt fermeture. Entrée : 7,90 £ ; réduc.* Pour les enfants et les grands enfants que nous sommes restés, une sorte de palais de la Découverte qui profite des technologies les plus récentes pour animer des jeux et expériences interactives et éducatives ainsi qu'une série de gadgets sophistiqués comme les escaliers musicaux. Ensemble divisé en cinq sections : *Wow, Start, Go, See* et *Do.* À propos de *Do,* essayez donc la *Laser Harp* ! Le 2e étage est une sorte de grand parc de jeux, avec même une épicerie pour faire comme les grands (sponsorisée par *Tesco*, bien sûr...).

Saint George Market (*zoom B1*, **101**) **:** *12-20, East Bridge St. ☎ 90-43-57-04. Ven 6h-14h, sam 9h-15h, dim 10h-16h.* Élégante halle de brique et de fonte inaugurée en 1896, elle abrite en fin de semaine des stands d'alimentation et d'artisanat. Pas mal de traiteurs proposent des plats du monde entier. Idéal pour prendre le petit déj, bruncher ou siroter un bon expresso dans une ambiance vraiment conviviale. Certains matins, il y a même des musiciens.

Sinclair Seamen's Church (*hors zoom par B1*, **103**) **:** *Corporation Sq, au nord du Laganside. Accès par Corporation St, presque sous le pont de la M 3. Visite mer 14h-16h (visez juste !). On peut aussi venir après l'office ou, pourquoi pas, pour l'office (dim à 11h30 et 19h).* Sous un aspect extérieur quelconque (inspiration vénitienne), cette église, construite pour les marins en 1857, est une réelle curiosité. Tout l'intérieur reflète la tradition maritime de la ville : chaire en forme de proue, lanternes d'un *Guinness boat* de la Liffey à Dublin, cloche d'un bateau coulé en 1916, vitraux sur thèmes maritimes, etc. Même les plateaux pour la quête ont une forme de bateau !

Dans le quartier de l'université

Queen's University (*zoom A3*, **104**) **:** *University Rd. ☎ 90-33-52-52. Visite guidée gratuite lun-sam à 14h.* Visitor's Centre *lun-sam 10h-16h.* Dites simplement « Queen's » pour ne pas passer pour un alien ! Superbe et longue façade de style Tudor, édifiée au milieu du XIXe s et inspirée par le Magdalen College d'Oxford. Belle cour intérieure, partiellement entourée d'arcades. Ici étudièrent, entre autres, Mary McAleese (présidente d'Irlande du Sud), David Trimble (ex-Premier ministre d'Irlande du Nord) et Seamus Heaney (Prix Nobel de littérature). Prestigieux festival culturel en octobre (voir « Festivals »). Tout autour, grosse animation pendant l'année universitaire, bien entendu. Notamment dans les pubs...

Ulster Museum (*zoom A3*, **105**) **:** *Strandmillis Rd, Botanic Gardens. ☎ 0845-608-00-00. • nmni.com/um • Mar-dim 10h-17h, ouv. lun fériés slt. Entrée libre.* Bénéficiant d'une muséographie moderne, cet immense musée (8 000 m^2) est organisé en 4 départements couvrant des domaines si variés que chacun devrait y trouver son bonheur. Indispensable, la petite brochure avec plan permet de s'y retrouver parmi le chevauchement des sections, au fil des étages, et indique une sélection de pièces emblématiques.

– ***Windows of the World* :** conçue comme un *best of* du musée, cette section réunit des pièces emblématiques des différents départements : maquettes de jonques chinoises, panneau sculpté Maori, statuettes, colonne basaltique, etc.

– Composant le gros morceau du musée, la foisonnante ***History Zone*** devrait être inscrite à l'agenda de tous ceux qui veulent mieux connaître l'Irlande du Nord, depuis... la préhistoire. Le conflit nord-irlandais de la fin du XXe s fait l'objet de la salle « *Troubles* », à ne pas manquer. L'accent principal est toutefois mis sur la période 1600-1921. Nombreuses photos, témoignages des acteurs du conflit, évocation des Irihsmen, *militaria*... jusqu'au matériel des paramilitaires. À voir aussi, les découvertes faites dans l'épave de la *Girona,* navire de la Grande Armada qui sombra au large de la Chaussée des Géants (voir plus haut). Remarquons encore, dans un tout autre genre, la petite salle égyptienne centrée sur la momie de Takabuti, jeune Thébaine morte au VIIe av. J.-C.

– ***Nature Zone*** rassemble une foule d'animaux naturalisés, des minéraux, des fossiles...

– ***Art Zone* :** les grandes écoles de peinture italienne, hollandaise et anglaise y sont notamment représentées par Van der Heyden, Gainsborough ou Turner, tandis que la salle d'art contemporain rassemble des noms aussi prestigieux que Matisse,

Joseph Beuys ou Bacon. Les arts appliqués ne sont pas en reste avec des collections consacrées à la mode et ses accessoires, à la céramique, au verre, etc. Espace *café* et *boutique,* comme il se doit.

Le Jardin botanique et Palm House (zoom A3, **106**) **:** *contre l'Ulster Museum. Tlj de 8h au coucher du soleil.* Palm House : *avr-sept, lun-ven 10h-12h, 13h-17h, w-e et j. fériés ap-m slt ; le reste de l'année, ferme 1h plus tôt.* Comme les locaux, allongez-vous sans retenue sur les généreuses pelouses de ce vaste jardin, oasis de tranquillité au cœur du quartier de l'Université. On y trouve deux serres tropicales. Toute de verre et de fonte, la magnifique *Palm House* victorienne fut construite en 1840, avant sa célèbre consœur des Kew Gardens de Londres. L'autre, une sorte de ravine tropicale, était en rénovation en 2012.

Friars Bush Graveyard (zoom A3, **107**) **:** *Stranmillis Rd, contre l'Ulster Museum. ☎ 90-24-66-09. Visites guidées slt : mai-août, le dim à 15h ; 3 £.* Plein de charme, le plus ancien cimetière catholique de la ville, envahi par les herbes folles et les grands arbres, a été fermé en 1869.

Au cœur des Troubles

Pour comprendre la situation en Irlande du Nord, rien ne remplace une visite dans les quartiers où vivent des hommes et des femmes qui se sont longtemps affrontés. C'est là que l'on peut sentir, de manière palpable, l'attachement obstiné des deux communautés à leurs valeurs fondatrices et à leurs territoires respectifs.

Sandy Row *(zoom A2,* ***108****)* **:** à deux pas du quartier mixte de l'université, cette rue a donné son nom à une zone symbolisant le loyalisme protestant pur et dur. Au nord, près de Hope Street, une très grande fresque montre un homme cagoulé en armes et annonce l'entrée dans le quartier. La bordure des trottoirs a été peinte en bleu-blanc-rouge (les couleurs de l'Union Jack). Ravivés à l'approche des parades orangistes de juillet, ces coups de pinceau sont un manifeste politique.

WEST BELFAST *(plan général)*

Bien délimité par la M 1 au sud, la Westlink à l'est et des collines au nord, West Belfast s'étend sur 9 km vers l'ouest et compte environ 100 000 habitants. Il englobe une majorité de quartiers catholiques (Falls, Ballymurphy, Turf Lodge, Andersontown, Twinbrooks) et une partie du quartier protestant de Shankill. Ici, les classes populaires, catholiques comme protestantes, habitent des alignements de petites maisons de brique rouge, semblables à des corons. Autrefois, les différences confessionnelles rejaillissaient de manière criante sur le monde du travail et les chantiers navals n'embauchaient que très peu de catholiques ! À cette époque, le quartier des Lower Falls ressemblait à une ville du tiers-monde même si une riche vie de quartier s'était développée autour des pubs. Une des premières mesures sociales importantes prises dans les années 1980-1990 fut la reconstruction quasi totale des Lower Falls et la rénovation des autres quartiers.
Visiter West Belfast aujourd'hui ne devrait relever ni du tourisme au sens traditionnel du terme, ni du voyeurisme. Il s'agit idéalement de comprendre les origines du conflit interconfessionnel, les mouvements de résistance, les espoirs placés dans le processus de paix, grâce à la rencontre avec des gens ouverts et chaleureux dont l'histoire s'inscrit notamment sur les saisissantes fresques qui jalonnent les rues. Une carte-guide, intitulée *Shankill and West Belfast Arts and Heritage Trail,* a été éditée pour permettre de mieux repérer les principales curiosités.

Les *murals* (fresques murales)

Le phénomène artistique et politique des *murals* éclata vraiment du côté républicain au moment des grèves de la faim de 1981. Peints sur les pignons des maisons les mieux placées, ils exprimaient la solidarité d'une rue, d'un quartier avec les grévistes de la faim luttant pour une reconnaissance politique. Puis les thèmes se diversifièrent, puisant beaucoup aux sources de l'histoire et de la mythologie irlandaise et s'attachant aussi à défendre la cause d'autres peuples opprimés (Palestine, Afrique du Sud, Cuba...). Cela dit, les *murals* restent d'abord le témoignage d'un puissant sentiment identitaire. Il en va de même chez les loyalistes, même si les fresques sont relativement moins nombreuses à Shankill que dans les quartiers catholiques.
On consultera avec intérêt ● *muralsirlandedunord.over-blog.com* ●

Bien, comment y va-t-on ?

➢ ***À pied :*** du centre-ville, suivre Castle Street, qui devient Divis Street puis Falls Road, c'est l'opportunité de ressentir le progressif changement d'atmosphère et d'architecture. La première série de fresques se situe juste avant le croisement d'Albert Street, peu avant d'atteindre le populaire *Falls Leisure Centre,* soit à environ 1,2 km du centre (15 mn de marche).
➢ ***En bus :*** la ligne 10 suit Falls Rd.
➢ ***En* black taxi *:*** embarquer sur Castle Street, à l'angle de King. Ils empruntent Divis Street, puis Falls Road et s'arrêtent à la demande. Fonctionnent de 5h à minuit (1h le week-end). À partir de 17h30, la première personne détermine la destination et on attend que le taxi soit rempli. Au retour, on peut le héler depuis n'importe quel endroit de Falls Road. Les *black taxis* ont joué un rôle fondamental pendant les *Troubles* en assurant, en l'absence de transport public, le transport jour et nuit. Organisés en coopérative, ils permirent à de nombreux chômeurs et ex-prisonniers de retrouver un job. Aux moments les plus chauds, certains payèrent de leur vie cette généreuse notion de service public. Certains *murals* leur rendent d'ailleurs hommage.

■ ***Black Taxis Tours :*** recourir à ces taxis pour un tour spécifique des *murals* est une manière originale de découvrir les fresques. *Compter 25-30 £ pour 2-3 pers, 10 £ par pers supplémentaire. 1h30-2h de visite.* La plupart des compagnies organisent aussi des visites du reste de la ville. Vous pouvez essayer notamment :
– ***Big E Taxi Tours :*** *📱 079-68-47-79-24. ● big-e-taxitours.com ●*
– ***Black Taxi Tours :*** *☎ 90-64-22-64. ● belfasttours.com ●*
– ***Belfast City Black Taxi Tours :*** *☎ 90-30-18-32. ● belfastcityblacktaxitours.com ●*

■ ***Irish Political Tours :*** *10, Beechmount Ave. ☎ 90-20-07-70. ● coiste.ie ● Tlj à 11h (14h dim) Durée : env 3h.* Visite pédestre guidée des *Falls* (8 £) et *Milltown Cemetery* (5 £). Organisée par *Coiste Na nLarchimí,* un réseau d'anciens prisonniers républicains.

Adresse utile

ℹ ***Cultúrlann McAdam-Ó'Fiaich*** *(plan général E5,* ***49****) : 216, Falls Rd. ☎ 90-96-41-88. ● culturlann.com ● Lun-ven 9h30-17h30 ; sam 10h-17h.* Installé dans une ancienne église presbytérienne, c'est le centre culturel gaélique de Belfast et il foisonne d'activités ! Cours de musique et de langue gaélique, soirées culturelles et artistiques, dont des concerts de musique traditionnelle le samedi après-midi, à 13h et 15h. Également un point d'information visiteurs *(Oifig Failte na bhfal),* une agréable librairie (livres de cuisine, ouvrages politiques, affiches et cartes postales originales) ainsi que des espaces d'exposition, dont un dédié au gaélique, sans oublier le *coffee shop* (voir *Café Feirste* dans « Où manger ? »).

Balade à pied

➢ La première série de fresques, particulièrement riche, se trouve à l'extrémité de Divis Street, là où elle devient Falls Road *(plan général E-F4)*. Elle se prolonge sur sa perpendiculaire, Northumberland Street (voir aussi sous Peace Line). Un peu plus loin, côté sud de Falls Road, un ***mémorial***, que l'on aperçoit à travers des grilles, perpétue le souvenir des membres de l'IRA et des civils catholiques morts pendant les *Troubles*.

➢ ***Conway Mill*** *(plan général E4,* ***50****)* **:** *domine Conway St (voir « Peace Line »). ☎ 90-32-96-46 ; • conwaymill.org • Entrée libre. Visite libre ou guidée (aborde les difficiles conditions de travail des ouvrières des tissages) : mar et jeu en principe (ou sur demande à l'avance) ; durée 1h-1h30.*
Vieille filature de lin datant de 1840, elle a été habilement réhabilitée et coiffée d'un toit translucide. Elle accueille un centre d'éducation communautaire, de petites boutiques, des ateliers d'artistes, des espaces d'expositions, un café-resto, le *Doorsteps* (voir « Où manger ? ») et un musée (voir ci-dessous).
– ***L'Irish Republican History Museum*** **:** *derrière le bâtiment principal de la filature. ☎ 90-24-05-04. Mar-sam 10h-14h ou sur demande à l'avance ; entrée libre.*
Né à l'initiative d'une ancienne membre de l'IRA, il aborde en détail la lutte de la communauté catholique, avec force posters, armes et artisanat fabriqué par les prisonniers. On peut même y voir une porte et un lit de la prison pour femmes d'Armagh...

➢ ***Peace Line*** **:** au-delà de la filature, vous ne pourrez pas manquer le mur qui barre le fond de Conway Street. Il s'agit d'une section assez moderne de la *Peace Line*, un euphémisme qui dissimule mal la triste réalité d'un ouvrage qui devait être temporaire... C'est dans les années 1970-1980 que la plupart des rues reliant les *Falls* catholiques au *Shankill* protestant furent condamnées par ce « mur de Berlin ». Les programmes municipaux et internationaux visant à aider les deux communautés à se débarrasser de cette verrue n'ont pas encore donné de grands résultats. L'opinion générale demeure très divisée. En attendant, les seuls passages se font via Northumberland Street *(plan général F4)* et Lanark Way *(plan général F4)*, perpendiculaire à Springfield Road. Là, les battants blindés sont désormais ouverts toute la journée mais peuvent encore être refermés les soirs de week-end ou de tension particulière.

➢ De retour sur Falls Road, on arrive peu après à la vénérable *Falls Road Library* (1908), qui offre une jolie façade ouvragée. Noter l'ange insolite entre les deux arches. En face, sur le flanc du siège du Sinn Féin, au n° 51-53, célèbre ***mural de Bobby Sands*** *(plan général E4,* ***110****)*, le plus connu des grévistes de la faim de 1981.

➢ *Dunville Park*, au cœur des Falls, est dominé par le ***Victoria Hospital*** *(plan général E5,* ***111****)*, bâti en 1906. Au temps des *Troubles*, il était particulièrement réputé pour l'efficacité des soins prodigués aux blessés par balles...

➢ En face de l'hôpital, au cœur du quartier le plus populaire, débute ***Springfield Road*** qui fut le théâtre de nombre d'affrontements à l'époque de la présence incongrue d'une énorme caserne de l'armée britannique, aujourd'hui démantelée. En profiter pour aller voir d'intéressants *murals* sur Cavendish Street.

➢ Continuons sur Falls Road jusqu'au centre culturel gaélique ***Cultúrlann McAdam-Ó'Fiaich*** (voir plus haut « Adresse utile »). Belles fresques sur le côté droit un peu plus loin, notamment, à l'orée de Beechmount Avenue, celle intitulée *Éirí Amach na Cásca*, sur le thème de l'insurrection de 1916.

🚶 ***City Cemetery*** *(plan général D-E5,* ***114****)* **:** *tlj 9h-18h.* La végétation s'est emparée du site et le lierre envahit les tombes de ce cimetière ouvert en 1869. La section catholique avait une entrée indépendante et était séparée de celle

des protestants par un mur... souterrain ! Autrefois, on y allait le dimanche en famille pour voir comment étaient enterrés les riches. Beaucoup de tombes au style grandiloquent, certaines greffées de hautes croix celtiques ou d'obélisques, comme il était de tradition au XIXe s.
James Connolly, le syndicaliste dirigeant de la rébellion de 1916 à Dublin, vécut de 1910 à 1916 en face de l'entrée du cimetière, au 420, Falls Road (plaque sur la maison). Voir aussi, 50 m plus loin, côté gauche de Falls Road, le grand *mural* coloré appelant au soutien des grévistes de la faim. Même les mamies y figurent.

DES GRÉVISTES ACTIFS !

Au 491 de Fall's Road, The Rock, *un populaire pub à la façade en pierre ciselée particulièrement élaborée. Inhabituel pour un pub,* isn't it ? *Sympathique explication : en 1901, ce sont des tailleurs de pierre travaillant à la construction du City Hall qui, en grève, en profitèrent pour ériger ce lieu convivial. Étonnant, non ?*

Milltown Cemetery *(plan général D-E5,* ***115****) : 546, Falls Rd. Env 800 m au-delà du City Cemetery. Lun-ven 8h30-16h ; sam 9h-12h (mais souvent ouv en dehors de ces heures).* Pour ceux qui souhaitent rendre visite au carré républicain où sont enterrés tous les héros de la lutte nationaliste, dont Bobby Sands. Pour le trouver, longer le muret à droite après l'entrée puis monter quelques marches et se diriger vers la barrière qui sépare le cimetière des entrepôts voisins. Après un décrochage se dresse le mémorial du County of Antrim, avec son impressionnante liste de noms. À côté, surmonté d'un drapeau irlandais, s'étire le monument du « Provisional Government », avec les martyrs de la cause bien alignés devant. C'est une longue et plate tombe commune, d'une grande sobriété mais... très émouvante.

Les fresques murales du quartier loyaliste de ***Shankill*** *(plan général E4,* ***116****)* constituent une autre forme de proclamation. Elles affirment la volonté de rester au sein du Royaume-Uni et glorifient l'action des milices armées : *Ulster Freedom Fighters (UFF), Ulster Volunteer Force (UVF)* et *Red Hand Commandos.* Hommes cagoulés, vêtus de noir, avec pistolet-mitrailleur et tout. On les trouve principalement sur Shankill Road et aux abords. Dans l'ensemble, le quartier manque un peu de vie et contraste avec le dynamisme culturel des Falls et d'Andersontown.

Fernhill House *(plan général D4,* ***117****) : Glencairn Park, Shankill. ☎ 90-71-55-99. Lun-sam 10h-16h ; dim 13h-16h. Entrée : 2 £.*
Au milieu d'un superbe parc, cette grande et élégante demeure de 1864 abrite le ***People's Museum,*** le musée de la Communauté protestante de Shankill. D'une remarquable richesse, complément indispensable à toute visite de Belfast. Possibilité de visiter avec un audioguide. Avant de commencer, une mise en garde : le lieu est officiellement habité par un fantôme mystérieux, dont personne ne sait rien, mais qui se manifeste régulièrement (surtout la nuit dans la bibliothèque)...
Histoire de la ville depuis la préhistoire. Émouvantes photos de la vie populaire, notamment Hudson Place et ses enfants, et les *kitchen houses.* Reconstitution d'un intérieur. *Shankill Hall of Fame* à la gloire des héros de la communauté locale. Signature du *Convenant* (la fameuse déclaration du refus du Home Rule signée par 471 000 Ulsteriens) sur un drapeau anglais (la symbolique paraît claire). De l'autre côté, à droite de la caisse, histoire de l'ordre d'Orange, des marches et des *flutes bands* ; curieusement, sur les origines de la création de l'ordre, pas un mot, sinon une pauvre tentative d'autodéfense contre les vilains paysans catholiques désirant, en 1795, s'emparer des terres protestantes... Un peu court et de mauvaise foi, non ?

– *Au 1er étage :* collection d'insignes, histoire de l'armée privée de Cunningham et des campagnes d'Inde et de Birmanie. Section consacrée à George Best, un des plus grands footballeurs du monde, né à Belfast et qui se distingua à *Manchester United.* Salle des industries de Shankill (ateliers de tissage et fonderies). Grande salle consacrée à la Première Guerre mondiale et à la crise du Home Rule.

➢ ***Balade dans la Black Mountain** (plan général D4, **118**) :* en sortant de Fernhill, tourner à droite, grimper la colline. Vous êtes déjà au sein d'une superbe nature. Panorama exceptionnel sur Belfast, la ville, le port... Possibilité de balades à pied organisées *(☎ 90-58-57-53)* ou à cheval *(☎ 90-62-47-82).* Nombreux chemins balisés pas trop difficiles.

***Colin Glen Forest Park** (plan général C6, **119**) : 163, Stewartstown Rd, Dunmurry. ☎ 90-61-41-15. • colinglentrust.org • Bus nos 10 B à 10 F. Forest Park Centre, lun-ven 9h-17h ; sam 11h-15h.* Au cœur de West Belfast, étangs, chutes d'eau, bois et prairies où l'on surprend parfois des écureuils, voire des renards et loutres... Au XVIIIe s, pendant la période des lois pénales, quelques rochers abritèrent des messes clandestines. Nombreux sentiers (dont 6 km accessibles aux fauteuils roulants).

Festivals et spectacles

– ***Belfast Film Festival** : 2de quinzaine de mars généralement. ☎ 90-32-59-13. • belfastfilmfestival.org •*
– ***Titanic Made in Belfast Festival** : avr. ☎ 90-24-66-09.* Expositions d'objets du *Titanic* et sur les chantiers navals de l'époque ; visites spéciales du *SS Nomadic* et balade guidée à pied ou en bus sur les traces du grand paquebot, vieux films, cérémonie en mémoire des victimes au City Hall, etc.
– ***Belfast Folk Festival** : w-e d'été. Pour les dates, contacter l'office de tourisme.* Un grand moment de musique traditionnelle. Grosse animation, atmosphère très sympa.
– ***West Belfast Festival** (Féile an Phobail) : 1re quinzaine d'août. Festival House, 473, Falls Rd. ☎ 90-31-34-40. • feilebelfast.com •* Ensemble de festivités et spectacles gratuits qui, au fil des années, en ont fait un des tout premiers festivals communautaires d'Europe. Carnaval avec 50 000 personnes costumées.
– ***Festival culturel de Queen's University** : fin oct, début nov. 8, Fitzwilliam St. ☎ 90-97-11-97. • belfastfestival.com •* Festival au renom international, fondé en 1962. Musique, théâtre, danse, opéra, cinéma, tous les genres, en fait ! Vous constaterez que la culture à Belfast possède une sacrée santé !
– ***Belfast Beer and Cider Festival** : en nov à l'Ulster Hall. • belfastbeerfestival.co.uk •*
– Nombreux concerts, autant rock que symphoniques, au ***Waterfront Hall** (zoom B1) : près de la gare centrale. ☎ 90-33-44-55. • waterfront.co.uk •* Également des concerts au vieux théâtre municipal, l'***Ulster Hall** (zoom B2, **93**).* On peut aussi consulter le programme de l'***Old Museum Arts Centre** (zoom A1) : 7, College Sq North. ☎ 90-23-33-32. • oldmuseumartscentre.org •* Théâtre, danse, lectures, concerts, ateliers... il y en a pour tous les goûts.

DANS LES ENVIRONS DE BELFAST

***Cave Hill Country Park** : au nord de la ville, sortie par Antrim Rd ou M 2 (sortie « Belfast Zoo, Grenncastle »). Bus no 1, arrêt « Strathmore Park ». Entrée principale par la voie qui mène au château, accès également possible par le zoo. Tlj du lever au coucher du soleil.* Le parc occupe une grosse colline boisée au nord-ouest de la ville. Petits sentiers faciles à travers bois et prairies jusqu'au sommet de la colline, d'où la vue s'étend sur Belfast, au sud jusqu'aux Mourne Mountains et au nord-ouest sur le Belfast Lough et la mer jusqu'à la côte écossaise. Compter 1h30 pour l'aller-retour. Notez les cinq grottes qui ont donné son nom à la colline, ainsi que le gros rocher (appelé le Nez de Napoléon) où Wolfe Tone et les United Irishmen se réunirent en 1795 et décidèrent de délivrer l'Irlande de la mainmise anglaise. En début de soirée estivale, pensez à votre crème, les *midges* attaquent !

Belfast Castle : *Cave Hill Country Park.* ☎ *90-77-69-25.* ● *belfastcastle.co.uk* ● *Ouv tlj 9h-22h30.* Visitor's Centre *tlj 9h-22h (dim 9h-17h30) ; fermé à Noël. Accès libre.* Perché sur les flancs de Cave Hill, le château n'a été construit qu'en 1868-1870, dans un style *baronnial* écossais très réussi. Son proprio, le comte de Shaftesbury, élu maire en 1907, en fit don à la Ville. Depuis, on y célèbre les mariages à la chaîne ! À tel point qu'une pièce de l'expo du 2e étage a été aménagée en « chambre de mariée » années 1920... Vidéo racontant l'histoire des lieux et section d'histoire naturelle. Resto très victorien dans les caves *(The Cellar)* et boutique d'antiquités.

Ulster Folk and Transport Museums *(musées de l'Habitat et des Transports d'Ulster)* **:** *153, Bangor Rd, à* **Cultra,** *peu après Holywood.* ☎ *90-42-84-28.* ● *nmni.com/uftm* ● *En voiture, à 11 km par la A2, direction Bangor. En train, arrêt à Cultra puis suivre le chemin longeant la voie (panneau) pour arriver au* **Transport Museum.** *L'***Ulster Folk Museum** *se trouve de l'autre côté de la route et plus haut (compter 10 mn de marche). Ouv tlj sf lun : mars-sept 10h-17h ; le reste de l'année 10h (w-e 11h)-16h. Entrée : 6,50 £. Billet combiné pour les 2 musées (à visiter le même j.) : 8 £ ; réduc.*

– La visite passionnante du ***musée des Transports*** débute par une salle immense où a été réunie une collection exceptionnelle de chemins de fer irlandais. On poursuit par des véhicules hippomobiles en tout genre, les transports en commun et les véhicules privés, dont de superbes camionnettes de livraison. Passage à l'extérieur pour rejoindre un autre hangar réservé aux motos, diligences et avions. Ne pas louper l'incroyable vélo allemand datant de la guerre !

– L'***Ulster Folk Museum*** est un écomusée établi dans un grand parc vallonné. Chant d'oiseaux, tapis de fleurs et pique-nique bucolique envisageable, la visite équivaut à une véritable balade ! Une trentaine d'édifices représentatifs de l'architecture et de la vie d'autrefois y sont regroupés par affinités : village reconstitué de Ballycultra d'un côté, avec sa poste, son école, sa banque, etc. ; de l'autre, des fermes et moulins répartis dans la cambrousse. Une partie des bâtiments a été reconstruite à l'identique, le reste est d'origine comme la vieille église de Kilmore (1790), serrée autour de son poêle à bois. On se croirait vraiment au XIXe s grâce à l'évocation de nombreux petits métiers, artisanats et commerces d'époque. La sensation s'amplifie lors d'occasionnels *re-enactments*, des reconstitutions animées par des figurants (programme à l'entrée du village).

Tea Room : *à l'arrière du Cultra Manor, dans l'Ulster Folk Museum.* Bonnes pâtisseries, plats chauds et, le dimanche, *carvery* (buffet avec viande à la découpe). *So British* pour se requinquer après une visite du parc. On s'attendrait presque à voir Hercule Poirot surgir de derrière un buisson, l'air inquisiteur...

Lagan Valley Regional Park : *au rond-point de Stranmillis Rd, au sud du quartier de l'université, prendre Lockview Rd (plan général, F6) ; parking au niveau du* Rowing Club. Le chemin de halage permet de remonter la Lagan jusqu'à Lisburn, soit 15 km à travers une zone verdoyante et bruissante de chants d'oiseaux. Nombreux sentiers et chemins adjacents et accès au Giant's Ring (voir ci-dessous). À vos vélos !

Giant's Ring (anneau des Géants) **:** *sortir par Miltown Rd, qui prolonge Malone Rd ; après le Shaw's Bridge, suivre le fléchage. Accessible en voiture. Ouv* *tlj 10h-21h (16h oct-mars).* On peut aussi se garer au terminus du bus n° 22, puis marcher 30 mn par de charmants sentiers, à partir des frondaisons de ***Minnowburn Beeches,*** site naturel classé au bord de la Lagan. Le Giant's Ring est une levée de terre circulaire de 200 m de diamètre, comportant un dolmen en son centre. Aujourd'hui, des vaches y paissent sans égards pour la grandeur du site...

Carrickfergus Castle : *☎ 93-35-12-73. À 15 km au nord-est (sortir par la M 5). Ulsterbus n° 568 depuis le Laganside Bus Centre. Ouv tlj 10h-18h (nov-fév 16h). Dernière entrée 30 mn avt fermeture. Entrée : 5 £ ; réduc.* Imposant château fort normand construit par Jean de Courcy au XIIe s. Pendant 5 siècles, il symbolisa le pouvoir britannique dans le Nord. Présentation audiovisuelle recréant scrupuleusement nombre de personnages historiques.
En été, marché d'objets artisanaux.

Hillsborough : *à 16 km au sud-ouest de Belfast, en marge de la M 1 (route de Banbridge). Fort tlj sf lun 10h (14h dim)-19h ; parc ouv jusqu'à la tombée de la nuit. Entrée château plus parc : 6 £.* Le village occupe un flanc de colline, entre un lac et un étang – avec, d'un côté, un fort et, de l'autre, un château, résidence du secrétaire d'État. Quelques maisons anciennes de la rue principale ont été restaurées et accueillent boutiques d'antiquités restos et pubs. La *Market House,* occupée par l'office de tourisme *(☎ 96-68-32-85),* date de 1760. En face, belle grille et portail en fer forgé de la même époque donnant accès au château. C'est là que fut signé l'*Anglo-Irish Agreement* de 1985.

LE SUD-EST : DE LA PÉNINSULE D'ARDS À ARMAGH

Entre Belfast et Dublin, autant réserver l'A 1 ou l'A 24 aux plus pressés. Le voyageur avide de paysages et d'atmosphères préférera flâner sur les routes qui longent le Strangford Lough, traversent les péninsules d'Ards et de Lecale, le pays de saint Patrick, et se frayent un passage respectueux à l'ombre des photogéniques Mourne Mountains. Puis, ceux qui se dirigent vers l'ouest, traverseront naturellement par le comté d'Armagh.

LA PÉNINSULE D'ARDS (UI EACHACH ARDA) ET LE STRANGFORD LOUGH

env 80 000 hab. IND. TÉL. : 028

Sur 30 km environ du nord au sud, la péninsule d'Ards se déploie comme une pince bordée par l'océan qui se referme sur le Strangford Lough, au niveau des bourgs jumeaux de Portaferry et Strangford, reliés par un bac. Chef-lieu de la péninsule, *Newtownards* se situe au nord de ce lac maritime, à seulement 15 km à l'est de Belfast.
Longeant la rive orientale du Lough, la route A 20 offre des vues d'une incroyable sérénité, avec pour horizon les Mourne Mountains quand la météo le permet. Sur la rive opposée, de petites routes soulignent un paysage étonnant, ponctué d'un chapelet d'îlots qui semblent se préparer au naufrage. Mouillée par les embruns d'une mer d'Irlande que le Gulf Stream réchauffe, l'A 2 n'est pas à négliger pour autant, avec ses estrans interminables et ses petits ports et hameaux.

LE SUD DE L'ULSTER

LES COMTÉS D'ARMAGH ET DOWN

Arriver – Quitter

Gare routière de Newtownards : *33, Regent St, juste à côté de l'office de tourisme.*

Gare routière de Portaferry : *sur le Square, au centre du village.*

Gare routière de Donaghadee : *en face de la mer, proche du port.*

Attention *:* à Belfast, la gare d'arrivée et de départ est *Laganside Bus Centre,* sauf le dimanche où le trafic est reporté sur l'*Europa Bus Centre.*

➢ ***Belfast-Newtownards :*** lun-sam nombreuses liaisons/j., env 5 bus le dim. Correspondances avec ***Greyabbey*** et ***Portaferry.***

➢ ***Belfast-Donaghadee :*** liaisons quotidiennes régulières avec changement à ***Bangor.***

Strangford Lough Ferry : ☎ *44-88-16-37.* Piéton : 1 £ le trajet. Voiture (et conducteur) : 5,80 £ le trajet simple, 10 £ l'A/R ; + tarif passager à payer.

➢ ***Portaferry-Strangford :*** tlj, 7h45 (sam 8h15, dim 9h45)-22h45 (sam 23h15). Départs ttes les 30 mn (au quart et à moins le quart de chaque heure).

➢ ***Strangford-Portaferry :*** idem mais 15 mn plus tôt.

Adresses utiles

Ards Tourist Information Centre : *31, Regent St,* ***Newtownards.*** ☎ *91-82-68-46.* • *ards-council.gov.uk* • *Tlj sf dim 9h15 (sam 9h30)-17h.* Service de change, résas d'hôtels et *B & B*. Demander la brochure gratuite *Guide to Exploring Ards* (hébergements, restos et musées) et la carte très bien faite qui situe l'ensemble.

Portaferry Tourist Information Centre : *The Stables, Castle St,* **Portaferry.** *☎ 42-72-98-82. • portaferry.info • Dans les anciennes écuries du château, face au débarcadère du ferry. Ouv Pâques-fin août, lun-sam 10h-17h, dim 14h-18h.* Résas d'hébergements, brochures et quelques panneaux sur l'histoire locale.

Local Information Office : Donaghadee, *dans le hall d'entrée du resto-pub* Pier 36 *(voir « Où manger ? »). ☎ 91-88-44-66.* Juste des brochures mais rien ne vous empêche de demander un tuyau complémentaire au bar.

Où dormir sur la péninsule et autour du Lough Strangford ?

Camping

Au sud du Lough

Castle Ward Caravan Park : *2 km à l'ouest de* **Strangford** *par l'A 25. ☎ 44-88-12-04. • nationaltrust.org.uk/Castleward • Ouv tte l'année. Selon saison et type de tente, compter 21-28 £ pour 2 pers avec voiture ; camping pod, 35-45 £ selon type. Consulter la rubrique « À voir. À faire » pour la description du domaine qui abrite ce camping.* Terrain principal genre clairière, bien en retrait de la route. Une dizaine d'emplacements réservés pour les tentes, au milieu de ceux pour les camping-cars et caravanes. Petites structures de bois légèrement voûtées et dotées d'une porte-fenêtre vitrée, les *camping pod* sont établis sur un espace ombragé. Bien isolés, chauffés s'il le faut, il suffit d'un sac de couchage et d'un matelas ! Sanitaires bien entretenus.

Sur la côte de la mer d'Irlande

Ballywhiskin Caravan & Camping Park : *au sud de* **Millisle,** *216, Ballywater Rd. ☎ 91-86-22-62. • ballywhiskincaravanandcamping.com • Attention, ne ratez pas la discrète voie d'accès, côté terre. Ouv d'avr à mi-nov. Compter 15 £.* Un des rares si ce n'est le dernier *caravan parks* à accepter les tentes le long de l'A 2, entre Donaghadee et Portaferry.

Bon marché à prix moyens (moins de 60 £ / 72 €)

Au sud du Lough

Barholm Hostel : *11, The Strand,* **Portaferry.** *☎ 42-72-99-67. • barholmportaferry.co.uk • Juste en face du quai du ferry. Compter 16 £/pers en dortoir et 50-55 £ la double avec sdb. Petit déj en option.* Toutes les formules, du dortoir de 4 lits à la chambre familiale en passant par la *single* un peu riquiqui. Le tout est immaculé. Cuisine à dispo. Café-resto entièrement vitré pour profiter de la vue sur le *lough.*

Sur la rive est du Lough

Trasnagh House : *23, Ballybryan Rd,* **Greyabbey.** *☎ 42-78-81-11. • trasnaghhouse@hotmail.com • Bifurcation (panneau Trasnagh ou Barnwell House) à env 2,5 km au sud du village de Greyabbey. Doubles avec sdb 50-55 £. Petit déj compris.* Une maison blanche de plain-pied sur une petite hauteur, commandant une superbe vue sur le *lough,* les *Mourne Mountains* et même l'île de Man si vous avez de la chance. La salle de bains de la chambre 1er prix se trouve dans le couloir. Intérieur familial classique et sans chichis, où l'on apprécie l'accueil chaleureux de la famille Bryan. Demander qu'ils vous commentent la photo avec le tigre ! Collection redoutable de *cereals,* œufs de la maison et *cooked breakfast* selon vos desiderata.

De chic à plus chic (plus de 60 £ / 72 €)

Sur la rive est du Lough

Ballycastle House : *20, Mountstewart Rd,* **Newtownards.** *☎ 42-78-83-57. • ballycastlehouse.com •*

Bifurcation sur l'A 20 à 6,5 km au sud de Newtownards, 2 bons km avt d'atteindre Mount Stewart. Ouv tte l'année. Doubles à partir de 60 £, petit déj inclus. Ferme de caractère à 800 *yards* de la rive (à vos calculettes !). Chouettes balades. 3 chambres, dont 1 familiale.

Portaferry Hotel : *10, The Strand,* **Portaferry.** *☎ 42-72-82-31. • portaferryhotel.com • Voir également « Où manger ? ». Ouv tte l'année sf à Noël. Selon type et période, doubles 65-100 £ ; petit déj compris. ½ pens possible à partir de 70 £/pers.* Situé directement sur la rive, cet hôtel existe depuis le XVIIIe s. 14 chambres très confortables au mobilier ancien. Les plus chères ont vue sur le *lough,* et certaines sont équipées de lits à baldaquin. Accueil soigné.

Sur la rive ouest du Lough

The Schoolhouse Inn : *100, Ballydrain Rd,* **Castle Espie,** *Comber. ☎ 97-54-11-82. • theoldschoolhouseinn.com • Double 80 £, petit déj inclus. Resto, soir slt.* Tenue par Terry et sa femme Avril, qui dirige le restaurant, l'auberge occupe une ancienne école en brique. Les 12 chambres, assez grandes, sont réparties dans le bâtiment en L. Chacune baptisée du nom d'un des présidents américains ayant des origines nord-irlandaises, elles sont toutes confortables et avec baignoire mais autant préférer celles qui donnent sur la route et la pelouse. Cadre serein et resto renommé.

Où manger ? Où boire un verre ? Où écouter de la musique sur la péninsule et autour du Lough Strangford ?

Sur la côte de la mer d'Irlande

Grace Neill's Bar : *33, High St,* **Donaghadee.** *☎ 91-88-45-95. • graceneills.com • Tlj 11h30-23h (ven-sam 1h, dim 22h). Lun-ven 12h-14h30, menu 2 plats env 11 £ ;* early bird *lun-jeu 17h30-19h, plat principal et verre de vin 9 £ ; à la carte (service jusqu'à 21h), petits et grands plats 7-25 £.* Bouilloire et TV qui s'allument toutes seules, planchers qui craquent sans raison, livres éparpillés... eh oui, vous descendrez votre pinte ou votre *beef and Guinness pie* en compagnie d'un fantôme, un vrai, celui de la fameuse Grace Neill, renommée pour avoir jadis accueilli chacun de ses clients d'un baiser ! Cuisine de pub-resto soignée, détaillant tous les classiques régionaux, carnés ou iodés. Pour le *Guinness Book,* c'est le plus vieux bar d'Irlande (1611) mais seul le *front bar* a de la patine. Soirées avec musiciens les vendredi, samedi (à partir de 21h30) et dimanche (de 14h à 17h).

Pier 36 : *36, The Parade,* **Donaghadee.** *☎ 91-88-44-66. Près du port.* Cheminée, brique et bois, banquettes et tabourets hauts, c'est le grand pub convivial de cette étape du bord de mer. L'équipe chaleureuse n'hésitera pas à vous renseigner sur le coin si vous ne trouvez pas votre bonheur auprès du petit point d'info installé à l'entrée. On y boit, mange un plat, joue au billard. Et on y cause...

Sur la rive est du Lough

Portaferry Hotel : *voir « Où dormir ? ». Le midi, plats 10-20 £ à la carte ; le soir, menus 2-3 plats, 23-26 £.* Élégante salle à manger décorée de marines pour ce resto d'excellente réputation. Cuisine de qualité, élaborée principalement à base de produits de la mer, mais steaks, *pies* et autres *venison* figurent également sur la carte.

The Wildfowler Inn : *1, Main St,* **Greyabbey.** *☎ 42-78-82-34. Cuisine tlj sf dim soir, 12h-14h45 et 17h-20h (ven-sam 21h30). Lun-ven 17h-20h,* early bird *2 plats env 10 £. Carte 9-13 £.* Bordée d'un grand parking, cette demeure ocre à colombages héberge le pub-resto du village. La cheminée entourée de banquettes et les tons boisés ou chauds accompagnent bien la tambouille simple, mais généreuse et typique, de ce genre d'adresses. Service souriant.

Sur la rive ouest du Lough

Daft Eddy et Island Coffee Room : Sketrick Island. ☎ 97-54-16-

15. Îlot relié à la terre, accessible par le village de Killinchy ou par les petites routes au-delà de Nendrum Monastery. Ouv tlj : Coffee Room, *9h30-16h30, dîner 17h-21h. Carte env 10-20 £.* Sympathique point focal pour les visiteurs et les gars du coin, cet établissement compte un *Coffee Room* (petit déj, gâteaux et déjeuners), un bar (*Real Ale* à la pression, bien !), un coin *lounge,* un espace resto et une grande terrasse. Et même des chambres si nécessaire... La cuisine, goûteuse, privilégie les produits de la mer (coquillages du *lough,* scampis de *Portavogie,* etc.), et s'entiche d'une petite coloration méditerranéenne. Steaks, *pies* et *burgers* sont aussi de la partie. Service charmant.

À voir. À faire

Sur la rive est du Lough

Mount Stewart House and Gardens : *sur l'A 20, 9 km au sud de Newtownards. ☎ 42-78-83-87. • nationaltrust.org.uk/mount-stewart •* Lakeside Gardens : *tlj 10h-18h. Réception et resto tlj 10h-17h (nov à mi-mars, 13h sf w-e 17h). Pour le reste, ouv mi-mars à oct slt :* Formal Gardens, *10h-18h ;* Mansion House, *12h-18h ;* Temple of the Winds, *14h-17h le dim slt ; dernière admission pour la maison et les* Formal Gardens *1h avt fermeture. Billet combiné (jardins et maison) : 7 £ ; réduc. Visites guidées ttes les 15-30 mn. Feuillet d'info en français.*
Propriété des Stewart (marquis de Londonderry) de 1744 à 1959, ce domaine s'organise autour d'un manoir remanié au début du XIXe s dans le style néoclassique. Lors de la visite guidée (env 45 mn), on découvre le vaste hall octogonal, les nombreux portraits et peintures équestres, une collection de porcelaine assez kitsch (en forme de choux, d'asperges, de lapins...) ainsi que la chapelle familiale.
Quantité d'essences exotiques ont été acclimatées dans les deux jardins. Créés au début des années 1920, les *Formal Gardens* forment une mosaïque d'espaces à l'italienne, à l'espagnole ou plus fantaisistes, comme celui parsemé de sculptures de dodos (drôles d'oiseaux disparus)... et de dinosaures. Un vaste jardin paysager autour d'un lac occupe le reste de la propriété. Près de l'entrée, le « temple des vents » inspiré de la tour des vents de l'agora d'Athènes, construit en 1785 pour accueillir des banquets, et doté de balcons pour mieux jouir de la vue sur le *lough*.

Grey Abbey : *3 km au sud de Mount Stewart (A 20), bifurcation à gauche dans le village de* **Greyabbey.** *☎ 91-81-14-91. Pâques-sept tlj 10h-17h ; le reste de l'année dim 12h-16h slt. Entrée gratuite.* Imposantes ruines d'une abbaye cistercienne fondée en 1193, et incendiée en 1572, de peur que les Anglais ne l'utilisent comme fortifications ! Deux bâtiments : l'abbaye proprement dite et le réfectoire. Sur les murs de l'église, de nombreuses plaques honorent la mémoire des Montgomery, dont le château se dresse à l'arrière-plan sur la colline. Gazon parsemé de pâquerettes et parc planté d'essences variées pour l'atmosphère typiquement britannique, tandis que le petit jardin médiéval d'herbes, à l'entrée, complète le thème.

Sur la rive ouest du Lough

Scrabo Country Park : *4 km au sud de Newtownards par l'A 21. ☎ 91-81-14-91. • doeni.gov.uk • Ouv : tour, Pâques-fin sept, tlj 10h-18h ; parc tlj 9h-21h (hiver 17h). Entrée gratuite.* Impossible de ne pas voir la tour à clochetons et échauguette qui marque le sommet de la colline ! Elle a été érigée en 1857 en hommage à la conduite exemplaire de Charles William Stewart, marquis de Londonderry, vis-à-vis de ses gens pendant la Grande Famine. 5 mn de montée depuis le parking.

Panorama sur le Strangford Lough. Dans la tour, audiovisuel et panneaux d'information sur la faune, la flore et la géologie (Scrabo est une ancienne carrière de pierre). Plusieurs sites de pique-nique très agréables.

Castle Espie Wildfowl & Wetlands Trust Conservation Centre : *78, Ballydrain Rd. 5 km au sud de Comber. ☎ 91-87-41-46. ● wwt.org.uk/visit-us/castle-espie ● Ouv tte l'année sf 2 j. à Noël : mars-oct, lun-ven 10h-17h (17h30 juil-août), w-e 10h-17h30 ; nov-fév, tlj 10h-16h (w-e 16h30). Entrée : 6,90 £ ; réduc.* Vous serez accueilli par une foule de palmipèdes dans ce vaste pan de nature situé sur la rive du Strangford Lough ! Des panneaux présentent les caractéristiques de chaque espèce. Certaines sont menacées, comme les élégantes bernaches à cou roux, déjà représentées sur d'antiques frises égyptiennes. La réserve sert aussi de lieu de villégiature hivernal pour quelque 25 000 bernaches du Canada, de nombreux échassiers et oiseaux marins. Des abris d'observation sont aménagés. À voir aussi, la nurserie où s'ébattent les canetons. Les observations les plus récentes et les activités du parc sont listées à l'entrée du *Visitor's Centre*.

Nendrum Monastery : Mahee Island, *Comber. Au sud de Castle Espie, embranchement sur la gauche. Site lui-même accessible en permanence.* Visitor's Centre : *avr-sept, tlj sf lun 9h (dim 13h)-18h ; oct-mars, w-e slt 10h (dim 14h)-16h. Entrée gratuite.* Cette butte énigmatique reliée à la terre ferme par une chaussée accueillit un monastère dès le Xe s. Les Bénédictins l'investirent au XIIe s avant de l'abandonner au XVe s. Il ne reste guère que le site, avec la base de quelques murs et d'une tour, mais la balade par la petite route le long du *lough* est bien dépaysante et procure d'étonnants panoramas.

La côte de la mer d'Irlande

Donaghadee : *à 19 km à l'est de Newtownards, sur l'A 2.* Jolie petite ville au front de mer incurvé et photogénique, elle fut avant l'ère des steamers le Douvres irlandais, monopolisant le trafic des ferries avec l'Écosse avant d'être détrônée par Larne. Cela lui a permis de conserver l'essentiel de son aspect du début du XXe s. Plusieurs restos et pubs assurent l'animation. Joli phare blanc au niveau du port sud.

➢ **Excursion aux îles Copeland :** *avec* Nelson's Boats, *146, Killaughey Rd,* **Donaghadee.** *☎ 91-88-34-03. En juil-août ou sur demande le reste de l'année. Résa impérative.* Inhabitées, les îles Copeland servent de refuge à de nombreux oiseaux : passereaux, gallinacés et rapaces ainsi qu'à une colonie de phoques, pas farouches du tout.

Kearney : *bifurcation sur l'A 2 au niveau de Cloghy, puis 4,5 km de route étroite. Depuis Portaferry, suivre la côte au plus près. ☎ 42-78-86-66.* Fiché sur un petit cap, ce hameau de pêcheurs a presque entièrement été racheté par le National Trust, pour l'unité architecturale de ses *cottages* d'un blanc aveuglant. Petit centre d'information (uniquement en saison) avec des infos sur les très jolies balades côtières.

Au sud du Lough

Portaferry (Port an Pheire) **et Strangford** (Loch Cuan) **:** voici deux mignons petits ports qui se regardent de part et d'autre de l'étroite bouche marine du *lough*, à la pointe sud de la péninsule d'Ards. On y vient pour le ferry (rubrique « Arriver – Quitter ») mais aussi pour les cafés et restos qui profitent de la vue sur le goulet. *Strangford* signifie « fjord tumultueux » en vieux norois ; il faut dire que les courants se font violents à l'heure des marées. D'ailleurs, la plate-forme rouge et noir au milieu du *lough* n'est rien d'autre qu'une petite centrale marémotrice alimentant en énergie près de 1 000 foyers.

Exploris, an Exploration of the Irish Sea : *Castle St,* **Portaferry.** ☎ *42-72-80-62.* ● *exploris.org.uk* ● *À deux pas du port, derrière le château. Avr-août, tlj 10h (sam 11h, dim 12h)-18h ; sept-mars, ferme 1h plus tôt. Entrée : 7 £ ; réduc.* Ce beau centre dédié à la faune marine du Strangford Lough et de la mer d'Irlande est organisé de manière à la fois pédagogique et ludique. Les aquariums recréent les différents milieux (roche, gravière, sable, boue) où évoluent poissons et crustacés. Animations régulières : nourrissage, plongeurs descendant nettoyer le spectaculaire bassin de 250 m³ où patrouillent les gros « volumes » et, notamment pour les plus jeunes, un bac permettant de toucher raies et étoiles de mer en présence d'un animateur *(sept-fév, ttes les 90 mn à partir de 10h30 env).* La section *Seal Sanctuary* assure un remarquable travail de sauvetage des bébés phoques blessés ou abandonnés qui sont soignés ici avant d'être relâchés.

Castle Ward Estate : *sur la route de Downpatrick, à 2 km de Strangford.* ☎ *44-88-12-04.* ● *ntni.org.uk* ● *Horaires : parc ouv tlj, avr-sept 10h-20h (reste de l'année 16h) ;* Tea Room, *mars-oct slt, tlj midi-17h ;* House *(manoir), mi-mars à oct, tlj 11h-17h. Entrée parc et maison : 7 £ ; réduc. Intègre un beau camping (voir « Où dormir ? ») dont l'entrée est cependant séparée (panneaux). Loc de vélos et kayaks auprès de* **Clearsky Adventure** *: dans le parc (panneaux) ;* ☎ *43-72-39-33 ;* ● *clearsky-adventure.com* ● Situé au milieu d'un immense espace de bois et de pâturages (330 ha), au bord du *lough,* le domaine est constitué du manoir *(House)* et de nombreuses dépendances. Il a été construit par lord Bangor en 1765 en style classique pur. Enfin, pour moitié seulement, puisque sa femme imposa son goût du gothique pour la façade est... Un ancien château *(Old Castle Ward)* avec une grosse tour médiévale se dresse en contrebas et 5 promenades balisées (de 30 mn à 2h) sillonnent le domaine. Celle qui conduit, au nord, à Audley's Castle – en fait une grosse tour anglo-normande – révèle un panorama splendide sur les Narrows du *lough.* La force du courant à marée montante est impressionnante.

DOWNPATRICK (DÚN PHÁDRAIG) ET LE PAYS DE SAINT PATRICK

10 300 hab. IND. TÉL. : 028

Petite capitale du comté de Down, c'est le fief du saint patron d'Irlande. La région regorge de traces de son passage. Les pressés pourront se contenter de visiter le *Centre* de Downpatrick consacré à ce sacré routard.

Arriver – Quitter

➢ ***Belfast (Europa Bus Centre) :*** **Goldline Express,** *Service 215.* Lun-sam, 7h-21h env, liaisons dans les 2 sens ttes les 15-30 mn ; dim, slt 7 bus/j. Env 1h de trajet. *Autres liaisons avec* **Ulsterbus,** *Services 15 et 515.*

➢ ***Newcastle :* Ulsterbus,** *Service 17.* Env ttes les heures en sem, 7 bus le sam, 3 le dim (aucun le mat depuis Downpatrick). Également 4-6 bus/j. avec *Goldline Express 240.*

Adresse utile

Office de tourisme : *dans le* Saint Patrick Centre. ☎ *44-61-22-33. Juil-août, tlj 9h30 (dim 14h)-18h ; le reste de l'année, lun-sam 9h30-17h.* Accueil

PLANS ET CARTES EN COULEURS

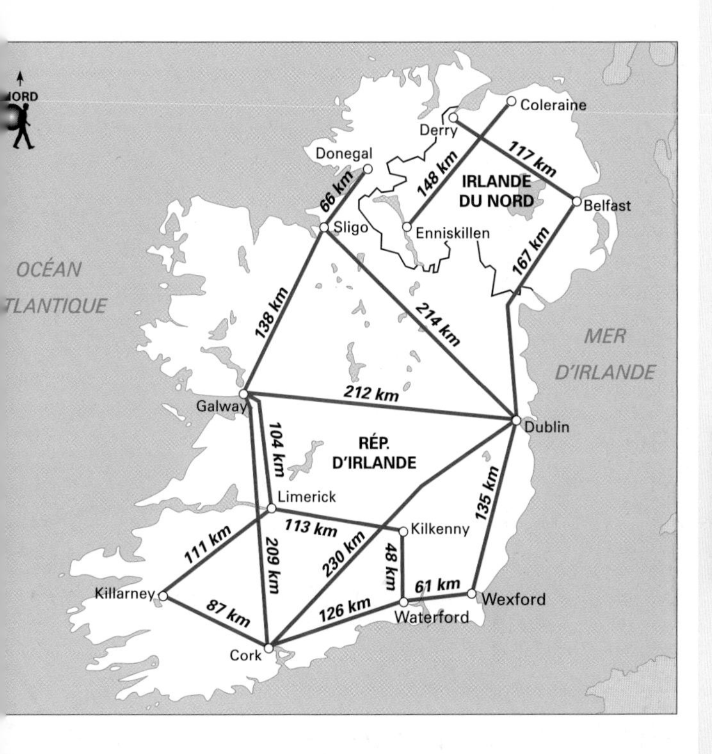

SOMMAIRE

sites inscrits au Patrimoine mondial de l'Unesco
NORD
OCÉAN ATLANTIQUE
★★ Glencolumbkill
★ Kill
LES COMTÉS DE MAYO ET DE SLIGO
Killala★★
Ballina★
Keel
★★ Achill Island
★★ Newport
Charlestow
Clare Island
Louisburgh
Castlebar★
Westport★★
★ Inishbofin
ROSC
★★ Letterfrack
Claremorris
Leenane★★
Cong★★
★★ Clifden
Roscor
CONNEMARA
GALWAY
M 6
★★ Galway
★★★ Aran Islands
★★ Ballyvaughan
Kinvara★
Lough
★★ Lisdoonvarna
Kilfenora★
★★★ Cliffs of Moher
Ennistymon★
★ Lahinch
Corofin★
Spanish Point
Miltown Malbay
★ Ennis
LE COMTÉ DE CLARE
Kilrush
Shannon
TIPP
Limerick
DE LA PÉNINSULE DE DINGLE À SHANNON
Listowel
★★ Adare
Tralee
Dromcolliher
N 20
Tipperar
★★★ Dingle
Kanturk
KERRY
★★ Valentia Island
★ Killorglin
Killarney★★
Mallow
Cahersiveen★
CORK
LE RING OF KERRY
Sneem★★
Kenmare★★
Macroom
M 8
★★ Cork
★★ Yo
★★★ Skellig Islands
Beara
Glengarriff★★
★ Castletownbere
Dunmanway
★★ Bantry
★★★ Kinsale
LA CÔTE SUD À L'OUEST DE CORK
★ Timoleague
Clonakilty★★
★ Skibbereen
0 20 40 km
Mizen Head
★★ Clear Island
ROSCOFF

Fanad Head
heep Haven
Malin Head ★★★
★★★ Giant's Causeway
★ Rathlin Island
Inishowen
★ Rathmullan
★ Ramelton
Dungloe
Letterkenny
Ballycastle ★
Coleraine
ÉCOSSE
Troon
Derry ★★
DERRY
DONEGAL
dara ★★
Sperrin Mountains
Ballymena
Cairnyan
Stranraer
onegal
Larne
ANTRIM
M 2
TYRONE
yshannon
Omagh
Lough Neagh
Bangor
Belleek
IRLANDE DU NORD
★★ BELFAST
Newtownards
loran
Ards Peninsula
Enniskillen ★★
M 1
Monaghan
Armagh ★★
ARMAGH
A 1
DOWN
Portaferry
Downpatrick ★
LIVERPOOL
MONAGHAN
Newry
Mourne Mountains ★★
Newcastle
LEITRIM
CAVAN
Isle of Man
Cavan
Carrickmacross
Dundalk
LOUTH
Longford
NGFORD
Kells
Newgrange Tumulus ★★
Drogheda
LIVERPOOL
MER D'IRLANDE
Navan
WESTMEATH
Mullingar
MEATH
Athlone
M 1
FINGAL
M 6
Kilcock
imacnoise
M 6
M 4
DUBLIN ★★★
Tullamore
OFFALY
KILDARE
DUBLIN
Kildare
Russborough
Dún Laoghaire
Holyhead
Portlaoise
Isle of Anglesey
screa
M 9
M 7
Powerscourt ★★
WICKLOW
Wicklow Mountains
LAOIS
★★★ Glendalough
DUBLIN ET SES ENVIRONS
Wicklow ★
Durrow
Carlow
Rathdrum
M 8
Arklow
N 11
★★★ Kilkenny
CARLOW
shel ★★
KILKENNY
Enniscorthy ★
Carrick-on-Suir
WEXFORD
M 9
New Ross★
Waterford ★★
Wexford ★
ERFORD
Tramore
Dunmore East ★
Rosslare Harbour
Dungarvan ★
Kilmore Quay ★
LA CÔTE SUD À L'EST DE CORK
more
Fishguard
PAYS DE GALLES
ROSCOFF, SWANSEA
ROSCOFF, CHERBOURG
PEMBROKE

L'IRLANDE

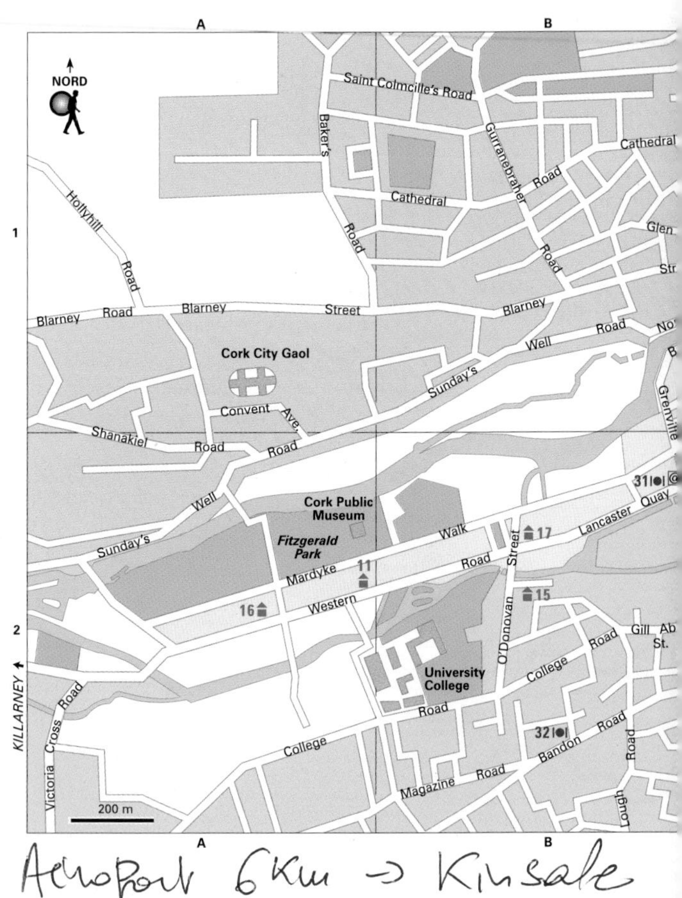

Aéroport 6 km → Kinsale

■ Adresses utiles	Où dormir ?
Office de tourisme	11 Cork International Youth Hostel
@ 53 PC Services	12 Travelodge
	15 Fernroyd House

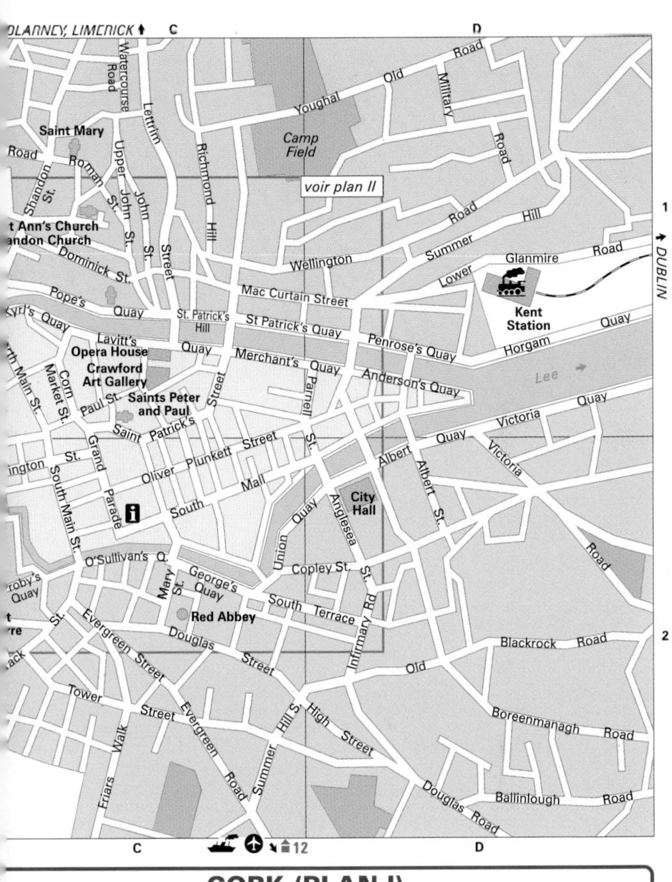

CORK (PLAN I)

16 Acton Lodge
17 Garnish House

Où manger ?

31 Café Paradiso
32 Lennox

Où écouter de la musique ? Où sortir ?

42 Isobar – Mardyke

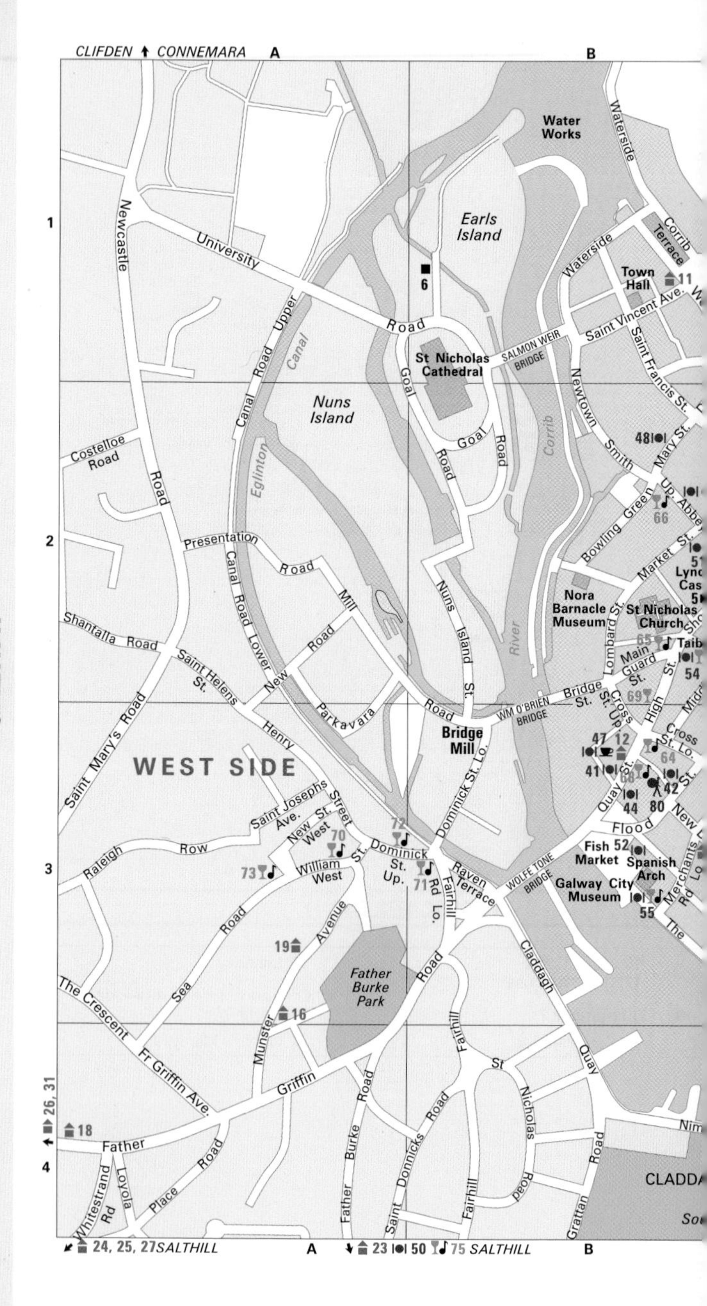
CLIFDEN ↑ CONNEMARA
A
B
Water Works
Waterside
Earls Island
Corrib Terrace
Town Hall
11
Saint Vincent Ave.
University
Road
Newcastle
6
St Nicholas Cathedral
SALMON WEIR BRIDGE
Saint Francis St.
Canal Road Upper
Canal
Goal
Nuns Island
Newtown
Corrib
Goal Road
Road
Smith
Mary St.
48
Costelloe Road
Road
Eglinton
66
Up. Abbey
Bowling Green
Presentation
Road
Market St.
51
Mill
Nora Barnacle Museum
St Nicholas Church
Shantalla Road
Canal Road Lower
Road
Nuns Island St.
River
Lombard St.
65
Main Guard St.
Saint Helens St.
New
Parkavara
Road
Bridge St.
WM O'BRIEN BRIDGE
69
Cross St. Up.
High St.
54
Saint Mary's Road
Henry
Bridge Mill
47
12
Cross St. Lo.
WEST SIDE
41
68
64
42
Dominick St. Lo.
Quay St.
44
80
Saint Josephs Ave.
Street
72
Flood
New West St.
70
Fish Market
52
Spanish Arch
Rateigh
Row
Dominick St. Up.
73
William West St.
71
Rd Lo.
Raven Terrace
WOLFE TONE BRIDGE
Galway City Museum
55
Merchants Rd
Fairhill
Road
Avenue
19
Sea
Claddagh
The Crescent
Father Burke Park
Road
16
Munster
Fairhill
Fr Griffin Ave.
Griffin
St
Quay
Road
Nicholas
26, 31
18
Father
Road
Saint Donnicks
Road
Burke
Road
CLADDA
Whitestrand Rd
Loyola
Place
Father
Fairhill
Grattan
Saint
24, 25, 27 SALTHILL
A
23
50
75 SALTHILL
B
1
2
3
4

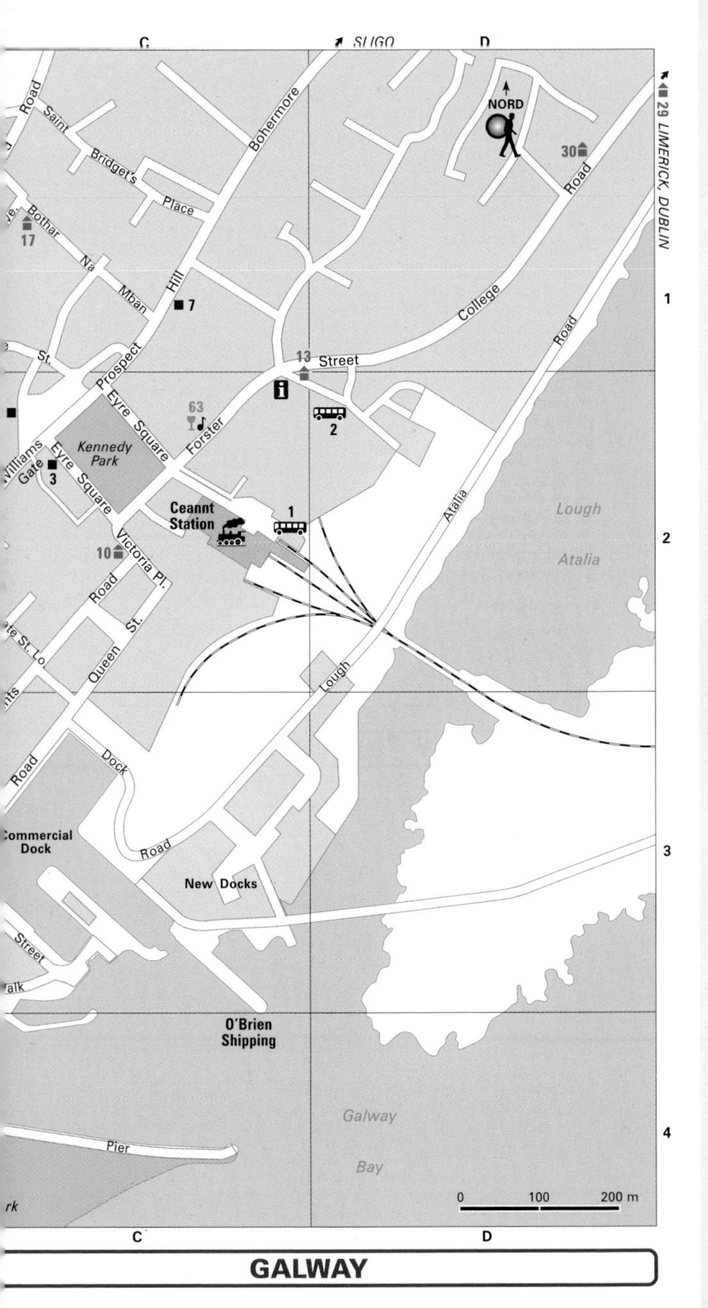
SLIGO
29 LIMERICK, DUBLIN
NORD
Bohermore
Saint Bridget's Place
Bothar Na Mban
Hill
Prospect
College Road
Street
Forster
Eyre Square
Kennedy Park
Williams Gate
Ceannt Station
Victoria Pl.
Road
Queen St.
Atalia Road
Lough
Lough Atalia
Dock Road
Commercial Dock
New Docks
Street
O'Brien Shipping
Galway Bay
Pier
0 100 200 m
C
D
1
2
3
4
17
7
13
63
2
3
1
10
30

GALWAY

Adresses utiles

- Office de tourisme
- 1 Bus Eireann
- 2 City Link et Go Bus
- 3 National Irish Bank
- 4 Allied Irish Bank
- 5 Pharmacies
- 6 West Ireland Cycling
- 7 On Yer Bike

Où dormir ?

- 10 Kinlay House
- 11 Salmon Weir Hostel
- 12 Barnacles Quay Street House
- 13 Snoozles Hostel
- 16 Griffin Lodge
- 17 Sleepzone
- 18 The Swallow B & B
- 19 Linderhof B & B
- 20 The House Hotel
- 23 Grattan Lodge
- 24 Lawndale B & B
- 25 Glencree
- 26 Devondell
- 27 Roncalli House
- 29 Almara Guesthouse
- 30 Asgard Guesthouse
- 31 Inishmore Guesthouse

Où manger ?

- 41 McDonagh's
- 42 Cactus Jacks
- 43 8, Bar and Restaurant
- 44 Fat Freddy's
- 46 Couch Potatas
- 47 Goyas
- 48 Home Plate
- 49 McSwiggan's
- 50 The Galleon Restaurant
- 51 Finnegan's
- 52 Thai Garden Restaurant
- 54 The Malt House
- 55 Ard Bia at Nimmo's

Où grignoter ? Où boire un bon café ou un bon thé ?

- 47 Goyas

Où boire un verre ? Où écouter de la musique ?

- 49 McSwiggan's
- 54 Taaffe's et King's Head
- 55 Ard Bia at Nimmo's
- 63 An Púcán
- 64 Tigh Neachtain ou Seaghan Ua Neáchtain
- 65 Tig Coili
- 66 Sally Long's
- 67 Hole in the Wall
- 68 The Quays
- 69 The Front Door
- 70 The Blue Note et Massimo
- 71 Monroe's Tavern
- 72 Róisín Dúbh
- 73 The Crane Bar
- 75 O'Connors

À voir

- 80 The Hall of the Red Earl

GALWAY – REPORTS DU PLAN

sympa. Nombreuses brochures gratuites sur tout le comté de Down. Résa d'hébergement, change et vente de cartes de randonnées.

Où dormir ? Où manger ? Où sortir à Downpatrick et dans le coin ?

De prix moyens à plus chic

Denvir's Guesthouse : *14-16, English St,* **Downpatrick.** ☎ *44-61-20-12.* • *denvirshotel.com* • *En bas de la rue qui mène à la cathédrale. Resto tlj midi et soir jusqu'à 21h. Double 70 £. Le midi, plats à partir de 10 £ ; le soir compter 12-20 £.* L'un des plus anciens relais d'Irlande, en activité depuis 1642. Son histoire foisonne d'anecdotes et de clients célèbres. Le nom même de l'endroit ne vous rappelle rien ? Un ancien propriétaire aurait donné au XVIIIe s son nom à la ville de Denver, dans le Colorado ! Les chambres sont spacieuses, un tantinet rétro mais confortables avec plancher et quelques meubles anciens. Côté resto, cadre presque romantique avec lumignons et grande cheminée. Le chef inventif propose une cuisine voguant entre traditions anglaises et *fusion. Folk night* le samedi à partir de 22h.

Pheasant's Hill Farm : *37, Killyleagh Rd, Pikestone,* **Downpatrick.** ☎ *44-61-72-46.* • *pheasantshill.com* • *À 4 km au nord de Downpatrick, par l'A 22. Ouv tte l'année sf déc. Doubles avec sdb env 75-85 £.* Une ferme bio (avec boutique) où gambadent toutes sortes d'animaux à poils. Du pâturage à l'assiette, il n'y a qu'un pas. Hmm, le bacon du petit déj... 4 des 5 chambres sont un peu étroites mais vraiment coquettes, avec de gros duvets où s'emmitoufler.

Brendan's : *94, Market St,* **Downpatrick.** ☎ *44-61-53-11.* *Presque en face de la petite place du* Saint Patrick Centre. *Resto ouv le midi tlj et le soir ven-dim slt.* Lunch specials *autour de 8-10 £.* Pub à la chouette façade typique offrant une cuisine traditionnelle de bonne tenue (*burgers* très appréciés). Salle plutôt cosy, bien qu'assez sombre.

Dufferin Arms Coaching Inn : *35, High St,* **Killyleagh.** ☎ *44-82-11-82. À 9 km au nord de Downpatrick par l'A 22. Plats principaux 15-20 £ le soir, presque moitié moins le midi.* Sympathique pub à l'ancienne avec, d'un côté, quelques *snugs* et des banquettes de velours vert bien lustrées, et, de l'autre, une jolie petite salle lumineuse. Le midi, bon *pub grub,* sandwichs et bagels ; les vendredi et samedi soir, cuisine réputée au *Cellar* jusqu'à 21h. Musique live le samedi soir (rock, acoustique, etc.). Certains samedis après-midi, *jam sessions* de musique traditionnelle. Fait aussi *B & B.*

À voir

Down Cathedral et Saint Patrick's Grave : *sur une colline dominant la ville.* ☎ *44-61-49-22. Tlj 9h30 (dim 14h)-17h. Entrée gratuite. Brochure en français.* La cathédrale fut tour à tour détruite et reconstruite du XIIe s à la fin du XVIIIe s. À l'intérieur, le trône de l'évêque est placé en face de celui... du juge ! Tout simplement parce que certains procès se déroulaient là. Orgue de style georgien. La tombe de saint Patrick se trouve dans le cimetière, à droite de l'entrée. Nul ne sait s'il repose vraiment sous cette grosse dalle gravée d'une croix celtique. En tout cas, il devrait être quelque part sur la colline en « compagnie » de sainte Brigid (celle qui a inventé la fameuse croix) et saint Columcille (Colomba).

Saint Patrick Centre : *Saint Patrick's Sq, au pied de la cathédrale.* ☎ *44-61-90-00.* • *saintpatrickcentre.com* • *Ouv : juil-août tlj 9h (dim 13h)-17h ; le reste de l'année, tlj sf dim 10h-17h. Dernière entrée 90 mn avt fermeture. Entrée 5 £ ; réduc. Audioguide en français.* Superbe bâtiment de verre et d'ardoise où la vie pleine de contradictions du plus célèbre des Irlandais (né en Angleterre !) est retracée grâce à la technologie du XXIe s. À travers des reconstitutions de scènes et des écrans interactifs et multilingues, on replonge à l'époque de l'Angleterre romaine et de l'Irlande des Scots où saint Patrick fut emmené par des pirates et réduit en esclavage à l'âge de 16 ans. Pendant sa captivité en tant que berger, il redevient croyant puis s'enfuit pour regagner l'Angleterre. C'est alors qu'une apparition l'enjoint de porter la parole divine en Irlande païenne où il retourne en 432. Il évangélise les premiers habitants dans une grange et meurt à Saul, devenue abbaye, en 461, après avoir converti toute l'Irlande. Si la tradition soutient qu'il chassa aussi tous les serpents de l'île, la sagesse populaire telle qu'on l'entend au pub avance qu'il était bien le seul à en avoir vu ! À la fin de la visite, projection d'un film montrant, vus du ciel, les différents lieux associés à la vie et à la légende du saint.

☞☞ ***Down County Museum :*** *The Mall, sur la rue menant à la cathédrale. ☎ 44-61-52-18. Tlj 10h (w-e 13h)-17h. Entrée gratuite. Audioguide en français.* Le musée occupe l'ancienne prison régionale. Son prisonnier le plus célèbre, le *United Irishman* Thomas Russell, y fut pendu en 1803. Les lieux, joliment restaurés, servirent de caserne lors des deux guerres mondiales. Dans l'ancienne résidence du gouverneur, au centre de la cour, l'histoire régionale est passée en revue depuis les origines. Dans les vitrines : bracelets en or de l'âge du bronze, reliquaire de la main de saint Patrick (XIVe ou XVe s), croix sculptées et éléments lapidaires du Xe au XIIe s, etc. Riche section consacrée à l'époque victorienne. Au fond de la cour, un autre bâtiment conserve d'anciennes cellules remises en scène. L'une rappelle la triste aventure d'Ann Morrison, condamnée au bagne en Australie au début du XIXe s pour faux monnayage. En 1990, deux de ses descendantes vinrent de là-bas, en pèlerinage... À l'arrière, petite galerie d'art et *tearoom.*

DANS LES ENVIRONS DE DOWNPATRICK

Au nord

☞☞ ***Inch Abbey :*** *à 1,3 km sur la route de Belfast (l'A 7). Panneau à 300 m à gauche, souvent caché par la végétation. Toujours ouv et entrée libre.* Ruines d'un monastère cistercien fondé à la fin du XIIe s. Considérée comme la plus ancienne église gothique d'Irlande, il en subsiste surtout le mur du chœur percé de trois longues baies, joliment mises en valeur par les bons soins du jardinier. Site d'une totale sérénité. Vue distante sur la cathédrale, de l'autre côté de la Quoile.

☞☞ ***Killyleagh :*** *village perché sur la rive ouest du Strangford Lough (9 km au nord par l'A 22).* L'élégante rue principale aux maisons colorées est dominée par un château privé style Walt Disney du XVIIe s, remodelé vers 1850. C'est dans ce village que naquit sir Hans Sloane, médecin du roi George II et fondateur du British Museum à Londres.

☞☞ ***Rowallane Gardens :*** *à 17 km au nord, à l'entrée sud de Saintfield, par l'A 7. ☎ 97-51-01-31. • nationaltrust.org.uk/rowallane • Le bus no 15 Downpatrick-Belfast s'arrête devant. Ouv tlj : mai-août 10h-20h (mars-avr et sept-oct 18h, nov 16h). Entrée : 5,70 £ ; réduc.* De superbes jardins plantés d'essences rares, de rhododendrons exubérants, d'azalées éblouissantes, des sous-bois tapissés de narcisses et de jacinthes. La quintessence des jardins anglais. Tranquille et intimiste. Se renseigner sur les différentes périodes de floraison. Avril est somptueux.

La péninsule de Lecale

☞ ***Struell Wells :*** *en marge de la B 1 (route d'Ardglass), à moins de 3 km à l'est de Downpatrick (bien indiqué).* Pour ceux qui suivent les traces de saint Patrick.

En fait, on n'a aucune certitude que ces puits soient bien ceux auxquels le saint s'abreuvait. Mais, depuis le Moyen Âge, on leur prête des vertus miraculeuses. Paysage beau et calme : ruines de pierre grise (thermes du XVIIe s et église), murmure de la source et bêlement des moutons. Tables de pique-nique.

Saul : *petit village à quelques km au nord-est de Downpatrick.* Une église de style néoceltique *(tlj de 9h à la tombée de la nuit),* dotée d'une tour cylindrique, a été dressée en 1933 sur le site de la grange où saint Patrick aurait célébré la première messe d'Irlande, 1 500 ans plus tôt. Émouvant cimetière aux tombes penchées envahies par la végétation. De là, on voit bien la colline de Slieve Patrick, un peu plus à l'est, avec son autel en plein air, son Christ en Croix et son saint Patrick perché au sommet. C'est un site de pèlerinage encore bien vivant. Trois belles balades sur le thème du saint dans un environnement verdoyant à souhait : le point de départ est la *Slaney Inn* dans le hameau de Raholp. Demander à l'office de tourisme la brochure *Walk our Way : Saint Patrick's Way.*

Le reste de la péninsule de Lecale : les marcheurs trouveront à l'office de tourisme de Downpatrick la brochure *Lecale Way* (payante) décrivant un tour de la péninsule. Outre ce qui précède, on peut voir la réserve naturelle de Cloghy Rocks et ses phoques, et la maison-tour de Kilclief, typique des habitations fortifiées des XIVe et XVe s.

Pour rejoindre Newcastle, on recommande la route côtière passant par Ballyhornan puis Ardglass. Petit port photogénique, ce dernier fut le plus important d'Ulster avant sa destruction lors de la rébellion de 1641. Il conserve quelques vestiges de fortifications. Environ 4 km plus loin, le village de Killough, dessiné par l'ancien propriétaire de Castle Ward Estate et, par une bifurcation, les paysages marins de Saint John's Point, ponctués par un phare strié de noir et de jaune. Enfin, avant d'arriver à Clough, à 8 km de Newcastle, vous pourrez vous délasser sur la plage de Tyrella et admirer ses châteaux (de sable cette fois-ci). Du parking, dépassez la section centrale, plus caillouteuse, pour aller vers le *Visitor's Centre.* Dans ce coin-là, le sable est ultra-fin.

NEWCASTLE (AN CAISLEÁN NUA)

7 500 hab. IND. TÉL. : 028

Fameuse et plus importante station balnéaire du comté de Down, c'est aussi la porte d'entrée septentrionale des Mourne Mountains. Dès les beaux jours, les Belfastois s'y précipitent le week-end. Ils sont attirés par la plaisante promenade le long de la baie soulignée d'une belle plage et les pentes boisées en toile de fond, rappelant que la montagne est proche. Main Street rassemble les habituels *amusement shops,* cafés, pubs et glaciers.

Arriver – Quitter

En bus

Gare routière : *dans Railway St, à l'orée de la rue principale en arrivant de Downpatrick.* ☎ *43-72-22-96 ou 90-66-66-30.* ● *translink.co.uk* ●

➢ **Belfast (Europa Centre) : Ulsterbus,** *Service 18.* Lun-ven, liaison ttes les 30 mn env, w-e ttes les heures.

➢ **Downpatrick :** *voir plus haut sous cette ville.*

➢ **Newry** *(correspondance pour Armagh et Enniskillen)* **: Goldline,** *Service 240.* 4-6 bus/j.

Adresse utile

Office de tourisme : *10-14, Central Promenade.* ☎ *43-72-22-22.* ● *downdc.gov.uk* ● *Au nord de la rue principale. En été, tlj 9h30 (dim 13h)-*

LE SUD DE L'ULSTER

19h ; le reste de l'année, lun-sam 10h-17h, dim 14h-18h (oct-mars 17h). En plus des infos sur la région, change, résa d'hébergement et consigne.

Où dormir ?

Campings

Tollymore Forest Park : *voir plus bas « Dans les environs de Newcastle ». Tte l'année. Résa obligatoire en saison. Compter 11,50-16,50 £ pour 2 avec tente et voiture selon saison.* Environnement de rêve au pied des Mourne Mountains. Sanitaires modernes et de bonne qualité, douches chaudes. Petite épicerie-poste *(general store)* à Bryansford, 300 m à droite de la sortie du parc.

Castlewellan Forest Park : *voir plus bas « Dans les environs de Newcastle ». ☎ 43-77-86-64. Ouv du w-e de la Saint-Patrick à oct. Résa obligatoire en saison. Compter 11,50-16,50 £ pour 2 avec tente selon saison.* Dans la même veine que le précédent. Château, arbres centenaires et balades. Tout est dit !

Bon marché (moins de 20 £ le lit / 24 €)

Newcastle Youth Hostel : *30, Downs Rd. ☎ 43-72-21-33. • hini.org.uk • En bord de mer. Bus à 50 m. Réception ouv 8h-10h30, 17h-22h30. Fermé janv et fév, ouv w-e slt nov-déc. Résa conseillée en hte saison et le w-e. Compter 14 £/pers en dortoir. Petit déj non compris.* Belle maison de style victorien super bien placée, sur le front de mer. Intérieur très mignon, très propre, très bien tenu. Une petite quarantaine de lits répartis en dortoirs de 3 à 6 lits. Cuisine, machines à laver.

Chic (60-80 £ / 72-96 €)

Beach House B & B : *22, Downs Rd. ☎ 43-72-23-45. • beachhouse22@tiscali.co.uk • Sur le front de mer, à côté de l'église moderne. Double avec sdb 70 £.* *B & B* coquet avec un bel escalier en bois et 4 chambres, dont 2 partagent une même salle de bains. Le tout est fort bien tenu et dégage un certain charme, en particulier les 2 chambres qui jouissent de la vue sur la plage depuis l'élégant balcon en fonte.

Coolgreeney House B & B : *11, Downs Rd. ☎ 43-72-63-90. • coolgreeney.com • Au bout de la rue du pub* Quinns. *Double avec sdb 70 £.* Maison cossue face à la mer, où l'on découvre plusieurs types de chambres, allant de la *single* à la familiale (1 grand lit et 2 petits). De style classique, elles sont toutes bien dotées (TV, bouilloire) mais certaines sont quand même un peu riquiqui. Si possible, visiter avant de choisir.

The Briers : *39, Middle Tollymore Rd. ☎ 43-72-43-47. • thebriers.co.uk • À la lisière de la ville et à 500 m du parc de Tollymore. Pour s'y rendre : route de Castlewellan, puis à gauche Tollymore Rd et Middle Tollymore Rd à droite). Ouv tte l'année. Double avec sdb 75 £.* Agréable *B & B* installé dans une ferme datant du XVIIIe s, tout près de la ville et pourtant très au calme... bêlement des moutons excepté. 7 chambres simples et agréables, certaines avec de grandes baignoires. Bon accueil. Possibilité de dîner si l'on prévient à l'avance.

Où manger ?
Où boire un verre ?

Cafe Mauds : *Waterfoot, Main St. ☎ 43-72-61-84. Sur la rue principale, non loin du* Quinns *et de la gare routière. Tlj.* Appartenant à une chaîne, ce café-self moderne et peu original en soi est néanmoins agréable pour son immense baie vitrée tournée vers l'embouchure de la rivière Shimna. C'est aussi l'une des seules adresses ouvertes le soir hors saison. Petit déj classique et pâtisseries du jour le matin, crêpes, sandwichs et *burgers* le midi.

Quinns : *62-64, Main St. ☎ 43-72-64-00. Plats principaux 5-10 £.* Rien ne manque à ce vaste pub pour en faire un lieu typique : boiseries, plafonds à moulures, moquette, capitons entourant le podium de l'occasionnel DJ, billards, comptoir, mezzanine cosy avec cheminée, tabourets ou tables et chaises, etc. Les habitués se postent vers l'entrée, d'autres mangent plus loin. Du jeudi au dimanche, ce débonnaire établissement vibre au son de DJs rétro ou funky, de karaoké ou de musique live.

DANS LES ENVIRONS DE NEWCASTLE

Tollymore Forest Park : *176, Tullybrannigan Rd,* ***Newcastle.*** *☎ 43-72-24-28. • nidirect.gov.uk/forests • À 3 km au nord de Newcastle, sur la route de Bryansford. Tlj 10h-tombée de la nuit. Compter 4,50 £/voiture et 2 £/pers ; réduc.* Installé en 1955 sur le flanc nord-est des Mourne Mountains, c'est le plus ancien des parcs forestiers d'Irlande du Nord comme le rappelle sa porte crénelée néogothique. Cafétéria et infos dans la pseudo-église du même style, camping (voir « Où dormir ? »). Vieille d'environ deux siècles, la forêt est encore exploitée. Les sentiers balisés sont bordés d'essences remarquables, tel cet « arbre aux fraises » (arbousier) centenaire, d'autres serpentent parmi une végétation exubérante, égayée de petites cascades et de vieux ponts. L'*Arboretum Path* (1,7 km) et le *River Trail* (5,2 km) partant tous deux du parking. Le *Mountain Trail* (8,8 km), éventuellement prolongé de la boucle du *Drinns Trail* (4,8 km) compose une véritable rando (prévoir 4-5h), pour moitié sur *l'Ulster Way.* Beaux panoramas sur les montagnes et la baie de Dundrum. Les plus costauds envisageront la *Newcastle Way* (44 km), une boucle qui intègre Tollymore, Castlewellan, la Murlough National Reserve et Newcastle.

■ ***Tollymore National Mountain Centre : Bryansford.*** *☎ 43-72-21-58. • tollymore.com • Env 2 km au nord du parc, sur la route de Hilltown (B 180). Résa à l'avance indispensable.* Centre sportif national, il organise randonnées dans les *Mourne Mountains,* varappe, canoë-kayak, surf, VTT, course d'orientation, etc. Également de remarquables équipements *indoor* : mur d'escalade, plan d'eau, fitness, etc. Les tarifs s'entendent pension complète à l'exception de certaines activités à la journée. De quoi occuper toute la famille, du débutant au confirmé.

Castlewellan Forest Park : *The Grange,* ***Castlewellan.*** *☎ 43-77-86-64. • forestserviceni.gov.uk • Au nord de Castewellan. Tlj jusqu'à la tombée de la nuit. Compter 4,50 £/voiture et 2 £/pers ; réduc.* Ce parc de 460 ha ressemble à celui de Tollymore, mais un château victorien en plus (1850) et un ravissant lac. Créé au XVIIIe s, le premier jardin s'est enrichi d'un arboretum en 1870, fier de ses 39 arbres *champions* (les plus grands de leur espèce en Irlande du Nord). De nombreux sentiers, longs de 4 à 8 km, du très facile au plus difficile. Surprise, un gigantesque labyrinthe, le *Peace Maze* ! Location de vélos et de canoës (cher). Camping (voir « Où dormir ? »).

L'ascension du Slieve Donard : point culminant des *Mourne Mountains,* il surveille Newcastle du haut de ses 852 m. À partir du parking de Donard Park, à l'ouest du front de mer, compter 3h de montée. Autre accès depuis le parking de Bloody Bridge, plus au sud. Sentier bien tracé, le long de la Glen River. Le Mourne Wall vous attend au sommet (voir « Silent Valley »).

Murlough National Nature Reserve : *env 3 km au sud de* ***Dundrum,*** *sur la route Newcastle-Belfast (A 2). ☎ 43-75-14-67. • nationaltrust.org.uk •* Visitor's Centre : *juin à mi-sept, tlj 10h-18h ; mi-mars à mai, w-e slt 10h-18h. Entrée : 3 £/ voiture ; gratuit mi-sept à mi-mars). Visite guidée juil-août, dim ap-m.* C'est un parc naturel de dunes fixes, certaines très hautes, protégeant un fragile écosystème où croissent plantes et fleurs rares. Compter 10 mn pour rejoindre la plage, où se déroule un immense estran mêlant sable et galets. Nombreux oiseaux (migrateurs en hiver) et parfois des phoques.

Dundrum : *6 km au nord-est de Newcastle (A 2). Pâques-sept, mar-dim 10h-17h ; tlj juin-août. Entrée gratuite.* Depuis l'imposant donjon de ce château anglo-normand (fin XIIe s) en ruines, joli point de vue sur la mer et les Mourne Mountains.

LES MOURNE MOUNTAINS

***« Where the Mountains O'Mourne sweep down to the sea »*, chante la vieille ballade de Percy French, hommage à la beauté de ces montagnes de granit et au galbe inimitable de leurs pentes qui glissent élégamment vers la mer. Pour rajouter l'image au son, il faut au moins emprunter l'A 2 qui souligne cette côte sans s'aventurer à l'intérieur.**

Si possible, faites étape à Rostrevor ou Warrenpoint, au bord du Carlingford Lough qui délimite la frontière avec la république d'Irlande. Vous aurez alors le temps de pénétrer dans les Mourne, d'être hypnotisé par les *blanket bog* (tourbières d'altitude typiques), puis réveillé par la soudaine verdeur d'une forêt. Peut-être serez-vous également subjugué par les changements brutaux de climat et de lumière propres à cette région : d'un versant à l'autre, il arrive de passer de la purée de pois la plus épaisse à la plénitude d'une vallée riante et ensoleillée !

Adresses utiles

– ***Informations :*** *Mourne Heritage Trust,* ***Newcastle,*** *87, Central Promenade. ☎ 43-72-40-59.*

Kilkeel Tourist Information Centre : The Nautilus Centre, *Rooney Rd,* ***Kilkeel.*** *☎ 41-76-25-25. • visitkilkeel.com • Pâques-oct, lun-sam 9h-13h, 14h-17h30 ; le reste de l'année, fermé sam.* Kilkeel est la capitale maritime des Mourne Mountains. Grand port, nombreuses pêcheries.

Où dormir ?

Kilbroney Caravan Park : *dans le parc forestier du même nom (rubrique « À voir »). ☎ 41-73-81-34. • kilbroneypark@newryandmourne.gov.uk • Ouv Pâques-sept. Compter 13 £ pour 2 pers avec tente et voiture.* Très bien équipé et dessiné : nombreux sanitaires, lave-linge, cafétéria (petite restauration), généreuse pelouse plantée d'arbres majestueux, aire de jeux pour les enfants, espace barbecue et même des courts de tennis ! N'oublions pas les nombreux sentiers de rando plus haut dans la forêt et la mer toute proche. Un beau coin, vraiment.

Prix moyens (env 60 £ / 72 €)

The Promenade B & B : *10, Osborne Promenade,* ***Warrenpoint.*** *☎ 41-77-38-40. • thepromenadetearooms.co.uk • Suivre le bord de mer jusqu'à trouver la marina et le quai du petit ferry saisonnier, c'est en face. Double avec sdb 60 £.* Établi dans une demeure typique et tenu par un jeune couple sympathique. 4 chambres aux étages, demander la vue sur le Lough et le « South », juste en face. Au 2e étage mansardé, la no 3 est toute petite mais pas déplaisante pour autant. Mignonne salle de petit déj-*lounge* au 1er. Le petit salon de thé du rez-de-chaussée ouvrira si le dernier-né de la maisonnée en laisse le temps à sa maman.

Glenbeigh B & B : *18, Victoria Sq,* ***Rostrevor.*** *☎ 41-73-82-81. • glenbeighrostrevor.com • Sur une petite place bordant Shore Rd (rue du rivage), accessible par une bifurcation depuis l'A 2. Doubles sans ou avec sdb, 60-65 £.* Occupant l'une des maisons victoriennes accolées de cette rangée, ce *B & B* se révèle plus cosy et vaste que l'extérieur ne le laisse présager. 6 chambres dont 2 *en suite* (avec salle de bains privée), les autres se contentant d'un lavabo. Certaines profitent de la vue sur le *lough*. Belle entrée, moquette partout, jusque dans les escaliers et papiers peints fleuris. Accueil charmant et petit déj généreux. Une bonne escale.

Où manger ?

Bennett's : *21, Church St,* ***Warrenpoint.*** *☎ 41-75-23-14. Sur la rue principale de la ville, perpendiculaire à la plage. Plats 12-18 £.* L'enseigne est sans équivoque sur la spécialité maison, des poissons et fruits de mer pour l'essentiel. Quelques viandes, quand même. Sans extravagance, les préparations honnêtement réalisées et variées s'accordent bien avec le cadre plutôt chaleureux et élégant, fait de lumière douce, parquet blond et chaises habillées de moleskine. Service au diapason.

À voir. À faire

Voir également cette rubrique sous Newcastle, où sont rassemblés les sites les plus proches de ce chef-lieu.

La route côtière de Newcastle à Newry

Longue d'environ 130 km, elle est très belle et variée.

Dans le sens Newcastle-Newry, après une vingtaine de kilomètres, vous pourrez jeter un coup d'œil au vieux moulin à eau d'***Annalong,*** au port de pêche de ***Kilkeel*** (13 km plus loin), puis, après 10 km supplémentaire, au château de ***Greencastle*** qui garde l'entrée du Carlingford Lough.

Rostrevor : *à env 24 km de Kilkeel. Voir également « Où dormir ? ».* Pour peu que le ciel y mette du sien, la route du rivage (Shore Rd) délivre des panoramas géniaux. Les hauteurs sont panachées d'une très belle forêt, protégée par le ***Kilbroney Park*** que parcourent de nombreux sentiers.

Warrenpoint : *6 km plus loin. Voir également « Où dormir ? » et « Où manger ? ».* Station touristique et petit port régional aux jolies maisons rouge et bleu. En été, un ferry la relie à l'autre Irlande, à « travers *Lough* ». 4 km plus loin, le ***Narrow Water Castle*** se dresse à l'embouchure de la rivière Newry, dans le renfoncement du Carlingford Lough. La position clé permettait de contrôler l'accès à la ville. C'est l'une des maisons-tours les mieux conservées d'Irlande (XVIe s).

Dans les montagnes

La route grimpe lentement... Soudain, vous voici dans les Mourne, presque à votre insu.

Silent Valley : *☎ 90-74-65-81. • niwater.com/thesilentvalley.asp • Plusieurs petites routes y mènent depuis l'A 2 (fléché). Excursions en bus depuis Belfast en été, avec Ulsterbus. Ouv : mai-sept, tlj 10h-18h30 (le reste de l'année 16h) ;*

Coffee Shop et Information Centre, *juin-août tlj 11h-18h30, plus irrégulier le reste de l'année. Entrée : 4,50 £/voiture, passagers compris ; 1,60 £/piéton. À l'intérieur, navettes payantes entre le parking et le 2e barrage (Ben Crom) : juil-août tlj ; mai-juin et sept, w-e slt.* Vallée au caractère à la fois rude et reposant, elle le doit aux deux barrages qui garnissent son lit, séparés par environ 5 km, ainsi qu'à l'uniformité de ses flancs entièrement tapissés de tourbe. La vaste zone de captage, englobe 14 sommets des Mourne et fournit environ 130 millions de litres d'eau par jour à Belfast et à la région. Le mur qui la protège (scruter les sommets), long de 35 km et atteignant jusqu'à 2,40 m de hauteur, donna pas mal de boulot aux gars du coin. Excursion intéressante, et possibilité de randos, comme celle reliant les monts Slieve Binnian et Muck.

Attical : *à env 8 km de la côte, dans les terres.* Voici le seul village à rassembler quelques habitants et services à l'intérieur des Mourne. Épicerie, station essence. Pour se loger, choix entre *Hillview House B & B (☎ 41-7642-69 ; ● hillviewhouse.co.uk ●)* et *The Mourne Hostel (☎ 41-76-58-59 ; ● mournehostel.com ●).* Étiré au milieu de prairies jalonnées par des murs de grosses pierres, Attical constitue une bonne base d'exploration.

LE SOUTH ARMAGH

27 500 hab. IND. TÉL. : 028

La région du South Armagh et son Ring of Gullion a toujours inspiré les bardes et poètes irlandais. Les habitants y conservent un sens aigu de la communauté, comme en témoignent depuis des lustres les associations sportives et culturelles. Parmi les nombreux marchés régionaux, celui de Jonesborough, en plein air le dimanche, est le plus animé.

En dehors d'Armagh, *Newry* est la plus grande ville du coin. Ouvrière et à majorité catholique, elle n'offre pas grand intérêt en soi. À l'entrée du Carlingford Lough, elle appartient administrativement au comté de Down, mais géographiquement, c'est aussi la porte d'entrée vers le South Armagh quand on arrive des Mourne Mountains.

Où dormir dans le South Armagh ?

Gosford Forest Park : *7, Gosford Demesne,* **Markethill.** *☎ 37-55-12-77. ● gosford.co.uk ● À 10 km d'Armagh (A 28), direction Newry. Entrée du parc : 4,40 £/voiture. Compter 11,50-16,50 £ pour 2 pers avec tente et voiture.* Superbe emplacement, à proximité d'un château de style *Norman revival* (très, très *revival...*) et au cœur d'un parc de 240 ha, ancien domaine des comtes de Gosford. Hardes de cerfs, chèvres, moutons, conifères de 200 ans... Les enfants adoreront. S'il fait beau, vous y serez comme un coq en pâte.

Tí Chulainn Centre and Slieve Gullion Lodge : Mullaghbawn *(An Mullach Bán). ☎ 30-88-88-28. ● tichulainn.com ● À env 16 km au sud-ouest de Newry. Double avec sdb env 50 £.* Une sorte de centre d'activités moderne, sans charme mais pratique pour sillonner la région. Les 15 chambres doubles de la section *lodge* s'alignent dans un long bâtiment : simples, elles sont néanmoins plutôt agréables, grandes et lumineuses.

Dundrum House : *116, Dundrum Rd,* **Tassagh** *(au sud de Keady). ☎ 37-53-12-57. ● dundrumhouse.com ● À 10 km d'Armagh par l'A 29 vers Keady, bifurquer à gauche après 7,5 km en direction de Tassagh. Ou, depuis Markethill sur l'A 28 (route*

Newry-Armagh), direction Keady puis bifurquer à gauche env 3 km avt ce village (panneau). Double avec sdb et petit déj 50 £. Chambre dans le cottage 50 £, sans petit déj. Grâce à une aide européenne visant à stopper la désertification de cette région, Larry et Elizabeth ont pu créer ce *B & B*, dans le manoir d'une ancienne exploitation de lin datant du début XVIIe s, acquise par la famille en 1949. Ils poursuivent leur activité d'élevage dans la ferme attenante. Extrêmement sympathique, Larry aime discuter de tout ce qui touche à sa région. Entièrement rénovée, la maison compte 3 chambres avec planchers et mobilier de bois rustique, ainsi qu'une vaste salle à manger aux moulures d'origine. Dans les anciennes dépendances, le *cottage* avec cuisine entièrement équipée offre 3 doubles supplémentaires.

À voir. À faire dans le South Armagh

***Ring of Gullion** (anneau du Gullion)* **:** au sud-ouest de Newry, une curiosité géologique qui fit couler beaucoup d'encre. Il s'agit d'un ensemble de collines érodées d'origine volcanique, formant un anneau de plusieurs kilomètres de diamètre autour du Slieve Gullion. C'est étonnant, même si ça ne se voit vraiment que d'avion. Belles couleurs des bruyères en fleur.

➢ Pour profiter à fond de cette zone classée *Area of Outstanding National Beauty,* emprunter la ***Slieve Gullion Scenic Drive*** à Drumintee, près de Forkhill. La boucle de 13 km grimpe sur les flancs de la montagne, tantôt dénudés, tantôt garnis d'une forêt un peu trop exploitée. Depuis les hauteurs, très belle vue sur la région. Venir le matin pour ne pas avoir le soleil dans les yeux. Aires de pique-nique.

ARMAGH (ARD MHACHA)

14 600 hab. IND. TÉL. : 028

Chef-lieu du comté du même nom et capitale spirituelle de l'Irlande, Armagh abrite les deux archevêchés, catholique et protestant. Elle a su profiter de ce statut pour conserver son tracé médiéval. Les rues tournent autour de la cathédrale anglicane, alignant d'anciennes maisons de caractère rénovées. Il s'agit aussi d'une gentille cité, au rythme calme et aux joues bien roses.

Arriver – Quitter

En bus

***Gare routière** (plan B1)* **:** *dans Londsdale Rd, en face du palais de justice. ☎ 37-52-22-66.*

➢ ***Belfast (Europa Bus Centre) :*** ***Goldline,*** *Service 251.* Env 1 bus/h en sem et 4-8 le w-e ; le dim, aucun départ matinal depuis Armagh.

➢ ***Dublin** (station Busáras et aéroport)* **:** ***Bus Eireann.*** Lun-ven 8 bus/j., 6 bus sam, 3 bus dim. Changement systématique à Monaghan.

Adresse utile

***Office de tourisme** (plan A-B2)* **:** *40, English St. ☎ 37-52-18-00. • visitarmagh.com • Tlj 9h (12h ou 14h le dim selon saison)-17h.* Change et résas d'hébergement.

Où dormir ?

De bon marché à prix moyens (moins de 60 £ / 72 €)

Armagh City Youth Hostel *(plan A2, **10**) : 39, Abbey St. ☎ 37-51-18-00. • hini.org.uk • À 10 mn à pied de la gare routière, derrière la cathédrale protestante. Ouv mars-oct, tlj ; nov-fév, w-e slt. Accueil 8h-11h, 17h-23h. Fermé 23 déc-2 janv. Selon saison et type d'hébergement, compter 17-19 £/ pers. Parking gratuit.* 18 chambres, réparties en 6 doubles *twin* et 12 dortoirs de 4 ou 6 lits pour l'un d'entre eux. Draps fournis mais pas les serviettes ; salon TV, cuisine à dispo, machine à laver. Peu de charme mais fonctionnel.

Desart Guest House *(hors plan par A1, **11**) : Desart Lane, 99, Cathedral Rd. ☎ 37-52-23-87. • sylvia.mcroberts@armagh.gov.uk • En bas de Desart Lane, sur la gauche. Pas de panneau mais facile à repérer car c'est la seule maison à l'écart de la rue, dans un parc. Ouv tte l'année. Doubles 50-60 £, petit déj compris. CB refusées.* Mrs McRoberts vous accueille dans sa très belle demeure de brique. 4 chambres à l'ancienne se partagent une salle de bains. La plus grande, à réserver en priorité, a même une cheminée.

De chic à plus chic (plus de 60 £ / 72 €)

Hillview Lodge *(Mrs Alice McBride ; hors plan par A3, **13**) : 33, Newtownhamilton Rd. ☎ 37-52-20-00. • hillviewlodge.com • Prendre l'A 29 vers Keady, puis B 31 à gauche ; c'est à 1 km de là, sur la droite. Double avec sdb 78 £, petit déj inclus. CB refusées.* De l'extérieur, le bâtiment ressemble à un vilain motel. Mais il abrite des chambres impeccables et fort bien équipées : TV câblée, bouilloire, téléphone, etc. DVD en location à l'accueil. Pour ne rien gâcher, les proprios sont très accueillants.

Charlemont Arms Hotel & Turner *(plan A1, **14**) : 57-65, Lower English St. ☎ 37-52-20-28. • charlemontarmshotel.com • Ouv tte l'année sf à Noël. Doubles 70-95 £ selon saison et catégorie, petit déj inclus.* Des couloirs sombres et labyrinthiques mènent à une trentaine de chambres à l'ancienne, très grandes et avec baignoire. Le *Charlemont* ne brille peut-être pas par sa modernité mais il est bien tenu et profite de l'animation du resto-pub attaché (voir « Où manger ? »).

Où manger ?

Où boire un verre ?

Charlemont Arms Hotel & Turner *(plan A1, **14**) : voir rubrique « Où dormir ? ». Cuisine jusqu'à 20h30. Buffet à prix modérés le midi. Carte : petits plats et salades 3-6 £ ; plats principaux 7-19 £.* Choix entre le *Turner's Bar* ou un *lounge* plaisant avec cheminée. Honorable cuisine classique de pub où, parmi les poulets, burgers, scampis, lasagnes et autres, les steaks généreusement accompagnés constituent probablement le meilleur choix. *Music sessions* au bar le samedi à partir de 22h.

Fish & chips et petits restos : *Lower English St.* 3 établissements pour grignoter sur le pouce : ***Fatsam's*** *(plan A1, **20**)*, où on peut s'asseoir (compter 6-8 £), ***Raffles*** *(plan A1, **20**)* et **Mc Geown's Fish & Chips** *(plan A1, **21**)* pour les *take-away* à emporter *(ouv tlj midi-minuit ; 4,50-6 £).*

Uluru Bistro *(plan A2, **22**) : 16-18, Market St. ☎ 37-51-80-51. En haut de la jolie Market Pl. Fermé lun ainsi que dim midi.* Eh non, le nom ne vous a pas trompé : il y a bien du kangourou au menu ! En hors-d'œuvre, préparé avec des épices thaïes, ou le soir, en médaillon mariné, servi avec des patates douces *(kumara)*. Ceux qui rechignent à croquer Skippy opteront pour des mets au lapin, chevreuil, poisson ou... crocodile. Tenu par un Australien pur jus, avec une petite salle chaleureuse décorée de peintures aborigènes.

Hole in the Wall *(plan B2, **23**) : 9, Market St. Dans une ruelle entre Market Pl et un centre commercial.* Pour boire une bonne *stout* dans le plus ancien pub protestant de la ville, au rez-de-chaussée de l'ancienne prison. Tout un programme...

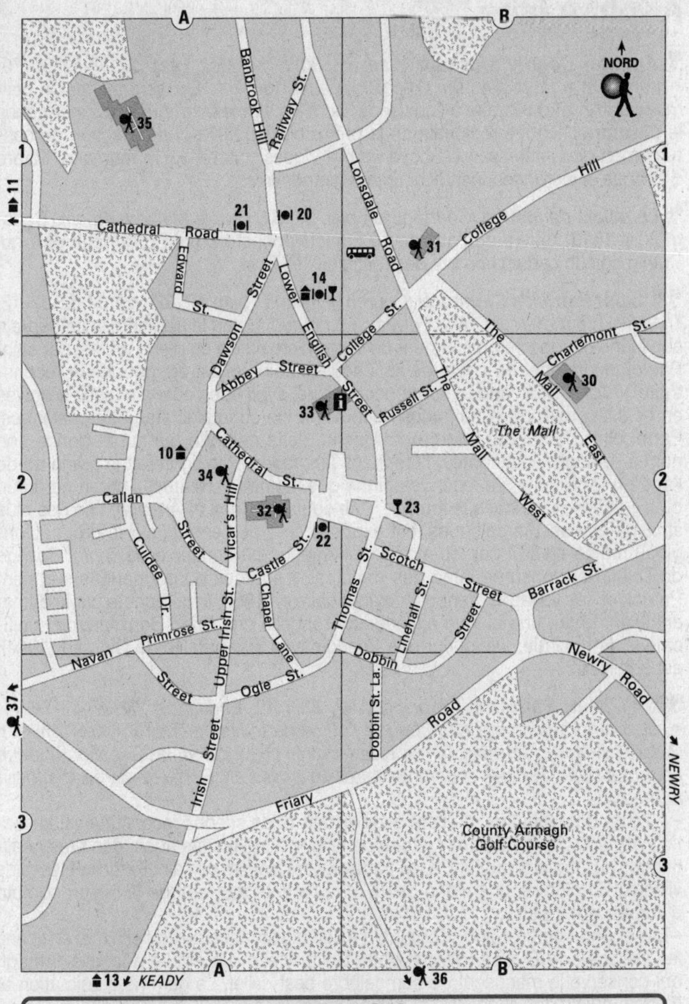

ARMAGH

■ **Adresse utile**

- Office de tourisme

Où dormir ?

- 10 Armagh City Youth Hostel
- 11 Desart Guest House
- 13 Hillview Lodge
- 14 Charlemont Arms Hotel & Turner

Où manger ? Où boire un verre ?

- 14 Charlemont Arms Hotel & Turner
- 20 Fatsam's et Raffles
- 21 Mc Geown's Fish & Chips
- 22 Uluru Bistro
- 23 Hole in the Wall

À voir. À faire

- 30 Armagh County Museum
- 31 Palais de justice
- 32 Saint Patrick's Cathedral
- 33 Saint Patrick's Trián
- 34 Armagh Public Library
- 35 Saint Patrick's Cathedral
- 36 Demesne Palace's Park
- 37 Navan Centre and Fort

À voir. À faire

Armagh County Museum *(plan B2,* ***30****) : The Mall East. ☎ 37-52-30-70. • nmni.com • Tlj sf dim 10h-17h ; sam, pause 13h-14h. Entrée gratuite.* Un petit musée d'Art et d'Histoire à l'ancienne, dont les vitrines vieillottes déclinent dans le désordre l'histoire régionale de la préhistoire au XIXe s. La collection de costumes est plus intéressante. Souvenirs historiques concernant la Yeomanry, l'ordre d'Orange et les United Irishmen. Expos temporaires.

Le palais de justice *(Courthouse ; plan B1,* ***31****) : sur le Mall également.* Construit en 1819, œuvre de l'architecte Francis Johnston, natif d'Armagh et à qui Dublin doit un certain nombre de prestigieux édifices.

Saint Patrick's Cathedral *(Church of Ireland ; plan A2,* ***32****) : ☎ 37-52-31-42. Tlj 9h30-17h (nov-mars 16h). Entrée : 3 £ ; réduc.* Selon la tradition, la cathédrale anglicane occupe l'emplacement de la première église en pierre édifiée par saint Patrick en Irlande. Au cours de sa longue histoire, elle a été détruite et reconstruite 17 fois ! Beau chœur sobrement éclairé, avec une voûte à croisée d'ogives en bois. À droite de la nef, vous découvrirez de curieuses statuettes païennes. Parmi elles, la superbe figure de Macha, déité celtique qui aurait donné son nom à Armagh. À ses côtés, l'étonnant *Tandragee Man* figurerait le grand roi de l'âge du fer Nualha. La légende affirme que, comme la statue, il aurait perdu un bras – et son trône dans la foulée... Une copie du *Book of Armagh,* l'un des plus anciens manuscrits celtiques, est exposée près de l'entrée, sur la droite. L'original, rédigé en 807 par les moines d'Armagh, est conservé au *Trinity College* de Dublin et constitue l'une des principales sources d'informations sur saint Patrick et ses voyages. Vendu à un antiquaire en 1853, il fut racheté par le primat anglican. Enfin, une plaque à l'extérieur rappelle que Brian Boru, premier unificateur de l'Irlande, vainqueur des Scandinaves à la bataille de Clontarf (1014), est enterré ici.

Saint Patrick's Trián *(plan A2,* ***33****) : 40, English St. ☎ 37-52-18-01. • saintpatrickstrian.com • Entrée par l'office de tourisme. Tlj 10h (dim 14h)-17h (17h30 juil-août) ; oct-mars fermé le dim. Entrée : 5,50 £ pour les 2 sections ; réduc pour une seule. Notices et commentaires en anglais slt. Dernière entrée 45 mn avt fermeture.*

– À l'aide de panneaux, d'effets audiovisuels et de scènes reconstituées, la section *Armagh Story* retrace l'histoire de la ville à travers les âges, des rites néolithiques aux travaux du XVIIIe s, en passant par l'histoire de saint Patrick et les raids vikings. En clôture, une vidéo de 15 mn présente tout ce que la région compte d'intéressant à visiter.

– La seconde partie, *Land of Lilliput,* n'a rien d'historique puisqu'elle met en scène les *Voyages de Gulliver* de Jonathan Swift. L'écrivain est lié à la ville Armagh qui conserve le manuscrit de son célèbre best-seller. La gamme d'animation et d'effets qui se déclenchent automatiquement (compter 30 mn de visite) plaît particulièrement aux enfants, qui seront fascinés par le géant de 7 m harcelé par les Lilliputiens. Tout cela a un petit côté désuet pas désagréable. Pour terminer, faites un tour au scriptorium, histoire d'écrire à la plume.

Cafétéria et boutiques.

Armagh Public Library *(plan A2,* ***34****) : 43, Abbey St. ☎ 37-52-31-42. • armaghrobinsonlibrary.org • Juste en contrebas de la cathédrale. Sonnez, on vous ouvrira. Lun-ven 10h-13h, 14h-16h. Entrée libre.* Bibliothèque fondée en 1771 par l'archevêque Richard Robinson, elle a gardé tout son cachet. La remarquable section de livres très anciens attirent historiens, chercheurs et universitaires. On y trouve, entre autres, les précieux manuscrits des *Voyages de Gulliver* annotés par Swift, et l'*Histoire du monde* de sir Walter Raleigh, publiée en 1614.

➢ ***Promenade** agréable **dans les vieilles rues*** alentour. Les accros pourront se procurer la brochure (payante) qui décrit minutieusement un itinéraire complet à travers la ville. Les autres suivront *Castle Street,* derrière la cathédrale, bien restaurée pour laisser apparaître ses belles pierres ; ils rejoindront *Dobbin Street* puis *Scotch Street (plan B2),* où les attend (au nº 36) une belle demeure de Francis Johnston (1812), l'architecte de la GPO de Dublin. Puis, ils reviendront sur *Market Place* se reposer enfin les gambettes en profitant des terrasses les jours de beau temps.

Saint Patrick's Cathedral *(plan A1,* ***35****) :* *Cathedral Rd. ☎ 37-52-28-08. Tlj 9h (dim 8h)-18h (sam 20h, dim 18h30).* Dédiée au même saint que son homologue anglicane, la cathédrale catholique se présente de l'extérieur comme un bâtiment néogothique sans âme de la fin du XIXe s. L'intérieur est cependant équilibré et lumineux. Les murs et sols sont entièrement parés de mosaïques et de vitraux. Beau plafond en bois chantourné et peint.

Demesne Palace's Park *(hors plan par B3,* ***36****) : à 10 mn à pied du centre, par Friary Rd (route de Monaghan).* Grand parc, propice à un bol d'air, il abrite quelques curiosités. À l'entrée, les ruines d'une *abbaye* franciscaine fondée en 1263 ne laissent plus deviner que son église fut la plus longue de tous les monastères irlandais (presque 50 m). Plus haut, le *palais Demesne,* ancienne demeure de l'archevêque datant de 1770, abrite la mairie et ne se visite pas. Vous pourrez peut-être apprécier (adressez-vous à l'accueil), la chapelle *(Primate's Chapel),* située derrière le parking et contre le palais. Datant de 1786, elle est considérée comme l'un des meilleurs exemples d'architecture georgienne en Irlande : splendides stucs au plafond, vitraux d'époque, chaire de l'archevêque, en chêne sculpté.

LA CONFIANCE RÈGNE !

Les marches extérieures, à gauche, rejoignent un souterrain qui reliait les cuisines au palais, afin d'éviter que les plats ne refroidissent en hiver. Les serviteurs devaient siffler tout au long du parcours pour bien montrer qu'ils ne mangeaient rien !

DANS LES ENVIRONS D'ARMAGH

Navan Centre and Fort *(hors plan par A3,* ***37****) : à env 3 km à l'ouest, vers Killylea (A 28). ☎ 37-52-96-44. • visitarmagh.co.uk • Accès libre et à tte heure au site lui-même, en extérieur. Centre d'interprétation : tlj 10h-19h (oct-mars 16h) ; tarif : 6 £ (oct-mars 5 £ ; réduc) ; audioguide en français ; dernière admission 1h avt fermeture. En hte saison, tours guidés et animés par des figurants, départs réguliers.*
On conseille vivement de commencer par l'expo, dans un édifice dont le toit gazonné sied parfaitement à l'environnement. La muséographie interactive et les commentaires en français, permettent avec un minimum de concentration (noms celtes à profusion...) de faire le point des connaissances sur ce site, fascinant à bien des égards.
Prendre ensuite le sentier qui mène à Fort Navan *(Emain Macha).* Site des couronnements à l'âge du bronze, cette forteresse des rois d'Ulster fut détruite en 332 apr. J.-C. Ce qu'il en reste se réduit certes aux contours d'une butte et à quelques fossés. Pourtant, le lieu est particulièrement *« atmospheric »,* voire magique pour certains. L'ondulation périphérique correspond à une large enceinte circulaire avec fossé intérieur, indiquant pour les spécialistes un usage plus cérémoniel que défensif. Du sommet aplani de la butte gazonnée, on se rend bien compte que la perfection de ses courbes n'est pas l'œuvre de la nature. De là-haut, belle vue sur une région où d'autres vestiges préchrétiens ont été localisés.

L'OUEST D'ENNISKILLEN AUX SPERRIN MOUNTAINS

ENNISKILLEN (INIS CEITHLEANN) ET LE FERMANAGH (FHEAR MANACH)

13 600 hab. IND. TÉL. : 028

130 km à l'ouest de Belfast, Enniskillen, petite capitale du comté du Fermanagh, est bâtie sur une île cernée de voies rapides et de nœuds routiers qui désorientent un peu. Son vieux centre historique a été habilement restauré. En été et en fin de semaine, on se croirait parfois dans une ville finlandaise, du fait de l'animation nocturne et du soleil qui n'en finit pas de se coucher sur les lacs alentour.
Le Fermanagh est une destination de premier choix pour les amoureux de la nature, les pêcheurs et les observateurs d'oiseaux. Comptant quelque 500 îles parsemant une cinquantaine de lacs, le comté s'organise autour de ses deux plus grandes étendues d'eau douce : le *Lower Lough Erne,* long de 42 km et exposé aux vents de l'Atlantique, et l'*Upper Lough Erne,* long de 19 km et tellement tarabiscoté qu'une bonne carte est nécessaire pour y naviguer.
Également irriguée par un réseau labyrinthique de petites routes desservant des sites naturels de toute beauté, ponctuée de parcs et châteaux, de ruines romantiques et de multiples départs de randonnée, cette séduisante région est incontestablement l'une des grandes étapes nord-irlandaises.

UN PEU D'HISTOIRE

De Clones à Ballyshannon, le sud du comté de Fermanagh fut l'objet de luttes sans merci entre loyalistes et nationalistes, attirés par la protection naturelle que lui procurent ses nombreux lacs.
Devenu majoritairement catholique mais rattaché à l'Irlande du Nord après la partition de l'île en 1922, la région se révèle vite un casse-tête politique pour les Anglais. Seul un subtil système de charcutage des circonscriptions permet aux loyalistes de conserver le pouvoir, malgré une majorité nationaliste. En 1968, le mouvement des droits civiques obtient le *one man, one vote,* et la représentation du Fermanagh bascule immédiatement. C'est d'ailleurs une circonscription englobant ce comté et le Sud-Tyrone qui élit Bobby Sands à la Chambre des communes en 1981, alors qu'il mène une grève de la faim entre quatre murs, pour la reconnaissance du statut de prisonnier politique. Avec l'épilogue que l'on sait...

Arriver – Quitter

En bus

🚌 ***Gare routière*** *(plan A2) : Shore Rd,* ***Enniskilen.*** *☎ 66-32-26-33. Face à l'office de tourisme.*

➢ ***Belfast : Ulsterbus,*** *Goldline Express Service 261.* Lun-ven, 1 bus direct/h, 7h30-17h30 depuis Enniskillen, 8h05-20h05 depuis Belfast ; w-e 5-7 liaisons/j. Trajet : 2h10.

➢ ***Omagh : Ulsterbus,*** *Service 94.* Lun-ven 6 bus/j., 3 le sam et 1 slt le dim.

➢ ***Donegal (Eire) via Belleek : Bus Eireann*** *(info à Dublin : ☎ 01-836-61-11 ; ● buseireann.ie ●).* 7-9 liaisons/j. avec **Ballyshannon** et **Donegal.**

➢ ***Dublin :*** *avec* ***Bus Eireann.*** Env 10 liaisons/j. Depuis Enniskillen, 5h30-19h, depuis *Dublin Airport,* 7h-minuit. Trajet : 2h30-3h.

Adresses utiles

ℹ ***Fermanagh Tourist Information Centre*** *(plan A2) : Wellington Rd. ☎ 66-32-31-10. • fermanaghlake lands.com • Ouv : lun-ven 9h-17h30 (19h juil-août) et, Pâques-sept slt, sam 10h-18h, dim 11h-17h. Internet payant.* Bonne doc et service de résas de *B & B.* Fournit également licence et permis de pêche *(8,50 £ pour 3 j.)* ainsi que la liste des loueurs de bateaux dans le coin *(à partir de 90 £/j.).*

✉ ***Poste*** *(plan A2) : 3, High St. Au fond du magasin* Dolans Centra. *Lun-ven 8h-17h30 ; sam 9h-14h.* Service de change.

@ ***Mad Hatter Cafe*** *(plan B2,* ***1****) : au rdc de l'auberge de jeunesse (voir « Où dormir ? »). Lun-ven 8h (sam 10h30)-16h.*

@ ***M3 Connect*** *(plan B2,* ***2****) : 2, Corporation St, ☎ 66-32-03-02. Dans une ruelle, en contrebas de Wellington et au-dessus du centre commercial. Lun-sam 9h-20h (jeu-ven 21h).*

■ ***Erne Hospital*** *(plan B1,* ***3****) : Cornagrade. ☎ 66-38-20-00.*

Où dormir à Enniskillen et aux abords immédiats ?

Bon marché (moins de 40 £ / 48 €)

🏠 ***The Bridges Youth Hostel*** *(plan B2,* ***1****) : Belmore St. ☎ 66-34-01-10. • hini. org.uk • Dans le* Clinton Centre. *Fermé 23 déc-2 janv ; sept-juin réception fermée 11h-17h. Selon type de chambre et saison, compter 17-20,50 £/pers ; petit déj non inclus. 💻 payant (au* Mad Hatter Cafe*).* Impossible de manquer ce bâtiment moderne équipé de panneaux solaires. Hébergement en chambres doubles ou dortoirs de 4 à 6 lits, toujours avec salle de bains à l'intérieur. Cuisine commune parfaitement équipée et salon. Malgré la vue sur l'Erne, l'ensemble est assez clinique, un défaut compensé par le confort et l'équipement, digne des meilleures AJ. Au rez-de-chaussée, le *Mad Hatter Cafe* assure les petits déj (de 8h à 11h).

De prix moyens à plus chic (40-80 £ / 48-96 €)

🏠 ***Rossole Guesthouse*** *(Mrs Nora Sheridan ; hors plan par A1,* ***10****) : 85, Sligo Rd. ☎ 66-32-34-62. • rossole guesthouse.com • Situation agréable au bord de l'eau, à peu de distance du centre en voiture. Ouv tte l'année. Double 55 £, petit déj compris.* 📶 Maison en pierre grise, de style georgien, offrant 5 chambres correctes, sans plus, dont 3 avec une cabine de douche posée directement sur la moquette... Bateau mis gratuitement à la disposition des pêcheurs.

🏠 ***Dromard House B & B*** *(Mrs Sharon Weir ; hors plan par B2,* ***11****) : à* ***Tamlaght.*** *☎ 66-38-72-50. • dromar dhouse.com • À 3 km d'Enniskillen sur la route de Belfast. Doubles avec sdb 65-70 £.* 📶 Exploitation agricole de 73 ha, appartenant à la même famille depuis plus de 150 ans. 4 chambres cosy, pimpantes et parfaitement équipées sont arrangées au 1er étage partiellement mansardé d'un pavillon, doté d'un *lounge* soigné et situé juste derrière la résidence des hôtes, où l'on se rend pour les bons petits déj. Sharon, autrefois finaliste pour le titre de « *Landlady of the year* », n'a rien changé depuis. On se sent toujours ici comme un coq en pâte ! Sentier de découverte à travers les bois jusqu'au bord de la rivière Erne.

Où dormir dans les environs d'Enniskillen ?

Répartis dans un rayon de 10 à 20 km autour de la ville, les hébergements ci-dessous profitent pour la plupart de

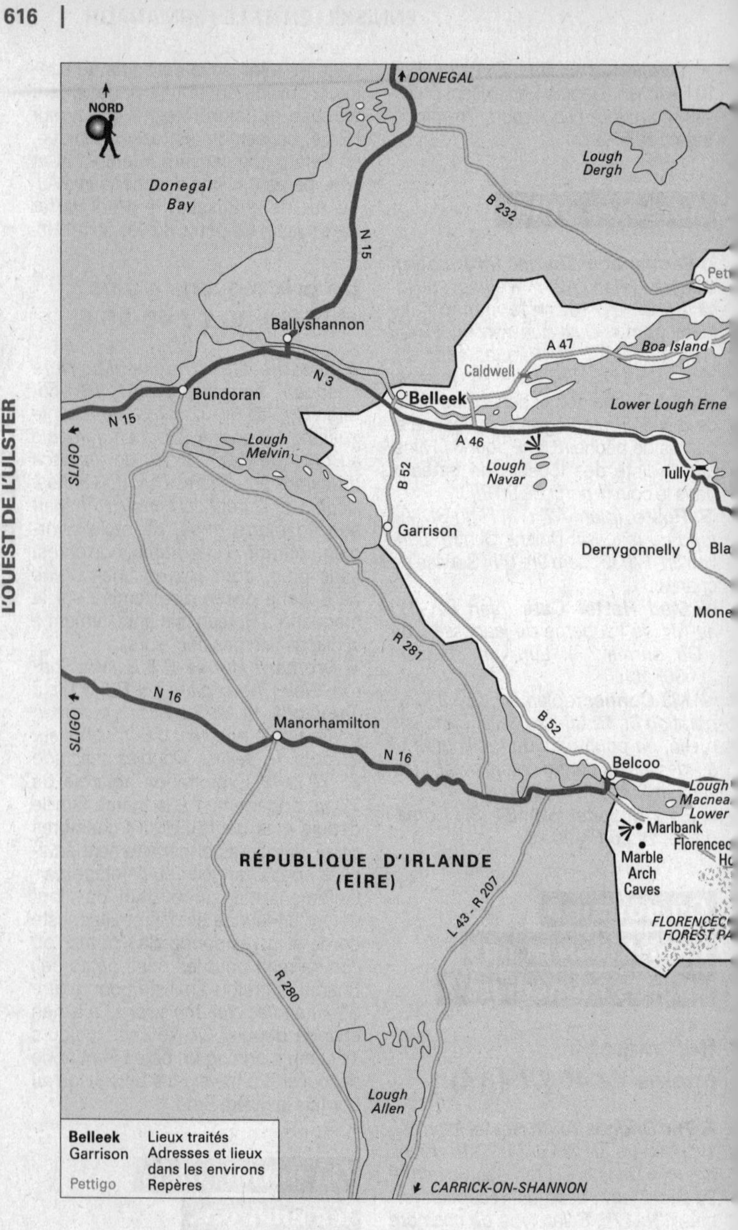

NORD
DONEGAL
Donegal Bay
Lough Dergh
B 232
N 15
Ballyshannon
A 47
Boa Island
Caldwell
N 3
Bundoran
Belleek
Lower Lough Erne
N 15
SLIGO
Lough Melvin
A 46
Lough Navar
Tully
B 52
Garrison
Derrygonnelly
R 281
N 16
SLIGO
Manorhamilton
B 52
N 16
Belcoo
Marlbank
Marble Arch Caves
RÉPUBLIQUE D'IRLANDE (EIRE)
L 43 - R 207
R 280
Lough Allen
CARRICK-ON-SHANNON
Belleek Lieux traités
Garrison Adresses et lieux dans les environs
Pettigo Repères

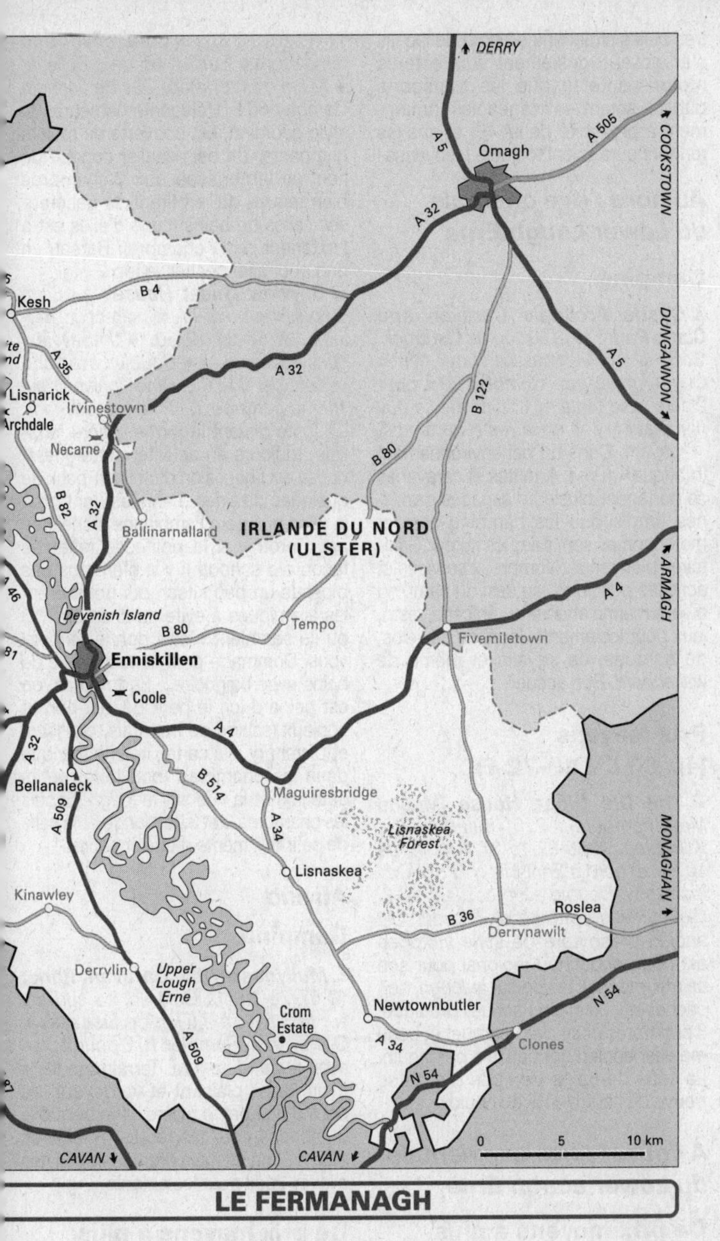

LE FERMANAGH

très belles situations en bord de lac. Ils s'adressent idéalement aux lecteurs motorisés, bien que les transports publics soient envisageables (notamment à proximité de l'A 46) et que les randonneurs soient toujours bienvenus !

Au nord ; rive orientale du Lower Lough Erne

Camping

⛺ ***Castle Archdale Caravan and Camp Park :*** *1 km au sud de* ***Lisnarick.*** *☎ 68-62-13-33. • castlearchdale.com • Ouv 17 mars-oct. Compter 20 £ pour 2 pers avec tente et voiture. Resto ouv tlj juil-août, w-e slt le reste du temps. 📶 payant.* Dans un bel environnement (rubrique « À voir »), tentes et caravanes se partagent plusieurs espaces gazonnés tandis que les camping-cars et motor homes sont parqués autour. Sanitaires bien tenus. Nombreux services et activités possibles, au sein du camping ou à la marina attenante : épicerie, resto, jeux pour les enfants, location de vélos, de barques, de kayaks et même de *wakeboard.* Bon accueil.

Prix moyens (40-60 £ / 48-72 €)

🏠 ***The Old Glebe House*** *(Mr and Mrs Chambers)* ***:*** *229, Killadeas Rd,* ***Killadeas.*** *☎ 68-62-15-37. À moins de 10 km au nord d'Enniskillen (B 82). Ouv mars-nov. Double avec sdb env 60 £. CB refusées.* Entouré d'un jardin, cet ancien presbytère de style victorien est notre chouchou régional pour son calme impérial, la vue sur le *lough,* son cachet et l'excellent l'accueil prodigué. 3 chambres cosy avec parquet et beau mobilier ancien dont un lit à baldaquin. La salle de bains de l'une d'elles se trouve de l'autre côté du couloir.

À l'ouest ; rive occidentale du Lower Lough Erne

De prix moyens à plus chic (40-80 £ / 48-96 €)

🏠 ***The Rocks Farm B & B*** *(Mrs Ruth Crooke)* ***:*** *Cosbytown,* ***Blaney.*** *☎ 68-64-12-30. • ruthcrooke@btinternet.com • Sur l'A 46, vers Belleek, à 13 km d'Enniskillen. Ouv tte l'année. Compter 60 £.* L'élégante demeure, de style georgien, est couverte de rosiers grimpants. Un bel escalier conduit de l'entrée lambrissée aux 3 chambres bien tenues qui profitent de généreuses salles de bains (l'une d'elles est à l'extérieur de la chambre). Bateau en prêt pour aller pêcher, le top !

🏠 ***Bayview Guest House :*** *à 16 km d'Enniskillen, sur l'A 46, direction Belleek. ☎ 68-64-12-50. • thebayviewguesthouse.co.uk • Doubles avec sdb et petit déj 60-70 £. Dîner (prévenir avt 14h), à partir de 12 £. Fermé déc-janv.* 💻 Juste devant la ferme laitière familiale, toujours en activité, cette *guesthouse* est l'occasion d'un flash-back de quelques dizaines d'années, tant pour la déco que pour l'ambiance orchestrée par Dorothy, à la politesse réservée façon *old school.* Il y a bien tous ces bibelots un peu kitsch qui pousseront les allergiques à éviter la chambre n° 3 où ils semblent s'être donné rendez-vous. Dommage pour la vaste salle de bains avec baignoire... En tout cas, on est peinard ici, le petit déj est bon et copieux (salade de fruit frais, croissant et *Ulster Fry* à la carte), rien ne manque dans les chambres (bouilloire, petits gâteaux) et la vue sur le *lough* (depuis les chambres 2 et 3, le *lounge* et la salle de petit déj) mérite d'être encadrée !

Au sud

Camping

⛺ ***Mullynascarthy Caravan Park :*** *☎ 67-72-10-40. Gola Rd, au sud-est sur la B 514, à 2,5 km de* ***Lisnaskea.*** *Ouv avr-oct. Compter 10 £ pour 2 pers avec tente et voiture.* Terrain modeste mais assez plaisant et verdoyant, au bord d'une petite rivière. Une trentaine d'espaces pour les tentes. Sanitaires plus tout neufs mais propres, machines à laver. Jeux pour les enfants.

De prix moyens à plus chic (40-80 £ / 48-96 €)

🏠 ***Corrigans Shore Guest House :*** *Clonatrig,* ***Bellanaleck.*** *☎ 66-34-*

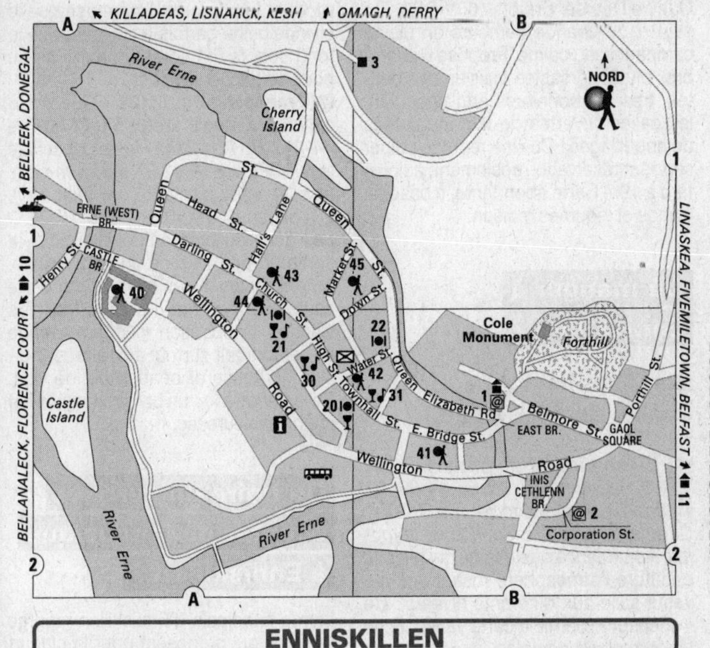

ENNISKILLEN

Adresses utiles

- Fermanagh Tourist Information Centre
- 1 Mad Hatter Cafe
- 2 M3 Connect
- 3 Erne Hospital

Où dormir ?

- 1 The Bridges Youth Hostel
- 10 Rossole Guesthouse
- 11 Dromard House B & B

Où manger ?

- 20 The Linen Hall
- 21 Café Merlot
- 22 Franco's

Où boire un verre en écoutant de la musique ?

- 21 Blakes of the Hollow
- 30 Crowe's Nest
- 31 Bush Bar

À voir

- 40 Enniskillen Castle and Museums
- 41 Court House
- 42 Townhall
- 43 Saint Macartin's
- 44 Saint Michael's
- 45 The Buttermarket

85-72. • *shoreguesthouse.co.uk* • *À env 12 km au sud-ouest d'Enniskillen. À la sortie de Bellanaleck, bifurcation sur la gauche (le panneau indique slt « Shore Guesthouse ») puis 3 km sur une route étroite. Ouv fév-nov. Double avec sdb et petit déj env 60 £.* Une maison complètement isolée avec des canards qui barbotent sur l'Upper Lough Erne, ici étroit comme une petite rivière. Chambres très simples et propres, les nos 1, 2, 3 et 7 donnent sur le lac. L'*Irish breakfast* et ses compléments en libre-service vous tiendront à l'estomac jusqu'au soir. Environnement d'une grande sérénité, juste diverti par les occasionnels plaisanciers. Van Gogh en herbe, à vos chevalets !

Arch House B & B *(Mrs Rosemary Armstrong) : 59, Marble Arch Rd,* ***Florencecourt.*** ☎ *66-34-84-52.* • *archhouse.com* • *Entre Florencecourt et les grottes de Marble Arch. D'Enniskillen, suivre les A 4 et A 32.*

Ouv tte l'année. Doubles 60-65 £ selon saison. Grande demeure en pleine campagne, au calme. Propose 6 chambres plutôt agréables mais un peu petites, très bonbonnières anglaises. Oh, les belles cuvettes de w-c incrustées de coquillages ! Cuisine réputée ; dîner servi sur réservation seulement, au plus tard à 19h. Carte abondante, à base de viande et légumes maison.

Où manger à Enniskillen ?

Bon marché (moins de 10 £ / 12 €)

The Linen Hall *(plan A2,* ***20****) : 11-13, Townhall St.* ☎ *66-34-09-10. Tlj 8h-23h. Plats principaux 4,50-12 £. Cuisine jusqu'à 22h. Service au comptoir.* Appartient à une chaîne qui n'a pas dénaturé l'atmosphère rustique d'une vaste salle aux différents niveaux. Ce « sponsor » fournit la carte variée, riche en formules spéciales (avec boisson incluse, par exemple) et particulièrement économiques. On préfère les plats typiques (*pies,* steaks, *sausages and champ,* etc.) qui ont l'avantage indéniable d'être servis jusque tard, tous les jours. La large gamme de bières (dont au moins une *Real Ale*) et les autres spiritueux, également à prix plancher, séduisent toutes les générations.

De prix moyens à plus chic (10-30 £ / 12-36 €)

Café Merlot *(plan A1-2,* ***21****) : 6, Church St.* ☎ *66-32-21-43. Accès au bout du couloir qui longe* Blakes of the Hollow. *Ouv tlj : midi 12h-15h ; soir 17h30-21h (ven-sam 21h30). Résa conseillée en fin de sem. Menu* pre theatre *2 plats, tlj sf dim jusqu'à 19h, env 15 £ ; plats à la carte env 13-20 £.* Le resto « charme » de la ville a investi ce caveau orné de fausses voûtes blanches à croisée d'ogives ! Produits de qualité, principalement régionaux, cuissons bien maîtrisées et présentation soignée. Carte des vins intéressante et très fournie. Dommage que le service peine parfois à suivre et que le fond sonore FM soit si banal. Pas au point de gâcher la soirée...

Franco's *(plan B2,* ***22****) : Queen Elizabeth Rd, angle Water St.* ☎ *66-32-44-24. Tlj 12h-23h. Résa conseillée le w-e. Pizzas 10-12 £ ; tlj sf ven-sam, formule* early bird *12h-19h (dim 18h), 2-3 plats, 16-19,50 £ ; plats 10-28 £.* Les gens du coin affluent ici pour la sortie un peu chic de fin de semaine. Autant réserver ces soirs-là. La carte assez variée met l'accent sur les viandes, l'inspiration méditerranéenne se cantonnant surtout aux pizzas. Cuisine goûteuse et beau choix de vins. Salle *trendy* avec un bar, l'extension est moins chaleureuse.

Où boire un verre et écouter de la musique à Enniskillen ?

La rue principale d'Enniskillen regorge de pubs qui proposent pour la plupart de la musique live au moins une fois par semaine. Le choix est plus grand les vendredi et samedi, mais en saison, pas un jour ne passe sans qu'un ensemble ne se produise ici ou là.

Blakes of the Hollow *(plan A1-2,* ***21****) : 6, Church St.* ☎ *66-32-21-43. Tlj jusqu'à minuit (1h45 ven-sam).* Ouvert en 1887, c'est le pub le plus sympathique et le plus pittoresque de la ville. La devanture typiquement victorienne, rouge sang de bœuf cache un vieux décor en bois sombre vernissé. Anciens tonneaux de whiskey au mur et *snugs* pour écluser son *stout* tranquillou. Superbe atmosphère le soir (surtout le week-end) quand les vieux fidèles partagent le comptoir avec les plus jeunes. Au lunch, toujours une soupe savoureuse, un plat chaud copieux ou des sandwichs tout frais (sauf le dimanche).

Crowe's Nest *(plan A2,* ***30****) : 12, High St.* ☎ *66-32-52-52. Tlj 10h-minuit.* Il se passe toujours quelque chose au « nid du corbeau ». Le plus ancien pub de la ville, antre préféré de bien des étudiants, rassemble

2 bars en bois très chaleureux et une boîte, *The Thatch.* Musique tous les soirs sauf les lundi et jeudi, *sessions* traditionnelles le mardi. Gros petit déj servi toute la journée et *special lunch* jusqu'à... 21h ! Allez dire, après ça, qu'on ne se soucie pas des noctambules dans ce pays !

Bush Bar *(plan B2,* ***31****) : 26, Townhall St. ☎ 66-32-52-10.* Redessiné en 2012, il dispose d'une vue sur la rivière depuis l'arrière. Plus people, plus design que d'autres, il ne manque pas de charme ainsi installé tout en longueur. Musique presque chaque soir (disco le mercredi).

À voir à Enniskillen

Enniskillen Castle and Museums *(plan A1-2,* ***40****) : Wellington Rd. ☎ 66-32-50-00. • enniskillencastle.co.uk • Ouv tte l'année, lun 14h-17h, mar-ven 10h-17h. Également sam en avr-oct et dim en juil-août, 14h-17h. Dernière entrée à 16h30. Prix : 4 £ ; réduc.* À l'origine, le château n'était qu'une tour fortifiée, construite au XVe s par la puissante famille Maguire, chef des clans du Fermanagh. Sans cesse assailli, détruit et reconstruit, puis tombé aux mains des Anglais en 1607, l'édifice fut alors remanié, notamment par l'ajout d'une élégante poterne à deux tourelles *(Water Gate).* De la fin du XVIIIe s jusqu'en 1926, le château fut transformé en caserne. Il abrite aujourd'hui deux petits musées. ***Fermanagh County Museum*** se consacre au milieu naturel et aux premiers habitants de la région. Dans le donjon, au cœur du château, une exposition retrace l'histoire des Maguire. Aux étages et dans la caserne ceinturant la cour, le ***Royal Inniskillings Fusiliers Museum*** célèbre les illustres régiments de la ville qui participèrent à toutes les grandes batailles de la Grande-Bretagne. Les nombreux objets et souvenirs rappellent entre autres les guerres napoléoniennes, la bataille de la Somme et le débarquement de Sicile, lors duquel les *Inniskillings* eurent l'honneur d'être les premiers Alliés à reprendre pied en Europe.

Main Street : amusant, ce long ruban change de nom au fur et à mesure. D'est en ouest, cela donne East Bridge Street, Town Hall Street, High Street, Church Street et enfin Darling Street. À l'est, l'enfilade démarre au pied de la petite colline de Forthill, chapeautée par un monument à la gloire de Sir Cole, général du XIXe s né dans le coin *(Cole's Monument, avr-sept, tlj 13h30-15h, entrée payante).* Pour le reste, les bâtisses sont très typiques des villes de la *Plantation.* Remarquez le portique « plus lourdingue, tu meurs » de la ***Court House*** *(plan B2,* ***41****),* du XVIIIe s et remodelée en 1821, ou encore le ***Townhall*** *(plan B2,* ***42****),* construit à la fin du XIXe s dans un style vaguement Renaissance. Plus loin, ***Saint Macartin's*** *(plan A1,* ***43****),* la cathédrale anglicane a conservé une tour de 1637, vestige d'une église antérieure. Certaines de ses cloches furent fondues à partir de canons utilisés à la bataille de la Boyne (1690). Tout un symbole. ***Saint Michael's*** *(plan A1-2,* ***44****),* l'église catholique, fut, quant à elle, bâtie en 1875 en style *French gothic revival* (drôle de revival...). L'intérieur, aux murs roses, a un petit côté italien.

The Buttermarket *(plan A-B1,* ***45****) : Down St. ☎ 66-32-44-99. Lun-sam 9h-17h.* Dans une cour pavée et fleurie, cet ensemble harmonieux de bâtiments restaurés correspond au vieux marché (1830), avec des adjonctions récentes bien intégrées. Au XIXe s, le comté était un grand producteur de beurre, d'où le nom !

À faire

➢ ***Croisières sur le lough Erne avec Erne Tours :*** *Round O'Jetty, Brooke Park. ☎ 66-32-28-82. • ernetoursltd.com • À la sortie d'Enniskillen par l'A 46, direction Belleek. Juil-août tlj 4 départs/j., 10h30-16h15. Juin tlj 1-2 départs/j. l'ap-m. Mai et* *sept-oct, mar et w-e slt, 1-2 départs/j. l'ap-m. Prix : 10 £/pers ; réduc. Durée : 1h45. En hte saison, arriver au moins 20 mn avt départ.* Croisière à bord du *MV Kestrel* sur le Lower Lough Erne, avec 45 mn d'arrêt à *Devenish Island.* C'est d'ailleurs l'unique façon d'aller sur l'île, dommage quand même ! Consulter aussi la rubrique « À voir ».

– ***Location de bateaux :*** la région d'Enniskillen et des lough Erne est propice à de belles navigations, pour une journée ou davantage si l'on veut faire, grâce à l'ouverture de l'axe Erne-Shannon, la très belle balade Belleek-Limerick (62 km). Le livret *Ireland's Lakelands & Inland Waterways* en donne un aperçu. Disponible à l'office de tourisme, il fournit également la liste des loueurs de bateaux, à contacter impérativement à l'avance. Confortables et aménagés pour 2 à 8 passagers, ces embarcations de 9 à 11 m sont très simples à manœuvrer et ne nécessitent pas de permis. En revanche, il est obligatoire pour la pêche (renseignements à l'office du tourisme). Attention quand même, le *lough* peut devenir délicat par mauvais temps ; demander conseil au loueur et toujours lui indiquer sa destination.

– ***Équitation :*** *The Forest Stables, 100, Cooneen Rd, à 4 km au sud de Fivemiletown, sur la B 143 (direction Derrynawilt). ☎ et fax : 89-52-19-91. À env 30 km à l'est d'Enniskillen. Ouv tte l'année, lun-sam.* Des équidés de toutes les tailles pour tous niveaux. Les enfants adoreront le *pony trekking (10 £ les 30 mn, 15 £/h) !*

L'OUEST DE L'ULSTER

Festivals

– ***Enniskillen Drama Festival :*** *début mars, à l'Ardhowen Theatre. ☎ 66-32-54-40.*
– ***Lady of the Lake Festival :*** *chaque année en juil à Irvinestown. ☎ 68-62-16-56.* Évocation de la légende de la Dame du Lac, sortant des brumes et marchant d'île en île vêtue d'eau et de lumière, porteuse d'un bouquet de fleurs sauvages.
– ***Kesh Festival :*** *chaque année mi-août à Kesh. ☎ 68-63-21-58.* Musique traditionnelle, art et artisanat.

DANS LES ENVIRONS D'ENNISKILLEN

Avant de programmer vos excursions, il est judicieux d'étudier la carte de cette région tortueuse, même si les distances ne sont pas importantes.

Au nord et au sud-est, dans les environs proches

Devenish Island : *à 6 km au nord d'Enniskillen. ☎ 90-54-65-18. • ehsni.gov.uk/devenish.shtml • Accès slt avec la croisière* Erne Tours *(voir rubrique « À faire ») ; à moins que les autorités locales ne se décident à relancer le petit ferry de Trory, à 5 km au nord d'Enniskillen (se renseigner).*
Île paisible et romantique à souhait, elle abrite l'un des plus beaux sites monastiques qu'on connaisse. Fondé au VIe s par saint Molaise, père spirituel de saint Columb (le saint Columcille du Donegal), le monastère fut victime des raids vikings au IXe s, puis brûlé en 1157. Il connut cependant une nouvelle période faste et demeura en activité jusqu'au XVIe s.
On peut monter dans la superbe tour ronde du XIIe s, haute de 24 m. Noter les quatre ouvertures permettant au guetteur de surveiller tous les points cardinaux. Les tours monastiques servaient également à stocker la nourriture et les livres en cas d'attaque.

La première ruine rencontrée est celle de l'église *Teampull Mór* (de 1225) et sa belle fenêtre sud. Elle est suivie de *Saint Molaise's House*, minuscule église du XIIe s. Après la tour ronde, les vestiges de *Saint Mary's*, un prieuré augustinien datant de 1449, conservent un remarquable portail nord avec d'intéressantes sculptures. L'un des chefs-d'œuvre de l'ensemble est la croix en pierre du XVe s dans le cimetière.

Castle Coole National Trust (château de Coole) : ☎ *66-32-26-90. • nationaltrust.org.uk • À 2,5 km, sur la route Enniskillen-Belfast (A 4). Parc : tlj 10h-19h (nov-fév 16h). Château : juin-août tlj (sf jeu en juin), 11h-17h ; de mi-mars à mai et sept, w-e et j. fériés slt, 11h-17h. Visite du château obligatoirement guidée (dernière à 16h). Tarifs : 5 £ ; parc seul 3 £ ; réduc. Brochure en français.* Cet élégant château néoclassique de la fin du XVIIIe s fut dessiné par le célèbre architecte de Westport, James Wyatt. Parfaitement symétrique et accordé à son large parc, il témoigne du perfectionnisme de cet homme qui se contenta pourtant de transmettre ses plans aux constructeurs, sans jamais venir sur place ! Commandité par les comtes de Belmore, il conserve une magnifique décoration intérieure et un remarquable mobilier, où se distinguent des œuvres de James Wyatt lui-même, de l'école Boulle et de belles gravures originales. Au gré de la visite, on apprécie d'immenses halls, une ravissante salle à manger, le salon Regency et ses beaux miroirs, le salon chinois, le Drawing Room aux dimensions parfaites et le carrosse privé des Belmore, dans sa remise originale. Quant à la chambre d'État « State Room », elle fut aménagée à l'occasion de la visite en Irlande du roi George IV en 1821. Pour rien, puisqu'il délaissa ses obligations officielles et préféra passer tout son séjour dans les bras de la belle Lady Conyngham, châtelaine de Slane, au nord de Dublin ! De nombreuses promenades dans le parc et un charmant *tearoom* complètent la visite.

Au sud et à l'ouest, un peu plus loin

Entre la rive occidentale du Lower Lough Erne et la « frontière » avec le Sud s'étend une contrée sauvage parcourue par un lacis de petites routes adorables. Certaines osent des incursions dans le Sud, puis musardent à nouveau dans le Nord. Pour les randonneurs, traversée magnifique par l'*Ulster Way*. Voici quelques sites intéressants à visiter. Pour le reste, partez à l'intuition...

Florence Court House National Trust : ☎ *66-34-82-49. • ntni.org.uk • À 13 km au sud-ouest d'Enniskillen par l'A 4 et l'A 32. Parc : tlj 10h-19h (nov-fév 16h). Château : 11h-17h ; juil-août tlj ; mai-juin tlj sf mar ; sept tlj sf ven ; mars-avr et oct, w-e slt. Fermé nov-fév. Visite du château obligatoirement guidée (dernière à 16h). Tarifs : 5 £ ; parc et jardins slt 4 £ ; réduc. Brochure en français.* Tearoom. Construit au milieu du XVIIIe s dans un style rococo flamboyant, le manoir des comtes d'Enniskillen fut gravement endommagé par un incendie en 1955. Restauré depuis, on visite ses chambres et salons cossus, mais le plus intéressant reste le vaste sous-sol, univers de la domesticité. L'inhabituel plafond métallique de la cuisine était destiné à protéger du feu la collection géologique que le comte entreposait juste au-dessus. Le parc et la forêt alentour offrent quantité de délicieuses randonnées.

Marble Arch Caves Global Geopark (grottes de Marble Arch) : ☎ *66-34-88-55. • marblearchcavesgeopark.com • À 18 km au sud-ouest d'Enniskillen par l'A 4 et l'A 32, un peu après Florence Court. Pâques-sept, tlj 10h-16h30 (17h juil-août). Entrée : 8,50 £ ; réduc ; section expo gratuite. Départs (vidéo puis bateau) ttes les 20 mn env (dernier à l'heure de la fermeture) ; durée 20 mn. En cas de forte pluie, la visite est réduite, se renseigner.* Ce réseau de grottes étendu sur 6,5 km, dont 1,2 km est ouvert au public, a été découvert en 1895 par Édouard Martel, le

pionnier français de la spéléo. Il est aujourd'hui au cœur d'un Geopark, avalisé par l'Unesco.
Une intéressante expo gratuite est consacrée aux tourbières, à la géologie du coin et à la spéléo. La visite elle-même commence par une vidéo de 15 mn avant d'embarquer pour 5 mn de navigation sur la rivière souterraine Cladagh, commentée en anglais. Calcites, stalactites et autres -gmites, quelques draperies... et puis c'est tout. Ne pas oublier de prendre un pull.
➢ Profiter de votre venue pour emprunter la *Marlbank Scenic Loop* qui sillonne sur les routes étroites des sauvages ***Cuilagh Mountains,*** partie intégrante du Geopark. Contrastant fortement avec le reste de la région, le paysage vaut le détour même si vous ne désirez pas visiter les grottes.

Crom Estate National Trust *(domaine de Crom)* **:** *☎ 67-73-81-18. ● nationaltrust.org.uk ● Rive orientale de l'Upper Lough Erne, à 10 km au sud de Lisnaskea et 3 km à l'ouest de Newtownbutler. Parc : juin-août tlj 10h-19h ; mi-mars à mai et sept-oct tlj 10h-18h ; fermé le reste de l'année.* Visitor's Centre : *mi-mars à sept tlj 11h-17h ; oct w-e slt. Entrée : 3,50 £ ; réduc.* Ce domaine constitue un très joli lieu de promenade, même si son château Tudor, construit au milieu du XIXe s et toujours habité, ne se visite pas. Dans une belle nature, plantée d'arbres vénérables et divertie par le cours tortueux du *lough,* on appréciera les vestiges du premier château, élevé en 1610 et détruit par un incendie en 1764, ainsi que les fausses ruines romantiques, comme la tour de l'île. Le *Visitor's Centre* abrite une intéressante expo sur l'histoire de cette région très particulière, qui fut considérablement affectée par le drainage du lac à la fin du XIXe s. Possibilité de louer un bateau.

Sheelin Lace Museum *(musée de la Dentelle)* **:** *à* ***Bellanaleck,*** *12 km env au sud-ouest d'Enniskillen, face à la station-service. Ouv avr-oct slt, tlj sf dim 10h-18h. Entrée : 2,50 £. Traverser la superbe boutique de Rosemary Cathcart pour découvrir le musée.* Petit par la taille, il est remarquable par la qualité des pièces que cette passionnée a rassemblées depuis une vingtaine d'années. Robes de mariée ou de soirée, bonnets d'enfants, éventails et châles reflètent le raffinement et la variété des styles de dentelle en vogue au XIXe s, accompagnés d'explications historiques et techniques. Dans cet univers de princesse, hommage est rendu aux dentellières irlandaises qui luttèrent contre la misère, armées de fuseaux, aiguilles et crochets.

Sur la rive occidentale du Lower Lough Erne

Là aussi, quel plaisir de s'engager à travers collines et forêts, avec parfois de belles petites vallées dominées par des crêtes rocheuses ! Quelques fermes éparpillées de-ci, de-là. Super balade au Lough Navar, en profitant du prodigieux panorama des Cliffs of Magho.

Monea Castle **:** *à 10 km env d'Enniskillen. Prendre la B 81 en direction de Derrygonnelly. Accès libre.* Une délicieuse échappée bucolique par un petit chemin de campagne privé, bordé de beaux arbres, mène aux ruines du château, isolées entre bois, prairies et marais. Il s'agit d'un bel exemple de la guirlande de petites places fortifiées, édifiée dans le Fermanagh au début du XVIIe s pour protéger les colons de la *Plantation* ainsi qu'en attestent ses meurtrières. Remarquer le vicieux *murder hole,* percé dans la tour face au porche pour faire mouche sur l'assaillant à tous les coups... Confisqué par les Anglais aux Maguire, ces derniers se vengèrent en 1641 en le détruisant.

Tully Castle **:** *Tully Point, au-delà de* ***Blaney*** *sur l'A 46, à env 17 km d'Enniskillen. Accès libre.* Sur ces terres, elles aussi confisquées aux comtes Maguire, le

« planteur » écossais sir John Hume construisit en 1613 un château défensif dont subsistent ces belles ruines. Toujours aussi revanchard, Rory Maguire le brûla le soir de Noël 1641, lors de la grande rébellion. Petite expo dans une ferme restaurée *(Pâques-fin sept, tlj 10h-18h).*

Forest Drive : *départ à env 5 km au nord-ouest de* ***Derrygonnelly.*** *Ouv tte l'année.* Boucle carrossable et dépaysante de 11 km, elle emprunte des routes forestières à sens unique, tracées au sein de la Lough Navar Forest. Plantée de conifères dont l'exploitation occasionne de grandes coupes franches et un peu déprimantes par endroits, elle abrite une faune variée : cerfs, chèvres sauvages, renards, lièvres, écureuils et de plus rares faucons pèlerins, busards Saint-Martin et coqs de bruyère.
Peu après le départ, l'*Aghameelan View Point* propose un superbe point de vue sur toutes les vallées à l'ouest du *lough* et un accès à la *Blackslee Walking Area* (4 intéressantes randonnées de 30 mn à 2h). Un peu plus haut sur la route, il ne faut surtout pas manquer la bifurcation marquée simplement *« View Point »,* pour atteindre les Cliffs of Magho. Là, mazette ! la falaise commande un panorama vraiment impressionnant et à 180° sur le *lough.*

Sur la rive orientale du Lower Lough Erne

Castle Archdale Country Park & Castle : *1 km au sud de* ***Lisnarick.*** *Voir également « Où dormir ? » et « White Island » dans « À voir ».* ☎ *68-62-15-88.* ● *doeni.gov.uk* ● *Parc : juin-sept tlj 9h-21h (mars-mai fermeture à 19h, oct 18h, nov-mars 16h30).* Visitor's Centre : *juin-sept, tlj 10h-17h ; oct et avr-mai w-e slt 13h-17h ; nov-mars dim slt 12h-16h. Entrée gratuite.* Du château lui-même, il ne reste plus que de belles dépendances enserrant une grande cour. Avoir abrité une importante base d'hydravions durant la Seconde Guerre mondiale n'aura pas porté chance au manoir, négligé puis démoli en 1970 ! Petite mais non dénuée d'intérêt, une expo se consacre à l'histoire de la base, tandis qu'une autre aborde les problèmes de conservation des paysages calcaires d'Irlande. Parmi les nombreux sentiers parcourant la belle forêt, l'un file vers l'ouest et les ruines d'un vieux château.

White Island : *accès par ferry depuis la marina attenante au* Castle Archdale Caravan Park *(voir « Où dormir ? » et « À voir »).* ☎ *68-62-18-92. Juil-août, 11h-18h (sf 13h), 1 départ/h ; Pâques-juin et sept, w-e slt. Prix : 4 £. 15 mn de traversée.* Là où un premier monastère fut détruit par les Vikings en 837, subsistent aujourd'hui les ruines d'une église au ravissant porche roman du XIIe s. Quant aux sept célèbres et étranges figures sculptées, elles furent probablement réalisées au IXe ou Xe s avant d'être réemployées, ce qui expliquerait la persistance de leur inspiration païenne.

D'Archdale à ***Kesh,*** une belle *Scenic Route,* bien fléchée depuis la route principale, surplombe par moments le *lough.* Points de vue sur les îles et la côte ouest du plan d'eau, avec les falaises de Magho.

Caldragh Graveyard : *sur* ***Boa Island*** *; panneau sur la gauche de l'A 47, en venant d'Enniskillen. Près d'une ferme.* Longue et étroite, l'île de Boa est plutôt sauvage mais traversée par la grand-route. Ce petit cimetière est fameux pour ses deux étranges statues celtes aux têtes à double visage. La plus grande, surnommée Janus, mesure environ 1 m et présente une face féminine et une face masculine. La plus petite, dite *Lusty man,* représenterait une divinité celte à demi aveugle puisqu'un seul de ses yeux est sculpté.

BELLEEK (BEAL LEÍCE)

642 hab. IND. TÉL. : 028

Gentil « village frontière » le plus à l'ouest de l'Irlande du Nord, les plages du Donegal n'étant qu'à une quinzaine de minutes, il accueille l'une des plus célèbres fabriques de porcelaine d'Irlande. Une curiosité : quelques maisons du village se trouvent en Eire. Bonjour les formalités administratives pour certains habitants ! Une particularité également : les jeunes du village se sont mobilisés à fond pour jouer la carte du tourisme, enrayer le déclin des zones rurales et casser la logique infernale de l'émigration. À encourager et ils ont des pubs qui y aident !

➢ *Arriver – Quitter :* se reporter à cette rubrique sous Enniskillen.

Où dormir ? Où manger ?

Moohan's Fiddlestone *(John McCann) : 15-17, Main St.* ☎ *68-65-80-08. Ouv tte l'année. Double avec sdb et petit déj 60 £.* Music sessions *habituellement jeu-sam en été et sam slt en basse saison.* Un bon exemple de *pub-guesthouse* à l'irlandaise : 5 chambres plus toutes neuves et sans chichis mais suffisamment confortables, bons snacks et *pub grub* servi toute la journée au bar, tout ça géré et servi de manière chaleureuse. Et n'oublions pas l'atmosphère qui s'échauffe lors des renommées *music sessions*.

The Thatch Coffee Shop : *Main St.* ☎ *68-65-81-81. Lun-sam 9h-17h. Petite restauration 3-7 £.* Les enseignes rétro rehaussent la blancheur de la façade chaulée de cette chaumière. Construite à la fin du XVIIIe s, c'est la plus vieille du Fermanagh. Toute petite et douillette, elle invite à une excellente pause-café ou casse-croûte grâce à une appétissante liste de soupes, sandwichs, *baked potatoes* et gâteaux. Consulter aussi la rubrique « À voir ».

Black Cat Cove : *Main St.* ☎ *68-65-89-42. Repas servis tlj midi et soir jusqu'à 21h. Plats le midi env 8 £, le soir env 12 £.* Belle devanture rouge pour un intérieur un peu *saloon* avec du bois et des lambris partout, divers objets de la vie quotidienne exposés sur des étagères, une cheminée et même un dancing rustique à l'arrière. Plats simples mais bons et bien servis. Musique traditionnelle le jeudi.

À voir. À faire

The Thatch : *sur Main St.* ☎ *68-65-81-81. Lun-sam 9h-17h.* La doyenne des chaumières du Fermanagh (voir « Où manger ? ») est à elle seule un monument historique. Au fond du *coffee shop,* accès à un petit magasin de pêche qui loue cannes, vélos et cottages au bord de l'eau !

Belleek Pottery : *3, Main St.* ☎ *68-65-85-01. • belleek.com • Musée : tte l'année lun-sam (ven janv-fév) 9h-17h30 ; également dim 12h-17h30 juil-oct, 14h-17h mars-juin ; entrée gratuite. Visite guidée de la fabrique : ttes les 30 mn ; lun-ven, 9h30-12h15, 13h45-16h, et en été sam 10h30-12h15, 14h-16h ; durée env 30 mn ; tarif : 4 £, réduc. Vidéo, en français sur demande.* En activité depuis 1857, c'est la plus ancienne fabrique de porcelaine d'Irlande. L'élégant petit musée présente toute la variété de la production, dont un spectaculaire vase médaillé d'or à l'Exposition universelle de Paris, en 1900. Une vidéo détaille les différentes étapes de fabrication, mais il est encore plus intéressant de les suivre *in vivo,* du moulage à la dernière touche de peinture, lors de la visite guidée. Temps fort : la réalisation des tressages de porcelaine, ornés de fleurs délicates, de véritables chefs-d'œuvre de patience et de minutie. La boutique maison compte un petit rayon soldé, intéressant pour les amateurs désireux de rapporter un souvenir abordable.

LE COMTÉ DE TYRONE ET OMAGH (AN ÓMAIGH)

IND. TÉL. : 028

Comme son voisin le Fermanagh, le Tyrone est un comté intérieur, sans accès à la mer. Essentiellement rural et beaucoup moins touristique, il ne possède pas le même foisonnement de lacs, mais on y trouve tout de même quelques coins intéressants, comme les envoûtantes Sperrin Mountains, et surtout le remarquable *Ulster American Folk Park,* proche d'Omagh.

UN PEU D'HISTOIRE

Environ 250 000 *Ulstermen (and women),* beaucoup originaires du comté de Tyrone, la plupart opprimés pour leurs convictions religieuses, émigrèrent aux États-Unis au XVIIIe s. Cinq d'entre eux signèrent la Déclaration d'indépendance. Au moins 12 présidents américains sont issus d'une famille originaire d'Ulster. Parmi eux, Andrew Jackson, Ulysses Simpson Grant et Woodrow Wilson, dont la maison familiale se visite à Dergalt, près de Strabane. Au rang des autres célébrités, citons encore Mark Twain et le premier homme qui marcha sur la Lune... Neil Armstrong.

Arriver – Quitter

En bus

Station de bus : *Mountjoy Rd, au centre d'**Omagh.*** ☎ *82-24-27-11.*

➢ ***Belfast (Europa Bus Centre) : Ulsterbus,*** *Goldline Express Service 273.* Lun-sam 8 départs/j. dans les 2 sens, 4 le dim. Trajet : env 2h.

➢ ***Enniskillen : Ulsterbus,*** *Service 94.* Lun-ven 6 bus/j., 3 le sam et 1 slt le dim.

➢ ***Derry** via **Strabane : Ulsterbus,*** *Goldline Express Service 273.* Lun-sam, 12 bus/j., 6 le dim.

➢ ***Dublin :*** *6 bus/j. avec* ***Ulsterbus,*** *Goldline Express Service 274 ou* ***Bus Eireann,*** *Service 33.* Arrêt à l'aéroport de Dublin. Trajet : 2h40.

➢ ***Rambler Bus :*** *voir sous Sperrin Mountains.*

Adresse utile

ℹ ***Office de tourisme :*** *Strule Arts Centre, Townhall Sq,* ***Omagh.*** ☎ *82-24-78-31.* ● *omagh.gov.uk/tourism.htm* ● *Lun-sam 10h-17h30.* Documentation abondante et résa d'hébergement. Excellent accueil.

Où dormir dans les environs d'Omagh ?

Pour le camping, voir la rubrique « Où dormir ? » sous les Sperrin Mountains.

Prix moyens (40-60 £ / 48-72 €)

Greenmount Lodge : *58, Greenmount Rd,* ***Gortaclare.*** ☎ *82-84-*

13-25. • *greenmountlodge.com* • ♿ *À env 16 km au sud d'Omagh, par l'A 5. Au niveau d'une station-service et du pub* Carrick-Keel *(à 12 km), tourner à droite. Ouv tte l'année. Doubles avec sdb 55-60 £.* Ferme améliorée, en pleine campagne, abritant 8 grandes chambres impeccables, dont 2 suites avec jacuzzi et lit *king size* (ultra-large). Généreux petit déj. Gentil accueil de miss Louie Reid et plein de jolis écureuils gris dans le parc. Cocorico version irlandaise tôt le matin.

Arandale House B & B : *66, Drumnakilly Rd.* ☎ *82-24-32-43.* • *arandalebb.com* • *À 4,5 km à l'est d'Omagh. Depuis le centre-ville prendre la direction de Tyrone Hospital. Après l'hôpital, prendre à gauche aux 2 ronds-points successifs. Double avec sdb et petit déj env 55 £.* Un impressionnant escalier de bois mène aux chambres installées dans cette grande maison récente. Tonalités dominantes de bois clair pour les 3 doubles, la familiale 2 pièces et la simple, peu originales mais nettes et confortables. Petit déjeuner un peu juste mais la maison a promis d'y remédier !

Où manger à Omagh ?

Prix moyens (10-25 £ / 12-30 €)

Grants : *29, George's St.* ☎ *82-25-09-00. En contrebas de l'église catholique. Tlj 16h (12h dim)-22h. Plats principaux 10-22 £.* Le cadre chaleureux, incorporant une salle avec box sur l'avant et un espace plus taverne à l'arrière compense le manque d'originalité de la tambouille. Le meilleur choix consiste probablement à commander l'une des nombreuses viandes. Service attentif et rapide.

Rue : *à l'intérieur du passage-galerie commerciale* Main St, *s'ouvrant presque en face de Bridge St.* ☎ *82-25-75-75. Plats principaux 10-23 £ ;* burgers *et sandwichs moins chers.* On le repère de loin à sa véranda-terrasse et son look quelque part entre club et saloon. Même menu toute la journée : grand choix de sandwichs, salades fraîches et plats chauds plutôt simples. Le proprio aime bien la France : il y a même une tour Eiffel au menu ! Le lieu se mue en boîte les fins de semaine, avec parfois des groupes live.

À voir

Le centre-ville d'Omagh : Omagh est une grosse ville commerçante traversée par la rivière Strule. Sa rue principale, commerciale et animée, aboutit à l'ouest à la *Court House* (de style classique) et à l'église catholique, en haut de la colline. Sur l'autre rive de la Strule, derrière le parking de la gare routière, un jardin du souvenir rappelle l'attentat le plus meurtrier (30 décès) perpétré par un mouvement républicain. Il eut lieu en août 1998, en plein centre-ville et désavoué par l'IRA, eut finalement pour effet de favoriser le processus de paix.

Ulster American Folk Park : *2, Mellon Rd,* **Castletown.** ☎ *82-24-32-92.* • *nmni.com/uafp* • *À 8 km sur l'A 5, entre Omagh et Newtonstewart. Mars-sept, tlj sf lun 10h-17h ; oct-fév, tlj sf lun 10h (w-e 11h)-16h. Attention, dernier billet vendu 1h30 avt fermeture. Entrée : 6,50 £ ; réduc. Brochure en français. Cafétéria.*

Entièrement consacré aux quelque 2 millions de personnes qui quittèrent l'Irlande du Nord à la recherche d'un nouvel Éden, ce superbe écomusée englobe de riches galeries intérieures et un vaste parc. Il permet notamment de prendre la mesure de l'influence irlandaise sur l'histoire des États-Unis. Autant faire la visite dans l'ordre.

– **Titanic-windows on Emigration :** créée à l'occasion du centenaire du naufrage, cette section suit l'itinéraire personnel de quelques-uns des 40 rescapés sur les 113 Irlandais embarqués sur le *Titanic,* à travers panneaux légendés, anecdotes, photos et objets d'époque.

– ***Emigrants Exhibition :*** explore et exploite tous les éléments qui ont un rapport avec la fascinante saga de l'émigration nord-irlandaise. Contextes socioéconomiques de l'Ulster et de l'Amérique du Nord, objets, mises en scène, suivi de destins personnels très variés, dangers et opportunités de la conquête de l'Ouest, échecs et réussites, survie ou prospérité, etc., rien n'y manque. Un chiffre, au passage : entre 1851 et 1911, la population d'Irlande du Nord déclina de 21 %, au moins 1 million de personnes ayant émigré.
À partir de là, la visite continue dans le parc en donnant vie au thème abordé. Suivre les panneaux numérotés.
– ***Old World :*** d'authentiques ateliers artisanaux, des cottages, chaumières et autres bâtiments d'époque reconstituent l'Irlande que quittèrent les émigrants. Arrêt obligatoire dans la maison natale de Thomas Mellon, dont la destinée a valeur de symbole pour les *Irish Americans*. Parti avec sa famille en 1818, il devient millionnaire et son fils Andrew, ministre puis ambassadeur, finance de petits travaux comme le Golden Gate Bridge de San Francisco. En saison surtout, nombreuses animations costumées en route : vous aurez peut-être l'opportunité d'apprendre à découper la tourbe ou d'en mettre dans la cheminée !
Juste après l'école s'ouvre une rue commerçante reconstituée avec brio, où il faut prendre le temps de détailler les devantures. À son extrémité, on pénètre dans la *Ship and Dockside Gallery*, un peu comme Jonas dans le ventre de la baleine. Amarrée devant un dock du XVIIIe s, la grandiose et minutieuse reconstitution d'un *coffin ship* (« bateau-cercueil ») n'épargne ni craquements de coque ni bruits de tempête pour recréer l'atmosphère.
– ***New World :*** le Nouveau Monde commence en douceur, sa première rue n'est qu'un peu plus austère que la dernière irlandaise. Mais rapidement le rondin de bois remplace la pierre sèche, tandis que le rythme et l'espace achèvent de donner à l'ensemble une coloration « ruée vers l'Ouest ». Les fermes et maisons « exposées » ont beau être principalement du modèle pennsylvanien, on parie que la promenade, agréable, se parera d'un peu de nostalgie « Petite maison dans la prairie » pour certains. En été surtout, et en particulier autour du 4 juillet, des animations diverses sont organisées le week-end.

DÉBARQUÉ LES PIEDS DEVANT

On donna le surnom de coffin ships *(« bateaux-cercueils ») aux bateaux à voile qui embarquaient des centaines de candidats irlandais pour le Nouveau Monde. Malheureusement, ce surnom n'avait pas qu'un sens figuré, relatif à l'aménagement en caveau étriqué des cales où s'entassaient les passagers, dans des conditions indignes même pour du bétail. Souvent affaiblis dès avant le départ, jusqu'à un tiers des candidats à l'émigration succombaient de maladies ou de malnutrition pendant les 6 à 12 semaines de traversée.*

LES SPERRIN MOUNTAINS (NA SPEÍRÍNÍ)

Contenues dans le quadrilatère Omagh, Strabane, Magherafelt et Cookstown, ces montagnes s'étendent sur 60 km environ d'est en ouest.
On raconte qu'en 1609, quand quatre Londoniens arrivèrent en Ulster pour évaluer l'opportunité d'y investir des capitaux, leur guide reçut l'ordre formel d'éviter les Sperrin, de peur que ces collines tourbeuses et peu hospitalières ne les incitent à renoncer à leur projet... Si l'anecdote peut correspondre à une première impression des Sperrin, autant savoir que beaucoup de connaisseurs, au rang desquels le poète Seamus Heaney, Prix Nobel de littérature en 1995, louent leur beauté avec enthousiasme. En effet, malgré

leur altitude modeste culminant à 720 m, elles présentent cent visages pour qui prend le temps de les sillonner. Innervées par un fouillis d'adorables petites routes, les Sperrin attirent randonneurs et cyclistes mais aussi des automobilistes, en quête d'apaisement et de dépaysement. S'il convient de se méfier de l'hiver, austère avec ses bruyères roussies, parions que ce drôle de coin laissera de beaux souvenirs à tous ceux qui s'y frotteront.

Arriver – Quitter

En bus

Sperrin Rambler : *autre nom de la ligne n° 403 d'**Ulsterbus.*** Tte l'année, lun-sam 2 bus/j. Circule entre Omagh et Magherafelt par le cœur des Sperrin, via Gortin, Plumbridge et Draperstown.

Adresses et infos utiles

En plus de celui d'Omagh, 3 offices du tourisme renseignent sur la zone des Sperrin :

Cookstown Tourist Information Centre : *Burn Rd. ☎ 86-76-99-49. Ouv : juin-sept lun-sam 9h-17h et, juil-août slt, dim 14h-16h ; oct-mai, lun-sam 9h-17h (sam 16h).*

Magherafelt Tourist Information Centre : *Bridewell Centre, 6, Church St. ☎ 79-63-15-10. Ouv tte l'année, tlj sf dim 9h30-17h30 (sam 17h).*

Strabane Tourist Information Centre : *Alley Arts and Conference Centre, 1 A, Railway St. ☎ 71-38-44-44. Ouv tte l'année, lun-sam 9h-17h.*

– ***Site Internet :*** *• sperrinstourism.com •* Regorge d'infos pratiques et d'itinéraires pour sillonner les Sperrin à pied, à vélo ou en voiture.

– ***Carte Discovery Series n° 13 :*** sous peine de ne voir que les « grandes » routes, cette carte ou une équivalente au 1/50 000 s'avère indispensable pour affiner ses balades.

Où dormir ? Où manger dans la région ?

Camping

Sperrin Mountain Caravan Park : *1, Lisnaharney Rd, **Omagh.** 078-139-575-63. À env 10 km au nord d'Omagh par la B 48, avt le village de Gortin. Ouv Pâques-sept. Compter 12 £ pour 2 pers avec tente et voiture.* En face du *Gortin Glen Forest Park* qui, en plus d'une faune abondante, comporte plusieurs promenades fléchées ainsi qu'un Scenic Drive de 5 miles *(tlj 10h-coucher du soleil, 3 £/voiture),* ce camping propose un agréable cadre boisé, avec un ruisseau en contrebas. Bien aménagé : douches, barbecue, et même un billard.

De bon marché à prix moyens (moins de 60 £ / 72 €)

Gortin Accomodation : *62, Main St, **Gortin.** ☎ 81-64-83-46. • gortin.net • À côté du centre municipal. Réception 9h30-12h30, 13h30-15h30. Dortoir 6 lits avec sdb, 15 £/pers ; familiale avec sdb, env 45 £. Selon saison, maison équipée 4-6 pers à partir de 75 £ ; réduc à partir de la 2e nuit. Pas de petit déj.* Structure caritative gérée par le village, la partie *hostel* consiste en 4 dortoirs aux lits superposés et 4 chambres familiales (lit double et 2 simples). Cuisine et salon à se partager, machine à laver. La section *Houses* rassemble 4 maisons entièrement équipées (cuisine, salle de bains avec w-c séparés, cheminée et chauffage central, TV, salon). Si on préfère *An Creagán Center* pour les maisons, le lieu est idéal pour les petits budgets et les non-motorisés puisque pubs, restos et parc forestier du village sont tout proches.

An Creagán Center & An Clachan Cottages : *à **Creggan,** 20 km à l'ouest d'Omagh par l'A 505, direction Cookstown. ☎ 80-76-11-12. • an-creagan.com • Ouv tte l'année. Selon saison et taille (2-6 pers), prévoir 15-35 £/pers et par j. Petit déj non compris. W-e, séjour 2 j. min. Réduc à partir de la 3e nuit.* Coffee shop : *lun-sam 10h-17h. Resto : ouverture très variable selon saison, w-e jusqu'à*

21h normalement ; plusieurs formules menus selon les jours, compter 10-15 £. 📶 *(au centre).* Au pied des Sperrin, ***An Creagán Center*** leur est entièrement dévoué. On y trouve un café-resto bienvenu, parfait pour les petits déj, voire les repas, un modeste centre d'interprétation (environnement, histoire et culture régionale) et on profite d'occasionnels concerts folk. Attenant, ***An Clachan Cottages*** rassemble 8 charmants cottages. Tous différents et comptant de 1 à 3 chambres, ils sont construits à l'ancienne et éco-respectueux (panneaux solaires, poêle spécial) sans négliger la modernité et le confort : cuisine entièrement équipée, salon cosy avec sofa convertible et chauffage central si nécessaire, TV et téléphone. Rajoutons des sentiers à travers tourbières et forêt : voici une base parfaite pour explorer les Sperrin en famille !

The Flax Mill and Weaving Mill : *consulter la rubrique « À voir ». Ouv mars-oct. Sur résa préalable slt. Env 8 £/pers en dortoir. Pas de petit déj mais possibilité d'utiliser la cuisine.* Marian et Herman peuvent arranger la nuitée en dortoir dans cette bâtisse au moins tricentenaire qui abritait autrefois une petite fabrique de lin. Pour le charme de l'authentique et du rustique pur en pleine campagne, pas pour ceux qui aiment leur petit confort.

À voir. À faire

➢ ***Découverte des Sperrin :*** outre les itinéraires « classiques » indiqués sur les brochures, sites internet et par des panneaux sur les routes, on vous propose une balade automobile plaisante. Compter une demi-journée, arrêts inclus, à partir de Gortin.

– Quitter Gortin par la B 46 vers Carrickmore et tourner à gauche à 4 km au panneau « Barnes Gap Scenic Route ». Via le *gap* (trouée) en question, la route débouche dans la Glenelly Valley et musarde, très étroite, sinueuse et encombrée de moutons ! Alternance de bosquets de pins, de *glens* ombragés et de gras pâturages. Une fois sur l'une ou l'autre des petites routes carrossables, l'essentiel est de bifurquer à droite et Draperstown (soit vers l'est) dès que l'on rencontre la B 47. Arrivé à Cranagh, il faut quitter cette route pour s'engager vers le nord et les hauteurs. Pas de panneau mais il est impossible de se tromper puisque la route s'engage bientôt à l'assaut de Sawel Pass, à travers un paysage de landes désolées et de tourbières d'une austérité totale. De l'autre côté, se diriger vers Dungiven avant de reprendre la direction de Draperstown vers le sud, pour traverser la lande jusqu'à Moneyneany puis The Six Towns. Au retour vers Glenhull, faire un crochet par les cercles de pierres de Beaghmore (voir ci-dessous) puis suivre le fléchage « Glenhull Scenic Route » pour revenir à Gortin en surplombant la vallée d'Owenkillew.

➢ ***L'Ulster Way :*** le célèbre sentier de rando traverse les Sperrin de part en part, de la forêt de Baronscourt à celle de Gortin Glen, puis en franchissant le Barnes Gap et en suivant la Glenelly Valley, qui passe au pied du mont Sawel.

Beaghmore Stone Circles *(cercles de pierres de Beaghmore)* ***:*** *en marge de l'A 505, près du* ***Davagh Forest Park.*** En pleine lande, dans un paysage assez rude, les sept remarquables cercles de pierres, quelques cairns et rangées de pierres qui composent ce site remontent au début de l'âge du bronze, soit de 2000 à 1200 av. J.-C. Autrefois enfouis sous la tourbe, ils furent découverts dans les années 1940. Un des cercles, rempli de 800 petites pierres, est connu sous le nom de « dents du Dragon ». Leur origine donne toujours lieu à diverses interprétations : point de rencontre social ou religieux, lié aux solstices, observatoire astronomique ?

The Flax Mill and Weaving Mill : *Mill Lane,* ***Derrylane.*** ☎ *77-74-26-55.* • *flaxmill-textiles.com* • *Au nord des Sperrin : depuis l'A 6 en allant de Derry à*

Belfast, tourner à gauche peu avt Dungiven, vers Limavady et la vallée de la Roe, puis encore à gauche (Altmover Rd) après 2 km, et enfin dans la 1re à droite (pas de panneau). Couple d'Allemands très écolos et sympas, Marian et Herman sont installés là depuis deux décennies. Madame tisse lin et laine à l'ancienne, sur un vieux métier ; Monsieur organise la vente de la production et tous deux ont la volonté farouche de faire renaître la filière irlandaise du lin. Car ce que vous trouverez dans les boutiques ne vient probablement pas du pays... Marian vous montrera volontiers sa technique et ses travaux. Articles en vente sur place, dont des pulls de très bonne qualité. Que ceux qui ne passent pas par ici se rassurent, *Flax Mill* possède un stand au marché Saint-Georges de Belfast. Passez-y le bonjour à Herman !

Près du Lough Neagh

La région du Lough Neagh est riche de sites historiques, parmi lesquels nous avons aimé :

Wellbrook Beetling Mill : 20, Wellbrook Rd, **Corkhill.** ☎ 86-74-82-10. • ntni.org.uk • *6 km à l'ouest de Cookstown, par l'A 505. Juil-août, jeu-dim 14h-17h ; sept, w-e slt 14-17h. Fermé oct-fév. Entrée 4 £ ; réduc.* Datant de 1830, c'est le seul moulin hydraulique conçu pour marteler les tissus de lin qui fonctionne encore. À l'époque, les femmes filaient et les hommes tissaient. La démonstration vous laissera muet... ou plutôt sourd, tant elle fait de vacarme ! Le moulin resta en activité jusqu'en 1961.

Ardboe Cross *(croix d'Ardboe)* **:** *à* ***Ardboe,*** *sur la rive orientale du Lough Neagh, à 4 km de Cookstown par la B 73.* Très belle croix du Xe s sculptée de nombreuses scènes bibliques : Ancien Testament côté cimetière, Nouveau Testament de l'autre. Site agréable, avec les ruines d'une abbaye et une belle vue sur cette mer intérieure qu'est le *lough.* Attention, par moments, le coin est infesté de *midges.*

les ROUTARDS sur la FRANCE 2013-2014

(dates de parution sur • ***routard.com*** •)

DÉCOUPAGE de la FRANCE par le *ROUTARD*

Autres guides nationaux

- Les grands chefs du routard
- Nos meilleures chambres d'hôtes en France
- Nos meilleurs campings en France
- Nos meilleurs hôtels et restos en France
- **Nos meilleurs sites pour observer les oiseaux en France (octobre 2012)**
- Tourisme responsable

Autres guides sur Paris

- Paris
- Paris à vélo
- Paris balades
- Restos et bistrots de Paris
- Le Routard des amoureux à Paris
- Week-ends autour de Paris

les ROUTARDS sur l'ÉTRANGER 2013-2014

(dates de parution sur • ***routard.com*** •)

Europe

Pays européens

- Allemagne
- Andalousie
- Angleterre, Pays de Galles
- Autriche
- Baléares
- Belgique
- Budapest, Hongrie
- Catalogne (+ Valence et Andorre)
- Crète
- Croatie
- Danemark, Suède
- Écosse
- Espagne du Nord-Ouest (Galice, Asturies, Cantabrie)
- Finlande
- Grèce continentale
- Îles grecques et Athènes
- Irlande
- Islande
- Italie du Nord
- Italie du Sud
- Lacs italiens
- Madrid, Castille (Aragon et Estrémadure)
- Malte
- Norvège
- Pologne
- Portugal
- République tchèque, Slovaquie
- Roumanie, Bulgarie
- Sardaigne
- Sicile
- Suisse
- Toscane, Ombrie

Villes européennes

- Amsterdam et ses environs
- Barcelone
- Berlin
- Bruxelles
- **Copenhague (mai 2013)**
- **Dublin (novembre 2012)**
- Florence
- Lisbonne
- Londres
- **Milan (décembre 2012)**
- **Moscou (avril 2013)**
- Prague
- Rome
- **Saint-Pétersbourg (avril 2013)**
- **Stockholm (mai 2013)**
- Venise
- **Vienne (mars 2013)**

Amériques

- Argentine
- Brésil
- Californie
- Canada Ouest
- Chili et île de Pâques
- Équateur et les îles Galápagos
- États-Unis Nord-Est
- Floride
- Guatemala, Yucatán et Chiapas
- Louisiane et les villes du Sud
- Mexique
- **Miami (octobre 2012)**
- **Montréal (mars 2013)**
- New York
- Parcs nationaux de l'Ouest américain et Las Vegas
- Pérou, Bolivie
- Québec, Ontario et Provinces maritimes

Asie

- Bali, Lombok
- **Bangkok (octobre 2012)**
- Birmanie (Myanmar)
- Cambodge, Laos
- Chine
- Inde du Nord
- Inde du Sud
- Israël, Palestine
- Istanbul
- Jordanie
- Malaisie, Singapour
- Népal, Tibet
- **Shanghai (avril 2013)**
- Sri Lanka (Ceylan)
- Thaïlande
- Tokyo, Kyoto et environs
- Turquie
- Vietnam

Afrique

- Afrique de l'Ouest
- Afrique du Sud
- Égypte
- Kenya, Tanzanie et Zanzibar
- Maroc
- Marrakech
- Sénégal, Gambie
- Tunisie

Îles Caraïbes et océan Indien

- Cuba
- Guadeloupe, Saint-Martin, Saint-Barth
- Île Maurice, Rodrigues
- Madagascar
- Martinique
- République dominicaine (Saint-Domingue)
- Réunion

Guides de conversation

- Allemand
- Anglais
- Arabe du Maghreb
- Arabe du Proche-Orient
- Chinois
- Croate
- Espagnol
- Grec
- Italien
- Japonais
- Portugais
- Russe
- G'palémo (conversation par l'image)

TBWA\CORPORATE\NON PROFIT - Espace offert par le Guide du Routard

Cour pénale internationale :
face aux dictateurs et aux tortionnaires,
la meilleure force de frappe,
c'est le droit.

L'impunité, espèce en voie d'arrestation.

Fédération Internationale des ligues des droits de l'homme.

Dénicheur de talents !

18.80 €

- Plus de 600 adresses avec des photos
- Plein de menus à moins de 30 €

hachette
TOURISME

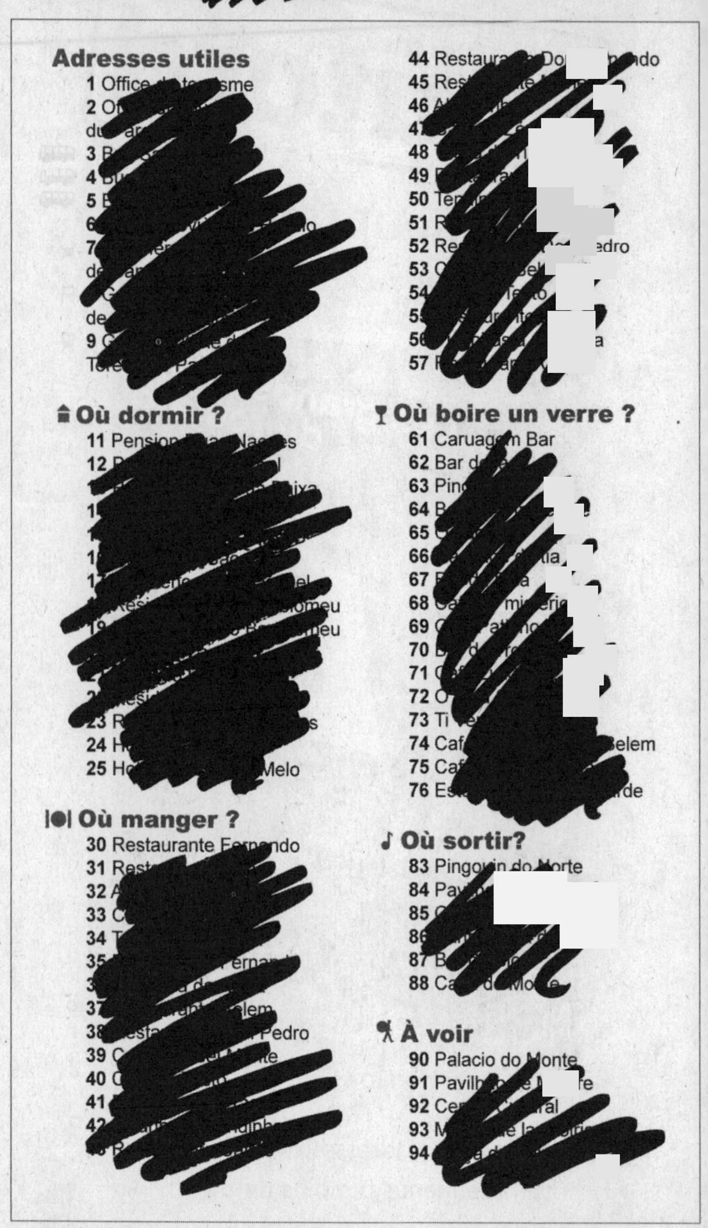

Adresses utiles

1 Office de tourisme

44 Restaurante Do...ndo

Où dormir ?

11 Pension ...

Où boire un verre ?

61 Caruagem Bar

Où manger ?

30 Restaurante Fernando

Où sortir?

83 Pingouin do Norte

À voir

90 Palacio do Monte

REPORTERS SANS FRONTIERES
POUR LA LIBERTE DE LA PRESSE
www.rsf.org

N'ATTENDEZ PAS QU'ON VOUS PRIVE
DE L'INFORMATION POUR LA DÉFENDRE

Pour plus d'informations : Tél. : 01 44 63 51 00*
Fax : 01 42 80 41 57- www.avi-international.com

routard assurance

Voyage de moins de 8 semaines en Union Européenne

RÉSUME DES GARANTIES*	MONTANT MAXIMUM DES GARANTIES
FRAIS MÉDICAUX MONDE SAUF EUROPE (pharmacie, médecin, hôpital)	100 000 € sans franchise
RÉÉDUCATION / KINÉSITHERAPIE / CHIROPRACTIE	Prescrite par un médecin suite à un accident
FRAIS DENTAIRES D'URGENCE	75 €
FRAIS DE PROTHÈSE DENTAIRE	500 € par dent en cas d'accident caractérisé
FRAIS D'OPTIQUE	400 € en cas d'accident caractérisé
FRAIS DE TRANSPORT	
Rapatriement médical et transport du corps	Frais illimités
Visite d'un parent si l'assuré est hospitalisé plus de 5 jours	2 000 €
CAPITAL DÉCES	15 000 €
CAPITAL INVALIDITÉ À LA SUITE D'UN ACCIDENT**	
Permanente totale	75 000 €
Permanente Partielle (application directe du %)	De 1 % à 99 %
BILLET DE RETOUR	
En cas de décès accidentel ou risque de décès d'un parent proche (conjoint, enfant, père, mère, frère, sœur)	Frais nécessaires et raisonnables
ASSURANCE RESPONSABILITÉ CIVILE VIE PRIVÉE	
Dommages corporels garantis à 100 % y compris honoraires d'avocats et assistance juridique accidents	750 000 €
Dommages matériels garantis à 100 % y compris honoraires d'avocats et assistance juridique accidents	450 000 €
Dommages aux biens confiés	1 500 €
AGRESSION (déposer une plainte à la police dans les 24 h)	Inclus dans les frais médicaux
PRÉJUDICE MORAL ESTHÉTIQUE (inclus dans le capital invalidité)	15 000 €
FRAIS DE RECHERCHE ET DE SAUVETAGE	2 000 €
TRANSMISSION DE MESSAGES URGENTS	Mise à disposition
AVANCE D'ARGENT (en cas de vol de vos moyens de paiement)	1 000 €
CAUTION PÉNALE	7 500 €
ASSURANCE BAGAGES	2 000 € (limite par article de 300 €)***

* Nous vous invitons préalablement à souscription à prendre connaissance de l'ensemble des Conditions générales sur www.avi-international.com ou par téléphone au 01 44 63 51 00 (coût d'un appel local).
** 15 000 euros pour les plus de 60 ans.
*** Les objets de valeur, bijoux, appareils électroniques, photo, ciné, radio, cassettes, instruments de musique, jeux et matériel de sport, embarcations sont assurés ensemble jusqu'à 300 €.

PRINCIPALES EXCLUSIONS* (commune à tous les contrats d'assurance voyage)

- Les conséquences d'évènements catastrophiques et d'actes de guerre,
- Les conséquences de faits volontaires d'une personne assurée,
- Les conséquences d'événements antérieurs à l'assurance,
- Les dommages matériels causés par une activité professionnelle,
- Les dommages causés ou subis par les véhicules que vous utilisez,
- Les accidents de travail manuel et de stages en entreprise (sauf avec les Options Sports et Loisirs, Sports et Loisirs Plus),
- L'usage d'un véhicule à moteur à deux roues et les sports dangereux : surf, rafting, escalade, plongée sous-marine (sauf avec les Options Sports et Loisirs, Sports et Loisirs Plus).

Devoir de conseil : AVI International - S.A.S. de courtage d'assurances au capital de 100 000 euros - Siège social : 106-108, rue la Boétie, 75008 Paris - RCS Paris 323 234 575 - N° ORIAS 07 000 002 (www.orias.fr) - Le nom des entreprises avec lesquelles AVI International travaille peut vous être communiqué à votre demande. AVI International est soumise à l'Autorité de Contrôle Prudentiel (ACP) 61 rue Taitbout 75436 Paris Cedex 09. En vue du traitement d'éventuels différends, vous pouvez formuler une réclamation par courrier simple à AVI International et si le conflit persiste auprès de l'ACP.
Vos besoins sont de bénéficier d'une assurance voyage. Nous vous conseillons l'adhésion aux contrats d'assurances collectifs à adhésion facultative n° FR32/332.335 ou n° FR32/335.370 souscrits par l'association ISTEC auprès de ACE EUROPEAN GROUP Direction Générale pour la France de la société de droit anglais - ACE EUROPEAN GROUP LTD - Société au capital de 544 741 144 £ - RCS Nanterre B N°450327374 - Le Colisée - 8 avenue de l'Arche - 92419 Courbevoie Cedex.

Souscrivez en ligne sur www.avi-international.com

assurance **routard** WEEK-END & VOYAGES

Pour plus d'informations : Tél. : 01 44 63 51 00*
Fax : 01 42 80 41 57- www.avi-international.com

routard assurance

Voyage de moins de 8 semaines en Union Européenne

INTERNATIONAL
L'Assurance Voyage

assurance **routard** WEEK-END & VOYAGES

> Lieu de couverture : tout pays en dehors du pays de résidence habituelle.
> Nationalité de l'assuré : toutes nationalités.
> Durée de la couverture : 8 semaines maximum.

Pour un voyage de moins de 8 semaines "ROUTARD ASSURANCE"

> Tarif "INDIVIDUEL"
> Tarif "FAMILLE"**
(De 4 à 7 personnes - jusqu'à 60 ans)
> Tarif "SENIOR"
(De 61 ans à 75 ans)

Pour un voyage jusqu'à 8 jours dans l'Union Européenne
"ROUTARD LIGHT"

Souscrivez en ligne sur www.avi-international.com

assurance marco polo VOYAGES & TOUR DU MONDE

> Lieu de couverture : tout pays en dehors du pays de résidence habituelle.
> Nationalité de l'assuré : toutes nationalités.
> Durée de la couverture : 2 mois minimum à 1 an (renouvelable).

Pour un voyage de plus de 2 mois "MARCO POLO"

> Tarif "INDIVIDUEL"
(jusqu'à 60 ans)
> Tarif "FAMILLE"**
(De 4 à 7 personnes maximun - jusqu'à 60 ans)
> Tarif "SENIOR"
(de 61 ans à 75 ans)

Souscrivez en ligne sur www.avi-international.com

assurance working holiday VOYAGES ET TRAVAIL POUR JEUNES

> Nationalité de l'assuré : toutes nationalités.
> Durée de la couverture : 12 mois maximum.

Pour un voyage/travail de 12 mois "WORKING HOLIDAY VISA-PVT"

NOUVEAUTÉ

> Jusqu'à 35 ans
> Destinations :

- Canada
- Australie
- Nouvelle-Zélande
- Argentine
- Singapour
- Japon
- Corée du Sud
- Taïwan

Souscrivez en ligne sur www.avi-international.com

* Nous vous invitons préalablement à souscription à prendre connaissance de l'ensemble des Conditions générales sur www.avi-international.com ou par téléphone au 01 44 63 51 00 (coût d'un appel local).
** Une famille est constituée de 2 conjoints de droit ou de fait ou toutes autres personnes liées par un Pacs, leurs enfants célibataires âgés de moins de 25 ans vivant à leur domicile et fiscalement à leur charge. Par ailleurs, sont également considérés comme bénéficiaires de l'option Famille, les enfants de couples divorcés s'ils sont fiscalement à charge de l'autre parent.

Disponible
sur iPhone

Pour vous faire
comprendre partout
dans le monde !

Achetez
l'application sur
l'App Store
2,99 €

INDEX GÉNÉRAL

A

B

C

D

E-F

G

H-I-J

K

L

M

N-O

INDEX GÉNÉRAL

P

Q-R

S

T

U-V-W-Y